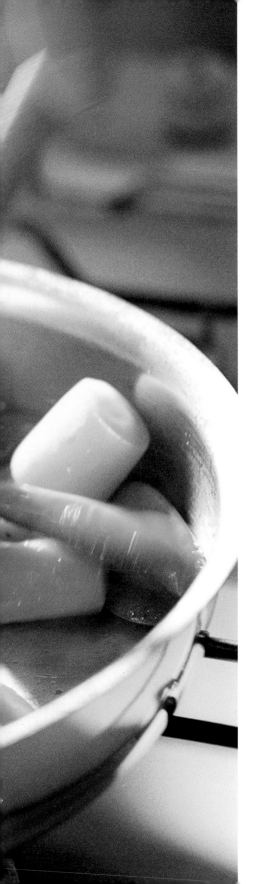

Bien manger
pour mieux vivre

Lisa Hark
et Dr Darwin Deen

Préface
d'Isabelle Huot
docteure en nutrition

TRÉCARRÉ
QUEBECOR MEDIA

L'édition originale de cet ouvrage a été publiée en 2005 sous le titre *Nutrition for Life*
par Dorling Kindersley
80 Strand London WC2R 0RL
Penguin Company
© 2005 Dorling Kindersley
© 2005 Texte, Lisa Hark and Darwin Deen
Lisa Hark et Darwin Deen affirment être les auteurs de cet ouvrage.
ISBN 1-4053-0306-9

Édition française, France, 2006
Publiée par Pearson Pratique 47 bis, rue des Vinaigriers 75010 Paris
ISBN : 2-7440-6134-4
Copyright © 2006
Pearson Pratique est une marque de Pearson Education France
Tous droits réservés

Traduction : Caroline Roptin
Exécution graphique : Alain Taubes
Réalisation : Atelier Sacha Kleinberg

© 2006, Editions du Trécarré pour l'édition en langue française au Canada
7, chemin Bates, Outremont (Québec) H2V 4V7 Canada
Tél. : (514) 849 5259
ISBN : 2-89568-305-0
Exécution graphique : Christian Campana

Les Éditions du Trécarré remercient la Société de développement des entreprises
culturelles du Québec (SODEC) du soutien accordé à son programme de publication.
Gouvernement du Québec – Programme de crédit d'impôt pour l'édition de livres – gestion SODEC.

Dépôt légal 2005
Bibliothèque nationale du Québec

Imprimé à Singapour

Note de l'éditeur

Les informations contenues dans ce livre ont été soigneusement vérifiées. Elles s'adressent à une majorité de personnes mais ne sont pas systématiquement applicables à chaque cas individuel. C'est pourquoi nous conseillons au lecteur de demander un avis médical pour toute information plus précise sur des questions de santé. Ne reportez ni n'interrompez jamais un traitement médical suite à la lecture de cet ouvrage. Les citations de produits, de traitements ou d'organismes figurant dans ce livre n'impliquent pas l'approbation des auteurs ni de l'éditeur. De même, toute omission n'implique pas leur réprobation à l'égard d'un produit, d'un traitement ou d'un organisme. Les auteurs et l'éditeur ne sont pas responsables légalement en cas d'accidents, de dommages ou de pertes survenant à la suite de l'application des informations et des conseils donnés dans ce livre.

NB : les recettes indiquées dans cet ouvrage sont conçues pour des personnes en bonne santé et ne souffrant pas d'allergies alimentaires.

TRÉCARRÉ
QUEBECOR MEDIA

Sommaire

Une nouvelle hygiène de vie   10

Se nourrir pour vivre   32

Une alimentation saine   68

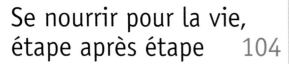

Se nourrir pour la vie, étape après étape   104

La vérité sur les régimes   156

Se nourrir pour guérir 210

Faire les courses 272

Analyse nutritionnelle 294

Préface

La nutrition est un des domaines où la science a le plus évolué depuis les trente dernières années. Au cœur de la santé, une saine alimentation permet non seulement d'être au maximum de sa forme mais également de prévenir la maladie. Encore faut-il définir les bases de la saine alimentation avec suffisamment de clarté pour que le consommateur s'y retrouve. Un mandat rempli avec brio par le tandem Lisa Hark-Darwin Deen, deux scientifiques américains qui ont à cœur la promotion de la saine alimentation. À tous les âges de la vie, des conseils nutritionnels spécifiques sauront optimiser la santé. Que l'on soit jeune ou âgé, sédentaire ou athlétique, que l'on ait ou non des problèmes de santé, on tire profit d'une alimentation gagnante.

En critiquant de façon judicieuse les méthodes d'amaigrissement les plus populaires au Canada et aux États-Unis, les auteurs rendent service aux nutritionnistes qui dénoncent ces régimes déséquilibrés qui ne font qu'aggraver le problème d'obésité dans notre société. Outre la gestion du poids, l'ouvrage aborde plusieurs maladies pour lesquelles la nutrition joue un rôle préventif et curatif. «Que l'aliment soit ton médicament», cette célèbre maxime d'Hippocrate n'aura jamais eu autant d'appui qu'en ce XXIe siècle. Cancer, ostéoporose, maladies cardiaques, diabète… autant de maladies pour lesquelles un meilleur équilibre alimentaire est bénéfique. Pour que les aliments aient des vertus préventives, il faut non seulement apprendre à bien les sélectionner, à bien les conserver, à utiliser des modes de préparation sains, mais aussi à les savourer pleinement. En fournissant des outils pratiques et en répondant aux préoccupations des consommateurs, *Bien manger pour mieux vivre* s'avère un précieux guide de référence pour toute la famille.

ISABELLE HUOT,
docteure en nutrition et chroniqueuse
dans les médias écrits et télévisuels

Introduction

La publication de cet ouvrage, *Bien manger pour mieux vivre*, a lieu au moment où les problèmes de surpoids et d'obésité atteignent, dans les pays industrialisés, des proportions épidémiques, qui surpassent, par leur ampleur, les problèmes de sous-nutrition et de maladies infectieuses dans le monde. L'Organisation mondiale de la Santé estime à plus de 300 millions le nombre d'adultes obèses dans le monde, dont plus d'un tiers souffre de problèmes médicaux associés à l'obésité : maladies cardio-vasculaires, cancers et diabète.

L'alimentation et le mode de vie jouent un rôle indéniable, de la naissance au grand âge. L'objectif de ce livre est de montrer comment on peut améliorer sa santé, pas à pas, en adaptant son alimentation à des besoins qui changent à chaque étape de sa vie. Cet ouvrage donne des réponses essentielles aux questions que se posent ceux qui souhaitent prendre soin de leur santé et de leur forme.

Bien manger pour mieux vivre est là pour vous encourager à identifier ce que vous pouvez améliorer dans votre hygiène de vie et pour vous aider à réaliser ces changements en profondeur et durablement, que vous soyez célibataire, marié, que vous ayez ou non des enfants, que vous soyez malade ou que vous ayez simplement envie de vous sentir bien dans votre peau.

LISA A. HARK,
médecin nutritionniste de l'école
de médecine de l'université de
Pennsylvanie, Philadelphie.

DARWIN DEEN,
médecin et diplômé es Sciences
Université de médecine
Albert Einstein, New York.

Une nouvelle hygiène de vie

Lorsque l'on décide de mener une vie plus saine, on commence souvent par modifier son alimentation. Mais il faut savoir identifier ses vraies motivations et déterminer si les changements entrepris sont bien adaptés. Voici, dans ce chapitre, les points sur lesquels il est important que vous vous penchiez si vous voulez vraiment changer de mode de vie.

L'équilibre énergétique

Bien se nourrir et se dépenser pour vivre longtemps et en pleine forme.

Vous êtes ce que vous mangez. Tout ce que vous ingurgitez a un impact sur les fonctions de votre organisme. Tout comme votre corps évolue, vos besoins nutritionnels varient en fonction des différentes périodes de votre existence.

Connaître ses besoins

Le lien entre l'alimentation et la santé est évident : pour fonctionner et se développer correctement, le corps a besoin des nutriments, que sont les glucides, les protéines, les lipides, les fibres et l'eau, ainsi que de vitamines et de sels minéraux *(voir Se nourrir pour vivre, p. 32-67)*.

Non seulement ces nutriments permettent à l'organisme de fonctionner, mais ils peuvent aussi améliorer votre état de santé et vous protéger de nombreuses maladies. De plus, manger correctement est source de bien-être et participe à la lutte contre le stress.

Vous nourrissez-vous sainement ?

Une alimentation carencée ou, au contraire, trop abondante en certains nutriments entrave le bon

Cinq par jour Cinq portions quotidiennes de fruits et de légumes apportent la quantité de vitamines et de nutriments nécessaire à la santé.

Les principes d'une bonne alimentation

Pour fonctionner correctement, l'organisme a besoin de nutriments essentiels qui proviennent des fruits, légumes, légumineuses, céréales complètes, produits laitiers, viandes maigres, poissons et coquillages et des « bonnes » huiles, comme l'huile d'olive.

Les aliments contiennent deux sortes de nutriments : les macronutriments et les micronutriments. Les macronutriments, qui comprennent les protéines, les glucides et les lipides, constituent la base de notre alimentation et fournissent de l'énergie.

Les vitamines et les sels minéraux constituent, eux, les micronutriments. Leur rôle est crucial dans tous les processus et fonctions de l'organisme.

La plupart des aliments contiennent divers macro et micronutriments. D'où l'intérêt d'avoir une alimentation variée pour que tous les besoins de l'organisme soient satisfaits.

fonctionnement de l'organisme et vous expose à des problèmes dans le futur. Il existe, par exemple, une forte corrélation entre une consommation excessive de graisses animales et les maladies cardio-vasculaires *(voir p. 214)*, ou entre une carence en calcium et l'ostéoporose *(voir p. 240)*.

L'équilibre énergétique

La stabilité du poids passe par l'équilibre entre l'énergie que l'on consomme et celle que l'on dépense dans la vie quotidienne.

Or, on mène souvent une vie trop sédentaire, dans laquelle on ne se dépense pas suffisamment. On risque alors de prendre du poids, voire de devenir obèse. Sans comp-

En pleine forme Un régime alimentaire adapté à nos dépenses énergétiques et à notre style de vie procure à la fois santé et bien-être.

ter les maladies dont le surpoids peut encourager le développement, comme le diabète, les maladies cardio-vasculaires, les cancers et les problèmes d'articulations.

Mais l'inverse est également vrai : si l'on dépense davantage d'énergie que l'on n'en consomme, on maigrit. C'est le postulat de base de tous les régimes amaigrissants *(voir p. 162-197)*. Or, la maigreur a également des conséquences non négligeables sur notre état de santé *(voir p. 208-209)*.

Menez-vous une vie saine?

Ce chapitre est consacré à la santé, à l'alimentation, à l'exercice physique et au poids. Si vous mangez équilibré et que vous faites du sport, bravo! Si ce n'est pas le cas, ces pages vous aideront à faire le point sur votre situation et à identifier ce qu'il faut mettre en œuvre pour être à la fois en bonne santé et en pleine forme.

Alimentation et énergie

Notre corps dépense de diverses façons l'énergie qui est indispensable à sa survie et qu'il reçoit de l'alimentation : une partie de cette énergie est employée au cours d'activités souvent inconscientes et involontaires mais absolument vitales, comme l'activité cardiaque ou respiratoire. L'autre partie de l'énergie dépensée sert à toutes les activités conscientes que nous exerçons chaque jour, des plus sédentaires – lire, regarder la télévision – aux plus sportives. Nous dépensons de l'énergie en permanence, même pour penser et dormir.

Au cours de certaines périodes de la vie, comme l'enfance, les mois de grossesse et d'allaitement, les compétitions sportives, ou dans certaines circonstances, telles la maladie et la convalescence, notre corps a besoin de plus

d'énergie. Lors des suites d'interventions chirurgicales ou d'accidents, l'organisme doit se reconstruire, et les dépenses énergétiques sont décu-

plées. Si votre alimentation n'est pas adaptée à cette demande accrue d'énergie, le corps mettra davantage de temps pour assurer ou recouvrer ses

L'équilibre énergétique La santé passe par l'équilibre entre l'énergie que nous apporte l'alimentation et celle que nous dépensons.

Votre mode de vie

Les premiers pas vers une vie plus saine.

L'objectif de cet ouvrage est de vous faire prendre conscience du lien qui existe entre votre alimentation et votre bien-être et de vous aider à trouver des moyens de vivre sainement et en pleine forme.

Pour commencer, nous vous invitons à observer de plus près votre hygiène de vie actuelle et à examiner, en particulier, votre façon de vous nourrir (ce que vous mangez, en quelles quantités, le nombre de repas que vous prenez par jour…).

Puis, vous pourrez considérer d'autres aspects de votre style de vie, votre activité physique, par exemple : vous rendez-vous à pied à sur votre lieu de travail ? Faites-vous régulièrement du sport ? Enfin, il s'agira de prendre en compte tous les autres facteurs qui, jour après jour, ont une influence sur votre état de santé, comme votre consommation de tabac ou d'alcool.

Faites le point

Après avoir réfléchi sur ces sujets, répondez au questionnaire de la page 21. Il vous permettra de déterminer dans quels domaines vous pouvez envisager des changements.

Bougez ! L'exercice est essentiel pour notre santé et pour notre bien-être. Essayez d'intégrer une activité régulière à vos habitudes.

Combien de repas par jour ?

Faites-vous trois repas par jour ? En réalité, peu importe la réponse. Chacun, en effet, a une horloge biologique et des besoins qui lui sont propres. Cela dit, il semble que faire trois repas par jour soit la façon la plus saine de fournir à l'organisme les calories dont il a besoin tout au long de la journée. Des études montrent que les personnes qui prennent moins de trois repas par jour ont tendance à ingurgiter une plus grande quantité de calories, en particulier de matières grasses. Si vous vous contentez de deux repas quotidiens, veillez à prendre un petit déjeuner *(voir encadré)* et à ne pas dîner trop tard. Attention aux enfants, dont l'apport calorique doit être régulier toute la journée.

Des repas réguliers Prendre trois repas équilibrés par jour fournit à votre corps les nutriments dont il a besoin tout au long de la journée.

Sauter le petit déjeuner ?

Le petit déjeuner est un repas important, qui met un terme à une nuit de jeûne et vous donne l'énergie pour bien démarrer la journée. En mangeant le matin, vous serez calé et aurez moins tendance à vous jeter sur un en-cas, souvent trop gras, pour tenir jusqu'au déjeuner.

• Un petit déjeuner rapide et équilibré peut se composer d'un bol de céréales complètes et de fruits frais ou secs avec du lait (demi-écrémé, écrémé ou de soja).

• Si vous avez le temps, mangez une omelette ou des œufs brouillés avec des toasts de pain complet.

• Si vous avez envie de douceur, mixez une banane ou des fruits rouges dans un yaourt, du lait ou du jus de fruit.

• Si vous êtes très pressé, emportez un fruit (une pomme ou une banane), des fruits secs et des graines, ou un yaourt au lait écrémé.

Les en-cas

Tout le monde ne peut pas faire trois repas par jour, et beaucoup d'entre nous se rabattent sur des en-cas pris tout au long de la journée. Si c'est votre cas, faites attention à ce que vous mangez et à ce qui vous pousse à manger : est-ce la faim ou l'envie de grignoter *(voir encadré)*?

Si vous avez vraiment faim, prenez un en-cas équilibré qui vous fera patienter sainement jusqu'au prochain repas et vous coupera l'envie de vous jeter sur n'importe quel aliment. Vous pouvez ainsi manger des fruits frais ou secs, des légumes crus, un yaourt écrémé, des galettes de riz avec des oléagineux ou des graines. Ayez toujours un en-cas sain à portée de main, à la maison, au bureau ou en déplacement.

Les en-cas sont particulièrement importants pour les enfants, dont le petit estomac a besoin d'être régulièrement rempli d'aliments sains et nourrissants nécessaires au maintien de leur niveau d'activité. La plupart des en-cas du commerce – chips, barres chocolatées, biscuits – contiennent trop de sucre, de sel et de matières grasses, pour une valeur nutritive quasi nulle. Mieux vaut ne les consommer qu'occasionnellement.

Le meilleur moyen de manger équilibré est de manger lorsque vous avez faim et d'arrêter lorsque vous êtes rassasié. Si vous avez envie de manger, demandez-vous d'abord si vous n'avez pas plutôt soif. Un verre d'eau suffit parfois à combler une envie de manger.

Pensez à ce qui a déclenché votre envie : peut-être vous ennuyez-vous. Avez-vous senti ou aperçu un aliment appétissant? Identifiez l'origine de votre envie avant de la satisfaire. Si vous avez envie de chocolat, prenez-en un carré et savourez-le pleinement.

Faim et compulsion

Est-ce la faim ou une envie compulsive qui vous pousse à manger entre les repas ?

La faim C'est la réaction physiologique par laquelle le corps avertit le cerveau qu'il a besoin d'être nourri. Elle se manifeste souvent par des crampes d'estomac ou des borborygmes.

L'appétit Ce désir physique instinctif de nourriture, parfois soumis à des influences extérieures, se manifeste lorsqu'on a faim.

La compulsion C'est un état psychologique déclenché par des influences extérieures (la vue ou l'odeur de la nourriture, des émotions, des habitudes ou l'imagination).

Mangez des fruits et des légumes

Les fruits et les légumes devraient constituer la base de notre alimentation et figurer au menu de chaque repas et de chaque en-cas.

Les végétariens *(voir p. 100-101)* savent depuis longtemps quels bénéfices ils tirent de ces aliments, mais la plupart des gens en consomment encore insuffisamment. Les fruits et les légumes contiennent des nutriments essentiels – vitamines C et B9, fibres et substances phytochimiques –, peu de sodium et pas de matières grasses. Au moins cinq portions par jour préviennent les risques de maladies cardio-vasculaires *(voir p. 214-221)* et de cancer *(voir p. 258-263)*.

On a vérifié que les personnes consommant au moins trois portions par jour étaient moins sujettes aux maladies cardio-vasculaires. Le Fonds mondial de recherche contre le cancer estime, par ailleurs, que la consommation minimale quotidienne de cinq portions permettrait, à elle seule, d'éviter 20 % des cas de cancer. De plus, manger beaucoup de fruits et de légumes est bon pour la ligne : riches en fibres, ils rassasient vite.

Les spécialistes sont donc de plus en plus unanimes : il est indispensable, si l'on veut éviter un certain nombre de maladies graves, être en bonne santé et en pleine forme, de consommer au moins cinq portions de fruits et de légumes par jour. Cela n'est pas très compliqué, une fois que l'on sait qu'une portion équivaut environ à :
- un fruit de taille moyenne (pomme, banane, pêche…);
- 150 ml de jus de fruits ou de légumes ;
- 3 cuillerées à soupe de petits pois ou de carottes ou un bol de salade.
Une banane coupée dans vos céréales, un verre de jus de fruit au petit déjeuner, des carottes crues comme en-cas et des haricots verts et une salade au dîner couvrent ainsi vos besoins.

Des nutriments essentiels Donnez de bonnes habitudes à vos enfants en leur proposant des fruits et des légumes au goûter.

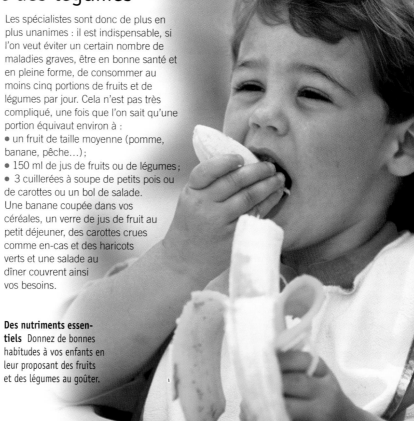

Produits laitiers et calcium

Le lait, les yaourts, le fromage et les autres produits laitiers sont une excellente source de calcium *(voir p. 62)*, le sel minéral le plus présent dans l'organisme, mais aussi celui dont notre alimentation est le plus souvent carencée. La plupart des gens ne consomment pas assez de calcium, ce qui pose problème, en particulier aux adolescents et aux personnes âgées.

DES DENTS ET DES OS SAINS

Le calcium est indispensable à la croissance et à la santé des dents et des os tout au long de la vie. Les besoins en calcium augmentent lors des périodes de croissance intense – dans l'enfance et à l'adolescence –, pendant la grossesse et l'allaitement. Une carence en calcium provoque, à terme, l'ostéoporose, qui fragilise les os et les rend vulnérables aux fractures *(voir p. 241)*. Deux ou trois portions de produits laitiers suffisent à couvrir les besoins journaliers en calcium.

Certains produits laitiers, comme les fromages à pâte dure et le lait entier, contiennent une proportion non négligeable de graisses saturées *(voir encadré)* qui augmentent les risques de troubles cardiaques. D'où l'intérêt de consommer des produits laitiers moins gras *(voir p. 82-83)*.

Mais cela ne signifie pas qu'il faille pour autant vous priver de fromages : il existe aujourd'hui des versions allégées en matières grasses de la plupart des fromages.

Définitions

Les graisses saturées Ces graisses, pour la plupart d'origine animale, sont constituées de chaînes saturées par les atomes d'hydrogène. Consommées en excès, elles augmentent le taux de cholestérol et les risques de maladies cardio-vasculaires.

Les graisses insaturées Les chaînes de ces graisses ne sont pas complètement saturées par l'hydrogène. Les graisses monoinsaturées (huiles d'olive, de colza et de sésame) protègent le système cardio-vasculaire. Les graisses polyinsaturées (huiles de poisson, de tournesol, d'arachide et de maïs) sont indispensables à la croissance, à la structure des cellules et au système immunitaire *(voir p. 38)*.

Poissons et fruits de mer : un choix sain

Tous les produits de la mer sont une excellente source de protéines *(voir p. 44-45)* et de sels minéraux : phosphore et iode *(voir p. 60-67)*. Comme leur teneur en graisses saturées est réduite, ils constituent une bonne alternative aux viandes et aux volailles, plus grasses. Beaucoup de poissons dits « gras », comme le saumon, le maquereau, le hareng, la sardine, l'espadon, le thon frais et la truite, contiennent des acides gras oméga-3 qui exercent une action bénéfique sur le système nerveux et sur l'humeur et/ou réduisent l'inflammation des articulations et des artères. La consommation de poissons gras permet enfin d'abaisser la pression sanguine et le taux de triglycérides *(voir p. 38)* dans le sang, réduisant ainsi également les risques de maladies cardio-vasculaires.

AU MOINS DEUX FOIS PAR SEMAINE

Le message est clair : si ce n'est déjà fait, prenez l'habitude de manger, au moins deux fois par semaine, du poisson (dont du poisson gras au moins une fois par semaine) ou des fruits de mer. Au restaurant, n'hésitez pas à remplacer la viande par du poisson, de préférence grillé et sans beurre plutôt que frit, la friture étant une source supplémentaire de graisses saturées néfastes pour la santé *(voir p. 43)*.

Un choix sain À peine grillés et arrosés d'un filet de citron, les steaks de saumon sont une excellente source de protéines et d'oméga-3.

Les bienfaits de la dinde et du poulet

Excellentes sources de protéines, de vitamines et de sels minéraux, la dinde et le poulet sont également moins riches en graisses saturées que la plupart des viandes rouges. Sachez que le blanc est moins gras que les parties plus foncées des volailles et que le taux de matières grasses augmente sensiblement si vous mangez la peau.

La peau empêche les volailles de se dessécher au cours de la cuisson, mais il est préférable de ne pas la manger. Un morceau de blanc de 150 g, grillé et sans peau, contient 220 calories et 3,3 g de lipides, dont 0,9 g sont saturés. Si vous le mangez avec la peau, le même morceau contiendra 260 calories et 9,6 g de lipides, dont 1,5 g de graisses saturées, pratiquement deux fois plus que le blanc sans peau.

Le poulet à l'orientale Une assiette de blanc de poulet, découpé en lamelles, cuit à la vapeur avec des légumes et du riz, ne contient que très peu de graisses saturées.

La viande rouge

La viande rouge – le bœuf, l'agneau, le mouton, le cheval – est une source importante de protéines, de vitamine B12, de fer et de zinc. Mais elle est également riche en cholestérol et en graisses saturées.

Cela explique que les gros mangeurs de viande rouge sont davantage sujets aux maladies cardio-vasculaires. Une consommation excessive de viande rouge augmente également le risque de cancer du côlon. Le risque diminue dès lors que l'on remplace la viande rouge par de la volaille ou du poisson. C'est pourquoi il vaut mieux manger du poisson, des céréales complètes et des aliments contenant de « bonnes » graisses, que de la viande rouge, des céréales raffinées (voir p. 72-73) et des graisses saturées.

Si vous êtes amateur de viande rouge, choisissez des morceaux maigres, comme le filet ou le rumsteck, restez raisonnable sur les quantités, enlevez le gras avant la cuisson et cuisinez sans matières grasses (voir p. 43).

Les matières grasses

Il existe deux sortes de matières grasses : celles qui se trouvent dans les aliments et celles que l'on ajoute aux aliments en les cuisinant. Les matières grasses sont essentielles à notre santé, encore qu'elles n'aient pas toutes la même valeur sur le plan nutritionnel.

Les graisses saturées, comme le beurre ou le saindoux, augmentent le taux de cholestérol dans le sang et, par là même, les risques de maladies cardio-vasculaires. Les graisses monoinsaturées et polyinsaturées, que l'on trouve dans les huiles de poisson et les huiles végétales, ont, au contraire, un effet très positif sur le système cardio-vasculaire (voir p. 40).

Vous pouvez commencer à remplacer la graisse d'origine animale que vous utilisez dans la cuisine par de l'huile d'olive ou de colza (voir p. 41). Cela dit, n'oubliez pas qu'une cuillerée à soupe d'huile, quelle que soit son origine, contient 99 calories. Attention à ne pas en abuser.

Des huiles bénéfiques Les graisses monoinsaturées, que l'on trouve en abondance dans l'huile d'olive et de colza, réduisent les risques de maladies cardio-vasculaires dans le cadre d'une alimentation équilibrée.

Boire de l'eau

L'homme peut se passer de nourriture pendant des semaines mais ne peut survivre au-delà de quelques jours sans eau. Or, l'organisme, qui ne peut stocker l'eau, a besoin d'être constamment hydraté pour pallier les pertes de liquide (sueur et urine). C'est pourquoi il faut boire au moins de six à huit verres d'eau par jour, davantage s'il fait chaud ou si vous vous dépensez physiquement. N'attendez pas d'avoir soif pour boire : la soif est le signe d'un état de déshydratation de l'organisme *(voir p. 96-97)*.

LIMITER LES BOISSONS GAZEUSES ET SUCRÉES

En France, la consommation de sodas, même si elle n'atteint pas les mêmes proportions que dans les pays anglo-saxons, est en constante augmentation. Or, si elles contiennent de l'eau, ces boissons sont aussi très sucrées et, par suite, très caloriques. On estime donc que la consommation croissante de boissons sucrées, gazeuses ou non, est l'un des facteurs du développement de l'obésité et du surpoids, en particulier chez les enfants.

Une boisson vitale Prenez l'habitude d'avoir toujours une bouteille d'eau à portée de main, à la maison comme à l'extérieur.

MODIFIER SES HABITUDES

Il est facile de réduire le nombre de calories de notre alimentation en remplaçant les boissons sucrées par de l'eau, plate ou gazeuse, ou d'autres boissons peu caloriques. Même si vous ne changez qu'une seule de vos habitudes, en buvant, par exemple, davantage d'eau, les bénéfices ne tarderont pas à se faire sentir. Procédez par étapes si vous avez l'habitude de ne boire que des boissons sucrées pendant les repas : commencez par boire de l'eau au déjeuner pendant une semaine, par exemple. Ensuite, essayez de remplacer le soda que vous buvez dans l'après-midi par un verre de lait écrémé, qui vous apportera, en outre, une dose de calcium…

On sait désormais qu'il faut boire l'équivalent de six à huit verres d'eau par jour pour être en bonne santé. Pendant longtemps, on n'a pas pris en compte les boissons contenant de la caféine, car elles déshydratent l'organisme. On revient aujourd'hui sur cette idée, et il semble que l'on peut considérer le thé et le café, essentiellement composés d'eau, comme de bonnes sources de liquide.

Boire est vital pour tout le monde, mais les personnes âgées doivent être particulièrement vigilantes, car la sensation de soif s'atténue avec l'âge.

Manger à l'extérieur

On peut remarquer que le nombre de repas pris en dehors de chez soi est en constante augmentation. Selon une étude récente, les membres d'un même foyer, qui travaillent tous et de plus en plus, auraient moins de temps pour faire les courses et cuisiner pendant la semaine.

Ce sont donc nos modes de vie ou les contraintes professionnelles qui nous incitent à prendre de plus en plus souvent nos repas à l'extérieur. Ce qui n'est pas un problème pour notre santé si l'on sait éviter certains écueils. Mieux vaut manger un sandwich au poulet qu'un *cheese-burger* et veiller à ce que les portions ne soient pas trop importantes, ou commander une salade à la place des frites, grasses et peu nutritives.

La cuisine des restaurants est, en général, plus riche et les portions sont plus grandes qu'à la maison : lorsque vous mangez à l'extérieur, essayez de commander, si vous le pouvez,

une entrée pour deux ou de ne manger que la moitié de votre portion. Ne finissez pas votre assiette si elle est copieuse. Restez à l'écoute de votre corps et arrêtez-vous de manger lorsque vous êtes rassasié.

Choisissez, dès que possible, des plats grillés, pochés ou cuits au four plutôt que frits, donc plus riches en graisses saturées et en calories. Faites-vous servir les sauces à part et, à la fin du repas, optez pour des sorbets ou pour des fruits, ou, mieux, ne prenez pas de dessert.

Si vous avez l'habitude de manger dans des pizzerias et des *fast-foods*, méfiez-vous de la taille des portions et des verres. Attention aux menus qui vous proposent des doubles portions et des demi-litres de soda : ils ont l'air avantageux, mais vous font souvent consommer plus que ce que vous auriez normalement mangé.

Commencer tôt La marche est une activité saine, gratuite, à laquelle il est bon d'habituer les enfants dès leur plus jeune âge.

Se dépenser physiquement

Notre activité physique est étroitement liée à notre mode de vie et à la façon dont nous occupons nos journées. Si votre travail implique que vous restiez debout, en mouvement ou que vous transportiez des objets lourds, si vous faites le trajet de l'école à pied matin et soir avec vos enfants ou si vous avez des enfants en bas âge, il va sans dire que vous vous dépensez beaucoup physiquement. Votre niveau d'activité physique dépend également de vos activités domestiques et de ce que vous faites pendant votre temps libre et vos loisirs. Passer plusieurs heures par semaine à faire le ménage, du jardinage ou du bricolage est aussi un bon moyen de se dépenser physiquement.

Mais si vous ne sortez jamais de chez vous sans prendre votre voiture, si vous passez vos journées assis derrière un bureau et vos soirées devant la télévision ou votre ordinateur, vous avez un mode de vie sédentaire.

UNE VIE PLUS SAINE

Bouger est incontestablement un facteur de bien-être et de bonne santé. Or, la santé est bien plus que l'absence de maladie : c'est un état dans lequel on se sent bien sur les plans physique, mental et spirituel. La santé reflète le bon fonctionnement du corps, mais elle est également liée à notre état d'esprit. Si vous êtes physiquement valide mais que vous ne vous sentez pas bien moralement, vous ne serez jamais tout à fait en bonne santé.

Trouvez des moyens d'augmenter votre activité physique quotidienne, vous en sentirez très vite les bénéfices sur votre santé, à plus forte raison si vous exercez un travail sédentaire et restez assis face à votre ordinateur huit heures par jour, par exemple.

LES ENFANTS SÉDENTAIRES

Les enfants naissent actifs : tout petits, ils bougent, puis se déplacent, courent, grimpent pour explorer le monde. Cette activité ne devrait jamais cesser. Il est essentiel, pour la santé de ces futurs adultes, que leurs parents encouragent cette propension naturelle à l'activité physique.

Les enfants occidentaux d'aujourd'hui ont tendance à être moins actifs physiquement que ceux des générations précédentes. Ce qui coïncide avec l'augmentation du nombre d'enfants obèses dans les pays occidentaux (*voir p. 206*). Les enfants ont en effet moins d'occasions de se dépenser physiquement et exercent un nombre croissant d'activités sédentaires – surtout les adolescents. Le surpoids pose les mêmes problèmes de santé aux enfants qu'aux adultes (*voir p. 206*), et ces problèmes vont en s'aggravant au fil des années. D'où l'intérêt d'habituer les enfants à exercer une activité physique régulière dès leur plus jeune âge.

Télévision et surpoids

Il est désormais prouvé que les heures passées devant la télévision augmentent les risques de surpoids et, par là même, de problèmes de santé qui lui sont liés.

L'obésité croissante des enfants va de pair avec l'augmentation du temps passé devant des écrans de télévision et d'ordinateurs. Il serait donc très bénéfique de ramener le temps que les enfants et les adolescents passent devant les écrans à un maximum de deux heures par jour. Il va de soi que l'application de cette mesure peut être facilitée si toute la famille limite le temps passé devant la télévision et lui préfère des activités plus saines.

On peut aussi s'activer tout en regardant la télévision, en pédalant sur une bicyclette d'appartement ou en marchant sur un tapis de course. Si cela vous paraît trop ambitieux, sachez que faire le ménage, le repassage ou un peu de gymnastique permet aussi d'être plus actif devant le petit écran.

Sport et santé

Quelque 48 % de la population française pratiquent une activité sportive régulière. Ce qui signifie que 52 % des Français ne font pas de sport. Or, le manque d'activité, lié à une alimentation de plus en plus riche, serait à l'origine de l'augmentation de l'obésité en France.

Les bienfaits de l'activité physique régulière ne sont plus à démontrer : tout en réduisant les risques de maladies cardio-vasculaires et d'ostéoporose, elle permet de contrôler son poids, réduit le stress, augmente la souplesse et le bien-être général. Il est prouvé que trente minutes de marche quotidienne réduisent de 30 % le risque de maladies cardio-vasculaires et de diabète.

Même si vous n'êtes pas prêt à vous lancer dans une activité sportive, augmentez votre activité physique en modifiant quelques-unes de vos habitudes quotidiennes : délaissez l'ascenseur au profit des escaliers, garez votre voiture plus loin pour pouvoir marcher un peu et faites quelques pas après le repas.

Une activité régulière La pratique régulière d'une activité physique, quelle qu'elle soit, est toujours bénéfique pour la santé.

L'alcool

L'alcool a une valeur nutritionnelle minime. Mais sa consommation excessive peut entraîner des problèmes médicaux, comme des carences en vitamines *(voir p. 52-58)* ou une prise de poids non négligeable, en raison de ses calories vides. La bière et les liqueurs, par exemple, sont particulièrement caloriques.

Cependant, les buveurs modérés ont un taux de maladies cardio-vasculaires inférieur à celui des grands buveurs, mais aussi des abstinents. L'alcool, consommé avec modération, pourrait même contrecarrer certains des effets négatifs d'une alimentation riche en graisses. La France illustre parfaitement ce paradoxe : en effet, grâce aux antioxydants contenus dans le vin rouge, les Français ont moins de maladies cardio-vasculaires, malgré leur alimentation relativement riche en graisses.

Définition

Les antioxydants Ces substances, que l'on trouve dans les vitamines A, C et E, ainsi que dans le cuivre, le sélénium et le zinc, neutralisent les effets des radicaux libres qui détériorent les cellules et les tissus.

Le tabac

Arrêter de fumer est l'une des meilleures décisions que vous puissiez prendre pour votre santé. Le tabac, en effet, cause bien des maladies cardio-vasculaires, affections bronchiques et autres cancers. Le tabagisme passif, lui, provoque asthme et pneumonies. Fumer pendant la grossesse fait encourir des risques graves au bébé : naissance prématurée, poids bas, décès.

Diminuer le tabac est toujours bon pour la santé. Les fumeurs redoutent de prendre du poids en arrêtant le tabac, mais ils devraient se rendre compte qu'avoir quelques kilos de plus est moins dangereux pour leur vie que fumer.

Questionnaire Menez-vous une vie saine ?

Cochez la lettre correspondant à votre réponse. Puis calculez le résultat en additionnant les points associés à chaque lettre.

1 Combien de repas prenez-vous par jour ?
a Trois repas et un en-cas.
b Trois repas mais pas d'en-cas.
c Je saute le petit déjeuner ou le déjeuner.
d Je ne prends qu'un repas par jour.

2 Quels types d'en-cas consommez-vous ?
a Des fruits, des légumes, des noix et/ou un yaourt.
b Des noix salées, du pop-corn, un fruit et/ou un yaourt.
c Des chips, des gâteaux d'apéritif, du pop-corn et/ou d'autres aliments industriels.
d Des bonbons, du chocolat, des pâtisseries et/ou des biscuits.

3 Combien de portions de fruits et légumes consommez-vous chaque jour ?
a Plus de cinq par jour.
b Trois ou quatre par jour.
c Environ une portion par jour.
d Quelques portions par semaine.

4 Quels produits laitiers consommez-vous habituellement ?
a Du lait ou des yaourts écrémés.
b Du lait écrémé, des yaourts et des fromages allégés en matières grasses.
c Du lait demi-écrémé, des fromages à tartiner et des crèmes glacées allégés en matières grasses.
d Des produits laitiers traditionnels, comme du lait entier et de la crème glacée.

5 Combien de fois mangez-vous du poisson ou des fruits de mer ?
a Au moins deux fois par semaine.
b Une fois par semaine.
c Quelques fois par mois.
d Rarement ou jamais.

6 Quel type de volaille mangez-vous ?
a Du blanc de poulet ou de dinde sans peau.
b Du blanc de poulet ou de dinde avec la peau.
c Je mange parfois des filets de poulet ou de dinde panés.
d Je préfère les parties plus foncées dans le poulet, le canard, l'oie…

7 Combien de fois mangez-vous de la viande rouge ?
a Jamais.
b Une ou deux fois par mois.
c Plusieurs fois par semaine.
d Tous les jours.

8 Quelles matières grasses utilisez-vous ?
a J'utilise le moins possible de matières grasses lorsque je cuisine.
b J'utilise de l'huile d'olive ou de colza.
c Je cuisine au beurre.
d Je cuisine au saindoux ou à la graisse d'oie.

9 En dehors du café ou du thé, que buvez-vous généralement pendant la journée ?
a De l'eau, exclusivement.
b Des jus de fruits purs, de l'eau et des sodas sans sucre.
c Des sodas, des boissons énergétiques et des jus de fruits.
d Des sodas et des boissons sucrées.

10 Lorsque vous mangez à l'extérieur, que choisissez-vous en général ?
a Des plats cuits au gril, au four ou à la vapeur.
b Des pâtes aux fruits de mer ou à la tomate.
c Du rosbif, un steak, du veau, de l'agneau ou des pâtes à la crème.
d Une pizza, un hamburger ou des plats frits.

11 Pratiquez-vous une activité physique ?
a Au moins de trente à soixante minutes par jour.
b Trente minutes, quelques jours par semaine.
c Trente minutes, quelques jours par mois.
d Rarement.

12 Regardez-vous la télévision ?
a Rarement.
b Quelques heures par semaine.
c Moins de deux heures par jour.
d Trois ou quatre heures par jour.

13 Buvez-vous de l'alcool ?
a Un verre ou deux par semaine.
b Un verre ou deux par jour.
c Rarement.
d Au moins trois verres par jour.

14 Fumez-vous ?
a Je ne fume pas ou j'ai arrêté il y a plus de huit ans.
b Je fume moins de cinq cigarettes par jour.
c Je fume entre cinq et dix cigarettes ou entre un et cinq cigares par jour.
d Je fume plus de dix cigarettes par jour.

Résultats a 1 **b** 2 **c** 3 **d** 4

Entre 11 et 20 points Bravo ! Vous menez une vie saine et pouvez être fier de vous. Continuez à prendre soin de vous ! Lisez la suite pour en savoir plus.

Entre 21 et 29 points Vous faites de bons choix, mais êtes-vous prêt à aller plus loin ? Ce livre vous donnera des conseils et des informations pour que vous puissiez améliorer votre hygiène de vie, étape par étape.

Entre 30 et 52 points Votre alimentation est trop riche en matières grasses, trop pauvre en fruits et en légumes, et votre mode de vie est trop sédentaire. Utilisez ce livre pour prendre conscience des domaines dans lesquels il faut intervenir pour que vous et vos proches viviez en meilleure santé et en meilleure forme.

Faites un bilan de santé

Faites-vous faire un bilan afin de mieux gérer votre santé.

Faire un bilan, avec l'aide d'un médecin ou d'un diététicien, en observant à la fois nos comportements actuels et nos antécédents, est une bonne occasion de prendre ou de reprendre en main notre santé. En comprenant le lien étroit qui existe entre alimentation, exercice, santé et bien-être physiques et psychologiques, il vous sera plus facile de mettre en place les changements qui s'imposent.

Chez le médecin

Si vous décidez de recouvrer une meilleure hygiène de vie, commencez par vous rendre chez votre médecin pour un bilan de santé.

L'hérédité Pour évaluer vos risques face à certaines maladies, renseignez-vous sur l'histoire médicale de votre famille.

Les vérifications qu'il fera (poids, taille, pouls et tension artérielle) sont essentielles dans le cadre du dépistage des maladies cardio-vasculaires, l'une des plus grandes causes de mortalité en France.

Si l'on peut difficilement agir sur certains facteurs comme l'âge, le sexe et les antécédents familiaux (voir encadré), on peut, en revanche, agir sur son hygiène et sur son mode de vie. Si vous êtes un sujet à risque, il est important, pour votre santé et pour votre bien-être futurs, de faire le point sur vos habitudes et de les modifier, le cas échéant.

Les antécédents familiaux

N'hésitez pas à vous renseigner sur l'histoire médicale de votre famille proche et éloignée. Vos antécédents familiaux vous donneront des indications utiles sur votre propre état de santé et vous aideront à prendre des décisions adéquates. Vous pourrez ainsi faire des choix de vie plus sains,

afin d'éviter que votre hérédité ne vous rattrape.

L'hérédité joue un rôle important dans les troubles comme l'asthme, les migraines, le diabète, l'hypertension et les maladies cardio-vasculaires.

Si vous lisez ce livre parce que vous souffrez de problèmes de santé chroniques, sachez que vous pouvez vraiment changer cet état de fait en modifiant certains aspects de votre mode de vie. Reportez-vous au chapitre *Se nourrir pour guérir (voir p. 210-263)*. Un médecin ou un diététicien compétents sauront également vous conseiller sur le sujet.

Les risques de maladies cardio-vasculaires

Nombreux sont les facteurs qui augmentent les risques de troubles cardio-vasculaires. On peut agir sur certains, mais pas sur tous.

Facteurs de risques non modifiables
L'âge, le sexe, l'hérédité sont prédéterminés. Cela dit, une bonne hygiène de vie peut réduire leur influence.
- L'âge : les hommes de plus de quarante-cinq ans, les femmes de plus de cinquante-cinq ans.
- Le sexe : les troubles cardio-vasculaires touchent davantage les hommes que les femmes (jusqu'à la ménopause).
- L'hérédité : le risque de crise cardiaque augmente s'il existe, dans la famille, des cas avant l'âge de soixante ans.

Facteurs de risques modifiables
Vous pouvez intervenir sur les facteurs à risque suivants :
- Le taux de cholestérol (HDL ou LDL).
- La consommation de tabac.
- L'hypertension.
- Le diabète.
- Le surpoids et l'obésité.
- La sédentarité.

Le bilan de santé médical

Lorsque vous vous adressez à un médecin pour qu'il établisse un bilan de santé, ce dernier procède à toutes sortes de contrôles pour évaluer l'état de santé général dans lequel vous vous trouvez : il prend votre pouls et votre tension, mesure votre poids et votre taille, vérifie, à l'aide d'un stéthoscope, vos capacités respiratoire et cardiaque.

Il peut aussi, selon votre histoire personnelle et votre hérédité, faire une prise de sang pour vérifier plus en détail certains autres éléments *(voir encadré)*.

LE POULS

Prendre le pouls signifie mesurer les battements cardiaques à l'endroit où une artère (c'est-à-dire un vaisseau sanguin partant du cœur) affleure sous la peau, le plus souvent au poignet.

Un pouls lent est signe de bonne santé : plus le cœur est robuste, moins il a besoin de pomper vite pour fournir de l'oxygène aux tissus. Les bébés ont un pouls rapide, qui se ralentit avec les années. Le pouls normal d'un adulte se situe entre 60 et 80 battements par minute. Comparez vos chiffres personnels avec la moyenne des personnes de votre âge et de votre sexe.

LA TENSION ARTÉRIELLE

C'est la pression du sang dans les artères engendrée par les battements du cœur. Elle dépend de la force du muscle cardiaque, de l'élasticité de la paroi artérielle et de la viscosité du sang, ainsi que de son volume.

La tension sanguine d'un adulte sain ne devrait pas excéder 120/80 mmHg. Vous souffrez d'hypertension si ce chiffre dépasse, en permanence, 140/90 mmHg.

LE MODE DE VIE

Si vous souffrez d'hypertension artérielle, vous pouvez agir en modifiant certains aspects de votre mode de vie, comme votre poids, votre activité physique et votre consommation de sel et d'alcool *(voir p. 220)*. Si cela ne suffit pas à régulariser votre tension, votre médecin vous prescrira un traitement médical, car l'hypertension augmente les risques de troubles cardiaques.

Surveillez votre tension Une tension constamment élevée est un facteur de risque dans les maladies cardio-vasculaires. Surveillez-la !

Les bilans sanguins

Selon les raisons et les symptômes qui vous ont conduit à faire un bilan médical, selon vos antécédents familiaux également, votre médecin pourra vous prescrire une analyse de sang, sans laquelle un certain nombre de maladies et de troubles ne peuvent être diagnostiqués.

Le cholestérol C'est une substance grasse dont la présence dans le sang est normale et nécessaire au fonctionnement de l'organisme *(voir p. 40)*. En quantité trop élevée, cependant, le cholestérol se dépose à l'intérieur des artères et peut les obstruer.

Un taux de cholestérol supérieur à 5 mmol par litre de sang est un problème héréditaire ou de régime alimentaire trop riche en graisses saturées *(voir p. 38)*. Pour savoir comment réduire votre taux de cholestérol, reportez-vous à la page 217.

Les lipoprotéines de basse densité (LDL) Les LDL ou « mauvais » cholestérol transportent le cholestérol du foie aux tissus. Un taux de LDL supérieur à 3 mmol par litre augmente les risques de maladies cardio-vasculaires *(voir p. 214)*.

Les lipoprotéines de haute densité (HDL) Elles transportent le cholestérol des tissus vers le foie. C'est le « bon » cholestérol. Un taux élevé de LDL (c'est-à-dire supérieur à 1 mmol par litre pour les hommes, à 1,4 mmol pour les femmes) réduit les risques de maladies cardio-vasculaires *(voir p. 214)*.

Les triglycérides Ces substances grasses, provenant de l'alimentation, sont absorbées ou synthétisées en cas d'excès calorique. Un taux supérieur à 2 mmol par litre augmente le risque de maladies cardio-vasculaires.

Le glucose C'est le principal sucre présent dans le sang. Le taux de glucose varie en fonction des moments de la journée au cours desquels il a été mesuré (à jeun, avant ou après un repas, par exemple). Si ce taux excède 6,7 mmol par litre dans un échantillon de sang prélevé à jeun, le sujet souffre de diabète *(voir p. 246)*.

L'hémoglobine Cette protéine, présente dans les globules rouges, transporte le fer. Une femme souffre d'anémie si son taux est inférieur à 11,5 g par décilitre de sang (13,5 pour un homme) *(voir p. 66)*.

L'hématocrite C'est l'évaluation du volume des globules rouges dans le sang. Un taux inférieur à 40 % pour les hommes et à 36 % pour les femmes est signe d'anémie.

Votre type physique et votre poids

Votre poids et vos formes sont le reflet de votre santé.

Comme la couleur de nos cheveux ou de nos yeux, la taille et la répartition du poids se transmettent par les gènes. Cela dit, l'alimentation et l'activité physique ont une influence qu'il ne faut pas sous-estimer.

La répartition du poids
Chez les personnes en surpoids, la répartition de la masse grasse a une influence sur le développement des maladies cardio-vasculaires et du diabète. Ainsi, les silhouettes dites « en poire », dont les rondeurs sont localisées sur les hanches et les cuisses, courent moins de risques que les silhouettes dites « en pomme ». Quant au ventre rond des buveurs de bière, il ne présage jamais rien de bon…

Un point sur votre poids
On définit son poids de forme en fonction de l'indice de masse corporelle (IMC) *(voir p. 26-27)*, qui est le rapport entre le poids et la taille. L'IMC donne une idée précise de la quantité de la masse grasse. En observant aussi sa localisation dans le corps, on peut préciser les risques de diabète, de cancer et de maladies cardio-vasculaires.

Les personnes sont dites en surpoids si leur IMC est compris entre 25 et 29,9, obèses s'il dépasse 30 et souffrent d'obésité sévère si l'IMC est supérieur à 35. Il est intéressant de prendre ces chiffres en compte, car on sait

Un air de famille Bien des problèmes de santé sont liés à notre poids et à nos formes. Mais, bien qu'héréditaire, notre type physique peut être amélioré par l'alimentation et par l'exercice physique.

qu'un organisme dont l'IMC est égal ou supérieur à 25 se prédispose à des taux de cholestérol et de sucre dans le sang plus élevés, ainsi qu'à l'hypertension artérielle *(voir p. 214)*.

Les risques de surpoids
L'obésité, chez les adultes comme chez les enfants, est en train de devenir un problème de santé publique. L'Agence française de sécurité sanitaire des aliments (AFSSA) rappelle que 30,3 % des Français adultes sont en surpoids et 11,3 % obèses (de 6 à 7 % des hommes et de 8 à 9 % des femmes). La tendance est malheureusement mondiale, au point que l'OMS parle d'une véritable « épidémie ».

Si votre IMC est supérieur à 25, nous vous suggérons de lire les informations et les conseils au sujet du contrôle et de la perte de poids *(voir p. 156-207)*.

Les risques liés à l'obésité
Si votre IMC est égal ou supérieur à 30, vous êtes considéré comme obèse. Mieux vaut consulter un médecin pour que vous perdiez du poids, car votre santé est menacée.

Les statistiques montrent, en effet, que l'obésité augmente les risques de diabète et de certains troubles cardio-vasculaires, comme l'hyperlipidémie, l'hypertension artérielle et les infarctus.

Les obèses sont également sujets aux affections respiratoires, à l'apnée du sommeil, aux troubles de la vésicule biliaire et à l'arthrose. De même ils risquent plus de développer un cancer du sein, du côlon, de la prostate ou du col de l'utérus.

Si vous devez subir une intervention chirurgicale, il vous faudra perdre du poids avant l'opération pour minimiser les risques.

La répartition de la masse grasse

Les hommes et les femmes ne stockent pas la masse grasse aux mêmes endroits. Chez l'homme, elle est localisée surtout sur les bras, les épaules et le ventre ; chez la femme, sur la poitrine, les hanches, les fesses et les cuisses. Dans les deux cas, le tour de taille est un bon indicateur du poids à perdre :

• En sous-vêtements, trouvez le point situé sur le côté, entre l'os de votre hanche et votre dernière côte.

• À partir de ce point, mesurez votre tour de taille en tenant le mètre toujours à la même hauteur, sans serrer : vous ne devez en aucun cas avoir le souffle coupé pendant que vous prenez vos mesures.

Si votre tour de taille est supérieur à 94 cm pour un homme et à 80 cm pour une femme, vous êtes en surpoids et, donc, plus vulnérable face à l'hypertension, à l'hypercholestérolémie, au diabète et aux troubles cardio-vasculaires. Le risque augmente considérablement si votre tour de taille est de 102 cm pour un homme, de 88 pour une femme.

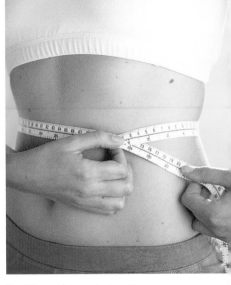

Identifiez votre type physique Mesurer votre tour de taille est un bon moyen de savoir si vous êtes de type pomme ou poire et de prévenir les troubles associés à votre type.

Êtes-vous pomme ou poire ?

Les personnes qui ont tendance à prendre du poids dans la région abdominale (qui ont une bedaine) sont de type « pomme ». Si vous stockez plutôt sur les hanches, les fesses et les cuisses, vous êtes « poire ». Cela n'est pas sans conséquence sur votre santé. En effet, le type pomme est sujet aux problèmes liés à l'obésité, comme les maladies cardio-vasculaires et le diabète (voir encadré p. 24). Personne ne peut modifier son type, qui, on le sait, est déterminé par des facteurs héréditaires. Cela dit, on peut limiter les inconvénients en surveillant son poids et en exerçant régulièrement une activité physique.

Vérifiez votre poids Faire le point sur votre santé consiste aussi à se peser avec soin, c'est-à-dire une fois par semaine, pas plus, toujours dans la même tenue, à la même heure, idéalement le matin avant le petit déjeuner.

Comment bien se peser ?

Il y a des choses à faire et d'autres à ne pas faire si vous voulez vous peser le plus précisément possible chez vous, sur votre balance, en particulier si vous cherchez à perdre du poids.

• Assurez-vous, tout d'abord, que votre balance est de bonne qualité. Certaines balances à bas prix ne sont pas très fiables.

• Pesez-vous toujours dans la même tenue, en sous-vêtements ou nu.

• Utilisez toujours votre balance au même endroit. Si possible, ayez une balance personnelle. Les balances n'ayant pas toute la même fiabilité ni le même calibrage à la fabrication, il est probable que vous ne lisiez pas le même résultat en vous pesant sur différentes balances. Aussi, si vous avez l'habitude de vous peser dans votre club de sport, sachez que, même si elles sont de bonne qualité, les balances sont utilisées par des centaines de personnes par jour, ce qui leur fait perdre peu à peu de leur fiabilité.

• Pesez-vous toujours à la même heure, si possible le ventre vide, avant d'avoir mangé et après être allé à la selle. Le moment idéal pour se peser est le matin, après être allé aux toilettes et avant le petit déjeuner.

• Évitez de vous peser plus d'une fois par semaine. Le corps connaît des fluctuations de poids normales – en particulier celui des femmes, pendant le cycle menstruel –, et il ne faut pas se laisser démoraliser parce qu'on pèse plus lourd que la veille.

• Si vous avez décidé de faire du sport pour faciliter l'amaigrissement, sachez que le muscle pèse plus lourd que le gras. Il se peut qu'à un certain point, votre poids se stabilise ou même augmente légèrement. Ne vous découragez pas, c'est que vous êtes mince, tonique et musclé !

Votre poids est-il adapté à votre taille ?

L'indice de masse corporelle (IMC) est le rapport entre votre poids et votre taille. Reportez-vous au tableau ci-dessous pour savoir si votre poids est bien proportionné à votre taille.

Si vous découvrez que vous êtes en surpoids, il vaut mieux que vous alliez consulter un médecin ou un nutritionniste pour trouver des solutions adaptées *(voir aussi p. 156-207)*.

Bien que l'IMC soit un indicateur plus fiable que les anciens calculs de poids et de taille selon les sexes, il a également ses limites. Par exemple, étant donné que le muscle pèse plus lourd que le gras, il peut indiquer à une personne très musclée qu'elle est en surpoids ou, au contraire, sous-estimer la masse grasse d'une personne âgée amaigrie, par exemple. De même, quelqu'un de grand, avec une bonne bedaine mais une structure osseuse légère peut se retrouver avec un IMC normal. Si vous avez des doutes sur votre IMC, n'hésitez pas à en parler à votre médecin. Il vous donnera les principes d'hygiène de vie les plus adaptés à votre situation. De même, si vous ne vous êtes pas mesuré depuis longtemps, reprenez des mesures, car la taille se modifie avec les années.

D'autres outils permettent de mesurer la proportion de masse grasse. Votre médecin, pour vérifier votre IMC, utilisera sans doute un appareil qui, en envoyant une onde électrique de très faible intensité dans le corps, détecte les zones de muscles et de gras.

Comment lire le tableau Cherchez votre taille dans la colonne de gauche et votre poids sur la ligne supérieure du tableau ci-dessous. À l'intersection de la colonne et de la ligne se trouve indiqué votre indice de masse corporelle (IMC). Les couleurs figurant sur le tableau indiquent si votre poids est, par rapport à votre taille, trop bas, normal, trop élevé ou si vous êtes obèse. Par exemple, si vous mesurez 1,68 m et que vous pesez 64 kg, votre indice de masse corporelle est de 23. On considère alors que vous êtes dans la catégorie des personnes qui ont un poids sain. Si, en revanche, vous mesurez 1,68 m et que vous pesez 70 kg, vous avez un IMC de 25, ce qui signifie que vous faites partie des personnes en surpoids.

Pour une interprétation plus détaillée de votre IMC et des conséquences qui en résultent pour votre santé, lisez l'encadré de la page suivante.

Légende

Maigreur : IMC ≤ 18,5
Poids sain : IMC entre 19 et 24,9
Surpoids : IMC entre 25 et 29,9
Obésité : IMC > 30

INDICE DE MASSE CORPORELLE (IMC)

Poids / Taille	45 kg	48 kg	50 kg	52 kg	55 kg	57 kg	59 kg	61 kg	64 kg	66 kg	68 kg	70 kg	73 kg	75 kg	77 kg
1,53 m	20	21	21	22	23	24	25	26	27	28	29	30	31	32	33
1,55 m	19	20	21	22	23	24	25	26	26	27	28	29	30	31	32
1,58 m	18	19	21	22	22	23	24	25	26	27	27	28	29	30	31
1,60 m	18	19	20	21	21	22	23	24	25	26	27	27	28	29	30
1,63 m	17	18	20	21	21	21	22	23	24	25	26	27	27	28	29
1,65 m	17	17	19	20	20	21	22	22	23	24	25	26	27	27	28
1,68 m	16	17	19	19	19	20	21	22	23	23	24	25	26	27	27
1,71 m	16	16	18	19	19	20	20	21	22	23	23	24	25	26	27
1,73 m	15	16	17	18	18	19	20	21	21	22	23	24	24	25	26
1,76 m	15	16	17	18	18	18	19	20	21	21	22	23	24	24	25
1,78 m	14	15	17	17	17	18	19	19	20	21	22	22	23	24	24
1,81 m	14	15	16	17	17	17	18	19	20	20	21	22	22	23	24
1,83 m	14	14	16	16	16	17	18	18	19	20	20	21	22	22	23
1,86 m	13	14	15	16	16	16	17	18	18	19	20	20	21	22	22
1,88 m	13	13	15	15	15	16	17	17	18	19	19	20	21	21	22
1,91 m	12	13	14	14	15	16	16	17	17	18	19	19	20	21	21
1,93 m	12	13	13	14	15	15	16	16	17	18	18	19	19	20	21

Que signifient ces résultats?

Une fois que vous avez trouvé votre IMC dans le tableau, vérifiez ci-dessous dans quelle catégorie vous vous situez et comment vous pouvez agir sur votre poids.

IMC ≤ 18,5 : maigreur Essayez de manger davantage pour fournir à votre corps l'énergie dont il a besoin. Mangez à la fois plus pendant les repas et plus souvent dans la journée. Enfin, choisissez des aliments à haute valeur nutritionnelle *(voir p. 208-209)*.

IMC entre 19 et 24,9 : poids sain Vous mangez les quantités nécessaires au bon fonctionnement de votre corps. Veillez à ce que votre alimentation soit équilibrée, saine et nourrissante.

IMC entre 25 et 29,9 : surpoids Il serait bénéfique pour votre santé de perdre du poids et, surtout, de ne pas en prendre davantage. Pour vous aider à retrouver et à garder un poids sain, suivez les conseils donnés dans ce livre sur l'alimentation et l'activité physique. En modifiant tous les jours un ou deux éléments de votre régime alimentaire, vous perdrez progressivement du poids et gagnerez en santé.

IMC entre 30 et 34,9 : obésité modérée Votre santé peut être menacée. Il est important de trouver des moyens de perdre du poids, mais sans tomber dans les régimes miracles, qui sont plus dangereux que bénéfiques pour la santé.

IMC entre 35 et 39,9 : obésité sévère Votre santé est menacée. Profitez de la lecture de ce livre pour modifier vos habitudes alimentaires. Et n'hésitez pas à demander conseil à un médecin ou à un nutritionniste.

IMC > 40 : obésité massive Conserver ce poids met votre santé en péril. Consultez votre médecin ou un nutritionniste pour entreprendre un régime amaigrissant.

Mesurez votre taille Étant donné que l'IMC est fondé sur votre poids et sur votre taille, il est important de prendre des mesures précises.

Poids															Taille
79 kg	82 kg	84 kg	86 kg	89 kg	91 kg	93 kg	95 kg	98 kg	100 kg	102 kg	104 kg	107 kg	109 kg	111 kg	
34	35	36	37	38	39	40	41	42	43	44	45	46	47	48	1,53 m
33	34	35	36	37	38	39	40	41	42	43	43	44	45	46	1,55 m
32	33	34	35	36	37	37	38	39	40	41	42	43	44	45	1,58 m
31	32	33	34	35	35	36	37	38	39	40	41	42	43	43	1,60 m
30	31	32	33	33	34	35	36	37	38	39	39	40	41	42	1,63 m
29	30	31	32	32	33	34	35	36	37	37	38	39	40	41	1,65 m
28	29	30	31	31	32	33	34	35	36	36	37	38	39	40	1,68 m
27	28	29	30	31	31	32	33	34	34	35	36	37	38	38	1,71 m
27	27	28	29	30	30	31	32	33	33	34	35	36	36	37	1,73 m
26	27	27	28	29	30	30	31	32	32	33	34	35	35	36	1,76 m
25	26	27	27	28	29	29	30	31	32	32	33	34	34	35	1,78 m
24	25	26	26	27	28	29	29	30	31	31	32	33	33	34	1,81 m
24	24	25	26	26	27	28	28	29	30	31	31	32	33	33	1,83 m
23	24	24	25	26	26	27	28	28	29	30	30	31	32	32	1,86 m
22	23	24	24	25	26	26	27	28	28	29	30	30	31	31	1,88 m
22	22	23	24	24	25	26	26	27	27	28	29	29	30	31	1,91 m
21	22	23	23	24	24	25	26	26	27	27	28	29	29	30	1,93 m

IMC

Que changer ?

Prenez votre santé en main en évaluant votre hygiène de vie.

L'objet de ce chapitre est de vous permettre d'identifier les habitudes que vous pourriez modifier pour améliorer votre état de santé. Le simple fait que vous ayez ce livre en main est le signe que vous avez envie de changer les choses.

La santé et son contexte

Pour interpréter les résultats du questionnaire de la page 21, il faut tenir compte à la fois de votre état de santé individuel et de vos antécédents familiaux.

Connaître les problèmes de santé qui touchent votre famille vous permet de les prévenir. Pour vous aider, suivez les conseils que nous vous donnons dans cet ouvrage.

Minimiser les risques

Ce livre ne vous propose pas un régime de plus. Notre objectif est de vous donner les moyens, à partir des dernières découvertes médicales, d'améliorer votre santé et de la maintenir, à terme, au meilleur niveau possible. On sait désormais que les régimes miracles ne fonctionnent pas et ne permettent pas de changer vraiment les modes de vie et d'alimentation. L'objet de ce livre

Faites le point

Il est temps de tirer des conclusions sur votre hygiène alimentaire et sur votre mode de vie. En comprenant à quel point votre santé est liée à votre comportement dans ces domaines, vous aurez envie de faire des changements qui s'imposent.

RÉCAPITULER VOTRE SITUATION

La première partie de ce chapitre est consacrée à l'impact de certains facteurs liés à l'alimentation et au mode de vie sur la santé. Nous vous avons invité à réfléchir sur la façon dont vous mangez, buvez ou vous dépensez, par exemple, et à dresser un bilan.

Quels que soient vos résultats au questionnaire, repérez les réponses que vous avez faites et qui vous ont rapporté trois ou quatre points. C'est précisément là que se trouvent les éléments à changer dans votre mode de vie pour améliorer votre santé à long terme. Si, par exemple, vous mangez de la viande rouge plus de deux fois par semaine, vous pourrez commencer à la remplacer progressivement par du poulet, du poisson ou des légumineuses.

Ce livre est là pour vous faire comprendre pourquoi certaines habitudes sont nocives pour la santé et pour vous aider à les modifier peu à peu.

MINIMISER LES RISQUES

Dans la deuxième partie de ce chapitre, vous avez pu établir le lien entre votre état de santé et vos antécédents familiaux. Si vous décidez de faire un bilan de santé, votre médecin ne manquera pas d'en lire les résultats à travers le filtre de votre histoire familiale (lorsqu'il fera une prise de sang, par exemple). C'est un bon moyen de prévenir les risques de nombreuses maladies, en particulier celles qui ont un caractère héréditaire. Vous avez toutes les chances d'y échapper si vous décidez de changer les éléments de votre mode de vie et de votre alimentation qui aggravent les facteurs héréditaires.

Nous vous expliquerons également dans ce livre en quoi et comment on peut agir sur les nombreux autres facteurs de risque. En modifiant quelques détails, vous vous assurez une vie saine.

CONTRÔLER VOTRE POIDS

Comme vous l'avez vu, le poids, la répartition du poids dans le corps et l'indice de masse corporelle (IMC) ont une influence non négligeable sur la santé et doivent être pris très au sérieux dans la prévention de nombreuses maladies. Dans un futur chapitre, intitulé *La vérité sur les régimes (voir p. 156-207)*, nous vous informerons plus précisément sur les risques liés au surpoids et sur les façons les plus efficaces de recouvrer et de conserver un poids de forme.

CHANGER VOS HABITUDES

Utilisez ce livre pour identifier les domaines de votre vie dans lesquels il serait judicieux de procéder à quelques changements et pour faire le premier pas *(voir p. 30-31)*. N'essayez pas d'être parfait en tout dès le départ. La perfection n'existe pas. Faites votre possible et n'oubliez pas que le chemin est aussi important que la destination. Rappelez-vous que le moindre changement aura un impact sur votre santé. Prenez le temps d'accepter vos choix.

est justement de vous aider à prendre de bonnes habitudes… et à les garder.

Rien n'est jamais garanti dans la vie. Vous pouvez manger correctement, faire du sport et être quand même malade. Mais toutes les recherches médicales convergent sur ce point : les personnes qui mangent sainement et pratiquent une activité physique ont moins de problèmes de santé que les autres.

Servez-vous de toutes les connaissances acquises dans ce chapitre pour déterminer dans quels domaines vous avez besoin de faire des changements. Et commencez !

Faites l'inventaire Faites le point sur votre état de santé, votre alimentation, votre mode de vie et sur ce que vous voulez changer. Et dressez une liste.

Avant de changer

Nous venons de définir différents aspects de votre alimentation et de votre mode de vie qui jouent un grand rôle dans votre santé et votre bien-être. Vérifiez les points suivants :

● Avez-vous répondu au questionnaire de la page 21 et calculé votre résultat ?
● Avez-vous pris connaissance de vos antécédents familiaux ?
● Avez-vous vérifié votre indice de masse corporelle (*voir p. 26-27*) et lu l'interprétation de ce nombre ?
● Avez-vous identifié votre type physique (*voir p. 25*) et les risques qui y sont liés ?
● Êtes-vous conscient des risques que font courir le surpoids et l'obésité (*voir p. 24*) ?

Exemple   Richard : fatigue et prise de poids

Sa situation Avocat

Son âge 30 ans

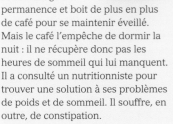

Son problème
Richard a pris près de 7 kg en un an. Il se sent fatigué en permanence et boit de plus en plus de café pour se maintenir éveillé. Mais le café l'empêche de dormir la nuit : il ne récupère donc pas les heures de sommeil qui lui manquent. Il a consulté un nutritionniste pour trouver une solution à ses problèmes de poids et de sommeil. Il souffre, en outre, de constipation.

Son mode de vie Richard est un avocat qui prend la plupart de ses repas sur le pouce. Il saute le petit déjeuner, grignote des biscuits et boit quatre grandes tasses de café au lait sucré par jour. En semaine, il déjeune souvent avec des clients ou des collègues de travail. Si ce n'est pas le cas, il déjeune dans des *fast-foods* ou des pizzerias. Il travaille tard le soir et fait souvent un saut chez un traiteur indien ou chinois avant de rentrer chez lui.

Le week-end, Richard déjeune d'un bol de lait et de céréales, saute le déjeuner et sort le soir avec des amis. Au restaurant, il prend souvent de la charcuterie ou des beignets de calmars, puis un steak-frites. Il mange rarement d'autres légumes et ne prend aucun complément en vitamines. En général, il boit deux bières lorsqu'il sort les vendredi et samedi soir. Il ne fume pas et n'a pas le temps de faire du sport.

Nos conseils Ce que Richard doit changer dans sa vie se rapporte essentiellement à son mode de vie sédentaire et à son alimentation. Il ne mange ni fruits ni légumes, donc pas assez de fibres, de vitamines et de sels minéraux. Il a pris du poids parce qu'il emmagasine plus de calories qu'il n'en dépense. Son solide appétit n'arrange pas les choses.

Richard peut soigner sa constipation et sa fatigue en incluant davantage d'eau et de fibres à son régime alimentaire et en diminuant le café et les sodas. Il peut augmenter sa ration de fibres en prenant un bol de céréales au son ou de muesli au petit déjeuner et des fruits, frais ou secs, à la place des biscuits. Et en mangeant davantage de légumes pendant les repas.

L'alimentation de Richard est riche en calories et en graisses saturées. Il peut commencer par remplacer son *hamburger* ou sa pizza par un sandwich thon-salade. Lorsqu'il va déjeuner avec des clients ou dîner avec des amis, il peut également sauter l'entrée et manger des protéines maigres, comme un poisson ou du poulet grillé avec des pommes de terre bouillies et une salade.

Enfin, Richard a besoin de se dépenser davantage s'il veut se sentir mieux. Marcher un peu tous les jours à grands pas serait un bon début.

Comment changer

De nouvelles habitudes pour une hygiène de vie plus saine.

La confiance et la conviction sont à la base de tout changement de comportement. La confiance reflète votre attitude face à vos propres capacités à changer : si vous pensez que vous allez échouer, il y a toutes les chances pour que vous

Programmez vos changements Réfléchissez à ce qu'il est important de changer dans votre vie pour être en meilleure forme. Et à la meilleure façon de commencer.

échouiez. Croyez en vous et, au besoin, sollicitez le soutien de votre famille ou de vos amis. La conviction reflète, quant à elle, votre détermination à changer. Il faut être convaincu que le changement que l'on s'apprête à faire est important pour soi. C'est le seul moyen pour que les nouvelles habitudes prennent le pas sur les anciennes.

Ne vous découragez pas

Lorsque l'on cherche à changer un comportement, il faut se répéter sans cesse : « Si je n'y arrive pas d'emblée, j'essaierai de nouveau jusqu'à ce que j'y arrive. »

Les étapes-clés du changement

Les thérapeutes comportementalistes reconnaissent que certaines étapes sont essentielles lorsque l'on veut modifier en profondeur son comportement. Deux psychothérapeutes ont répertorié les six étapes que doit franchir une personne confrontée au changement dans sa vie.

LE PRÉPROJET

Ce terme se réfère au moment où vous n'êtes pas encore conscient de l'utilité de changer. Si vous lisez ce livre, c'est que vous avez déjà dépassé cette étape.

LE PROJET

Vous avez envie de changer, mais vous n'avez encore rien mis en place. Vous cherchez, en lisant ce livre, par exemple, des conseils afin d'identifier vos besoins.

Il est important de bien choisir sa cible : le questionnaire de la page 21 peut vous aider à déterminer les domaines dans lesquels vous avez besoin de modifier votre comportement. Commencez par les changements les plus faciles à entreprendre. Et entreprenez-les.

Pourquoi choisir la facilité ? Simplement parce que c'est le meilleur moyen d'atteindre votre but. Une fois

que vous avez réalisé un objectif, passez au suivant, progressivement. Si, par exemple, vous avez l'habitude de ne manger que deux ou trois fruits par semaine, ayez pour premier objectif d'en manger, non pas trois, mais au moins un par jour.

LA PRÉPARATION

À ce stade, vous réfléchissez à tout ce qu'il vous faut changer dans votre vie pour mettre en place de nouvelles habitudes. Si votre objectif est, par exemple, de manger au moins un fruit par jour, pensez à tout ce que vous allez devoir faire pour y parvenir : peut-être devrez-vous vous organiser pour faire des courses plus souvent, afin d'être sûr d'avoir suffisamment de fruits frais à disposition pendant la semaine.

Pensez également au moment le plus propice pour consommer les fruits frais (en dehors des repas, par exemple, auquel cas il faudra penser à les emporter au bureau) ou pour les remplacer par des fruits secs.

Si vous sautez cette étape et ne programmez pas clairement votre action, vous risquez de ne pas ancrer vos changements dans la réalité et de ne pas vous y tenir.

DE NOUVELLES HABITUDES

Il est temps de passer à l'action. Souvenez-vous que les petits changements sont plus faciles à réaliser que les grands, et que tout changement nécessite du temps pour se mettre en place. Pour reprendre l'exemple précédent, n'oubliez pas d'emporter votre fruit au bureau. Si vous l'oubliez à la maison, ce n'est pas grave, mais n'oubliez pas de le manger plus tard.

Gardez également à l'esprit qu'un écart ne doit pas remettre en question l'ensemble de vos résolutions. Si vous mangez trop à midi, dînez d'une salade ou d'un plat de légumes. Si vous devez dîner au restaurant le soir, dépensez-vous davantage ce jour-là.

GARDER LE CAP

Il faut six semaines pour qu'une nouvelle habitude se mette en place. Lorsque vous êtes sûr qu'une habitude est ancrée, passez à la suivante. Cette étape vous montrera que la persévérance est toujours payante. N'ayez pas peur des écarts ou des rechutes qui peuvent survenir : vous êtes en train de transformer votre comportement à long terme. C'est en essayant et en réessayant que l'on obtient des résultats positifs.

Les études montrent que la plupart des gens qui ont arrêté de fumer y sont parvenus après plusieurs tentatives. Cela dit, il peut être plus difficile de changer ses habitudes alimentaires que d'arrêter le tabac : lorsque vous arrêtez de fumer, vous ne fumez plus du tout. Mais changer d'habitudes alimentaires ne signifie pas ne plus manger : vous continuerez à boire, à manger et à vous remettre en question tous les jours, à tous les repas, pendant toute votre vie.

Comment changer d'alimentation

Tout au long de cet ouvrage, nous allons vous suggérer divers moyens d'améliorer votre hygiène alimentaire. À vous de voir celui qui vous convient le mieux. Si vous faites quelques erreurs, rappelez-vous que le but n'est pas d'être parfait, mais d'améliorer les choses, ce qui est déjà beaucoup.

De même, vous n'avez pas besoin de tout changer d'un coup dans votre vie : commencez par des changements faciles à réaliser. Si vous avez l'habitude, par exemple, de boire des boissons sucrées, faites le choix de les remplacer progressivement par de l'eau. Si vous procédez pas à pas, les changements entrepris seront plus durables et vous vous rapprocherez plus facilement et plus sûrement de votre but, qui est de vivre sainement et en pleine forme.

Êtes-vous prêt à changer ?

Les questions suivantes vous aideront à préciser et à atteindre vos objectifs :
● Quel changement serait le plus positif sur votre santé ?
● Quels autres changements aimeriez-vous faire ?
● Qu'est-ce qui pourrait vous aider ?
● Si vous avez déjà essayé de changer des choses dans votre hygiène de vie, avez-vous rencontré des problèmes ?
● Comment réagissez-vous aux échecs ponctuels ?
● Pensez-vous pouvoir maintenir des modifications que vous avez faites au cours des derniers mois ?

LES RECHUTES

Les rechutes sont partie intégrante de tout processus de changement. C'est en faisant des erreurs que l'on apprend à ne pas les refaire. Il est toujours bon de s'interroger sur ce qui nous retient d'avancer, comme sur ce qui nous pousse, au contraire, à progresser. Analysez les causes et les circonstances de vos changements réussis et de vos blocages dans le passé. Et surtout, ne vous laissez pas décourager par un écart : cherchez plutôt à en comprendre les raisons et repartez du bon pied.

Une stratégie gagnante

Les conseils suivants vous aideront efficacement à modifier certaines habitudes :
● Décomposez le changement que vous voulez entreprendre en étapes facilement réalisables et assurez-vous qu'une étape est réalisée avant de passer à la suivante.
● Continuez à manger ce que vous aimez, mais en cuisinant autrement. Ajoutez, par exemple, un filet d'huile d'olive sur vos aliments plutôt que de les faire frire.

Changer ses habitudes
Même des habitudes anciennes peuvent être modifiées. Remplacez les sodas par des versions sans sucre. Si vous aimez la cuisine chinoise, choisissez les aliments sautés plutôt que frits.

Se nourrir pour vivre

Tout ce que l'on mange a un impact sur l'organisme. Grâce aux nutriments qu'elle contient, une alimentation équilibrée et variée fournit au corps tout ce dont il a besoin pour vivre : de l'énergie, des fibres, des protéines, des glucides, des matières grasses, des vitamines et des sels minéraux.

Pourquoi se nourrir?

Les aliments sont les briques dont on construit son corps.

Tous les aliments – des fruits au pain complet en passant par la crème glacée – contiennent deux catégories de nutriments : les macronutriments et les micronutriments.

Les macronutriments sont indispensables à la croissance et au développement. Ils constituent la base de l'alimentation et fournissent l'énergie dont le corps a besoin pour fonctionner jour après jour. Ce sont les lipides *(voir p. 38-43)*, les protéines *(voir p. 44-45)*, les glucides *(voir p. 46-47)* et les fibres *(voir p. 48-49)*. Pratiquement tous les aliments contiennent ces nutriments, en proportions variables *(voir p. 37)*.

Les micronutriments, que l'on trouve en quantités infimes (d'où leur nom) dans les aliments, sont les vitamines et les sels minéraux. Contrairement aux macronutriments, les micronutriments ne fournissent pas d'énergie, mais jouent un rôle crucial dans le fonctionnement de l'organisme et tout au long du processus digestif.

Où trouver les nutriments?

En observant attentivement votre façon de vous nourrir au cours d'une journée, vous vous rendrez compte que vous mangez toutes sortes d'aliments. Ce sont eux, précisément, qui vous apportent les nutriments dont votre corps a besoin. Si vous prenez, par exemple,

Des en-cas sains Une simple galette farcie de laitue, de tomate et de blanc de poulet constitue un en-cas sain et riche en nutriments dont le corps a besoin.

Les besoins énergétiques

Vos besoins en énergie varient en fonction de divers facteurs : l'âge, le sexe, l'activité physique, la masse musculaire, la température du corps et la croissance et, le cas échéant, les grossesses, l'allaitement, les menstruations, les maladies, le sommeil et le taux d'hormones.

Le métabolisme de base indique l'énergie dont le corps a besoin pour assurer ses fonctions vitales, comme la respiration ou l'activité cardiaque. Élevé chez les enfants, il commence à diminuer dès l'âge de dix ans. Chez les adultes, il est proportionnel à la masse musculaire et aux besoins énergétiques. Les hommes, dont la masse musculaire est importante, ont un métabolisme élevé et ont besoin de davantage d'énergie.

Voici des exemples de dépenses énergétiques chez des adultes, selon leur niveau d'activité :

- Personne sédentaire ou alitée : 11,5 cal pour 450 g de poids par jour.
- Personne pratiquant des activités routinières : 13,5 cal pour 450 g de poids par jour.
- Personne pratiquant des activités modérées et des activités sportives régulières : 16 cal pour 450 g de poids par jour.
- Personne pratiquant des activités physiques intenses (athlètes, travailleurs manuels) ou en convalescence après un accident : 18 cal pour 450 g de poids par jour.

Définition

Le métabolisme Ce terme recouvre l'ensemble des processus chimiques de l'organisme, y compris la transformation des nutriments en substances que le corps utilise ou, si elles ne lui sont pas utiles, qu'il évacue.

Une activité intense L'activité physique représente entre 15 et 30 % des dépenses énergétiques. Les dépenses d'un athlète sont supérieures à celles d'un employé de bureau.

des céréales ou du pain complet au petit déjeuner, vous ingérez des glucides et des fibres. Si vos autres repas se composent de poisson et de légumes, ils vous apportent des protéines, des vitamines et des sels minéraux. Les aliments que nous mangeons sont divisés en cinq groupes (voir p. 70-73).

L'apport énergétique

L'alimentation fournit à l'organisme des nutriments, mais aussi de l'énergie (voir encadré ci-contre). Entre la moitié et les deux tiers de cette énergie sert aux fonctions vitales de l'organisme dont nous n'avons même pas conscience, comme les activités cardiaque et respiratoire ou le maintien de la température corporelle. C'est par ce que l'on appelle le métabolisme de base (voir encadré p. 34) qu'est déterminée l'énergie minimale dont notre organisme a besoin pour fonctionner. On mesure le métabolisme lorsque le corps est au repos.

Nous dépensons également de l'énergie pour toutes les activités que nous effectuons consciemment, des plus simples aux plus éprouvantes. Toute cette énergie, le corps la puise dans l'alimentation quotidienne ou dans ses propres réserves.

Alimentation et santé

Dans les pages suivantes, nous passerons en revue les différents composants de notre alimentation – les protéines, les lipides, les glucides et les micronutriments (vitamines et sels minéraux) – et analyserons la façon dont ils sont utilisés par le corps : les protéines pour la croissance, les glucides pour l'énergie, les fibres pour la digestion, par exemple. Nous vous indiquerons aussi comment améliorer votre santé en effectuant des choix alimentaires plus adaptés.

Calories et énergie

L'énergie se mesure en calories ou, en ce qui concerne l'énergie des aliments, en kilocalories. Une kilocalorie (kcal) est égale à 1 000 calories et représente la quantité d'énergie nécessaire pour faire augmenter de 1 °C la température d'un kilogramme d'eau. Cela dit, on emploie presque toujours le terme de « calorie » comme abréviation de « kilocalorie ». C'est d'ailleurs la convention que nous adopterons dans cet ouvrage,

dans lequel 1 cal signifie en réalité 1 kcal. Chaque aliment contient un certain nombre de calories :
- 100 g de protéines : 400 cal ;
- 100 g de glucides : 400 cal ;
- 100 g de lipides : 900 cal.

Les kilojoules Les kilojoules (kJ) sont une autre unité de mesure de l'énergie. Ce terme figure parfois sur les étiquettes des produits alimentaires. Sachez que 1 cal (kcal) = 4,184 kJ.

Les besoins nutritionnels

Il est utile de savoir identifier les différents nutriments, mais également de connaître la quantité de nutriments dont l'organisme a besoin pour être en bonne santé. Le concept d'apport journalier recommandé (AJR) a été créé par l'Union européenne pour établir les apports en nutriments de la population adulte. Cela dit, on a souvent utilisé les AJR, à tort, comme base de régime.

En France, un groupe d'experts a établi, en 1981, ce qu'on appelle les apports nutritionnels recommandés (ANC). Ce sont les apports nutritionnels nécessaires pour satisfaire les besoins nutritionnels de l'organisme et le maintenir en bonne santé.

Les ANC représentent donc la quantité d'énergie ou de nutriments dont a besoin un groupe de population donné pour être en bonne santé. Ces chiffres ne sont pas des valeurs fixes mais évoluent en fonction des progrès de la

recherche. Leur calcul est complexe, car il prend en compte de très nombreux paramètres. Ce qui explique qu'ils sont régulièrement révisés : les ANC de référence datent de 1981, mais ont été modifiés en 1992 ainsi qu'en 2000. Les informations figurant

sur les étiquettes des produits alimentaires doivent être conformes aux directives européennes. Les apports recommandés au niveau européen n'ont pas la même valeur que les apports nutritionnels recommandés (voir encadré ci-dessous).

AJR et ANC

- Les apports journaliers recommandés (AJR) sont des valeurs utilisées pour l'étiquetage de certains produits. Ce sont des valeurs uniques pour chaque nutriment, qui ne prennent pas en compte les différences liées à l'âge ou au sexe.
- Les apports nutritionnels conseillés (ANC) permettent d'évaluer le besoin en un nutriment d'une population définie par des critères précis (sexe, âge…), mais aussi la façon dont ce

besoin diffère selon les individus (puisqu'il varie selon les personnes et selon les périodes et les circonstances de la vie).

Vous trouverez, dans le Répertoire des vitamines (voir p. 52-58) et dans le Répertoire des sels minéraux (voir p. 62-67), les ANC pour chaque nutriment. Ils se rapportent à des adultes en bonne santé entre dix-neuf et cinquante ans et doivent être adaptés dans les autres cas. Demandez conseil à votre médecin.

La digestion des aliments

Avant de pouvoir être utilisés par l'organisme, les nutriments doivent être décomposés en substances que le corps peut absorber. Ce processus, qui commence dans la bouche et s'achève avec l'expulsion des déchets, dure entre un et trois jours. La nourriture avalée subit un certain nombre de transformations chimiques grâce aux sucs digestifs présents à chaque étape de la digestion. Ainsi, les protéines sont transformées en acides aminés, les lipides en acides gras et en glycérol et les glucides en sucres simples comme le glucose. Les vitamines et les sels minéraux, quant à eux, n'ont pas besoin d'être transformés et passent dans le sang à travers la paroi intestinale. La bile produite par le foie favorise la digestion des graisses, et les sécrétions du pancréas, celle des glucides. Le pancréas poursuit aussi le travail de digestion des protéines et des lipides. Enfin, tout ce qui n'est pas absorbé est évacué par l'anus.

La bouche C'est ici que commence la digestion, sous l'action mécanique des mâchoires, des dents et de la langue.

L'épiglotte La mastication active ce clapet cartilagineux pour boucher la trachée artère, tandis que le voile du palais obture la cavité nasale.

L'œsophage Ce conduit, composé de fibres musculaires, transporte les aliments à l'estomac grâce à une série de contractions réflexes (péristaltisme œsophagien).

L'estomac C'est ici que les aliments passent jusqu'à cinq heures à être malaxés et mélangés aux sucs gastriques. Le résultat, appelé chyme, est envoyé dans l'intestin grêle. Les sucs gastriques sont principalement constitués d'acide, qui tue les bactéries présentes dans la nourriture, et d'enzymes transformant les protéines en acides aminés. C'est dans l'estomac que la vitamine B12 est absorbée.

La vésicule biliaire Cette poche stocke la bile produite par le foie et l'envoie dans l'intestin grêle, où elle permet la digestion des graisses.

Le pancréas Il sécrète des sucs digestifs dans l'intestin grêle.

Le rectum C'est ici que s'accumulent les selles avant d'être évacuées par l'anus.

Le système digestif Il comprend le tube digestif – sorte de tuyau qui s'étend de la bouche à l'anus et comprend l'œsophage, l'estomac, les intestins et le rectum – ainsi que des organes tels que le foie, le pancréas et la vésicule biliaire.

Les glandes salivaires Les trois paires de glandes salivaires présentes dans la bouche sécrètent la salive. C'est là qu'une enzyme (l'amylase) prédigère les aliments en les humidifiant et en les ramollissant.

Le foie C'est l'un des plus gros organes du corps. Il produit jusqu'à un litre de bile par jour et stocke les vitamines A, D, E et K.

L'intestin grêle Les aliments poursuivent leur chemin dans l'intestin grêle, qui se compose de trois parties (le duodénum, le jéjunum et l'iléon) dont chacune produit des enzymes digestifs et contribue à l'absorption des nutriments (vitamines et sels minéraux) dans le sang.

Le gros intestin Des milliards de bactéries y synthétisent tous les nutriments qui n'ont pas été absorbés dans l'intestin grêle. Le gros intestin absorbe également l'eau contenue par le chyme, qui est alors transformé en matières fécales.

L'anus Le relâchement des sphincters permet l'expulsion des selles.

Que trouve-t-on dans les aliments ?

On a l'habitude de classer les aliments en quatre catégories : glucides, protéines, lipides ou fibres. Or, chaque aliment peut contenir plusieurs de ces éléments, en plus des différents sels minéraux et des vitamines.

Les produits céréaliers, par exemple, comme le pain ou les pâtes, sont traditionnellement rangés dans la catégorie des glucides, mais ils contiennent aussi des protéines, des lipides, des vitamines et des sels minéraux. Les aliments d'origine animale (viande, volaille, poisson) sont riches en protéines et en lipides mais pas en glucides. Même la glace contient à la fois des protéines, des glucides, des sels minéraux, des vitamines ainsi que des matières grasses.

Il est important de varier son alimentation, car un groupe d'aliments ne peut pas fournir, à lui seul, tous les nutriments dont a besoin l'organisme. C'est l'ensemble de votre alimentation qui couvrira ces besoins.

De plus, l'association, au cours d'un même repas, de différents types d'aliments peut se révéler tout à fait bénéfique pour la santé : en mangeant, par exemple, des aliments riches en vitamine C en même temps que des aliments riches en fer, on favorise l'absorption du fer. Enfin, les aliments contiennent tous de l'eau, dans des proportions variables. Le tableau ci-dessous donne le pourcentage des nutriments contenus dans les aliments (sans l'eau). Vous trouverez la légende des abréviations à la page 296.

Des aliments complets Le pain, par exemple, n'est pas seulement source de glucides. Il contient aussi des protéines, des lipides, des fibres et nombre de sels minéraux et vitamines.

Macronutriments et micronutriments

La plupart des aliments contiennent des macronutriments et des micronutriments. Lorsque l'on met en place un régime alimentaire, on prend surtout en considération les macronutriments – glucides, lipides et protéines – et leur proportion dans l'alimentation. Ce sont eux qui fournissent de l'énergie à l'organisme.

On peut se référer aux étiquettes des produits pour connaître la quantité de macronutriments qu'ils contiennent (*voir p. 277*).

Les micronutriments, c'est-à-dire les vitamines et les sels minéraux, sont également présents dans la plupart des aliments, en proportions variables. Ils jouent un rôle essentiel dans de nombreux processus physiques :
• Certains processus du métabolisme, comme les réactions enzymatiques et la production de globules rouges.
• Le fonctionnement du cœur et du système nerveux.
• La fabrication des anticorps pour lutter contre les infections.

ALIMENTS	LIPIDES	PROTÉINES	GLUCIDES	FIBRES	VITAMINES ET SELS MINÉRAUX
Pain complet	14 %	12 %	74 %	4,1 %	B1, B3, B9, Fe, K, Mg, P, Zn
Riz brun	9 %	10 %	81 %	1,7 %	B1, B3/Mg, P, Zn
Haricots verts	0 %	9 %	91 %	4 %	A, B9, Vit K/K
Pomme	0 %	0 %	100 %	3 %	K
Yaourt écrémé aux fruits	9 %	17 %	74 %	0 %	B2/Ca, K, P
Blanc de poulet	27 %	73 %	0 %	0,1 %	B2, B3, B6, B12, K, P, Zn
Steak (filet)	36 %	64 %	0 %	0 %	B1, B2, B3, B12, Fe, K, P, Zn
Saumon	54 %	46 %	0 %	0 %	B1, B2, B3, B9, B12, B5/Fe, K, P, Zn
Lentilles	3 %	30 %	67 %	15,6 %	B2, B3, B9, B12, B5/P, K
Amandes	78 %	12 %	10 %	0 %	B2, E/Fe, K, Mg, P, Zn
Œufs	61 %	38 %	1 %	0 %	A, B2, B12, D/Ca, P, Zn

Indispensables lipides

Les lipides vitaux pour l'organisme.

Les lipides sont essentiellement des matières grasses composées de carbone, d'oxygène et d'hydrogène. On les trouve dans certains végétaux, dans le poisson et dans la viande. Ils entrent dans la composition de la membrane des cellules de notre corps et jouent un rôle essentiel dans l'absorption des vitamines liposolubles (c'est-à-dire solubles dans le gras) A, D, E et K (voir p. 52-58).

Les lipides servent également à la régulation thermique du corps et constituent une source importante d'énergie.

Lipides et lipoprotéines

Outre des matières grasses, les lipides sont composés de phospholipides, de triglycérides, de cires et de stérols, dont le plus connu est le cholestérol (voir p. 40) qui circule dans le sang, relié aux lipoprotéines. Les lipoprotéines LDL (Low-Density Lipoproteins), qui transportent le cholestérol dans les tissus et les organes, sont appelées « mauvais » cholestérol, dangereux pour le système cardio-vasculaire (voir p. 216).

Les lipoprotéines HDL (High-Density Lipoproteins), qui transportent le cholestérol des tissus vers le foie sont dites « bon » cholestérol. Un taux élevé de bon cholestérol diminue les risques de maladies cardio-vasculaires.

On parle également de « bonnes » et de « mauvaises » graisses, selon que leur chaîne est saturée ou non par l'hydrogène. Les graisses insaturées peuvent être mono ou poly-insaturées. Leur apport nutritionnel est quelque peu différent.

Les bienfaits de l'huile d'olive L'huile d'olive est riche en graisses monoinsaturées, très bénéfiques pour la santé.

Évitez les graisses saturées

À l'exception des huiles de palme et de noix de coco, la plupart des graisses saturées sont d'origine animale. On les trouve surtout dans la viande rouge et la charcuterie, ainsi que les produits laitiers, comme le fromage, la crème ou la crème glacée.

Une consommation excessive de graisses saturées et d'acides gras trans (voir encadré) augmente le taux de mauvais cholestérol et donc de troubles cardio-vasculaires. Il vaut mieux en limiter la consommation.

Les graisses insaturées

Une alimentation riche en graisses monoinsaturées (que l'on trouve dans les huiles végétales, les avocats et les oléagineux) aide à maintenir un taux bas de LDL sans pour autant faire baisser le taux de HDL.

Les graisses polyinsaturées comprennent essentiellement les acides gras oméga-3 et oméga-6. On trouve les premiers dans les huiles de poisson (voir p. 39) et les seconds dans les huiles de tournesol, de colza et de maïs (voir p. 41).

Les acides gras trans

On trouve les acides gras trans à l'état naturel, en petites quantités, dans la viande et les produits laitiers, mais ils sont également produits au cours du processus d'hydrogénation qui consiste à transformer une huile végétale liquide en graisse semi-solide (comme la margarine). Ils sont donc présents dans les aliments industriels comme les biscuits, sucrés ou salés, les pâtisseries, la charcuterie et les plats à emporter. Ces acides gras, bien que faisant partie des graisses insaturées, agissent pourtant comme des graisses saturées dans l'organisme. Ils seraient même plus nocifs que ces dernières.

Choisir des viandes saines

Les produits carnés sont l'une des principales sources de lipides, en particulier de graisses saturées. Cela dit, la proportion de graisses totales et de graisses saturées varie selon le type de viande *(voir tableau ci-contre)*.

Les produits transformés, comme la charcuterie, sont les plus gras. C'est pourquoi il est plus sain de les remplacer par d'autres aliments. Lorsque vous achetez de la viande, évitez les morceaux dans lesquels la graisse est apparente.

En ce qui concerne la volaille, le moyen le plus simple d'en réduire la proportion de matières grasses est d'enlever la peau après la cuisson. De même, choisissez les morceaux blancs plutôt que les morceaux plus foncés, qui sont plus gras.

ALIMENTS	GRAISSES TOTALES	GRAISSES SATURÉES
Bacon (entrelardé)	77 %	27 %
Saucisse	72 %	26 %
Steak haché	64 %	27 %
Aile de poulet (avec peau)	58 %	16 %
Agneau (morceau maigre)	56 %	26 %
Cuisse de poulet (avec peau)	56 %	16 %
Bœuf haché extra maigre	50 %	21 %
Bacon (dans l'échine)	45 %	16 %
Bœuf (maigre)	35 %	13 %
Porc (maigre)	29 %	10 %
Gibier	18 %	6 %
Blanc de poulet (sans peau)	17 %	5 %
Blanc de dinde (sans peau)	7 %	2 %

Poisson et fruits de mer

Les produits de la mer constituent une bonne source de protéines *(voir p. 44-45)*, de vitamines du groupe B *(voir p. 53-56)* et de sels minéraux tout en étant pauvres en graisses saturées. Les poissons gras sont riches en acides gras oméga-3. On déconseillait autrefois les fruits de mer (surtout les crevettes) à cause de leur haute teneur en cholestérol.

Mais il se trouve que les crevettes, comme tous les fruits de mer, contiennent peu de graisses saturées (sauf en beignet, bien sûr), qui sont, dans la plupart des cas, les vraies responsables des maladies cardio-vasculaires. On ne compte donc plus les bienfaits du poisson et des fruits de mer, qui devraient figurer au menu au moins deux fois par semaine.

Le poisson bon pour le cœur Le saumon est une bonne source d'acides gras oméga-3. Il est ici accompagné de carottes, d'oignons nouveaux et de nouilles.

De bonnes graisses

Les poissons contiennent moins de 5 % de matières grasses – presque toutes polyinsaturées – sauf les poissons dits « gras » (entre 5 et 15 %). Ils sont ici classés du plus gras au moins gras :

- Hareng
- Maquereau
- Sardine
- Anchois
- Saumon
- Thon
- Flétan
- Cabillaud
- Crabe
- Coquille Saint-Jacques
- Crevettes
- Homard

Bon et mauvais gras

Toutes les graisses ne sont pas bonnes pour la santé.

Bien des choses ont été dites sur les bonnes et les mauvaises graisses et sur les quantités de lipides qu'il faut consommer. Il ne suffit pas, en effet, de savoir si un aliment est pauvre ou riche en lipides, encore faut-il connaître les types de lipides qu'il contient et savoir ce qui rend certaines graisses nocives pour la santé, et d'autres, bénéfiques.

Les graisses saines

Des études scientifiques montrent qu'une alimentation riche en graisses monoinsaturées réduit le taux de mauvais cholestérol (LDL) et maintient le taux de bon cholestérol (HDL). Or, avoir un taux élevé de mauvais cholestérol, tout comme avoir un faible taux de bon cholestérol, augmente les risques de maladies cardio-vasculaires. Les huiles riches en graisses monoinsaturées (*voir graphique p. 41*) ont également l'avantage d'engendrer moins de radicaux libres, à la cuisson, que les graisses polyinsaturées (*voir p. 58*).

Les deux catégories principales de graisses polyinsaturées – les oméga-3 et les oméga-6 – sont appelées « acides gras essentiels », car le corps ne peut les synthétiser. On trouve les premiers dans les poissons d'eau froide (thon, hareng et sardine). Ils interviennent dans la régulation de la pression artérielle et dans la coagulation sanguine, ainsi qu'au niveau du système immunitaire, du cerveau, du cordon médullaire et de la rétine.

Les oméga-6, eux, proviennent de certaines huiles végétales, comme l'huile de tournesol et de maïs. Ils sont indispensables à la croissance, à la structure des cellules et à l'immunité.

Évitez les graisses animales

Contrairement aux graisses insaturées, les graisses saturées augmentent les risques de maladies cardio-vasculaires (*voir p. 214-221*). Les graisses saturées sont essentiellement d'origine animale (viande et produits laitiers), mais on les trouve également dans certaines huiles (*voir encadré p. 41*). Étant donné qu'elles sont nocives pour la santé, il vaut mieux en limiter les quantités dans votre alimentation.

Un bon assaisonnement Riche en graisses monoinsaturées, pauvre en graisses saturées, l'huile d'olive constitue, seule ou dans une vinaigrette, l'assaisonnement idéal des salades.

Le cholestérol

Le cholestérol est une substance cireuse que l'on trouve dans chacune des cellules de notre corps et qui est indispensable à la production de certaines hormones, comme les hormones sexuelles (œstrogènes et testostérone).

On le trouve en proportions très élevées dans les cellules qui protègent le cerveau et le système nerveux. C'est pourquoi il est essentiel que les enfants de moins de deux ans, en plein développement, consomment suffisamment de cholestérol.

Le cholestérol intervient également dans la synthèse de la vitamine D par la peau, ainsi que dans la production de la bile, qui favorise l'absorption des lipides.

L'organisme produit la plupart du cholestérol dont il a besoin. Le reste provient de l'alimentation : le jaune d'œuf ainsi que certains abats, comme le foie et les rognons, en contiennent beaucoup.

Cela dit, trop de cholestérol peut entraîner des maladies cardio-vasculaires (*voir p. 214-221*). En effet, en se

déposant dans les artères, un excès de cholestérol peut en rétrécir le diamètre, voire les boucher, provoquant alors une attaque cérébrale ou un infarctus.

Avoir un taux élevé de cholestérol dans le sang (*voir p. 23*) est dû soit à des facteurs héréditaires, soit à une alimentation trop riche en cholestérol, en graisses totales – en particulier saturées. Cependant, la consommation de graisses saturées a des conséquences plus graves sur la santé de nos artères que la consommation de cholestérol.

Les meilleures huiles

On sait qu'il faut limiter sa consommation de graisses saturées. Mais comment choisir les huiles que l'on utilisera en cuisine puisque toutes les huiles sont composées à la fois de graisses saturées, monoinsaturées et polyinsaturées ? Consultez le graphique *(à droite)* qui classe les huiles selon la proportion de graisses monoinsaturées qu'elles contiennent.

Et n'oubliez pas que les huiles sont toutes composées de 100 % de lipides et qu'une cuillerée à soupe contient 99 cal. Prenez-le en compte si vous essayez de contrôler votre poids.

Vérifiez que l'huile que vous vous apprêtez à acheter supporte une température de cuisson élevée sans provoquer de mauvaises odeurs ou se détériorer sur le plan nutritionnel. C'est le cas des huiles de maïs et d'arachide, par exemple, mais pas de l'huile d'olive.

Quelle huile choisir ? Le graphique montre clairement que l'huile de noix de coco est très riche en graisses saturées. C'est pourquoi il vaut mieux éviter sa consommation au profit d'huiles plus saines, telles que l'huile d'olive ou de colza.

Légende

Graisses saturées
Graisses polyinsaturées
Graisses monoinsaturées

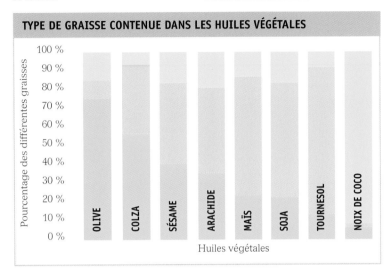

TYPE DE GRAISSE CONTENUE DANS LES HUILES VÉGÉTALES

Questionnaire : Combien de matières grasses consommez-vous ?

Cochez les lettres correspondant à vos réponses et comptez vos points.

1 Faites-vous frire vos aliments ?
a Plus de trois fois par semaine.
b Environ une fois par semaine.
c Moins de deux fois par mois.

2 Quel type de matière grasse utilisez-vous pour cuisiner ?
a Du beurre, du saindoux, du jus de viande.
b De la margarine et des huiles végétales.
c De l'huile d'olive et de colza.

3 Quel type de laitage ajoutez-vous à vos plats ?
a Du lait entier ou de la crème.
b Du lait demi-écrémé.
c Du lait écrémé.

4 Ajoutez-vous du beurre à vos légumes ?
a Toujours.

b Parfois.
c Jamais.

5 Comment cuisinez-vous généralement la viande, la volaille et le poisson ?
a Rôtis ou frits.
b Au four ou sautés.
c Grillés.

6 Avec quoi tartinez-vous votre pain ?
a Du beurre.
b De la margarine ou du beurre allégé.
c Je trempe mon pain dans l'huile d'olive.

7 Quelle matière grasse utilisez-vous dans vos sauces ?
a Le jus de la viande ou de la volaille rôties.
b Le jus dégraissé.
c Aucune. J'utilise du bouillon de légumes.

8 Quel accompagnement servez-vous avec les desserts (crumble) ?
a De la crème anglaise ou de la crème fraîche.
b De la crème glacée ou du yaourt grec.
c Du yaourt écrémé.

Résultats a 1 b 2 c 3

De 20 à 24 points Bravo ! Vous connaissez les bienfaits d'une alimentation pauvre en matières grasses sur votre santé. Continuez !

De 13 à 19 points Vous faites de bons choix, mais essayez de trouver de nouveaux moyens de réduire votre consommation de matières grasses.

De 8 à 12 points Vous utilisez trop de matières grasses et mettez votre santé en péril. Suivez les conseils de la page 43. Vous constaterez qu'il est facile de cuisiner léger !

Moins de graisses saturées

Réduisez les risques de maladies en consommant des matières grasses saines.

Vous avez appris, à la lecture des pages précédentes, les deux principes importants concernant les lipides dans l'alimentation. Vous savez quel type de matière grasse est bénéfique pour la santé et quel est le type qu'il vaut mieux éviter de consommer pour ne pas aggraver les risques de développer des maladies.

L'autre facteur essentiel à connaître est la quantité de lipides totaux qu'il convient de consommer. Une consommation excessive de matières grasses, en effet, favorise la prise de poids ainsi que le développement de certaines maladies, en particulier le diabète et le cancer.

Des choix sains
Il n'est pas difficile de réduire sa consommation de graisses saturées dès lors que l'on cuisine des ingrédients sains sans ajouter de mauvaises graisses en cours de préparation. Mangez donc davan-

Une technique venue d'Orient Faire revenir les ingrédients dans un wok chinois en les mélangeant permet une cuisine rapide et saine.

Cuisinez moins gras

Il est facile de transformer un plat riche en graisses en une alternative tout aussi savoureuse mais plus saine. Regardez l'illustration ci-contre : les ingrédients et le temps employés pour les cuisiner sont sensiblement les mêmes (poulet, salade et pommes de terre). Mais la quantité de matières grasses est cinq fois plus élevée et l'apport calorique deux fois supérieur dans l'assiette du haut *(voir légende)*.

Le blanc de poulet de la photo du bas est beaucoup moins gras et moins calorique que le pilon *(voir p. 39)*. Si l'on enlève la peau du poulet avant de le faire cuire sur un gril ou sur une plaque légèrement huilée, le résultat est bien plus sain que si la viande est panée, puis frite. Enfin, il vaut mieux manger, en accompagnement, une salade et des pommes vapeur que des frites. Voici d'autres alternatives possibles :
- Du jambon dégraissé au lieu du bacon.
- Des lamelles de blanc de volaille plutôt que de la charcuterie.
- Des feuilles de filo ou de brick à la place de la pâte feuilletée ou brisée.

Pilons panés et frits Pas moins de 492 cal et de 26 g de matières grasses, dont 5,8 g sont des graisses saturées. Les pilons sont panés puis frits et servis sans autres légumes que des frites.

Blancs grillés Variation saine et appétissante du plat ci-dessus, ces blancs de poulet sont servis avec une salade nature et des pommes vapeur, pour un apport de 264 cal et de 6 g de matières grasses, dont 1,4 g de graisses saturées.

tage de poisson, de fruits de mer, de volaille et de protéines végétales comme les légumineuses, ainsi que des produits laitiers écrémés. Et cuisinez léger *(voir ci-dessous)* en évitant les sauces à base de crème et de beurre.

Les apports conseillés

La proportion de lipides ne devrait pas excéder de 30 à 35 % de l'apport calorique journalier. Les graisses saturées ne devraient pas dépasser 10 % des calories quotidiennes. Soit, pour un homme consommant 2 500 cal par jour, un maximum de 92 g de matières grasses et de 27 g de graisses saturées par jour. Pour une femme consommant 2 000 cal par jour, le maximum est de 73 g pour les lipides et 22 g de graisses saturées.

Beurre ou margarine ?

La polémique au sujet du choix de la margarine ou du beurre, pour cuisiner comme pour faire des tartines, repose essentiellement sur la quantité de graisses saturées, d'acides gras trans et de cholestérol qu'ils contiennent.

Le beurre est pauvre en acides gras trans, mais très riche en cholestérol et en graisses saturées (15 g de beurre contiennent 33 mg de cholestérol et 7 g de graisses saturées). La consommation de graisses saturées ne doit pas excéder de 22 à 27 g par jour selon les personnes (il n'y a pas d'ANC pour le cholestérol).

La margarine, au contraire, contient peu de graisses saturées et pas de cholestérol. Mais certaines margarines sont riches en acides gras trans, qui sont aussi nocifs que les graisses saturées. Remarquons que certains fabricants ont déjà commencé à éliminer les acides gras trans de leurs produits.

Pour le moment, rien ne les oblige à faire figurer les acides gras trans sur les étiquettes, contrairement aux graisses hydrogénées. Mais la législation à ce sujet est en train de changer.

Pour le reste, le choix du beurre ou de la margarine est personnel et dépend de votre consommation de matières grasses en général et de graisses saturées en particulier. Quel que soit votre choix, restez raisonnable dans les quantités pour ne pas mettre votre santé en danger.

Cuisinez léger

La friture est une méthode de cuisson qui ajoute des quantités énormes de matières grasses aux ingrédients. Il vaut mieux l'éviter, surtout si vous voulez maigrir.

Les illustrations ci-contre montrent des moyens rapides de cuisiner et de faire cuire les aliments – viandes, poissons, légumes et fruits – en réduisant au minimum l'ajout de matières grasses, tout en préservant les qualités nutritionnelles des ingrédients. Vous pouvez également utiliser :

● De l'eau, du vin ou du jus de citron pour empêcher les aliments de se dessécher.

● Des morceaux maigres de viande et de volaille (retirer le gras visible avant la cuisson).

● Une grille pour que la graisse des viandes s'écoule et une écumoire pour dégraisser le jus de viande.

● Des ustensiles antiadhérents.

● Du bouillon plutôt que de l'huile pendant la cuisson.

● Un cuit-vapeur ou un four à micro-ondes.

● Un pinceau pour enduire légèrement d'huile les aliments avant de les faire griller ou rôtir.

Sur le gril Les aliments, éventuellement huilés, ne collent pas et le gras s'écoule dans les rainures du gril.

Sous le gril Pour les parfumer, on peut faire mariner les aliments avant de les faire griller, sans gras, au four ou au barbecue.

À la vapeur Le poisson, la viande ou la volaille sont disposés sur la grille d'un wok au-dessus d'un lit de feuilles de thé ou d'herbes.

En papillote Les aliments sont cuits, avec des aromates, à la vapeur ou au four, dans du papier sulfurisé.

Les protéines

Les protéines sont des composants majeurs de nos cellules.

Tout comme les lipides (voir p. 38-43) et les glucides (voir p. 46-47), les protéines sont des composés complexes contenant du carbone, de l'hydrogène et de l'oxygène. Elles sont également riches en nitrogène, qui représente environ 16 % de leur poids total, ainsi que d'acides aminés (voir encadré p. 45).

Le rôle des protéines

Tous les tissus de notre corps, y compris les os, la peau, les muscles et les organes contiennent des protéines indispensables à leur fonctionnement. Les enzymes, les hormones et les anticorps en sont différents types. Les protéines structurent nos cellules, dont elles permettent la croissance, la réparation et l'entretien. Elles sont également source d'énergie, comme les glucides et les lipides.

Les protéines que nous trouvons dans notre alimentation sont digérées et transformées en chaînes d'acides aminés, appelées peptides, puis en acides aminés simples, avant de passer dans le sang. Ces acides aminés permettent la fabrication de nouvelles protéines.

Animales ou végétales

On pense souvent que les protéines se trouvent dans la viande, les œufs et les produits laitiers tels que le fromage et les yaourts. C'est exact, mais il existe aussi des protéines d'origine végétale, qu'il faut également consommer pour pouvoir profiter de la diversité des acides aminés essentiels (voir encadré p. 45). Vous trouverez donc des protéines dans la viande rouge et blanche, certes (bœuf, mouton, agneau, cheval, veau, porc), la volaille, mais également dans le poisson, les légumineuses, les céréales et les graines. Une fois encore, c'est la variété de votre alimentation qui vous permettra de profiter des bienfaits de tous ces nutriments.

Il est prouvé que le risque de développer une maladie cardio-vasculaire (voir p. 214-221) ou un cancer colorectal (voir p. 259) baisse chez les personnes qui réduisent leur consommation de viande rouge au profit du poisson et de la volaille. Le poisson est, en outre, riche en acides gras oméga-3 (voir p. 90-91), et les légumineuses et les céréales, en fibres et en phytonutriments.

Des besoins accrus Les besoins en protéines augmentent pendant les périodes de croissance : enfance, grossesse et convalescence.

Les besoins en protéines

Si l'on se réfère aux apports nutritionnels conseillés (ANC), la quantité de protéines nécessaire à une personne adulte est la suivante :
• Pour une femme (entre 19 et 50 ans) : 45 g de protéines par jour.
• Pour un homme (entre 19 et 50 ans) : 55,5 g de protéines par jour.
La différence entre ces deux chiffres est due au fait que la masse musculaire est plus importante chez les hommes que chez les femmes.

Pour déterminer l'apport en protéines, il faut tenir compte des besoins de l'organisme en nitrogène et en acides aminés essentiels ainsi que de l'apport calorique global. Ils sont plus importants en cas d'activité ou d'efforts physiques (voir p. 147), ainsi que lors des périodes de croissance et de développement intense telles que l'enfance, la grossesse, l'allaitement, la convalescence, les suites d'opérations chirurgicales ou de périodes de malnutrition.

Étant donné que le corps puise continuellement des protéines dans ses tissus, il est important d'inclure un apport suffisant de protéines dans l'alimentation quotidienne. Si ce n'est pas le cas, l'organisme va chercher de l'énergie dans les protéines qui constituent la masse musculaire. La conséquence, à terme, peut être l'épuisement.

LES CARENCES EN PROTÉINES

Les carences protéiniques sont rares dans les pays industrialisés mais peuvent survenir chez des personnes suivant un régime amaigrissant, à l'alimentation insuffisante, ou en convalescence après une opération chirurgicale, un traumatisme ou une maladie. On risque également une carence lorsque les protéines que l'on consomme ne sont pas suffisamment variées pour couvrir les besoins en acides aminés essentiels (voir encadré p. 45).

L'EXCÈS DE PROTÉINES

Le corps ne pouvant stocker les protéines, il doit digérer et éliminer celles que lui apporte l'alimentation. Le foie sépare le nitrogène des acides aminés. Ces derniers sont transformés en énergie, tandis que le nitrogène se retrouve dans l'urée excrétée par les reins. C'est pourquoi, en cas de problème rénal, il est préférable de réduire sa consommation de protéines afin de ne pas surcharger les reins.

L'excès de protéines peut également décalcifier l'organisme, entraînant, à terme, des problèmes osseux. Enfin, il vaut mieux limiter sa consommation d'aliments riches en protéines animales, car ils contiennent souvent une grande quantité de graisses saturées.

Les acides aminés

De la même manière que les vingt-six lettres de l'alphabet peuvent composer une infinité de mots, les acides aminés peuvent se grouper en chaînes pour donner différents types de protéines, dont la forme détermine la fonction dans l'organisme.

Les acides aminés essentiels Sur la vingtaine d'acides aminés dont l'organisme a besoin pour fonctionner, neuf sont essentiels, c'est-à-dire que le corps ne peut les fabriquer et doit les recevoir de l'alimentation (la lysine, l'histidine, l'isoleucine, la phénylalanine, la leucine, la méthionine, le tryptophane, la thréonine et la valine).

Les acides aminés non essentiels Contrairement aux acides aminés essentiels, l'organisme peut les synthétiser si l'alimentation ne lui en fournit pas suffisamment.

Les sources de protéines

La viande, la volaille, le poisson, les œufs, le lait et les produits laitiers comme le fromage sont d'excellentes sources de protéines *(voir tableau ci-contre)* et de tous les acides aminés *(voir ci-dessus)*. Mais ces aliments, d'origine animale, sont également riches en matières grasses *(voir p. 40-43)* et souvent pauvres en glucides et en fibres.

De nombreux aliments d'origine végétale contiennent également des protéines : les légumineuses, les oléagineux et les céréales. Cela dit, si l'on ne consomme que des protéines d'origine végétale *(voir p. 100)*, il faut les combiner avec d'autres aliments, car elles ne fournissent pas tous les acides aminés, exception faite du soja et de ses dérivés. Les aliments d'origine végétale ont néanmoins l'avantage d'être riches en fibres *(voir p. 48-49)* et en glucides *(voir p. 46-47)*.

ALIMENTS	PORTIONS	PROTÉINES	CALORIES
Amandes	100 g	21,1 g	612
Tofu	100 g	8,1 g	73
Blanc de dinde (sans peau)	100 g	29,9 g	157
Blanc de poulet (sans peau)	100 g	30,9 g	173
Filet de bœuf (maigre)	100 g	29 g	188
Filet de porc (maigre)	100 g	21,4 g	122
Saumon	100 g	20,2 g	180
Œufs	2 moyens	16 g	196
Fromage blanc maigre	100 g	8 g	45
Crevettes	80 g	19,6 g	85
Lentilles cuites	100 g	7,6 g	100
Yaourt écrémé aux fruits	100 g	4,2 g	78
Lait demi-écrémé	100 ml	3,4 g	46

Les glucides

Les glucides, qui dispensent au corps de l'énergie, sont la base d'un régime alimentaire sain.

Composés de carbone, d'hydrogène et d'oxygène, les glucides sont, selon leur structure, simples ou complexes. On les trouve principalement dans les céréales, le pain, le riz et les

Les nouilles soba Ces nouilles de sarrasin, d'origine japonaise, riches en fibres, constituent la base de recettes faciles et variées.

pâtes, ainsi que dans les fruits, les légumes, les légumineuses et les produits laitiers.

Une complexité variable

Tous les glucides (ou hydrates de carbone) sont composés de chaînes de molécules de sucres. Les glucides simples en comportent une seule, ce sont des monosaccharides, ou deux dans le cas des disaccharides. Le glucose, que l'on trouve dans le sang, le fructose, présent dans les fruits, et le galactose, sucre des produits laitiers, font partie de la première catégorie. Dans la catégorie des saccharides, on trouve le saccharose (le sucre de table) et le lactose

Choisir les bons glucides

Certains glucides sont d'excellentes sources de nutriments et d'énergie, tandis que d'autres sont des calories vides. Comment reconnaître les aliments contenant les bons glucides ?

Les bienfaits des glucides complexes sont désormais reconnus. On les trouve essentiellement dans les aliments d'origine végétale (céréales, légumes et légumineuses) qui, non seulement fournissent de l'énergie au corps, mais sont également riches en vitamines, en sels minéraux, en phytonutriments, en protéines et en fibres – sauf lorsque les céréales sont raffinées *(voir p. 75)*. Pour profiter au mieux de leurs bienfaits :
• Faites des pâtes et du pain complets, ainsi que des graines et des céréales non raffinées la base de votre alimentation.
• Évitez les produits raffinés comme les friandises, les pâtisseries, les boissons et les biscuits industriels.
• Mangez beaucoup de fruits et de légumes, si possible crus ou peu cuits et avec la peau *(voir p. 288)*.

SOURCES DE GLUCIDES	MEILLEURES SOURCES
Pain blanc	Pain complet
Riz blanc	Riz complet
Croissant	Muffins complets
Orge perlée	Orge mondée
Jus de pomme sucré	Pomme (avec la peau)
Frites	Pomme de terre (en robe des champs)
Maïs doux	Lentilles
Tortilla frite	Tortilla cuite au four
Crackers à la crème	Galette d'avoine
Corn flakes	Céréales raisin et fibres
Flocons d'avoine	Porridge traditionnel
Pâtes (raffinées)	Pâtes complètes
Nouilles de riz	Nouilles soba
Couscous	Boulgour

(le sucre présent dans le lait).

Les glucides complexes, également appelés polysaccharides, sont de longues chaînes d'unités monosaccharides. Ils comprennent l'amidon, que l'on trouve dans les pommes de terre et les céréales, le glycogène, qui, stocké dans l'organisme, constitue une réserve d'énergie, ainsi que les fibres alimentaires *(voir p. 48-49)*.

L'importance des glucides

Les glucides fournissent essentiellement de l'énergie à l'organisme. Au cours de la digestion, ils sont transformés en sucres simples, tels que le glucose, source majeure d'énergie, en particulier dans certains tissus, dans certaines cellules (les globules rouges, par exemple) et dans le cerveau.

Les glucides servent également à fabriquer les acides aminés non essentiels – nécessaires à la création des protéines *(voir p. 45)* –, le cartilage, les os et les tissus du système nerveux, ainsi qu'à digérer les lipides.

Les meilleurs glucides

Étant donné qu'ils doivent constituer la base de notre alimentation, il vaut mieux choisir les sources de glucides les plus bénéfiques pour notre santé. Mangez des fruits, des

Définition

Insulinorésistance C'est lorsque le corps perd de sa sensibilité à l'insuline *(voir p. 246)*. En conséquence, le glucose ne pénètre pas les tissus, son taux dans le sang reste anormalement élevé et il ne peut donc pas être utilisé comme énergie. On retrouve fréquemment cette configuration chez les personnes souffrant de surpoids.

légumes et des céréales, de préférence complètes. Il vaut mieux, si possible, choisir des produits issus de céréales complètes et non raffinées pour pouvoir profiter des nutriments contenus dans leur enveloppe, éliminée au cours du processus de raffinage *(voir p. 75)*.

Certains spécialistes conseillent de se fier à l'index glycémique (IG, *voir tableau p. 46*) des aliments pour choisir les meilleures sources de glucides. Les aliments ayant un index bas, dont le sucre passe plus lentement dans le sang, sont idéaux pour les personnes diabétiques *(voir p. 246)* et insulinorésistantes *(voir encadré ci-contre)*. Mais un index glycémique bas n'est pas le seul critère à prendre en considération lorsque l'on choisit des aliments riches en glucides : il faut également tenir compte de leur teneur en fibres et en autres nutriments.

L'index glycémique

L'index glycémique (IG) évalue les aliments en fonction de la rapidité avec laquelle le glucose qu'ils contiennent passe dans le sang. Les aliments à IG élevé provoquent donc une augmentation rapide du sucre dans le sang, à laquelle l'organisme réagit en libérant de l'insuline, qui se transforme en réserves de graisse. C'est pourquoi les personnes souffrant de troubles cardio-vasculaires *(voir p. 214)*, digestifs *(voir p. 226)*, de diabète *(voir p. 246)* ou d'insulinorésistance *(voir ci-dessus)* doivent consommer, de préférence, des aliments à index glycémique bas.

Les valeurs de l'index glycémique
Ce chiffre dépend de nombreux facteurs, comme le type de glucides que contient l'aliment, la façon dont il a été transformé, sa proportion de matières grasses et de fibres. En général, les aliments à IG bas sont

ceux qui sont le moins transformés, contiennent plus de fibres et moins de glucose. Cela dit, le pain complet, par exemple, a un index glycémique élevé, tandis que le fructose (que l'on trouve dans les fruits ou dans le sirop de maïs) a un IG bas. L'index glycémique d'un aliment n'est donc pas proportionnel à la quantité de glucose qu'il contient. Mais il demeure plus sain d'éviter les aliments riches en glucose.

La charge glycémique Face à l'ambiguïté de l'index glycémique comme outil nutritionnel, on a développé le concept de charge glycémique. En effet, les aliments très sucrés, comme le fondant au chocolat, par exemple, ont un index glycémique plus bas que le pain complet, alors que ce dernier est nettement plus bénéfique pour la santé. On calcule donc la charge gly-

cémique en multipliant l'index glycémique d'un aliment par la quantité de glucides disponibles dans la portion consommée. Le chiffre obtenu reflète à la fois la durée de l'absorption du glucose dans le sang et la proportion de glucides qui a réellement été consommée.

Conclusion La charge glycémique semble donc être un indicateur de la réponse glycémique plus intéressant que l'index glycémique lui-même. Mais il ne suffit pas à déterminer la valeur nutritionnelle globale d'un aliment. Il faut, en effet, prendre en compte sa teneur en nutriments tels que protéines, fibres, vitamines, sels minéraux et phytonutriments. Il apparaît ainsi que les céréales complètes ont une valeur nutritionnelle bien supérieure à celle des céréales raffinées, nocives pour la santé.

Les fibres

Les fibres sont indispensables à la santé du système digestif.

Les fibres alimentaires sont des substances d'origine végétale dont le rôle est capital dans la digestion. On trouve deux types de fibres : les fibres solubles (sous-entendu dans l'eau) et les fibres insolubles qui, comme leur nom l'indique, ne se dissolvent pas.

Les fibres solubles

Les fibres solubles permettent de ralentir la transformation des glucides complexes, tel l'amidon, en sucres simples, comme le glucose, dont elles ralentissent, par ailleurs, l'absorption dans le sang. Elles réduisent ainsi le taux de sucre dans le sang. Les fibres solubles forment un gel qui se lie au cholestérol pour l'évacuer. Une consommation régulière de fibres réduit également le taux de cholestérol sanguin. Les sources principales de fibres solubles sont les céréales complètes (en particulier l'avoine, l'orge et le seigle), les fruits, les légumes et les légumineuses.

Les fibres insolubles

Les fibres insolubles sont naturellement présentes dans le riz, les céréales et le pain complets, les graines, les légumineuses et la peau des fruits et des légumes. Elles ne sont ni solubles dans l'eau ni absorbées par l'organisme. Elles favorisent l'hygiène et le péristaltisme intestinaux, c'est-à-dire les contractions, en hydratant les selles, qui deviennent à la fois plus volumineuses, plus molles et plus facilement expulsables.

Les bienfaits des fibres

Les aliments riches en fibres ont l'avantage d'accroître la sensation de satiété parce que, d'une part, ils

La flore intestinale

La flore intestinale, c'est-à-dire les bactéries qui se logent dans le gros intestin, transforme certaines chaînes chimiques en fibres qui résistent aux enzymes digestives. Manger des fibres permet d'avoir un côlon sain dans lequel s'activent des millions de bactéries.

Selon certains chercheurs, l'action de la flore intestinale sur les fibres crée de l'acidité au niveau du côlon, ce qui diminue les risques de cancer colorectal (*voir p. 259*). Or, ce dernier est la deuxième cause de mortalité par cancer en France.

sont plus longs à manger et que, d'autre part, les fibres ralentissent le passage de la nourriture au début de l'intestin et, par là même, le passage du sucre dans le sang. Ce qui diminue le taux de glucose et, par suite, d'insuline dans le sang (*voir p. 246*). De plus, le fait que les fibres procurent une plus grande sensation de satiété est utile au cours des régimes alimentaires amaigrissants, car il permet de manger moins.

Contre la maladie

En favorisant la régularité du transit et l'hygiène gastro-intestinale, les fibres permettent également de réduire les risques de maladies diverticulaires (*voir p. 234*) et de lutter efficacement contre la constipation (*voir p. 229*). Il est également reconnu qu'un régime riche en fibres prévient le diabète (*voir p. 246*)et le cancer colorectal (*voir p. 259*), par son action positive sur la flore intestinale. Ce cancer, en effet, est rare dans les pays dont l'alimentation traditionnelle se compose principalement de céréales, de fruits et de légumes.

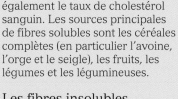

Le plein de fibres Commencez la journée en pleine forme avec un mélange de muesli, de fruits frais, dont vous mangerez la peau, et de yaourt écrémé.

Les besoins en fibres

On conseille aujourd'hui de consommer entre 20 et 30 g de fibres alimentaires par jour, à adapter selon votre âge et votre sexe *(voir p. 136 et p. 151)*. Mais la consommation réelle des Français est encore bien loin de ces chiffres. Il est facile d'augmenter votre ration de fibres en incluant, dans votre alimentation quotidienne, des céréales complètes, des fruits et des légumes variés.

ALIMENTS	PORTIONS	FIBRES
Haricots blancs cuits	100 g	6,2 g
Lentilles cuites	100 g	1,9 g
Céréales raisins et fibres	1 bol (30 g)	3,9 g
Petits pois cuits	80 g	4,1 g
Haricots à la tomate	100 g	3,5 g
Pruneaux	100 g	6 g
Pain complet	1 tranche	2 g
Flocons d'avoine cuits	1 bol (200 g)	1,8 g
Pomme (avec la peau)	1 moyenne	1,8 g
Riz complet cuit	100 g	0,8 g

Plus de fibres

Si vous avez l'intention de manger davantage de fibres, faites-le progressivement pour laisser au système digestif le temps de s'habituer. Buvez de l'eau pour compenser le liquide absorbé par les fibres. Et suivez nos suggestions :

● Mangez davantage de légumes crus ou cuits, en particulier des crucifères tels les choux et les brocolis.
● Mangez la peau et les pépins des fruits (pommes, poires et baies).
● Mangez des céréales riches en fibres (froides ou chaudes).
● Ajoutez des flocons d'avoine ou des haricots à vos plats et à vos farces.
● Mangez des céréales complètes, du pain complet et utilisez de la farine complète pour cuisiner et faire de la pâtisserie.
● Ajoutez des germes de blé à vos plats et à vos pâtisseries.
● Remplacez les noix ou la farine par des céréales dans les pâtisseries.

Recette   Croustillants aux céréales et aux abricots

**INGRÉDIENTS
(pour 16 barres)**

175 g d'abricots secs

2 pommes

120 ml de jus de pomme

225 g de beurre

75 g de vergeoise

175 g de farine complète

200 g de flocons d'avoine

1 Préchauffez le four (180 °C, th. 4). Huilez légèrement une plaque (31-21 cm).

2 Hachez les abricots et les pommes épluchées. Faites-les cuire 10 minutes dans une casserole avec le jus de pomme.

3 Laissez refroidir la compote avant de la réduire en purée au mixer.

4 Dans un saladier, faites mousser le beurre avec la vergeoise et ajoutez la farine et les flocons d'avoine.

5 Étalez la moitié de ce mélange sur la plaque. Enduisez-le de purée de pomme et d'abricot. Puis recouvrez la purée de fruits avec l'autre moitié du mélange et pressez légèrement.

6 Enfournez et faites cuire 30 minutes, jusqu'à ce que le gâteau soit doré. Découpez-le en seize rectangles et laissez-les refroidir sur la plaque. Les barres se conservent dans un récipient hermétique.

**Valeur nutritionnelle
(pour 1 barre) :**
Calories 231, total des graisses 13 g (sat. 7 g, poly. 0,5 g, mono. 3 g), cholestérol 30 mg, protéines 3,5 g, glucides 27 g, fibres 2,8 g, sodium 120 mg ; bonne source de vit. A et de Ca, Mg, P.

Les vitamines

Les vitamines sont des substances dont on ne peut se passer.

Pour certains d'entre nous, le mot vitamine est associé à l'image des boîtes alignées sur les rayonnages des pharmacies ou des paquets de céréales enrichies que nous mangeons tous les matins. En réalité, les vitamines sont des substances que l'on trouve en quantités infimes dans les aliments. Mais l'alimentation n'est pas la seule source de vitamine. Certaines d'entre elles, en effet, peuvent également être élaborées par notre corps.

Mangez vitaminé La plupart des aliments, d'origine animale et végétale, contiennent des vitamines. Les pommes et les poires sont une bonne source de vitamine C.

C'est le cas de la vitamine K et de la vitamine B8, qui sont produites par la flore intestinale ainsi que de l'essentiel de la vitamine D, qui est synthétisée par la peau sous l'action des rayons du soleil.

Un rôle crucial

Les vitamines ne contiennent pas de calories, et, pourtant, elles sont essentielles au développement, à la croissance et à de nombreux processus chimiques dans le corps. Elles permettent d'utiliser au mieux les calories ingérées par ailleurs et de digérer les protéines, les lipides et les glucides. Elles jouent également un rôle dans le renouvellement des cellules, des tissus et des organes.

On distingue les vitamines liposolubles – solubles dans le gras – des vitamines hydrosolubles – solubles dans l'eau. Les vitamines A, D, E et K sont liposolubles, tan-

Où trouver les vitamines ?

On trouve la plupart des vitamines dans les aliments que nous mangeons. Mais il y a quelques exceptions, comme la vitamine K, qui est fabriquée par la flore intestinale (c'est-à-dire les micro-organismes qui prolifèrent dans l'intestin), ou la vitamine D, qui est synthétisée par la peau sous l'action bénéfique des ultraviolets présents dans la lumière du soleil.

Mais cela reste l'exception. Étant donné que la majorité des vitamines ne sont pas fabriquées par l'organisme, seule une alimentation variée et équilibrée permet de couvrir l'ensemble des besoins.

VARIEZ VOTRE ALIMENTATION

La variété est la clé de l'équilibre alimentaire. On trouve des nutriments en grandes quantités dans certains aliments (comme la vitamine C dans les fruits et les légumes), tandis que

d'autres ne sont présentes qu'en quantités infimes, mais dans de nombreux aliments (c'est le cas des vitamines du groupe B). Aucun aliment ne contient l'ensemble des vitamines dont le corps a besoin quotidiennement, mais, en choisissant des aliments sains, frais et variés, vous limitez les risques de souffrir de carences en vitamines.

Beaucoup de gens mangent la même chose d'une semaine à l'autre, se privant ainsi de certaines vitamines. Si c'est votre cas, nous vous suggérons de lire le répertoire des vitamines qui figure dans les pages suivantes. Cela vous aidera à varier votre alimentation. Deux abricots à la place d'une orange, par exemple, augmenteront l'apport en vitamine A. Garnir votre bagel de saumon plutôt que de fromage à tartiner vous fournira une bonne quantité de vitamine D. Pensez également à acheter des produits de saison.

Les aliments enrichis et fortifiés en vitamines

Les fabricants tendent à ajouter des vitamines et des sels minéraux à certains produits alimentaires, comme du fluor dans le sel ou des vitamines dans les céréales du petit déjeuner.

Les aliments enrichis On remplace des nutriments présents dans l'aliment de base, mais qui ont été détériorés au cours de leur transformation.

Les aliments fortifiés On ajoute des nutriments dans des aliments qui n'en contiennent pas naturellement, comme le calcium dans le jus d'orange, par exemple. Le but étant d'augmenter la valeur nutritionnelle de ces aliments.

dis que sont hydrosolubles la vitamine C et les vitamines du groupe B (B1, B2, B3 [ou PP], B5, B6, B8, B9, B12).

Les vitamines A, C et E sont reconnues comme de puissants antioxydants, très bénéfiques pour la santé. On les trouve dans de nombreux fruits et légumes. Les antioxydants sont des substances qui neutralisent l'effet des radicaux libres *(voir p. 58)* dont l'accumulation détériore les cellules et les tissus jusqu'à provoquer des maladies. Une alimentation riche en fruits et légumes prévient le développement de ces maladies, y compris de certains cancers.

Les carences vitaminiques

On parle de carences primaires ou secondaires. Une carence primaire apparaît lorsque l'alimentation ne contient pas suffisamment de vitamines. Une carence secondaire est plutôt liée au mode de vie et à la consommation d'alcool,

de tabac, de certains médicaments qui inhibent l'absorption des vitamines. La prise prolongée d'antibiotiques, par exemple, tue la flore intestinale qui fabrique la vitamine K *(voir p. 58)*. Les carences peuvent également être la conséquence de troubles intestinaux qui empêchent la bonne utilisation des vitamines dans l'organisme.

Les maladies découlant d'une carence en vitamines sont le béribéri (carence en vit. B1), la pellagre (vit. B3 ou PP), le scorbut (vit. C) et le rachitisme (vit. D). Mais ces affections restent rares en Occident où l'alimentation est généralement riche et variée et où les aliments sont souvent enrichis en vitamines et en sels minéraux.

Les spécialistes orientent désormais leurs recherches sur l'impact des vitamines sur la santé et le système immunitaire, ainsi que sur la prévention des maladies et du vieillissement. Parallèlement, on note un regain d'intérêt de la

part de la population pour le sujet, largement relayé par les médias et par la publicité croissante pour les compléments alimentaires multivitaminés.

Vous trouverez, au début de ce chapitre *(voir p. 35)*, des explications sur la quantité (l'ANC) de vitamines et de sels minéraux qu'il faut consommer chaque jour pour être en bonne santé.

L'excès de vitamines

Il est peu probable que notre alimentation soit trop riche en vitamines, mais des cas de surdose par ingestion de compléments alimentaires *(voir p. 266-271)* surviennent souvent. On pense parfois qu'une grande quantité de vitamine C viendra à bout d'un rhume *(voir p. 57)*. Or, une surdose en vitamine C provoque des diarrhées ou des calculs rénaux. Demandez toujours l'avis de votre médecin avant de prendre des compléments. Varier votre alimentation suffira peut-être à couvrir vos besoins en vitamines.

Comment conserver les vitamines ?

Les vitamines sont fragiles et sont souvent détruites au cours du stockage, de la transformation et de la cuisson.

● Les fruits et les légumes contiennent leur plus haut niveau de nutriments lorsqu'ils arrivent à maturité. Il faut les manger le plus rapidement possible après la récolte, en évitant de leur faire subir des transformations. N'achetez pas, dans la mesure du possible, de fruits et de légumes qui ne sont pas encore mûrs en espérant les faire mûrir chez vous.

● Les produits congelés sont, en général, des aliments qui ont été cueillis ou ramassés mûrs et surgelés sur place et dans lesquels les nutriments sont préservés par le froid.

● Entreposez les aliments de façon à préserver les nutriments le mieux possible. Choisissez un endroit frais et sombre, car de nombreuses vitamines se détériorent à la lumière (les vitamines B2 et C) et à la chaleur.

● Les vitamines sont souvent détruites au cours de la cuisson. C'est pourquoi il vaut mieux éviter de cuire les aliments trop longtemps ou de les faire bouillir dans de grandes quantités d'eau,

dans lesquelles les nutriments se dissolvent. Préférez des modes de cuisson plus rapides et moins agressifs pour les nutriments, tels que la cuisson à la vapeur douce, par exemple.

Préservez les nutriments Faites cuire les légumes à la vapeur plutôt qu'en les faisant bouillir. Les vitamines et les sels minéraux seront ainsi préservés.

Répertoire des vitamines

Voici une description détaillée des vitamines, ainsi que du rôle qu'elles jouent dans l'organisme, des symptômes en cas de carence et des sources principales. Les apports conseillés (ANC) sont donnés ici pour des adultes de dix-neuf à cinquante ans en bonne santé *(voir p. 35)*. Adaptez-les à votre cas *(voir p. 104-155)*.

La vitamine A

ANC
Hommes 800 µg ER
Femmes 600 µg ER

La vitamine A joue un rôle crucial dans la vision (en particulier la vision nocturne), la croissance osseuse, la reproduction et la santé de la peau et des muqueuses. Elle agit également dans le corps en tant qu'antioxydant *(voir p. 58)*, c'est-à-dire un composé chimique qui protégerait les cellules de l'oxydation et, par suite, de certains cancers.

La vitamine A se trouve sous deux formes dans l'alimentation : la forme active est issue des aliments d'origine animale. Il s'agit des rétinoïdes, comprenant le rétinal et le rétinol. La seconde forme est celle des précurseurs, connus aussi sous le nom de provitamines, que le corps transforme en substances actives. On les trouve dans les fruits et légumes contenant des pigments orange, jaunes et vert foncé (les caroté-

noïdes). Le plus connu d'entre eux est le bêta-carotène. On mesure la vitamine A en microgrammes et en équivalent rétinol (1 µg ER = 1 µg de rétinol = 6 µg de bêta-carotène).

Dans l'intestin, la vitamine E protège la vitamine A et empêche son altération. La vitamine A est liposoluble et peut être stockée. La plus grande partie de la vitamine A que vous consommez dans l'alimentation est stockée dans le foie qui, en cas de besoin, la libère dans le sang. Elle est ensuite acheminée vers les cellules et les tissus concernés.

LES CARENCES EN VITAMINE A
Dans de nombreux pays en voie de développement, les carences en vitamine A sont fréquentes, en particulier chez les femmes enceintes et les enfants en bas âge. En Occident, elles concernent peu de personnes, exception faite des alcooliques et des victimes de maladies affectant l'absorption des lipides, comme les fibroses cystiques ou la maladie de Crohn *(voir p. 233)*. Une carence grave en vitamine A peut se manifester par des troubles oculaires appelés xérophtalmie : la cornée se durcit. Cette maladie peut dégénérer en troubles de la vision nocturne, en ulcération de la cornée ou en cécité irréversible.

D'autres symptômes peuvent révéler une carence en vitamine A : problèmes de croissance, cicatrisation difficile et hyperkératose folliculaire (épaississement de la couche cornée de l'épiderme au niveau du follicule pileux), problèmes de régénération de la peau et des muqueuses internes.

Les sources
La vitamine A Les aliments suivants contiennent au moins 0,15 µg de vitamine A ou 150 µg ER pour 50 à 200 g :
- Patate douce
- Carotte
- Chou frisé
- Potiron
- Épinards
- Poivron
- Courgette
- Abricot
- Melon à pulpe orange
- Mangue
- Tomate
- Foie (de bœuf, porc, poulet ou dinde)
- Œufs

Les carottes Grâce à sa teneur élevée en bêta-carotène, une carotte moyenne couvre pratiquement tous les besoins quotidiens de l'organisme en vitamine A.

La vitamine des yeux

Les gens qui ne voient pas la nuit souffrent souvent d'une carence en vitamine A. Cette vitamine, en effet, intervient dans la formation de la rhodopsine, un pigment situé sur la rétine (le tissu sensible à la lumière qui se trouve au fond de l'œil).

Stimulée par la lumière, la rhodopsine se divise en deux protéines, l'opsine et le rétinal, qui se réunissent à nouveau, lorsque la lumière faiblit,

pour former la rhodopsine. Ce processus nécessite un apport supplémentaire en rétinal, qui est une forme de vitamine A.

Si l'on manque de rétinal, la régénération de la rhodopsine se fait mal, et la vision nocturne diminue. Cela explique pourquoi les carottes et le cassis, tous deux riches en bêta-carotène, sont bons pour la vue, en particulier lorsqu'il fait nuit !

La vitamine B1

ANC
Hommes 1,3 mg
Femmes 1,1 mg

Également appelée thiamine, la vitamine B1 a pour fonction essentielle de favoriser la transformation des lipides et des glucides en énergie. Elle est indispensable à la croissance et au bon fonctionnement des systèmes cardio-vasculaire, nerveux et digestif. La vitamine B1 est hydrosoluble et ne peut être stockée dans l'organisme. Cependant, une fois absorbée, on la retrouve concentrée dans les muscles.

LES CARENCES EN VITAMINE B1
Les carences sont rares, mais peuvent survenir chez les personnes qui souffrent d'alcoolisme, car l'alcool, consommé en grandes quantités, inhibe l'absorption de la vitamine B1 et entrave ses réactions chimiques dans le corps.

Une carence légère en vitamine B1 peut entraîner fatigue, irritabilité, diminution de l'appétit et perte de poids. Si elle est plus grave, d'autres symptômes apparaissent : engourdissement des mains et des pieds, faiblesse, maux de tête et accélération des battements du cœur.

Le béribéri est une maladie qui touche les nourrissons allaités par une mère souffrant de carences en vitamine B1, ainsi que les alcooliques et les personnes qui consomment beaucoup de

Les sources
La vitamine B1 Les aliments suivants contiennent au moins 0,1 mg de vitamine B1 pour 25 à 100 g :
- Petits pois
- Épinards
- Foie
- Bœuf
- Porc
- Pain complet
- Noix
- Céréales riches en son
- Soja

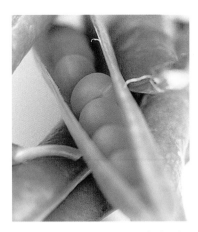

Les petits pois Excellente source de vitamine B1, les petits pois contiennent également du bêta-carotène, des protéines ainsi que des vitamines B3, B9 et C.

glucides raffinés, en particulier de riz blanc, dont la vitamine B1 a été éliminée au cours du raffinage. Le béribéri peut dégénérer en troubles nerveux et cardiaques, jusqu'à provoquer un dérèglement du rythme cardiaque (arythmie) et une insuffisance cardiaque *(voir p. 216-221)*.

La vitamine B2

ANC
Hommes 1,6 mg
Femmes 1,5 mg

Également appelée riboflavine, la vitamine B2 est une vitamine liposoluble qui permet la transformation des glucides en énergie *(voir p. 46)*, et plus précisément, la transformation des molécules de glucose en glycogène, stocké dans le foie où il reste disponible pour l'organisme. La vitamine B2 intervient également dans la digestion des lipides et dans la transformation du tryptophane (un acide aminé) en niacine. Enfin, elle participe à la protection du système nerveux et des muqueuses.

LES CARENCES EN VITAMINE B2
Les carences en vitamine B2 peuvent être primaires (l'alimentation n'est pas assez riche en cette vitamine) ou secon-

Les sources
La vitamine B2 Les aliments suivants contiennent au moins 0,1 mg de vitamine B2 pour 85 à 300 g :
- Asperge
- Épinards
- Abats (foie, cœur, rognons)
- Lait
- Yaourt
- Viande
- Œufs
- Poisson

daires. Dans ce cas, c'est l'absorption de la vitamine qui est en cause, soit parce que l'organisme a des problèmes pour l'utiliser, soit parce qu'il ne la retient pas.

Une carence en vitamine B2 peut se manifester par des lésions de la peau et des muqueuses (lèvres rouges et fissurées, inflammation des parois de la bouche et de la langue pouvant aller jusqu'à l'ulcère), maux de gorge, sécheresse cutanée, ou de l'anémie *(voir p. 55)*. Peuvent également apparaître des troubles oculaires : irritations, larmoiement, injection de sang et hypersensibilité à la lumière.

La vitamine B3

ANC
Hommes 14 mg
Femmes 11 mg

Également connue sous le nom de niacine, d'acide nicotinique, de nicotinamide ou de vitamine PP, la vitamine B3 participe à plus de deux cents réactions enzymatiques. Elle intervient dans la production d'énergie et dans la dégradation du glucose, de certains lipides et acides aminés. Elle est nécessaire à la santé de la peau, de l'intestin, de l'estomac et du système nerveux, ainsi qu'à la production de l'ADN. Cette vitamine peut être synthétisée par l'organisme, à partir du tryptophane, sous réserve de la présence suffisante de vitamine B6 *(voir p. 54)*.

Bien qu'un excès de niacine soit dangereux pour certaines personnes,

Les sources

La vitamine B3 Les aliments suivants contiennent au moins 1 mg de vitamine B3 pour 25 à 100 g :

- Petits pois
- Foie
- Viande rouge
- Volaille
- Maquereau
- Rouget
- Saumon
- Espadon
- Haricots blancs
- Cacahouètes
- Soja

de fortes doses ont été administrées avec succès pour réduire le taux de cholestérol sanguin *(voir p. 216)*. On l'emploie également pour traiter les vertiges, les bourdonnements d'oreille et les migraines prémenstruelles.

LES CARENCES EN VITAMINE B3
Les carences sont rares dans les pays industrialisés, où l'alimentation est riche en protéines, mais concernent les populations qui consomment beaucoup de maïs, car cette céréale est pauvre en tryptophane *(voir p. 45)*.

Une carence en vitamine B3 peut être provoquée par un manque de vitamine B6 *(à droite)*, car cette dernière est nécessaire à la fabrication

Les cacahouètes Ces légumineuses, que l'on prend souvent pour des oléagineux, sont riches en vitamine B3, ainsi qu'en protéines et en magnésium, fer et zinc.

de la niacine à partir du tryptophane dans l'organisme. Les alcooliques peuvent également souffrir de carence en vitamine B3, car l'alcool inhibe l'absorption de cette vitamine dans l'intestin.

Une carence en vitamine B3 se manifeste par les symptômes suivants : pellagre (fatigue, perte d'appétit, faiblesse, diarrhées, anxiété, irritabilité et dépression), inflammation des parois de la bouche et de la langue. Si la carence s'aggrave, les conséquences peuvent se manifester par des éruptions cutanées, une diarrhée sévère, le délire et même la mort si aucun traitement n'est entrepris à temps.

La vitamine B5

ANC
Hommes de 7 à 10 mg
Femmes de 7 à 10 mg

Cette vitamine, également connue sous le nom d'acide pantothénique, intervient dans la dégradation des protéines et de leurs acides aminés, des lipides et des glucides et de leur transformation en énergie. Elle participe également à la fabrication de la vitamine B12, de l'hémoglobine qui transporte l'oxygène dans les globules rouges et des membranes cellulaires.

Les sources

La vitamine B5 Les aliments suivants contiennent au moins 0,5 mg de vitamine B5 pour 100 à 250 g :

- Patate douce
- Avocat
- Champignon
- Yaourt
- Rognons
- Foie
- Viande rouge
- Maquereau
- Rouget
- Saumon
- Truite
- Lentilles
- Fèves
- Haricots blancs

LES CARENCES EN VITAMINE B5
Une carence en vitamine B5 est peu probable étant donné que cette vitamine est omniprésente dans les aliments. Cela dit, selon certaines sources, l'inflammation des nerfs chez les alcooliques serait provoquée par un manque de vitamine B5, mais les études sur le sujet sont encore en cours. Il est donc difficile d'établir un lien formel entre certains symptômes et une carence en vitamine B5.

La vitamine B6

ANC
Hommes 1,8 µg
Femmes 1,5 µg

Également connue sous le nom de pyridoxine, la vitamine B6 intervient dans la production et dans la digestion des acides aminés *(voir p. 45)*. Elle sert également à fabriquer l'insuline *(voir p. 246)*, les anticorps et certains neurotransmetteurs. Elle est, en outre, impliquée dans la production de l'histamine (substance qui intervient au cours des réactions allergiques). La vitamine B6 participe également à la synthèse de l'hémoglobine (la molécule qui transporte l'oxygène dans les globules rouges) et permet la liaison de l'oxygène avec les molécules d'hémoglobine.

L'une des formes de la vitamine B6 est utilisée dans le traitement des symptômes de certains troubles, tels le syndrome prémenstruel, le diabète gestationnel, l'asthme et la dépression. La vitamine B6 contribue à prévenir la formation d'homocystéine, dont un taux élevé dans le sang augmente le risque de maladies cardio-vasculaires *(voir p. 214-221)*.

LES CARENCES EN VITAMINE B6
Les carences en vitamine B6 surviennent chez les nourrissons dont l'alimentation ne contient pas de vitamine B6. Elles peuvent également toucher les alcooliques, les fumeurs et certaines femmes sous contraception orale. Certains traitements médicaux interfèrent avec l'absorption de la vitamine B6, comme les médicaments contre la tuberculose.

Les bananes Les bananes sont riches en vitamines B6, mais aussi en vitamine B9, en potassium et en fibres solubles. Il est préférable de les consommer bien mûres.

Certaines maladies (l'asthme, les troubles rénaux, la maladie de Hodgkin, l'anémie falciforme et le diabète) diminueraient le taux de vitamine B6 dans le sang.

Une carence en vitamine B6 est associée aux symptômes suivants : lèvres fissurées, dermatite séborrhéique, nausées et diarrhées. Si elle est plus grave, elle peut conduire à une perte de l'appétit, un état de dépression ou de confusion.

Le manque de vitamine B6 peut également être à l'origine d'une carence en vitamine B3, car la vitamine B6 permet la conversion du tryptophane en niacine *(voir p. 54)*. Les symptômes sont alors fatigue, irritabilité et anxiété.

Les sources

La vitamine B6 Les aliments suivants contiennent au moins 0,5 mg de vitamine B6 pour 100 à 200 g :
- Pomme de terre
- Patate douce
- Banane
- Poulet
- Dinde
- Maquereau
- Rouget
- Saumon
- Espadon
- Truite
- Thon

La vitamine B12

ANC
Hommes 2,4 µg
Femmes 2,6 µg

La vitamine B12, également connue sous le nom de cobalamine, est absorbée au niveau de l'estomac. Pour pouvoir passer dans le sang, elle se lie à une protéine sécrétée par la muqueuse de l'estomac : le facteur intrinsèque.

La vitamine B12 est essentielle à la croissance, en particulier au développement des enfants et des adolescents, ainsi qu'à la production de l'hémoglobine, à laquelle elle participe en association avec la vitamine B9 *(voir p. 56)*. Elle participe également à l'équilibre du système nerveux, à la synthèse de l'ADN et au métabolisme des lipides et des glucides.

La vitamine B12 est naturellement présente dans les aliments d'origine animale, ce qui expose les végétariens et les végétaliens *(voir p. 100)* à des risques de carences. De nombreux aliments industriels sont cependant enrichis en vitamine B12.

Carences et anémie

L'anémie est une diminution de la quantité d'hémoglobine (pigment des globules rouges qui transporte l'oxygène) due à une diminution des globules rouges dans le sang et, par conséquent, de l'oxygène dans les cellules et les tissus. Il en résulte une pâleur anormale, de la fatigue et des difficultés respiratoires. Il en existe plusieurs formes.

L'anémie microcytaire C'est la forme la plus courante, provoquée soit par une carence en fer chronique dans l'alimentation *(voir p. 66)*, soit par une perte de ce même minéral, à la suite d'une hémorragie, par exemple.

L'anémie mégaloblastique Elle est due à une carence en vitamines B12 *(voir ci-dessus)* et B9 (ou acide folique, *voir p. 56*), dont le rôle est

Les sources

La vitamine B12 Les aliments suivants contiennent au moins 0,5 µg de vitamine B12 pour 50 à 250 g :
- Produits laitiers
- Abats (foie, cœur, rognons)
- Œufs
- Bœuf
- Fruits de mer

LES CARENCES EN VITAMINE B12
Des carences peuvent survenir chez les personnes atteintes d'anémie pernicieuse *(voir encadré)* et qui ne sécrètent pas le facteur intrinsèque indispensable à l'absorption de la vitamine B12. Les personnes qui ont subi l'ablation de l'iléon doivent recevoir une supplémentation en vitamine B12.

Les personnes âgées peuvent difficilement absorber la vitamine B12 à cause d'une faible acidité gastrique. Une supplémentation dans cette vitamine est alors indiquée. La vitamine B12 est mieux absorbée sous forme de complément alimentaire *(voir p. 150)*.

En outre, chez les personnes âgées, les bactéries prolifèrent dans l'estomac au lieu d'être éliminées par l'acidité. La

essentiel au cours du processus de formation des globules rouges. Une carence en l'une ou l'autre de ces deux vitamines provoque la formation de macrocytes ou mégaloblastes, c'est-à-dire de globules rouges anormalement gros.

L'anémie pernicieuse On parle d'anémie pernicieuse dans le cas d'une anémie mégaloblastique provoquée par une réaction auto-immune au cours de laquelle le système immunitaire attaque les parois de la muqueuse de l'estomac et le facteur intrinsèque. En conséquence, la quantité de facteur intrinsèque diminue, provoquant une carence en vitamine B12 dans l'organisme, car la vitamine B12 doit se lier avec le facteur intrinsèque pour pouvoir être absorbée et utilisée.

vitamine B12 est alors utilisée par ces bactéries et n'est plus disponible pour ses autres fonctions dans l'organisme.

Une carence en vitamine B12 peut se manifester par de l'anémie mégaloblastique *(voir p. 55)*, des inflammations des muqueuses de la bouche et de la langue, ainsi que des symptômes neurologiques allant de simples fourmillements dans les bras et les jambes à des troubles beaucoup plus graves, parmi lesquels la démence.

La vitamine B8

ANC
Hommes 50 µg
Femmes 50 µg

La vitamine B8, également connue sous le nom de biotine, est indispensable au métabolisme des protéines, des glucides et des lipides.

LES CARENCES EN VITAMINE B8
Les femmes enceintes, les alcooliques et les personnes âgées, par exemple, qui ne produisent pas suffisamment d'acidité gastrique, peuvent manquer de vitamine B8.

Les symptômes d'une carence en vitamine B8 sont les suivants : inflammation et hypersensibilité cutanées, alopécie (perte de cheveux), douleurs musculaires, perte de l'appétit, nausées, troubles mentaux, hypercholestérolémie et diminution du taux d'hémoglobine dans le sang, pouvant conduire à un état anémique *(voir p. 55)*.

Les sources

La vitamine B8 Les aliments suivants contiennent au moins 1,5 µg de vitamine B8 pour 25 à 100 g :
- Chou-fleur
- Champignon
- Foie
- Jaune d'œuf
- Maquereau
- Sardines
- Haricots blancs
- Cacahouètes
- Levure

La vitamine B9

ANC
Hommes 330 µg
Femmes 300 µg

La vitamine B9, également appelée acide folique ou folate, ne peut être fabriquée par le corps et provient obligatoirement de l'alimentation. Elle intervient dans la fabrication de l'ADN et de l'ARN nécessaires à la formation des protéines. Indispensable à la croissance, elle participe au renouvellement cellulaire. En association avec la vitamine B12, elle permet la formation de l'hémoglobine et la transformation de l'homocystéine (un acide aminé essentiel) en méthionine.

Un bon apport en vitamine B9 avant et pendant la grossesse permet de prévenir le spina bifida, malformation de la colonne vertébrale *(voir p. 140)* chez le nourrisson. Si vous êtes enceinte ou projetez de l'être, demandez à votre médecin une supplémentation en vitamine B9 (jusqu'à 400 µg par jour).

LES CARENCES EN VITAMINE B9
Les carences en vitamine B9 sont courantes dans notre société, grande consommatrice de produits alimentaires industriels raffinés et riches en matières grasses, au détriment d'une consommation suffisante de fruits et légumes. Elles apparaissent chez les

Le chou Le chou vert est un trésor de bienfaits, grâce à sa teneur importante en vitamines B9 et C, en bêta-carotène, en fibres et en substances phytochimiques anticancéreuses.

Les sources

La vitamine B9 Les aliments suivants contiennent au moins 30 µg de vitamine B9 pour 85 à 200 g :
- Maïs doux
- Asperge
- Chou de Bruxelles
- Chou vert
- Chou-fleur
- Légumes verts frais
- Petits pois
- Épinards
- Cresson
- Mâche
- Haricots blancs
- Orange
- Foie
- Noix
- Pois chiches
- Lentilles

personnes atteintes de la maladie de Crohn *(voir p. 233)* qui les empêche de synthétiser cette vitamine. Les personnes âgées peuvent également manquer de vitamine B9, soit parce que leur alimentation n'en comporte pas suffisamment, soit parce que leur estomac n'est plus assez acide pour la digérer. L'alcool et certains médicaments peuvent également inhiber sa digestion.

Une carence peut provoquer de l'anémie mégaloblastique *(voir p. 55)* avec fatigue, pâleur et difficultés respiratoires. Autres symptômes possibles : diarrhées, perte de poids, palpitations cardiaques, inflammation des muqueuses de la bouche et troubles cardio-vasculaires par élévation du taux d'homocystéines.

La vitamine C

ANC
Hommes 110 mg
Femmes 110 mg

La vitamine C, ou acide ascorbique, ne peut être synthétisée par l'organisme et doit être puisée chaque jour dans l'alimentation. Dans les aliments, c'est la plus fragile des vitamines : elle peut être détruite par l'air, la lumière et la chaleur. Dans le corps, elle intervient dans la

Rhume et vitamine C

Le rôle de la vitamine C dans la lutte contre les infections a longtemps été un sujet de polémique. Si l'on sait désormais que la vitamine C réduit le taux d'histamine dans l'organisme, peut soulager les symptômes et diminuer la durée des rhumes, rien ne prouve cependant qu'elle les prévient ou les soigne. Mieux vaut que la vitamine C provienne de l'alimentation. Si vous prenez des compléments alimentaires, ne dépassez pas 1 000 mg au risque de voir apparaître des troubles comme la diarrhée ou des calculs rénaux.

Le maquereau Riche en vitamine D, le maquereau contient également des vitamines B3, B6 et B12, du phosphore, de l'iode, du sélénium, du potassium et des oméga-3.

fabrication du collagène, une protéine essentielle à la formation du tissu conjonctif de la peau, des ligaments et des os. Elle active la cicatrisation et a un effet antioxydant *(voir p. 58)* et anti-infectieux, parce qu'elle permet aux globules blancs de combattre les bactéries. Elle participe également à la formation des globules rouges et de l'hémoglobine et augmente, dans l'intestin, l'absorption du fer contenu dans les végétaux. L'excès de vitamine C est éliminé dans les urines.

LES CARENCES EN VITAMINE C

Les personnes qui ne consomment pas d'agrumes ou qui suivent un régime alimentaire restrictif peuvent manquer de vitamine C. De même que celles qui fument ou boivent de l'alcool régulièrement, puisque le tabac épuise la vitamine C et que l'alcool inhibe son absorption. La vitamine C peut favoriser le processus de guérison et de cicatrisation dans les cas de brûlures, de pneumonie, de tuberculose, de fièvre rhumatismale et de suites d'opération chirurgicale.

Une carence en vitamine C provoque, à terme, le scorbut, une maladie qui se manifeste par une faiblesse musculaire, des douleurs articulaires, des troubles de la cicatrisation, de la dentition ou de la peau, de la fatigue, parfois une dépression.

La vitamine D

ANC

Hommes de 10 à 15 µg
Femmes de 10 à 15 µg

Cette vitamine liposoluble joue un grand rôle dans l'absorption et dans l'utilisation du calcium *(voir p. 62)* et du phosphore *(voir p. 63)* et, par suite, dans la formation et la santé des os, des dents et du cartilage. La vitamine D se présente sous deux formes : la vitamine D2 et la vitamine D3, toutes deux synthétisées et rendues disponibles pour l'organisme dans le foie et les reins. Mais, tandis que l'on trouve la vitamine D2 dans l'alimentation, la vitamine D3 se forme par l'action du soleil sur la peau.

Lorsque le taux de calcium dans le sang est bas, les glandes parathyroïdes situées dans le cou sécrètent l'hormone parathyroïdienne qui stimule les reins afin qu'ils transforment la vitamine D en forme active qui, à son tour, stimule l'intestin pour qu'il absorbe davantage de calcium et de phosphore. On mesure la vitamine D en milligrammes ou en unités internationales (40 UI = 0,001 mg).

LES CARENCES EN VITAMINE D

Elles sont rares dans les pays dont le lait et les produits laitiers sont enrichis en vitamine D. Cependant, les personnes qui ne s'exposent pas au soleil, telles les personnes âgées ou alitées, par exemple, encourent le risque de ne pas en synthétiser suffisamment.

Les personnes qui, pour des raisons culturelles, religieuses ou climatiques, couvrent leur corps ou celles qui vivent dans des zones où la pollution atmosphérique est importante et influe sur l'ensoleillement s'exposent donc à des carences. Un autre facteur de risques est la prise prolongée de certains médicaments anticonvulsifs qui interfèrent avec la conversion de la vitamine D en sa forme active. Les personnes atteintes d'affections rénales chroniques peuvent également souffrir de carences en vitamine D si leurs reins ne

Les sources

La vitamine C Les aliments suivants contiennent au moins 10 mg de vitamine C pour 50 à 200 g :
- Banane plantain
- Asperge
- Brocoli
- Chou de Bruxelles
- Chou vert
- Poivron
- Tomate
- Mûre
- Pamplemousse
- Goyave
- Kiwi
- Mangue
- Melon
- Orange
- Ananas
- Fraise

Les sources

La vitamine D Les aliments suivants contiennent au moins 3 µg de vitamine D pour 50 à 100 g :
- Jaune d'œuf
- Huile de foie de morue et de flétan
- Maquereau
- Saumon
- Sardines
- Thon

sont plus en mesure de la synthétiser. Une carence en vitamine D se manifeste par une maladie appelée ostéomalacie chez les adultes et rachitisme chez les enfants et qui se caractérise par un ramollissement des os : on ressent alors des douleurs dans les jambes, les côtes, les hanches et les muscles, ainsi qu'une difficulté à monter les escaliers ou à passer de la position assise à la position debout. Les os sont fragiles et finissent par se déformer, surtout dans les jambes et le dos.

La vitamine E

ANC
Hommes 12 µg
Femmes 12 µg

Cette vitamine liposoluble est considérée comme l'un des antioxydants naturels les plus puissants contre les radicaux libres *(voir encadré ci-contre)*. La vitamine E favorise également la stabilité de la vitamine A, la formation des globules rouges et la fluidité du sang. Elle est stockée surtout dans le foie, les graisses et les muscles.

LES CARENCES EN VITAMINE E
Les carences alimentaires en vitamine E sont rares. Elles surviennent chez des personnes atteintes de maladies empêchant l'absorption des graisses dans l'intestin (fibrose cystique ou maladie de Crohn *[voir p. 233]*).

Une carence en vitamine E se manifeste par des troubles du système nerveux ou de l'anémie *(voir p. 55)* due à une diminution de la durée de vie des globules rouges.

Les sources
La vitamine E Les aliments suivants contiennent au moins 0,5 mg de vitamine E pour 25 à 50 g :
- Germe de blé
- Crevettes
- Amandes
- Noisettes
- Cacahouètes
- Pistaches
- Soja
- Graines de tournesol

Définitions

Les radicaux libres Ce sont des molécules ou des atomes présents dans l'organisme sain et qui interviennent au cours des réactions biochimiques. Elles sont naturellement bactéricides, permettent de lutter contre l'inflammation et de maintenir le tonus musculaire. Cela dit, elles sont hyperréactives et peuvent parfois se développer anarchiquement, provoquant l'oxydation des protéines, des lipides, de l'ADN et des cellules.

Les antioxidants Ces substances chimiques que l'on trouve dans les fruits et les légumes sont également fabriquées par l'organisme. Elles neutralisent l'effet des radicaux libres. Les vitamines A, C et E, le cuivre, le sélénium et le zinc sont de bonnes sources d'antioxydants.

La vitamine K

ANC
Hommes 45 µg
Femmes 45 µg

Cette vitamine liposoluble est un composant essentiel du processus de coagulation du sang. La plupart de la vitamine K est produite par la flore intestinale, c'est-à-dire les micro-organismes qui se développent dans l'intestin, et stockée dans le foie. On peut également la trouver dans certains aliments.

Si vous devez prendre des médicaments pour fluidifier le sang, demandez conseil à votre médecin : la vitamine K peut interférer avec les effets de ce genre de traitement.

Antibiotiques et vitamine K

S'ils éliminent les bactéries responsables de la maladie, les antibiotiques tuent également la flore intestinale, c'est-à-dire l'ensemble des micro-organismes sains qui se développent dans l'intestin et participent, entre autres, à la fabrica-

tion de la vitamine K. D'où l'intérêt, si vous prenez des antibiotiques, de consommer des aliments ou des compléments alimentaires pour régénérer la flore intestinale et augmenter votre apport en vitamine K.

Les sources
La vitamine K Les aliments suivants contiennent au moins 0,01 mg de vitamine K pour 50 à 200 g :
- Asperge
- Brocoli
- Chou de Bruxelles
- Chou vert
- Carotte
- Chou-fleur
- Céleri
- Petits pois
- Épinards
- Abricot
- Raisin
- Poire
- Prune

LES CARENCES EN VITAMINE K
Les carences en vitamine K sont rares parce que cette vitamine est essentiellement produite par notre corps. Cependant, elles peuvent survenir chez les personnes atteintes de troubles empêchant l'absorption des lipides dans l'intestin, comme la fibrose cystique. La prise prolongée d'antibiotiques, qui détruisent la flore intestinale, peut également entraîner une carence en vitamine K *(voir ci-dessous)*.

Une carence en vitamine K empêche la coagulation du sang. Il peut en résulter des saignements dans la bouche, les voies urinaires ou génitales, l'estomac, l'intestin et la peau, ainsi que des hématomes.

À la naissance, l'organisme ne fabrique pas la vitamine K avant une semaine. D'où le risque de développer une maladie hémorragique du nouveauné. C'est pourquoi les bébés reçoivent des compléments en vitamine K dès la naissance pour favoriser la coagulation du sang en cas de saignements.

Les phytonutriments

Les phytonutriments sont d'origine végétale.

Les phytonutriments, également connus sous le nom de substances phytochimiques, sont tous issus d'aliments d'origine végétale (du grec *phyto* signifiant plante). Les recherches ont montré qu'une portion de légumes peut contenir plus de cent phytonutriments différents.

Santé et phytonutriments

Il est désormais acquis que les grands consommateurs de fruits et de légumes et donc de phyto-nutriments sont moins sujets que les autres à toutes sortes d'affections, parmi lesquelles les troubles cardio-vasculaires, le diabète et certains cancers. Les phytonutriments ont un effet antioxydant *(voir encadré p. 58)* qui protège les cellules et les organes des infections et des maladies. Consommer au moins cinq portions de fruits et légumes par jour permet donc, entre autres, de faire le plein de tous ces phytonutriments.

Une tasse de thé Le thé contient du poly-phénol, phytonutriment puissant qui réduirait les risques de cancer de l'estomac.

Les différents types de phytonutriments

Voici une liste des phytonutriments les plus connus parmi les centaines de substances phytochimiques que l'on trouve dans les aliments d'origine végétale.

Les bioflavonoïdes Ils favorisent l'absorption de la vitamine C et la protègent de l'oxydation. Les bioflavonoïdes sont surtout présents dans les agrumes : citrons, citrons verts, pamplemousses et oranges.

Les caroténoïdes On les trouve dans les carottes, les melons à chair orange, les patates douces et les courgettes. Ils protégeraient des maladies cardio-vasculaires.

Les glucosinolates Présents dans les légumes, ils participent à l'action détoxifiante du foie, ainsi qu'à la régulation des globules blancs. Ils préviendraient également le développement des tumeurs du sein, du foie, du côlon, des poumons, de l'estomac et de l'œsophage.

Les composés organosulfurés Ils confèrent à l'oignon et au poireau leur odeur caractéristique. Ils interviennent au niveau de la coagulation, de l'immunité et du processus enzymatique.

Les phyto-œstrogènes Ils protègent des maladies cardio-vasculaires et de l'ostéoporose et ralentissent la progression du cancer. On les trouve dans le soja et ses dérivés et dans les graines de lin.

Les flavonoïdes Ils protégeraient des réactions allergiques, infections virales et autres inflammations.

Les indoles Ils joueraient un rôle dans la prévention du cancer du sein.

Les isoflavones Ils seraient des inhibiteurs des cancers liés aux œstrogènes et diminueraient le taux de cholestérol.

Les limonoïdes On trouve ces substances protectrices des poumons dans la peau des agrumes.

Le lycopène Présent dans les tomates, il protégerait des cancers du col utérin, de l'estomac, de la vésicule, du côlon et de la prostate et des maladies cardio-vasculaires.

L'acide para-coumarique Il préviendrait le cancer en agissant sur le développement des nitrosamines dans l'estomac.

Les acides phénols et le polyphénol Les acides phénols protègent de l'oxydation. Le polyphénol, que l'on trouve dans le thé, jouerait un rôle de protection contre le cancer de l'estomac.

Les phytostérols Parmi eux, les stanols réduisent l'absorption du cholestérol et, en conséquence, le taux de cholestérol dans le sang. On les trouve dans le soja et ses dérivés et dans certaines margarines fortifiées.

Les terpènes Ils inhiberaient l'action cancérigène des carcinogènes et protégeraient contre certains cancers d'origine hormonale comme le cancer de l'ovaire.

Les sources

Les phytonutriments Ces substances sont présentes dans tous les aliments d'origine végétale, et en particulier dans ceux qui figurent dans la liste ci-dessous :

- Céréales complètes
- Brocoli
- Chou de Bruxelles
- Chou-fleur
- Agrumes
- Légumes à feuilles vert foncé
- Ail
- Thé
- Épices et aromates
- Oignon
- Tomate
- Germes de soja
- Vin

Les sels minéraux

Des substances nées dans les roches et les minerais.

Les sels minéraux se trouvent au bout d'une longue chaîne : nous en consommons lorsque nous mangeons des végétaux qui se sont eux-mêmes nourris de sels minéraux dans le sol, des animaux qui se sont nourris de ces plantes ou lorsque nous buvons de l'eau.

Les sels minéraux sont essentiels, mais l'organisme n'a besoin que d'infimes quantités. On parle de microminéraux et de macrominéraux en fonction de leur proportion dans l'organisme et des besoins que nous en avons.

Les macrominéraux représentent plus de 0,005 % du poids d'une personne, et leur apport doit être supérieur à 100 mg par jour. Ce sont le calcium, le magnésium,

le phosphore, le potassium, le sodium et le soufre. Lorsque les besoins en un sel minéral sont inférieurs à 100 mg par jour et qu'il représente moins de 0,005 % du poids, on parle de microminéral. C'est le cas du chrome, du cuivre, de l'iode, du fer, du sélénium et du zinc. Ils ont tous une fonction précise.

Les besoins en sels minéraux

Les sels minéraux associent leurs effets pour former et dégrader les tissus et réguler le métabolisme, c'est-à-dire l'ensemble des réactions chimiques qui se produisent en permanence dans l'organisme. Prenons un exemple : la majeure partie du calcium, du phosphore et du magnésium se dépose dans le collagène des os. En cas de carence alimentaire en l'un de ces nutriments, le corps peut puiser

Où trouver les sels minéraux ?

Aucun aliment ne contient tous les sels minéraux : seule une alimentation variée peut garantir que les besoins seront couverts. De plus, le corps stocke les sels minéraux en prévision d'éventuelles carences alimentaires.

Les produits d'origine animale constituent de bonnes sources de sels minéraux. Le potassium, en revanche, se trouve dans les fruits et les légumes. Boire de l'eau minérale est également un bon moyen de couvrir ses besoins en certains minéraux, notamment en magnésium (voir encadré).

Les sels minéraux sont souvent détruits ou éliminés lors des processus de transformation ou de raffinage des aliments. Les céréales raffinées, par exemple, ne contiennent plus de potassium, de fer ni de chrome, pourtant présents dans les céréales complètes. C'est pourquoi l'industrie alimentaire ajoute des sels minéraux à ses produits raffi-

nés. C'est notamment le cas du sel de table, enrichi en iode, ou de certaines céréales pour le petit déjeuner, enrichies en divers nutriments.

Les minéraux, contrairement aux vitamines, ne sont pas altérés par la chaleur ou par la lumière, mais peuvent se dissoudre et se perdre dans l'eau de cuisson des aliments. Il vaut mieux éviter de faire bouillir les aliments (préférez la cuisson à la vapeur) et respecter des temps de cuisson courts. Si vous devez faire cuire des légumes dans de l'eau, plongez-les dans l'eau bouillante. Vous perdrez ainsi moins de nutriments que si vous les mettez dans l'eau froide. Et utilisez l'eau de cuisson des légumes pour faire une soupe ou une sauce.

On a parfois besoin d'une supplémentation, notamment pour prévenir certaines maladies. Prenez des compléments de calcium pour éviter l'ostéoporose, par exemple (voir p. 268-271).

Les minéraux dans l'eau

L'eau du robinet et l'eau minérale en bouteilles contiennent des sels minéraux en quantités variables.

Le fluor est naturellement présent dans de nombreuses eaux de source, ce qui est utile pour prévenir l'apparition des caries.

Les eaux dures contiennent du calcium et du magnésium, dont on retrouve les traces dans les ustensiles de cuisine et les canalisations. Ils peuvent être neutralisés par des cristaux de sel. L'eau ainsi adoucie laissera moins de traces.

Le type de minéraux contenus dans l'eau minérale en bouteilles dépend de sa zone géographique d'origine. L'eau s'enrichit de sels minéraux (fer ou calcium) au contact des roches sur lesquelles elle coule.

dans les réserves osseuses pour survenir aux besoins de l'organisme. Les dents, comme les os, contiennent une quantité non négligeable de calcium et de phosphore.

On trouve des sels minéraux dans de nombreuses molécules impliquées dans des réactions chimiques. Le calcium, par exemple, active un enzyme digestif servant à la synthèse des lipides. Le cuivre permet de lier le fer à l'hémoglobine, c'est-à-dire aux molécules chargées de transporter l'oxygène dans les globules rouges. Quant au soufre, c'est un composant de la vitamine B1. Le calcium, le magnésium, le potassium et le sodium jouent un rôle essentiel dans le fonctionnement des cellules, notamment dans les contractions musculaires et la transmission neuronale.

Des minéraux dans la cuisine Les sels minéraux sont présents, en proportions variables, dans la plupart des aliments. La viande, par exemple, est une bonne source de fer.

Les carences

En France, les carences les plus fréquentes sont les carences en calcium, en iode, en fluor et en fer, qui provoquent respectivement l'ostéoporose, l'hyperthyroïdie, les caries et l'anémie. Comme le corps stocke et réutilise les sels minéraux, l'apparition des symptômes peut prendre des années.

Les carences en sels minéraux sont de deux natures : les carences primaires sont d'origine alimentaire. Les carences secondaires surviennent lorsque les besoins du corps en sels minéraux sont couverts, mais que le corps ne parvient pas à les synthétiser ou à les utiliser, comme c'est le cas lors de l'ingestion de certaines substances, médicamenteuses ou non, qui inhibent l'absorption des minéraux, ou chez les personnes atteintes de dérèglements intestinaux tels que la maladie de Crohn. Enfin, l'abus d'alcool, de médicaments ou une transpiration excessive provoquent la fuite des sels minéraux.

Exemple   Jennifer : fatigue et sensation de froid

Sa situation
Étudiante

Son Âge   18 ans

Son problème
Jennifer est constamment fatiguée et, bien que sportive, elle n'arrive plus à courir tant elle se sent épuisée. Sa fatigue s'est progressivement aggravée depuis l'an dernier.

Jennifer se plaint également d'avoir toujours froid. Ses règles ont toujours été abondantes et ne durent jamais moins d'une semaine. Une anémie provoquée par une carence en fer a été diagnostiquée il y a deux ans. Son médecin généraliste lui avait alors prescrit des compléments alimentaires en fer. Mais Jennifer, souffrant de douleurs abdominales

et de constipation depuis le début du traitement, l'a interrompu.

Son mode de vie Jennifer ne mange pas de viande rouge, mais consomme régulièrement du poulet et du poisson. Elle mange des produits laitiers à chaque repas, ainsi que des salades, mais très peu de fruits. Elle est étudiante et aime beaucoup la course à pied.

Nos conseils La fatigue chronique de Jennifer est certainement liée à une carence en fer, probablement provoquée ou accentuée par des menstruations longues et abondantes. Il faut qu'elle trouve le moyen d'absorber plus de fer.

On trouve le fer dans la viande rouge, la volaille, le poisson, les fruits de mer, les fruits oléagineux, les

graines, les légumes à feuilles vertes, les fruits secs, les céréales complètes et les produits alimentaires enrichis en fer. Le fait que Jennifer ne mange pas de viande rouge n'arrange pas la situation. De plus, les produits laitiers inhibent l'absorption du fer.

Jennifer peut commencer par prendre un complément contenant à la fois des vitamines et du fer. La vitamine C contenue dans les agrumes et les baies, par exemple, favorise l'absorption du fer par l'organisme.

Si elle continue à souffrir de douleurs abdominales et de constipation en prenant des compléments alimentaires en fer, elle peut boire davantage d'eau et manger davantage de fibres. Enfin, son médecin ou son gynécologue pourront l'orienter vers une contraception orale dans le dessein de diminuer le flux menstruel.

Répertoire des minéraux

Voici une liste des sels minéraux – macrominéraux puis microminéraux –, de leurs fonctions dans l'organisme, des principales sources et des conséquences d'éventuelles carences. Les apports conseillés (ANC) se rapportent ici à des personnes adultes de dix-neuf à cinquante ans. Adaptez ces chiffres à votre cas personnel *(voir p. 104-155).*

Le fromage Une petite portion quotidienne de fromage, quel qu'en soit le type, couvre les besoins en calcium et constitue également une bonne source de protéines et de zinc.

Le calcium (Ca)

ANC
Hommes 900 mg
Femmes 900 mg

C'est le principal sel minéral, dont 99 % sont stockés dans les dents et les os. Le 1 % restant intervient dans de nombreuses fonctions de l'organisme, comme la coagulation du sang, les signaux neuronaux et les contractions musculaires. L'absorption du calcium dans les intestins est régulée par la vitamine D *(voir p. 57)*. C'est pourquoi les troubles de l'absorption de la vitamine D provoquent des carences en calcium.

L'absorption du calcium peut être améliorée par le lactose (le sucre naturellement contenu dans les produits laitiers) et empêchée par l'oxalate et le phytate, substances présentes dans les épinards, la betterave, le céleri et le persil. Les personnes qui suivent un régime très riche en protéines éliminent davantage de calcium dans les urines. C'est pourquoi on conseille aux personnes souffrant de calculs rénaux de diminuer leur consommation de protéines.

Les adolescents ont des besoins en calcium bien supérieurs à ceux des enfants de moins de dix ans et à ceux des adultes, besoins sollicités par le développement extraordinaire que subit leur squelette.

LES CARENCES EN CALCIUM
Il est très difficile de détecter une carence en calcium parce que, même en cas d'apport insuffisant dans l'alimentation, les os prennent le relais et fournissent le calcium qu'ils stockent dans leurs cellules.

Une carence en calcium se manifeste par des douleurs dans les os, des picotements dans les mains et les pieds, des crampes et des contractions musculaires, des convulsions et de l'ostéoporose, une maladie qui fragilise les os, qui se cassent facilement et s'effritent.

Un enfant qui ne consomme pas suffisamment de calcium s'expose aux troubles suivants : irritabilité, faiblesse musculaire, retard de croissance, crampes et contractions musculaires. De plus, il aura une masse osseuse réduite à l'âge adulte et sera plus exposé aux risques d'ostéoporose. Si elle n'est pas traitée, une carence calcique dans l'enfance peut avoir des conséquences irréversibles.

Calcium et masse grasse

Des chercheurs ont trouvé une corrélation entre la consommation de calcium et la perte de poids. Lorsqu'on consomme plus de calcium, la transformation des lipides augmente, tandis que la production lipidique se ralentit. D'où une diminution de la masse grasse.

Ce constat découle de l'observation d'enfants et d'adultes dont la consommation de calcium et de produits laitiers a augmenté alors que leur masse grasse diminuait. On a ainsi tenté l'expérience avec succès sur des adultes obèses suivant tous un régime amaigrissant. Ceux qui ont consommé plus de calcium ont perdu plus de masse grasse.

Ces chercheurs estiment à 1 kg la perte de poids chez des enfants et entre 2,25 et 2,7 kg chez des adultes qui ont augmenté leur consommation de calcium de 300 mg.

Lorsque l'apport calcique est insuffisant, le taux de calcitriol, une hormone impliquée dans le métabolisme du calcium, augmente pour permettre à l'organisme de maintenir son taux de calcium. Mais le calcitriol provoque également une augmentation de la quantité de cellules graisseuses dans le corps. En consommant davantage de calcium, vous évitez l'intervention de cette hormone.

Les sources

Le calcium Les aliments de la liste ci-dessous contiennent au moins 150 mg de calcium pour 100 g :
- Fromage
- Lait
- Yaourt
- Épinards
- Blanchaille (friture) et sardines
- Pain blanc
- Saumon en boîte (mangé avec les arêtes)
- Amandes
- Tofu

Le magnésium (Mg)

ANC
Hommes 420 mg
Femmes 360 mg

Son rôle est crucial dans la formation des os et des dents, ainsi que dans la transmission neuromusculaire où il intervient avec le calcium, le sodium et le potassium. Le magnésium participe à la digestion des lipides ainsi qu'à la digestion et à la fabrication des protéines. Il est indispensable à la sécrétion de l'hormone parathyroïde qui aide à réguler le taux de calcium dans le sang. La vitamine D augmente l'absorption du magnésium dans l'intestin, qui est ensuite stocké dans les os, les muscles, les cellules et le liquide entourant les cellules.

À cause de son effet sur les contractions musculaires, le magnésium est utilisé pour réduire les contractions de l'utérus chez les femmes enceintes ou l'arythmie.

LES CARENCES EN MAGNÉSIUM
Les carences alimentaires en magnésium sont rares. Cela dit, elles peuvent survenir en cas de troubles de l'absorption des nutriments dans l'intestin, dus, par exemple, à la prise prolongée de diurétiques, à des vomissements répétés, à des troubles rénaux, à l'alcoolisme, à l'hyperthyroïdie ou à une cirrhose du foie. Comme le magnésium est impliqué dans le fonctionnement des glandes parathyroïdes, un taux bas peut provoquer une diminution du taux de calcium dans le sang.

Une carence peut également faire baisser le taux de potassium dans le sang et entraîner des modifications au niveau des systèmes digestif, nerveux, musculaire, cardio-vasculaire et du développement des globules.

Un manque de magnésium peut altérer le développement des nourrissons et des jeunes enfants. Chez l'adulte, les symptômes d'une carence en magnésium sont les suivants : fatigue, faiblesse, perte d'appétit, troubles de la parole, arythmie, anémie et tremblements. Non traitée, elle peut aller jusqu'à une accélération des battements cardiaques, des convulsions et la mort.

Le phosphore (P)

ANC
Hommes 750 mg
Femmes 750 mg

Essentiel à la santé des dents et des os, on trouve le phosphore dans les glucides, les lipides, les protéines, les enzymes, l'ADN, ainsi que dans l'ATP, c'est-à-dire l'adénosine triphosphate dans laquelle est stockée l'énergie dont a besoin la totalité

Les sources

Le magnésium Les aliments de la liste ci-dessous contiennent au moins 50 mg de magnésium pour 100 g :
- Céréales complètes
- Artichaut
- Épinards
- Pain complet
- Céréales riches en son
- Rognons d'agneau
- Viande rouge
- Légumineuses
- Oléagineux : noix de cajou, du Brésil, amandes et cacahouètes
- Graines de tournesol
- Graines de sésame
- Tofu

La viande rouge Source de protéines, la viande rouge est également riche en phosphore, ainsi qu'en magnésium, potassium, chrome, fer et en vitamines du groupe B.

Les sources

Le phosphore Les aliments de la liste ci-dessous contiennent au moins 150 mg de phosphore pour 25 g :
- Céréales complètes (avoine)
- Produits laitiers
- Viande rouge
- Volaille
- Fruits de mer
- Légumineuses (lentilles)
- Oléagineux (amandes, noix du Brésil, cacahouètes et pignons)
- Graines de tournesol

des cellules de l'organisme. Le processus d'absorption du phosphore ne peut se dérouler sans l'intervention de la vitamine D *(voir p. 57)*. La quantité de phosphore que l'organisme puise dans les aliments varie en fonction de ses besoins.

LES CARENCES EN PHOSPHORE
Les personnes qui prennent des médicaments antiacides sur une longue période peuvent souffrir d'une carence en phosphore, car les antiacides se lient au phosphore provenant de l'alimentation et empêchent son absorption dans l'organisme.

Les symptômes d'une carence en phosphore sont les suivants : faiblesse musculaire et douleurs dans les os, mais aussi anémie, dérèglement du fonctionnement des globules rouges et blancs, troubles d'origine nerveuse et psychologique, excrétion anormalement élevée du calcium dans les urines et calculs rénaux *(voir p. 238)*.

Le potassium (K)

ANC
Hommes pas d'ANC
Femmes pas d'ANC

En association avec le sodium et le chlore, le potassium est impliqué dans le maintien du taux d'hydratation et de l'équilibre acido-basique de l'organisme.

Il permet également le stockage du sucre dans le corps sous forme de glycogène, qui est la principale ressource des muscles en énergie, sans laquelle ils ne peuvent fonctionner.

Les pommes de terre Riches en potassium, les pommes de terre contiennent également de la vitamine B9, du fer et des fibres. Nature, elles ne font pas grossir.

Le potassium intervient donc dans le fonctionnement des muscles, mais aussi des cellules nerveuses, du cœur, des reins et des glandes surrénales.

Selon des études récentes, la consommation régulière d'aliments riches en potassium permet d'abaisser la pression artérielle. Il est donc important que les personnes sujettes à des troubles cardiaques *(voir p. 221)* ou à l'hypertension *(voir p. 220)* en consomment suffisamment. Un apport élevé en potassium diminuerait les risques d'infarctus *(voir p. 238)*, d'ostéoporose et de calculs rénaux contenant du calcium

Les sources

Le potassium Les aliments de la liste ci-dessous contiennent au moins 160 mg de potassium pour 100 g :
- Céréales complètes
- Pomme de terre
- Asperge
- Avocat
- Épinards
- Tomate
- Banane
- Melon à chair orange
- Orange
- Produits laitiers
- Viande rouge
- Fèves

(voir p. 238). Et comme le potassium est éliminé par la transpiration, il est bon d'en consommer davantage quand il fait chaud. On trouve du potassium dans les avocats, les bananes et les pommes de terre *(voir ci-contre)*.

LES CARENCES EN POTASSIUM
Les carences alimentaires en potassium sont rares. Un taux bas de potassium dans le sang, appelé hypokaliémie, est souvent consécutif à des vomissements répétés ou à une diarrhée chronique due à l'utilisation prolongée de laxatifs. Ces symptômes apparaissent notamment dans le cas de troubles du comportement alimentaire, comme l'anorexie ou la boulimie *(voir p. 207)*. Des troubles rénaux et du métabolisme peuvent également provoquer des carences.

Les symptômes d'une carence en potassium sont les suivants : fatigue, faiblesse musculaire, constipation, crampes, troubles rénaux et, en cas de carence sévère, arythmie cardiaque.

Le sodium (Na)

ANC
Hommes pas d'ANC
Femmes pas d'ANC

Connu comme un composant du sel de table (chlorure de sodium), le sodium est indispensable à la régulation de l'hydratation de l'organisme et au maintien du pH, c'est-à-dire du degré d'acidité ou d'alcalinité dans le sang. Il agit également dans le signal neuronal et dans les contractions musculaires. Il est présent dans tous les aliments en proportions variables.

Mais le sodium est consommé en quantités excessives en Occident. Les fabricants ajoutent systématiquement du sel dans la plupart des aliments industriels. Trop de sodium dans l'organisme peut être lié à la perte d'eau ou de fluides.

En excès, le sodium provoque vomissements, nausées et crampes abdominales. Un taux de sodium dans le sang constamment élevé peut entraîner des hernies, de l'hypertension *(voir p. 220)*, des difficultés respiratoires, des troubles cardiaques *(voir p. 221)* et la mort.

LES CARENCES EN SODIUM
Les carences sont rares puisque notre alimentation regorge de sel. Cependant, elles peuvent survenir à la suite de vomissements répétés, de diarrhée prolongée ou de maladies très longues. Le taux de sodium dans l'organisme peut également diminuer à cause d'une déshydratation ou d'une transpiration excessive ou constante. C'est parfois le cas lorsque le temps est très chaud ou chez les marathoniens. Certaines maladies aiguës des reins peuvent également affecter le taux normal de sodium dans le sang.

Les symptômes sont les suivants : maux de tête, nausées, vomissements, crampes, somnolence, évanouissements et parfois coma.

Le soufre (S)

ANC
Hommes pas d'ANC
Femmes pas d'ANC

Le soufre joue un rôle clef dans la fabrication des acides aminés *(voir p. 45)* et dans la synthèse des glucides. Il est présent dans l'insuline, l'hormone sécrétée par le pancréas et qui permet la régulation du taux de glucose dans le sang. Le soufre intervient également dans la fabrication du tissu conjonctif, qui entoure les organes et les relie, mais aussi de la peau, des cheveux et

Les framboises Excellente source de soufre, les framboises contiennent de la vitamine C, du calcium, du magnésium, du potassium, du fer et une grande proportion de fibres solubles.

Les sources

Le soufre Les aliments de la liste ci-dessous contiennent au moins 100 mg de soufre pour 100 g :
- Graines germées
- Légumes à feuilles vertes (chou cabus, chou frisé et fanes de navet)
- Framboises
- Produits laitiers
- Viande rouge (abats)
- Jaune d'œuf
- Poulet
- Fruits de mer
- Légumineuses
- Oléagineux

des ongles. En outre, il participe à la synthèse, dans l'organisme, de la vitamine B1 *(voir p. 53)* et de la biotine *(voir p. 56)*.

Aucune carence en soufre n'a été diagnostiquée chez les humains à cause de son omniprésence dans les aliments.

Le chrome (Cr)

ANC
Hommes 65 µg
Femmes 55 µg

Ce sel minéral permet à l'insuline de se lier à ses récepteurs situés sur la membrane des cellules afin qu'ils laissent le glucose pénétrer dans la cellule

Les sources

Le chrome Les aliments de la liste ci-dessous contiennent au moins 1 mg de chrome pour 50 g :
- Pomme de terre
- Brocoli
- Haricots verts
- Tomate
- Pomme
- Banane
- Raisin
- Orange
- Bœuf
- Porc
- Dinde

Les pommes Source de chrome et de fibres, toutes les pommes contiennent de la quercétine, un flavonoïde qui permet la diminution du taux de cholestérol sanguin.

où il est utilisé pour produire l'énergie nécessaire à son fonctionnement.

LES CARENCES EN CHROME

Les carences en chrome sont très rares. Elles peuvent néanmoins survenir chez les personnes ayant été alimentées par perfusion pendant une longue période. On a également observé une perte de chrome, dans l'urine, chez certains athlètes pratiquant des exercices d'endurance. Les sportifs doivent donc surveiller leurs apports.

Le cuivre (Cu)

ANC
Hommes 2 mg
Femmes 1,5 mg

Le cuivre joue un rôle essentiel dans de nombreuses fonctions de l'organisme, parmi lesquelles la production des pigments de la peau, des cheveux et des yeux, le développement des os et des dents, le bon fonctionnement du cœur et la protection des cellules grâce à son effet antioxydant *(voir p. 58)*. Il protège également le système nerveux par son action sur la myéline qui entoure les fibres nerveuses. Enfin, il intervient sur la synthèse du fer dans l'organisme et sur la formation des globules rouges.

Les sources

Le cuivre Les aliments de la liste ci-dessous contiennent au moins 1 mg de cuivre pour 50 g :
- Céréales complètes
- Orge
- Foie
- Crustacés (crabe et homard)
- Huîtres
- Oléagineux (amandes, noix du Brésil, pistaches)
- Graines de sésame

LES CARENCES EN CUIVRE

Les carences en cuivre sont rares, mais peuvent survenir chez les enfants souffrant de malnutrition. Il en résulte de l'anémie *(voir p. 55)* et ses symptômes.

Si on ne la traite pas, une carence en cuivre peut entraîner des lésions au niveau des poumons ou du tissu conjonctif, ainsi que des hémorragies dues à la diminution de la production des globules rouges dans le sang.

Le fluor (F)

ANC
Hommes 2,5 mg
Femmes 2 mg

On trouve ce microminéral en proportions variables dans l'eau du robinet. Le fluor est également présent dans l'organisme, où il est stocké à 99 % dans les dents et les os. Il favorise la minéralisation des dents et la densité osseuse, et réduit le risque de caries. Il contribue également à la reminéralisation de l'émail tout au long de la vie.

La fluorisation de l'eau est considérée par de nombreuses organisations de professionnels de la santé comme la mesure de santé publique la plus efficace ayant jamais été prise. Mais, en France, la fluorisation systématique de l'eau n'a pas été instaurée.

On peut consommer du fluor en utilisant du sel de table fluoré ou encore des dentifrices et des eaux de rinçage fluorés.

LES CARENCES EN FLUOR

Une carence en fluor se manifeste par une augmentation du risque de carie. Si vous

La fluorisation de l'eau

La fluorisation de l'eau est l'ajout de fluor, limité à 1,5 mg/litre, dans l'eau destinée à la consommation humaine. Bien que non encore pratiquée en France, son utilité dans la prévention des caries a été largement prouvée. Des études ont montré que les risques de caries étaient largement inférieurs chez des enfants grandissant dans des zones dans lesquelles un programme de fluorisation de l'eau avait été mis en place que chez les enfants consommant de l'eau non enrichie en fluor.

Il est prouvé que la fluorisation réduit de 20 à 40 % le nombre de caries chez les enfants et favorise la prévention des caries et du déchaussement des dents chez les adultes. Elle se révèle bénéfique dans les zones où les risques de caries sont élevés et où l'accès aux soins dentaires et aux produits fluorés est difficile.

Les épinards Riches en bêta-carotène, vitamines C, E et B9 ainsi qu'en calcium et en potassium, les épinards sont une source de fer utile, en particulier pour les végétariens.

vivez dans une zone dans laquelle l'eau n'est pas naturellement riche en fluor, une supplémentation peut être utile *(voir p. 270)*. Demandez conseil à votre dentiste, il saura vous conseiller sur le dosage. Mais avant toute prescription de fluor, il est important de connaître la concentration en fluor de l'eau habituellement consommée.

L'iode (I)

ANC
Hommes 150 µg
Femmes 150 µg

Toutes les cellules du corps contiennent de l'iode, dont 40 % sont stockés dans la glande thyroïde. C'est dans cette glande qu'il participe à la fabrication des hormones thyroïdiennes utilisées pour la croissance et le métabolisme. L'iode est naturellement présent dans la mer. On peut le trouver dans les fruits de mer ou dans les végétaux qui ont poussé près de la mer, ainsi que dans le sel de table enrichi. L'excès d'iode est éliminé dans l'urine.

LES CARENCES EN IODE

Si le corps ne reçoit pas suffisamment d'iode dans l'alimentation, la production d'hormones thyroïdiennes diminue. Pour compenser ce phénomène, la glande thyroïde grossit. On parle alors d'hyperthyroïdie.

Le développement d'un goitre est la conséquence de l'augmentation de la glande thyroïde, de même que le crétinisme, qui se manifeste par le nanisme et par des troubles de l'apprentissage. Ces troubles surviennent dans des régions éloignées des sources d'iode.

Un manque d'iode se manifeste par le ralentissement du métabolisme et par une éventuelle prise de poids. Dans le cas du crétinisme, la croissance osseuse et musculaire, ainsi que les facultés d'apprentissage sont ralenties.

Le fer (Fe)

ANC
Hommes 9 mg
Femmes 16 mg

Ce minéral est présent, quoique en quantités infimes, dans la totalité des cellules de notre organisme. L'un des composants de l'hémoglobine, il joue un rôle essentiel dans le transport de l'oxygène dans le corps.

Le fer se trouve également dans la myoglobine, une protéine présente dans les muscles, et participe à la transformation du glucose et des acides gras en énergie.

Le fer est digéré grâce à l'acide gastrique sécrété par les parois de l'estomac et qui le transforme en une substance assimilable par l'organisme. Le fer provenant des aliments d'origine animale est mieux absorbé que le fer d'origine végétale. On peut néanmoins en améliorer l'absorption en consommant de la vitamine C en même temps que les sources végétales de fer.

Le fer est également absorbé en plus grande quantité dans l'alimentation lorsque les besoins sont accrus (grossesse, adolescence, anémie *[voir p. 55]*, hémorragies au cours de l'accouchement, des menstruations, d'une opération chirurgicale ou d'un accident).

LES CARENCES EN FER

Les carences en fer font partie des problèmes de santé les plus courants, mais aussi les plus facilement résolubles. Les risques de carences sont accrus chez les femmes enceintes ou allaitant, les enfants, les femmes (menstruations), les adolescents et les personnes âgées, c'est-à-dire au cours des périodes de grands bouleversements métaboliques. Les bébés qui ne sont pas allaités et dont le lait artificiel n'est pas enrichi peuvent également souffrir de carence.

Les végétariens encourent le risque de carence dans la mesure où le fer d'origine végétale est moins bien absorbé que le fer d'origine animale.

Les sources

Le fer Les aliments de la liste ci-dessous contiennent au moins 2 mg de fer pour 100 g :
- Épinards
- Fruits secs, surtout les pruneaux
- Abats (rognons et foie)
- Viande rouge
- Jaune d'œuf
- Volaille
- Sardines
- Thon
- Crevettes
- Légumineuses (soja, haricots, fèves, pois chiches)

Une carence en fer se caractérise par de l'anémie *(voir p. 55)*. Les symptômes de l'anémie incluent la pâleur du teint, des sensations de faiblesse, de fatigue, de froid, d'engourdissement des doigts et des orteils, de l'essoufflement, une vulnérabilité accrue aux infections, des ongles mous ou qui se dédoublent et des changements dans le comportement.

Les enfants souffrant de carence en fer sont fatigués et ont du mal à se concentrer. Il peut s'ensuivre des difficultés d'apprentissage et des problèmes d'ordre comportemental.

Le sélénium (Se)

ANC
Hommes 60 µg
Femmes 50 µg

Ce microminéral est un antioxydant *(voir p. 58)* présent dans un enzyme qui protège l'organisme de l'action des radicaux libres *(voir p. 58)* et des maladies cardio-vasculaires. Le sélénium est vital pour le fonctionnement du système immunitaire et de la glande thyroïde. On le trouve dans le poisson, les fruits de mer, la volaille et les noix du Brésil.

Le sélénium a également des propriétés anticancéreuses grâce à son action antioxydante, mais aussi grâce à sa capacité à bloquer l'action des enzymes

Les huîtres Les fruits de mer, en particulier les huîtres, sont riches en nutriments, parmi lesquels le sélénium, les vitamines B3 et B12, ainsi que le potassium et le zinc.

Les sources

Le sélénium Les aliments de la liste ci-dessous contiennent au moins 10 mg de sélénium pour 25 g :
- Riz complet
- Germe de blé
- Pain complet
- Volaille
- Poisson (thon)
- Fruits de mer (huîtres)
- Noix du Brésil

impliqués dans la multiplication des cellules, incontrôlable dans le cas des cellules cancéreuses.

LES CARENCES EN SÉLÉNIUM
Les carences en sélénium sont rares, mais peuvent survenir chez les personnes alimentées par perfusion ou dont l'intestin n'est pas capable d'absorber les nutriments correctement. Les personnes souffrant d'arthrite rhumatismale et les enfants dénutris risquent également des carences en sélénium, qui se manifestent par des troubles cardiaques.

Le zinc (Zn)

ANC
Hommes 12 mg
Femmes 10 mg

Bien que nécessaire en quantités infimes, le zinc est indispensable pour la dégradation des glucides, des lipides et des protéines. Il intervient dans la division et dans le développement des cellules (du fœtus, par exemple), dans la fabrication de l'ADN et de l'ARN. Il participe également au fonctionnement du système immunitaire et au processus de cicatrisation. Il joue un rôle dans la maturation sexuelle, la fertilité et la reproduction, ainsi qu'au niveau de l'odorat et du goût.

Le zinc est également nécessaire pour maintenir le taux de testostérone dans le sang et pour convertir la testostérone en œstrogène dans l'organisme féminin. C'est ce qui a fait la réputation d'aphrodisiaque de l'huître.

Les œufs Riches en zinc, en protéines et en vitamines A, B12, D et E, les œufs contiennent également de la lécithine qui a un effet protecteur contre les troubles cardio-vasculaires.

LES CARENCES EN ZINC
On peut manquer de zinc, soit parce qu'on n'en consomme pas assez dans l'alimentation, soit parce que l'organisme ne parvient pas à l'absorber correctement au niveau de l'intestin. Les carences peuvent survenir chez les alcooliques, les porteurs du virus HIV, les diabétiques, les personnes suivant un régime restrictif en protéines et celles souffrant d'une affection intestinale ou hépatique.

Les symptômes d'une carence en zinc sont le manque d'appétit, la perte du goût, des problèmes digestifs (vomissements, diarrhées), la cécité nocturne, des problèmes de peau, de chute de cheveux, de cicatrisation, de croissance, de retard de puberté et de maturation sexuelle.

Les sources

Le zinc Les aliments de la liste ci-dessous contiennent au moins 1 mg de zinc pour 25 g :
- Produits laitiers
- Viande rouge
- Œufs
- Volaille
- Crabe
- Homard
- Huîtres
- Noix du Brésil
- Haricots secs
- Soja

Une alimentation saine

Tous vos choix alimentaires ont une influence sur votre santé, votre vitalité, votre bien-être ainsi que sur votre poids. En les puisant dans tous les groupes, vous êtes sûr de tirer le meilleur parti des aliments et de donner à votre organisme toutes les chances d'être en bonne santé et en pleine forme

Les bons choix diététiques

Comment faire les choix alimentaires les plus sains.

Dans les deux premiers chapitres de ce livre, nous avons abordé les besoins nutritionnels de notre corps et la digestion des différents nutriments qui composent notre alimentation – glucides, protéines, lipides, vitamines et sels minéraux. Nous allons maintenant nous consacrer aux aliments eux-mêmes et aux groupes auxquels ils appartiennent.

Les groupes d'aliments

Depuis les années 90, les autorités sanitaires ont instauré la notion d'équilibre alimentaire reposant sur la répartition des aliments en cinq groupes, visant à informer et à encourager la population à équilibrer ses menus.

Les quatre premiers groupes comprennent les glucides complexes ou amidons – pâtes, riz, pain et pommes de terre *(voir p. 74-75)*; les légumes *(voir p. 76-77)* et les fruits *(voir p. 78-79)*; le lait et ses dérivés *(voir p. 80-83)*; les protéines animales – volaille, poisson, viande, œufs – et végétale – légumineuses et oléagineux *(voir p. 84-95)*.

Le cinquième groupe comporte les aliments riches en lipides et en sucres, à consommer avec modération. Une consommation excessive de graisses est néfaste pour la santé et pour la ligne, tandis que les produits sucrés sont caloriques mais peu nutritifs.

Des choix avisés Comprendre le lien existant entre l'alimentation et la santé vous permettra de faire les meilleurs choix parmi l'infinité d'aliments qui existent.

Les besoins en eau

Les liquides sont une partie essentielle de l'alimentation, puisque le corps est constitué d'eau à 50 % pour les femmes et à 60 % pour les hommes et que les cellules ont besoin d'eau pour fonctionner. L'apport conseillé est de six à huit grands verres d'eau par jour, davantage s'il fait chaud, si vous pratiquez une activité physique ou si vous transpirez beaucoup *(voir p. 96-97)*.

Des composants bénéfiques

Les chercheurs comprennent de mieux en mieux les liens qui existent entre l'alimentation et la santé : il est désormais évident que la consommation de certains aliments contribue à une bonne santé et prévient même les maladies. Des milliers de composants ont été identifiés dans les aliments, comme les vitamines, les sels minéraux, les antioxydants, les fibres et les phytonutriments, dont les bienfaits sur la santé ne sont plus à démontrer. Et les découvertes augmentent de jour en jour.

De bons choix

Tous les aliments peuvent trouver leur place dans une hygiène alimentaire saine. Le secret est, d'une part, d'équilibrer et de varier les aliments que vous consommez pour pouvoir bénéficier d'un maximum de nutriments et, d'autre part, de rester raisonnable sur les quantités. Faire de bons choix alimentaires commence par acquérir certaines connaissances en diététique et les intégrer à votre façon de vous nourrir. En consommant des aliments riches en nutriments, des céréales complètes, des fruits, des légumes, en vous régalant de quantités raisonnables, vous observerez vite les résultats positifs de votre nouvelle hygiène alimentaire.

Les quatre groupes majeurs

Chacun des groupes d'aliments décrits ici fournit certains des nutriments nécessaires. Puiser dans tous les groupes couvrira l'ensemble de vos besoins.

Les produits céréaliers, comme le pain, apportent des fibres, des sels minéraux, des vitamines et des glucides, source importante d'énergie. Les fruits et légumes sont indispensables pour leurs vitamines, leurs sels minéraux et leurs fibres. Les produits laitiers et les protéines végétales et animales offrent une large gamme de vitamines et de sels minéraux. Le lait et ses dérivés fournissent également du calcium. Les matières grasses et les aliments sucrés contiennent beaucoup de calories mais peu de nutriments. N'en abusez pas.

Le pain, les céréales, les pâtes et les pommes de terre Ce sont de bonnes sources de glucides *(voir p. 74-75)* et de fibres.

Les légumes Riches en fibres, en vitamines et en sels minéraux, les légumes sont des aliments indispensables *(voir p. 76-77)*.

Les fruits Les fruits abondent en nutriments essentiels tels que glucides, fibres, vitamines et phytonutriments *(voir p. 78-79)*.

Les produits laitiers Le lait et ses dérivés sont sources de protéines, de vitamines et de sels minéraux *(voir p. 80-83)*.

Les protéines Ce groupe comprend la viande, la volaille, le poisson, les fruits de mer et les protéines végétales *(voir p. 84-95)*.

L'eau

L'eau pure ne contient aucune calorie et constitue le meilleur moyen pour étancher la soif. Étant donné que le corps ne peut faire de réserves d'eau, il faut boire constamment pour maintenir le niveau d'hydratation de l'organisme et de toutes ses cellules. La composition de l'eau potable est contrôlée, au niveau national, par les autorités sanitaires qui établissent des rapports réguliers sur sa qualité. Beaucoup de gens préfèrent néanmoins consommer de l'eau minérale en bouteilles ou filtrer l'eau du robinet. L'utilisation des bouteilles est pratique et permet de bien doser sa consommation journalière. Gazeuse, plate ou aromatisée, l'eau reste un excellent aliment pour la santé, à condition qu'elle ne soit pas enrichie en sucres et en additifs divers. Vérifiez sur l'étiquette que sa teneur en sodium n'est pas trop élevée.

Un aliment vital Bien que sa valeur nutritionnelle soit presque nulle, l'eau est idéale pour couvrir les besoins du corps en liquide, puisqu'elle ne contient ni sucre, ni caféine, ni additifs néfastes pour la santé

Notions de diététique

La variété est la clé d'une alimentation équilibrée.

L'équilibre alimentaire est souvent symbolisé par une pyramide représentant les cinq groupes d'aliments *(voir p. 71)* et les proportions dans lesquelles ils devraient être consommés dans le cadre d'un régime alimentaire équilibré et sain.

L'équilibre alimentaire
Les glucides complexes – pain, céréales, graines, riz, pâtes et pommes de terre *(voir p. 74-75)* –, à la base de la pyramide, devraient représenter un tiers de l'apport calorique global, soit au moins cinq portions par jour. Les légumes *(voir p. 76-77)* et les fruits *(voir p. 78-79)* occupent également un tiers de la pyramide. Il est recommandé d'en manger au moins cinq portions par jour.

On conseille de consommer deux ou trois portions de protéines végétales et animales par jour *(voir p. 84-95)*. Choisissez les protéines parmi les légumineuses, les oléagineux, les œufs, le poisson, la viande et la volaille. Mêmes proportions pour les produits laitiers *(voir p. 80-83)*, soit deux ou trois portions quotidiennes. Enfin, les aliments gras et sucrés *(voir p. 98-99)* occupent une place réduite.

Les dernières découvertes
Au fur et à mesure de la progression de la recherche, les découvertes s'affinent et permettent, par exemple, de mieux appréhender la notion d'aliment sain ou néfaste. Manger beaucoup de viande rouge, par exemple, n'est pas la meilleure façon de consommer des protéines, étant donné sa teneur en graisses saturées *(voir p. 86-87)*. Optez plutôt pour le poisson, notamment le poisson gras dont l'impact bénéfique sur le système cardio-vasculaire n'est plus à démontrer *(voir p. 39)*.

En ce qui concerne les glucides, il est important de savoir que les céréales complètes ont une valeur nutritionnelle bien supérieure à celle des céréales raffinées *(voir p. 75)*. Les premières devraient constituer la base de l'alimentation, les autres, être évitées.

Le régime méditerranéen
Certaines de ces recommandations découlent de l'étude des habitudes alimentaires de certains peuples méditerranéens, notamment les Crétois, dont les taux de cholestérol, de cancer et de maladies cardio-vasculaires sont inférieurs à ceux des Européens du Nord. La consommation de céréales, légumes, fruits, légumineuses, oléagineux et d'huile d'olive y est importante. Les protéines proviennent du poisson, de la volaille, du fromage, des œufs et du yaourt.

Ce régime est pauvre en graisses saturées *(voir p. 38)* mais reste relativement riche en graisses qui, si elles sont de bonnes graisses monoinsaturées, n'en demeurent pas moins caloriques.

Une vie saine Un régime à base de produits frais, locaux et riches en bonnes graisses et un mode de vie actif et tourné vers l'extérieur sont le secret de la santé méditerranéenne.

Les portions

Lorsque l'on parle de deux à trois portions d'aliments de chaque groupe par jour, il s'agit en réalité d'une fourchette censée couvrir les besoins énergétiques du plus grand nombre *(voir p. 34)*. Le chiffre le plus bas se rapporte aux personnes dont les besoins sont les plus bas – les personnes âgées ou sédentaires. Le chiffre le plus élevé est la quantité adaptée aux besoins des adolescents, des hommes actifs et des femmes très actives.

PARTS OU PORTIONS ?

Les portions que nous évoquons ici n'ont rien à voir avec les parts que l'on vous sert au restaurant, par exemple. Les portions recommandées sont des quantités fixes établies *(voir tableau ci-contre)*, tandis que la taille des parts est toujours variable. Or, l'augmentation de la taille des portions est un facteur de surpoids et d'obésité.

Mieux vaut donc se référer aux portions recommandées pour établir les quantités d'aliments que vous pouvez manger. Votre santé et votre ligne ne s'en porteront que mieux.

GROUPES D'ALIMENTS	PORTIONS (PAR JOUR)	UNE PORTION ÉQUIVAUT À
Pain, céréales, riz, pâtes et pommes de terre	Entre 5 et 14	• 1 tranche de pain complet • 1 petite pomme de terre • 3 cuil. à s. de céréales pour petit déjeuner • 2 cuil. à s. de pâtes ou de riz cuits
Légumes	Entre 2 et 3 (sur les 5 par jour)	• 1 bol moyen de salade • 3-4 cuil. à s. de légumes cuits • 150 ml de jus de légumes
Fruits	Entre 2 et 3 (sur les 5 par jour)	• 1 fruit moyen (une banane) • 2 mandarines ou kiwis • 7 framboises • 150 ml de jus de fruits
Lait, yaourt, fromage	Entre 2 et 3	• 200 ml de lait demi-écrémé • 150 g de yaourt écrémé • 125 g de cottage-cheese • 40 g de fromage à pâte cuite
Poisson, volaille, viande, œufs, légumineuse, oléagineux	Entre 2 et 3	• 85–100g de volaille, poisson ou de viande maigre (cuits) • 3 ou 4 cuil. à s. de haricots secs cuits • 2 œufs • 2 cuil. à s. de beurre de cacahouètes • 3 cuil. à s. d'oléagineux

Cinq par jour

En 2001, le ministre de la Santé a lancé une campagne de promotion de la consommation de fruits et de légumes en réponse à la faible consommation de ces aliments en France malgré leur réputation établie d'aliments anticancéreux.

Quelque 60 % des Français, en effet, ne consomment pas suffisamment de fruits et de légumes. L'objectif de ce programme est donc d'inciter la population à manger un minimum de cinq fruits et légumes par jour et de lui faire prendre conscience des bienfaits de ces aliments sur la santé. D'où ce chiffre, en outre facile à retenir, de cinq par jour. Et c'est un minimum.

Là encore, la variété est source d'équilibre : puisez dans la diversité des couleurs et des variétés, afin d'élargir l'étendue de leurs bienfaits sur la santé.

Cinq portions Une pomme, un verre (150 ml) de jus de carotte, une poignée de fraises, quelques haricots et un peu de brocoli : voilà cinq portions de fruits et de légumes pour une journée en pleine forme !

Les céréales complètes

Les céréales non raffinées sont des trésors de bienfaits.

Le pain, le riz, les pâtes et les pommes de terre, que l'on groupe sous le terme de féculents, sont des sources importantes de glucides *(voir p. 46-47)*. Ils doivent constituer la base de l'alimentation – au moins cinq portions par jour.

Il est important de savoir pourquoi il est préférable de consommer des céréales complètes plutôt que raffinées. Des études menées sur le sujet affirment que certains féculents seraient néfastes pour la santé. Il se trouve, en effet, que

Whole-grain foods Rich in fibre, complex carbohydrates, and many other key nutrients, whole grains reduce the risk of many diseases.

les cas de diabète et de troubles cardio-vasculaires sont plus nombreux chez les populations se nourrissant principalement de pommes de terre, de riz blanc et d'aliments à base de farine blanche (raffinée) que chez celles qui consomment des céréales complètes. Limitez votre consommation de produits raffinés et préférez-leur riz brun, pâtes et pain complets.

Le rôle positif des céréales complètes dans la prévention des maladies cardio-vasculaires tient à leur haute teneur en fibres, vitamines, sels minéraux et antioxydants et à leur pauvreté en graisses saturées. De plus, les céréales complètes sont une bonne source de protéines lorsqu'on les associe à des produits laitiers ou à des légumineuses *(voir p. 100)*.

De multiples possibilités

Les céréales constituent la nourriture de base dans la plupart des cultures et sont autant de sources d'inspiration pour notre cuisine. Il est désormais facile de se procurer, par exemple, le riz long grain des pilafs de l'Inde et du Moyen-Orient ou le riz rond que les Italiens transforment en risotto crémeux après l'avoir fait mijoter à feu doux dans du bouillon. À vous de trouver votre propre manière de les accommoder.

QUELS GRAINS UTILISER ?
Les grains peuvent être consommés tels quels ou transformés en flocons ou en farine, employée ensuite dans la fabrication du pain ou des pâtes, par exemple. Ils sont généralement source de vitamines, notamment du groupe B, de calcium, de potassium et de magnésium. Vous pouvez consommer :
Le blé Il se consomme sous forme de flocons ou de farine, mais aussi de grains entiers (à faire cuire comme du riz). Le blé complet est très riche en

vitamines du groupe B. On le trouve également concassé (pour une cuisson plus rapide) ou sous forme de boulgour grossièrement moulu.
L'avoine Elle est plus riche en protéines que les autres céréales, ainsi qu'en fibres solubles qui favorisent l'élimination du cholestérol. Le gruau d'avoine est le grain complet simplement débarrassé de sa coque. Les flocons d'avoine sont des grains entiers que l'on a laminés.
Le maïs Riche en amidon, on le consomme frais (c'est le maïs doux) ou débarrassé de sa peau, séché et réduit en semoule. Dans ce cas, il prend le nom de polenta.
L'orge Il est nécessaire de faire tremper et de bien mastiquer l'orge mondé, plus parfumé que l'orge perlé, qui, en revanche, ne contient plus ni coque ni son. L'orge malté, principal ingrédient de la bière et du whisky pur malt, est la graine à peine germée.
Le seigle Aussi nutritive que le blé, sa farine sert à la fabrication de pain. On le

consomme également sous forme de graines entières ou concassées cuites à la manière du riz, ou de flocons à intégrer, par exemple, au muesli.
Le millet Aussi riche en protéines que le blé, on le trouve le plus souvent sans sa coque – non comestible –, en grains entiers ou concassés. Il entre dans la composition de soupes et de pâtisseries et remplace avantageusement le riz.
Le quinoa Excellente source de protéines, on le consomme seul ou mélangé aux autres céréales. Il est délicieux en pilaf.
Le riz complet Ayant conservé le son et le germe, le riz brun est une bonne source de protéines, de glucides et de fibres. Sa cuisson est plus longue et nécessite davantage d'eau que celle du riz blanc.
Le riz sauvage Il s'agit en fait non de riz mais d'une sorte d'herbe contenant deux fois plus de protéines mais moins de calories que le riz blanc. On l'emploie comme le riz blanc ou le riz brun.

Complète en quoi ?

Une céréale complète est une céréale qui n'a pas subi de transformation. La graine est composée du son, du germe et de l'endosperme enfermés dans une pellicule externe non comestible (la coque). Le son est une pellicule intérieure très riche en fibres *(voir p. 48-49)*. Le germe, qui est l'embryon d'une future plante, contient des protéines, des vitamines, des sels minéraux et des graisses polyinsaturées. L'endosperme fournit la plupart des glucides, essentiellement sous forme d'amidon. Le raffinage de la céréale élimine la coque, le son et le germe et les nutriments qu'ils contiennent. Le résultat de cette transformation est un produit céréalier qui, telle la farine blanche, est raffiné et dépourvu de protéines, de vitamines et de fibres.

Définition

Les céréales raffinées Il s'agit de céréales dont la coque, le son et le germe ont été ôtés au cours du processus de mouture. Seul l'endosperme est utilisé et moulu en farine.

Étant donné que 90 % de la valeur nutritionnelle de chaque graine se trouve dans le germe et dans le son, le raffinage aboutit à des produits sans intérêt nutritionnel ni pour la santé ni pour la prévention des maladies, parmi lesquelles les affections cardio-vasculaires *(voir p. 214)*, le diabète *(voir p. 246)* et certains cancers *(voir p. 258)*.

La farine blanche, que l'on trouve dans la plupart des pâtisseries du commerce, est l'aliment issu de céréales raffinées le plus courant.

Les portions

Il est recommandé de consommer au moins cinq portions de ce type d'aliments par jour (pain, céréales, riz, pâtes ou pommes de terre), soit :

- 1 bol moyen de flocons d'avoine cuits
- 3 cuil. à s. de céréales petit déjeuner
- ½ bagel complet
- 1 tranche de pain complet
- ½ muffin
- 1 tortilla moyenne
- 1 petite pomme de terre
- 4 biscottes complètes
- 2 cuil. à s. pleines de riz complet cuit
- 2 cuil. à s. pleines de riz sauvage cuit
- 2 cuil. à s. pleines de macaroni cuits
- 2 cuil. à s. bien pleines de nouilles cuites
- 2 cuil. à s. pleines de spaghetti cuits
- ½ patate douce cuite
- 175 g de purée de pomme de terre
- 2 cuil. à s. bien pleines d'orge cuit
- 2 cuil. à s. bien pleines de semoule de couscous cuit
- 2 cuil. à s. bien pleines de quinoa cuit

Recette Pilaf aux deux riz et aux épices

INGRÉDIENTS

1 oignon

2 clous de girofle

1 cuil. à s. de cumin

1 cuil. à s. de curcuma

200 g de riz long grain complet

50 g de riz sauvage

3 poivrons

1 ou 2 piments

2 cuil. à s. de coulis de tomate

Pour 4 personnes

1 Émincez l'oignon et écrasez les gousses d'ail. Faites revenir le cumin et le curcuma dans un peu d'huile. Ajoutez l'oignon et l'ail. Faites-les dorer pendant 2 minutes.

2 Ajoutez le riz brun et le riz sauvage aux épices, ail et oignon et mélangez. Couvrez le riz d'eau ou de bouillon de légumes et laissez mijoter pendant 20 minutes.

3 Ajoutez les poivrons épépinés et coupés dans le sens de la longueur, puis les piments en rondelles. Incorporez le coulis de tomate et laissez cuire jusqu'à ce que le riz et les poivrons soient tendres.

4 Présentez le pilaf sur un plat de service, éventuellement parsemé d'amandes effilées.

Variantes On peut utiliser d'autres céréales, d'autres légumes, ou ajouter des noix ou des morceaux de poulet.

Valeur nutritionnelle (par portion)

Calories 276, lipides 1,7 g (sat. 0,3 g, poly. 0,7 g, mono. 0,5 g), cholestérol 0 mg, protéines 7,6 g, glucides 59 g, fibres 3 g, sodium 39 mg ; bonne source de vitamines A, B9, C, K et de Ca, K, Mg, P.

Les légumes

Manger des légumes pour améliorer son état de santé.

Il est recommandé de consommer au moins cinq portions de fruits et de légumes par jour. Peu de personnes ont adopté cette habitude qui, pourtant, est l'un des moyens les plus efficaces pour se maintenir en bonne santé.

Des nutriments vitaux

Les légumes sont d'excellentes sources de bêta-carotène (*voir p. 52*), de vitamine C (*voir p. 56*) et de vitamines du groupe B (*voir p. 53-55*). Ils sont donc bénéfiques pour la peau et pour les yeux et aident à lutter contre les infections comme à maintenir des os et des muscles sains.

   Leur teneur en potassium (*voir p. 63*) est relativement élevée et ils sont également riches en fibres.

Naturellement sains Inclure une large variété de légumes à son alimentation de base est une garantie de santé.

Or, le lien est désormais nettement établi entre un régime alimentaire riche en fibres et la diminution des risques de maladies cardio-vasculaires.

   Les fibres ont également une action positive sur le péristaltisme intestinal et réduisent ainsi le risque de cancer du côlon (*voir p. 259*). Enfin, une alimentation riche en fibres rassasie sans qu'il soit nécessaire d'ajouter des calories supplémentaires, ce qui rend les fibres intéressantes face au problème du surpoids (*voir p. 48-49*).

Les portions

Il est recommandé de manger au moins cinq portions de fruits et légumes par jour, équivalant à :
- 3 cuil. à s. bien pleines de carottes, de pois ou de rutabagas
- 1 épi de maïs
- 8 choux de Bruxelles
- 1 bol moyen de feuilles de salade
- 1 tomate moyenne ou 7 tomates cerises
- 1 tronçon de 5 cm de concombre

Manger davantage de légumes

Les légumes sont une source considérable de vitamines, de sels minéraux et de fibres (*voir tableau ci-contre*). Essayez d'en consommer au moins deux ou trois portions par jour. Les légumes crus sont intéressants, car ils contiennent tous leurs nutriments, à condition d'être consommés rapidement après la récolte. Choisissez des modes de cuisson qui préservent les nutriments (*voir p. 77*).

   Ajoutez des légumes dans vos sandwichs et essayez de faire des légumes la base de vos plats (l'encadré de la page 296 donne les abréviations utilisées pour les vitamines et les sels minéraux).

LÉGUMES (80 G)	FIBRES	VITAMINES/MINÉRAUX
Brocoli, cuits	1,8 g	B9, C/Ca
Choux de Bruxelles, cuits	3,4 g	B9, C/K
Carottes, cuites	2 g	B9/K
Courgettes, cuites	1 g	K
Haricots verts, cuits	1,9 g	B9/K
Mangetout, cuits	1,9 g	B1, B6, E
Petits pois, cuits	4,1 g	B9/K
Haricots plats d'Espagne, cuits	1,5 g	B9, C
Épinards, cuits	1,9 g	B9/Ca, Fe, K, Mg
Maïs doux, cuit	1,8 g	B1, B6, B9, C

Des légumes extra

Les crucifères, c'est-à-dire la famille des choux, choux-fleurs, brocoli et rutabagas sont des aliments extraordinaires d'un point de vue nutritionnel. Ils regorgent de phytonutriments *(voir p. 59)* et d'autres composés qui favorisent l'élimination de certaines substances cancérigènes avant qu'elles ne puissent agir dans l'organisme. Les crucifères sont riches en bêta-carotène, en vitamines B1, B9 et C, calcium, fer, potassium et fibres.

Les tomates contiennent du lycopène, un caroténoïde actif dans la prévention des maladies cardiovasculaires et des cancers. C'est un phytonutriment liposoluble, dont l'absorption est favorisée si l'aliment est cuit dans de l'huile. Les tomates sont riches en antioxydants (bêta-carotène, vitamines C et E).

Les carottes sont riches en bêta-carotène, un précurseur de la vitamine A et un antioxydant puissant qui protégerait des maladies cardio-vasculaires et du cancer.

Comment préserver les nutriments

Les légumes sont très riches en vitamines et en sels minéraux, mais ces micronutriments, très fragiles, sont détruits par la chaleur. D'où l'intérêt de les consommer crus, sous forme de salades ou d'en-cas composés de bâtonnets de carotte, de céleri, de poivron ou de concombre.

Si vous devez faire cuire les légumes, optez pour une cuisson rapide dans très peu de liquide de sorte que les nutriments ne s'échappent pas. Il vaut donc mieux faire cuire les aliments à la vapeur douce ou au four à micro-ondes, ou les faire revenir ou pocher rapidement *(voir p. 289)*.

Veillez également à ne pas ajouter de graisses saturées comme le beurre ou la crème. Des herbes aromatiques fraîches, du poivre moulu ou un filet de jus de citron sauront relever une assiette de légumes tout en en préservant les bienfaits.

La vapeur Les légumes n'étant pas immergés dans l'eau, ils conservent toutes leurs qualités nutritionnelles et gustatives.

Le wok La cuisson au wok est saine puisque l'on fait revenir rapidement les légumes dans très peu d'huile.

Recette **Légumes sautés croquants**

INGRÉDIENTS

80 g de riz Basmati

1 oignon

1 gousse d'ail

4 choux chinois (pak-choi)

2 poivrons (1 rouge et 1 jaune)

150 g de champignons émincés

Pour 2 personnes

1 Faites cuire le riz à la vapeur.

2 Émincez l'oignon et les choux, ainsi que les poivrons épépinés. Pressez l'ail.

3 Faites chauffer un peu d'huile à feu vif dans un wok. Quand l'huile est chaude, faites-y revenir l'oignon et l'ail pendant 2 minutes. Ajoutez les poivrons, les champignons et les choux et remuez le mélange pendant 4 minutes, toujours à feu vif. Servez les légumes avec le riz et accompagnez le tout de la sauce au gingembre *(à droite)*.

Sauce au gingembre Dans un bol, délayez 1 cuil. à s. de farine de maïs dans 2 cuil. à s. d'eau froide. Dans une poêle, menez à ébullition 5 cuil. à s. de vinaigre de riz et 2 cuil. à s. de sauce de soja. Réduisez la flamme et ajoutez le mélange eau-farine. Remuez jusqu'à épaississement avant d'ajouter 1 cuil. à s. de gingembre frais haché. Servez avec les égumes.

Valeur nutritionnelle (portion)
Calories 246, lipides 1,6 g (sat. 0,1 g, poly. 0,3 g, mono. 0 g), cholestérol 0 mg, protéines 8 g, glucides 54 g, fibres 3 g, sodium 27 mg ; bonne source de vitamines A, B9, C, D et de Ca, K, P.

Les fruits

Des aliments pratiques et des trésors nutritionnels.

Les fruits constituent l'en-cas idéal : naturellement sucrés, colorés, riches en vitamines et en fibres, pauvres en calories et en matières grasses, ils contribuent largement à prévenir et à lutter contre un grand nombre de troubles et de maladies.

Riches en antioxydants

La vitamine C et les phytonutriments *(voir p. 59)* abondent dans les fruits. On y trouve notamment des flavonoïdes et des polyphénols, qui sont de puissants antioxydants, c'est-à-dire des substances qui empêchent la prolifération des radicaux libres – qui finissent par devenir cancérigènes – dans l'organisme. D'autres phytonutriments, également présents dans les fruits, ont des vertus anti-allergéniques, anticarcinogènes, antivirales et anti-inflammatoires.

Leur réputation d'aliments de santé est donc loin d'être usurpée.

Une nature généreuse De toutes les couleurs et de toutes les formes, les fruits sont un véritable cadeau de la nature.

Les portions

Au moins cinq par jour. Une portion de fruits équivaut à :
- 1 pomme, poire, pêche, orange ou banane moyenne
- 3 abricots ou 2 prunes
- $^{1}/_{2}$ pamplemousse
- 3 cuil. à s. de salade de fruits ou de fruits cuits
- 1 tranche (5 cm) de melon
- 1 cuil. à s. de raisins secs
- 150 ml de pur jus de fruits

Contenu des fruits

Les fruits regorgent de vitamines *(voir p. 52-58)*, de phytonutriments *(voir p. 59)*, de sels minéraux *(voir p. 62-67)* et de fibres *(voir p. 48-49)*. C'est cette abondance de substances bénéfiques qui fait leur réputation d'aliments de santé. Ils contiennent jusqu'à 80 % d'eau, mais pas un gramme de cholestérol. Prenez l'habitude de manger des fruits tout au long de la journée, votre alimentation et votre santé s'en trouveront améliorées.

Le tableau ci-contre donne la teneur en fibres, vitamines et sels minéraux de quelques fruits. Rappelez-vous qu'il vaut mieux manger les fruits avec leur peau, car celle-ci renferme un grand nombre de ces nutriments (reportez-vous à la page 296 pour comprendre les abréviations des vitamines et des sels minéraux employés dans ce tableau).

FRUITS	PORTIONS	FIBRES	VITAMINES/MINÉRAUX
Pomme, avec peau	1 moyenne	1,8 g	B9, C, Vit. K/Ca, K, Mg, Na
Abricot sec	4 moitiés	5 g	Vit. K/Ca, Mg, P
Mûres	80 g	2,5 g	C, Vit. K/Ca, Fe, Mg, P
Airelles	80 g	2 g	B9, C, Vit. K/Ca, K, Mg, P
Datte	3 (entières)	1,4 g	Ca, K, Mg
Figue fraîche	2 (entières)	1,2 g	Ca, Mg, P
Orange	1 moyenne	2,7 g	B9, C, Vit. K/K
Pêche	1 moyenne	1,7 g	B9, C/Ca, K, Mg, P
Poire, avec peau	1 moyenne	3,3 g	B9, C, Vit. K/Ca, K, Mg, P
Pruneau	3 dénoyautés	4,6 g	Vit K/Ca, Fe, Mg, P
Raisins secs	1 cuil. à s.	0,6 g	B9, C/Mg, P
Framboises	80 g	2 g	B9, C, Vit. K/Ca, Mg
Fraises	80 g	1 g	C, Vit. K/Ca, Mg, P

Comment manger davantage de fruits?

Les fruits sont des en-cas idéaux, délicieux, pratiques à manger et à transporter et d'une grande valeur nutritionnelle. Pensez à en emporter lorsque vous sortez.

Cela devrait vous aider à atteindre l'objectif de cinq fruits et légumes par jour et à prendre la bonne habitude de manger des en-cas sains à la maison comme sur votre lieu de travail. En plus des fruits de production locale, aventurez-vous à goûter des variétés plus rares ou exotiques, de plus en plus présentes sur nos marchés, tels les mangues, les nèfles, les lychees et autres papayes.

DES FRUITS PENDANT LES REPAS

Il est facile d'incorporer des fruits aux repas – petit déjeuner, déjeuner et dîner. Si vous manquez d'imagination, voici quelques suggestions.

Au petit déjeuner Le matin, vous pouvez ajouter à votre bol de céréales complètes des morceaux de pomme ou de pêche ou une poignée de baies ou de raisins secs. Ou mangez un bol de salade de fruits, de cubes d'ananas ou de melon agrémentés de fraises ou de framboises. Ou buvez un verre de jus de fruits frais – orange, pomme, pamplemousse.

Au déjeuner Des morceaux de fruits coupés rendront votre salade plus colorée et encore plus appétissante. Et pourquoi ne pas remplacer le sempiternel sandwich jambon-fromage par un sandwich garni de fruits et de noix, une belle salade de fruits ou un *milk-shake* aux fruits frais *(voir recette p. 81)*?

Au dîner Une tranche de melon constitue une entrée saine et rafraîchissante. Vous pouvez également intégrer des fruits à vos plats salés : poulet à la mangue, maquereau aux groseilles… avant de déguster une compote maison pour le dessert.

Les fruits secs

Les fruits secs sont des fruits déshydratés mais dont les nutriments sont restés concentrés dans la chair. Ne contenant presque plus d'eau, ils sont nutritifs, mais plus caloriques que les fruits frais.

Attention : certains fruits secs, comme les pommes, les abricots, les pêches, les poires et les raisins sultanas sont parfois traités, pour qu'ils conservent leur couleur, avec des conservateurs à base de soufre. Les personnes souffrant d'asthme *(voir p. 225)* ou d'allergies *(voir p. 252-255)* risquent d'y être sensibles. Il vaut mieux, dans tous les cas, acheter des fruits non traités.

Les fruits secs ont de multiples intérêts : délicieux tels quels, on peut également les faire tremper avant de les ajouter à des recettes froides, chaudes, sucrées ou salées.

Des bienfaits variés

Tous les fruits sont riches en nutriments, mais la valeur nutritionnelle n'est pas la même pour tous. D'où l'intérêt de varier sa consommation.

La pomme La peau des pommes est très riche en fibres. Une pomme moyenne contient environ 47 cal.

L'abricot On consomme les abricots frais, secs ou en boîte. Un abricot moyen contient environ 12 cal.

La banane La banane est une herbe plutôt qu'un fruit. Elle contient 95 cal/100 g et est très riche en vitamines et en sels minéraux.

Les airelles Ces fruits riches en antioxydants aident à prévenir les infections urinaires. Ils contiennent environ 50 cal pour 80 g.

Le raisin Riche en vitamines A et C ainsi qu'en sels minéraux, le raisin contient environ 48 cal pour 80 g.

Le kiwi Un kiwi moyen (60 g) contient 29 cal et de nombreuses vitamines.

Le melon (à chair orange) Le melon est riche en bêta-carotène, un précurseur de la vitamine A utile contre le cancer. 100 g de melon contiennent 24 cal.

La pêche La pêche, riche en vitamines C et D et en potassium, contient 33 cal pour 100 g.

La poire Une poire moyenne (150 g) contient environ 60 cal.

L'ananas Il contient de la bromélaïne, un enzyme qui favorise la digestion, réduit les inflammations et les troubles cardiovasculaires. 80 g contiennent 33 cal.

La prune Une prune moyenne (55 g) contient 20 cal. Les prunes sont riches en vitamine C et en potassium.

Les raisins secs Riches en sucre, les raisins secs sont une excellente source d'énergie : 1 cuil. à s. contient 82 cal.

Les framboises Il existe près de mille variétés de framboises. Elles contiennent 20 cal pour 80 g.

La pastèque Une tranche de pastèque (200 g) contient 62 cal, de la vitamine C et des caroténoïdes.

D'excellents en-cas Les quartiers de pomme, d'orange, de melon ou d'ananas constituent des en-cas délicieux et sains, riches en fibres, en vitamines, en sels minéraux et en phytonutriments.

Les produits laitiers

Les produits laitiers, de préférence écrémés, sont nutritifs.

Le lait et ses dérivés sont de bonnes sources de protéines, de vitamines, de sels minéraux, en particulier de calcium, essentiel à la santé des dents et des os *(voir p. 62)*.

La variété des laitages
Le lait que nous consommons en France est avant tout du lait de vache. Cela dit, on trouve de plus en plus de laits alternatifs, tels le lait de chèvre, de brebis ou les laits dits végétaux, comme le lait de soja ou de riz. Le lait de vache, le plus courant, est transformé et conditionné de différentes manières – UHT, en poudre, concentré. Le lait entier contient 3,9 % de matières grasses, 1,6 % s'il est demi-écrémé et 0,1 % s'il est écrémé.

Il vaut mieux modérer sa consommation de produits laitiers issus du lait entier car ils sont riches en graisses saturées et en cholestérol *(voir p. 40)*. En optant pour des produits laitiers écrémés, vous bénéficierez des mêmes bienfaits nutritionnels mais sans

Le lait et ses dérivés Excellentes sources de calcium. Il vaut mieux choisir des versions allégées en matières grasses.

Comment manger davantage de laitages ?

Si vous craignez de ne pas consommer suffisamment de produits laitiers, voici quelques suggestions. Choisissez de préférence des produits écrémés pour ne pas augmenter l'apport en matières grasses saturées.

Au petit déjeuner Vous pouvez commencer la journée en mangeant :
• des céréales dans du lait écrémé ;
• des fruits frais ou secs dans un yaourt écrémé ;
• des flocons d'avoine préparés avec du lait écrémé ;
• un *milk-shake* à base de lait écrémé ou demi-écrémé ou de yaourt écrémé *(voir recette p. 81)*.

Au déjeuner Choisissez :
• un chocolat chaud ou froid, au lait écrémé ou demi-écrémé ;
• un sandwich au pain complet et édam allégé ;
• du fromage blanc avec des morceaux

de fruits frais ;
• une pizza aux tomates, brocoli et poivrons frais recouverts de mozzarelle allégée ;
• un croque-monsieur au fromage allégé ;
• une tortilla farcie avec du poivron et des oignons grillés, de la tomate et de la feta allégée.

Au dîner Voici quelques suggestions pour augmenter l'apport en produits laitiers :
• parsemez votre salade ou votre soupe de fromage râpé allégé ;
• utilisez du lait écrémé dans la sauce de vos gratins de pâtes ou de légumes ;
• nappez les patates douces cuites au four de *cottage-cheese* allégé et de brocoli.

En-cas Pour changer, dégustez :
• un yaourt nature écrémé mixé avec des fruits frais ou secs ;
• du yaourt glacé écrémé ;
• des galettes d'avoine ou un bagel tartiné de fromage frais allégé.

Des produits laitiers plus légers

Si vous consommez des produits laitiers entiers, essayez d'alléger peu à peu votre alimentation.

• Coupez le lait entier avec du lait demi-écrémé. Augmentez progressivement la proportion de lait demi-écrémé.
• Lorsque vous êtes habitué au lait demi-écrémé, coupez-le avec du lait écrémé jusqu'à ne plus boire que du lait écrémé.
• Utilisez du lait écrémé en poudre ou du fromage frais allégé à la place de la crème dans la cuisine.
• Remplacez la crème fraîche par du yaourt écrémé nature ou du yaourt grec allégé.
• Dans la cuisine, remplacez la ricotta par de la brousse allégée.

les inconvénients des produits entiers. Il existe, par ailleurs, des laits spéciaux, destinés aux personnes ne pouvant consommer des produits laitiers traditionnels, à cause d'une intolérance au lactose, par exemple (*voir p. 232*).

Les produits laitiers

Le fromage est du lait concentré, ce qui explique sa richesse en nutriments. Mais c'est également la raison de sa teneur élevée en matières grasses saturées. La solution, pour limiter cet apport en lipides, est de choisir des versions allégées, qui contiennent tout autant de nutriments que les versions traditionnelles, plus grasses.

Le yaourt est fabriqué à partir du lait auquel on a ajouté une bactérie, très bénéfique pour le système digestif. Le yaourt est riche en protéines et en vitamine B2. Il existe sous différentes formes.

Encore une fois, il est préférable de ne pas abuser des yaourts entiers, relativement riches en graisses saturées.

L'importance du calcium

L'importance du rôle que joue le calcium dans l'organisme n'est plus à démontrer. Chaque année, des millions d'euros sont dépensés pour le traitement de l'ostéoporose (*voir p. 242*) dont la cause principale est une carence en calcium. Les femmes sont plus touchées que les hommes par cette affection, car leur masse osseuse, moins importante au départ, diminue plus vite, en particulier après la ménopause. D'où l'intérêt de manger une quantité suffisante de produits laitiers.

N'oubliez pas que l'organisme a besoin de calcium tout au long de la vie. S'il en manque, il va le puiser directement dans les réserves osseuses.

Les portions

Il est recommandé de consommer deux ou trois portions quotidiennes de laitages (lait, fromages, yaourts et autres produits laitiers). Une portion équivaut à :

- 200 ml de lait, entier, écrémé ou demi-écrémé
- 250 ml de lait de soja fortifié en calcium
- 40 g de fromage à pâte cuite (emmental, cheddar, feta, mozzarelle, brie…)
- 125 g de fromage frais (*cottage-cheese*, fromage blanc ou autres)
- 150 g de yaourt écrémé nature ou aux fruits
- 200 ml de *milk-shake* écrémé au chocolat
- Un *milk-shake* aux fruits fait avec 200 ml de lait ou 150 g de yaourt

Les besoins des enfants en calcium

Le calcium est indispensable à la croissance des enfants. Les apports nutritionnels conseillés en calcium sont de : 350 mg pour les enfants âgés de un à trois ans ; 450 mg de quatre à six ans ; 550 mg de sept à dix ans ; 1 000 mg pour les garçons de onze à dix-huit ans et 800 mg pour les filles de onze à dix-huit ans. Trop d'enfants ne consomment pas les doses recommandées et s'exposent à une future ostéoporose.

Faites preuve d'imagination pour que vos enfants consomment suffisamment de calcium. Voici quelques suggestions :

- Encouragez-les à boire du lait à la place d'autres boissons, à manger des yaourts et à se préparer des *milk-shakes*.
- S'ils choisissent eux-mêmes leurs produits laitiers, gardez un œil sur la teneur en matières grasses et en sucres.
- Donnez-leur du fromage à table.
- Donnez-leur du fromage au goûter.

Recette Milk-shake aux fruits

INGRÉDIENTS
8 fraises
1 orange en tranches
120 ml de lait demi-écrémé
120 g de yaourt écrémé nature
3 cuil. à s. de miel liquide
2 cuil. à s. d'extrait de vanille
6 glaçons

Pour 2 personnes

1 Placez les fraises, l'orange, le lait, le yaourt, le miel, la vanille et les glaçons dans un mixer.

2 Mixez le tout jusqu'à obtenir une crème mousseuse.

Variante Vous pouvez utiliser n'importe quels autres fruits (framboises, melon, pêches, bananes…).

Valeur nutritionnelle (par portion)
Calories 225, lipides 2 g (sat. 1 g, poly. 0,1 g, mono. 0,5 g), cholestérol 6,2 mg, protéines 6 g, glucides 47 g, fibres 2 g, sodium 76 mg ; bonne source de vitamines A, B9, C, D et de Ca, K, Mg, P.

Choisir le bon lait

Le lait le plus consommé en France est le lait de vache. Mais il existe de nombreuses et saines alternatives.

Le lait de vache 200 ml de lait de vache entier contiennent 7,8 g de matières grasses et 132 cal. Sa teneur en calcium est légèrement inférieure à celle du lait écrémé ou demi-écrémé.

Le lait de chèvre Il contient moins de lactose que le lait de vache et davantage de vitamines A, B3, B6, de calcium, potassium, cuivre et sélénium. Sa teneur en matières grasses est pratiquement la même que celle du lait de vache.

Le lait de brebis Riche en protéines, matières grasses et sels minéraux, le lait de brebis est une denrée rare, que l'on trouve surtout sous forme de fromage et de yaourt.

Le lait de soja Parfaitement indiqué pour les personnes intolérantes au lactose. 200 ml de lait de soja contiennent 6 g de protéines, 4,8 g de lipides, 86 cal et pas de cholestérol. Comme il ne contient pas de calcium ni de vitamine B12, choisissez des laits de soja fortifiés.

Le lait de riz Idéal pour les personnes souffrant d'allergies ou d'intolérance au lactose.

Le lait d'avoine Ne contient ni lactose ni cholestérol et très peu de lipides. Choisissez-le fortifié en calcium et vitamine D.

Le lait d'amandes Ne contient pas de lactose, peu de graisses saturées et peu de sucres.

Un aliment complet Le lait est une boisson idéale pour les enfants, auxquels il apporte des protéines, des glucides et des micronutriments, dont l'indispensable calcium.

La transformation du lait

Le lait peut subir différentes transformations qui le rendent plus agréable et plus pratique à consommer, sous différentes formes.

Le lait pasteurisé On chauffe le lait afin de le débarrasser des bactéries et des enzymes nocifs.

Le lait UHT Ce processus de stérilisation à ultra-haute température permet de le conserver à température ambiante.

Le lait homogénéisé Ce processus décompose et répartit les matières grasses dans le lait.

Le lait concentré Le lait est chauffé afin que 60 % de l'eau qu'il contient s'évaporent.

Le lait concentré sucré Après l'opération ci-dessus, on ajoute du sucre pour conserver le lait.

LAIT (200 ML)	LIPIDES	CALCIUM
Lait concentré (entier)	18,8 g	580 mg
Lait de brebis	14,2 g	390 mg
Lait concentré (écrémé)	8,2 g	520 mg
Lait de vache entier	7,8 g	236 mg
Lait de chèvre	7,4 g	200 mg
Lait de soja (enrichi en calcium)	4,8 g	178 mg
Lait de vache demi-écrémé	3,4 g	240 mg
Lait chocolaté écrémé	3,4 g	240 mg
Lait de soja (non enrichi)	3,4 g	18 mg
Lait de vache écrémé	0,6 g	244 mg

Quel fromage?

Le fromage est élaboré à partir de lait de vache, de chèvre ou de brebis. Le lait est chauffé avec un enzyme, la rénine ou présure, qui le fait cailler. La caillebotte est récupérée, pressée, salée et affinée jusqu'à donner un fromage. La texture et l'arôme des fromages sont très variables et dépendent, entre autres, du temps d'affinage. Plus le temps d'affinage est long, plus le fromage durcit et plus son arôme se développe. Le fromage possède les qualités nutritionnelles de son lait d'origine, mais beaucoup d'entre eux ont une teneur élevée en sodium et en lipides. Certains sont même enrichis en crème. Il faut savoir que, plus le fromage contient d'eau, moins il contient de matières grasses. Voici la valeur nutritionnelle de quelques fromages.

FROMAGES (28 G)	CALORIES	LIPIDES TOTAUX	LIPIDES SATURÉS	CALCIUM
Cheddar	116	9,2 g	6,1 g	207 mg
Roquefort	105	9,2 g	5,9 g	148 mg
Parmesan	111	7,3 g	4,7 g	287 mg
Brie	96	7,5 g	5,1 g	72 mg
Fromage de chèvre (doux)	90	7,2 g	5 g	37 mg
Camembert	81	6,4 g	4 g	66 mg
Mozzarelle	80	6,1 g	3,7 g	101 mg
Feta	70	5,7 g	3,8 g	101 mg
Ricotta	40	3,1 g	1,9 g	67 mg

Les autres laitages

La gamme des laitages est étendue. Voici quelques exemples d'autres produits laitiers :

Le babeurre Ce liquide blanc, qui reste du lait après le battage de la crème au cours de la fabrication du beurre, a un goût plus prononcé que celui du lait et une consistance légèrement plus épaisse.

La crème fraîche Très appréciée pour sa consistance, la crème fraîche est riche en matières grasses (30 %).

Définition

L'intolérance au lactose C'est l'impossibilité de digérer le lactose (le sucre naturellement présent dans le lait d'origine animale). Elle se traduit par des ballonnements et spasmes abdominaux, diarrhée et vomissements *(voir p. 232)*.

Optez pour des versions allégées à 15 % de matières grasses.

Le fromage blanc Ce fromage a une texture proche de celle du yaourt, mais son goût est légèrement moins acide. Sa teneur en matières grasses varie de 0 à 40 %. On peut le manger tel quel ou l'utiliser pour cuisiner.

La brousse Ce fromage frais a une texture un peu granuleuse et un goût légèrement acide. On le déguste salé ou sucré, en version traditionnelle ou allégée.

La crème aigre Pour fabriquer cette crème, on ajoute à de la crème une bactérie qui transforme le sucre (le lactose) en acide lactique.

Le yaourt Grâce aux bactéries vivantes qu'il contient, le yaourt est un produit laitier bénéfique pour le système digestif. Il existe en version traditionnelle ou allégée. Outre le classique yaourt au lait de vache, on trouve des yaourts de brebis et de chèvre.

Le yaourt glacé Disponible dans de nombreux parfums et en version écrémée, le yaourt glacé est une bonne alternative aux glaces.

Les protéines

Il est important de choisir des protéines saines.

Les protéines sont des éléments indispensables à notre survie. Cela dit, les carences sont rares, car les protéines abondent dans notre alimentation occidentale.

En effet, nombreux sont ceux qui incluent des protéines dans au moins un repas par jour, ce qui est plus que suffisant si l'on s'en tient aux apports conseillés.

Les végétariens ne mangent pas de viande, mais trouvent leur ration journalière de protéines dans une multitude d'autres aliments, comme les légumineuses (pois, haricots secs, lentilles), les fruits oléagineux et les graines. Contrairement aux protéines d'origine animale, les aliments d'origine végétale ne contiennent pas l'ensemble des acides aminés nécessaires à la formation des protéines et doivent être associés à d'autres aliments pour que les protéines soient complètes (voir p. 45). La grande exception est le soja, très riche en protéines complètes (voir p. 93). On trouve également des protéines dans le lait, le fromage et le pain.

Quelles protéines choisir ?
Les sources de protéines animales sont la viande, la volaille, le poisson, les fruits de mer et les œufs. Il est important de connaître leur teneur en lipides pour les choisir. La viande, par exemple (bœuf,

Les aliments de la croissance L'organisme ne peut se passer de protéines. Choisissez-les les moins grasses possibles : légumineuses, poisson et blanc de volaille sont idéaux.

Les besoins en protéines

Les protéines sont indispensables à la fabrication, à la croissance et à l'entretien des muscles, des tissus et au métabolisme. Les besoins varient selon différents critères (voir encadré ci-contre).

Lorsque l'on est malade ou stressé, les besoins en protéines sont plus importants, car le système immunitaire dépense davantage d'acides aminés (qui constituent la base des protéines). Si l'apport en protéines n'est pas suffisant, on risque la malnutrition et la fonte musculaire.

Les apports recommandés augmentent de 6 g par jour au cours de la grossesse, de 11 g par jour durant l'allaitement. Les enfants ont besoins de davantage de protéines que les adultes (environ 2,2 g de protéines quotidiennes par kilo de poids jusqu'à six mois, 2 g par kilo de poids entre six mois et un an, puis les besoins diminuent au long de l'enfance et de l'adolescence, jusqu'à atteindre 0,75 g de protéines par jour et par kilo de poids à dix-huit ans).

Les sportifs ont des besoins accrus en protéines, mais beaucoup d'entre eux en consomment trop. Les besoins dépendent du poids et de l'activité pratiquée (voir p. 147). Or, contrairement à une croyance répandue, les protéines, si elles ne sont pas toutes utilisées, sont stockées sous forme de graisse, non de muscles.

Les Occidentaux consomment plus de protéines qu'ils n'en ont besoin. Les carences sont rarissimes. On voit même surgir des régimes amaigrissants protéinés. Or, l'excès de protéines peut être à l'origine de l'ostéoporose et d'affections rénales (calculs).

Comment calculer vos besoins en protéines ?

L'apport nutritionnel conseillé (ANC) en protéines alimentaires est calculé selon un poids idéal moyen, variable selon le sexe et la taille.

Un adulte, par exemple, a besoin, en moyenne, de 0,75 g de protéines par jour et par kilo de poids. Un homme de 82 kg a donc besoin de 61 g de protéines par jour, tandis qu'une femme de 68 kg doit en consommer environ 51 g chaque jour.

Cela dit, les enfants et les adolescents, en pleine croissance, et les femmes enceintes ou allaitantes ont des besoins accrus (voir ci-contre).

agneau, veau ou porc), est une bonne source de protéines, mais elle contient également beaucoup de graisses saturées et peut contribuer à augmenter le taux de LDL – le mauvais cholestérol *(voir p. 23)*. Étant donné le lien existant entre la consommation de graisses saturées et les risques de maladies cardio-vasculaires et d'autres affections, il est préférable de réduire l'apport de viande dans son alimentation et de la remplacer par du poisson, des fruits de mer, de la volaille et des protéines végétales.

La teneur en lipides de la volaille dépend de l'espèce, des parties que l'on mange (avec ou sans la peau) et, bien entendu, de sa préparation.

Œufs et protéines

Les œufs sont riches en protéines et en nutriments essentiels *(voir p. 95)*. Certes, le taux de cholestérol des œufs est relativement élevé. Mais il faut savoir que ce sont les graisses saturées qui, plus que le cholestérol contenu dans les aliments, font augmenter le taux de cholestérol sanguin.

Les bienfaits du poisson

Le poisson est l'une des sources de protéines animales les plus saines *(voir p. 90-91)*. La consommation de poissons gras, tels le saumon, le maquereau, le hareng, le thon, la truite et les sardines, est particulièrement recommandée, car ils sont riches en acides gras oméga-3, qui permettent de diminuer les risques de maladies cardio-vasculaires, mais leur teneur en lipides totaux est réduite.

Les protéines végétales

Les légumineuses, c'est-à-dire les pois, les haricots secs et les lentilles *(voir p. 92-94)*, contiennent des protéines, peu de sodium et de graisses saturées et pas de cholestérol.

Les oléagineux et les graines sont également de bonnes sources de protéines, ainsi que de vitamines, sels minéraux et de graisses saturées bénéfiques pour la santé *(voir p. 94)*.

Les protéines végétales sont toutes riches en fibres solubles qui aident à réduire le taux de cholestérol sanguin *(voir p. 217)* et à prévenir la constipation *(voir p. 229)*.

Les portions

Il est recommandé de consommer deux ou trois portions de protéines d'origine animale ou végétale, crues ou cuites. Une portion équivaut à :

- 100 g de viande maigre désossée (bœuf, agneau, porc, gibier) ou d'abats (foie)
- 100 g de volaille sans os (blanc de poulet ou de dinde)
- 100 g de gibier tel que faisan ou caille
- 100 g de poisson en filet (saumon, sardines, thon, cabillaud ou carrelet)
- 100 g de fruits de mer (crevettes décortiquées, chair de crabe ou de homard)
- 2 œufs moyens
- 100 g de tofu
- 3 cuil. à s. de haricots secs, lentilles ou graines de soja cuits
- 3 cuil. à s. de graines (tournesol, courge…)
- 3 cuil. à s. d'oléagineux (amandes, noix…)

Des protéines maigres

Il y a deux avantages à choisir des protéines maigres plutôt que des protéines riches en lipides :

- À poids égal, un morceau de poisson, moins riche en matières grasses qu'un morceau de viande, a une teneur en protéines plus élevée.
- Le choix de protéines maigres est un choix vital. Les produits d'origine animale, riches en graisses saturées, sont à l'origine de l'augmentation du taux de cholestérol et du développement de maladies cardio-vasculaires. Ils doivent être consommés avec modération.

Les protéines maigres incluent les produits laitiers écrémés ou allégés en matières grasses, le soja et ses dérivés, la volaille sans peau, le blanc d'œuf et tous les produits de la mer.

ALIMENTS (100 G)	PROTÉINES	LIPIDES TOTAUX	LIPIDES SATURÉS
Amandes	21 g	55,8 g	4,4 g
Saumon	20,2 g	11 g	1,9 g
Bœuf maigre	23 g	9,3 g	3,8 g
Crevettes décortiquées	10,5 g	7,5 g	1,1 g
Porc maigre	21,4 g	4 g	1,4 g
Œuf (moyen)	8,1 g	7 g	2 g
Blanc de poulet (sans peau)	30,1 g	4,5 g	1,3 g
Blanc de dinde (sans peau)	29,9 g	3,2 g	1 g
Filet de cabillaud	19,4 g	0,7 g	0,1 g
Lentilles cuites	7,6 g	0,4 g	0 g

La viande

La viande est riche en protéines, mais également en graisses saturées.

La viande rouge (bœuf, agneau, mouton, cheval) et la viande blanche (veau, porc, volaille) sont une bonne source de protéines. Mais leur teneur en mauvaises graisses (à l'exception de la volaille) est un élément à ne pas négliger *(voir p. 40-41)*.

Il est recommandé de consommer deux à trois portions de protéines par jour, parmi lesquelles on trouve la viande rouge et la viande blanche. Mais la consommation réelle de protéines est nettement supérieure aux recommandations visant à établir un équilibre alimentaire *(voir p. 72-73)*. Or, les conséquences négatives d'un excès de viande rouge sur l'organisme ne sont plus à démontrer.

La relation entre la consommation de viande rouge et les maladies cardio-vasculaires est due à la haute teneur de la viande rouge en cholestérol et en graisses saturées. Trop de viande rouge augmente également les risques de cancer du côlon. On voit très nettement diminuer ces risques dès lors que l'on commence à remplacer la viande rouge par des sources de protéines moins grasses, telles les protéines végétales, la volaille ou le poisson.

Quelle viande choisir ?

Si vous essayez de ne pas avoir une alimentation trop calorique ni trop grasse, la viande rouge est un choix délicat. Si vous ne pouvez pas vous en passer, choisissez des morceaux les plus maigres possibles *(voir tableau ci-contre)* et réservez les viandes plus grasses pour des occasions spéciales limitées à une ou deux fois par mois.

Vérifiez, lorsque vous achetez de la viande, la teneur en lipides. Elle est, en général, indiquée sur les étiquettes ou demandez-la à votre boucher. Les morceaux les plus maigres sont le rumsteak, le filet de bœuf, l'échine, le jambon, le filet de porc et le gibier. N'oubliez pas d'enlever le gras visible avant de cuisiner la viande.

Même si elle reste riche en lipides par rapport aux blancs de volaille, la viande rouge maigre (comme le filet) est moins grasse que les autres parties de la volaille, telles les cuisses et les ailes mangées avec la peau.

VIANDE (100 G)	LIPIDES TOTAUX	LIPIDES SATURÉS
Saucisse	25 g	9,2 g
Agneau	11 g	5 g
Bacon entrelardé	23 g	8,2 g
Bacon maigre (dans l'échine)	16 g	6 g
Bœuf maigre haché	14,3 g	5,5 g
Agneau (gigot)	16,5 g	6,9 g
Steak (filet)	16,3 g	6,4 g
Lapin	5,5 g	2,1 g
Steak (faux-filet)	4,5 g	2 g
Porc (maigre)	4 g	1,4 g
Foie de veau	4,9 g	1,9 g
Filet de veau	2,7 g	0,9 g
Gibier	2,2 g	0,8 g

D'autres viandes

Le gibier, comme le lièvre, le sanglier ou le chevreuil, est une viande savoureuse et intéressante d'un point de vue nutritionnel puisqu'elle est, en général, moins grasse et moins calorique que la viande rouge d'élevage.

Les abats – le foie, les rognons, les ris de veau ou d'agneau ou les pieds de cochon, par exemple, sont des protéines animales très riches en vitamines A, D et du groupe B, ainsi qu'en cuivre, fer et zinc. Comme c'est dans le foie que s'accumulent les toxines, il vaut mieux consommer le foie d'animaux jeunes (foie de génisse ou d'agneau).

Du bœuf sauté aux légumes En faisant revenir rapidement des lamelles de bœuf avec des oignons et des poivrons, on obtient un plat facile à réaliser et sain.

Il vaut mieux ne pas abuser des produits carnés transformés, comme la charcuterie. Les jambons, saucissons et autres pâtés contiennent, en effet, une grande quantité de graisses saturées et de sel. Sans compter les additifs – colorants, conservateurs et autres.

Les portions

Il est recommandé de consommer de deux à trois portions de protéines par jour. La viande (rouge et blanche) en fait partie, mais mieux vaut ne pas en manger trop souvent. Une portion équivaut à :
- 100 g de bœuf maigre haché
- 100 g de longe de porc
- 100 g de bœuf (tranche)
- 100 g de steak (filet)
- 100 g de steak (faux-filet)
- 100 g de steak (tranche grasse)
- 100 g de gibier

De la viande plus légère

Si vous n'avez pas envie d'éliminer totalement la viande de votre alimentation, la solution est d'en manger moins souvent et de choisir des morceaux maigres.

Vous pouvez également réduire l'apport en matières grasses en utilisant des méthodes de cuisson et de préparation plus saines *(voir p. 289)* :
- Débarrassez la viande de toutes les parties grasses visibles avant de la faire griller ou rôtir, sur une grille qui laisse s'écouler le gras restant.
- N'ajoutez pas de matières grasses. Utilisez des ustensiles antiadhérents.
- Préparez des recettes qui contiennent quelques morceaux de viande au milieu d'une grande quantité de légumes.
- Diminuez les quantités de viande et remplacez-les par des légumes ou de la salade.
- Au restaurant, demandez des petites portions.

Recette Hamburger de gibier

INGRÉDIENTS
1 oignon
1 petite carotte
350 g de viande de gibier hachée
50 g de boulgour cuit
4 cuil. à s. de persil plat haché
1 blanc d'œuf
poivre noir
huile de tournesol

Pour 4 personnes

1 Hachez l'oignon et la carotte épluchés et mixez-les avec tous les autres ingrédients, sauf l'huile. Réservez au frais pendant 1 heure.

2 Avec la préparation, formez quatre hamburgers de 2,5 cm d'épaisseur. Après les avoir enduits d'un peu d'huile, faites-les griller de 5 à 8 minutes sur chaque face.

Valeur nutritionnelle (par portion)

Calories 180, lipides totaux 5,3 g (sat. 1,1 g, poly. 0,6 g, mono. 2,5 g), cholestérol 43 mg, protéines 22 g, glucides 12 g, fibres 1 g, sodium 70 mg ; bonne source de vitamines A, B9, C, K et de Ca, Mg, P, Se.

La volaille

Le poulet et la dinde sont des sources de protéines idéales.

La volaille est plus saine que la viande rouge en ce sens qu'elle contient moins de graisses saturées. Mais la valeur nutritionnelle varie d'une espèce à l'autre et d'un morceau à l'autre, sans compter les différences de préparation et de cuisson. Il faut tenir compte de tous ces paramètres pour bien choisir sa volaille.

La teneur en lipides et en calories est bien plus élevée dans les parties foncées – aile et cuisse – et dans la peau que dans le blanc (*voir tableau p. 89*).

Pour réduire sa teneur en lipides, faites cuire la volaille au gril ou au four en prenant soin

Le blanc de poulet Accommodé de mille manières – ici, farci de ricotta et grillé –, le blanc de poulet est une excellente source de protéines maigres.

d'enlever la peau. On peut laisser la peau sur la volaille pendant la cuisson, car elle empêche la viande de se dessécher. Mais il vaut mieux l'enlever avant de servir.

Les aliments industriels fabriqués à base de volaille, comme les steaks ou les saucisses de poulet ou de dinde, ne sont pas moins gras que la charcuterie traditionnelle, en particulier s'ils sont panés et frits, comme c'est parfois le cas des escalopes. De plus, ils sont pleins d'eau et d'additifs. Mieux vaut préparer soi-même ses hamburgers en remplaçant le bœuf par du poulet ou de la dinde (*voir recette p. 89*).

Les autres espèces

Outre le poulet et la dinde, la volaille comprend également le canard, l'oie, la pintade, le pigeon, le faisan ou la caille. Tous n'ont pas la même valeur nutritionnelle : l'oie, par exemple, est très riche en graisses saturées, de même que le canard. Cela dit,

la viande débarrassée de sa peau et de son gras contient la même proportion de lipides que l'agneau. En général, la viande de gibier est relativement maigre.

Les portions

Il est recommandé de consommer deux ou trois portions de protéines par jour. Celles-ci incluent la volaille, dont le poulet et la dinde, qui contiennent peu de graisses saturées. Une portion équivaut à :

- 100 g de poulet (blanc ou cuisse sans os et sans peau)
- 100 g de nuggets de poulet
- 100 g de saucisse ou de steak de dinde ou de poulet
- 100 g de dinde (blanc ou viande sans peau et sans os)
- 100 g de blanc de canard sans peau
- 100 g d'oie sans peau et sans os
- 100 g de gibier (faisan, caille, pigeon, sans peau et sans os)

Comment choisir la volaille ?

Si leur taux de protéines est à peu près identique, toutes les volailles ne se valent pas en ce qui concerne la teneur en lipides. Le poulet et la dinde contiennent presque le même nombre de calories et de graisses saturées *(voir tableau ci-contre)*. Le canard et l'oie sont beaucoup plus gras, c'est d'ailleurs ce qui les rend si savoureux lorsqu'ils sont grillés. L'autruche et la caille sont les moins grasses et les moins caloriques des volailles.

Nombreuses sont les personnes préoccupées par la qualité nutritionnelle de la volaille élevée en batterie, qui reçoit des traitements aux hormones et aux antibiotiques censés accélérer leur croissance et les protéger des maladies fréquentes dans ce genre d'environnement. Certes, les contrôles sanitaires sont stricts, mais vous pouvez consommer de la volaille élevée en plein air ou biologique, afin d'éviter d'ingérer les additifs que l'on donne aux volatiles.

VOLAILLE (100 G)	LIPIDES TOTAUX	LIPIDES SATURÉS
Blanc de canard, avec peau	42,7 g	10,7 g
Oie rôtie, sans peau	22 g	10 g
Blanc de poulet, avec peau	13,8 g	5,9 g
Roulé de dinde	9 g	2,7 g
Pigeon rôti, sans peau	7,9 g	-
Perdrix rôtie, sans peau	7,2 g	1,9 g
Blanc de canard, avec peau	6,5 g	2 g
Faisan rôti, sans peau	3,2 g	1,4 g
Poulet (parties foncées, sans peau)	2,5 g	0,8 g
Dinde (parties foncées, sans peau)	2,5 g	0,8 g
Blanc de dinde rôtie, sans peau	1,9 g	0,7 g
Blanc de poulet, sans peau	1,1 g	0,3 g
Blanc de dinde, sans peau	0,8 g	0,3 g

Recette Hamburgers de dinde

INGRÉDIENTS

450 g de blanc de dinde

1 cuil. à s. de sauce de soja

1 cuil. à s. de gingembre haché

1 cuil. à s. de coriandre fraîche hachée

1/2 cuil. à s. de sel

poivre noir

farine

huile d'olive

Pour 4 personnes

1 Hachez finement les blancs de dinde.

2 Dans un saladier, mélangez intimement la dinde hachée, la sauce de soja, le gingembre, la coriandre, le sel et le poivre moulu.

3 Formez quatre hamburgers de 2,5 cm d'épaisseur et farinez-les.

4 Faites chauffer un peu d'huile d'olive dans une poêle et faites revenir les hamburgers 3 ou 4 minutes sur chaque face. Vous pouvez également les faire cuire au gril ou au four après les avoir légèrement enduits d'huile d'olive.

5 Pour servir, enveloppez chaque hamburger dans une tortilla ou dans du pain complet. Accompagnez-les de salade verte, de tranches d'avocat, de sauce allégée en matières grasses ou de yaourt grec nature.

Valeur nutritionnelle (par portion)

Calories 144, lipides 3,6 g (sat. 0,7 g, poly. 0,5 g, mono. 2,3 g), cholestérol 64 mg, protéines 27 g, glucides 12 g, fibres 0,3 g, sodium 569 mg ; bonne source de vitamines B6, B12 et de K, Mg, P.

Le poisson et les fruits de mer

Mangez du poisson au moins deux fois par semaine.

Avec une teneur en lipides très réduite, le poisson et les fruits de mer sont des aliments sains par excellence, d'autant que, outre des protéines, ils contiennent des

L'espadon grillé À l'instar des autres poissons gras, l'espadon est pauvre en graisses saturées mais riche en oméga-3.

nutriments essentiels, comme les vitamines B1, B3, B6 et D *(voir p. 52-57)*, ainsi que des acides gras oméga-3 (voir tableau ci-dessous).

Les bienfaits du poisson

Depuis que l'on a découvert que les Inuits, dont l'alimentation est fondée sur le poisson, avaient très peu de maladies cardio-vasculaires, les recherches et les études sur le rôle du poisson dans la prévention de ces maladies se multiplient. Il semble se confirmer que consommer du

Riches en acides gras oméga-3

Les poissons gras, comme les sardines, le maquereau ou le saumon contiennent des acides gras excellents pour la santé, les oméga-3, qui ont la vertu d'augmenter le taux de bon cholestérol et de faire baisser le taux de mauvais cholestérol et de triglycérides.

Les acides gras oméga-3 interviennent également dans le processus de coagulation du sang en rendant les plaquettes moins adhérentes les unes aux autres et moins adhérentes aux parois des artères. Les vaisseaux sanguins ont moins tendance à se resserrer, ce qui prévient certains troubles cardiaques telle l'arythmie. Leur rôle très bénéfique dans la prévention de l'arthrite *(voir p. 244)* ainsi que dans les états dépressifs est désormais établi.

La proportion d'acides gras dans le poisson et les fruits de mer varie cependant d'une espèce à l'autre, en particulier celle des acides gras oméga-3 *(voir tableau ci-contre)*. Encore une fois, la proportion en nutriments dépend pour beaucoup de l'alimentation que les poissons et les fruits de mer ont eux-mêmes reçue.

POISSON (100 G)	LIPIDES TOTAUX	LIPIDES SATURÉS	OMÉGA-3
Maquereau	16 g	3,3 g	2,2 g
Hareng	13,2 g	3,3 g	1,83 g
Sardine	9,2 g	2,7 g	1,7 g
Thon	4,6 g	1,2 g	1,6 g
Anchois	10 g	1,6 g	1,4 g
Saumon (en boîte)	11 g	1,9 g	1,4 g
Truite	5,2 g	1,1 g	1,3 g
Espadon	4,1 g	0,9 g	1,1 g
Flétan	2,2 g	0,4 g	0,9 g
Moules dans leur coquille	0,7 g	0,1 g	0,8 g
Huîtres dans leur coquille	0,2 g	–	0,6 g
Chair de crabe	5,5 g	0,7 g	0,4 g
Bar	2,5 g	0,4 g	0,4 g
Cabillaud	0,7 g	0,1 g	0,3 g
Haddock	0,9 g	0,2 g	0,2 g

poisson, ne serait-ce que quelques fois par mois, diminuerait les risques.

Les fruits de mer

Les fruits de mer ont eu une mauvaise réputation à cause de leur taux de cholestérol élevé. Cela dit, on sait à présent que le taux de cholestérol sanguin est lié davantage à la teneur en graisses saturées qu'en cholestérol *(voir p. 40)*. Il n'y a donc aucune raison d'exclure les fruits de mer de votre alimentation, d'autant qu'ils contiennent très peu de lipides – à condition, toutefois, de les préparer et de les cuisiner sans ajouter de matières grasses et de préférer la vapeur, le four et le gril à la friture.

La sécurité alimentaire

Lorsqu'ils sont bien préparés, les fruits de mer et le poisson ne contiennent pas plus de microbes que les autres sources de protéines.

Cela dit, il est conseillé aux femmes qui sont enceintes ou qui se préparent à l'être, de même qu'à celles qui allaitent, de ne pas consommer de produits de la mer à cause de leur teneur élevée en mercure, qui constitue une menace pour le développement du système nerveux de l'enfant. Le requin, l'espadon, le marlin et, dans une moindre mesure, le thon, en contiennent beaucoup plus que le cabillaud, le haddock, le carrelet et le saumon. En conséquence, n'en abusez pas.

Les portions

Il est recommandé de consommer deux ou trois portions de protéines par jour. N'hésitez pas à manger du poisson et des fruits de mer au moins deux fois par semaine. Une portion équivaut à :

- 100 g de moules, sans coquille (20 moyennes)
- 100 g de crevettes épluchées cuites (7 moyennes)
- 100 g de chair de homard
- 100 g de palourdes, sans coquille
- 100 g de chair de crabe
- 100 g d'huîtres, sans coquille
- 100 g de saumon grillé
- 100 g de bar grillé
- 100 g de thon grillé
- 100 g de sardines grillées

Le poisson au gril

Le poisson cuit au gril ou au barbecue est une idée saine pour tous ceux qui veulent prendre soin de leur cœur. De plus, il est nutritif, délicieux et simple et rapide à préparer. Presque tous les poissons peuvent être cuits de la sorte. Voici quelques conseils :

- Choisissez du poisson très frais, ou, à défaut, congelé.
- Ne le faites pas cuire trop longtemps. La cuisson des filets est très rapide (4-5 minutes), celle des darnes un peu plus longue (6-7 minutes pour chaque face).
- Pour éviter qu'il n'adhère à la grille, faites-le mariner ou enduisez-le légèrement d'huile d'olive avant de le faire cuire.
- Utilisez toujours une grille propre pour éviter les mélanges d'odeurs et de saveurs.
- Faites preuve d'imagination en ajoutant des aiguilles de pin ou des ceps de vigne odorants sur les braises.
- Utilisez des herbes aromatiques, comme le romarin ou le thym, que vous ferez brûler sur les braises après les avoir mouillées et essorées.
- Si le temps ne permet pas de faire un barbecue à l'extérieur, vous utiliserez le gril du four.

Des sardines grillées Riches en acides gras oméga-3, les sardines au barbecue ne requièrent qu'un minimum de préparation.

Un coup de pinceau Le poisson et les fruits de mer peuvent être légèrement enduits d'huile avant la cuisson.

Les marinades Vous pouvez inventer des marinades à base d'huile d'olive. Elles sont idéales pour les filets et les fruits de mer.

Les herbes aromatiques Multipliez les arômes en ajoutant des branches de romarin ou de thym sur les braises du barbecue.

Les protéines végétales

Des protéines peu coûteuses aux multiples facettes.

Les protéines végétales groupent les légumineuses, les graines et les fruits oléagineux. Elles contiennent très peu de sodium et de graisses saturées, et aucun cholestérol. Elles sont sources de fibres *(voir p. 48-49)*, de glucides *(voir p. 46-47)*, de vitamines B1, B2, B3, B9, ainsi que de calcium, de potassium, de fer et de phosphore *(voir p. 50-67)*.

Les légumineuses sont toutes les sortes de pois, de haricots secs et de lentilles *(voir ci-dessous)*. Elles ont l'avantage, par rapport aux protéines animales, d'être peu coûteuses, d'offrir une multitude de possibilités en cuisine et d'être très riches en nutriments.

Grâce à leur teneur élevée en fibres solubles, elles contribuent à réduire le taux de cholestérol sanguin. Leur index glycémique *(voir p. 47)* est très bas, ce qui signifie que le sucre qu'elles contiennent passe lentement dans le sang, sans provoquer de pics brutaux de glu-

Des protéines saines Les lentilles sont la base de très nombreuses recettes. Ici, elles sont cuites en galettes avec des amandes, des courgettes râpées et des graines de sésame.

Choisir les légumineuses

Très nombreuses sont les variétés de légumineuses. Elles sont faciles à préparer et peuvent être dégustées nature ou entrer dans la composition de recettes tout aussi saines qu'appétissantes. On les trouve parfois précuites, en boîte ou congelées. Si vous les achetez sèches, il faut les faire tremper une nuit et les faire cuire longtemps, sauf les lentilles dont la cuisson est relativement rapide.

LÉGUMINEUSES (100 G)	CALORIES	PROTÉINES
Haricots adzuki	123	9,3 g
Fèves	48	5 g
Haricots beurre	103	7,1 g
Pois chiches	114	7,7 g
Haricots blancs	95	6,6 g
Haricots nains	103	8,4 g
Lentilles (vertes/brunes)	105	8,8 g
Haricots mung	91	7,6 g
Petits pois	79	6,7 g
Haricots pinto	137	8,9 g
Soja	141	14 g

Le soja

Le soja contient autant d'acides aminés que les protéines d'origine animale et deux fois plus de protéines que les autres légumineuses. C'est une bonne source de vitamine A et de vitamines du groupe B, ainsi que de calcium, de phosphore, de potassium et de fer. Il contient également des isoflavones très bénéfiques pour la santé *(voir p. 59)*. Les graines de soja sont transformées en une multitude de produits alimentaires.

Le lait de soja Il contient des matières grasses insaturées.

Le tofu On le trouve sous forme de blocs plus ou moins fermes, dont on peut agrémenter tous les plats.

Les protéines de soja Sous forme de flocons plus ou moins gros, elles remplacent la viande dans de nombreuses préparations.

cose. Les légumineuses sont donc des aliments idéaux pour les personnes qui souffrent de diabète ou qui y sont particulièrement exposées, comme les personnes en surpoids ou ayant des antécédents familiaux liés à cette maladie (*voir p. 246*).

Oléagineux et protéines

Les graines oléagineuses sont les embryons des plantes, tandis que les fruits oléagineux sont des fruits secs à coquille (noix). Les noix et les graines contiennent entre 10 et 25 % de protéines, ainsi que des vitamines B1, B2 et E, du calcium, du phosphore, du potassium, du fer et des fibres. Elles sont également riches en lipides monoinsaturés et polyinsaturés.

Les consommateurs réguliers d'oléagineux voient diminuer le risque de développer des maladies cardio-vasculaires et du diabète.

Cela ne s'explique pas seulement par l'action des graisses insaturées sur le taux de cholestérol sanguin : les oléagineux contiennent aussi de l'arginine, un acide aminé qui favorise la fabrication de l'oxyde nitrique. Ce composé rend les vaisseaux sanguins plus souples et favorise la fluidité du sang.

Protéines complémentaires

Étant donné que les aliments d'origine végétale ne contiennent pas tous les acides aminés nécessaires à la fabrication des protéines dans l'organisme, il faut les associer, dans l'alimentation, à d'autres végétaux, comme le soja, afin que les protéines soient complètes. Il est important de suivre cette règle, en particulier pour les végétariens qui ne consomment pas les protéines déjà complètes des aliments d'origine animale (*voir p. 100-101*).

Les portions

Il est recommandé de consommer deux à trois portions de protéines par jour. Les protéines végétales en font partie et offrent une alternative saine aux produits d'origine animale comme la viande, la volaille, les œufs et le poisson. Une portion équivaut à :

- 3 ou 4 cuil. à s. de soja cuit
- 3 ou 4 cuil. à s. de lentilles cuites
- 3 ou 4 cuil. à s. de pois chiches cuits
- 3 ou 4 cuil. à s. de haricots rouges cuits
- 3 cuil. à s. de graines de tournesol
- 3 cuil. à s. de graines de sésame
- 3 cuil. à s. de graines d'alfalfa
- 3 cuil. à s. de graines de courge
- 3 cuil. à s. de graines de lin
- 3 cuil. à s. d'amandes
- 3 cuil. à s. de noix de macadamia
- 3 cuil. à s. de noix du Brésil
- 3 cuil. à s. de pistaches
- 3 cuil. à s. de noisettes
- 3 cuil. à s. de noix de cajou

Comment manger des graines ?

Les graines constituent un en-cas idéal, léger, pratique et sain, car pauvre en graisses saturées. Cela dit, leur teneur élevée en lipides et en calories doit être prise en compte dans le cadre d'un régime amaigrissant.

Les graines de courge Riches en protéines, fer et zinc, elles se consomment crues ou cuites.

Les graines de sésame Riches en protéines, calcium, fer et en vitamine B9, les graines de sésame peuvent être consom-mées nature, saupoudrées sur les plats ou broyées avec un peu de sel (*gomasio*).

Les graines de tournesol Riches en potassium, phosphore, fer et calcium, elles contiennent également des protéines. Elles sont délicieuses grillées dans les salades.

Les graines de lin Bonne source de fibres et d'acides gras oméga-3, on peut les broyer avant de les incorporer au pain, aux desserts ou aux céréales.

Le pain aux graines Les graines de pavot et de sésame ajoutent de la texture et des nutri-ments à des petits pains individuels.

Un dessert sain On peut ajouter des graines de lin broyées à un *milk-shake* au yaourt et aux framboises.

Un risotto aux graines de courge Les graines de courges grillées ajoutent saveur et nutriments à un risotto.

Quelles noix choisir ?

Les fruits oléagineux contiennent entre 10 et 25 % de protéines, des graisses mono et polyinsaturées, des fibres, des vitamines et sels minéraux. Comme tous les végétaux, ils ne contiennent pas de cholestérol, mais ils restent gras, donc caloriques. À consommer avec modération.

Les amandes Riches en graisses monoinsaturées, elles contiennent des protéines, des vitamines B2 et E, du calcium, du fer et du zinc.

Les noix du Brésil Riches en protéines, fer, calcium et zinc, ces noix abondent en sélénium – une noix suffit à dépasser l'apport conseillé (ANC).

Les noix de cajou Moins grasses que les amandes, cacahouètes, noix et noix de pécan, elles sont riches en acides gras, fibres, protéines, glucides, vitamines du groupe B, fer et zinc.

Les châtaignes Les moins gras et les moins protéinés des oléagineux, elles sont riches en microminéraux et en potassium.

Les noisettes Riches en fibres, calcium, magnésium et vitamine E, elles sont une bonne source de protéines.

Les cacahouètes Ces légumineuses contiennent plus de protéines que les oléagineux (de 20 à 30 %), des fibres, des vitamines B3 et B9.

Les noix de pécan Riches en vitamines A et B1, en fibres, fer, calcium, cuivre, magnésium, potassium et phosphore, elles contiennent aussi des graisses insaturées.

Les pignons Ils contiennent des protéines, du calcium et du magnésium.

Les pistaches Très riches en potassium, elles contiennent aussi du calcium, du fer, des fibres, des protéines et des vitamines A et B9.

Les noix Riches en vitamines, notamment en B9, elles contiennent du magnésium, du potassium, du fer, du zinc, des antioxydants et des acides gras oméga-3.

La teneur en lipides des oléagineux

Les oléagineux – graines et noix – sont riches en lipides, mais n'en sont pas moins excellents pour la santé. Les graisses qu'ils contiennent sont essentiellement des graisses mono et polyinsaturées, bénéfiques dans la prévention des maladies cardio-vasculaires et de l'hypercholestérolémie *(voir p. 40)*. Quelques oléagineux, cependant, contiennent des graisses saturées et doivent être mangés avec modération (noix du Brésil, de cajou, de macadamia et pignons).

Les noix du Brésil, les noix et les pignons contiennent deux acides gras essentiels (linoléique et alpha-linoléique). Les graines sont également riches en de nombreux nutriments, mais la grande valeur nutritionnelle des oléagineux est amoindrie s'ils sont salés.

En raison de leur teneur élevée en lipides, les noix et les graines sont relativement caloriques. Attention à ne pas en abuser si vous êtes soucieux de votre ligne. Enfin, il faut noter que certaines personnes souffrent d'allergies aux oléagineux *(voir p. 253)*, c'est pourquoi leur présence doit être signalée sur les étiquettes.

Les lipides des oléagineux Le tableau ci-dessous donne la proportion des différents lipides – saturés, monoinsaturés et polyinsaturés – de quelques noix et graines, généralement riches en graisses mono et polyinsaturées.

Légende

Lipides saturés
Lipides polyinsaturés
Lipides monoinsaturés

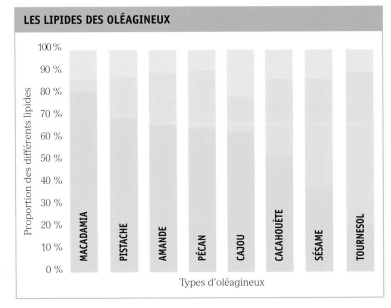

LES LIPIDES DES OLÉAGINEUX

Proportion des différents lipides — MACADAMIA, PISTACHE, AMANDE, PÉCAN, CAJOU, CACAHOUÈTE, SÉSAME, TOURNESOL — Types d'oléagineux

Les œufs

L'œuf est riche en protéines et en nutriments vitaux.

Les œufs contiennent tous les acides aminés essentiels *(voir p. 44-45)*, ce qui fait d'eux une bonne source de protéines complètes. Ils sont également riches en vitamines B2, B9, B12, D et E, ainsi qu'en fer *(voir p. 50-67)*. Le fer du jaune d'œuf, comme celui que l'on trouve dans la viande, est absorbé facilement par l'organisme.

Les œufs contiennent d'autres vitamines (B1 et B6) et sels minéraux (phosphore et zinc). Ils sont l'une des meilleures sources de choline, une substance qui participe au transport des lipides dans le corps. La choline joue aussi un rôle important dans la fabrication des phospholipides (l'un des composés majeurs de la membrane des cellules). Dans l'œuf, c'est le jaune qui renferme la majorité des micronutriments. Quant au blanc, il contient des protéines, mais ni lipides ni cholestérol.

Œufs et cholestérol

Sur l'ensemble des aliments consommés en Europe de nos jours, les œufs sont la source la plus importante de cholestérol. Ils contiennent relativement peu de graisses saturées et de calories. La polémique est toujours vive à propos de l'œuf, dont certains nutritionnistes recommandent de limiter la consommation. Mais il est prouvé que celle-ci n'augmente pas les risques de maladies cardio-vasculaires.

Les protéines idéales Pauvre en calories et en graisses saturées, l'œuf est source de protéines complètes. C'est un aliment d'une grande valeur nutritionnelle.

Combien d'œufs peut-on consommer ?

On ne trouve jamais le cholestérol en grandes quantités dans les aliments, à l'exception de l'œuf et de certains abats, comme le foie ou les rognons. Même s'il est prouvé que la teneur en cholestérol des aliments n'a pas une grande influence sur le taux de cholestérol sanguin, il vaut mieux limiter votre consommation à trois œufs par semaine si vous avez du cholestérol. Cela dit, dans ce cas, il vaut mieux réduire l'apport en graisses, et en particulier en graisses saturées dont l'impact sur le taux de cholestérol sanguin est désormais avéré. Avoir une alimentation riche en fibres est également un bon moyen de faire diminuer la quantité de cholestérol qui passe dans le sang.

Comme le cholestérol se trouve dans le jaune, vous pouvez manger des blancs d'œufs à volonté. Et pensez également à ne pas ajouter aux œufs des graisses saturées (beurre ou fromage).

Une omelette garnie Les œufs regorgent de nutriments. Une omelette aux champignons et aux tomates constitue un déjeuner rapide à préparer, sain et savoureux.

Œufs et salmonelle

Certains œufs contiennent de la salmonelle, une bactérie à l'origine de la salmonellose, qui se manifeste par des douleurs abdominales, des vomissements et de la diarrhée.

Afin de minimiser les risques d'attraper cette infection, conservez toujours les œufs dans le réfrigérateur et lavez-vous les mains à chaque fois que vous en manipulez. Le risque est présent lorsque vous consommez les œufs crus, comme dans la mayonnaise, les glaces et les mousses faites maison. Mais il disparaît lorsque les œufs sont cuits et fermes.

Les nourrissons et les jeunes enfants, les femmes enceintes, les personnes âgées ou malades doivent éviter de consommer des œufs crus ou peu cuits.

L'apport en liquides

Notre organisme a besoin de liquides, surtout d'eau.

Le corps de l'homme est constitué d'eau pour 60 %, celui de la femme pour 50 %. Chacune de nos cellules a besoin d'eau pour fonctionner correctement. Il est recommandé de boire au moins de six à huit verres d'eau par jour, sans quoi on s'expose aux symptômes suivants : fatigue, maux de tête, bouche sèche, yeux secs et difficultés d'attention. Les besoins en eau sont naturellement supérieurs quand il fait chaud, lorsqu'on pratique une activité sportive et chaque fois que la transpiration augmente. Dans ces cas-là, il faut boire davantage pour compenser ces pertes accrues.

Les personnes qui boivent de l'eau régulièrement et en quantité suffisante se mettent à l'abri de nombreux problèmes de santé, comme les calculs rénaux *(voir p. 238)*, la constipation *(voir p. 229)* ou le risque de développer un cancer du côlon ou des voies urinaires.

Les fonctions de l'eau

L'eau est impliquée dans de nombreuses fonctions de l'organisme : la régulation de la température, le taux d'hydratation, le niveau d'énergie, le contrôle du poids,

Étancher sa soif Boire de l'eau tout au long de la journée est le moyen le plus facile et le plus sain de couvrir les besoins de l'organisme en liquides.

Boire davantage d'eau

Nombreuses sont les personnes qui pensent couvrir leurs besoins de liquides en buvant du thé, du café et quelques boissons sucrées. Mais cela ne suffit pas. Les besoins de l'organisme en eau sont importants. Vous aurez beau manger sainement et faire du sport, vous ne serez pas en forme et votre corps ne brûlera pas correctement ses calories si vous oubliez de boire. Que vous buviez de l'eau du robinet, de l'eau filtrée ou de l'eau minérale en bouteilles, veillez à ce que votre apport soit l'équivalent de six à huit verres de 225 ml par jour.

On trouve également de l'eau dans les aliments, en particulier dans les fruits et les légumes. La pastèque, par exemple, contient plus de 90 % d'eau. Lorsqu'il fait chaud, nourrissez-vous de salade, de tomates et de concombre.

Comment boire davantage ?

La plupart des gens ne boivent pas suffisamment d'eau. Voici quelques suggestions pour vous aider à boire l'équivalent de six à huit verres (225 ml) d'eau par jour :
• Ayez toujours une bouteille ou un grand verre d'eau à portée de main, sur votre bureau, et buvez régulièrement.
• Au cours des repas, remplacez les boissons sucrées et alcoolisées par de l'eau plate ou gazeuse.

• Dès que vous sortez, emportez une bouteille d'eau dans votre voiture ou votre sac. S'il fait chaud, placez-la dans une housse isolante.
• Emportez une bouteille d'eau lorsque vous allez faire du sport. L'activité physique augmente considérablement les besoins en liquides.
• Lorsque vous avez soif, achetez une bouteille d'eau plutôt qu'un soda ou un jus de fruits sucré.

Hydrater son corps Plus on est actif, plus il est important de remplacer les pertes de liquides par de l'eau. Buvez régulièrement avant, pendant et après l'effort.

le transport des nutriments et des déchets. Elle intervient dans tous les processus de digestion, d'absorption, de circulation et d'excrétion.

Les enfants sont plus vulnérables que les adultes face à la chaleur. Leur organisme se réchauffe davantage, mais ils transpirent moins, et la température de leur corps met plus de temps à se modifier. De plus, le mécanisme de la soif ne s'exprime pas de la même manière que chez les adultes, et ils oublient de demander à boire. Apprenez à vos enfants à boire avant, pendant et après l'effort pour prévenir la déshydratation et les coups de chaleur.

Les boissons sucrées

Les boissons telles que les jus de fruits sucrés ou les sodas sont composées avant tout d'eau. On peut ainsi supposer qu'elles couvrent les besoins de l'organisme en éléments liquides. Le problème provient de leur teneur élevée en sucre, source avérée de caries et de surpoids. Les boissons sucrées ont l'inconvénient de faire monter brusquement le taux de sucre dans le sang.

Le surpoids et l'obésité des enfants européens s'accroissent de façon préoccupante, et il semble que l'augmentation croissante des boissons sucrées y soit pour quelque chose. La consommation de sodas en France n'atteint pas encore les mêmes proportions que celle des pays anglo-saxons, mais elle en prend le chemin.

Il est prouvé que les enfants qui consomment beaucoup de boissons sucrées mangent moins au cours des repas et n'absorbent pas suffisamment de nutriments essentiels. On peut prévenir le surpoids et l'obésité en donnant aux enfants l'habitude de boire de l'eau ou du lait demi-écrémé à la place des boissons sucrées.

La caféine

Le café et le thé sont des boissons populaires que les gens consomment le plus souvent pour leur effet stimulant. La caféine que ces boissons contiennent a un effet diurétique et augmente l'élimination des liquides, mais le thé et le café n'ont plus la réputation de déshydrater l'organisme.

Cependant, la caféine, en excès, est nocive pour la santé. De plus, il faut savoir que la caféine interfère avec l'action de certains médicaments, comme les antidépresseurs et les tranquillisants. Une consommation excessive de caféine peut augmenter l'excrétion du calcium dans les urines et par là même les risques d'ostéoporose (voir p. 242).

Les jus de fruits

Les jus de fruits sont souvent une bonne source de vitamine C et d'autres nutriments lorsqu'ils sont fortifiés (en calcium, par exemple), mais il vaut mieux limiter leur consommation, en particulier chez les enfants. Une consommation excessive de jus de fruits ouvre la porte au surpoids et à l'obésité, aux caries et à des problèmes digestifs, comme la diarrhée ou les ballonnements. De plus, comme les jus de fruits sont nourrissants, ils peuvent couper l'appétit. Voici quelques recommandations :

• Choisissez des jus de fruits purs (100 % fruits) et non des boissons aux fruits.

• Les nourrissons ne doivent pas boire de jus de fruits avant six mois. Ensuite, jusqu'à un an, les jus doivent être dilués dans de l'eau minérale.

• Un jus de fruits est l'équivalent d'une des cinq portions de fruits et légumes recommandées par jour. Mais n'en buvez pas plus d'un par jour.

• Au lieu de les presser, mangez les fruits entiers : vous bénéficierez des fibres contenues dans leur peau et leur chair.

L'apport en caféine

La consommation de caféine n'est pas nocive si elle reste modérée. Cela dit, on recommande aux femmes enceintes de ne pas consommer plus de 300 mg de caféine par jour. La caféine peut, en effet, avoir une incidence sur le poids de naissance du bébé. Il faut noter qu'un café fort, par exemple, n'a pas le même taux de caféine qu'un café allongé. Le tableau ci-dessous donne quelques exemples :

BOISSONS	PORTIONS	CAFÉINE
Café (cafetière électrique)	150 ml	115 mg
Café (percolateur)	150 ml	80 mg
Café instantané	150 ml	65 mg
Thé	150 ml	40 mg
Expresso	30 ml	40 mg
Thé instantané	150 ml	30 mg
Colas	180 ml	18 mg
Chocolat	225 ml	5 mg
Cacao	150 ml	4 mg
Café décaféiné	150 ml	3 mg

Les aliments à éviter

Mieux vaut éviter de consommer ces aliments régulièrement.

Le cinquième groupe d'aliments que nous avons évoqué *(voir p. 72)* rassemble les aliments contenant essentiellement des matières grasses et du sucre, comme les gâteaux, les biscuits salés ou sucrés et les friandises. Ces aliments doivent être consommés avec une grande modération en raison du peu d'intérêt qu'ils présentent sur le plan nutritionnel. En effet, ce sont des aliments à la fois très caloriques et dépourvus

de nutriments essentiels. Pis, ils regorgent de composés néfastes pour la santé : graisses saturées, acides gras trans *(voir p. 38)* ou sel *(voir p. 64)*.

Les besoins

Avoir une alimentation équilibrée et saine signifie donner à son organisme l'énergie et les nutriments dont il a besoin pour mener à bien ses différentes activités quotidiennes. Cela ne signifie pas

Du sucre et du gras Bien qu'il ne soit pas dépourvu d'intérêt nutritionnel, ce gâteau au chocolat doit rester un plaisir occasionnel plutôt qu'une source régulière d'énergie.

Les effets de l'alcool

Plusieurs études tendent à montrer que les buveurs modérés d'alcool ont une espérance de vie plus longue que les grands buveurs et que les abstinents. Si l'on ne sait pas encore ce qui rend l'alcool bénéfique pour la santé, les raisons de sa nocivité sont, en revanche, tout à fait connues.

Les bienfaits de l'alcool Il existe un lien entre une consommation modérée régulière d'alcool et la diminution des risques de maladies cardio-vasculaires *(voir p. 214-221)*. On est encore loin d'avoir vraiment élucidé les raisons de cette relation, mais on sait déjà que l'alcool contribue à l'augmentation du taux de bon cholestérol (HDL) dans le sang.

La consommation modérée d'alcool aurait, par ailleurs, d'autres avantages pour la santé, parmi lesquels :
● la diminution du risque d'infarctus ;
● la diminution du stress ;
● l'augmentation de l'appétit, en particulier chez les personnes âgées.

Cela dit, la quantité d'alcool qui fait baisser les risques d'accidents cardiovasculaires augmenterait les risques de cancer du sein *(voir p. 259)*.

Les risques de l'alcool Une consommation excessive d'alcool a pour effet d'augmenter la pression artérielle, de faire prendre du poids *(voir p. 158)*, d'accroître les risques d'accidents, d'hémorragies et d'interaction médicamenteuse. Au cours de la grossesse, l'alcool peut engendrer des fausses couches, un faible poids de naissance, des malformations congénitales et un ralentissement de la croissance.

Le coût des problèmes de santé et des problèmes sociaux (criminalité, baisse de productivité dans les entreprises, problèmes familiaux) engendrés par l'abus d'alcool est énorme. La consommation d'alcool, comme les problèmes sociaux, émotionnels et comportementaux qu'elle implique, augmente de façon préoccupante chez les jeunes.

Alcool et nutrition Un gramme d'alcool contient 7 calories, le plus souvent vides, puisque la plupart des boissons alcoolisées ne contiennent ni vitamines ni minéraux. L'abus d'alcool peut même conduire à des carences, car les buveurs ont tendance à ne pas se nourrir correctement. Par ailleurs, l'alcool inhibe l'absorption des nutriments et augmente l'excrétion de certains minéraux (le zinc, notamment) par les voies urinaires.

Buvez modérément Le seul conseil que nous puissions donner est de boire de l'alcool dans des proportions raisonnables, soit deux ou trois unités par jour pour une femme, trois ou quatre pour un homme. Un verre de vin équivaut à deux unités, une bière ou un verre d'alcool fort à une unité et demie.

Les personnes enceintes, allaitantes, qui suivent un traitement médical, conduisent des véhicules ou des machines doivent s'abstenir de boire de l'alcool.

pour autant qu'il faille éliminer de son alimentation toutes les douceurs et tous les aliments gras.

On trouve des aliments sains et des aliments moins sains dans les cinq groupes. Il est évident que votre alimentation doit reposer sur la consommation des premiers. Ainsi, il vaut mieux manger des céréales complètes que raffinées, des protéines maigres que des grasses et des produits laitiers écrémés qu'entiers. Si votre régime alimentaire est équilibré de la sorte, vous pouvez vous permettre de petits écarts de temps en temps.

Ce qui nous attire

Des chercheurs ont montré que les produits gras et sucrés attirent les humains du monde entier à cause de leur abondance sur le marché,

de la publicité à laquelle on peut difficilement échapper, mais aussi de la prédilection naturelle des humains pour le sucré et le gras. C'est pourquoi les industriels en ajoutent dans leurs produits alimentaires.

Les problèmes médicaux engendrés par une mauvaise alimentation ont obligé les fabricants à réviser à la baisse la quantité de graisses saturées contenue dans les produits alimentaires. Mais beaucoup ont contourné le problème en ajoutant du sucre pour rendre les aliments plus attrayants. Pour vérifier la valeur nutritionnelle des produits que vous achetez, lisez attentivement les étiquettes plutôt que de fonder votre opinion sur les arguments publicitaires des fabricants (*voir p. 277*).

Le chocolat et nous

La douceur de son goût et le moelleux de sa texture font du chocolat l'un des aliments universellement les plus attirants pour l'humain. Il contient des substances qui améliorent l'humeur et favorisent la détente. C'est pourquoi manger du chocolat procure un sentiment de bien-être.

Le chocolat contient également certains nutriments, comme du magnésium et du calcium, et a des propriétés antioxydantes et anti-inflammatoires.

Le revers de la médaille est sa teneur élevée en lipides, qui favorisent la prise de poids et l'élévation du taux de cholestérol sanguin. Enfin, il faut tenir compte de son apport non négligeable en caféine (*voir p. 97*).

Évitez les calories vides

Consommer trop de ces aliments sucrés et gras est néfaste pour la santé et ce pour plusieurs raisons : leur teneur élevée en graisses et en sucres les rend très caloriques et font grossir ; ils contiennent des graisses saturées et des acides gras trans – souvent associés à des farines raffinées – dont on connaît maintenant la nocivité ; enfin, ils ne contiennent souvent que peu de nutriments intéressants pour la santé, d'où leur appellation de calories « vides ». Une personne consommant beaucoup de ces produits alimentaires peut grossir et, paradoxalement, souffrir de malnutrition.

ALIMENTS	PORTIONS	CALORIES	LIPIDES	LIPIDES SATURÉS
Gâteau au fromage blanc	1 tranche (120 g)	511	42 g	23 g
Gâteau au chocolat	1 tranche (65 g)	313	19 g	12 g
Chocolat au lait	1 barre (50 g)	260	15 g	9 g
Beignet à la confiture	1 beignet (75 g)	252	11 g	3,2 g
Chausson aux pommes	1 chausson (110 g)	293	15 g	10 g
Milk-shake (lait entier)	225 ml	170	8 g	5 g
Chips	1 petit sachet (28 g)	148	10 g	4 g
Cookies aux pépites de chocolat	1 cookie (25 g)	119	5,7 g	2,7 g
Cola	1 canette (330 ml)	135	0 g	0 g
Tortilla chips	28 g	129	6 g	2 g
Crème glacée à la vanille	1 cuillerée (100 g)	177	8,65 g	6,1 g

Végétarisme et santé

Un régime végétarien bien mené est très bénéfique pour la santé.

Tous les végétariens ne suivent pas le même régime alimentaire. Les lacto-végétariens mangent des produits laitiers, mais pas de viande, les ovo-végétariens ne consomment pas d'aliments animaux à l'exception des œufs, tandis que les végétaliens ne se nourrissent d'aucun aliment d'origine animale.

Le seul inconvénient du régime végétarien est qu'il peut conduire à des carences s'il est suivi à la légère. Cela dit, on ne remet plus en question les bénéfices d'un tel mode d'alimentation sur la santé. Il est à la fois facile, économique et sain d'être végétarien, y compris pour les femmes enceintes et les enfants.

Un régime bénéfique

Les personnes qui délaissent les protéines animales au profit des protéines végétales consomment, en général, plus de fibres et moins de graisses saturées et de cholestérol. Ce qui explique que les végétariens ont des taux de mauvais cholestérol LDL, de maladies cardio-vasculaires, d'obésité, de diabète et de cancer du côlon inférieurs à ceux des mangeurs de viande. L'absence de viande n'explique peut-être pas tout. D'autres paramètres entrent également en ligne de compte, comme l'activité physique ou la consommation d'alcool ou de tabac.

Comment associer les protéines végétales

Les aliments d'origine végétale ne contiennent pas la totalité des acides aminés *(voir p. 45)* nécessaire à la composition des protéines. Le soja et ses dérivés sont l'exception puisqu'ils contiennent des protéines aussi complètes que les protéines animales. C'est pourquoi il est nécessaire d'associer les protéines végétales.

Les légumineuses, soja inclus, devraient constituer la base de l'un des repas quotidiens. On peut compléter leurs protéines en leur ajoutant des oléagineux (noix ou graines) ou des céréales. Veillez à manger des légumineuses, des oléagineux et des céréales, en alternance, toutes les douze heures pour couvrir vos besoins en acides aminés.

IDÉES DE REPAS	LÉGUMINEUSES	CÉRÉALES	OLÉAGINEUX
Galettes de lentilles, courgettes et sésame *(voir p. 92)*	Lentilles	–	Graines de sésame
Houmous et pain pita *(voir p. 127)*	Pois chiches	Blé	Graines de sésame
Soupe épicée aux haricots et pain de maïs *(voir p. 155)*	Haricots variés	Maïs	–
Poivrons farcis au quinoa *(voir p. 235)*	Pois chiches	Quinoa	–
Couscous végétarien *(voir p. 250)*	Pois chiches	Couscous	–
Légumes sautés au tofu et noix *(voir p. 256)*	Soja (tofu)	Riz	Noix de cajou
Crostini aux haricots canellini *(voir p. 263)*	Haricots variés	Blé	–
Couscous rapide au tofu *(voir p. 291)*	Soja (tofu)	Blé	–

Végétarisme et nutrition

Il est important, a fortiori lorsqu'on est végétarien, de veiller à ce que l'alimentation couvre l'ensemble des besoins en nutriments. Ce qui est plus facile pour les végétariens qui consomment tout de même des protéines animales (œufs ou produits laitiers) que pour les végétaliens stricts. En effet, le fer, par exemple, nécessaire au transport de l'oxygène dans les globules rouges, est présent dans les aliments d'origine animale et végétale, mais celui des produits animaux est plus facilement absorbé par l'organisme *(voir p. 66).*

On ne trouve la vitamine B12 que dans les produits d'origine animale, à l'exception du soja fortifié. Les végétaliens doivent donc consommer la vitamine B12 sous forme de complément alimentaire *(voir p. 269).*

Pâtes et légumes Faire un repas végétarien par jour est une excellente manière d'améliorer votre alimentation.

Le régime macrobiotique

Fondé sur des traditions spirituelles extrême-orientales et sur l'équilibre du yin et du yang, ce régime végétalien est censé promouvoir le bien-être spirituel autant que le bien-être physique. Il s'agit de corriger des déséquilibres énergétiques par l'alimentation, afin de prévenir et de soigner les maladies.

La diététique macrobiotique est fondée sur des repas équilibrés composés d'aliments comme les céréales, les protéines végétales, les algues, les légumes cuits longtemps, les crudités, les condiments et les desserts.

Une adhérence stricte à ce régime alimentaire peut entraîner des problèmes de santé consécutifs à des carences en protéines, en vitamines B12 et D, en zinc, calcium et fer. Ce qui peut se révéler grave pour les personnes aux besoins accrus, comme les enfants *(voir p. 265 et 268-271).*

Conseils végétariens

Les conseils suivants vous aideront à avoir une alimentation riche en nutriments et pauvre en lipides :
● Choisissez des céréales et des aliments complets.
● Achetez, pour le petit déjeuner, des céréales complètes fortifiées.
● N'abusez pas des fromages ni des produits laitiers, qui sont riches en graisses saturées.
● Choisissez des produits laitiers allégés en matières grasses.
● Consommez des aliments riches en vitamine C pendant les repas pour faciliter l'absorption du fer.
● Mangez des aliments riches en fer au moins une fois par jour (œufs ou haricots rouges, par exemple).
● Si vous êtes végétalien, prenez un complément en vitamine B12 (aliments fortifiés ou complément alimentaire).

Recette Soupe miso et tofu

INGRÉDIENTS
1 litre de bouillon végétal
75 g de tofu coupé en dés
4 champignons de Paris finement émincés
1/2 carotte coupée en julienne
3 cuil. à s. de miso (condiment asiatique)
2 oignons nouveaux émincés

Pour 4 personnes

1 Portez à ébullition le bouillon avec le tofu, les champignons et la carotte. Remuez pendant 3 minutes.

2 Dissolvez le miso dans un peu d'eau et ajoutez-le, hors du feu, au bouillon.

Servez le bouillon chaud, garni de lamelles d'oignon.

Valeur nutritionnelle (par portion)

Calories 126, lipides totaux 2,6 g (sat. 0,7 g, poly. 1 g, mono. 0,7 g), cholestérol 0,7 mg, protéines 6 g, glucides 21 g, fibres 0,4 g, sodium 1,933 mg ; bonne source de vitamine A et de Ca, K, Mg.

Manger à l'extérieur

Manger à l'extérieur ne doit pas signifier manger mal.

Qu'il s'agisse d'un choix ou d'une obligation, les occasions de manger en dehors de chez soi sont nombreuses, mais ne doivent pas remettre en question vos choix alimentaires sains.

Manger ne signifie pas seulement couvrir ses besoins nutritionnels. C'est également une activité sociale – qu'elle s'exerce dans le cadre du travail, dans le cercle familial ou entre amis. Mais il ne faut pas que le plaisir de sortir et le partage vous fassent perdre de vue votre objectif, qui est aussi de manger sainement et de consommer davantage de fruits, de légumes et de céréales complètes ; de manger du poisson, des fruits de mer et de la viande maigre ; de limiter l'apport en glucides raffinés, en graisses saturées et en sel ; et de n'abuser ni de la nourriture ni de la boisson.

Des choix sains au restaurant

Il n'y a aucune raison d'éviter de manger au restaurant. Il faut seulement faire attention à ce que l'on commande si l'on souhaite garder de bonnes habitudes alimentaires et contrôler son poids.

Que l'on s'arrête quelques instants au café ou que l'on passe des heures dans un restaurant, il est tout à fait possible de faire des choix sains. La nourriture des restaurants et des *fast-foods* a tendance à être plus calorique et plus riche en graisses saturées que celle que l'on prépare à la maison, aussi peut-on toujours compenser un repas pris à l'extérieur par un repas léger à la maison. N'ayez pas peur de poser des questions sur la façon dont les plats sont élaborés, peut-être peut-on vous les préparer d'une autre façon, plus légère et plus saine ? Et sachez qu'il est toujours possible de commander un plat sans la sauce ou sans l'accompagnement si celui-ci vous paraît trop riche.

Les invitations

Certes, vous ne pouvez pas décider de ce que vos proches vous servent à dîner lorsque vous êtes invité, mais vous pouvez contrôler ce que vous mangez et buvez. Servez-vous bien en salade et en légumes et prenez une toute petite part de dessert.

Lorsque vous recevez une invitation, vous pouvez augmenter vos dépenses caloriques en allant marcher ou faire du sport le jour même. Cela vous aidera à brûler les calories supplémentaires que vous allez ingérer. L'activité physique a également tendance à réduire l'appétit.

Les buffets

Il est difficile de résister à l'abondance de mets servis dans un buffet. Les conseils suivants vous aideront à manger correctement dans ce genre d'occasion :
- Éloignez-vous des cacahouètes et des chips.
- Évitez les aliments frits et les bols de mayonnaise.
- Prenez de petites portions de poisson, de volaille ou de viande et emplissez votre assiette de légumes.
- Si vous mangez du pain, évitez de le tartiner.
- Choisissez des fruits en dessert.
- Ne vous faites pas resservir du vin : demandez de l'eau.

Dîner dehors Si vous mangez à l'extérieur, ne perdez pas de vue les bienfaits d'une alimentation saine. Soyez raisonnable et si vous abusez, mangez léger le lendemain.

Faire des choix sains au restaurant

Il faut faire des choix stratégiques pour apprécier de manger à l'extérieur tout en gardant une ligne de conduite saine.

L'ENTRÉE

Auriez-vous pris une entrée chez vous? Il est peut-être préférable de faire l'impasse, surtout si votre plat principal s'annonce copieux.

- Commandez une deuxième entrée à la place du plat principal ou partagez-la avec vos convives.
- Choisissez des soupes riches en fibres (de légumes ou de lentilles). Évitez les soupes trop riches.
- Évitez les fritures, trop riches en graisses et en calories.
- Mangez votre pain nature, sans beurre. À la rigueur, avec un peu d'huile d'olive.
- Commandez l'assaisonnement de votre salade à part. Vous pourrez en contrôler les quantités.
- Évitez les salades pleines de fromage ou de croûtons frits, trop riches en graisses saturées.

LE PLAT DE RÉSISTANCE

Saisissez l'occasion de goûter à des plats nouveaux que vous ne cuisineriez pas vous-même.

- Misez sur la volaille grillée ou cuite au four, le poisson ou les fruits de mer, pauvres en lipides.
- Commandez des pâtes à la tomate plutôt qu'au fromage ou à la viande.
- Demandez des petites portions ou partagez-les. Si vous avez faim, commandez davantage de légumes.
- Assaisonnez vos plats avec de la moutarde ou du jus de citron plutôt qu'avec de la crème ou de la mayonnaise.

LE DESSERT

Un fruit ou une salade de fruits frais constituent les plus sains des desserts, à condition de vous passer de la cuillerée de crème fraîche ou de crème glacée qui les accompagne.

- Évitez les pâtisseries, toujours riches en lipides.
- Préférez le sorbet à la crème glacée.

Les *fast-foods*

La popularité des *fast-foods* est un facteur essentiel de l'augmentation des cas d'obésité et des maladies qui lui sont associées. La nourriture qui y est servie est riche en graisses saturées, en sel et en calories, mais manque de fibres, de vitamines et de sels minéraux. De plus, le marketing incite à commander de grandes portions. Si vous ne pouvez éviter de manger au *fast-food*, limitez les dégâts et compensez avec des repas plus sains le reste du temps.

- Choisissez des sandwiches aux crudités plutôt qu'au fromage.
- Remplacez les frites par une salade.
- Commandez des sandwiches au blanc de poulet grillé plutôt que pané et frit.
- Mangez de la moutarde ou du ketchup au lieu des mayonnaises.
- Commandez de l'eau, du lait ou une boisson *light*.
- Sautez le dessert ou prenez un dessert aux fruits.

Un repas chinois transformé

La cuisine chinoise a bonne réputation. Elle est saine, en effet, à condition d'écarter les plats frits ou qui baignent dans des sauces trop riches en calories et en graisses saturées. Choisissez plutôt des plats savoureux, mais légers et sains.

UNE CUISINE SAINE

Choisissez des plats traditionnels populaires qui contiennent peu de matières grasses et de protéines, mais sont riches en fibres. Les taux de cholestérol des Chinois sont très peu élevés par rapport aux taux occidentaux : leur régime quotidien est fondé surtout sur les céréales et les légumes.

Prenez des plats de légumes sautés au wok avec du tofu, des crevettes ou du poulet. Si vous les accompagnez d'un bol de riz blanc, vous êtes sûr de manger sain et équilibré.

Trop riche Ces beignets de crevettes à la sauce aigre-douce et ce riz cantonais contiennent 397 cal, 18 g de lipides et 122 mg de cholestérol.

Bon et léger Ces crevettes, accompagnées de riz blanc et de légumes cuits à la vapeur, ne fournissent que 250 cal, 1 g de lipides et 65 mg de cholestérol.

Se nourrir pour la vie, étape après étape

Une alimentation saine sert à construire un corps sain. À chaque étape de la vie, de la naissance à la vieillesse, la façon de se nourrir peut changer votre vie quotidienne comme votre existence à long terme. Vous trouverez, dans ce chapitre, des conseils utiles sur l'alimentation à chaque étape de la vie.

Nos besoins changent

Les besoins de notre corps varient en fonction des différentes périodes de la vie.

Jusqu'à présent, nous avons évoqué dans cet ouvrage les besoins nutritionnels des personnes adultes, les bonnes habitudes à prendre pour manger et vivre mieux et en meilleure santé. Cette partie est consacrée aux besoins propres à chacune des étapes de la vie.

L'alimentation des enfants
Nous nous intéresserons tout d'abord à la nutrition des bébés, des enfants et des adolescents, essentielle à une croissance et à un développement sains et harmonieux et dont les conséquences se

manifesteront encore à l'âge adulte. Il est avant tout nécessaire de vérifier que l'alimentation de votre enfant est équilibrée et qu'un apport calorique suffisant lui assure une prise de poids régulière et adaptée à son âge et à sa taille.

Nous nous pencherons sur les aspects particuliers de l'allaitement maternel et au biberon, sur l'introduction de nouveaux aliments et sur la délicate période d'entrée à la crèche ou à l'école. Seront également évoqués les besoins spécifiques aux adolescents, comme leur besoin accru de calcium ou le besoin de fer pour les jeunes filles pubères.

L'alimentation des adultes
La seconde moitié de ce chapitre sera consacrée aux besoins nutritionnels des adultes, hommes et

femmes. Nous évoquerons, par exemple, l'alimentation particulière des femmes enceintes ou allaitant ou les moyens diététiques d'atténuer les effets secondaires de la ménopause. Enfin, vous trou-verez, à la fin du chapitre, des conseils pour conserver, grâce à l'alimentation, une bonne santé et rester en pleine forme à tout âge.

L'alimentation des sportifs
Dans ce même chapitre, nous nous intéresserons également à l'alimentation des sportifs, dont les performances provoquent une dépense accrue de calories.

Manger en famille Prenez le temps de manger avec vos enfants, de leur faire goûter des aliments nouveaux et sains.

Faire prendre de bonnes habitudes

En donnant à vos enfants de bonnes habitudes alimentaires, vous leur donnez aussi toutes les chances de conserver une bonne santé et un poids adapté à leur morphologie durant toute leur vie.

MONTREZ LE BON EXEMPLE
Lorsque vous mangez, soyez un bon exemple pour vos enfants *(voir p. 126)*. Habituez-les, dès leur plus jeune âge, à manger sain et varié et soyez patient au cours des périodes où ils boudent la nourriture *(voir p. 127)*. Essayez de partager vos repas avec votre famille le plus souvent possible *(voir page suivante, en haut)*. Veillez à ce que les goûters et autres en-cas dont vos enfants ont besoin tous les jours soient sains et équilibrés *(voir p. 129)*. Enfin, si

Je suis ce que je mange Vous pouvez aider votre enfant à prendre de bonnes habitudes alimentaires en lui donnant des repas et des en-cas sains et variés.

votre enfant emporte son déjeuner à l'école, faites en sorte qu'il soit équilibré et riche en nutriments *(voir p. 130)*.

Pour prévenir l'obésité au sein de votre famille, essayez de limiter le temps que vos enfants passent devant le poste de télévision ou les consoles de jeux vidéo et encouragez-les à bouger. Évitez aussi de leur donner de la nourriture industrielle, des sodas et autres jus de fruits sucrés et très caloriques qui font prendre du poids rapidement *(voir p. 134)*.

ÉDUQUEZ VOS ENFANTS
Aiguisez leur intérêt pour ce qu'ils ont dans leur assiette en cuisinant et en composant des menus sains avec eux ou en leur faisant goûter des aliments nouveaux *(voir p. 131)*. Apprenez-leur à faire la différence entre la nourriture industrielle dénaturée et la nourriture saine qui leur permettra de se construire. Faites-leur prendre des habitudes qu'ils conserveront ensuite toute

Partager les repas

Il est important de manger en famille au moins une fois par jour. Nous sommes tous très occupés, même les enfants sont pris par de multiples activités extrascolaires : le repas reste parfois la seule occasion de se retrouver et d'avoir une conversation. De plus, les études montrent que c'est surtout au cours des repas pris en famille que les enfants acquièrent de bonnes habitudes alimentaires.

Manger en famille est une bonne occasion d'offrir à vos enfants un cadre structuré dans lequel ils apprendront aussi bien à manger équilibré qu'à se tenir correctement à table. C'est aussi un bon moyen de leur faire goûter des mets nouveaux et de les éduquer par l'exemple : si vous avez l'habitude de boire de l'eau ou du lait à table, il est certain que vos enfants auront tendance à boire moins de sodas en grandissant.

Davantage de vitamines et de sels minéraux

Au cours de certaines périodes, l'organisme a besoin d'un supplément *(voir p. 268-271)* en vitamines *(voir p. 50-59)* et en sels minéraux *(voir p. 60-67)*.

DE L'ENFANCE À L'ADOLESCENCE

Les besoins spécifiques des bébés, des enfants et des adolescents sont abordés pages 114 à 135. Le besoin de calcium, notamment, est accru au cours de cette période, comme lors de la ménopause *(voir p. 242)*.

LES BESOINS DES ADULTES

Les jeunes filles et les femmes perdent beaucoup de fer au cours des périodes de menstruation. D'où la nécessité d'une supplémentation en fer, à plus forte raison si leurs règles sont abondantes, afin d'éviter des carences *(voir p. 55)*.

Les femmes enceintes *(voir p. 138-141)* doivent augmenter leur consommation de vitamines B2, B12, C et B9 (indispensables dès la conception de l'enfant). Si l'alimentation ne suffit pas à couvrir leurs besoins, accrus au cours de la grossesse, en fer, vitamine B9, sélénium, magnésium, iode et zinc, elles peuvent les trouver sous forme de compléments alimentaires *(voir p. 140)*.

Les femmes qui allaitent leur enfant (voir p. 116-117) doivent consommer davantage de vitamines A, B1, B2 et B9 nécessaires à la production du lait, de vitamines C, D et B3 qui passent également dans le lait, ainsi que de cuivre, de zinc et de sélénium.

Le besoin des hommes en vitamines et en sels minéraux varie en fonction de leur activité. Les sportifs, par exemple, perdent, par la transpiration, beaucoup de sodium, de potassium et de magnésium.

Enfin, les personnes qui suivent un régime amaigrissant pauvre en glucides doivent prendre un complément multivitaminé ou une supplémentation en vitamines du groupe B.

APRÈS 50 ANS

Après cinquante ans *(voir p. 150-153)*, il est important de consommer des aliments riches en vitamines B6, B9 et B12, dont l'absorption diminue avec l'âge. Il faut également prendre du calcium (pour les os), surtout après la ménopause.

AUTRES CAS

Les végétariens peuvent manquer de vitamine B12, de vitamine D et de fer. Les fumeurs doivent veiller à consommer suffisamment de vitamine C pour lutter contre la prolifération des radicaux libres *(voir p. 58)* provoquée par le tabac. Certains médicaments peuvent inhiber l'absorption des nutriments. Si vous suivez un traitement médical, vérifiez les possibles interactions avec votre médecin.

Les besoins des enfants

Les besoins nutritionnels des enfants suivent leur évolution et leur croissance.

Il est important de se nourrir sainement tout au long de sa vie, mais l'enfance est une période où l'alimentation a un impact immédiat sur la croissance et le développement. Donner aux enfants une alimentation riche en nutriments et leur apprendre à se dépenser physiquement sont la garantie d'une bonne santé qui les conduira à l'âge adulte dans les meilleures conditions.

De bonnes habitudes
Pour permettre aux enfants de vivre sainement et en pleine forme, il faut leur faire prendre de bonnes habitudes : une alimentation saine et du sport.

Les enfants ont à peu près les mêmes besoins que les adultes mais dans des proportions moindres. Les calories et les nutriments puisés dans les cinq groupes d'aliments *(voir p. 71)* doivent leur permettre de se développer régulièrement et efficacement, tant sur le plan physique que sur le plan intellectuel.

Du calcium pour les os
La taille d'un enfant dépend en partie de celle de ses parents, mais l'alimentation joue aussi un rôle dans son développement physique. Les enfants qui présentent des carences en vitamine D et en calcium tendent à être plus petits que les autres. Ils sont également plus exposés aux fractures que ceux qui absorbent suffisamment de nutriments.

En pleine croissance Les jeunes enfants sont actifs et curieux du monde qui les entoure. Ils doivent manger régulièrement pour faire le plein d'énergie.

Les besoins des enfants
Les besoins des enfants en énergie *(voir p. 109)* et en nutriments varient en fonction de leur âge, de la proportion de masse grasse, de masse musculaire et d'os dans leur organisme et de leur niveau d'activité physique. Bien entendu, ils diffèrent, au cours des diverses étapes de leur développement et de leur croissance. Plus un enfant ou un adolescent est musclé, plus ses besoins en calories sont élevés.

Le corps change
Les jeunes enfants et les nourrissons ont une bonne proportion de graisse, qui tend à diminuer à l'époque de leur entrée à l'école.

La masse grasse augmente à nouveau à la puberté. La proportion est la même chez les garçons et chez les filles jusqu'à la fin de l'adolescence, période à laquelle les garçons perdent de leur masse grasse. Les filles, elles, conservent la leur au cours de l'adolescence et de l'âge adulte.

Il existe également des différences au niveau musculaire entre les garçons et les filles. La masse musculaire est la même jusqu'à la puberté. Puis la masse musculaire des garçons triple, tandis que celle des filles ne fait que doubler. Ce qui explique que les besoins des garçons en énergie sont plus grands que ceux des filles.

Les besoins en énergie

Le tableau ci-dessous donne les apports quotidiens recommandés en énergie des enfants, filles et garçons, à chaque étape de leur croissance. Ils sont exprimés en calories. La croissance des enfants est toujours rapide, mais les besoins en énergie ne sont pas les mêmes à chaque étape. Proportionnellement à son poids, un adolescent a besoin de moins d'énergie qu'un enfant de dix-huit mois. Le poids des nourrissons double en quelques mois, alors qu'il met de cinq à dix ans à doubler de nouveau lorsque les enfants sont plus grands.

Il y a des cas particuliers pour lesquels il faut adapter les apports en énergie. Par exemple, les enfants sportifs ou très actifs physiquement ont des besoins supérieurs à ceux des enfants qui se dépensent moins. De même, les enfants malades ou convalescents après une maladie ou un accident doivent augmenter leur apport calorique pour aider l'organisme à se reconstruire.

ÂGES	GARÇONS (PAR JOUR)	FILLES (PAR JOUR)
0-3 mois	545 calories	515 calories
4-6 mois	690 calories	645 calories
7-9 mois	825 calories	765 calories
10-12 mois	920 calories	865 calories
1-3 ans	1 230 calories	1 165 calories
4-6 ans	1 715 calories	1 545 calories
7-10 ans	1 970 calories	1 740 calories
11-14 ans	2 220 calories	1 845 calories
15-18 ans	2 755 calories	2 110 calories

Une énergie débordante Les enfants de sept ans, débordants d'énergie, ont besoin de 1 740 à 1 970 calories par jour, puisées dans une alimentation saine, nourrissante et équilibrée.

Les compléments en vitamines et en sels minéraux

Tant que les enfants ont une alimentation variée, ils n'ont pas besoin de prendre des compléments, à moins qu'ils ne soient vraiment difficiles et ne mangent pas suffisamment.

Le calcium Les enfants qui boivent du lait et mangent des produits laitiers ont toutes les chances devoir leurs besoins en calcium couverts. Les autres doivent prendre des suppléments. Les besoins en calcium sont particulièrement élevés chez les adolescents, qui gagnent l'équivalent de plus de 20 % de leur taille adulte et plus de 50 % de leur squelette adulte en quelques années.

La vitamine D Les carences en vitamine D sont rares. Cela dit, il faut donner des gouttes de vitamine D aux enfants qui ne consomment pas de poissons gras ou qui ne s'exposent jamais aux rayons du soleil. Une carence en vitamine D peut entraîner des problèmes sérieux de croissance, comme le rachitisme, qui lui-même peut être à l'origine de malformations osseuses irréversibles.

La vitamine K On donne systématiquement de la vitamine K aux nouveau-nés afin de prévenir la maladie hémorragique des nourrissons.

Le fluor Le fluor renforce les dents et réduit les risques de caries. L'eau du robinet contient souvent du fluor, il n'est donc pas forcément nécessaire de donner un complément à votre enfant. Renseignez-vous à la mairie et demandez conseil à votre dentiste.

Le fer Un bébé reçoit, en général, suffisamment de fer dans le ventre de sa mère pour constituer des réserves dans lesquelles il puisera pendant quatre mois après la naissance. Un complément en fer est nécessaire s'il n'est pas allaité et lorsqu'il passe à la nourriture solide.

En pleine croissance

Il est important de suivre de près la croissance de votre enfant.

Les enfants ont besoin d'être pesés et mesurés régulièrement. C'est ainsi que l'on se rend compte s'ils se nourrissent correctement et suffisamment. C'est particulièrement important au cours des périodes de développement très rapide, comme durant la première année et lors de l'adolescence. Ces bilans permettent, en outre, de détecter des troubles de croissance éventuels.

Des bilans réguliers
Il est essentiel de contrôler la santé et le développement de votre enfant régulièrement au cours de sa première année de vie. C'est le pédiatre qui prend alors les mesures du bébé : sa taille, son poids ainsi que son périmètre crânien, jusqu'à trois ans, c'est-à-dire tant que la croissance du cerveau est proportionnelle à celle du crâne. Les résultats sont alors reportés sur un graphique répertoriant, année après année, l'évolution moyenne des poids et taille *(voir p. 111-112)*, ainsi que celle de l'IMC ou indice de masse corporelle *(voir p. 26)* des garçons et des filles de deux à dix-huit ans *(voir p. 113)*.

Les paliers
Les nourrissons et les adolescents ont des besoins accrus en calories et en nutriments pour faire face au développement rapide de ces périodes.

Une croissance importante Une alimentation équilibrée permet à l'enfant de grandir et de se développer correctement. Mais aussi d'être en pleine forme.

Durant sa première année de vie, votre enfant va grandir rapidement et faire des progrès énormes dans tous les domaines. C'est pourquoi il a besoin d'être nourri correctement et suffisamment. Ses repas doivent être équilibrés et en aucun cas il ne faut envisager de lui faire perdre du poids. Chaque enfant évolue et brûle ses calories à sa manière.

Lors de la puberté, les enfants doivent prendre davantage de calcium pour soutenir leur croissance osseuse impressionnante. Les garçons, en particulier, grandissent très vite (de parfois plus de 5 cm par an). S'ils ne reçoivent pas suffisamment de calories pendant cette période, leur développement physique et sexuel peut en être affecté.

Ses mensurations

Les graphiques des pages 111 et 112 donnent les courbes de croissance normale d'un enfant – taille et poids – en fonction de son âge et de son sexe. Vous pouvez ainsi les comparer aux courbes de croissance de votre enfant.

Sur chaque graphique, les bandes plus foncées représentent la fourchette normale de croissance de l'enfant. Elles se composent de trois courbes qui correspondent respectivement à la fourchette supérieure, moyenne et inférieure de cette norme. Par exemple, la courbe supérieure signifie que 95 % des enfants sont de poids ou de taille inférieurs aux chiffres de la courbe. La courbe inférieure signifie que 5 % des enfants ont un poids ou une taille supérieurs à ces chiffres.

On considère que la croissance d'un enfant est normale si ses mensurations se trouvent globalement à l'intérieur des bandes foncées de chaque graphique.

Surveiller sa croissance

Au cours des visites de contrôle, le pédiatre doit mesurer votre enfant sous toutes les coutures. Toutes ces mensurations figurent dans les graphiques ci-dessous : le poids et la taille, par âge et par sexe *(voir graphique ci-dessous).* Ces chiffres seront très utiles aux mères qui allaitent et ne se rendent pas compte si leur bébé se nourrit suffisamment.

Les mensurations de votre enfant doivent s'inscrire sur une courbe ascendante et régulière, preuve que sa croissance est normale. Tant que la croissance est régulière, tout va bien, même si les mensurations de l'enfant figurent dans la fourchette inférieure. En revanche, si l'une des courbes chute ou monte brusquement, il faut consulter le pédiatre qui déterminera la cause de ces changements. Les enfants doivent être mesurés régulièrement par le pédiatre jusqu'à vingt-quatre mois.

Lire les graphiques Cherchez le poids ou la taille de votre enfant dans la colonne de gauche du graphique, son âge sur la ligne inférieure et faites une croix à l'intersection de ces deux données. La courbe qui apparaît vous permet de suivre la croissance et le développement de votre enfant.

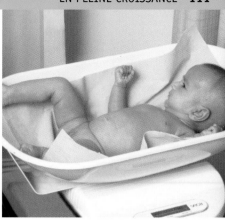

La pesée Chez le pédiatre ou à la maison, les mensurations de votre enfant permettent de vérifier que sa croissance est normale.

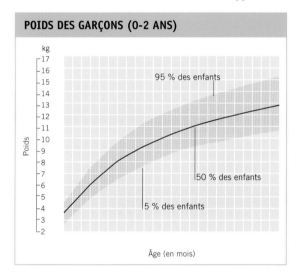

POIDS DES GARÇONS (0-2 ANS)

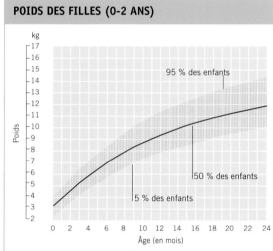

POIDS DES FILLES (0-2 ANS)

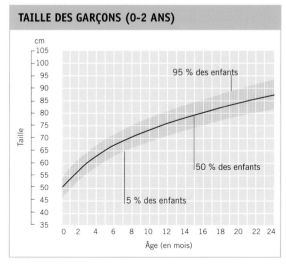

TAILLE DES GARÇONS (0-2 ANS)

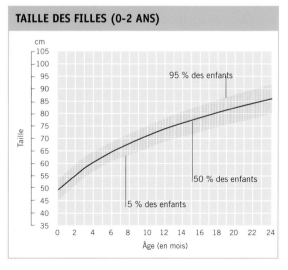

TAILLE DES FILLES (0-2 ANS)

La croissance de votre enfant

Pour savoir si la croissance de votre enfant est normale, vous pouvez l'emmener chez le pédiatre ou le peser et le mesurer vous-même. Dans tous les cas, reportez ses mensurations sur les graphiques, qui sont différents selon le sexe de l'enfant *(voir ci-dessous)*.

Au fil des mois ou des années, le poids et la taille de votre enfant doivent former une courbe à l'intérieur de la bande plus foncée de chaque graphique. Si c'est le cas, c'est que la croissance de votre enfant est normale, même si ses mensurations s'inscrivent dans la partie inférieure de cette bande. Mais, si la

courbe n'augmente plus régulièrement ou change brusquement, cela peut être le signe qu'un problème est survenu dans sa croissance. Dans ce cas, il faut prendre rendez-vous avec un médecin qui identifiera la cause du problème.

Lire les graphiques Cherchez le poids ou la taille de votre enfant dans la colonne de gauche du graphique, son âge sur la ligne du bas et faites une croix à l'intersection de ces deux données. En notant les mensurations de votre enfant régulièrement (tous les six mois, par exemple), vous obtiendrez une courbe qui reflétera sa croissance.

Mesurer sa taille Pour mesurer la taille d'un enfant, il faut s'assurer qu'il est pieds nus et qu'il se tient bien droit.

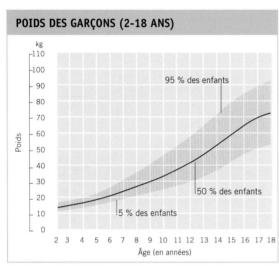

POIDS DES GARÇONS (2-18 ANS)

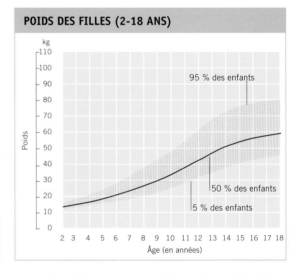

POIDS DES FILLES (2-18 ANS)

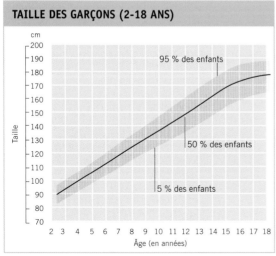

TAILLE DES GARÇONS (2-18 ANS)

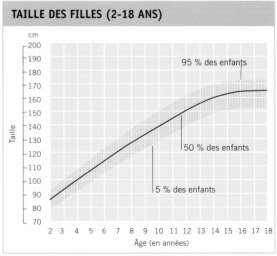

TAILLE DES FILLES (2-18 ANS)

Le rapport entre le poids et la taille

Les graphiques ci-dessous indiquent l'évolution normale de l'indice de masse corporelle (IMC) pour les enfants âgés de deux à dix-huit ans. Ce rapport entre le poids et la taille donne une bonne idée de la proportion de masse grasse dans l'organisme.

Chaque graphique est composé de courbes correspondant aux différentes situations possibles. En rapprochant les données de votre enfant de ces courbes, vous pourrez savoir s'il a un indice de masse corporelle normal ou s'il est trop maigre (si son IMC est proche de la courbe inférieure) ou, au contraire, en surpoids ou obèse (si l'IMC se situe sur les courbes supérieures).

Il est intéressant de calculer régulièrement l'indice de masse corporelle de votre enfant pour prévenir les risques de surpoids ou de maigreur anormale.

La zone grisée des graphiques représente la fourchette de poids normale. Elle recouvre des réalités physiques différentes et inclut des poids et des tailles variés. Si l'indice de masse corporelle de votre enfant se situe en deçà de cette zone, c'est que son poids n'est pas suffisant par rapport à sa taille. À l'inverse, votre enfant est en surpoids si son IMC se situe au-delà de cette zone, et obèse s'il dépasse la ligne supérieure.

Lire les graphiques Calculez l'indice de masse corporelle de votre enfant *(voir encadré ci-contre)*. Puis cherchez ce chiffre dans la colonne de gauche du graphique. Trouvez son âge sur la ligne du bas et faites une croix à l'intersection de ces deux données. En notant son IMC sur le graphique tous les six mois, vous obtiendrez une courbe qui vous donnera l'évolution du poids et de la taille de votre enfant.

Calculer l'IMC

Pour calculer l'indice de masse corporelle de votre enfant, vous devez d'abord connaître son poids et sa taille. Puis procédez comme suit.

Le calcul
1. Multipliez la taille de votre enfant par elle-même.
2. Divisez le poids de votre enfant (en kilogrammes) par le chiffre obtenu à l'étape 1.

Un exemple
Prenons le cas d'un enfant mesurant 1,40 m et pesant 33 kg. Son IMC sera de 33 : (1,40 x 1,40) = 16,84. Reportez le résultat obtenu dans le graphique ci-dessous.

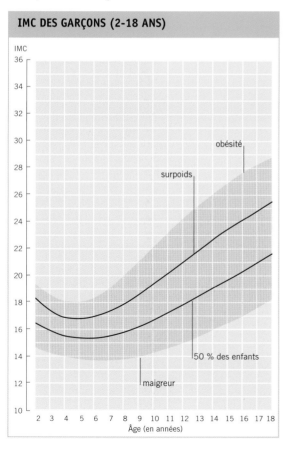

IMC DES GARÇONS (2-18 ANS)

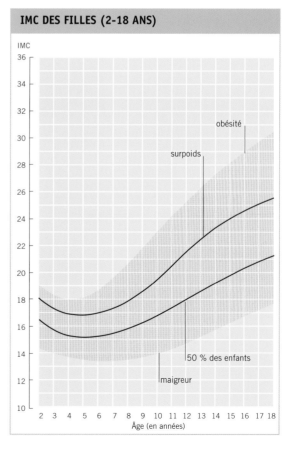

IMC DES FILLES (2-18 ANS)

La première année

Au cours de leur première année, les nourrissons sont nourris au sein ou au lait artificiel.

À la naissance de leur enfant, les parents ont le choix entre deux types d'alimentation : l'allaitement maternel (l'enfant est nourri au sein toutes les deux ou trois heures) et le biberon de lait artificiel, que l'on donne toutes les trois ou quatre heures.

Vous savez probablement que l'allaitement maternel est l'idéal pour votre bébé. Nous vous en donnerons les raisons dans ce chapitre, ainsi que des suggestions afin que l'allaitement se déroule dans les meilleures conditions. Cela dit, si vous optez pour le biberon, vous trouverez, dans les pages suivantes, des conseils pour choisir, préparer et conserver le lait artificiel. Nous établirons également une comparaison entre les deux types d'alimentation.

Les aliments solides

Vers six mois, votre bébé commence à s'asseoir, à bien tenir sa tête et à s'intéresser de plus près à ce qu'il vous voit manger. Dans les pages suivantes, nous vous expliquerons pourquoi il faut attendre six mois avant d'introduire de la nourriture solide dans l'alimentation de votre enfant et pourquoi les céréales infantiles sont l'aliment le plus adapté. Puis nous vous indiquerons comment passer de la bouillie aux petits pots. Nous essaierons de répondre à toutes les questions que vous vous posez sur l'alimentation de votre bébé au cours de cette première année si particulière, pendant laquelle son poids va tripler.

Les allergies alimentaires

Les allergies alimentaires sont de plus en plus fréquentes. Or elles peuvent être fatales. Nous aborderons également dans ce chapitre le problème des allergies alimentaires chez les nourrissons.

Boire à la tasse Vers six-huit mois, votre enfant peut commencer à boire dans une tasse à anse et couvercle de l'eau ou quelques gouttes de jus de fruits diluées dans de l'eau.

Des goûts nouveaux

Les parents se demandent souvent à quel âge un enfant peut commencer à manger des aliments autres que le lait. Les médecins recommandent d'attendre que le bébé ait six mois.

Il y a trois raisons à cela. Premièrement, les bébés ont, en moyenne, besoin d'au moins 600 ml de lait maternel ou maternisé par jour à quatre mois. Donner autre chose à son bébé peut l'amener à boire moins de lait, ce qui est dommageable pour son équilibre alimentaire. Ensuite, la langue d'un bébé rejette, de façon réflexe, tout autre nourriture. Il faut attendre six mois pour que ce réflexe disparaisse et que l'enfant accepte la cuillère. Enfin, le système digestif d'un bébé n'est pas capable de digérer ce type de nourriture avant six mois.

De plus, l'introduction précoce d'aliments solides peut déboucher sur des allergies alimentaires *(voir p. 120)*, un étouffement ou une fausse route des aliments vers les poumons.

Lait maternel et lait artificiel

Le lait maternel constitue la nourriture idéale pour un bébé. Il est stérile, toujours prêt à l'emploi et toujours à la bonne température. De plus, comme il est fait sur mesure, il couvre parfaitement ses besoins nutritionnels jusqu'à l'âge de six mois.

L'allaitement est également bénéfique pour la mère : il consomme des calories telles que la mère revient plus rapidement à son poids d'avant la grossesse. Il diminue les risques de certaines affections parmi lesquelles le cancer du sein et le cancer de l'ovaire.

Cela dit, si vous n'envisagez pas d'allaiter votre enfant, vous pouvez le nourrir au lait artificiel. La plupart des laits artificiels se présentent sous forme de poudre – fabriquée à base de lait de vache, parfois de soja – à diluer dans de l'eau minérale ou de l'eau bouillie refroidie. Le bébé ingurgitera autant de calories qu'un bébé nourri au sein, mais devra être nourri moins souvent, étant donné qu'il faut trois ou quatre heures pour que le lait artificiel soit digéré (au lieu de deux heures pour le lait maternel).

Avant de prendre la décision d'allaiter ou non, étudiez bien les différences qui existent entre les deux types d'alimentation, des points de vue nutritionnel et pratique.

LE LAIT MATERNEL	LE LAIT ARTIFICIEL
Les nutriments qu'il contient ne sont jamais les mêmes. Plus le bébé tète, plus vous produisez de lait.	Le lait artificiel a toujours la même composition. Vous savez ce que l'enfant a bu.
Les anticorps et les cellules vivantes du lait maternel protègent l'enfant des infections.	Le lait artificiel ne contient ni anticorps ni cellules vivantes.
Les anticorps rendent ce lait plus efficace contre les infections de type gastro-entérite.	Le risque d'infection est plus élevé : l'eau doit être pure et les biberons d'une propreté irréprochable.
Le lait maternel contient des acides gras AA (acide arachidonique) et DHA (acide docosahexaénoïque), vitaux pour la vue et le cerveau.	Certains laits artificiels contiennent des acides gras. Tous les laits artificiels contiennent de la vitamine B12, qui peut faire défaut aux enfants allaités par une mère végétalienne, si elle ne prend pas de complément.
Le fer contenu dans le lait maternel est plus facilement absorbé que le fer des laits artificiels.	Le lait artificiel contient davantage de fer et de vitamine K, nécessaire pour la coagulation du sang.
Un enfant nourri au sein ne peut jamais trop manger. Il est nourri à la demande.	Il est facile de dépasser les besoins nutritionnels de l'enfant en lui donnant trop à manger.
La qualité du lait maternel peut être affectée par l'état de santé de la mère, son stress et par tout ce qu'elle mange.	La qualité du lait artificiel est constante.
Le lait maternel réduit, chez l'enfant, les risques d'asthme, d'eczéma et d'autres allergies, y compris l'intolérance au lait de vache. Il diminue également les risques de développer d'autres affections telles que les infections ORL, les colites, le diabète, les affections du système immunitaire, la mort subite du nourrisson et le lymphome.	Le lait artificiel ne permet pas de réduire ces risques chez les enfants.
Le lait maternel est toujours disponible et à la bonne température.	Le lait artificiel doit être préparé, stocké et réchauffé avant utilisation.
L'allaitement maternel ne nécessite aucun équipement particulier (sauf si vous devez tirer votre lait).	Sa préparation requiert du temps et un équipement particulier.
L'allaitement maternel est moins cher que le lait artificiel.	Le lait artificiel a un coût certain.
Seule la mère peut nourrir son enfant, à moins qu'elle ne tire son lait afin que d'autres personnes puissent le faire à sa place.	D'autres personnes que la mère peuvent donner le biberon. Ce qui est pratique et permet de reprendre le travail sans passer par l'étape du sevrage.

L'allaitement maternel

C'est la meilleure alimentation des bébés avant un an.

L'allaitement maternel est généralement reconnu comme étant la meilleure solution pour l'alimentation des nourrissons. Les avantages de l'allaitement sont nombreux, en effet, tant pour l'enfant que pour sa mère. L'allaitement maternel constitue la meilleure source d'énergie nécessaire à la croissance et au développement. L'OMS et l'Unicef recommandent un allaitement maternel exclusif jusqu'à quatre à six mois. On peut évidemment prolonger ce délai,

L'allaitement Le lait maternel est l'aliment idéal du nourrisson. Il le protège des infections et resserre les liens entre le bébé et sa mère.

même lorsqu'on commence à enrichir l'alimentation du bébé avec de la nourriture solide.

Pourtant, la France est l'un des pays au monde où les bébés sont le moins allaités : seulement 48,8 % des mères françaises allaitent leur enfant à la naissance (contre 98 % en Norvège) et deux allaitements sur trois sont interrompus dans les trois premiers mois. L'une des raisons invoquées est le manque de soutien, de conseils et d'information, y compris de la part du corps médical.

Un lait protecteur

Non seulement le lait maternel est la meilleure alimentation pour les bébés, mais il contient des anti-corps (c'est-à-dire des protéines qui luttent contre l'infection) que la mère transmet à son bébé durant toute la période de l'allaitement. Quelque 80 % des cellules conte-

Comment allaiter ?

Lorsque vous allaitez, l'essentiel est d'être installée confortablement. Ayez un verre d'eau à portée de main, car l'allaitement donne soif. Le dos et le bras qui supporte l'enfant doivent être soutenus à l'aide de coussins. Ne vous inquiétez pas si les premières fois ne vous semblent pas évidentes : l'allaitement devient vite un magnifique moment de partage.

LES POSITIONS

Il n'y a ni bonne ni mauvaise position pour allaiter. La position la plus facile est celle où mère et bébé sont allongés face à face. Aidez-vous de coussins pour ne pas sentir de tensions dans la nuque ou le dos. Le corps du bébé doit être allongé sur le côté pour pouvoir téter sans effort. Être allongée à ses côtés est relaxant et procure une grande sensation d'intimité. L'autre position, conseillée notamment aux

mères de jumeaux qui veulent les allaiter tous deux en même temps, est la position assise. Placez des coussins sous le (ou les) coude(s) afin de supporter le poids de votre (ou vos) bébé(s) sans fatiguer vos bras ni votre dos. La tête du bébé doit être à la bonne hauteur, vous ne devez pas avoir à vous pencher.

LA TÉTÉE

Quelle que soit la position dans laquelle vous décidez d'allaiter, l'essentiel est que la tête du bébé soit à la bonne hauteur pour qu'il puisse téter sans faire d'efforts ni vous faire mal. S'il est confortablement installé, il tétera suffisamment et vous produirez suffisamment de lait.

Pour que votre bébé tète correctement, il faut placer votre téton près de sa bouche et chatouiller délicatement le bébé à la commissure des lèvres,

afin qu'il ouvre grand la bouche et la referme sur votre sein. Il est important que toute l'aréole (la partie foncée du téton) soit dans la bouche du bébé, afin que le téton soit dans la bonne position. C'est ainsi que la succion stimule la production de lait. Si le bébé ne tète pas toute l'aréole, vous risquez, en outre, des désagréments tels que des crevasses qui peuvent rendre l'allaitement inconfortable et douloureux.

LA FIN DE LA TÉTÉE

Pour mettre fin à la tétée, mettez doucement votre doigt dans la bouche de votre bébé, vers la commissure des lèvres. Il peut être très douloureux de vouloir retirer votre sein de la bouche du bébé avant qu'il ait cessé de téter.

Les difficultés éventuelles des premiers jours d'allaitement disparaissent au fur et à mesure que vous apprenez à connaître votre bébé.

nues dans le lait maternel au cours des deux premières semaines d'allaitement sont macrophages, c'est-à-dire qu'elles tuent les virus et les bactéries.

Le lait maternel offre au bébé une bonne protection contre les infections gastro-intestinales, les infections de l'oreille et les maladies respiratoires au cours de la première année, ainsi que contre la méningite bactérienne et la colite (inflammation du côlon). Le lait maternel diminue également les risques de déficience du système immunitaire, ainsi que les risques de diabète, d'allergies et de mort subite du nourrisson.

Les bénéfices pour la mère

L'allaitement resserre le lien mère-enfant. Il permet de perdre le poids pris pendant la grossesse, diminue le risque de cancer du sein, de cancer de l'ovaire et d'ostéoporose. L'allaitement est vraiment la solution la plus profitable, tant pour l'enfant que pour sa mère.

Le lait maternel : la nourriture idéale

On distingue trois types de lait maternel, en fonction de la période à laquelle il est produit : le colostrum, le lait de transition et le lait mature. Le colostrum est le premier liquide que produisent les seins à la fin de la grossesse et juste après l'accouchement. Il est très riche en protéines, anticorps, vitamines, sels minéraux et hormones qui permettent le développement de la flore intestinale *(voir p. 48)* du bébé et l'évacuation de ses premières selles. Le lait de transition, produit au cours de la deuxième semaine, est plus riche en lipides et en lactose et plus pauvre en protéines et en sels minéraux. À partir du quinzième jour est produit le lait mature, mélange très nutritif de lipides et de lactose.

Le lait mature La composition du lait mature est différente à chaque tétée. Au cours des cinq premières minutes, le bébé ingurgite 75 % du volume de lait mais seulement 50 % des calories. En effet, le lait produit au bout de cinq minutes d'allaitement est plus riche. C'est pourquoi il faut laisser au bébé le temps de téter suffisamment afin qu'il ingurgite les calories nécessaires à sa croissance et à son développement.

Lactosérum et caséine Dans le lait mature, le lactosérum, qui représente de 60 à 80 % des protéines, permet au nourrisson de lutter contre les infections. Le reste des protéines se compose de caséine, un mélange de substances protidiques qui favorise l'absorption des sels minéraux dans l'organisme du bébé.

Le lactose La principale source de glucides du lait maternel est le lactose (ou sucre du lait). D'autres glucides, en quantités moindres, ont des propriétés anti-infectieuses.

À la demande

L'allaitement maternel est une forme d'alimentation à la demande, c'est-à-dire que vous nourrissez votre bébé lorsqu'il a faim. Le rythme peut être un peu compliqué à trouver au départ, mais, peu à peu, la tétée et, par suite, la production de lait se font de plus en plus régulières.

LE DÉBUT DE LA TÉTÉE

Il est bénéfique de commencer à allaiter votre bébé dans les deux heures suivant sa naissance. Il ne faut pas chercher à limiter le temps de l'allaitement au départ. Vous sentirez, après quelques minutes de succion, que les seins commencent à se vider de leur lait, sous l'action d'une hormone appelée oxytocine.

La bonne position En général, les bébés trouvent le sein naturellement. Assurez-vous simplement d'être dans une position confortable et d'avoir de quoi boire à portée de main.

LAISSEZ LE BÉBÉ DÉCIDER

Lorsque le bébé cesse de téter un sein, placez-le sur l'autre sein autant qu'il le désire. L'allaitement maternel est régulé par les besoins du bébé, et non par une minuterie. Si le bébé s'endort au cours de la tétée, faites une courte pause et reprenez lorsqu'il est de nouveau prêt.

DES BESOINS FRÉQUENTS

Un bébé qui tète vigoureusement boit, en général, le lait d'un sein en dix à vingt minutes. Une tétée complète peut durer jusqu'à une heure. Commencez chaque tétée par un sein différent pour que la production de lait soit égale.

Les bébés tètent, en général, de huit à douze heures par vingt-quatre heures pendant leurs six premières semaines de vie. Des tétées fréquentes réduisent les risques d'engorgement, qui est un problème douloureux et qui peut entraîner des infections.

Le lait artificiel

Le lait artificiel est une alternative équilibrée à l'allaitement.

Le lait artificiel a été créé pour remplacer le lait maternel lorsque, pour des raisons physiques ou médicales, les femmes ne peuvent pas allaiter ou qu'elles ne le souhaitent pas.

La composition des laits artificiels est le plus proche possible de celle du lait maternel pour correspondre aux besoins nutritionnels des nourrissons. Elle est très strictement et très régulièrement contrôlée afin que non seulement les nutriments couvrent ces besoins mais qu'ils soient aussi facilement absorbés par le système digestif particulièrement délicat des nouveau-nés.

Cela dit, la qualité du lait artificiel ne pourra jamais égaler celle du lait maternel, rempli d'anticorps et de cellules vivantes que l'on ne peut reproduire artificiellement. Il couvre néanmoins les besoins de la majorité des bébés.

Les différents laits

La plupart des laits artificiels dérivent du lait de vache ou du lait de soja. Leur composition standardisée est, en général, bien tolérée par la plupart des nourrissons (voir ci-dessous). Il existe des laits spécifiques pour les bébés qui ne digèrent pas les formules classiques (voir ci-dessous).

Proche du lait maternel

Le lait de vache contient tous les nutriments nécessaires à la croissance et au développement des veaux. Les humains ont, quant à eux, besoin des mêmes nutriments, mais dans des proportions différentes. C'est en jouant sur ces proportions que les fabricants ont créé le lait artificiel.

Le lait artificiel contient, après transformation du lait de vache, le même nombre de calories et la même proportion de protéines, de lipides, de lactose (sucre naturel du lait), de vitamines et de sels minéraux que le lait maternel.

Les formules au lait de soja subissent également des transformations. Elles sont enrichies d'acides aminés qui les rendent plus proches du lait humain.

Le biberon   Le biberon permet que les autres membres de la famille – notamment le père – participent à la tétée et partagent ce moment d'intimité avec le bébé.

Quel lait choisir?

Si vous choisissez de donner le biberon à votre bébé, il faut choisir le lait avec attention. En cas de doute, demandez conseil à votre pédiatre. La plupart des laits artificiels sont fabriqués à partir de lait de vache ou, en cas d'allergie au lait, de lait végétal de soja. Les laits artificiels ont une composition similaire et, qu'ils soient d'origine animale ou végétale, celle-ci est étudiée afin de couvrir les besoins de tous les nourrissons. Seuls les sources et les types de nutriments peuvent varier d'un lait à l'autre.

LES LAITS CLASSIQUES

Les laits artificiels ont un rapport caséine/protéines solubles (ou lactosérum) variable selon les formules. Dans les formules à base de lactosérum, on équilibre ce rapport afin qu'il soit similaire à celui du lait maternel. C'est ce type de lait que l'on donne d'emblée aux enfants dont les mères n'allaitent pas. S'ils ne le supportent pas, on leur donne alors des laits à haute teneur en caséine, dans lesquels le rapport caséine/lactosérum est le même que dans le lait de vache.

LES LAITS SPÉCIFIQUES

Les enfants qui ne peuvent digérer certaines des substances contenues dans le lait maternel ou dans les laits artificiels peuvent être nourris avec des laits spécifiques, dans lesquels la composition d'un ou de plusieurs éléments – souvent, les protéines et/ou les glucides – a été transformée pour une meilleure assimilation.

Il existe plusieurs types de laits artificiels spécifiques. Certains, très riches, servent à nourrir les petits prématurés. D'autres ont des formules hypoallergéniques ; d'autres encore sont prédigérés pour permettre l'absorption de leurs nutriments par les bébés qui ne peuvent digérer les protéines, les lipides ou d'autres substances.

Acides gras essentiels et acide docosahexaénoïque

Les acides gras essentiels sont des composés lipidiques, comme l'acide linoléique, qui doivent impérativement être apportés par l'alimentation parce que l'organisme ne peut les fabriquer. Ils sont indispensables à la fabrication des membranes cellulaires et de certaines hormones. Ils entrent dans la composition de messagers chimiques qui transmettent des informations vitales au corps.

L'acide docosahexaénoïque (DHA) est un composé chimique important que l'organisme fabrique à partir d'acides gras essentiels. Il intervient, dès la conception de l'enfant, dans la croissance et le développement de la vision et du cerveau. On le trouve en abondance dans le lait maternel et dans certains laits artificiels.

Les quantités

Lorsque vous devez préparer un biberon de lait artificiel, suivez les quantités recommandées par le fabricant. L'apport moyen de lait recommandé est de 150 ml par kilo de poids. Les besoins quotidiens d'un nourrisson sont de 500 à 600 ml jusqu'à un an, répartis en prises de 30 à 60 ml au début, qui augmentent jusqu'à 120 à 180 ml par tétée. Lorsque l'enfant commence à manger des aliments solides, il boit entre 180 et 240 ml de lait à chaque repas.

Il ne faut pas élargir le trou de la tétine, cela ne conduirait qu'à suralimenter le bébé ou risquerait de l'étouffer. Lorsque l'enfant refuse le biberon, n'insistez pas, c'est qu'il a suffisamment mangé. Si, en revanche, il semble avoir toujours faim, parlez-en à votre pédiatre qui vous indiquera comment faire face à ce problème.

La préparation et la conservation

Suivez des règles d'hygiène très strictes lorsque vous devez préparer et conserver le lait artificiel.

PRÉPARER LES BIBERONS

Ces conseils vous permettront de réduire les risques d'infection et de mauvais dosage des biberons :
- Ne dépassez jamais la date limite de consommation.
- Utilisez toujours des instruments extrêmement propres et refermez soigneusement les boîtes de lait.
- Suivez scrupuleusement les instructions figurant sur l'emballage. Augmenter ou diminuer les quantités de lait en poudre peut entraîner une suralimentation ou, au contraire, une sous-alimentation, ainsi que de la diarrhée ou un état de déshydratation.
- Utilisez toujours de l'eau minérale ou de l'eau à peine bouillie et refroidie. Ne faites pas bouillir l'eau plusieurs fois. N'utilisez ni de l'eau qui a été adoucie artificiellement, ni de l'eau filtrée.

- Lavez soigneusement biberons, tétines et autres ustensiles à l'eau savonneuse, rincez et stérilisez.
- Si votre bébé préfère le lait plus chaud, réchauffez le biberon au bain-marie dans de l'eau chaude mais jamais en ébullition.
- N'utilisez pas le four à micro-ondes. Les aliments ne sont pas réchauffés uniformément et peuvent brûler votre bébé.
- Vérifiez toujours la température du lait sur le dos de votre main avant de le donner à votre bébé.

CONSERVER LE LAIT

Si vous devez conserver le lait, respectez certaines règles d'hygiène pour éviter la prolifération bactérienne.
- N'utilisez pas de laits qui ont été congelés ou entreposés à des températures inférieures à 0 °C ou supérieures à 35 °C.
- Si vous préparez un biberon à l'avance, entreposez-le au réfrigérateur.
- Jetez tout biberon qui n'a pas été

consommé dans les vingt-quatre heures.
- Si vous devez emporter un biberon, mettez la bonne quantité de lait en poudre dans le biberon et n'ajoutez l'eau qu'au moment de nourrir votre bébé.

La préparation du biberon Les cuillerées de lait doivent être rases pour que les quantités de lait soient respectées.

Les premiers aliments

Vers six mois, votre bébé peut goûter de nouveaux aliments.

Les recommandations quant à l'introduction des aliments solides dans l'alimentation des bébés ont considérablement évolué au cours des dernières années. On a longtemps conseillé de diversifier l'alimentation des nourrissons le plus tôt possible, parfois dès le premier mois. On suggère, à l'heure actuelle, d'attendre six mois avant de donner de nouveaux aliments à son bébé, qui doit continuer à se nourrir essentiellement de lait jusqu'à un an.

Quand commencer?
Le système digestif d'un nourrisson n'est pas capable de digérer des aliments solides avant quatre à six mois. En donnant des aliments solides avant cette date, vous faites prendre le risque à votre enfant de développer une

De nouvelles saveurs Vers six mois, votre bébé peut commencer à goûter de nouveaux aliments – des céréales, des purées et des compotes – à la cuillère.

allergie alimentaire *(voir encadré ci-dessous)* ou de s'étouffer *(voir p. 121)*. Les nouveau-nés ont le réflexe de repousser la nourriture hors de leur bouche avec leur langue, mais ce réflexe disparaît vers quatre à six mois, âge auquel ils commencent à accepter la cuillère. De plus, c'est à cet âge que les nourrissons commencent à se tenir assis et à contrôler les mouvements de leur tête, de leur cou et des muscles de leur bouche. Ils commencent à manger correctement (mais pas encore proprement : n'oubliez pas leur bavoir!).

Manger à la cuillère
L'introduction des aliments solides marque le début d'une période particulière, durant laquelle l'enfant découvre de nouveaux goûts, de nouvelles textures et doit se familiariser avec la cuillère. C'est à cette période, d'ailleurs, que les besoins en calories et en nutriments augmentent considérablement. Cela dit, la base de l'alimentation du nourrisson demeure le lait, maternel ou artificiel, pendant toute sa première année. L'idée très répandue selon laquelle les aliments solides font grossir les bébés ou leur permettent de mieux dormir est totalement erronée. Le lait maternel et le lait artificiel sont, en effet, plus caloriques que la majeure partie des aliments solides.

Un apprentissage progressif
Les nouveaux aliments doivent être amenés à l'enfant de façon très progressive, un par un et pas plus d'un aliment nouveau en trois jours (davantage en cas d'antécédent familial allergique). Le tableau de la page 121 vous aidera dans cette démarche. En agissant progressivement, il vous sera d'ailleurs plus facile d'identifier, chez votre bébé, une sensibilité particulière ou une réaction allergique à tel ou tel aliment.

Les allergies alimentaires

Les allergies alimentaires touchent de plus en plus d'enfants. Les allergies les plus courantes concernent le lait de vache, le gluten (contenu dans le blé et dans certaines autres céréales), le soja, les œufs, les fruits de mer et certaines noix (les cacahouètes). En cas d'antécédent familial, n'introduisez pas le gluten avant six mois, les œufs avant deux ans, les fruits de mer et les noix avant trois ans.

Reconnaître l'allergie Dès que vous donnez un nouvel aliment à votre bébé, surveillez l'apparition de

symptômes tels qu'une éruption cutanée, des vomissements ou de la diarrhée. S'il se met à enfler, appelez une ambulance. La seule prévention possible est d'éviter l'allergène *(voir p. 252-255)*.

Vérifier les étiquettes Les aliments allergènes ne se voient pas forcément à l'œil nu, mais figurent sur les étiquettes des produits alimentaires. Si vous avez peur que votre enfant ne manque de certains nutriments parce qu'il ne peut pas manger certains aliments, demandez conseil à votre médecin.

Diversifier son alimentation

Durant les quatre à six premiers mois de sa vie, la seule nourriture qui convient à un nourrisson est le lait maternel (ou artificiel). Ce n'est qu'après que l'on peut commencer à lui donner d'autres aliments, mixés en purée, en plus du lait qui reste la base de son alimentation jusqu'à un an.

Un nourrisson a besoin de 700 à 900 calories par jour entre sept et douze mois. Il n'y a pas de règle en ce qui concerne l'introduction de nouveaux aliments, mais vous pouvez vous inspirer du tableau ci-dessous. L'essentiel est de ne pas brusquer votre bébé et de procéder par étapes très progressives.

Soyez attentif à ses réactions, il se peut que, comme un adulte, il aime ou n'aime pas un aliment. Vérifiez toujours que l'aliment donné n'est ni trop salé ni trop sucré : vérifiez les étiquettes des aliments industriels. Si vous préparez vous-même ses purées, n'ajoutez ni sucre ni sel.

En ce qui concerne la boisson, proposez-lui un peu d'eau de temps en temps. Il n'est pas recommandé de donner des jus de fruits aux nourrissons. Si cela vous arrive, diluez-le toujours dans de l'eau et ne donnez jamais plus de 180 ml de ce mélange dans une journée, et toujours au cours des repas.

Les aliments à éviter

Les aliments ci-dessous peuvent être à l'origine d'allergies ou d'étouffement chez les bébés de moins d'un an :

- les autres laits que le lait maternel et le lait artificiel pour bébés ;
- les noix, en particulier les cacahouètes (arachides) ;
- les bonbons, durs ou mous ;
- les grains de raisin ou les tomates cerises ;
- le miel, solide ou liquide ;
- la crème glacée ;
- les petits morceaux de fruits ou de légumes crus ;
- le pop-corn et les chips.

ALIMENTS NOUVEAUX	4-6 MOIS	6-9 MOIS	9-12 MOIS
Lait	• De 4 à 6 tétées de lait maternel ou artificiel par jour	• De 3 à 5 tétées de lait maternel ou artificiel par jour	• De 3 à 4 tétées de lait maternel ou artificiel par jour
Pain, céréales, riz, pâtes et pommes de terre	• Farine infantile de riz, d'orge ou d'avoine dans du lait maternel ou artificiel, 2 fois par jour • Biscottes, tranches de pain de mie	• Pain et bagels • Petits morceaux de pâtes cuites • Purée de pommes de terre • Farine de céréales non sucrée • Biscuits mous	• Pain blanc • Riz • Gaufres • Pâtes • Couscous • Pommes de terre bouillies
Légumes	• Légumes verts, orange ou rouges bien cuits et réduits en purée	• Légumes verts bien cuits (courgettes ou petits pois) réduits en purée	• Légumes cuits (carottes, brocoli) • Légumes crus (tomates, concombre sans la peau)
Fruits	• Fruits crus ou cuits réduits en purée, sans sucre • Banane écrasée	• Petits morceaux de fruits mous, mûrs et sans peau (banane, pêche, poire, orange et pomme)	• Fruits frais sans peau ni pépins ou fruits au sirop • Pas plus de 120 à 180 ml de jus dilué par jour
Produits laitiers	• Ni lait ni produits laitiers	• Fromage blanc • Yaourt • Fines lamelles de fromage	• Tranches de fromage • Pain et lamelles de fromage
Protéines	• Le lait maternel ou artificiel contient déjà les protéines nécessaires	• Poisson, poulet ou viande maigre (sans os, ni peau, ni gras) bien cuits et hachés finement • Œufs bien cuits et réduits en purée • Haricots blancs ou pois chiches réduits en purée	• Petits morceaux de poisson, de poulet ou de viande maigre • Bœuf maigre ou blanc de dinde haché • *Nuggets* de poulet • Ravioli

Les tout-petits

L'alimentation de l'enfant se diversifie au cours de sa deuxième année.

Durant sa deuxième année, l'enfant porte un intérêt de plus en plus grand à la nourriture, et ses goûts se précisent. La croissance, très rapide la première année, se ralentit, et les besoins de nourriture se modifient. C'est mainte-

Manger tout seul Au cours de sa deuxième année, l'enfant adore s'asseoir à table avec le reste de la famille et manger comme un grand. Vérifiez tout de même les aliments qu'il porte à sa bouche.

nant que le jeune enfant peut prendre l'habitude, qu'il gardera toute sa vie, de manger des aliments complets et frais.

Le lait de vache
À partir de deux ans, votre enfant est curieux de ce que mange son entourage et a envie de piocher dans les assiettes et dans les verres des grands. Plus que jamais, les parents sont un modèle en matière d'alimentation. Au cours de cette période, l'enfant passe du lait infantile au lait de vache et peut délaisser son biberon au profit d'une tasse ou d'un bol. Son palais est prêt à explorer de nouvelles consistances, couleurs et saveurs. C'est le moment ou jamais de lui

faire apprécier des aliments sains et variés au cours des repas et de ses nombreux en-cas quotidiens.

Prendre de bonnes habitudes
Les habitudes alimentaires prises au cours des vingt-quatre premiers mois persistent pendant des années, voire la vie entière. D'où l'intérêt qu'elles soient saines.

Les enfants commencent à exprimer leurs préférences relativement tôt, mais c'est tout de même la prérogative des parents de les guider vers des aliments sains, en qualité comme en quantité.

Il ne faut pas forcer un enfant à manger un aliment qu'il refuse, sous peine de le voir s'entêter dans ses habitudes alimentaires. En lui laissant un peu d'indépendance, vous éviterez que bien des problèmes ne surviennent au cours des repas à venir.

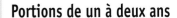

Portions de un à deux ans

Les enfants âgés de un à deux ans peuvent manger des aliments de tous les groupes mais en petites quantités. Voici quelques exemples d'aliments et le nombre de portions (P) quotidiennes que les enfants de cet âge peuvent manger :
- Au moins 4 portions de glucides complexes (une par repas). 1 P = 2 à 4 cuil. à s. de riz cuit ou de pâtes cuites ou ¼ à ½ tranche de pain.
- 2 à 3 portions de légumes (1 P = 2 cuil. à s. de carottes ou de petits pois).
- 2 à 3 portions de fruits (1 P = ½ pomme ou 1 petite banane).
- 350 ml de lait ou 2 à 3 portions de produits laitiers (1 P = un yaourt ou 40 g de fromage).
- 2 portions de protéines (1 P = 30 g de poisson, de poulet, de viande ou 1 cuil. à s. de beurre de cacahouète).

Les quantités

Ne perdez pas de vue que l'estomac d'un enfant de un an est tout petit par rapport à celui d'un adulte et que, en conséquence, les portions doivent être adaptées. Vous trouverez, dans l'encadré ci-contre, un exemple de menu type d'un enfant de un à deux ans. Si votre enfant se dépense vraiment beaucoup, vous pouvez ajouter un autre en-cas dans la journée.

Lorsque vous donnez à manger à votre enfant, n'oubliez pas les points suivants :

• Utilisez des petites assiettes et laissez-le manger en fonction de son appétit.

• Ne forcez pas, ne faites pas de chantage et ne grondez pas un enfant qui ne veut pas finir son assiette. De telles approches peuvent avoir des répercussions négatives sur les habitudes et le comportement alimentaires de votre enfant. Votre enfant vous fera comprendre qu'il a fini de manger en fermant la bouche, en repoussant son assiette ou en jetant les aliments par terre.

• Variez et équilibrez les menus de votre enfant en lui proposant des petites quantités d'aliments de chaque groupe au cours des repas. L'enfant ne devrait pas réclamer de portions supplémentaires. Si c'est le cas, donnez-lui un peu plus de légumes ou de fruits.

• S'il ne boit pas son lait pendant la journée, donnez-lui un yaourt ou du fromage comme en-cas ou au dessert.

MENU TYPE DE UN À DEUX ANS

Au petit déjeuner
• 30 g de céréales dans du lait entier et 120 ml de jus de pomme dilué à 50 % avec de l'eau.

En en-cas
• 1 petit bol de salade de fruits et 120 ml de lait entier.

Au déjeuner
• 1 petit bol de gratin de pâtes aux petits pois, 120 ml de lait entier, 1 petite banane.

Au goûter
• 1 biscuit et 120 ml de jus de pomme dilué.

Au dîner
• 50 g de blanc de poulet avec 2 à 4 cuil. à s. de riz cuit et 2 cuil. à s. de carottes coupées en dés, 2 tranches de concombre et 120 ml d'eau.

Un gratin de pâtes C'est un plat riche en calcium, auquel on peut ajouter quelques légumes pour l'enrichir en vitamines et autres sels minéraux.

Une salade de fruits Riche en vitamines, phytonutriments, sels minéraux et fibres, un bol de fruits frais coupés en petits morceaux est un en-cas idéal.

De nouveaux aliments

Lorsque les dents de votre enfant sont sorties, il peut mâcher et goûter de nouvelles consistances. Cela dit, certains aliments peuvent encore provoquer l'étouffement *(voir encadré ci-contre)*.

Votre enfant, entre un et deux ans, a besoin d'au moins trois repas et deux en-cas par jour. Vous pouvez commencer à lui donner des aliments que mangent les grands, comme du poulet rôti, mais en les coupant en morceaux minuscules afin d'éviter tout risque d'étouffement.

À cet âge, l'enfant attrape tout ce qui est à sa portée pour l'amener à sa bouche. Donnez-lui quelques petits morceaux en même temps afin qu'il apprenne à prendre son temps pour manger. N'oubliez pas de le faire boire (de l'eau).

Si votre enfant refuse un nouvel aliment, ne vous montrez pas en colère ou triste et reconduisez l'expérience quelque temps plus tard. N'attirez pas son attention sur cet aliment alors que votre enfant n'a peut-être pas faim ou pas envie de cette nourriture pour le moment.

Essayez de prendre vos repas avec votre enfant, à la maison comme à l'extérieur. Manger avec d'autres enfants peut également l'encourager à goûter de nouveaux aliments.

L'étouffement

Les risques d'étouffement sont particulièrement élevés chez les enfants, car ils ne savent pas encore mâcher correctement. C'est pourquoi il vaut mieux éviter de leur donner des aliments comme les grains de raisin, la viande ou les crudités en morceaux durs. Coupez tous les aliments en tout petits morceaux ou en lamelles. Pour les tout-petits, les aliments doivent être bien cuits et écrasés ou mixés. Attention aux aliments juteux qui risquent de glisser dans leur œsophage avant d'avoir été mâchés.

Entre deux et cinq ans

Les enfants qui ne vont pas encore à l'école primaire mangent peu mais souvent.

Après la poussée de croissance des deux premières années, les besoins diminuent, et les enfants ont tendance à manger moins. Mais le rythme est variable et leur appétit peut être très irrégulier : affamés un jour, ils peuvent ne presque rien manger le lendemain.

Il faut rester à l'écoute de votre enfant et lui proposer des repas et des en-cas sains lorsqu'il manifeste sa faim. Il vaut mieux ne pas lui donner trop de boisson d'un coup, ni au cours ni en dehors des repas, car l'estomac est vite rempli. De même, les portions que vous lui donnez doivent correspondre à ses besoins relativement peu élevés en calories et en nutriments. Servez-lui de petites portions d'aliments sains et nutritifs dans de petites assiettes.

Les bons aliments

Étant donné que l'appétit varie d'un enfant à un autre et, chez le même enfant, d'un jour à l'autre, il arrive que les parents soient inquiets quant à ses habitudes alimentaires. Il se peut que votre enfant, en effet, réclame le même aliment et ne mange rien d'autre au cours de quelques repas consécutifs, puis qu'il le refuse brusquement. Cette versatilité est tout à fait normale à cet âge. Il vaut mieux rester patient et proposer une série d'aliments nutritifs parmi lesquels choisir. L'équilibre finit toujours par arriver si l'on ne se braque pas. Si votre enfant est vraiment difficile, vous pouvez mettre en place des stratégies pour qu'il mange de façon plus équilibrée (*voir p. 127*).

Quelques vérifications

C'est en vérifiant l'évolution de sa courbe de croissance (*voir p. 112*) et en surveillant ses habitudes alimentaires que vous pourrez vous rendre compte si ses besoins en nutriments sont couverts. Continuez à relever régulièrement son poids et sa taille (*voir p. 111-113*). Si sa courbe de croissance est régulière, c'est que votre enfant mange suffisamment.

Il est délicat de se rendre compte soi-même d'éventuelles carences. C'est pourquoi il reste important que, entre deux et cinq ans, votre

Quels aliments entre deux et cinq ans ?

Les enfants âgés de deux à cinq ans ont besoin de produits céréaliers, de légumes et de protéines. Il est préférable de leur donner des produits laitiers demi-écrémés – sauf si votre enfant est maigre – plutôt que des produits au lait entier. Les enfants de cet âge ont, en général, besoin de trois repas et au moins deux en-cas pris dans la journée. Les en-cas idéaux seront composés de fruits frais afin d'éviter à l'enfant de manger trop et de prendre du poids. En ce qui concerne les boissons, donnez de l'eau à votre enfant, pendant et en dehors des repas. Les boissons sucrées, y compris les jus de fruits, apportent des calories inutiles et coupent l'appétit de l'enfant au repas suivant. Veillez à ce que les portions correspondent à ses besoins.

Le dîner Les enfants de cinq ans adorent les boulettes de viande servies avec des brocoli, riches en protéines, en vitamines C et K, en fer et en lycopène.

enfant continue à être suivi. Si les habitudes alimentaires de votre enfant vous préoccupent, vous pouvez tenir un cahier des aliments – type, préparation, quantité – qu'il mange sur une semaine, par exemple, et en parler avec le pédiatre.

Il existe des programmes informatiques d'analyse nutritionnelle qui montrent, d'après ce que mange l'enfant, si ses besoins en nutriments sont couverts ou s'il risque de développer une carence dans un ou plusieurs nutriments. Sachez que la carence la plus fréquente est la carence en fer, en particulier chez les enfants difficiles qui mangent peu. Donnez à votre enfant des aliments riches en fer : fruits secs, légumineuses, viande et volaille *(voir p. 135)*.

Des en-cas sains Des bâtonnets de légumes à tremper dans des sauces légères à la tomate ou au yaourt, par exemple, permettent d'augmenter leur consommation de légumes.

Portions de trois à cinq ans

Les portions des enfants de trois à cinq ans sont les mêmes que celles de la période précédente, mais le nombre de portions journalières augmente. Voici des exemples d'aliments et de portions (P) que les enfants de cet âge peuvent manger :

- Au moins 4 portions de glucides (1 P = 1 petite tranche de pain complet ou 4 à 8 cuil. à s. de riz cuit).
- De 2 à 3 portions de légumes (1 P = 2 cuil. à s. de légumes cuits).
- De 2 à 3 portions de fruits (1 P = 1 moitié de poire, pomme, pêche ou 1 petite banane).
- 2 portions de produits laitiers (1 yaourt ou au moins 350 ml de lait).
- 2 portions de protéines (1 P = 30-55 g de viande, de poulet, de poisson, de tofu, 1 œuf ou 1 cuil. à s. de beurre de cacahouète).

Rendre les aliments attrayants

La meilleure façon pour que votre enfant ait une alimentation variée et équilibrée est de rendre les aliments attrayants et d'impliquer l'enfant dans leur préparation. Les conseils suivants vous y aideront :

- Coupez les sandwiches et la pizza en petits morceaux. En proposant des aliments nutritifs et sains, vous êtes sûr qu'il se nourrit correctement, quel que soit son choix.
- Proposez des bâtonnets de fruits et de légumes et des gressins à tremper dans des sauces légères à base de yaourt, de tofu ou dans des purées de fruits ou de légumes comme l'houmous.
- Laissez votre enfant vous aider à préparer les ingrédients, à couper la salade, laver les légumes ou ajouter du fromage râpé sur un plat.
- Élaborez les repas avec l'enfant et préparez-les avec lui. Les enfants aiment préparer la pizza autant que la manger. Laissez-les étaler la sauce

tomate, couper la mozzarelle en morceaux, éplucher les légumes (des brocolis, des tomates, des asperges, des épinards, du maïs… la liste est infinie), couper des morceaux de fruits, ajouter du poulet, du thon ou du bœuf haché *(voir p. 131)*.

- Laissez votre enfant participer à la préparation des en-cas et autres goûters. Il appréciera d'apprendre à étaler la confiture sur sa tartine, de couper sa banane ou de garnir des branches de céleri avec du fromage frais.
- Donnez-lui des fruits au goûter. Les enfants adorent les fruits et prennent vite l'habitude, excellente pour leur santé, d'en réclamer.
- Préparez des desserts sains à base de fruits frais coupés en morceaux, par exemple. Vous pouvez également leur faire manger des flans, du riz au lait, du pudding, des sorbets aux fruits ou de la génoise avec des fruits rouges frais, par exemple.

Le plein de fibres En ajoutant des fruits coupés aux desserts ou aux yaourts, vous ajoutez des fibres et des nutriments essentiels à la santé de votre enfant.

De saines habitudes

Les conseils suivants pourront vous aider à faire prendre de bonnes habitudes à votre enfant. Vous ne pourrez peut-être pas tout faire en une fois : mieux vaut procéder progressivement afin que des habitudes saines s'installent durablement.

• Servez des fruits et des légumes tous les jours, aux repas comme en en-cas. À défaut de fruits frais, vous pouvez occasionnellement donner à votre enfant des fruits au sirop léger.

• N'oubliez pas de lui donner à boire, pendant et hors des repas.

• N'ayez pas peur de refuser de lui donner du chocolat, des sucreries, des boissons sucrées ou des chips, à plus forte raison s'il en a déjà mangé récemment.

• Servez de petites portions dans des petites assiettes. Ne lui donnez pas trop à manger et, surtout, ne forcez jamais votre enfant à finir son assiette, au risque de voir se dérégler ses signaux de faim et de satiété.

• N'utilisez pas la nourriture comme récompense, en particulier le dessert. Cela peut inciter votre enfant à penser que le dessert est plus important que le reste du repas.

• Lorsque votre enfant a fini de manger, encouragez-le à apporter son assiette vide dans l'évier et à venir se rasseoir à table pendant que le reste de la famille finit son repas. Vous pouvez éventuellement donner de quoi lire ou dessiner à votre enfant (et adopter cette stratégie lorsque vous mangez à l'extérieur).

• Ayez toujours des en-cas sains en réserve pour les petites faims.

• Limitez les heures que passe votre enfant devant la télévision. Une vie sédentaire est l'une des causes du surpoids, y compris chez les enfants.

• Habituez vos enfants à bouger et à faire du sport, y compris en famille.

• Essayez de prendre le plus de repas possible en famille.

Montrer le bon exemple

En tant que parent, vous êtes nécessairement un modèle pour votre enfant, y compris sur le plan alimentaire. Très tôt, les enfants prennent l'habitude d'imiter le comportement de leurs parents, en l'occurrence, ils ont envie de manger et de boire ce que vous mangez et buvez. S'ils vous voient en train de boire du soda à table ou de manger devant la télévision allumée, il y a des chances qu'ils aient envie de faire la même chose. Réfléchissez à l'impact de vos faits et gestes sur votre enfant. C'est, du reste, une bonne occasion pour prendre conscience de vos habitudes alimentaires et de ce que vous voulez transmettre à vos enfants. Il est peut-être préférable de vous mettre à boire de l'eau et d'éteindre la télévision quand toute la famille est à table.

Les boissons des jeunes enfants

Les deux seules boissons qui conviennent aux enfants sont l'eau et le lait. Les autres boissons, comme les sodas, les boissons aux fruits et autres boissons sucrées augmentent les risques de caries et de surpoids. Vous pouvez cependant donner parfois du pur jus de fruits, nature ou dilué, à votre enfant, à condition de suivre les conseils suivants :

• Donnez les jus de fruits au cours d'un repas ou d'un en-cas.

• Diluez-les toujours avec de l'eau pour réduire l'apport en sucre.

• Ne donnez pas plus de 120 à 180 ml de jus dilué à un enfant de deux à cinq ans dans une journée.

• Encouragez votre enfant à manger des fruits, riches en fibres, plutôt qu'à boire des jus.

• Ne donnez pas de jus de fruits non pasteurisés aux tout-petits.

Un verre de lait Le lait est une alternative saine et riche en calcium à toutes les autres boissons.

Des dents saines

Les aliments contenant des glucides, simples et complexes, sont responsables de la plaque dentaire qui, en se déposant sur les dents, entraîne des caries. Il est important de donner à l'enfant une alimentation variée qui couvre ses besoins dans tous les nutriments, y compris ceux qui assurent la santé des dents. Limitez les aliments et les boissons sucrées et préférez-leur les yaourts ou le fromage, les fruits et les légumes coupés en dés pour le goûter, par exemple. Veillez à ce que l'apport en fluor *(voir p. 65)* soit suffisant. Lorsque les dents commencent à sortir, emmenez régulièrement votre enfant chez le dentiste et brossez-lui les dents avant le coucher.

Les enfants difficiles

On peut adopter plusieurs stratégies face à un enfant qui refuse de manger. Pour vous aider, voici quelques conseils :

• Soyez patient avant tout. Asseyez-vous à table avec votre enfant et faites-le parler de sa journée.

• Proposez différents aliments sous forme de bouchées. Votre enfant choisira ce qui lui semble le plus appétissant sur le moment.

• Rendez les aliments appétissants et attrayants (forme, couleur…).

• Donnez-lui des petites portions d'aliments nutritifs (avocats, brocoli, riz complet, flocons d'avoine, fromage, œufs, poisson, haricots rouges, yaourt, pâtes, beurre de cacahouète, potiron, patate douce et tofu).

• Ne transformez pas chaque repas en bataille. Si votre enfant a pris des manies et refuse tous les aliments nouveaux, par exemple, continuez à lui en proposer chaque jour, mais sans insister. Il finira par se lasser de manger toujours la même chose et par les goûter de lui-même. Moins vous exercerez de pression sur lui, plus vite les problèmes se résoudront.

• Ne restez pas à tourner autour de lui en râlant ou en vous préoccupant de ce qu'il mange et de ce qu'il ne mange pas.

• Si votre enfant n'aime pas manger ses aliments tous ensemble, servez-les-lui séparément ou sans les mélanger.

• S'il refuse de manger le contenu de son assiette, n'allez pas lui préparer autre chose.

• Ne lui donnez pas non plus des aliments qu'il adore à la place.

• Ne punissez pas non plus votre enfant s'il refuse de manger. Encouragez-le et soyez positif, mais n'insistez pas.

À la main Servez-leur du pain pita farci de purée de lentille (dahl) ou de pois chiches (houmous) pour le goûter. Succès assuré !

Exemple Mon enfant ne mange que des aliments blancs

Son nom Jodie

Son âge 3 ans

Son problème Jodie refuse d'avaler les aliments qui sont verts ou rouges et finit par manger la même chose tous les jours, à savoir du fromage, des yaourts et des pâtes.

Son mode de vie La maman de Jodie est préoccupée parce que sa fille est devenue difficile. Elle a peur qu'elle ne manque de certains nutriments et se demande si elle n'a pas besoin d'un complément multivitaminé.

Bien que son appétit varie d'un jour à l'autre, le dîner de Jodie consiste le plus souvent en des *nuggets* de poulet, des pâtes et des pommes cuites (au moins cinq soirs par semaine). Parfois, elle mange de la pizza avec des pommes cuites, mais n'a pas encore voulu goûter les aliments de la table familiale tels que le poulet, la viande, le riz, les pommes de terre ou les légumes. Elle aime certains fruits, comme les mandarines au sirop, les fraises et les bananes. De plus, elle s'arrête de manger au bout de quelques bouchées, annonçant qu'elle a fini, alors que son assiette est encore à moitié pleine. Mais, une heure après le repas, elle retourne à la cuisine pour réclamer des glaces ou des confiseries.

Nos conseils Il est normal qu'un enfant de trois ans ait un petit appétit. Cela ne signifie pas pour autant qu'il est difficile. En revanche, un enfant qui mange peu mange plus souvent. Les enfants ont, comme les adultes, des envies de nourriture variables d'un jour ou d'une semaine à l'autre, et il ne faut pas s'en formaliser. La maman de Jodie devrait continuer à lui proposer les aliments qu'elle aime et la laisser manger selon ses besoins, sans la forcer ni lui faire de chantage au dessert pour qu'elle finisse son assiette. Elle devrait peut-être lui servir des portions plus petites et éviter de lui donner des boissons autres que de l'eau, à table et en dehors des repas, pour ne pas lui couper l'appétit. Il est plus efficace de donner de nouveaux aliments, bien présentés, lorsque l'enfant a faim, c'est-à-dire au début du repas, en expliquant que la suite (les pâtes qu'elle attend) est encore en train de cuire.

Tant que sa croissance est normale et que Jodie ne perd pas de poids, il n'y a pas lieu de s'inquiéter. Un complément en vitamines et en sels minéraux peut s'avérer utile si elle continue à refuser catégoriquement les légumes. Sa maman devra en parler avec le pédiatre ou le médecin de famille.

Les enfants scolarisés

Les enfants qui vont à l'école ont des besoins importants.

Les enfants en âge d'aller à l'école ont besoin de beaucoup d'énergie pour participer à toutes les activités de la journée et permettre à leur corps et à leur cerveau de se développer harmonieusement. Veillez à ce que chacun de leurs repas contienne suffisamment de nutriments.

Évitez le gras et le sucre

Les biscuits, les gâteaux et les chips sont des aliments très tentants pour les enfants. Mais ils contiennent essentiellement du gras, du sucre et du sel, sans apporter de nutriments. Le problème est le même avec les boissons sucrées.

Vous pouvez parfois laisser votre enfant manger quelques aliments riches en graisses et en sucres, à condition que son alimentation soit globalement variée et, surtout, équilibrée.

Des en-cas sains

Les en-cas et autres goûters sont importants pour les enfants qui se dépensent beaucoup entre les repas. Ils leur permettent de recevoir régulièrement l'énergie nécessaire à leur croissance et à leur développement et de surmonter

Quels aliments leur donner ?

Les enfants en âge d'aller à l'école ont besoin de trois repas et d'au moins un en-cas par jour. Le petit déjeuner doit leur permettre de tenir jusqu'au déjeuner. À midi, le repas doit également être riche en nutriments et ne pas reposer sur des aliments comme les pizzas, les chips et les boissons sucrées. Si votre enfant ne mange pas à la cantine, vous pouvez l'impliquer dans la préparation de son casse-croûte (voir p. 130). Après l'école, les enfants affamés ont besoin de recharger sainement leurs batteries : des fruits, des légumes, des céréales ou un yaourt les feront tenir jusqu'au dîner.

Du poulet Riches en protéines et en vitamines, ces lamelles de poulet à tremper dans une sauce aux tomates fraîches amuseront vos enfants, en plus de les nourrir sainement.

MENU TYPE À DIX ANS

Au petit déjeuner
- 3 cuil. à s. de céréales dans du lait demi-écrémé, 1 banane et 150 ml de jus de fruits.

En en-cas
- Pain complet et beurre de cacahouète et 120 ml de jus de pomme.

Au déjeuner
- 6 bâtonnets de carotte, 1 sandwich de pain complet au fromage (40 g) et 1 pomme moyenne.

Au goûter
- 200 ml de milk-shake aux fruits (yaourt ou lait).

Au dîner
- De 55 à 85 g de lamelles de poulet cuit au four avec une sauce aux tomates fraîches, de 4 à 8 cuil à s. de riz cuit aux légumes et 200 ml lait écrémé ou demi-écrémé.

des baisses d'attention parfois dues à la faim en milieu de matinée ou d'après-midi. Cela dit, les en-cas doivent être composés d'aliments sains sous peine de produire le résultat inverse à l'effet recherché. Les en-cas sont les moments idéaux pour manger des fruits et des légumes et faire le plein de vitamines et de sels minéraux.

Les calories vides

La plupart des enfants sont attirés, comme tous les humains, par le gras et le sucré, et se jettent volontiers sur les calories vides – beaucoup de calories, pas ou peu de nutriments – que contiennent les gâteaux, chips et autres friandises.

La cantine Le repas de midi permet aux enfants de se retrouver pour faire une pause dans la journée et faire le plein d'énergie pour l'après-midi.

Portions de six à douze ans

Voici quelques exemples d'aliments et le nombre de portions quotidiennes (P) qu'un enfant de six à douze ans peut consommer :
● De 5 à 11 portions de glucides (1 P = 1 tranche de pain complet ou 2 cuil. à s. bien remplies de riz cuit).
● De 2 à 3 portions de légumes (1 P = une salade composée moyenne ou 3 cuil. à s. de légumes cuits – carottes, petits pois).
● De 2 à 3 portions de fruits (1 P = 1 pomme moyenne, 2 mandarines ou 150 ml de jus de fruits).
● De 2 à 3 portions de produits laitiers (1 P = 40 g de fromage ou 200 ml de lait demi-écrémé).
● De 2 à 3 portions de protéines (1 P = 55-85 g de viande maigre cuite, 2 œufs ou 3 cuil. à s. de lentilles ou d'autres légumineuses cuites).

Des en-cas sains

Les enfants ont souvent faim, en particulier lorsqu'ils sortent de l'école. Ayez toujours des en-cas sains en réserve à leur donner pour les faire tenir jusqu'au dîner. Nous vous proposons ici quelques suggestions d'en-cas sains :
● Des céréales.
● Des galettes de riz ou des bretzels.
● Des légumes coupés (carottes, poivrons, tomates, concombres) avec de l'houmous (purée de pois chiches).
● Des fruits (poire, prune, banane, raisin, orange, fraises, pêche, pomme et autres).
● Des bâtonnets de jus de fruits glacé.

● Une salade de fruits.
● Un *milk-shake* aux fruits.
● Des galettes d'avoine et du fromage.
● Un yaourt ou du fromage blanc.
● Un œuf.
● Un sandwich aux crudités et au thon, à l'œuf, à la dinde, au poulet, au fromage ou au beurre de cacahouète.
● Quelques biscuits.
● Un mélange de fruits secs (raisins, abricots, dattes) et d'oléagineux (graines de tournesol, noisettes, amandes…) ou du muesli.

Un fruit appétissant Les clémentines sont riches en vitamine C et en fibres. Elles sont également faciles à éplucher.

Du yaourt Plus digeste que le lait, le yaourt écrémé est un en-cas parfait, riche en calcium, en protéines et en vitamines du groupe B.

Des légumes colorés Pour son goûter, vous pouvez aussi donner un tronçon d'épi de maïs à votre enfant.

Prévenir le surpoids chez les enfants

Le nombre d'enfants en surpoids est en constante augmentation dans les pays industrialisés. L'une des raisons de ce nouveau fléau est le temps excessif que les enfants passent devant les écrans de télévision et d'ordinateurs. Ils se dépensent moins physiquement et ont tendance à grignoter entre les repas. Les parents doivent augmenter leur vigilance.

Des études réalisées dans les pays anglo-saxons montrent que les enfants à qui l'on ne permet pas de passer plus de sept heures par semaine devant leurs écrans perdent du poids et de la masse grasse dans des proportions sensibles,

contrairement aux enfants libres de regarder la télévision et de jouer aux jeux vidéo tout le temps qu'ils veulent. Par suite, ils passent aussi moins de temps à manger devant la télévision.

Pour prévenir le surpoids chez les enfants, les parents doivent donc encourager la pratique d'activités physiques, manuelles ou sportives, à l'intérieur comme à l'extérieur. Les enfants n'ont pas forcément besoin d'équipements spéciaux et onéreux pour se dépenser et mener une vie plus active. Pour plus d'information sur le poids des enfants, vous pouvez vous reporter aux pages 206-207.

Idées de casse-croûte

Si votre enfant a besoin d'emporter un casse-croûte, assurez-vous que celui-ci contient des aliments de chaque groupe *(voir p. 71)* et changez d'aliments d'un casse-croûte à l'autre. La variété permet que tous les besoins en nutriments soient couverts et que votre enfant ne se lasse pas en mangeant toujours la même chose.

Préparez des aliments qui correspondent aux besoins de son âge : des petits morceaux de fruits tendres pour les jeunes enfants et des fruits entiers pour les plus grands, par exemple. Vous pouvez encourager votre enfant à préparer son sandwich avec vous en lui suggérant des choix sains et appétissants. En ce qui concerne les boissons, apprenez-lui à boire de l'eau ou du lait demi-écrémé au cours et en dehors des repas, et à éviter les boissons sucrées, gazeuses ou non.

Un mauvais choix Le fromage et le jambon sont riches en graisses saturées, le pain blanc ne contient pas de fibres. Les chips, muffins au chocolat et le soda ne font qu'ajouter du gras, du sucre et des calories.

Un repas sain Un pain pita complet garni de tranches de tomate, de poulet et de laitue, une pomme, un yaourt écrémé et un jus de fruits constituent un casse-croûte sain et nutritif.

Quelques conseils

Les conseils suivants vous aideront à préparer et à conserver au mieux les casse-croûte.

Des idées de casse-croûte

Ajoutez une briquette de lait écrémé ou de jus de fruits et un ou plusieurs fruits – si possible différents chaque jour – dans le casse-croûte de votre enfant.

● Du pain aux raisins secs ou un muffin tartiné de fromage frais allégé et garni de crudités. Ajoutez un yaourt écrémé aux fruits.

● Du pain pita garni de crudités (salade verte, tomates, carottes râpées) et de thon ou de maïs doux. Ajoutez quelques tomates cerises.

● Une tortilla garnie de haricots rouges, de fromage râpé, de laitue coupée en lamelles et de sauce à la tomate. Ajoutez quelques bâtonnets de carotte.

● Une salade de pâtes avec des morceaux de blanc de poulet, du maïs doux, des dés de concombre et du persil plat haché. Ajoutez une barre au muesli.

Pour les conserver Pour que sa boisson reste fraîche, laissez-la une heure au congélateur avant que votre enfant ne l'emporte.

● Conservez les aliments frais près de la bouteille glacée, de préférence dans une boîte hermétique.

● Conservez les aliments chauds dans une Thermos.

Cuisiner avec eux

Pour apprendre aux enfants à manger sainement, l'une des façons les plus amusantes et les plus efficaces consiste à les impliquer dans la préparation des repas. En participant à l'élaboration des menus et aux courses, ils peuvent apprendre à lire les étiquettes et se rendre compte du coût des aliments. Vous pouvez également solliciter leur aide à la cuisine, ils prendront aussi conscience de ce qu'ils mangent.

POUR LA VIE

Les enfants sont toujours fiers de cuisiner avec les grands. En leur apprenant à choisir et à préparer des aliments sains, vous leur permettez de développer un intérêt et des dons qu'ils utiliseront toute leur vie. De plus, cuisiner leur permet de mettre en pratique les apprentissages théoriques de l'école (lecture, sciences…).

Tu mélanges L'apprentissage de la cuisine permet aux enfants de se rendre compte de l'alchimie des différents ingrédients et de faire des mathématiques.

Apprenez aux petits enfants à reconnaître les couleurs, les formes, la taille et le nom des aliments. Faites-leur deviner les ingrédients d'une salade composée ou d'une salade de fruits et laissez-les laver les fruits et les légumes. Plus tard, ils pourront les éplucher et les couper et vous aider à préparer d'autres recettes.

Commencez par des recettes simples, comme le poulet rôti, les pommes de terre bouillies ou les haricots verts à la vapeur. Faites-les choisir parmi plusieurs recettes saines celle qu'ils ont envie de faire. Amusez-vous avec les couleurs et les formes des aliments pour composer des plats aussi beaux à regarder que bons à manger.

LES RÈGLES DE SÉCURITÉ

La cuisine est un endroit dangereux : redoublez de vigilance et de prudence lorsque les enfants s'y activent. Ne laissez pas les plus petits sans surveillance. Et apprenez-leur les règles élémentaires de sécurité dès leur plus jeune âge pour éviter les risques d'accidents.

Recette Pizza aux légumes

INGRÉDIENTS

400 g de tomates pelées

origan sec

1 pâte à pizza

50 g de jambon blanc

½ poivron rouge

200 g de cœurs d'artichaut marinés

45 g d'olives noires

basilic frais

Pour 6 personnes

1 Égouttez les tomates. Dans une poêle légèrement enduite d'huile d'olive, faites revenir les tomates et l'origan jusqu'à ce que le mélange épaississe.

2 Préchauffez le four à 220 °C (th. 7). Étalez la pâte à pizza, enduisez-la d'huile d'olive et de la préparation à base de tomates.

3 Coupez le jambon en lamelles, les poivrons en tranches et les cœurs d'artichaut en quartiers. Dénoyautez les olives. Répartissez tous ces ingrédients sur la pizza.

4 Enfournez la pizza jusqu'à ce que la pâte soit dorée. Garnissez-la de basilic frais et servez.

Variantes Vous pouvez garnir la pizza d'autres ingrédients : maïs doux, épinards frais, brocoli, aubergines, courgettes, ananas, mozzarelle en tranches, thon en boîte, lamelles de blancs de volaille ou filets d'anchois.

Valeur nutritionnelle (par portion)

Calories 215, lipides 4 g (sat. 0,2 g, poly. 0,2 g, mono. 0,6 g), cholestérol 5 mg, protéines 8 g, glucides 40 g, fibres 3,3 g, sodium 465 mg ; bonne source de vitamines A, C, K et de Ca.

Les besoins des adolescents

Les enfants de onze à dix-huit ans ont des besoins accrus en nutriments.

La puberté, qui a lieu vers onze à quatorze ans chez les filles et douze à quinze ans chez les garçons, a des répercussions sur les besoins alimentaires des adolescents. Les changements physiques qui se produisent au cours de cette période impliquent de

Grandir Le corps des adolescents change vite et leur appétit devient féroce. Assurez-vous qu'ils se nourrissent d'aliments sains et nutritifs plutôt que de calories vides.

nouveaux apports, variables selon le sexe de l'enfant. Cela dit, il existe également des besoins communs aux garçons et aux filles, comme le besoin accru en calcium et en fer, qui accompagne cette fabuleuse poussée de croissance.

Vers l'âge adulte

La puberté, qui commence souvent un peu plus tôt chez les filles que chez les garçons, est une période de croissance extraordinaire. La poussée se produit, en général, au début de la puberté pour les filles, mais, chez les garçons, lorsque le développement sexuel est déjà avancé.

Il va de soi que l'alimentation doit s'adapter à ces nouvelles

Les encourager à se nourrir sainement

De nos jours, les adolescents sont plus occupés que jamais. Ils quittent la maison à 7 heures du matin pour ne revenir qu'en fin d'après-midi. Là, ils se ruent sur le réfrigérateur avant de retourner vaquer à leurs occupations. Ce peut donc être un véritable défi que de vouloir nourrir correctement un adolescent, d'autant que beaucoup d'entre eux fréquentent les *fast-foods*. Les sportifs ont besoin de doubles rations et sont affamés en permanence. Certains décident de devenir végétariens.

Étant donné qu'ils passent beaucoup de temps hors de la maison et que vous n'êtes pas à leurs côtés lorsqu'ils prennent leur repas, il est important que les messages sur une alimentation saine soient bien passés. Trouvez le bon moment pour parler à votre enfant, faites en sorte qu'il limite ses repas dans les *fast-foods* et, à la maison, stockez des réserves d'en-cas sains tels que des fruits, des céréales, des bretzels et des yaourts.

ALIMENTS PAUVRES	ALTERNATIVES SAINES
Céréales sucrées	Céréales non sucrées, flocons d'avoine
Beignet	Crêpe
Chips	Poignée de noix, noisettes, amandes…
Nuggets de poulet	Blanc de poulet
Barre chocolatée	Barre de céréales
Cheeseburger-frites	*Burger* végétal et salade
Plats préparés industriels	Plat allégé en matières grasses
Milk-shake industriel	*Milk-shake* maison
Crème glacée	Yaourt glacé
Muffin américain	Muffin anglais complet
Cookie aux pépites de chocolat	Biscuit
Gâteau au chocolat	Pain
Tortilla chips et sauce au fromage	Tortilla chips et sauce tomate

conditions physiologiques et que l'apport en énergie doit augmenter, à plus forte raison si votre enfant est physiquement actif.

Chez les filles, les menstruations apparaissent, en général, un an après le début de cette poussée de croissance. Les pertes doivent être compensées par un apport accru en protéines, fer *(voir p. 66)* et autres sels minéraux.

Les garçons, eux, doivent recevoir davantage de protéines, de vitamines et de sels minéraux pour répondre à l'augmentation de leur masse musculaire.

Les risques de carences
Si l'alimentation de votre adolescent ne tient pas compte de ces éléments, il ou elle risque de manquer de plusieurs nutriments. Les carences les plus fréquentes sont les carences en calcium et en fer. Les besoins élevés des adolescents en calcium (1 000 mg par jour pour les garçons, 800 mg par jour pour les filles) correspondent au développement spectaculaire de leur squelette au cours de cette période. Les quantités de calcium ingéré doivent être suffisantes pour permettre la croissance osseuse et le stockage du minéral dans les os.

Prévenir le surpoids
Une nourriture pas toujours équilibrée et des activités sédentaires, comme regarder la télévision et utiliser l'ordinateur, sont des facteurs évidents de prise de poids chez les adolescents, qui se prédisposent ainsi au diabète et à l'hypertension. Le risque de surpoids augmente également en fonction de l'hérédité.

L'enjeu est donc grand pour la santé de vos enfants. D'où l'intérêt de les inciter à manger équilibré, à limiter la consommation d'aliments caloriques et peu nutritifs et à se dépenser physiquement.

Portions des adolescents
Les besoins nutritionnels des onze à dix-huit ans sont les mêmes que ceux des adultes. Voici quelques exemples d'aliments de chaque groupe et le nombre de portions journalières (P) recommandées :
- De 5 à 11 portions de glucides (1 P = 1 tranche de pain complet ou 3 cuil. à s. de céréales de type petit déjeuner).
- De 2 à 3 portions de légumes (1 P = une salade composée moyenne ou 3 cuil. à s. de légumes cuits).
- De 2 à 3 portions de fruits (1 P = 1 pomme ou 2 mandarines).
- De 2 à 3 portions de produits laitiers (1 P = 200 ml de lait ou 1 yaourt écrémé).
- De 2 à 3 portions de protéines (1 P = 55-85 g de poisson, volaille ou viande maigre cuits, 2 œufs ou 4 cuil. à s. de lentilles cuites).

L'exercice physique
Les adolescents peuvent améliorer leur condition physique en pratiquant une activité régulière et en réduisant le temps passé devant la télévision et les jeux informatiques. Les sports d'équipe sont un bon moyen de socialisation, mais certains adolescents préfèrent les sports individuels.

Invitez votre adolescent à se joindre à vous lorsque vous allez à la piscine ou faire un tour à bicyclette. S'il refuse, c'est qu'il préfère sans doute aller faire du sport seul ou avec des amis de son âge. À cette période, certains adolescents éprouvent l'envie de s'inscrire dans un club ou une salle de sport. C'est un beau cadeau à leur faire que de participer aux frais d'inscription.

Du mouvement Encouragez votre enfant adolescent à se dépenser en toutes circonstances, seul, en équipe ou le week-end, en famille ou avec ses amis. C'est une excellente habitude, qui lui sera utile toute sa vie.

Le calcium

Indispensable à la structure et à la solidité des dents et des os, le calcium est vital dans l'alimentation d'un adolescent. Les enfants de sept à dix ans ont besoin de 550 mg de calcium par jour. Entre onze et dix-huit ans, ce chiffre passe à 1 000 mg pour les garçons et 800 mg pour les filles. Mais beaucoup d'adolescents ne consomment pas ces doses et souffrent de carences, à l'origine de l'ostéoporose (voir p. 242).

Pour être sûr que votre adolescent ne manque pas de calcium, encouragez-le à faire le plein de produits laitiers, qui sont une excellente source de calcium. L'inconvénient est qu'ils sont riches en graisses saturées, aussi choisissez les versions allégées en matières grasses. Les adolescents ont besoin de trois ou quatre portions de produits laitiers par jour. Vous trouverez dans le tableau ci-contre la liste des aliments les plus riches en calcium. En cas de carence avérée, votre enfant peut également prendre un complément (voir p. 109).

SOURCES DE CALCIUM	PORTIONS	CALCIUM
Tofu	100 g	510 mg
Saumon en boîte (avec arêtes)	100 g	300 mg
***Milk-shake* (vanille)**	300 ml	300 mg
Lait écrémé	200 ml	244 mg
Yaourt écrémé nature	150 ml	243 mg
Lait demi-écrémé	200 ml	240 mg
Babeurre	200 ml	240 mg
Lait entier	200 ml	236 mg
Cheddar allégé	28 g	235 mg
Édam	28 g	223 mg
Yaourt écrémé aux fruits	150 ml	210 mg
Cheddar	28 g	207 mg
Pizza au fromage	100 g	190 mg
Crème glacée	1 cuillerée	60 m g

Limiter les boissons sucrées

Idéalement, les boissons sucrées ne devraient pas faire partie du régime alimentaire des adolescents. Leur teneur en sucre très élevée peut être à l'origine de caries et d'une prise de poids conséquente. La consommation de boissons sucrées comme les colas, les sodas, les jus de fruits qui ne sont pas 100 % pur jus et autres boissons énergétiques font augmenter très sensiblement l'apport calorique : une canette de 33 cl de l'une de ces boissons contient l'équivalent de neuf cuillerées de sucre.

La consommation des adolescents français n'atteint pas encore les niveaux des pays anglo-saxons – où 21 % des enfants de sept à dix ans boivent en moyenne dix canettes de boissons sucrées par semaine –, mais elle augmente de façon préoccupante, d'autant

Les bienfaits de l'eau L'eau, qui ne contient aucune calorie, est une boisson très désaltérante. Encouragez vos enfants à toujours avoir une bouteille d'eau dans leur sac.

que ces boissons remplacent le lait, source de calcium.

Consommer des boissons plus saines, comme du lait ou de l'eau, contribue à la prévention du surpoids chez les enfants et les adolescents. Voici quelques conseils qui aideront vos enfants à se tourner vers des boissons plus saines :

● À la maison, ayez toujours des boissons saines en réserve. Cela compensera les occasions où votre enfant boira, en dehors de la maison, des sodas et autres boissons peu saines.

● Si votre enfant ne boit pas d'eau lorsqu'il se trouve à l'extérieur, suggérez-lui de commander des boissons *light*, c'est-à-dire sans sucre. Cela ne lui fera pas passer le goût des sodas mais limitera au moins l'apport en sucre.

● Habituez votre enfant à boire sain : servez-lui des cocktails de jus de fruits (100 % pur jus) coupé à l'eau gazeuse, avec des glaçons et une rondelle de citron ou de citron vert.

Les carences en fer chez les adolescentes

Les adolescents ont des besoins accrus en énergie et en nutriments et, en particulier, en fer *(voir p. 66)*. Leur croissance est intense, et ils se dépensent, en outre, beaucoup physiquement au cours de cette période.

Lorsque les menstruations débutent, les filles perdent, chaque mois, beaucoup de fer avec leur sang. D'où la nécessité de le remplacer par l'alimentation.

LES CARENCES

L'organisme a besoin de fer pour fabriquer ses globules rouges. Lorsque l'on ne consomme pas assez d'aliments riches en fer, on se fatigue plus vite et on manque de résistance, ce qui peut poser problème chez les sportifs *(voir p. 61)*.

Il est fréquent que les jeunes adolescentes sautent un repas ou aient une alimentation déséquilibrée, tout occupées qu'elles sont déjà par leur ligne, ou qu'elles décident de devenir végétariennes. En conséquence, elles manquent souvent de fer, ce qui est

d'autant plus grave que les besoins en fer sont accrus à cette période et qu'elles risquent l'anémie.

Les jeunes filles âgées de onze à dix-huit ans ont besoin de 14,8 mg de fer par jour (les garçons du même âge n'en ont besoin que de 11,3 mg). Il faut donc encourager vos adolescentes à manger de la viande rouge au moins une fois par semaine, ainsi que beaucoup de légumineuses, de légumes et de fruits secs. Leur faire prendre l'habitude de commencer la journée par un bol de céréales enrichies en fer, par exemple, est une bonne idée.

Si votre fille devient végétarienne, son alimentation peut tout à fait couvrir ses besoins en fer, à condition qu'elle soit bien étudiée et qu'elle comporte des aliments de chaque groupe *(voir p. 100-101)* pour éviter les carences. Si elle est la seule végétarienne de la famille, procurez-vous un livre de recettes végétariennes, dont chacun pourra de toute façon tirer profit plusieurs fois par semaine.

FER ET VITAMINE C

Afin de favoriser l'absorption du fer contenu dans les aliments, il est recommandé de manger des aliments riches en vitamine C *(voir p. 56)* au cours du même repas.

Les agrumes, comme les oranges ou les pamplemousses, les tomates et les brocolis sont des aliments riches en vitamine C, de même que les raisins secs, la pastèque, les épinards, les haricots secs, la mélasse et les pois chiches. Les fruits secs (raisins, abricots, par exemple) constituent des encas idéaux, riches en fer mais aussi en fibres et en d'autres nutriments.

Il peut également être utile de prendre un complément alimentaire contenant, entre autres micronutri-ments, du fer. Si vous craignez que votre fille ne manque de fer *(voir p. 55)*, parlez-en à votre médecin ou suggérez à votre fille de le faire. Une simple prise de sang peut déceler une anémie, qu'une supplémentation en fer pourra alors résorber.

Recette **Assiette de haricots aux légumes**

INGRÉDIENTS

1 oignon

4 gousses d'ail

1 carotte

2 courgettes

2 poivrons

2 pommes de terre

4 tomates mûres

400 g de haricots cannellini en conserve

2 cuil. à s. de basilic frais haché

Pour 4 personnes

1 Émincez l'oignon, la carotte et les courgettes. Écrasez les gousses d'ail. Épépinez les poivrons et coupez-les finement.

2 Faites chauffer un peu d'huile d'olive dans une sauteuse, puis jetez-y les légumes. Faites-les cuire pendant environ 5 minutes.

3 Ajoutez les pommes de terre coupées en cubes de 1 cm de côté et les tomates coupées en tranches, avec 120 ml d'eau. Couvrez et laissez mijoter pendant une demi-heure, en remuant de temps en temps, jusqu'à ce que tous les légumes soient tendres.

4 Rincez et égouttez les haricots. Ajoutez-les aux légumes, mélangez et faites cuire le tout jusqu'à ce que les haricots soient chauds.

5 Ajoutez le basilic, poivrez et mélangez délicatement.

6 Servez immédiatement, dans des assiettes chaudes, avec du pain aux céréales. Parsemez les assiettes de basilic et un peu d'huile d'olive.

Valeur nutritionnelle (par portion)

Calories 260, lipides 1,1 g (sat. 0,2 g, poly. 0,5 g, mono. 0,1 g), cholestérol 0 mg, protéines 13 g, glucides 54 g, fibres 10 g, sodium 37 mg ; bonne source de vitamines A, B9, C et de CA, FE, K, MG, P.

L'alimentation à l'âge adulte

Faire les bons choix alimentaires est la garantie d'une bonne santé durable.

Pensez-vous qu'être en bonne santé va de soi ? Peut-être n'avez-vous jamais été confronté à de graves problèmes de santé, comme la majorité des gens de vingt à cinquante ans. Cela dit, vous avez peut-être remarqué que vous ne pouvez plus, comme avant, rester mince tout en mangeant ce que vous voulez. Ou peut-être avez-vous grossi dernièrement ? Peut-être aussi n'avez-vous plus le temps de faire du sport ?

La plupart des personnes âgées de vingt à cinquante ans pensent être en bonne santé. Rien ne les pousse vraiment à aller chez le médecin ni à changer quoi que ce soit dans leur hygiène de vie.

Cela dit, notre alimentation et notre façon de nous dépenser ont un impact que l'on ne soupçonne pas toujours sur notre santé présente et future. Si vous mangez gras et sucré et que vous menez une vie plutôt sédentaire, il y a des chances pour que vous vous sentiez un peu léthargique et que vous ne soyez pas motivé pour aller faire du sport. Mais, ce faisant, vous mettez en péril votre santé. C'est pourquoi il est temps d'adopter une hygiène de vie plus saine.

En faisant dès aujourd'hui attention à ce que vous consommez et en vous dépensant régulièrement physiquement, vous vous sentirez mieux, aurez davantage d'énergie et vivrez plus longtemps.

Manger pour deux

Manger sainement et prendre un poids raisonnable pendant la grossesse améliorent l'état de santé des femmes enceintes, mais aussi celui de leur bébé. Dans ce chapitre, nous évoquerons les besoins nutritionnels particuliers des femmes enceintes *(voir p. 138-141)* et de celles qui allaitent *(voir p. 142-143)*. Étant donné que l'allaitement maternel est l'alimentation idéale des nourrissons, nous vous donnons des conseils pour que cette expérience se déroule dans les meilleures conditions.

L'alimentation des sportifs

Les besoins nutritionnels des sportifs dépendent évidemment de l'activité physique qu'ils pratiquent et du rythme auquel ils la pratiquent. Dans les pages suivantes *(voir*

Les besoins spécifiques des hommes

En raison de leur masse musculaire plus développée, les hommes ont un métabolisme de base plus élevé que celui des femmes. Ce qui signifie que leurs besoins en nutriments sont également plus importants.

Le corps masculin contient davantage d'eau, de muscles, d'os, de tissus et de graisse que celui des femmes, et leur masse musculaire plus développée réclame un apport accru en protéines. C'est pourquoi ils mangent davantage.

Chaque jour, les hommes brûlent environ 600 calories de plus que les femmes (sauf si elles sont enceintes ou allaitent). Leurs besoins en glucides et en fibres sont les mêmes que ceux des femmes. Les apports nutritionnels conseillés en lipides ne sont pas établis, mais les hommes ont besoin de 60 % d'acides gras de plus que les femmes. Quant à l'apport recommandé en protéines, il est proportionnellement le même pour les deux sexes (0,75 g par kilo de masse corporelle), ce qui conduit les hommes

à consommer environ 10 g de protéines par jour en plus. Voici quelques conseils :
- Consommez beaucoup de fruits et de légumes, dont les nutriments sont un atout majeur pour la santé.
- Évitez les graisses saturées. Mangez peu de viande rouge et de produits laitiers entiers. Limitez la consommation d'aliments gras (chips, crème glacée).
- Ne buvez pas plus de trois à quatre unités d'alcool par jour (de deux à trois pour les femmes).
- Apprenez à vous détendre. Le stress n'est pas négatif en soi, mais c'est votre réaction au stress qui peut se révéler nocive pour votre équilibre. Initiez-vous au yoga ou à la méditation.
- Évitez le tabagisme actif – ni cigarettes ni cigares – et passif.
- Maintenez votre poids à un niveau sain. Le surpoids augmente les risques de diabète et de troubles cardiaques.
- Dépensez-vous. L'exercice physique est une garantie de bonne santé.
- Faites des bilans de santé réguliers.

Pour les hommes

Les nutriments cités ci-dessous ont un impact sur la fertilité, sur la prostate, et dans la prévention du cancer et des troubles cardiaques.

Le lycopène Ce nutriment, présent dans la tomate, la pastèque et le pamplemousse rose, protégerait du cancer de la prostate et du poumon.

Les vitamines B6, B9 et B12 Ces vitamines permettent de diminuer les risques de maladies cardio-vasculaires.

Le sélénium et les vitamines C et E Ces antioxydants sont indispensables à la fertilité masculine. Un complément peut aider à améliorer la fertilité chez l'homme.

Le zinc et la vitamine B9 Ces deux nutriments combinés joueraient un rôle dans la fertilité.

p. 146-149), nous évoquerons les apports spécifiques des athlètes, qu'ils pratiquent des sports d'endurance ou non, et la meilleure façon de se nourrir.

La ménopause et l'âge mûr

La population des pays industrialisés vieillit. Aussi consacrons-nous la seconde partie de ce chapitre aux besoins nutritionnels des personnes de plus de cinquante ans *(voir p. 150-153)* et de plus de soixante-dix ans *(voir p. 154-155)*. Il est important d'adapter son hygiène de vie aux nouveaux besoins de l'organisme et de continuer à rester actif physiquement, afin d'aborder et de vivre cette période en pleine santé et en pleine forme.

Des aliments sains Essayez de vous alimenter le plus sainement possible, même lorsque vous sortez. Mangez léger et partagez les plats.

Les différents besoins des femmes

Les femmes ont, en général, besoin de moins de calories que les hommes parce qu'elles sont plus petites et que leur masse musculaire est moins importante. Cela dit, ces besoins augmentent au cours de certaines périodes de leur vie, comme la grossesse ou l'allaitement. Les femmes qui pratiquent beaucoup de sport ont également des besoins plus grands que les sédentaires.

PLUS DE FER

De la puberté à la ménopause, les femmes ont un besoin accru en fer pour remplacer celui qu'elles perdent à chaque cycle. Une carence en fer peut conduire à de l'anémie *(voir p. 55)*. C'est pourquoi il faut que leur alimentation soit riche en fer (voir encadré ci-contre).

PLUS DE VITAMINE B9

La grossesse est une période où l'apport en calories et en nutriments, y compris en vitamines et sels minéraux *(voir p. 50-67)*, doit augmenter. La vitamine

B9, notamment, est essentielle au cours de cette période, car elle peut éviter les malformations du tube neural telles que le spina bifida chez le bébé *(voir p. 139)*. C'est pourquoi les femmes devraient prendre un complément de vitamine B9 avant et pendant la grossesse.

Après l'accouchement, les besoins en nutriments restent élevés *(voir p. 142-143)*. L'organisme a besoin d'énergie pour récupérer et de beaucoup de vitamines et de sels minéraux – dont le fer – pour recouvrer sa forme.

PLUS DE CALCIUM

L'allaitement est considéré comme l'alimentation la meilleure pour l'enfant pendant les six premiers mois de sa vie. Les mères qui allaitent doivent continuer à avoir une alimentation nutritive et équilibrée pour assurer une production régulière de lait. Étant donné qu'elles puisent dans leurs réserves de calcium pour fabriquer leur lait, un apport accru en calcium leur est nécessaire afin d'éviter l'ostéoporose plus tard *(voir p. 242)*.

Pour les femmes

La vitamine B9, le calcium et le fer sont des nutriments essentiels pour les femmes.

La vitamine B9 On la trouve dans les légumes verts (choux, épinards) et les légumineuses (pois chiches et haricots blancs).

Le calcium Ce sel minéral abonde dans les produits laitiers, le tofu, le poisson en conserve et les épinards.

Le fer La viande rouge et les abats sont riches en fer, de même que le persil, les fruits secs et les légumineuses (soja et haricots blancs).

Des besoins accrus La grossesse implique un apport calorique plus important que d'ordinaire, à la fois pour la santé de la mère et pour la croissance du fœtus.

Définition

Les malformations du tube neural Il s'agit de malformations au niveau du cerveau et du cordon médullaire du fœtus, dont la plus connue est le spina bifida. Certaines malformations sont légères (la méningocèle, une inflammation des méninges et de l'encéphale) ou plus graves (l'anencéphalie).

Manger pour deux

Les femmes enceintes doivent nourrir deux personnes.

Une bonne alimentation est vitale pour le bon déroulement des grossesses normales et des grossesses considérées comme étant à risques.

Les femmes enceintes ont des besoins accrus en nutriments et en calories (*voir p. 139*). Par rapport à une autre femme, une femme enceinte doit enrichir son alimentation de 200 calories au cours des deuxième et troisième trimestres de la grossesse, soit une augmentation d'environ 10 %. Dans des conditions normales, le premier trimestre de la grossesse ne nécessite pas d'apport calorique supplémentaire.

Les besoins accrus augmentent les risques de carences, chez la mère comme chez le fœtus, si la mère n'adapte pas son alimentation (*voir p. 139*) ou ne prend pas de compléments (*voir p. 140*).

Des nutriments essentiels

Une supplémentation en vitamine B9 (ou acide folique) durant les mois précédant la conception et les trois premiers mois de grossesse réduit de 20 % les risques de malformation du tube neural. La vitamine B9, associée à la vitamine B12, participe également à la formation des globules rouges. Les autres nutriments indispensables au cours de la grossesse sont le fer – le volume du sang d'une femme augmente de 50 % pendant la grossesse – et le calcium pour la formation du squelette du bébé.

Des troubles passagers

Les modifications qui se produisent dans l'organisme peuvent provoquer certains troubles. Les plus fréquents sont la constipation, les brûlures d'estomac, les indigestions, les nausées et les vomissements. Peut également survenir un diabète gestationnel :

une résistance à l'insuline rend difficile l'absorption du glucose par les cellules (*voir p. 141*).

Les muscles intestinaux, plus détendus pendant la grossesse, deviennent parfois paresseux au point de provoquer un état de constipation. On peut le combattre en veillant à intégrer suffisamment de fibres à son alimentation.

Les brûlures d'estomac et l'indigestion surviennent fréquemment, de même que les reflux œsophagiens. Tous ces troubles sont souvent dus à la remontée des organes dans l'abdomen, nécessaire à l'installation du bébé.

Les nausées et les vomissements sont dus à l'augmentation du taux de gonadotrophine chorionique, une hormone qui atteint un pic au cours de la douzième semaine de grossesse. Nous vous donnons, page 141, des conseils pour venir à bout de tous ces petits désagréments.

La prise de poids

Si vous ne prenez pas suffisamment de poids pendant la grossesse, votre enfant risque de naître prématurément ou de ne pas avoir un poids normal à la naissance. Si, au contraire, vous prenez trop de poids, vous augmentez vos risques d'avoir mal au dos, des varices et des complications telles que la prééclampsie. De plus, vous mettrez plus longtemps à recouvrer votre poids d'avant la grossesse.

- Si votre poids est sain – ni trop bas ni trop élevé – avant la grossesse, vous devez prendre entre 11 et 16 kg au cours de ces neuf mois.
- Si vous êtes maigre lorsque la grossesse commence, vous pourrez vous permettre de prendre entre 12,5 et 18 kg.
- Si vous êtes en surpoids lorsque vous tombez enceinte, vous pouvez prendre entre 7 et 11,5 kg.

Des besoins spécifiques

Manger pour deux ne signifie pas manger deux fois plus. Pendant la grossesse, le métabolisme de base se ralentit, et le corps se met à utiliser différemment son énergie, ce qui explique aussi pourquoi l'apport calorique des femmes enceintes n'augmente pas non plus dans des proportions extraordinaires. Il faut juste veiller à ne pas souffrir de carences.

Les femmes enceintes ont besoin de lipides. Deux acides gras, en particulier l'acide docosahexaénoïque et l'acide arachidonique, sont vitaux pour le développement de la vision et du cerveau du bébé. On les trouve surtout dans les poissons gras. L'eau et les fibres aident, par ailleurs, à lutter contre la constipation.

On trouve les nutriments dans l'alimentation *(voir ci-dessous)*, mais également sous forme de compléments *(voir p. 140)*. Le tableau ci-contre donne les apports recommandés en nutriments pour les femmes de dix-neuf à quarante-cinq ans.

NUTRIMENTS	NON ENCEINTE	ENCEINTE
Protéines	45 g	51 g
Vitamine A	600 µg	700 µg
Vitamine B1	0,8 mg	0,9 µg
Vitamine B2	1,1 mg	1,4 mg
Vitamine B3	13 mg	13 mg
Vitamine B6	1,2 mg	1,2 mg
Vitamine B9	200 µg	300 µg
Vitamine B12	1,5 µg	1,5 µg
Vitamine C	40 mg	50 mg
Calcium	700 mg	700 mg
Fer	14,8 mg	14,8 mg
Magnésium	270 mg	270 mg
Sélénium	60 µg	60 µg
Zinc	7 mg	7 mg

Les aliments de la grossesse

Les aliments les plus adaptés aux femmes enceintes doivent fournir un maximum d'énergie et de nutriments.
Les protéines Il faut deux ou trois portions de protéines par jour : viande maigre, volaille, poisson (cuit seulement), œufs et légumineuses.
Le calcium Deux ou trois portions quotidiennes d'aliments riches en calcium sont un minimum pour prévenir les risques d'ostéoporose qui peuvent survenir plus tard.
La vitamine B9 Elle est essentielle pendant la grossesse, afin d'éviter les malformations du tube neural *(voir p. 56)*. On la trouve dans les légumes verts frais, les légumineuses, le foie, les oranges et la volaille. N'oubliez pas de consommer au moins cinq portions de fruits et légumes par jour !

De petits repas Il est intéressant de faire des petits repas riches en glucides pour soutenir l'énergie tout au long de la journée.

Le fer Il permet la production des globules rouges de la mère et du bébé. On le trouve dans la viande rouge, les légumineuses, les fruits secs, les épinards, les haricots cornilles et les légumes verts. La vitamine C favorise l'absorption du fer d'origine végétale.

Les fibres Une alimentation riche en fibres, à base de légumes, fruits et céréales complètes, permet de prévenir la constipation.
Les liquides Il est important qu'une femme enceinte boive au moins 2 litres d'eau par jour.

À éviter pendant la grossesse

Les risques de contaminer le fœtus sont faibles, mais il vaut mieux éviter de consommer certains aliments au cours de la grossesse.

La listériose La bactérie *Listeria monocytogenes*, à l'origine de cette maladie, peut traverser le placenta et être fatale pour le fœtus. Évitez les produits laitiers non pasteurisés, en particulier les fromages à pâte molle et à croûte fleurie tels le camembert et les bleus.

Le foie En raison de leur haute teneur en vitamine A, le foie et ses produits dérivés (pâtés) sont à éviter.

La toxoplasmose Cette infection est provoquée par *Toxoplasma gondii*, un parasite qui peut être dangereux pour le bébé. Elle se transmet par la manipulation des litières et des chats porteurs du parasite, par la consommation de fruits, de légumes ou de viande contaminés. Pour minimiser les risques d'infection, il vaut mieux éviter la compagnie des chats, laver très soigneusement les fruits et les légumes avant de les consommer, porter des gants en jardinant et éviter de consommer de la viande peu cuite.

La salmonellose Cette infection, relativement courante, provoquée par les bactéries *Salmonella* est dangereuse dans le sens où elle peut être à l'origine d'une fausse couche ou d'un accouchement prématuré. On peut l'éviter en faisant bien cuire les œufs et la volaille.

Les autres infections Il vaut mieux éviter les fruits de mer et le poisson crus, qui peuvent transmettre des parasites intestinaux et l'hépatite.

Les métaux lourds Il faut laver avec soin les légumes ou enlever leur peau avant de les consommer pour les débarrasser des métaux lourds. Évitez de manger du requin, de l'espadon et du marlin, dont la teneur en mercure est élevée. Le thon contient également beaucoup de mercure : limitez sa consommation à deux portions par semaine.

Alcool et caféine

Il est préférable de limiter votre consommation d'alcool et de caféine pendant la grossesse. Le bébé d'une femme qui a l'habitude de boire peut naître avec le syndrome d'alcoolisme fœtal et avoir des difficultés d'apprentissage. La caféine, à hautes doses, augmente les risques de fausse couche.

Les effets de l'alcool sont graves au cours des deux premiers mois de la grossesse, lorsque les organes du bébé commencent à se développer. À cette étape de la grossesse, une « cuite » est aussi dangereuse pour le bébé qu'un état chronique d'alcoolisme.

Les femmes enceintes doivent limiter leur consommation de caféine (café, thé, cacao, boissons caféinées) à 300 mg par jour (*voir p. 97*), au risque de voir entravés la croissance et le développement du fœtus et diminué son poids de naissance.

Les compléments alimentaires

Nombreux sont les médecins qui prescrivent des compléments alimentaires de vitamines et de sels minéraux aux femmes enceintes. L'alimentation, en effet, ne couvre pas toujours leurs besoins, notamment en vitamine B9.

LE CALCIUM

Bien que les besoins en calcium ne soient pas supérieurs pendant la grossesse, il ne faut pas manquer de ce minéral indispensable au bébé dès le deuxième mois de grossesse, lorsque les dents et les os commencent à se former et, vers la vingt-cinquième semaine, lorsque le fœtus grandit sensiblement. Il est essentiel de consommer des aliments riches en calcium durant toute la grossesse. Si ce n'est pas le cas, mieux vaut prendre un complément. Dans tous les cas, étant donné que l'absorption du calcium dépend de la présence de la vitamine D dans l'organisme, essayez de passer au moins dix minutes par jour au soleil pendant toute votre grossesse.

LE FER

Le fer participe à l'élaboration des globules rouges du fœtus, mais aussi de la mère, dont le volume sanguin augmente de 50 % au cours de la grossesse. La mère a donc besoin de 500 mg supplémentaires de fer, tandis que son bébé en a besoin de 300 mg, principalement au cours du troisième trimestre de la grossesse. Le fer est relativement bien absorbé pendant la grossesse. Si vous n'avez pas de carence au moment où vous tombez enceinte, il est probable que vous n'aurez pas besoin d'un complément. Si vous manquez déjà de fer avant la grossesse, un complément en fer peut être nécessaire pour prévenir un état d'anémie. Sachez également que la vitamine C favorise l'absorption du fer.

La vitamine B9

Un complément en vitamine B9 réduit les risques de malformations du tube neural chez le fœtus (*voir p. 139*). Pour être sûres que les bébés à naître n'encourent pas ce risque, il faudrait, idéalement, que toutes les jeunes femmes prennent un complément en vitamine B9 – d'autant que la moitié des grossesses n'est pas programmée. L'apport recommandé en vitamine B9 est de 400 µg à partir de la conception et pendant les trois premiers mois de la grossesse. Il passe à 300 µg pendant les mois suivants. L'apport en vitamine B9 est de 200 µg pour une femme qui n'est pas enceinte.

Les femmes dont un enfant a déjà souffert d'une malformation du tube neural doivent prendre, sur avis médical, une dose plus élevée de vitamine B9.

Quelques désagréments physiques

Les femmes enceintes peuvent souffrir de quelques désagréments physiques, dont les plus fréquents sont les nausées et les vomissements des premiers mois, les brûlures d'estomac, l'indigestion et la constipation. Voici quelques conseils pour vous aider à surmonter ces problèmes passagers. En ce qui concerne la constipation, vous trouverez des conseils également page 229.

LES NAUSÉES

Si vous souffrez de nausées matinales, les quelques suggestions suivantes peuvent vous soulager :
● Mangez des crackers ou une biscotte au réveil.
● Évitez les odeurs fortes : consommez les aliments froids ou à température ambiante et ventilez la pièce si vous cuisinez.
● Évitez les odeurs comme les parfums, les produits de nettoyage parfumés, les désodorisants…
● Buvez de la tisane de gingembre :

versez de l'eau bouillante sur une cuillerée de gingembre moulu ou râpé. Laissez infuser pendant quelques minutes, sucrez si besoin et buvez.

LES BRÛLURES D'ESTOMAC

Suivez ces quelques conseils pour soulager les brûlures d'estomac et favoriser la digestion :
● Mangez de petits en-cas, lentement et en évitant les matières grasses : fruits, bretzels, crackers, yaourts écrémés…
● Évitez de boire au cours des repas.
● Évitez les aliments irritants pour l'estomac : ceux contenant de la caféine, de la menthe, des agrumes, des épices, des graisses et de la tomate.
● Faites quelques pas après le repas.
● Évitez de vous allonger après avoir bu ou mangé.

Soulagez les brûlures d'estomac Manger lentement et léger peut aider à digérer et à éviter les brûlures d'estomac. Du melon ou un yaourt sont de bons en-cas.

Le diabète gestationnel

Le diabète gestationnel est un trouble qui survient dans 4 % des grossesses. C'est une forme de diabète qui apparaît au cours du deuxième ou du troisième trimestre, lorsque le corps devient résistant à l'insuline, l'hormone qui permet aux cellules de puiser du glucose dans le sang. Une telle résistance se manifeste sous l'action d'hormones produites par le placenta. Les symptômes caractéristiques d'un diabète gestationnel sont une soif excessive, l'excrétion d'une grande quantité d'urine et une fatigue importante, mais ces symptômes ne sont pas systématiquement présents.

Dans 90 % des cas, le taux de glucose redevient normal après l'accouchement, mais les femmes atteintes ont plus de risques de développer un diabète plus tard *(voir p. 246-247)*.

L'ALIMENTATION

L'alimentation joue un rôle important. Elle sert à prendre ou à maintenir un poids approprié, à maintenir le taux de

glucose à un niveau normal et à éviter la production de corps cétoniques dans l'organisme.

LES CORPS CÉTONIQUES

Étant donné que le diabète empêche que l'organisme puise son énergie dans le glucose, les cellules vont brûler des matières grasses. La dégradation de ces graisses produit des substances, les corps cétoniques, qui sont à l'origine de nausées, de douleurs abdominales et d'une haleine caractéristique.

Si le médecin a diagnostiqué un diabète gestationnel, vous devrez contrôler votre taux de glucose et la présence éventuelle de corps cétoniques dans le sang ou dans les urines à l'aide de bandelettes. Il n'est pas inutile de consulter votre médecin ou un nutritionniste pour établir avec lui des règles d'hygiène nutritionnelle en fonction de votre diabète afin que votre grossesse se déroule dans les meilleures conditions.

LES GLUCIDES

En général, entre 40 et 45 % des calories ingérées quotidiennement devraient provenir des glucides. On recommande de manger un en-cas le soir pour prévenir une acétonémie au cours de la nuit. Étant donné que les glucides ne sont pas aussi bien tolérés le matin, évitez d'en manger ou limitez leur consommation au petit déjeuner dans un premier temps.

L'INSULINE

Si votre taux de glucose dans le sang reste élevé en dépit de vos précautions alimentaires, il vous faudra recourir à des piqûres d'insuline afin que votre grossesse se déroule au mieux pour vous et votre bébé. Les piqûres d'insuline visent, en effet, à prévenir les complications associées au diabète gestationnel. Si le taux de glucose dans le sang n'est pas ramené à un seuil normal, votre bébé risque de prendre trop de poids, ce qui pourrait entraîner une naissance par césarienne.

Se nourrir après l'accouchement

Après l'accouchement, les besoins nutritionnels restent élevés.

Les femmes ont hâte de perdre le poids qu'elles ont pris au cours de la grossesse. Or, si certaines y parviennent en quelques semaines, d'autres mettront des années. Seule une hygiène de vie saine vous permettra de venir à bout de ces kilos.

Bébé est là Après l'accouchement, il faut consommer beaucoup de calories pour que l'organisme se rétablisse, mais aussi pour la production de lait si l'on décide d'allaiter.

Allaitement et calories

Vouloir maigrir à tout prix juste après l'accouchement n'est pas la solution idéale, à plus forte raison si vous décidez d'allaiter votre bébé. L'organisme a toujours besoin d'énergie pour se remettre d'une grossesse. De plus, l'allaitement requiert un nombre de calories supérieures à celles de la grossesse. Il faudra patienter quelques semaines avant un retour à la normale.

Ne sautez pas de repas

La période qui suit l'accouchement est stressante – votre bébé est né et vous manquez de som-

Allaitement et alimentation

Les mères qui allaitent doivent boire au moins 2 litres d'eau par jour et avoir une alimentation équilibrée pour que leur production de lait soit assurée quotidiennement. Comme c'était déjà le cas au cours de la grossesse, leurs besoins sont élevés en calories et en nutriments, en particulier en protéines, vitamines A et C et en calcium.

Le calcium Les mères qui allaitent doivent s'assurer que leur alimentation couvre leurs besoins en calcium (1 250 mg par jour). Entre 2 et 8 % du calcium stocké dans l'organisme maternel servent à la production du lait. En général, il est remplacé après la grossesse. Mais, dans le cas de grossesses rapprochées ou de carence avérée avant ou pendant la grossesse, le calcium manquant n'est pas remplacé, ce qui peut conduire à l'ostéoporose plus tard *(voir p. 242).*

Les compléments nutritionnels Au cours de la lactation, les besoins de pratiquement tous les nutriments augmentent. Il faut ajouter aux doses quotidiennes 350 µg de vitamine A, 30 mg de vitamine C, 2 mg de vitamine B3, 60 µg de vitamine B9 et 50 mg de magnésium. Il faut également 6 mg supplémentaires de zinc pendant les quatre premiers mois de grossesse, puis 2,5 mg. On continue souvent à prescrire aux femmes qui allaitent les mêmes compléments vitaminiques qu'au cours de la grossesse afin que tous leurs besoins soient couverts.

Les aliments à éviter Pratiquement tout ce que la mère avale passe dans le lait avec lequel elle nourrit son bébé. Si vous remarquez que votre bébé semble avoir mal au ventre, être ballonné ou avoir de la diarrhée, interrogez-vous sur ce que vous avez mangé. De même en cas de vomissement, bronchite, respiration sifflante, nez qui coule ou éruption cutanée.

Les produits alimentaires les plus susceptibles de provoquer de tels symptômes chez le bébé sont les produits laitiers de vache, les œufs, le gluten, les agrumes, la caféine, le chocolat, l'ail, le chou et le concombre.

Le plein de calcium Les mères doivent s'assurer que leur régime est riche en calcium, en particulier si elles allaitent, pour renforcer leurs os et le squelette du bébé.

meil –, et votre système immunitaire doit être efficace. Il est donc hors de question de sauter un repas. Si vous n'avez pas le temps de faire un vrai repas, un fruit ou une barre de céréales seront mieux que rien pour le petit déjeuner. Étant donné que vous êtes encore la personne la plus importante dans la vie de votre bébé, il vous faut prendre soin de vous pour que, à votre tour, vous puissiez prendre soin de lui.

Une stratégie efficace consiste à prévoir vos repas. Par exemple, si vous partez en promenade avec votre bébé, emportez des en-cas nutritifs pour vous – des fruits, des galettes de riz, de l'eau, du jus de fruit pur… Prévoyez des repas sains faciles et rapides à préparer pour ne pas être prise en défaut par le temps.

Perdre du poids

Il est préférable d'attendre un peu, après l'accouchement, avant de se mettre au régime. De toute façon, une femme qui a accouché perd du poids progressivement et régulièrement. C'est particulièrement le cas des femmes qui allaitent, car la production de lait brûle, par elle-même, beaucoup de calories.

Il n'est pas raisonnable de vouloir retrouver son poids d'avant la grossesse trop rapidement. Une femme perd, en moyenne, 6,8 kg au cours de la première semaine qui suit l'accouchement.

Les femmes qui allaitent et qui ont un régime alimentaire équilibré perdent, en moyenne, entre 450 et 900 g par mois pendant les six premiers mois d'allaitement. Leur perte de poids est plus rapide que celle des femmes qui n'allaitent pas. De nombreuses femmes ne parviennent pas à perdre tous les kilos qu'elles ont pris au cours des grossesses et accumulent entre 2,3 et 4,5 kg à chacune de leurs grossesses. Mais, en général, il est possible de retrouver son poids d'avant.

Cela dit, vouloir perdre plus de 700 g par semaine peut mettre en péril la production de lait et l'équilibre nutritionnel de la mère et de l'enfant. Il faut savoir que de nombreuses femmes maintiennent ou prennent du poids pendant la période d'allaitement, mais le reperdent en totalité dès le sevrage.

La meilleure façon de retrouver son poids est de pratiquer de l'exercice tous les jours, en poussant le landau, par exemple.

Exemple   Une jeune mère qui perd trop de poids

Son nom Suzie

Son âge 26 ans

Son problème
Depuis qu'elle a accouché, Suzie ne trouve pas une minute pour s'asseoir à table. Hier, par exemple, elle s'est contentée d'un bol de lait avec des *corn-flake* le matin, d'un demi-sandwich au fromage et de jus d'orange à midi et d'un peu de poulet, de pommes de terre et d'un cola pour le dîner. Elle mange aussi de la glace la nuit, entre deux tétées.

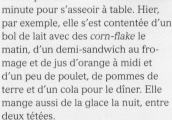

Suzie affirme qu'elle a faim mais qu'elle n'a pas vraiment le temps de manger. Elle a la bouche sèche en permanence. Elle craint de ne pas avoir suffisamment de lait parce que son bébé a toujours l'air affamé et qu'il n'est pas aussi potelé que ses petits copains nourris au biberon. La mère de Suzie lui a conseillé d'éviter les légumes et le chocolat sous prétexte qu'ils donnent des gaz au bébé.

Son mode de vie Suzie vient d'avoir un beau bébé de 3,7 kg. C'est son premier enfant. Il a maintenant six semaines et pèse 5 kg. Suzie a perdu 9 kg au cours de l'accouchement et pèse maintenant 63,5 kg. Elle mesure 1,70 m. Avant de tomber enceinte, son poids était de 59 kg.

Nos conseils Suzie ne s'alimente pas suffisamment pour maintenir son poids et produire du lait pour son bébé. Il faudrait qu'elle augmente son apport énergétique de 550 calories par jour. Elle a besoin, notamment, de protéines, de vitamines A, B9, B12, de calcium et de zinc.

Pour augmenter son apport calorique, elle devrait équilibrer son alimentation en consommant des aliments des quatre groupes principaux *(voir p. 70-72)*, en choisissant le nombre de portions proposées le plus élevé.

Étant donné qu'elle n'a pas beaucoup de temps, elle devrait s'organiser pour préparer des repas équilibrés faciles à préparer et éventuellement à réchauffer au micro-ondes. Elle peut également manger des aliments plus nutritifs comme des flocons d'avoine et des fruits au petit déjeuner. Elle peut ajouter quelques crudités à ses sandwiches et manger du pain complet et une salade de fruits le soir, au dîner. Ces suggestions sont à la fois faciles et rapides à préparer, tout en étant riches en nutriments indispensables à Suzie et à son bébé.

Suzie peut facilement ajouter un yaourt écrémé et des fruits secs à son alimentation quotidienne. Peut-être devrait-elle se faire prescrire un complément multivitaminé. De plus, il semble qu'elle ne boive pas suffisamment : elle devrait boire jusqu'à 3 litres de liquide par jour : de l'eau, bien sûr, mais aussi du lait et des jus de fruits purs. Elle devrait toujours avoir une grande bouteille d'eau à portée de main.

Pendant et après la ménopause

Comment atténuer les symptômes de la ménopause.

La ménopause est la période de la vie d'une femme où ses ovaires cessent de produire des hormones, en particulier les œstrogènes. Ce bouleversement s'étale sur plusieurs années, en général entre quarante-cinq et soixante ans, mais peut survenir plus tôt chez certaines femmes. Il correspond également à la fin des cycles menstruels.

Les symptômes
Les symptômes, quand il y en a, sont variables d'une femme à l'autre. Les plus fréquents sont les bouffées de chaleur, un état dépressif ou d'anxiété et des sautes d'humeur. Peuvent également survenir des troubles urinaires ou gynécologiques, tels que l'atrophie vaginale (les parois vaginales deviennent plus fines et plus sèches), des cycles irréguliers avant leur arrêt définitif, des infections, de l'incontinence urinaire ou une inflammation vaginale. Nombreuses sont les femmes qui constatent un changement dans la nature et dans la texture de leurs cheveux et de leur peau.

Une bonne hygiène de vie
Les troubles liés à cette période de transformations majeures peuvent être largement atténués en suivant quelques règles. L'alimentation a

Les bons aliments

Des études montrent que quelques changements au niveau alimentaire peuvent soulager les symptômes de la ménopause. En général, un régime alimentaire sain se compose de peu de matières grasses, de beaucoup de fruits et de légumes et de céréales complètes. Le soja est un aliment dont les composants chimiques naturels soulagent bien des symptômes. Le calcium est vital, non seulement pour soulager les troubles, mais également pour prévenir ou retarder l'ostéoporose.

Le soja et ses dérivés Le soja et tous les produits fabriqués à partir du soja – le lait de soja, les germes et les graines de soja, le soja vert et le tempeh – sont des sources importantes de protéines. Ils contiennent, en outre, des phytonutriments, les isoflavones, parmi lesquels la génistéine et la daidzéine, dont la structure est similaire à celle des œstrogènes. En agissant comme les œstrogènes, ces nutriments permettent de réduire les troubles liés à la chute du taux d'œstrogènes, tels les problèmes urinaires et gynécologiques. De plus, les isoflavones ont des propriétés anticancéreuses.

Le calcium La chute du taux d'œstrogènes fait augmenter les pertes de calcium osseux, rendant les femmes ménopausées plus vulnérables à l'ostéoporose. C'est pourquoi il est d'autant plus important de ne pas manquer de calcium à cette période. L'apport recommandé en calcium pour une femme de plus de cinquante ans est le même que pour une femme entre dix-neuf et cinquante ans, soit 700 mg par jour. On trouve du calcium dans le lait et les produits laitiers, les légumes à feuilles vert foncé, le tofu et les poissons en conserve, lorsqu'on les mange avec les arêtes.

Les plantes
Certaines plantes, comme le cohosh noir, aident à atténuer les symptômes de la ménopause.

Le cohosh noir Cette plante aux larges feuilles est utilisée depuis plus de cent ans pour réduire les symptômes de la ménopause. Des études scientifiques ont confirmé son rôle dans l'atténuation des bouffées de chaleur, de la sécheresse vaginale et de la dépression. Mais son utilisation doit être limitée à six mois et aux femmes ne suivant pas de traitement hormonal de substitution ou de traitement contre l'hypertension.

Les autres plantes Les recherches sont encore en cours sur les vertus de l'angélique chinoise (dong quai), de l'huile d'onagre et du yam sauvage dans le traitement des symptômes de la ménopause.

notamment son importance : le rôle du soja et de certaines plantes n'est plus à démontrer (voir encadré ci-dessous). En mangeant de façon équilibrée et variée, vous mettez toutes les chances de votre côté pour éviter les désagréments et les maladies qui accompagnent la ménopause, comme l'ostéoporose *(voir p. 242)*.

L'activité physique

L'exercice permet de réduire les symptômes de la ménopause. Trente minutes quotidiennes d'exercice modéré en aérobie – marche, bicyclette, natation – aura des conséquences très bénéfiques pour la santé de votre cœur et de vos poumons. Les sports tels que le tennis, la marche et les exercices

Des os solides Une alimentation riche en calcium et de l'exercice comme la danse ou le jogging contribuent à fortifier les os et à prévenir la perte osseuse.

consistant à soulever des poids renforcent la solidité des os et retardent la perte osseuse. De plus, la pratique d'une activité physique régulière permet de maintenir un poids constant et de ne pas prendre les kilos qui peuvent vouloir s'installer à cette période.

Après la ménopause

La chute du taux d'œstrogènes augmente les risques d'ostéoporose chez les femmes ménopausées.

Avant la ménopause, les femmes sont moins touchées par les maladies cardio-vasculaires que les hommes *(voir p. 214-221)*, car les œstrogènes font diminuer le taux de mauvais cholestérol (LDL) et augmenter celui de bon cholestérol (HDL). Mais les risques augmentent et rejoignent les niveaux masculins dès lors que le taux d'œstrogènes diminue.

Les nutriments qui soulagent

Pour être sûre de ne pas manquer des nutriments qui soulagent les désagréments liés à la ménopause *(voir tableau ci-dessous)*, ayez une alimentation variée et suivez ces quelques conseils. Pour le petit déjeuner, ajoutez des graines de lin à votre muesli. Au déjeuner, mangez des œufs, du poisson en conserve ou des protéines végétales – du soja ou

des légumineuses accompagnées de céréales complètes (pain complet ou riz brun) – avec une salade composée. Le soir, mangez de la viande maigre, de la volaille ou du poisson avec des légumes à feuilles vert foncé tels les épinards et le chou. Pensez à manger au moins deux fruits par jour, des oléagineux (amandes), sans oublier les produits laitiers.

TROUBLES	NUTRIMENTS	SOURCES
Dépression, sautes d'humeur	• Acides gras oméga-3 • Vitamine B9 • Vitamine D	• Graines de lin, poissons gras • Céréales complètes, légumes à feuilles vertes, jus d'orange • Poissons gras, produits laitiers enrichis
Seins gonflés et douloureux	• Vitamine E	• Amandes, avocats, huile végétale, graines de lin
Règles abondantes	• Fer	• Viande rouge, légumineuses, raisins secs, céréales au son
Bouffées de chaleur	• Calcium	• Produits laitiers écrémés, légumes à feuilles vertes, poissons gras en conserve mangés avec les arêtes (saumon, sardines)
Ostéoporose	• Vitamine D • Calcium	• Poissons gras, produits laitiers enrichis • Produits laitiers écrémés, légumes à feuilles vertes, poissons gras en conserve mangés avec les arêtes (saumon, sardines)

Les besoins des sportifs

Les besoins augmentent avec l'activité physique.

Une alimentation équilibrée est essentielle pour la croissance, l'entretien et la réparation des tissus de l'organisme, mais son objet est également de fournir de l'énergie pour les diverses activités quotidiennes.

Une alimentation adaptée

Si vous pratiquez une activité physique intensive, votre régime alimentaire ne doit pas être vraiment différent de celui d'un non-sportif. Il s'agit toujours, en effet, d'absor-

Définition

L'ATP L'adénosine triphosphate est le produit de la dégradation des glucides, des protéines et des lipides dans l'organisme. L'organisme utilise l'ATP chaque fois qu'il a besoin d'énergie pour ses réactions chimiques.

ber un certain nombre de calories tout en limitant les graisses saturées. Ce qui change, c'est la quantité des aliments, le nombre de repas et l'heure à laquelle il est préférable de s'alimenter en fonction des compétitions.

Plus de calories

Les besoins caloriques varient sensiblement d'un sportif à l'autre, en fonction de son âge, de sa taille, de son sexe et de l'environnement dans lequel il évolue. L'intensité, la durée et la façon dont est pratiquée l'activité sportive ont aussi une influence sur les calories brûlées.

L'apport nutritionnel de base d'une personne sédentaire est de 20 calories par jour par kilo de poids. Une personne moyennement active a besoin de 25 à 35 calories – 25 pour les femmes, 35 pour les hommes. Les personnes très actives ont des besoins supérieurs : un athlète a besoin de 37 à 51 calories par kilo de poids, une femme athlète, de 41 à 58 calories par kilo de poids par jour.

Le carburant idéal

Les glucides constituent le carburant idéal des sportifs. Comparés aux lipides, ils sont plus facilement transformables en ATP afin de fournir aux muscles et au reste du corps l'énergie dont ils ont besoin. Au repos, le corps brûle essentiellement des lipides. Lorsqu'on commence à augmenter ses dépenses caloriques et que l'oxygène est moins disponible, les glucides prennent le relais.

Les protéines sont stockées dans les muscles, les lipides sous forme de masse grasse. Les glucides sont stockés en petites quantités seulement dans l'organisme – dans le foie et les muscles, sous forme de glycogène. C'est pourquoi les sportifs consomment des glucides avant de s'entraîner. Dans les sports d'endurance, lorsque les stocks de glycogène sont épuisés, le corps puise dans ses réserves de graisses.

Le bon carburant Les glucides sont le carburant idéal pour les muscles au cours d'activités sportives intenses comme le sprint.

Des besoins accrus en protéines

Les besoins en protéines des sportifs dépendent du type d'activité physique qu'ils pratiquent (de résistance ou d'endurance). Au repos, les protéines fournissent 5 % de l'énergie consumée par l'organisme. Dans les sports pratiqués en aérobie, comme le jogging, ce chiffre s'élève à 15 %. Mais le corps utilise peu de protéines pour les sports de résistance ou de force.

Lorsque l'activité physique est très intense, si aucun glucide ni lipide n'est disponible comme carburant, les muscles finissent par s'épuiser.

Les sportifs très musculeux pratiquant la lutte ou le rugby ont besoin de davantage de protéines que les personnes sédentaires. Lorsqu'on commence à pratiquer un sport de résistance, il est recommandé d'augmenter progressivement sa consommation de protéines au cours des premières semaines d'entraînement.

● Les sportifs modérés (hommes et femmes) ont besoin de 0,35 g de protéines pour 450 g de poids par jour.

● Les hommes qui pratiquent des sports d'endurance doivent augmenter leur apport en protéines de 0,65 g pour 450 g de poids par jour.

● Les hommes pratiquant des sports de résistance ont besoin de 0,7 g de protéines pour 450 g de poids par jour.

● Les femmes pratiquant des sports d'endurance et de résistance ont besoin de 0,5 g de protéines pour 450 g de poids par jour.

Les sources de protéines

Les meilleures sources de protéines sont des aliments pauvres en matières grasses. Les sportifs peuvent consommer entre 225 et 300 g des aliments suivants :

● Produits laitiers écrémés
● Bœuf maigre
● Volaille
● Œufs
● Poisson
● Fruits de mer
● Tofu
● Haricots blancs
● Lentilles
● Oléagineux
● Graines de sésame
● Soja

Boire suffisamment

Quelque 80 % de notre organisme sont composés d'eau. Au cours d'une activité physique soutenue, le travail des muscles génère de la chaleur. Pour éviter une surchauffe, le corps se met à transpirer, éliminant eau et sels minéraux par les pores de la peau.

La déshydratation Si l'on ne remplace pas les fluides perdus dans la sueur, on risque la déshydratation. Les symptômes sont une sensation d'inconfort général, d'épuisement, d'apathie et des maux de tête.

S'hydrater La perte en eau de seulement 3 % du poids du corps peut avoir des conséquences énormes sur les performances sportives d'un individu. Il faut toujours boire avant, pendant et après l'exercice physique.

● La veille d'une compétition, essayez de boire au moins 225 ml de liquide à chaque repas et au moins 1 litre entre les repas.

● Évitez le café, le thé et l'alcool en raison de leur effet diurétique – ils augmentent la production d'urine exécrée par l'organisme.

● Buvez au cours des exercices physiques, à intervalles réguliers – environ 225 ml toutes les trente minutes. Boire après l'exercice favorise également la récupération, indispensable entre deux compétitions, par exemple.

● Buvez des boissons riches en glucides avant une compétition, isotoniques pendant l'exercice et hypotoniques afin d'éviter la déshydratation.

N'abusez pas de l'eau Un excès d'eau peut être à l'origine de troubles physiques graves. Si vous buvez plus de 3,5 litres tout en transpirant abondamment, vous risquez de vous retrouver avec un taux de sodium très bas (hyponatrémie). C'est le risque encouru par les participants aux marathons ou triathlons. Il s'ensuit des maux de tête, des nausées, un état de fatigue, de somnolence, de confusion, une faiblesse, des fourmillements ou des crampes musculaires, une attaque d'apoplexie, voire un coma.

Les boissons du sport

Trois types de boissons répondent aux besoins des sportifs.

Les boissons glucidiques Riches en glucides, ces boissons doivent être prises avant l'effort pour reconstituer les réserves en glycogène du foie et des muscles.

Les boissons isotoniques Prises au cours de l'effort, elles apportent des doses supplémentaires de glucose aux muscles.

Les boissons hypotoniques Pauvres en glucides, elles ont pour objectif de remplacer l'eau et les sels minéraux perdus pendant l'effort.

Prévenir la déshydratation Assurez-vous que vous buvez suffisamment pendant l'effort afin de prévenir la déshydratation, surtout lorsqu'il fait chaud.

Un effort intense Au cours d'un effort bref et intense, telle l'haltérophilie, le glucose est brûlé en anaérobie (sans oxygène).

Les sports de non-endurance

Les personnes qui pratiquent des sports tels que le football, le tennis, le rugby ou l'haltérophilie doivent puiser leur énergie à 55-60 % dans les glucides – principalement dans les glucides complexes. Les lipides ne doivent pas constituer plus de 30 % de l'apport énergétique global, tandis que seulement de 10 à 15 % de l'énergie doivent provenir des protéines. Comme dans tout régime alimentaire, c'est l'équilibre qui compte.

GLUCOSE ET GLYCOGÈNE

Lorsque le corps reçoit des glucides, simples ou complexes, par le biais de l'alimentation, il les transforme en glucose que les muscles pourront utiliser comme énergie. Le glucose est également stocké dans les muscles et dans le foie sous forme de glycogène qui est libéré pendant l'effort physique. Les muscles disposent généralement de suffisamment de glycogène pour quatre-vingt-dix à cent vingt minutes d'exercice. Il est donc inutile de manger des glucides pendant l'effort.

Voici quelques conseils sur l'alimentation avant, pendant et après la pratique d'un sport de non-endurance.

Avant l'effort Mangez des aliments riches en glucides, comme une banane, un bagel ou un jus de fruits, vite digérés et transformés en glucose. Il est intéressant pour les performances musculaires de manger entre une heure et quatre heures avant l'effort. Il faut également boire beaucoup d'eau pour garder un bon taux d'hydratation des muscles.

Pendant l'effort La transpiration et l'effort physique font baisser le taux d'hydratation de l'organisme et le rendent moins performant. Il faut boire pendant l'effort – au moins 120 ml toutes les vingt minutes et, si l'exercice dure au-delà de quatre-vingt-dix minutes, buvez une boisson énergétique *(voir p. 147)*.

Après l'effort Si l'exercice a été long et soutenu, il est préférable de reconstituer ses réserves de glycogène en mangeant ou en buvant, après l'effort, des aliments riches en glucides.

Les compléments sont-ils efficaces ?

Les boissons énergétiques *(voir p. 147)*, la caféine ou la créatine *(voir encadré ci-contre)* sont des aides ergogéniques destinées à augmenter les performances des sportifs.

La caféine Présent à l'état naturel dans le thé, le café et le cacao, ce stimulant est souvent ajouté aux boissons énergétiques. Mais il faut l'éviter avant toute compétition, car sa consommation est contrôlée. De plus, elle a un effet diurétique (elle augmente la production d'urine) qui peut provoquer ou aggraver un état de déshydratation.

Les compléments alimentaires Pour prévenir la fatigue, certains sportifs utilisent des sels alcalins qui neutralisent le trop-plein d'acide lactique. Cet acide est le déchet produit par la combustion du glucose sans oxygène. De nombreux athlètes ont également recours à la créatine afin d'augmenter leur masse musculaire *(voir encadré)*.

Les athlètes professionnels doivent être très prudents face aux aides ergogé-niques qui peuvent rendre positifs les tests antidopage. Certaines substances qui ne sont pas illégales peuvent le devenir après leur transformation en d'autres substances dans l'organisme.

Les vitamines et les sels minéraux La plupart des athlètes ont des taux de vitamines inférieurs à ceux qui ne pratiquent pas de sport intensif. Cela dit, les besoins accrus en vitamines et en sels minéraux des sportifs peuvent être largement couverts par une alimentation équilibrée sans qu'il soit nécessaire de recourir à des compléments alimentaires. Il a été démontré, d'ailleurs, que ces derniers n'augmentaient pas les performances sportives. Cela dit, une supplémentation peut être prescrite dans le cas d'une restriction alimentaire visant à maintenir un poids stable, par exemple.

Certaines sportives ont des carences en fer. Pour prévenir l'anémie *(voir p. 271)*, les femmes doivent consommer des aliments riches en fer (viande rouge, légumineuses…).

La créatine

La créatine est un acide aminé présent dans certaines protéines. Des études ont montré son utilité dans les performances d'athlètes ayant à fournir des efforts intenses sur une courte durée (haltéro-philes, sprinters).

La créatine fournit de l'énergie dans la phase initiale de la contraction musculaire. Elle augmente la masse et la résistance musculaires, nécessaires dans ce genre de sports. La créatine entraîne une rétention d'eau dans les muscles, qui deviennent plus développés et plus performants.

On trouve la créatine à l'état naturel dans le corps – elle est fabriquée par le foie –, mais aussi dans des aliments tels que le poisson et la viande rouge. On la trouve sur le marché sous forme de complément alimentaire, d'une grande biodisponibilité.

Les sports d'endurance

Les glucides sont les nutriments essentiels pour les athlètes pratiquant des sports d'endurance : course à pied, cyclisme, natation ou ski de fond.

AVANT L'ÉPREUVE

Une pratique très répandue chez les athlètes pratiquant des activités d'endurance consiste à priver l'organisme de glucides pendant les semaines précédant une compétition, par exemple. Ainsi leur corps devient très sensible et se met à stocker du glycogène dès qu'ils se remettent à consommer de grandes quantités de glucides dans les jours qui précèdent l'épreuve. Vous trouverez ci-dessous une recette de cuisine riche en glucides, idéale pour les sportifs pratiquant une activité d'endurance.

LE JOUR DE L'ÉPREUVE

Il est préférable de se contenter d'un petit déjeuner léger : des céréales ou une tartine et un jus de fruit. Buvez régulièrement de petites quantités d'eau afin d'être bien hydraté au début de l'épreuve. Étant donné que les activités d'endurance épuisent les réserves de glucides, il est important de les reconstituer le plus vite possible. Les boissons énergétiques *(voir p. 147)* aident à maintenir ou à reconstituer les réserves d'énergie, d'eau et de nutriments, notamment des sels qui sont perdus dans la sueur pendant l'épreuve. On peut perdre jusqu'à 5 litres de sueur pendant un marathon, qu'il faut remplacer dès que possible.

LES SUBSTANCES À ÉVITER

Les athlètes pratiquant des activités d'endurance doivent éviter le café, le thé et l'alcool qui provoquent la déshydratation. Certains sportifs, cependant, prennent de la caféine avant les épreuves.

Un marathon Il faut toujours avoir de bonnes réserves d'eau et de glucides avant une épreuve d'endurance.

Recette Un plat riche en glucides

INGRÉDIENTS
1 gros oignon
4 gousses d'ail
2 cuil. à s. d'huile d'olive
1 aubergine
1 cuil. à s. de sauce de soja
400 g de tomates en conserve
225 g de tomates allongées fraîches
Du thym frais
400 g de fusilli

Pour 6 personnes

1 Hachez finement l'oignon et écrasez les gousses d'ail. Faites chauffer un peu d'huile d'olive dans une poêle et faites revenir l'ail et l'oignon.

2 Coupez l'aubergine en cubes de 1 cm de côté. Faites-les revenir avec l'oignon et l'ail. Si la préparation se dessèche, ajoutez un peu d'eau.

3 Ajoutez la sauce de soja et mélangez en poursuivant la cuisson pendant 1 à 2 minutes.

4 Ajoutez les tomates avec leur jus. Remuez, puis couvrez et laissez mijoter 20 minutes.

5 Pelez et épépinez les tomates fraîches. Ajoutez-les à la préparation avec le thym frais haché. Remuez pendant 2 minutes supplémentaires.

6 Faites cuire les pâtes *al dente*. Égouttez-les.

7 Ajoutez du poivre moulu à la sauce juste avant d'en napper les pâtes. Vous pouvez également parsemer le plat de persil frais haché.

Valeur nutritionnelle (par portion)

Calories 294, lipides 5,2 g (sat. 0,8 g, poly. 1 g, mono. 2,8 g), cholestérol 0 mg, protéines 9 g, glucides 56 g, fibres 4 g, sodium 117 mg; bonne source de vitamines A, B9, C et de Ca, K, Mg, P.

L'alimentation après cinquante ans

Une bonne hygiène de vie permet de défier le vieillissement.

En vieillissant, les gens ont tendance à manger moins et risquent de ne pas absorber suffisamment de calories et de nutriments. De plus, la digestion de certains aliments devient plus difficile. Les personnes âgées ont souvent des taux de calcium, de vitamine B9 ou B12 bien inférieurs aux apports journaliers recommandés.

Après cinquante ans, il est vital d'avoir une alimentation riche en nutriments essentiels et de rester actif physiquement.

Les besoins changent

Le corps change avec les années, et il est important d'adapter son alimentation en conséquence. La masse musculaire diminue au profit de la masse grasse, tandis que le volume de l'eau contenue dans l'organisme chute de 20 %. Le métabolisme *(voir p. 26)* diminuant comme la masse musculaire, il convient de réduire d'autant l'apport calorique.

La bonne nouvelle est que l'exercice physique peut ralentir ce processus en préservant la masse musculaire. Mais ce n'est pas le seul avantage de l'activité

Une activité physique douce La marche et le golf sont d'excellentes activités qui améliorent souplesse et résistance musculaires et osseuses.

Les compléments alimentaires

Si vous avez plus de cinquante ans, veillez à avoir un bon apport en vitamines B6, B9, B12 et D et en calcium. L'idéal est que ces nutriments soient fournis à l'organisme par une alimentation saine et équilibrée, mais il se peut que vous ayez besoin d'une supplémentation en vitamines ou sels minéraux.

Demandez conseil à votre médecin, car certains sels minéraux ou vitamines peuvent être nocifs à hautes doses et empêcher l'absorption d'autres nutriments. Pour la plupart des adultes, un complément multivitaminé classique se révèle, en général, largement suffisant.

La vitamine B6 Les personnes âgées souffrant de dépression ou les femmes qui se soumettent à un traitement hormonal de substitution ont souvent une carence en vitamines B6, de même que les femmes ménopausées atteintes d'ostéoporose *(voir p. 241)*.

La vitamine B9 Une supplémentation en vitamine B9 doit s'accompagner d'une supplémentation en vitamine B12 : un excès d'acide folique peut masquer une carence en vitamine B12, cause d'anémie et de fragilité nerveuse.

La vitamine B12 La consommation d'aliments d'origine animale suffit en général à couvrir les besoins en vitamine B12, mais de 10 à 15 % des personnes âgées de plus de soixante ans perdent la capacité d'assimiler correctement cette vitamine, à cause de la diminution de la production d'acide et de pepsine dans l'estomac (nécessaires à la digestion des protéines). Les médecins recommandent aux personnes de plus de cinquante ans de prendre des compléments de vitamine B12 synthétique, par ailleurs plus facile à assimiler par l'organisme.

La vitamine D Indispensable à l'assimilation du calcium et à la santé des os, vitale avec l'âge, la vitamine D doit être consommée à raison de 10 µg par jour à partir de soixante-cinq ans (il n'y a pas d'apport journalier recommandé avant cet âge). Une supplémentation en vitamine D s'impose si vous ne vous exposez pas aux rayons du soleil ou si vous consommez très peu de produits laitiers *(voir p. 269)*, ce qui vous rend, en effet, plus vulnérable face aux maladies des os comme l'ostéomalacie *(voir p. 241)* ou l'ostéoporose.

Le calcium Les hommes, comme les femmes, peuvent être sujets à l'ostéoporose. 700 mg est la quantité journalière de calcium recommandée pour éviter que les os ne se déminéralisent, devenant ainsi plus fragiles et plus vulnérables aux fractures. Si vous pensez que votre alimentation ne vous apporte pas une quantité suffisante de calcium, votre médecin ou un diététicien vous conseillera sur l'opportunité d'une supplémentation *(voir p. 267)*.

physique : elle permet de rester souple, de se sentir bien dans sa peau et a un effet très bénéfique sur la densité osseuse *(voir p. 153)*.

Le système digestif

La digestion et l'absorption de la nourriture sont des fonctions qui se maintiennent plutôt bien, en général, avec l'âge. Cela dit, des changements peuvent intervenir au niveau digestif, puisque, par exemple, la production des glandes salivaires diminue, ce qui peut avoir une incidence sur la digestion des aliments dans le tube digestif. Diminue également la sécrétion d'acides et de pepsine dans l'estomac, indispensables à l'absorption des vitamines B9, B12 et du calcium. Les muscles de l'intestin tendent à devenir moins efficaces, ce qui peut provoquer la constipation.

En vieillissant, la peau produit également moins de vitamine D, dont on connaît le rôle dans la synthèse du calcium. Or, le calcium est crucial à cette période, au cours de laquelle les risques d'ostéoporose sont accrus, en particulier pour les femmes ménopausées *(voir p. 144-145)*. C'est pourquoi l'alimentation doit être riche en nutriments afin de couvrir les besoins qui se modifient après cinquante ans.

Les problèmes de santé

Des troubles chroniques peuvent apparaître ou s'accentuer après cinquante ans : l'arthrite, le diabète, les maladies cardio-vasculaires et l'ostéoporose. Les risques de maladies graves comme les cancers, les attaques cérébrales et les infarctus augmentent également. On peut cependant minimiser ces risques par une alimentation appropriée *(voir* Se nourrir pour guérir, *p. 210-271)*.

La prise de médicaments peut affecter l'absorption, au niveau de l'estomac ou de l'intestin, de certains nutriments comme des vitamines ou des sels minéraux (voir p. 153). Elle peut également avoir une incidence sur l'appétit.

L'alcool

Des études récentes ont mis en évidence les bienfaits d'une consommation modérée d'alcool sur la santé (jusqu'à trois ou quatre unités d'alcool par jour pour un homme, deux ou trois pour une femme). Parmi ces bienfaits, on trouve l'amélioration de l'humeur, la socialisation, le maintien des facultés mentales, l'augmentation de la densité osseuse et l'amélioration des fonctions cardio-vasculaires. Un petit verre de xérès peut aiguiser l'appétit. Mais un excès d'alcool peut cacher un sentiment de solitude ou une dépression.

Or, l'excès d'alcool entraîne l'élimination des vitamines hydrosolubles de l'organisme et ralentit l'assimilation des autres vitamines et sels minéraux. Si vous buvez de l'alcool, veillez à ce qu'il ne remplace pas des repas plus nutritifs. Et attention aux excès : les verres servis chez soi sont souvent plus grands que les doses préconisées.

Alimentation et constipation

Le ralentissement du péristaltisme est l'une des conséquences les plus courantes de l'âge : les muscles intestinaux se contractent plus lentement, provoquant la constipation, c'est-à-dire l'évacuation rare et difficile de selles irrégulières et dures. Une alimentation riche en fibres et en eau aide à lutter contre la constipation : consommez des céréales complètes, des légumineuses, des fruits et des légumes tous les jours. Cela peut parfois être le moyen de retrouver un fonctionnement intestinal normal et régulier. Essayez, par ailleurs, d'aller à la selle tous les jours à la même heure. Si les déchets ne sont pas évacués régulièrement, ils stagnent et se dessèchent dans l'intestin, et leur évacuation n'en sera que plus difficile.

BUVEZ BEAUCOUP D'EAU

Essayez de boire au moins de six à huit verres d'eau par jour, même si vous n'avez pas soif. La sensation de soif diminue avec l'âge, ce qui ne signifie pas que votre corps n'a pas besoin d'eau. Ayez toujours une bouteille d'eau à portée de main et buvez régulièrement. Un corps bien hydraté élimine mieux ses déchets et est moins sujet à la constipation.

PRENEZ DES LAXATIFS NATURELS

Si l'eau et les fibres ne suffisent pas, vous pouvez recourir à un laxatif doux, qui permettra à vos selles de rester molles et régulières et d'être ainsi éliminées plus facilement.

Buvez quelques verres d'eau en même temps que votre laxatif (que vous choisirez sans sucre si vous êtes diabétique). Évitez les laxatifs à base d'huile de paraffine, qui empêche l'assimilation des vitamines liposolubles. L'utilisation prolongée de laxatifs est déconseillée, car l'intestin finirait par ne plus pouvoir s'en passer.

Des fibres contre la constipation Un bol de céréales complètes et un fruit chaque jour au petit déjeuner fournissent les fibres nécessaires à un bon transit intestinal.

Lutter contre le vieillissement

Certains aliments sont riches en anti-oxydants. Ces substances ont pour effet de neutraliser les radicaux libres dont la prolifération accentue le vieillissement des cellules.

Les principaux antioxydants sont les vitamines A *(voir p. 52)*, C *(voir p. 56)*, E *(voir p. 58)*, le bêta-carotène (un précurseur de la vita-mine A) ainsi que le sélénium *(voir p. 67)*, le zinc *(voir p. 67)* et certains phytonutriments, tel le lycopène. Suivez nos conseils afin de tirer le meilleur parti des antioxydants :
• Mangez beaucoup de fruits et de légumes.
• Étant donné que la vitamine E est l'antioxydant le plus puissant, ne vous privez pas d'huiles d'olive et de colza.
• Essayez d'alléger la tâche des anti-oxydants en prévenant la formation des radicaux libres. Ne fumez pas, évitez les stations prolongées au soleil, le stress et toutes les formes de pollution.

UNE ALIMENTATION ANTIOXYDANTE

Vous trouverez ci-dessous quelques sug-gestions de repas et d'en-cas particulière-ment riches en antioxydants :
• Des cubes de melon (à chair orange)
• Un *milk-shake* maison à la fraise *(voir p. 81)*
• Un bagel à la purée d'avocat
• Du saumon grillé sur un lit de salade verte, poivron, tomate et mangue, par-semé de graines de lin
• Un mélange de brocoli, petits pois et chou-fleur, froid ou chaud
• Des bâtonnets de carotte ou quelques amandes
• Des épinards revenus dans de l'huile d'olive avec de l'ail, un filet de jus de citron et des copeaux de parmesan
• Une salade composée : tomates, céleri, maïs doux et brocoli
• Une pomme de terre en robe des champs avec une sauce au yaourt
• Des amandes effilées sur des légumes verts
• Des tranches d'orange pour le dessert
• Des baies fraîches dans du muesli
• Des gressins dans de la sauce tomate

Les taches brunes

Lorsque les radicaux libres, ces éléments chimiques qui s'atta-quent aux cellules *(voir p. 58)*, se développent dans l'organisme, ils libèrent une substance appelée lipofuscine. C'est cette substance qui se dépose le plus souvent sur la peau du visage et des mains pour former des taches brunes, que l'on appelle également taches de vieillissement. Plus les radicaux libres ont été actifs dans votre organisme, plus le nombre et l'étendue de ces taches sont élevés.

Avoir une alimentation riche en antioxydants *(voir ci-contre)* et en particulier en vitamines A, C, E et en sélénium peut aider à prévenir la formation de ces taches, en détériorant la lipofuscine avant qu'elle ne se dépose sur la peau. Les cosmétiques contenant de la vitamine C peuvent être efficaces.

Recette Poisson en sauce colorée

INGRÉDIENTS
2 citrons
4 filets de cabillaud
1 poivron rouge ou jaune
1 branche de céleri
4 tomates
1 oignon
2 piments
Du persil plat
1 gousse d'ail

Pour 4 personnes

1 Grattez le zeste de l'un des citrons dans une assiette creuse. Ajoutez le jus des deux citrons et du poivre moulu.

2 Faites mariner les filets de cabillaud dans cette prépara-tion pendant 30 minutes au réfrigérateur en les retournant.

3 Épluchez et épépinez le poi-vron. Hachez-le finement avec le céleri, les tomates, l'oignon, les piments et un peu de persil. Écrasez l'ail et ajoutez-le dans la sauce.

4 Préchauffez le four à 220 °C (th. 7). Huilez un plat à four avec de l'huile d'olive, déposez les filets de cabillaud et recou-vrez-les de quelques cuillerées de sauce colorée. Versez la marinade et ajoutez au besoin un peu d'huile d'olive.

5 Faites cuire le poisson pen-dant une vingtaine de minutes.

6 À la sortie du four, parsemez le poisson de persil haché. Servez avec une salade ou des légumes verts. Et faites le plein d'antioxydants !

Valeur nutritionnelle (par portion)
Calories 159, lipides 1,5 g (sat. 0,3 g, poly. 0,8 g, mono. 0,3 g), cholestérol 64 mg, protéines 29 g, glucides 7,5 g, fibres 2 g, sodium 69 mg ; bonne source de vitamines A, B9, C, K et de Ca, Mg, P.

L'importance de l'activité physique

La pratique d'une activité physique régulière ralentit le processus de vieillissement. Non seulement elle vous apporte énergie et détente, mais c'est également un bon moyen de rester socialisé, de conserver un sentiment d'estime de soi et d'indépendance. L'activité physique réduit également les troubles qui s'accentuent avec l'âge : le diabète, les troubles cardio-vasculaires et l'ostéoporose.

Le fait de bouger et de se dépenser physiquement aide à conserver sa force, sa souplesse, son équilibre, ainsi qu'une bonne densité osseuse et un sentiment général de bien-être. Les sports comme le tennis, le jogging et la marche soutenue renforcent la solidité et la densité des os. De même qu'un apport suffisant en calcium et en vita-mine D, laquelle est synthétisée par la peau sous l'effet des rayons du soleil.

Il est facile d'augmenter votre activité physique. Voici quelques suggestions :
● Restez actif et marchez beaucoup.
● Pratiquez le yoga ou des étirements.
● Musclez-vous en vous accroupissant et en levant les bras et les jambes.
● Augmentez votre résistance musculaire en soulevant des poids.
● Augmentez votre résistance cardiaque et pulmonaire en nageant ou en jardi-nant. Ne forcez jamais pour ne pas vous blesser.

À l'extérieur Les exercices pratiqués à l'extérieur sont bons pour la santé et pour le bien-être. L'exposition au soleil permet, en outre, à votre corps de synthétiser la vitamine D.

Les interactions médicamenteuses

Nombreuses sont les personnes de plus de cinquante ans qui souffrent d'affections chroniques comme l'arthrose ou l'hypertension et qui suivent un traitement médical pour en soulager les symptômes. Or, certains médicaments interfèrent avec la digestion, soit en bloquant, soit en accélérant l'absorption de certains nutriments. À l'inverse, certains aliments ont une incidence sur l'efficacité des médicaments. De plus, les traitements médicaux peuvent affecter l'appétit. Si vous suivez un traitement, demandez conseil à votre médecin ou à votre pharmacien sur l'interaction de vos médicaments et de votre alimentation. Vous trouverez, dans le tableau ci-dessous, quelques exemples d'interactions connues.

MÉDICAMENTS	INTERACTION AVEC	EFFETS	CE QU'IL FAUT FAIRE
Analgésiques	● L'alcool	● Endommage le foie	● Éviter l'alcool
Antibiotiques	● Le calcium et la vita-mine B8 ● La vitamine K	● Diminue l'absorption du médicament ● Inhibe la production de la vitamine K dans l'intestin	● Prendre les médicaments l'estomac vide ● Prendre un complément multivitaminé
Anticoagulants	● Les aliments riches en vitamine K ● Les compléments de vitamine E	● Diminue l'effet des médicaments ● Augmente l'effet des médicaments	● Limiter les aliments riches en vitamine K ● Éviter les compléments en vitamine E
Diurétiques et hypotenseurs	● Le potassium et le magnésium	● Certains augmentent les pertes de potassium et de magnésium	● Consommer des aliments riches en potassium et en magnésium
Anti-inflamma-toires	● L'alcool	● Peut aggraver les saignements dans l'estomac	● Éviter l'alcool
Hypolipémiants	● Tous les aliments	● Accélère l'absorption des médicaments	● Prendre les médicaments au cours d'un repas
Stéroïdes	● Le sucre ● Le sel	● Les médicaments augmentent le taux de sucre dans le sang ● Peut entraîner une rétention d'eau	● Réduire sa consommation de sucre ● Réduire sa consommation de sel

Le bien-être à soixante-dix ans

Il est crucial de bien s'alimenter avec l'âge.

Les personnes âgées constituent une part grandissante de la population des pays industrialisés. Leurs besoins nutritionnels ne sont, en général, pas très différents de ceux des adultes de cinquante à soixante-dix ans (voir p. 150-153), mais les carences sont plus fréquentes, en particulier chez les personnes de constitution fragile, qui ont un petit appétit ou qui sont dépendantes des autres dans leur vie quotidienne.

Les sens se modifient

Les papilles gustatives se détériorent avec l'âge, de même que la vue et l'odorat. C'est pourquoi certaines personnes âgées ont tendance à préférer des aliments très sucrés ou très salés. Or, ni les uns ni les autres ne sont bons pour la santé. Les aliments sucrés constituent un apport de calories vides, sans valeur nutritionnelle intéressante, tandis que les produits salés font augmenter la tension artérielle.

Les problèmes de santé

La plupart des personnes âgées souffrent de troubles chroniques comme le diabète, l'arthrose ou une maladie cardio-vasculaire. Certains souffrent par ailleurs de démence, c'est-à-dire d'un affaiblissement des capacités mentales dû à des lésions du cerveau. Tous ces troubles vont de pair avec un régime alimentaire adapté, le plus souvent à teneur réduite en sodium ou en lipides. Consultez le chapitre *Se nourrir pour guérir* si vous êtes malade (voir p. 210-271).

La diminution des capacités physiques peut avoir des répercussions graves sur les habitudes alimentaires. Une personne qui marche avec difficulté perd vite l'habitude de se préparer à manger. Souvent, la solitude, le chagrin ou la dépression font perdre l'appétit.

La mastication

Les personnes âgées sont très touchées par les problèmes dentaires. Les affections de la bouche, des dents et des gencives rendent l'alimentation plus compliquée et parfois douloureuse. Mieux vaut faire des bilans réguliers pour prévenir l'apparition de ce genre de troubles.

Continuer à manger sainement La digestion et l'absorption de certains nutriments se font plus difficiles avec l'âge. Il faut continuer à manger des aliments équilibrés et nutritifs, comme cette salade fraîche et colorée.

Rester actif

Il est important, pour sa santé et son bien-être, de rester le plus actif possible le plus tard possible. Des activités physiques douces comme la marche, la natation et des exercices visant au maintien du cou et des épaules sont excellents. Il suffit parfois de faire le tour du pâté de maisons ou du jardin.

Si vous éprouvez des difficultés à vous mouvoir, pensez à vous équiper d'une canne ou d'un déambulatoire.

Des repas savoureux

Pour les personnes du troisième âge, le problème majeur est de maintenir un poids et une masse musculaire stables et sains. Il est plus que jamais important de prendre le temps de manger et de mâcher et de préparer des repas et des en-cas nutritifs et appétissants. Mangez des soupes, des œufs brouillés, des salades de fruits accompagnés de yaourt,

comme sur les photos présentées ci-dessous. Les plats préparés surgelés sont une bonne alternative aux produits frais dans la mesure où ils sont faciles et pratiques à préparer, à réchauffer au micro-ondes et nécessitent peu d'entretien, ce qui est un argument de poids pour les personnes qui ont des difficultés à se déplacer ou à rester debout.

Une soupe aux haricots Faite maison ou déjà prête, la soupe épaisse est source de protéines, de vitamines, de sels minéraux et de fibres.

Des œufs brouillés Ils constituent un en-cas rapide et facile à préparer, que l'on peut agrémenter à volonté d'herbes ou de fromage.

Des fruits et du yaourt Une salade ou une compote de fruits et un yaourt constituent un dessert riche en fibres et en calcium.

Exemple Une vie sédentaire et une fracture du col du fémur

Son nom Ben

Son âge 85 ans

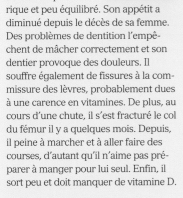

Son problème Le régime alimentaire de Ben est peu calorique et peu équilibré. Son appétit a diminué depuis le décès de sa femme. Des problèmes de dentition l'empêchent de mâcher correctement et son dentier provoque des douleurs. Il souffre également de fissures à la commissure des lèvres, probablement dues à une carence en vitamines. De plus, au cours d'une chute, il s'est fracturé le col du fémur il y a quelques mois. Depuis, il peine à marcher et à aller faire les courses, d'autant qu'il n'aime pas préparer à manger pour lui seul. Enfin, il sort peu et doit manquer de vitamine D.

Son mode de vie Ben vit seul. Sa femme est décédée il y a trois mois. Il voit peu ses enfants qui ne vivent pas

au même endroit que lui. Il ne boit pas d'alcool et ne fume pas. Pour le petit déjeuner, il mange quelques biscuits, une tranche de pain de mie avec de la confiture et un café. Hier midi, son repas a consisté en une soupe au poulet et au riz, quelques crackers et deux biscuits. Pour le dîner, il a mangé un sandwich à la confiture et encore quelques biscuits. Il ne mange pas entre les repas. Un complément de fer lui a été prescrit et il prend aussi des laxatifs contre la constipation.

Nos conseils La famille de Ben devrait intervenir afin de l'aider à améliorer son état de santé, de lui faire suivre des séances de kinésithérapie pour qu'il recouvre sa mobilité et de surveiller son alimentation.

Ben a besoin de davantage de calories, de protéines, de fibres, de vitamines et de calcium. Il est utile qu'il continue à prendre des compléments en fer.

Ben pourrait, par exemple, prendre des flocons d'avoine et du jus d'orange au petit déjeuner, afin de recevoir davantage d'énergie, de vitamine C et B9 et de calcium. Il peut se faire livrer des repas par les services sociaux, en alternance avec des repas simples préparés à la maison. Ajouter un gâteau de riz ou une crème à la fin de son repas augmenterait l'apport calorique. Consommer, de temps en temps, des boissons énergétiques caloriques ou hyperprotéinées serait un bon moyen d'augmenter l'apport en calories, protéines, vitamines et sels minéraux.

Il faudrait que Ben résolve ses problèmes de dentition. Son médecin pourrait lui prescrire un complément multivitaminé. D'un point de vue matériel, il lui faudrait trouver, par le biais d'une association ou des services sociaux, un moyen de faire ses courses plus régulièrement ou de se faire livrer.

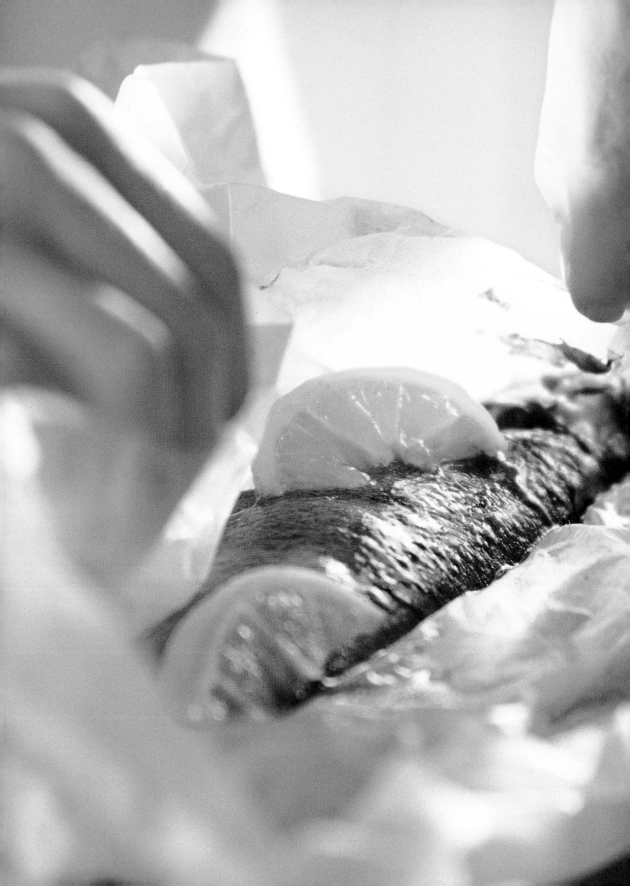

La vérité sur les régimes

Être à son poids de forme – et s'y maintenir – est non seulement un moyen de se sentir séduisant et bien dans sa peau, mais également une façon de tenir à distance des maladies pourtant fréquentes, telles que l'hyper-cholestérolémie, le diabète, le cancer, l'hypertension et les nombreuses affec-tions cardio-vasculaires.

L'importance de surveiller son poids

Surveiller son poids signifie maintenir le corps à son poids de forme.

À en juger par les publicités pour les équipements en tout genre et les régimes visant à faire maigrir les consommateurs, perdre du poids est avant tout une affaire d'esthétique. Certes, être à son poids de forme aide à se sentir bien dans son corps, mais surtout à rester en bonne santé. Le surpoids est, en effet, un facteur aggravant dans bien des maladies (*voir p. 159*).

Bouger tous les jours La pratique régulière d'une activité physique est la clé d'un poids stable et sain. Marcher est une activité facile à pratiquer en famille.

La lutte contre le surpoids et l'obésité est devenue un problème de santé publique dans bien des pays industrialisés où le nombre de personnes en surpoids et souffrant d'obésité ne cesse d'augmenter. Jamais il n'a été plus important d'apprendre à surveiller son poids et à le maintenir à un niveau stable et sain.

Modifier l'équilibre

Pour maintenir votre poids de forme, c'est-à-dire le juste poids par rapport à votre taille et à votre ossature, il vaut mieux adopter une stratégie à long terme. Les régimes alimentaires promettent souvent des résultats rapides, mais ils ne peuvent s'inscrire dans la durée. Tout au plus peuvent-ils servir de déclencheur pour perdre du poids. En fait, le corps régule lui-même son poids. Si vous vous mettez à consommer beaucoup de calories, votre corps les utilisera pour produire de la chaleur. Si, au contraire, vous brûlez plus de calories que vous n'en consom-mez, votre corps deviendra plus efficace pour convertir ces calories en énergie afin d'empêcher une perte de poids à court terme. En d'autres termes, si vous voulez prendre ou perdre du poids, il faut vous engager sur une longue période pour modifier cet équilibre physiologique.

Un engagement à terme

Vous voulez surveiller votre poids mais hésitez sur la démarche à suivre. Dans ce chapitre, nous exposons les régimes les plus courants, avec leurs particularités, leurs points forts et leurs faiblesses afin de vous aider à trouver votre propre stratégie en la matière.

Obésité et santé

Plus votre surpoids est important, plus les risques pour votre santé sont grands.

● Devoir supporter un poids trop important oblige l'organisme – en particulier le cœur et les articulations – à fournir des efforts démesurés et augmente sensiblement les risques de développer des maladies graves, telles que l'hypertension, les affections cardio-vasculaires et respiratoires, l'arthrose, les calculs biliaires et certains cancers.

● L'obésité augmente les risques de complication au cours des interventions chirurgicales et rend leur déroulement plus aléatoire.

●˙Comme il est plus difficile de pratiquer du sport lorsqu'on est en surpoids, il se crée un cercle vicieux. Réduire son poids de 10 % augmente ses chances de pratiquer une activité physique et améliore sensiblement l'état de santé.

Les bénéfices pour la santé

Surveiller et maintenir son poids est un facteur de bonne santé. Plus le surpoids est important, plus les risques de développer des maladies sont grandes *(voir encadré p. 158)* et plus l'espérance de vie se raccourcit. Inversement, perdre du poids induit des bénéfices nombreux pour la santé, comme l'illustrent les quelques exemples décrits ci-dessous.

● Il est prouvé qu'une perte de 10 % du poids permet de faire baisser la tension artérielle et les risques de maladies cardio-vasculaires qui y sont associées *(voir p. 214-215)*.

● La perte de poids diminue les taux de cholestérol et de triglycérides dans le sang liés à des risques accrus de maladies cardio-vasculaires *(voir p. 214-215)*.

● Une personne en surpoids a deux fois plus de risques de développer un diabète de type 2 qu'une personne ayant un poids sain. Perdre du poids réduit le taux de glucose et les risques de diabète *(voir p. 246-247)*.

● Non seulement perdre du poids réduit les risques d'arthrose *(voir p. 245)*, mais diminue également la pression sur les articulations des hanches, des genoux et sur la colonne vertébrale, déjà touchées en cas d'arthrose.

● On vous demandera certainement de perdre du poids si vous devez vous faire opérer des articulations de la hanche ou du genou, en cas d'arthrose, afin d'améliorer les chances de réussite de l'intervention.

● Le surpoids et l'obésité augmentent les risques de développer certains cancers, tels le cancer de l'utérus, du col de l'utérus, de l'ovaire, du sein, de la vésicule biliaire et du côlon chez les femmes et le cancer du côlon, du rectum et de la prostate chez les hommes. Perdre du poids diminue ces risques *(voir p. 258-259)*.

● L'apnée du sommeil est un phénomène étroitement lié au surpoids et qui se résorbe sensiblement en cas de perte de poids *(voir p. 225)*.

● Surveiller son poids augmente, en outre, l'estime de soi, le sentiment de bien-être et améliore l'apparence et la forme physiques.

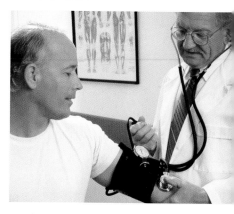

Le poids et la tension En cas de surpoids, même une faible perte de poids diminue la tension artérielle et les risques de troubles cardio-vasculaires qui lui sont associés.

Questionnaire Surveillez-vous votre poids ?

Cochez les lettres correspondant à vos réponses et comptez vos points.

1 Finissez-vous, en général, votre assiette ?
a Non, je ne m'efforce pas de finir mon assiette.
b Oui ; j'arrête alors de manger.
c Oui et je me ressers.

2 Commandez-vous toujours trois plats au restaurant ?
a Rarement.
b Parfois, mais pas souvent.
c Toujours.

3 Pratiquez-vous une activité physique trois fois par semaine ?
a Oui, parfois davantage.
b Non, mais je suis plutôt actif.
c Non, pas d'activité physique.

4 Mangez-vous des fruits et des légumes tous les jours ?
a Oui, au moins cinq par jour.

b Oui, quelques portions par jour.
c Non, quelques-unes par semaine.

5 Consommez-vous des laitages ?
a Oui, toujours écrémés.
b Oui, quelques portions par jour.
c Non, quelques portions par semaine.

6 Vos repas sont-ils riches en matières grasses ?
a Non, je choisis des aliments maigres.
b Non, mais il m'arrive de craquer.
c Oui, je mange des aliments gras.

7 Regardez-vous la télévision ?
a Moins d'une heure par jour.
b Deux à trois heures par jour.
c Plus de quatre heures par jour.

8 Limitez-vous votre consommation de desserts et de sucreries ?
a Oui, je préfère manger des fruits.
b Oui, mais je me laisse parfois tenter.
c Non, je mange des desserts presque tous les jours.

9 Quelles boissons consommez-vous ?
a De l'eau et du cola light.
b De l'eau et des boissons sucrées.
c Des sodas et des boissons sucrées.

Résultats a1 b2 c3

Entre 9 et 13 points Vous faites des efforts pour surveiller votre poids. Continuez !

Entre 14 et 20 points Vous faites des efforts et ils seront récompensés. Essayez d'améliorer encore les domaines dans lesquels vous avez eu un score élevé.

Entre 21 et 27 points Vous faites des choix qui contribuent à vous faire prendre du poids. En changeant quelques éléments de votre hygiène de vie, vous pourrez obtenir des résultats très bénéfiques pour votre santé.

Comment surveiller son poids ?

Maintenir son poids de forme consiste à préserver l'équilibre entre l'énergie que l'on absorbe à travers l'alimentation et l'énergie que l'on dépense dans sa vie quotidienne. L'équation est simple en théorie, mais les choses se compliquent dans la pratique, étant donné que l'on prend des habitudes comportementales dans tous les domaines, qu'il n'est pas facile de changer le cas échéant. Cela dit, si vous éprouvez des difficultés à contrôler votre poids, c'est qu'il y a certainement des éléments à modifier dans vos habitudes. Voici quelques suggestions pour vous y aider.

DÉPENSEZ CE QUE VOUS MANGEZ
Le maintien du poids de forme repose sur l'équilibre entre les calories consommées et les calories dépensées au cours de vos diverses activités journalières *(voir p. 34)*. Nombreux sont ceux qui mangent plus qu'ils ne dépensent et qui stockent l'excès de calories sous forme de graisse. Le maintien du poids passe par la pratique régulière d'une activité physique.

LE PLEIN DE FRUITS ET LÉGUMES
Si vous voulez maintenir ou diminuer votre poids, il faut évidemment contrôler le nombre de calories que vous consommez. Le mieux est de choisir des aliments peu caloriques mais très riches en vitamines et en sels minéraux et d'éviter les

calories vides *(voir p. 99)*. Deux portions de légumes par repas rassasient et diminuent l'envie de se jeter sur des aliments moins intéressants sur le plan nutritionnel. De même, avaler une pomme une heure avant de passer à table permet de manger moins au cours du repas.

ÉVITEZ LES MATIÈRES GRASSES
Les lipides contiennent deux fois plus de calories, pour le même poids, que les glucides et les protéines. Si vous souhaitez maigrir tout en continuant à manger, le mieux est de consommer moins d'aliments gras. Toutes les huiles, même les plus saines, contiennent 99 calories par cuillerée. Évitez donc les fritures au profit des aliments à teneur réduite en matières grasses.

ATTENTION AUX EN-CAS CALORIQUES
Certaines personnes ont tendance à manger sainement au cours des repas, mais à grignoter entre les repas. Si vous avez faim entre deux repas, accordez-vous des en-cas sains, tels que des fruits et des légumes. Essayez toujours d'identifier la cause de votre envie de manger. L'ennui, par exemple, peut vous pousser à manger, mais peut également être combattu plus sainement en téléphonant à un ami ou en allant marcher.

Manger sainement
Pour avoir un poids sain, il faut manger des légumes, des fruits et des protéines non grasses. La salade composée de cette personne serait plus saine sans charcuterie et accompagnée de pain complet.

Le poids et l'activité physique

Pour maintenir son poids de forme, il faut bouger. S'il est pratiqué régulièrement (au moins trois fois par semaine), l'exercice physique facilite la perte de poids et, surtout, le maintien d'un poids stable. En augmentant la masse musculaire, il permet d'augmenter le métabolisme de base et de dépenser, à terme, davantage de calories, même lorsque le corps est au repos.

Pour prendre de bonnes habitudes, choisissez une activité physique qui vous plaît et pratiquez-la progressivement. L'exercice le plus efficace est celui qui procure aussi du plaisir.

La pratique d'une activité physique permet également de combattre la fatigue. Lorsqu'on se dépense régulièrement, on dort mieux, les petits maux et les douleurs s'atténuent, l'apparence physique s'améliore et la fatigue disparaît, comme par enchantement.

Tous les aliments dont le premier ingrédient figurant sur l'étiquette *(voir p. 277)* est le sucre a des chances d'être calorique mais peu intéressant sur le plan nutritionnel. Même les personnes très portées sur les aliments sucrés peuvent réduire leur apport en sucre. Il suffit parfois de se passer de dessert, à plusieurs reprises, pour rééduquer progressivement son palais.

REPOSEZ-VOUS
La fatigue pousse parfois les gens à consommer des aliments qui leur donnent l'impression de recharger les batteries. Manger équilibré et vitaminé est le meilleur moyen de rester en forme.

FAITES-VOUS AIDER
Si vous voulez maigrir efficacement, il peut être très utile de vous adresser à un nutritionniste qui vous aiguillera ou de vous joindre à un groupe de personnes ayant le même but. Le soutien et l'entraide constituent souvent un bon moyen d'atteindre ses objectifs à terme.

Le contrôle du poids et l'âge

On a souvent tendance à prendre du poids en vieillissant, car l'organisme digère moins facilement les aliments. On estime que nous prenons, en moyenne, 4,5 kg par décennie entre vingt et soixante ans. On a longtemps considéré cette prise de poids comme un état de fait, mais on sait maintenant qu'elle n'est pas une fatalité et qu'elle peut être évitée, comme peuvent être évités les problèmes de santé qui lui sont associés.

Les principales raisons de cette prise de poids sont la diminution de l'activité physique et la suralimentation. Il faut absolument prendre conscience, lorsqu'on avance en âge, que les besoins en énergie sont bien inférieurs à ceux des décennies précédentes. La première chose à faire est d'adapter son alimentation en conséquence.

BOUGEZ!

Quelle que soit votre forme physique, il est très important d'avoir une vie le plus active possible. Certaines circons-tances – une maladie, un accident – ou des affections telles que l'arthrose *(voir p. 240-241)* rendent plus difficile la pratique du sport auquel vous vous adonniez étant plus jeune. N'hésitez pas à demander conseil à votre médecin et à mettre en place avec lui un programme d'exercice physique compatible avec votre état de santé et vos obligations quotidiennes.

Il n'est jamais trop tard pour commencer une activité, d'autant que les bienfaits sur la forme physique, la souplesse et l'énergie se font rapidement sentir dès que l'exercice devient régulier. Si vous craignez de ne pas avoir la motivation suffisante pour le pratiquer tout seul, joignez-vous à un groupe.

ADAPTEZ VOTRE ALIMENTATION

Au fur et à mesure que les années passent, il faut plus que jamais manger de façon équilibrée, mais en revoyant l'apport calorique à la baisse. Mieux vaut éviter, autant que possible, les produits

Trouver la bonne activité Les exercices qui se pratiquent dans l'eau sont très bénéfiques pour les personnes âgées, car ils musclent sans surcharger les articulations.

gras et sucrés au profit d'une alimentation riche en fruits, en légumes, en céréales complètes, en calcium et en protéines non grasses. Si vous envisagez de maigrir, veillez à ne manquer d'aucun nutriment. Au besoin, prenez un complément multivitaminé.

Exemple Une prise de poids malgré un régime identique

Son nom Marilyn

Son âge 65 ans

Son problème
Marilyn a toujours surveillé son poids, mais il lui devient de plus en plus difficile de ne pas grossir. Son dos la fait souffrir depuis des années et elle a dû subir plusieurs traitements jusqu'à une intervention chirurgicale récente qui a enfin réussi à atténuer la douleur. Cela dit, elle n'a pas pu pratiquer d'activité physique pendant quelque temps et a pris 4,5 kg depuis l'an dernier, ce qui la déprime. De plus, sa tension artérielle a augmenté et frôle le taux limite.

Son mode de vie Marilyn a toujours mené une vie active. Elle a élevé ses trois enfants et s'occupe souvent, à présent, de ses six petits-enfants.

Elle mesure 1,57 m et a toujours pesé 50 kg jusqu'à l'an dernier. Son poids est en effet de 54,4 kg et elle se sent à l'étroit dans ses vêtements. En général, elle mange peu et prend un fruit ou un yaourt comme en-cas lorsqu'elle a faim entre les repas. Elle boit du cola ou du thé glacé à table, prend toujours un dessert au dîner et un petit en-cas avant d'aller se coucher. Elle ne boit pas d'alcool, voyage et prend souvent ses repas à l'extérieur.

Nos conseils Prendre du poids en vieillissant est un problème auquel sont confrontées beaucoup de personnes. Marilyn ne peut pas continuer à manger autant qu'avant, car elle est beaucoup moins active – ce qui explique, en partie, sa prise de poids récente. Elle sort beaucoup et doit, en outre, manger des portions plus grandes qu'à la maison.

Marilyn peut néanmoins prendre quelques mesures pour changer cet état de fait. La chose la plus importante à faire, tant pour le maintien de son dos que pour son état de santé général, est de reprendre une activité physique régulière, comme la marche ou la natation. Cela contribuera également au maintien de la masse musculaire qui tend à diminuer avec l'âge. Marilyn ne fait pas d'excès alimentaires. La seule chose qu'elle puisse améliorer serait de prendre un fruit à la place de ses desserts habituels et de boire de l'eau au lieu des boissons sucrées. Afin d'éviter l'hypertension qui la menace, Marilyn doit surveiller l'apport en sel dans son alimentation quotidienne.

Il semble que Marilyn ne consomme pas suffisamment de calcium. Elle devrait manger davantage de yaourts ou, à défaut, se faire prescrire un complément en calcium.

Les régimes

Tous les régimes ne sont pas bons pour la santé. Il faut savoir rester vigilant.

Qui n'a pas cherché à perdre du poids à un moment ou à un autre de son existence ? Dans ce cas-là, il est tentant de recourir à une méthode qui promet des résultats faciles et rapides à obtenir. C'est sur ce constat que s'est développée une véritable industrie. Livres, méthodes, régimes : tous les moyens sont bons pour vous donner envie de perdre du poids.

Pensez à long terme
Il n'y a pas de solution miracle pour perdre du poids et maintenir un poids stable et sain. Il faut du

temps et un engagement personnel. Presque tous les régimes promettent des résultats rapides, mais ils se fondent sur la restriction ou sur l'élimination de certains groupes d'aliments et non sur la mise en place, sur le long terme, d'habitudes alimentaires saines. Dès que l'on cesse le régime, on reprend ses vieilles habitudes et ses kilos.

Changer de comportement
Quelle que soit la méthode pour laquelle vous optez, il est sain de suivre une ligne de conduite qui vous aidera à changer vos habitudes en profondeur.
● Évitez de vous exposer à des situations où l'alimentation peut devenir incontrôlable.
● Bannissez les habitudes peu saines, telles que sauter des repas ou grignoter.
● Agissez à tous les niveaux : par exemple, si vous avez l'habitude de grignoter le soir, couchez-vous plus tôt.
● Tenez un journal. C'est une aide efficace pour changer ses habitudes en profondeur.
● Pensez à la façon de gérer les problèmes éventuels avant qu'ils ne surviennent.
● Considérez votre poids et votre envie d'en changer de façon différente.
● Accordez-vous des gratifications non alimentaires lorsque vous atteignez un objectif.

Le soutien médical
Avant d'amorcer tout changement dans votre comportement alimentaire, il est préférable de consulter votre médecin, à plus forte raison si vous suivez un traitement. Il se peut que le dosage des médicaments doive être modifié. De plus,

Mesurez vos progrès Se peser est un bon moyen de mesurer ses progrès lorsqu'on essaie de perdre du poids. Mais il vaut mieux se peser une fois par semaine, à la même heure.

le médecin vous soutiendra dans vos progrès et vous donnera des conseils sur les activités physiques que vous pouvez pratiquer, comme sur une éventuelle supplémentation en vitamines et en sels minéraux.

En général, il est déconseillé aux femmes enceintes, aux femmes qui allaitent et aux enfants de moins de dix-huit ans de suivre un régime alimentaire restrictif. Il faut, de toute façon, toujours demander conseil à son médecin.

Le répertoire des régimes
Les pages suivantes sont consacrées aux régimes amaigrissants les plus populaires, dont nous donnons une description détaillée des caractéristiques et des ambitions proclamées, ainsi qu'un menu type. Nous indiquons également les bienfaits et les méfaits éventuels de chaque régime sur la santé.

On peut classer les régimes dans plusieurs catégories, selon qu'ils se fondent sur la limitation de certains macronutriments ou types d'aliments. Certains prônent la consommation d'aliments spécifiques – le pamplemousse, la soupe au chou –, tandis que d'autres sont élaborés à partir d'un équilibre strict entre les groupes ou les types d'aliments.

Certains régimes se fondent sur la théorie selon laquelle notre organisme ne tolérerait pas certains aliments, qui, en conséquence, doivent être totalement éliminés de l'alimentation. Enfin, certains ont pour objectif de vous faire maigrir, d'autres, de vous apporter un bien-être et d'éviter les maladies.

Nous pensons qu'il n'y a pas de recette miracle : la plupart des régimes fonctionnent pour certaines personnes, mais aucun ne convient à tout le monde. C'est à chacun d'évaluer à la fois ses propres besoins et les promesses de chaque régime avec lucidité et sens critique.

RÉGIME BASÉ SUR	LA THÉORIE	LES RÉGIMES
La restriction des lipides	On perd du poids, car les aliments non gras et riches en fibres que l'on consomme – souvent d'origine végétale – sont censés apporter satiété et nutriments.	• Le régime Ornish (p. 164) • Le régime Pritikin (p. 164) • Le régime Rosemary Conley (p. 165) • Le régime Low Fat (p. 166) • Le régime Fatmanslim (p. 167)
La restriction des glucides	Se fondant sur une répartition stricte des glucides, lipides et protéines, ce type de régime vise à maintenir un taux de sucre stable dans le sang, ce qui contribue à une meilleure dégradation des graisses.	• Le régime Atkins (p. 167) • Le régime des Carbohydrate Addicts (p. 169) • Le régime Protein Power (p. 169) • Le régime Sugar Busters (p. 170) • Le régime Zone (p. 171) • Le régime Life Without Bread (p. 172) • Le régime Scarsdale (p. 172) • Le régime Food Doctor (p. 173) • Le régime Miami (p. 174)
Le contrôle des quantités	Considérant la suralimentation comme l'un des facteurs de surpoids, ce type de régime repose sur la réduction et sur le contrôle de la taille des portions.	• Le régime Shapiro (p. 175) • Le régime de Barbara Rolls (p. 176) • Le régime 90/10 (p. 177) • Le régime Change One (p. 177)
L'index glycémique	Le taux d'insuline et le poids peuvent être contrôlés par la consommation d'aliments à faible index glycémique.	• Le régime Glucose Révolution (p. 178) • La méthode Montignac (p. 179) • Le régime GI (p. 180)
La dissociation des aliments	Les aliments n'étant pas digérés de la même manière, il est important de ne pas consommer certains aliments au cours d'un même repas. En les dissociant, on perd du poids.	• Le régime Hay (p. 180) • Le régime Somersizing (p. 181) • Le nouveau régime de Beverly Hills (p. 182) • Le régime Fit For Life (p. 183)
Les types métaboliques	Les besoins nutritionnels varient selon le groupe sanguin auquel on appartient. On peut perdre du poids en respectant ces besoins.	• Manger selon son groupe sanguin (p. 184) • Le régime Body Code (p. 184) • Le régime Metabolic Typing (p. 185)
L'amaigrissement rapide	Se fondant sur la restriction drastique des calories, ce type de régime promet une perte de poids à très court terme.	• Le régime Soupe au chou (p. 186) • Le régime miracle de 5 jours (p. 187) • Le régime Pamplemousse (p. 188) • Le régime Rotation (p. 188) • Le régime Beauty Boot Camp (p. 189)
Les substituts de repas	Les repas sont remplacés par des substituts peu caloriques mais censés couvrir l'ensemble des besoins en vitamines et en sels minéraux.	• Le régime Cambridge (p. 189) • Le programme Herbalife (p. 190) • Le régime Slim-Fast (p. 190)
L'élimination des toxines	L'objectif est l'élimination des toxines de l'organisme et un fonctionnement plus efficace du foie, donc du système digestif.	• Le régime Fat-Flush (p. 191) • Le régime Juice Fasts (p. 192) • Le régime Living Beauty Detox (p. 192) • Le régime Detox (p. 193)
Les groupes de soutien **Les régimes tendance**	L'entraide et les conseils des autres renforcent la motivation. Ces régimes connaissent un grand succès à l'heure actuelle en France.	• Weight Watchers (p. 194) • Le chronorégime (p. 195) • Le régime Fibres (p. 196) • Le régime méditerranéen (p. 196) • Le régime TGV du Dr Fricker (p. 197)

Répertoire des régimes

Les régimes amaigrissants prolifèrent dans les pays industrialisés. Voici un répertoire des plus suivis d'entre eux. Attention : ils sont tantôt sensés, tantôt loufoques, parfois même dangereux.

Le régime Ornish

Restriction des lipides

- ⊗ **Achat de produits nécessaire**
- ⊘ **Facile à suivre à l'extérieur**
- ⊗ **Facile à suivre en famille**
- ⊘ **Achat d'un ouvrage nécessaire**
- ⊗ **Régime facile à poursuivre**

Le Dr Dean Ornish a prouvé que l'obstruction des artères par des plaques de graisse, à l'origine des infarctus *(voir p. 215)*, pouvait être prévenue et soignée en suivant ce programme alimentaire. Il préconise également la pratique d'une activité physique, la gestion de la colère, la méditation, la relaxation et l'arrêt du tabac.

LE PRINCIPE

Ce régime végétarien repose sur l'idée que, en éliminant les lipides de votre alimentation, vous pouvez maigrir sans manger moins. Sont exclus les huiles de cuisson et les aliments d'origine animale, à l'exception du lait et du yaourt écrémés, ainsi que les aliments d'origine végétale riches en lipides, tels que les oléagineux – noix, graines, olives et avocats. Les lipides représentent moins de 10 % de l'apport calorique total, soit de 15 à 25 g par jour. Riche en fibres, ce régime modère par ailleurs la consommation de sel, de sucre et d'alcool.

Lorsque l'on réduit l'apport des graisses, il est évident que l'apport calorique global diminue. Ce régime permet, en outre, de ne pas se restreindre et de manger souvent.

EN PRATIQUE

Ce régime repose sur trois repas et un ou deux en-cas quotidiens, pris à n'importe quel moment de la journée et tous à base de légumineuses, de fruits, de légumes et de céréales. Les quantités ne sont pas limitées. Les produits sans matières grasses et les blancs d'œuf sont autorisés, avec modération, de même que les produits allégés en matières grasses comme les yaourts. Les en-cas sont prévus pour maintenir un niveau constant d'énergie au cours de la journée et sont constitués d'aliments sains précis tels que les fruits riches en fibres, les légumes, les céréales et les légumineuses qui contribuent à faire diminuer les taux de cholestérol et d'insuline dans le sang.

LE RÉGIME ORNISH

Petit déjeuner
- 1 verre de jus d'orange
- 1 bol de céréales, fruits rouges et yaourt nature

Déjeuner
- Tofu coupé en dés cuisiné avec des brocoli, pommes de terre et pois chiches
- Pain à l'ail
- Salade verte
- 1 pomme

Dîner
- Bruschetta aux câpres et tomates séchées
- Pâtes aux poivrons rouges, épinards, haricots cannellini, ail et zeste de citron
- Asperges sauce citron, câpres et poivre
- Salade verte
- Pêches pochées au vin rouge

En-cas
- 1 ou 2 en-cas de fruits ou légumes crus

EST-IL SAIN ?

Il a été scientifiquement prouvé que le régime Ornish permet de guérir des affections cardio-vasculaires *(voir p. 214-221)* en abaissant le taux de cholestérol et la pression artérielle *(voir p. 215)*. Cela dit, il est reproché à ce régime d'être trop pauvre en matières grasses et de ne pas fournir suffisamment d'acides gras essentiels *(voir p. 40)*. En sont exclus, en effet, les poissons et les huiles, dont on connaît pourtant les bienfaits sur le système cardio-vasculaire. Les patients du Dr Ornish ont été traités dans le cadre d'un séjour au cours duquel les repas étaient préparés par des chefs. Ce régime peut être plus difficile à suivre chez soi.

Le régime Pritikin

Restriction des lipides

- ⊗ **Achat de produits nécessaire**
- ⊘ **Facile à suivre à l'extérieur**
- ⊘ **Facile à suivre en famille**
- ⊘ **Achat d'un ouvrage nécessaire**
- ⊗ **Régime facile à poursuivre**

Ce régime a été créé dans les années 70 par Nathan Pritikin pour traiter les maladies cardio-vasculaires ; il est développé aujourd'hui par son fils Robert.

LE PRINCIPE

Ce régime à teneur réduite en lipides est essentiellement fondé sur la consommation de céréales complètes, de fruits et de légumes. Son créateur affirme que, si les aliments ne sont pas gras, on peut manger davantage, être rassasié et satisfait sans pour autant grossir. Les calories et les portions ne sont pas limitées. Les aliments sont classés selon leur densité calorique, et les patients sont invités à composer leurs repas à partir d'aliments peu et moyennement caloriques. Les acides gras oméga-3 *(voir p. 40)* sont autorisés.

EN PRATIQUE

Dans le régime Pritikin, les produits alimentaires industriels, les œufs et la plupart des lipides sont bannis au profit des céréales complètes, des fruits, des légumes et des glucides non gras tels

LE RÉGIME PRITIKIN

Petit déjeuner
- 1 bol de flocons d'avoine au lait écrémé, à la cannelle, avec des tranches de banane et des airelles

Déjeuner
- Blanc de poulet grillé et épi de maïs à la vapeur
- Salade verte sans matière grasse

Dîner
- Chili végétarien et riz complet
- Salade de tomates et de concombres au vinaigre balsamique
- Ananas frais ou au sirop léger

En-cas
- Tortilla chips et sauce tomate

que le riz ou les pâtes complets. C'est un régime riche en fibres et à teneur réduite en cholestérol, en lipides saturés et en lipides totaux. Il est fondé sur trois repas et des en-cas entre les repas. Les lipides sont sensés représenter moins de 10 % des calories journalières. 75 % de l'apport calorique proviennent des glucides et 15 % des protéines.

EST-IL SAIN ?

Bien que les régimes à teneur réduite en lipides soient souvent contestés parce qu'ils incitent les candidats à manger trop des aliments autorisés ou à abandonner, les bienfaits de la consommation d'aliments non gras, de fruits, de légumes et de céréales complètes sont désormais attestés, en particulier dans la prévention de nombreuses maladies. Étant donné qu'aucun groupe d'aliments n'est complètement éliminé, l'équilibre nutritionnel est bien respecté. C'est pourquoi nous considérons que le régime Pritikin est sain et efficace.

Le régime Rosemary Conley

Restriction des lipides

- ⊗ **Achat de produits nécessaire**
- ⊘ **Facile à suivre à l'extérieur**
- ⊘ **Facile à suivre en famille**
- ⊗ **Achat d'un ouvrage nécessaire**
- ⊘ **Régime facile à poursuivre**

Rosemary Conley a fait connaître sa méthode dans les pays anglo-saxons à travers la publication de plusieurs livres, de cassettes vidéo, sur son site Internet www.slimwithrosemary.com (en anglais), ainsi que par les cours qu'elle dispense dans toute l'Angleterre grâce à un système de franchise. Ses cassettes vidéo sont consacrées à des programmes d'exercice physique.

LE PRINCIPE

Les lipides contenant deux fois plus de calories que les protéines et les glucides, il est facile de réduire le nombre de calories consommées en diminuant la quantité de lipides que l'on ingère. Le régime fait la part belle à l'exercice physique, qui aide à brûler des calories et permet d'élever le métabolisme de base en augmentant la masse musculaire. Ainsi, en consommant moins de calories et en en dépensant davantage, on réussit à perdre du poids lentement mais sûrement.

Les aliments consommés ne doivent pas contenir plus de 5 % de matières grasses, à l'exception des poissons gras qu'il est conseillé d'inscrire au menu une fois par semaine, et du « festin » à 150 calories. Rosemary Conley recommande de prendre, tous les jours, un petit déjeuner, un déjeuner et un dîner comprenant un dessert et de boire 300 ml de lait demi-écrémé.

EN PRATIQUE

Tout en réduisant l'apport en lipides, le régime Conley autorise la consommation illimitée de légumes – dont les pommes de terre – et de certains morceaux de viande et produits laitiers. Il s'agit de faire trois repas par jour, auxquels on peut ajouter des en-cas en

Le régime Pritikin Cette appétissante assiette de légumes et de légumineuses, servie avec du riz complet et une salade de tomates et de concombres, est un plat non gras, riche en fibres et en glucides, typique du régime Pritikin.

LE RÉGIME CONLEY

Petit déjeuner
- 1 bol de céréales riches en fibres et du lait écrémé

Déjeuner
- Blanc de poulet et salade composée sans matière grasse
- Pain complet
- 1 yaourt écrémé

Dîner
- Requin grillé avec citron et sauce
- Pommes de terres nouvelles bouillies
- Haricots verts vapeur
- Salade de fruits frais

En-cas
- 1 banane ou autre fruit
- 1 yaourt écrémé

prenant des calories sur les repas. Il n'est pas utile de compter les calories et on peut manger certains aliments à volonté. On peut également faire un « festin » à 150 calories par jour, ou le réserver pour certaines occasions. La méthode Rosemary Conley fournit des idées de repas équilibrés, des recettes, ainsi que des conseils sur l'équilibre alimentaire et sur l'intérêt de consommer cinq fruits et légumes, des suggestions pour faire les courses et la cuisine, des conseils pour manger en famille ou à l'extérieur, ainsi que pour développer sa volonté et gérer ses écarts éventuels. Une fois que l'objectif souhaité a été atteint, on peut suivre des conseils pour maintenir son poids. L'activité physique fait partie du programme, que ce soit en suivant des cours ou en faisant des exercices spécifiques à la maison.

EST-IL SAIN?
La perte de poids peut être impressionnante chez certaines personnes. Les candidats sont d'ailleurs encouragés à constater les résultats obtenus sur leur tour de taille ou de cuisse. Le régime est plutôt sain car, bien que pauvre en lipides, il autorise la consommation de poissons gras. Ses effets sur la santé

sont incontestablement positifs, en particulier en ce qui concerne la prévention des affections cardiaques et des cancers. On est assuré de perdre du poids si on en suit les principes, mais il peut se révéler monotone à la longue.

Le régime Low Fat

Restriction des lipides

- ⊗ **Achat de produits nécessaire**
- ⊘ **Facile à suivre à l'extérieur**
- ⊘ **Facile à suivre en famille**
- ⊘ **Achat d'un ouvrage nécessaire**
- ⊗ **Régime facile à poursuivre**

Ce régime est fondé sur quatre repas légers et trois en-cas légers et riches en fibres par jour. Il préconise également la pratique d'une activité physique.

LE PRINCIPE
Selon le Dr Robert Cooper, l'auteur de ce programme, l'organisme commence à brûler ses graisses dès le réveil. Aussi recommande-t-il de pratiquer cinq minutes d'activité physique chaque matin, avant de prendre un petit déjeuner non gras mais riche en glucides et en protéines. Les en-cas pauvres en lipides et riches en fibres donnent de l'énergie, augmentent le métabolisme et diminuent l'appétit, surtout le soir. Ils font partie des « brûleurs de graisse », comme l'exercice physique et la consommation d'eau, tandis que les aliments gras et pauvres en fibres ou le fait de sauter des repas sont considérés comme « producteurs de graisse ».

Chaque repas fournit moins de 500 calories, dont de 20 à 25 % au maximum sont des lipides. Les en-cas doivent être moins caloriques que les repas. Les repas se fondent sur des recettes données dans le livre. En sont exclus les aliments et les boissons édulcorées qui augmentent l'appétence de certaines personnes pour le gras et dont l'efficacité dans le cadre d'un régime alimentaire amaigrissant est aujourd'hui largement contestée.

EN PRATIQUE
Le régime consiste en quatre repas et trois en-cas quotidiens, que l'on doit consommer à des heures précises de la journée : le petit déjeuner à 7 heures, un premier

en-cas à 10 heures, le déjeuner à midi, le deuxième en-cas à 15h15, un pré-dîner à 17h30, le dîner à 19 heures et un dernier en-cas à 20h45.

Sont inclus dans ce programme alimentaire des aliments tels que le pain et les crackers complets, les pâtes, les produits laitiers écrémés, les tomates, la sauce tomate, les conserves à l'eau, les œufs (blanc et jaune), les légumes frais, les herbes aromatiques, les épices, le sucre complet, le miel, le sirop d'érable, la mélasse et le sucre.

En revanche, les aliments et les assaisonnements gras ne font pas partie de ce régime. Les produits alimentaires industriels sans matière grasse sont à consommer avec modération sous peine de déclencher une réponse insulinique élevée. L'heure à laquelle sont pris les repas et les en-cas est aussi importante que la qualité et les quantités d'aliments ingérés. Il est également recommandé de pratiquer une activité physique moyennement intensive.

EST-IL SAIN?
Ce régime est globalement sain dans la mesure où il est pauvre en lipides et riche en fibres, ce qui favorise la réduction de la pression artérielle et du taux de cholestérol, et, par conséquent, des

LE RÉGIME LOW FAT

Petit déjeuner (7 heures)
- 1 œuf à la coque et du pain complet
- 1 verre de lait écrémé

Déjeuner (12 heures)
- 1 bol de gaspacho
- Des crackers complets nature ou aromatisés

Dîner (19 heures)
- Salade verte, sauce à l'ail
- Blanc de poulet grillé et pâtes sans sauce

**En-cas
(10 heures, 15h15 et 20h45)**
- 3 en-cas riches en fibres (biscottes complètes)

risques de diabète *(voir p. 246-249)* et de maladies cardio-vasculaires *(voir p. 214-221)*. Ce régime permet de gagner en énergie et en bien-être, car il est riche en fibres et inclut des séances quotidiennes d'exercice. Cela dit, sa faible teneur en lipides le rend parfois difficile à suivre, surtout lorsqu'on mange à l'extérieur. De plus, les recettes préconisées pour les repas et les en-cas exigent une certaine préparation et il faut veiller à en respecter les portions.

Le régime Fatmanslim

Restriction des lipides

- ⊗ **Achat de produits nécessaire**
- ⊘ **Facile à suivre à l'extérieur**
- ⊘ **Facile à suivre en famille**
- ⊗ **Achat d'un ouvrage nécessaire**
- ⊘ **Régime facile à poursuivre**

Ce programme de douze semaines, présenté sur un site Internet basé en Angleterre (www.fatmanslim.com), est devenu très populaire auprès des hommes depuis son lancement en 2002. Il repose sur le constat que les hommes désireux de perdre du poids préfèrent le faire par eux-mêmes plutôt qu'en consultant un nutritionniste ou en se joignant à un groupe de soutien.

LE PRINCIPE
Le Dr Ian W. Campbell a créé ce programme à l'intention des hommes qui avaient besoin d'aide pour perdre du poids mais qui rechignaient à consulter ou à intégrer un groupe de soutien. Ce régime propose de s'attaquer en particulier à la graisse accumulée autour de la taille chez les hommes, la plus dangereuse du point de vue médical. Il s'inscrit dans un changement d'habitudes à long terme.

EN PRATIQUE
Le programme commence par un bilan sur la motivation et les habitudes du candidat et repose sur une alimentation riche en fruits et en légumes. Le régime comporte peu de lipides, mais rien n'est interdit, car le Dr Campbell considère

LE RÉGIME FATMANSLIM

Petit déjeuner
- 1 verre de jus de fruits frais
- Céréales sans sucre et banane

Déjeuner
- Sandwich au pain complet – viande maigre ou fromage – et salade
- 1 pomme

Dîner
- Blanc de poulet grillé et riz
- Salade verte sans matière grasse
- 1 yaourt écrémé ou 1 fruit

En-cas
- 1 barre de céréales allégée en sucre et en matières grasses
- 1 fruit frais

les interdits comme une cause majeure de désengagement. La pratique d'une activité physique, quelle qu'elle soit, est un élément essentiel du programme. Des conseils pratiques permettent de l'introduire progressivement et sans risque au cours des douze semaines.

Créé par des hommes pour les hommes, le régime Fatmanslim est direct, pratique et non dénué d'un certain humour. On y donne des explications médicales, des informations d'ordre pratique, psychologique et social. De nouvelles techniques sont décrites afin que chacun trouve la motivation pour entreprendre des changements à long terme.

On trouve tous les conseils du Dr Campbell sur le site Internet (en anglais), ainsi qu'un forum de discussion qui permet malgré tout aux hommes qui le souhaitent d'échanger et de partager leurs expériences. Le régime proposé est parfaitement compatible avec une vie de famille, et le ton du site Internet en fait un produit idéal pour les hommes qui veulent changer leurs habitudes.

EST-IL SAIN ?
Les bienfaits d'une alimentation riche en fruits et en légumes et pauvre en sucre et en matières grasses sont indéniables. Le régime est équilibré et sain sur le plan nutritionnel et permet une perte de poids

effective. L'activité physique quotidienne est un élément supplémentaire très bénéfique, qui contribue à diminuer les risques d'affections cardiaques, d'hypertension et de diabète. Sans parler de l'effet sur le bien-être, l'énergie et l'estime de soi.

Le régime Atkins

Restriction des glucides

- ⊗ **Achat de produits nécessaire**
- ⊘ **Facile à suivre à l'extérieur**
- ⊗ **Facile à suivre en famille**
- ⊘ **Achat d'un ouvrage nécessaire**
- ⊗ **Régime facile à poursuivre**

En limitant de façon drastique la consommation de glucides, le régime Atkins produit un état d'acétonémie dans lequel le corps, qui a épuisé ses réserves de glucides, brûle ses graisses.

LE PRINCIPE
Le Dr Atkins considérait que la synthèse des graisses provoquée par un excès de corps cétoniques *(voir p. 168)* se trouvait à l'origine de la prise de poids. En privant le corps des glucides, on l'oblige à puiser dans ses réserves de graisses.

Le régime Atkins s'organise en plusieurs étapes. On commence par limiter les glucides comme le pain, les pâtes, les fruits et certains légumes afin d'inciter l'organisme à utiliser ses corps cétoniques pour produire de l'énergie. Les glucides sont réintroduits progressivement au cours d'étapes ultérieures du programme.

EN PRATIQUE
Le régime Atkins commence par une période d'induction de quatorze jours pendant lesquels le corps se met en acétonémie. Cette phase repose sur la consommation journalière de 100 g de protéines (l'équivalent de 400 g de viande), 75 g de lipides et de moins de 20 g de glucides, soit de 1 500 à 3 500 calories par jour.

La période d'induction est suivie d'une phase au cours de laquelle on continue à perdre du poids. La consommation de glucides y est limitée à moins de 30 g par jour – soit l'équivalent de deux tranches de pain ou de 225 ml de cola.

LE RÉGIME ATKINS : L'INDUCTION

Petit déjeuner
- Omelette au jambon, fromage, bacon et champignons

Déjeuner
- Salade au jambon, poulet, fromage et œufs en sauce crémeuse

Dîner
- Saumon grillé
- Chou vapeur à l'ail, au citron et graines de sésame

En-cas
- Fruits rouges et crème
- Fromage

Le programme passe ensuite par une phase de prémaintien, puis de maintien, au cours desquelles la consommation de glucides augmente jusqu'à atteindre 120 g, c'est-à-dire l'équivalent de huit portions par jour (pour mémoire, un régime dit « équilibré » préconise d'en consommer 300 g, soit seize portions, par jour).

EST-IL SAIN ?

Réduire l'apport calorique en supprimant les glucides est efficace si l'on souhaite maigrir, mais il n'est pas certain que les effets d'un tel régime alimentaire soient sains à terme.

La perte de 3,6 à 4,5 kg constatée au cours de la première semaine s'explique à la fois par la perte d'eau et par l'utilisation des réserves de glycogène. Si ce résultat spectaculaire est encourageant, il faut savoir que les kilos reviennent dès que l'on recommence à consommer des glucides.

De plus, les réserves de glycogène, dans lesquelles ce régime incite à puiser, sont indispensables à la pratique d'une activité physique, dont l'intérêt, dans le cadre d'un programme d'amaigrissement à long terme, n'est plus à démontrer. Le Dr Atkins prétend que l'on peut manger à volonté. Or, il va de soi que l'amaigrissement implique que la dépense énergétique soit supérieure à la consommation calorique. Certes, l'état d'acétonémie a tendance à réduire l'appétit, mais il suffit, par ailleurs, de supprimer un groupe d'aliments pour commencer à perdre du poids. Admettons que vous supprimiez, par exemple, de votre alimentation, la pizza (à cause de la pâte), les hamburgers et les sandwiches (à cause du pain). Vous éliminez de fait des aliments riches en matières grasses et dont les portions sont, en général, relativement grandes. Si vous supprimez également toutes les occasions de manger des pâtes, des biscuits ou des chips, il est évident que votre consommation globale de calories va diminuer d'elle-même.

Définitions

Les corps cétoniques Ces composés chimiques sont produits par l'organisme lorsqu'il ne dispose plus de suffisamment de glucides. Il se met alors à puiser de l'énergie dans ses réserves de graisse.

L'acétonémie Il s'agit de l'état dans lequel le corps, qui a épuisé ses réserves de glucides, se met à produire des corps cétoniques.

Le régime cétonurique C'est un régime alimentaire – tels les régimes Atkins ou Scarsdale – qui incite l'organisme à produire des corps cétoniques en épuisant ses réserves de glucides.

Certaines personnes ressentent un inconfort dans les changements métaboliques provoqués par le régime Atkins. De plus, ce régime ne fait pas forcément disparaître l'envie de glucides ni le grignotage. Certains candidats ont vu se développer des troubles de la pression artérielle et d'autres se plaignent d'avoir mauvaise haleine. Le manque d'aliments contenant des fibres peut provoquer un état de constipation et augmenter les risques de certaines maladies comme le cancer du côlon. La consommation restreinte de produits laitiers, de fruits et de légumes peut entraîner des carences en vitamines et en sels minéraux.

Conscient de ces critiques, le Dr Atkins préconise la consommation de compléments alimentaires – disponibles sur son site Internet. Mais son affirmation selon laquelle l'excrétion de corps cétoniques dans l'urine brûle un grand nombre de calories et contribue à l'amaigrissement a été démentie. L'excrétion des corps cétoniques dans les urines tend plutôt à augmenter les pertes d'eau, de sodium et de potassium, d'où la nécessité de boire beaucoup, pendant ce régime, pour prévenir la déshydratation.

Le régime Atkins Cette salade, riche en protéines et en graisses saturées (jambon, poulet, fromage et œufs) mais pauvre en glucides et en fibres, est typique de la phase d'induction du régime.

Le régime Carbo-hydrate Addicts

Restriction des glucides

- ⊗ **Achat de produits nécessaire**
- ✓ **Facile à suivre à l'extérieur**
- ✓ **Facile à suivre en famille**
- ✓ **Achat d'un ouvrage nécessaire**
- ⊗ **Régime facile à poursuivre**

Ce régime est né du constat qu'une réponse insulinique élevée à la consommation de glucides – *carbohydrates*, en anglais – peut entraîner une dépendance à ces nutriments.

LE PRINCIPE

Ce régime est une variante des régimes pauvres en glucides tels que le régime Atkins *(voir p. 167)*. Son auteur prétend que 75 % des gens ont une sensibilité particulière aux glucides, qui serait responsable d'une réponse insulinique élevée à la suite de leur consommation. Ce qui provoquerait une addiction aux glucides (d'où le nom du régime). Au lieu de supprimer les glucides afin de provoquer un état d'acétonémie, ce régime préconise que les glucides soient consommés au cours d'une heure précise par jour, afin d'équilibrer la réponse insulinique. Deux repas sur trois ne comporte pas du tout de glucides. Contrairement aux autres régimes sans glucides, celui-ci ne provoque pas d'envie compulsive de glucides puisqu'ils ne sont pas exclus du programme alimentaire. On peut, en effet, en consommer une fois par jour, au cours d'un repas qui ne doit cependant pas excéder une heure.

EN PRATIQUE

Ce régime alimentaire est quelque peu compliqué dans la mesure où il se décompose en un plan d'attaque commun à tous les candidats, suivi d'un régime à choisir parmi quatre propositions. On choisit le plan A, B, C ou D en fonction du poids que l'on a déjà perdu et du poids que l'on souhaite encore perdre éventuellement. Les quatre régimes sont relativement proches. Par exemple, le plan B a les mêmes bases que le plan A, si ce n'est que l'on n'y consomme pas d'en-cas.

Ce régime repose également sur les principes suivants :
- On prend deux repas sans glucides par jour.
- On prend un repas avec glucides.
- Le repas comportant des glucides ne doit pas excéder une heure.
- On peut y inclure des boissons alcoolisées.
- Il faut boire beaucoup d'eau, de jus de fruits, de légumes ou du café.

EST-IL SAIN ?

Beaucoup d'entre nous perdraient du poids en ne consommant de l'alcool qu'une fois par jour et en cessant de grignoter entre les repas. Si vous faites partie des personnes qui se sentent fatiguées après avoir mangé un gâteau ou qui ont faim après un repas riche en glucides, ce régime peut vous aider à gérer votre appétit et vos envies compulsives de glucides.

Cela dit, il peut être difficile de ne manger des glucides qu'au cours d'une heure par jour. De plus, il n'est pas prouvé que ce soit plus efficace que d'éliminer les sucres simples de l'alimentation.

L'auteur de ce programme alimentaire a dirigé une clinique dans laquelle les

RÉGIME CARBOHYDRATE ADDICTS

Petit déjeuner
- Omelette aux épinards et à la crème fraîche

Déjeuner
- 1 grand bol de haricots verts cuisinés à l'huile d'olive avec des oignons nouveaux, du basilic, du piment et de la crème

Dîner
- Poulet au four aromatisé à l'huile d'olive, jus de citron, ail, romarin, sel et poivre
- Brocoli
- Riz nature
- Salade de concombres assaisonnée avec sel, vinaigre, crème fraîche, huile de sésame, oignons et gingembre

En-cas
- Pas autorisés dans tous les plans

résultats étaient certainement probants, mais on ignore si les effets bénéfiques de ce régime se maintiennent à terme.

L'argument de promotion de ce régime est qu'il serait une solution durable à l'effet yo-yo des régimes. Mais il n'est pas prouvé que manger à volonté pendant une heure par jour permette de maigrir et de maintenir son poids.

Le régime Protein Power

Restriction des glucides

- ⊗ **Achat de produits nécessaire**
- ✓ **Facile à suivre à l'extérieur**
- ⊗ **Facile à suivre en famille**
- ✓ **Achat d'un ouvrage nécessaire**
- ⊗ **Régime facile à poursuivre**

Les objectifs de ce régime sont de perdre du poids, de diminuer le taux de cholestérol et la pression artérielle, de recouvrer sa forme et sa santé – le tout en quelques semaines.

LE PRINCIPE

Augmenter sa consommation de protéines doit, selon les auteurs de ce programme, équilibrer la réponse hormonale de l'organisme aux autres types d'aliments. Ce régime est plus détaillé et plus complexe que les autres régimes à teneur réduite en glucides, car il implique le calcul des besoins en protéines et leur répartition dans les différents repas et en-cas journaliers. Aucun groupe d'aliment n'est exclu.

EN PRATIQUE

La consommation de glucides est limitée à 30-55 g par jour – ce qui est suffisant pour provoquer un état d'acétonémie. Contrairement au régime Atkins, ce programme n'autorise pas la consommation illimitée d'aliments gras, et ses auteurs conseillent de consulter un médecin avant de l'entreprendre. Le régime repose sur un apport élevé en protéines (œufs, fromage blanc, tofu, viande maigre, volaille, porc, poissons et fruits de mer). Trois repas sont recommandés, ainsi que des en-cas pour évi-

LE RÉGIME PROTEIN POWER

Petit déjeuner
- 1 œuf dur et 1 tranche de pain beurré
- Fraises ou framboises fraîches

Déjeuner
- Potiron vapeur
- Salade d'épinards frais et vinaigrette classique ou au bleu
- Airelles fraîches
- Fromage blanc allégé

Dîner
- Crevettes cuites
- Brocoli vapeur et poivrons sautés, vinaigrette allégée
- Salade de fruits

En-cas
- Légumes crus (dont des poivrons, des carottes et des tomates)

ter d'avoir faim. Les glucides ne sont supprimés d'aucun repas. La pratique d'exercice physique et une supplémentation en vitamines et minéraux sont conseillées.

EST-IL SAIN?
Bien que les théories sur lesquelles il repose soient plus clairement expliquées et étayées que dans le cas du régime Atkins, ce régime, qui autorise

Définitions

Les sports en aérobie Il s'agit des sports, comme le jogging, pour lesquels le corps utilise de l'oxygène afin de brûler ses graisses, lorsqu'ils sont pratiqués pendant au moins quinze minutes, à 65 à 85 % de la fréquence cardiaque maximale.

Les sports en anaérobie Ce sont les sports de résistance qui exigent un effort court et intense. Le muscle est obligé de travailler sans oxygène et brûle ainsi du glycogène afin de procurer l'énergie dont il a besoin pour fonctionner.

la consommation de grandes quantités de protéines, provoque une excrétion excessive du calcium, qui peut induire des problèmes au niveau du foie et des reins *(voir p. 236-239)*.

Les auteurs de ce programme prétendent que le corps n'a pas besoin de glucides et que l'énergie des protéines peut suffire au fonctionnement de l'organisme. Or, si c'était le cas, les muscles ne stockeraient que du gras et pas de glycogène, dont les réserves servent bel et bien à la production d'énergie.

Aucune étude n'a prouvé l'efficacité à long terme de ce régime, dont la teneur en graisses saturées est élevée et qui peut conduire à des carences en calcium et en vitamines. Des études récentes ont montré qu'une consommation élevée de protéines peut faire perdre du poids, mais il ne semble pas justifié d'éliminer les glucides pour parvenir à ce résultat. Certes, l'insuline encourage le stockage des graisses, mais sa production peut être limitée par la consommation de glucides complexes *(voir p. 46-47)* et de repas équilibrés.

Le régime Sugar Busters

Restriction des glucides

- ⊗ **Achat de produits nécessaire**
- ⊘ **Facile à suivre à l'extérieur**
- ⊗ **Facile à suivre en famille**
- ⊘ **Achat d'un ouvrage nécessaire**
- ⊗ **Régime facile à poursuivre**

Les auteurs de ce programme considèrent que nos excès de sucres et de glucides raffinés sont une cause majeure de l'augmentation de l'obésité et du diabète.

LE PRINCIPE
Ils partent du principe que, en équilibrant la proportion de glucides et de protéines que l'on consomme, on augmente la production de glucagon, ce qui provoque une perte de poids. Le glucagon est une hormone qui stimule le passage du glucose dans le sang.

En conséquence, ils suggèrent que 45 % des calories ingérées proviennent d'aliments glucidiques riches en fibres, de 30 à 35 % des lipides et de 20 à 25 %

des protéines. Ils se fondent sur l'idée que la consommation d'aliments à haute teneur en sucre provoque une surproduction d'insuline et la suppression du glucagon, entraînant le stockage des graisses.

De plus, le programme inclut la pratique d'une activité physique aidant à réguler le taux d'insuline et la sensibilité insulinique.

EN PRATIQUE
Ce régime repose sur la consommation d'aliments non raffinés, de légumes riches en fibres, de céréales moulues à la pierre, de viandes maigres, de fruits et, éventuellement, d'alcool. Les légumes contenant moins de 2,5 g de fibres (betteraves, carottes) sont exclus, de même que les sucres raffinés des gâteaux, biscuits, confiseries et autres boissons sucrées, ainsi que les aliments à index glycémique élevé *(voir p. 47)* tels que la farine blanche, les pommes de terre et les pâtes.

Les trois repas quotidiens se composent de portions moyennes. Il est conseillé de limiter la consommation de boissons au cours des repas. En revanche, il est recommandé de boire au moins de six à huit verres d'eau par jour en plus des tasses de café, de thé et des sodas. Les en-cas peuvent comporter toutes les variétés de fruits.

LE RÉGIME SUGAR BUSTERS

Petit déjeuner
- 1 verre de jus d'orange
- 1 bol de flocons d'avoine au lait écrémé

Déjeuner
- Sandwich au pain complet à la dinde, moutarde, laitue et tomate

Dîner
- Filet de porc grillé ou cuit au four
- Riz complet cuit avec des oignons dans du bouillon dégraissé
- Haricots verts vapeur

En-cas
- 1 pomme ou autre fruit
- 1 petite poignée d'oléagineux

EST-IL SAIN ?

Bien que ce régime repose sur certains fondements scientifiques, il n'est pas prouvé que l'équilibre préconisé entre les glucides et les protéines ait l'effet revendiqué par ses auteurs. Cela dit, la consommation d'aliments riches en fibres a une valeur nutritionnelle certaine, tout comme il est plus sain de limiter l'apport en glucides simples comme le sucre. Si le diabète n'est pas directement lié à la consommation de sucre, il est, en revanche, lié à l'obésité, laquelle est provoquée par un apport calorique excessif. Il va donc de soi que réduire sa consommation de glucides simples au cours de ce régime peut encourager les candidats à se déshabituer, à terme, des aliments sucrés et ce, pour les plus grands bénéfices sur leur état de santé.

Certaines idées présentées dans ce programme n'ont cependant pas toujours de fondement scientifique. Mais vous ne courez aucun risque à réduire votre consommation de glucides simples, même si l'on sait qu'il est difficile, pour beaucoup d'entre nous, de se défaire complètement de l'habitude de consommer des desserts ou des boissons sucrées.

Plus sérieusement, le calcul des proportions rigoureuses entre lipides, glucides et protéines a été considéré comme étant l'un des facteurs favorisant les troubles du comportement alimentaire.

Le régime Zone

Restriction des glucides

- ⊗ **Achat de produits nécessaire**
- ⊘ **Facile à suivre à l'extérieur**
- ⊘ **Facile à suivre en famille**
- ⊘ **Achat d'un ouvrage nécessaire**
- ⊗ **Régime facile à poursuivre**

L'objectif de ce régime est que le corps travaille au maximum de ses capacités pour brûler le plus de graisses possible, perdre du poids et gagner en énergie.

LE PRINCIPE

Ce qui compte, selon le régime Zone, n'est pas tant ce que l'on mange que l'équilibre entre ce que l'on ingère et la réponse hormonale qui s'ensuit. D'où

l'intérêt porté à l'impact des aliments sur les capacités de l'organisme à gérer les eicosanoïdes, des sortes de messagers chimiques impliqués dans de nombreux processus métaboliques.

L'auteur de ce programme distingue les personnes qui produisent suffisamment d'insuline de celles qui en produisent trop. Il propose un test simple afin de déterminer le groupe dont vous faites partie : mangez des pâtes au déjeuner et observez-vous trois heures plus tard. Si vous peinez à garder les yeux ouverts et que vous avez faim, vous devez faire partie des 75 % de personnes qui ont tendance à la surproduction d'insuline. Ce régime vise à limiter ce phénomène et la suralimentation qui en découle.

EN PRATIQUE

Les repas de ce programme sont élaborés sur mesure en fonction du sexe, du niveau d'activité et du pourcentage de masse grasse dans l'organisme. Cela dit, tous les repas et les en-cas sont constitués à 40 % de glucides, 30 % de protéines et 30 % de lipides. L'auteur du régime Zone considère qu'une consommation élevée de glucides est source d'hyperinsulinie et d'obésité, tandis qu'une grande consommation de protéines provoque l'élévation du taux de glucagon et un état d'acétonémie.

Le régime Zone repose sur la consommation de portions de glucides, de lipides et de protéines à intervalles réguliers – de quatre heures et demie entre chaque prise alimentaire, ce qui correspond, pour la majorité des gens, à trois repas et à deux en-cas conséquents. La proportion entre les glucides, lipides et protéines est la même pour les en-cas que pour les repas.

Il s'agit de diviser son assiette en trois parties égales. L'une comportera des protéines non grasses (en quantités qui ne doivent pas dépasser la taille de la paume), tandis que les deux tiers restants doivent être largement remplis de fruits et de légumes.

EST-IL SAIN ?

Les prétentions de ce régime alimentaire n'ont pas de fondement scientifique. Il n'a pas été prouvé, en effet, que la combinaison entre la lutte contre l'insulinorésistance et la modification

LE RÉGIME ZONE

Petit déjeuner

- Tortilla garnie de fromage râpé, de bacon ou de jambon cuit maigre, d'oignons nouveaux, de poivron vert et de tomate coupés et de guacamole allégé en matières grasses.
- Raisin

Déjeuner

- 1 tartine de pain complet au fromage allégé en matières grasses et au bacon maigre grillé, avec de la laitue et une tomate en tranches.
- 1 yaourt nature écrémé et 1 pêche

Dîner

- Médaillon de porc et pommes sautées au vin blanc, moutarde et romarin frais
- Brocoli vapeur
- Grande salade verte à l'huile d'olive et au vinaigre

En-cas

- Blanc de poulet, tranche de melon et oléagineux
- Fromage allégé en matières grasses et 1 petite orange

des taux d'éicosanoïdes provoque l'effet escompté sur la santé. Il est plus probable que la réponse hormonale à la consommation de glucides soit liée au niveau d'activité et au régime alimentaire plutôt qu'à des prédispositions génétiques. Cela dit, la consommation de glucides à index glycémique bas *(voir p. 47)* peut réduire la sécrétion d'insuline.

Ce régime est, en général, considéré par les candidats comme compliqué à suivre. De plus, il peut être trop riche en graisses saturées, et des problèmes de santé peuvent survenir à cause de l'apport élevé en protéines (fragilité osseuse).

Enfin, ce programme inclut la consommation d'en-cas sensés retarder les effets du vieillissement, ce dont l'efficacité n'a pas encore été prouvée.

Le régime Life Without Bread

Restriction des glucides

- ⊗ **Achat de produits nécessaire**
- ⊘ **Facile à suivre à l'extérieur**
- ⊘ **Facile à suivre en famille**
- ⊘ **Achat d'un ouvrage nécessaire**
- ⊗ **Régime facile à poursuivre**

Ce régime est fondé sur l'expérience clinique du Dr Lutz, un médecin autrichien qui prétend avoir aidé des centaines de patients à perdre du poids et à recouvrer la santé.

LE PRINCIPE

Ce régime, littéralement « sans pain », repose sur une alimentation à base de protéines et de lipides, mais restreinte en glucides. Ses auteurs expliquent que c'est le type d'alimentation auquel l'organisme humain est habitué depuis le début de l'évolution et que c'est le seul qui lui convienne.

Ils décrivent également les bienfaits d'un régime pauvre en glucides sur le plan médical et, notamment dans la prévention des maladies cardio-vascu-

LE RÉGIME LIFE WITHOUT BREAD

Petit déjeuner
- Œufs brouillés et pain complet
- 1 verre de jus d'orange

Déjeuner
- Blanc de poulet et petits pois à l'eau
- Grande salade à l'huile d'olive et au vinaigre

Dîner
- Thon grillé
- Haricots verts vapeur et riz complet nature

En-cas
- Yaourt nature entier
- Oléagineux
- Morceau de fromage
- Pomme

laires, du diabète, des troubles gastro-intestinaux, de l'obésité et du cancer. Ils affirment que les graisses saturées d'origine animale ne favorisent pas les maladies cardio-vasculaires, contrairement à l'idée très répandue sur laquelle se fondent bien des régimes.

EN PRATIQUE

Ce régime préconise une restriction des glucides à 72 g par jour, soit à six « unités de pain » de 12 g de glucides par jour – d'où le nom du régime. Dans ce cadre, une unité de pain a été définie comme l'équivalent de :
- $1/2$ tasse de pâtes (non cuites)
- 1 tranche de pain
- $1/2$ pamplemousse
- 225 ml de lait ou de yaourt
- 225 ml de bière

La restriction porte donc sur les aliments contenant des glucides complexes (pains, pâtisseries, céréales, pâtes, pommes de terre), ainsi que les fruits sucrés, les fruits secs et tous les produits alimentaires sucrés.

Sont autorisés toutes les sources de protéines, le fromage et les légumes sans amidon, ainsi que les graisses saines d'origine végétale et animale. Néanmoins, les oléagineux, le yaourt et le lait entier sont limités. Les protéines (viande, volaille, poisson) peuvent être cuites de toutes les façons.

Ce programme ne fournit pas un plan de menus spécifiques, mais explique comment intégrer ses principes dans la préparation des repas et des en-cas. Un tableau expose la quantité de glucides contenue dans différents aliments et aide à composer des menus variés.

EST-IL SAIN ?

Le régime Life Without Bread est un régime qui modère la consommation de glucides sans pour autant l'éliminer drastiquement. En le limitant à 72 g par jour, il est relativement aisé de suivre ce régime sans se priver d'aliments sains tels que les fruits et les produits laitiers, qui sont autorisés dans certaines proportions.

En dépit de son nom, signifiant « la vie sans pain », le pain y est autorisé et les unités de mesure des glucides (12 g par unité) sont appelées « unités de pain ». Il s'agit donc moins d'éliminer le pain et les glucides de son alimentation que d'en

limiter la consommation et de trouver des alternatives saines sur lesquelles fonder les prises alimentaires. Ainsi, la variété alimentaire est bien respectée.

Comparé à d'autres programmes, cependant, le livre qui détaille ce régime est complexe et technique, ce qui peut rendre l'application de ses principes difficile au quotidien.

Les auteurs affirment que leur programme permet d'améliorer et de soigner le diabète, les troubles gastro-intestinaux, les maladies cardio-vasculaires et même le cancer. Ils contestent l'idée selon laquelle les graisses saturées contribuent à augmenter le taux de mauvais cholestérol LDL *(voir p. 38-40)*. Ils ont même tendance à encourager la consommation de fromages, de crème fraîche ou de lait entier. Ce qui constitue un point critiquable de ce programme alimentaire, car la relation entre les graisses saturées et ces maladies chroniques est désormais attestée.

Le régime Scarsdale

Restriction des glucides

- ⊗ **Achat de produits nécessaire**
- ⊘ **Facile à suivre à l'extérieur**
- ⊗ **Facile à suivre en famille**
- ⊘ **Achat d'un ouvrage nécessaire**
- ⊗ **Régime facile à poursuivre**

Comme tous les régimes prônant la restriction des glucides, le régime Scarsdale vise à mettre l'organisme dans un état d'acétonémie *(voir p. 168)*.

LE PRINCIPE

Ce régime à très haute teneur en protéines a pour objectif une perte de poids rapide, à savoir de 450 g par jour, soit un minimum de 9 kg en deux semaines. Les calories globales et les glucides sont très restreints.

Étant donné que ce régime alimentaire limite sévèrement la consommation de glucides et de lipides, il est censé provoquer un état d'acétonémie grâce auquel l'organisme brûle ses graisses pour produire de l'énergie au lieu de brûler les glucides. Plus l'organisme produit de corps cétoniques, plus il brûle de graisses, et plus il perd de poids.

EN PRATIQUE

Le régime Scarsdale repose sur un apport journalier de 1 000 calories, réparties en 43 % de protéines, 22,5 % de lipides et 34,5 % de glucides. On les consomme au cours de trois repas quotidiens, et les seuls en-cas autorisés sont les carottes et le céleri. L'huile, la mayonnaise et les assaisonnements pour la salade sont exclus, à l'exception du jus de citron et du vinaigre. Les légumes sont évidemment consommés sans beurre ni huile. La peau des blancs de poulet ou de dinde doit être retirée, et toutes les viandes consommées doivent être maigres. Les boissons alcoolisées ne sont pas autorisées, et il est recommandé de boire beaucoup d'eau. On peut également boire du café, du thé, ainsi que des sodas sans sucre.

Le régime étant très restrictif, il ne faut pas le poursuivre au-delà de quatorze jours. On peut le suivre pendant cinq, neuf ou quatorze jours, en fonction du poids que l'on souhaite perdre. Au bout de quatorze jours, on passe au programme de maintien, qui propose une liste plus étendue d'aliments à consommer. Elle comprend une boisson alcoolisée par jour, toutes les viandes maigres, le poisson, les œufs, les fromages, les soupes, les légumes, les fruits, les oléagineux, le pain (deux tranches), les

assaisonnements et les condiments. Ne sont pas autorisés le sucre, les pâtes, les pommes de terre, les produits laitiers entiers et les viandes grasses.

EST-IL SAIN ?

Le régime Scarsdale est une ancienne version du régime Atkins *(voir p. 167)*. Il manque dangereusement des vitamines et des sels minéraux que l'on trouve dans les glucides et les produits

---

LE RÉGIME SCARSDALE

Petit déjeuner
- $\frac{1}{2}$ pamplemousse
- 1 tranche de pain nature

Déjeuner
- Assortiment de viandes maigres cuites (poulet, dinde, langue, bœuf)
- Tomates crues, grillées ou cuites

Dîner
- Salade de poisson ou de fruits de mer
- 1 tranche de pain nature
- $\frac{1}{2}$ pamplemousse

En-cas
- Carottes ou céleri

---

laitiers. Certes, la perte de poids est conséquente, mais elle est difficile à maintenir, car le régime, très restrictif, ne peut être prolongé dans le temps. L'absence d'en-cas conséquents peut provoquer la faim ou, pis, des envies compulsives de manger. En outre, le régime Scarsdale étant très riche en protéines, il ne convient pas aux personnes souffrant d'affections rénales et risque de poser de sérieux problèmes de santé s'il est poursuivi au-delà de quatorze jours.

Le régime Food Doctor

Restriction des glucides

- ⊗ **Achat de produits nécessaire**
- ✅ **Facile à suivre à l'extérieur**
- ✅ **Facile à suivre en famille**
- ✅ **Achat d'un ouvrage nécessaire**
- ✅ **Régime facile à poursuivre**

Le régime Food Doctor a été conçu par Ian Marber, diplômé de l'Institute for Optimum Nutrition de Londres, qui dirige une clinique dans laquelle sont abordés et traités de nombreux problèmes nutritionnels. Ce programme simple cherche à donner aux candidats un moyen de retrouver et de conserver une hygiène de vie et un système digestif sains, sans s'affamer ni avoir à compter les calories.

LE PRINCIPE

L'objectif premier de ce régime est de recouvrer un bon état de santé général, en particulier au niveau du tube digestif, selon le principe qu'un système digestif sain d'une part, favorise, l'absorption des nutriments et, d'autre part, freine les envies compulsives de nourriture et de boissons industrielles sucrées. L'auteur a tenu à ce que son programme soit simple.

Son ouvrage fournit de nombreuses informations sur la physiologie de la digestion, l'absorption des nutriments et le rôle de la flore intestinale. Le régime repose sur une alimentation saine à base de protéines maigres, de glucides complexes et de graisses monoinsaturées, ainsi que sur l'activité physique régulière.

Le régime Scarsdale Cette assiette de viandes maigres et de tomates est typique de la phase initiale du régime.

EN PRATIQUE

Selon l'auteur du régime Food Doctor, l'hygiène intestinale est capitale pour la santé globale de l'organisme. Un régime riche en graisses saturées, en aliments sucrés et en nourriture industrielle entraîne des fermentations intestinales par lesquelles se développent des bactéries nocives dans l'intestin. Il s'ensuit des ballonnements, des envies compulsives de nourriture et des problèmes médicaux tels que le muguet.

L'ouvrage de Ian Marber propose, d'abord, un programme de sept jours visant à améliorer la digestion et à réduire la fermentation dans l'intestin. Il s'agit de consommer des repas légers et des en-cas réguliers. À ce stade, la consommation de fruits, de viande, ainsi que de café, de thé et d'alcool est déconseillée, car ces aliments encouragent la croissance de mauvaises bactéries. Dans son ouvrage, la description de cette phase initiale est suivie de dix grands principes d'hygiène alimentaire saine et équilibrée à long terme.

En ce qui concerne la composition des repas, le régime Food Doctor met l'accent sur la consommation de glu-

cides à index glycémique bas *(voir p. 47)*, à associer à des protéines maigres et à des légumes fibreux afin de ralentir l'absorption des sucres dans le sang. L'auteur recommande de composer ses repas selon les proportions suivantes, idéales, selon lui, pour atteindre un bon équilibre nutritionnel : 40 % de protéines maigres telles que du blanc de poulet grillé, 20 % de glucides complexes – du riz complet – et 40 % de légumes. Au cas où l'on dîne tard, il est préférable que la moitié de son assiette soit composée de protéines maigres (du poisson grillé, par exemple) et l'autre moitié de légumes.

Le livre de Ian Marber comporte de nombreuses recettes, dont des recettes de soupes, ainsi qu'une liste de courses à faire pour permettre de passer au mieux le cap de la première semaine. Un cahier est également fourni, afin que le candidat note ce qu'il mange et boit, ainsi que ses impressions pendant les trois premiers jours de l'expérience.

La partie du livre consacrée aux principes d'hygiène alimentaire est riche d'informations utiles sur l'achat, la préparation – apparemment facile et appétissante – et la cuisson des aliments. On y explique également certains principes, tels que l'importance de consommer les protéines en même temps que les glucides ou de boire suffisamment d'eau dans la journée.

EST-IL SAIN ?

Le régime Food Doctor repose sur des principes sains. Que ce soit dans le programme initial ou dans la seconde partie du livre, les portions sont relativement petites (on peut avoir faim au début), mais la perte de poids est pratiquement assurée pour tout le monde. Sur le plan nutritionnel, le régime est équilibré, et les dix principes visant à installer des habitudes alimentaires à terme sont pratiques et utiles. Les recettes proposées sont alléchantes et intéressantes. Le fait d'associer les problèmes de poids à une inflammation de l'intestin nous semble contestable, mais cet ouvrage est sans aucun doute d'une grande utilité aux personnes souffrant de troubles digestifs, notamment d'intolérance au gluten (maladie cœliaque).

LE RÉGIME FOOD DOCTOR

Petit déjeuner
- 1 verre d'eau chaude citronnée
- 2 œufs pochés ou brouillés
- 1 tranche de pain de seigle légèrement grillée

Déjeuner
- 1 bol de soupe maison
- Blanc de dinde grillé
- Riz complet
- Salade composée (salade verte et 5 autres légumes)

Dîner
- Légumes sautés (carottes, courgettes, asperges, mini épis de maïs) avec des lamelles de blanc de poulet ou des crevettes
- 1 verre d'eau minérale

En-cas
- Galette d'avoine et blanc de dinde ou guacamole
- 1 pomme ou 1 poire avec 5 noix du Brésil

Le régime Miami

Restriction des glucides

- ⊗ Achat de produits nécessaire
- ⊘ Facile à suivre à l'extérieur
- ⊘ Facile à suivre en famille
- ⊗ Achat d'un ouvrage nécessaire
- ⊘ Régime facile à poursuivre

Ce programme d'amaigrissement a été mis au point par un éminent cardiologue américain originaire de Miami dans le dessein d'améliorer la santé de ses patients.

LE PRINCIPE

L'auteur du régime Miami pense que les autres régimes limitant la consommation de glucides, tel le régime du Dr Atkins *(voir p. 167)*, passent à côté des bienfaits que procure leur consommation. De plus, il est persuadé qu'en insistant sur la consommation de protéines et de lipides saturés, on augmente les taux de triglycérides et de cholestérol *(voir p. 39-41)*. Aussi fait-il la distinction entre les mauvais glucides, comme les pommes de terre, le riz blanc, le pain blanc et autres produits à base de céréales raffinée, d'une part, et les bons glucides tels que les pâtes ou le riz complets, d'autre part.

Au cours de la première phase du régime, qui dure deux semaines, les glucides, y compris les fruits et l'alcool, sont totalement éliminés de l'alimentation. L'auteur affirme que cela permet de modifier la façon dont l'organisme digère les glucides et de prévenir l'insulinorésistance qui précède le diabète *(voir p. 246-251)*.

Les glucides sont réintroduits progressivement dans l'alimentation à l'issue de cette première phase. Les aliments de base sont alors les viandes maigres, les légumes, les produits laitiers écrémés et les œufs. Ce régime a la réputation d'être facile à suivre, car on peut manger à volonté. Il autorise, en outre, un petit déjeuner substantiel, un en-cas pour le déjeuner et un dessert au dîner.

La théorie qui sous-tend ce programme alimentaire est que des repas et des en-cas structurés proposés dans le livre permettent de manger à sa faim et de ne pas céder à des

Petit déjeuner
- 1 verre de jus de légumes
- Omelette, réalisée seulement avec le blanc des œufs, aux poivrons rouges et verts et aux oignons hachés et au fromage râpé allégé en matières grasses

Déjeuner
- Salade de légumes verts avec du jambon cuit, du blanc de dinde, du fromage blanc allégé en matières grasses et 2 cuil. à s. de vinaigrette
- Gelée aux fruits sans sucre

Dîner
- Saumon grillé, asperges et purée de pommes de terre
- Salade verte à l'huile d'olive et au vinaigre
- Fromage blanc à 0 % de matières grasses aromatisé à l'extrait de vanille et sucré avec un édulcorant de synthèse

En-cas
- Mozzarelle allégée en matières grasses
- Branche de céleri et fromage frais allégé

envies compulsives de consommer des mauvais glucides.

EN PRATIQUE

Le régime Miami comporte trois phases, toutes fondées sur la prise de trois repas et de deux en-cas. La liste des aliments autorisés change d'une phase à l'autre. La phase I, qui dure deux semaines, exclut tous les glucides, dont les fruits, les sucreries et l'alcool.

La phase II est plus souple : sont réintroduits les fruits et un aliment interdit auparavant. Par exemple, si vous adorez le chocolat, vous pouvez inclure du chocolat à ce stade de votre régime. La phase III est une période de maintien, au cours de laquelle on ajoute encore quelques portions d'aliments.

La perte de poids est la plus conséquente au cours des deux premières phases du programme, mais l'auteur affirme que son régime offre une grande flexibilité. Par exemple, si vous prenez du poids en vacances, il vous suffit de revenir à la phase initiale pendant deux semaines à votre retour. L'ouvrage contient également des recettes pour chaque phase.

EST-IL SAIN ?

Certains aspects du régime Miami sont très logiques et certainement utiles à qui veut perdre du poids. Le fait de pouvoir manger jusqu'à satiété permet de ne pas se lasser et de poursuivre le régime aussi longtemps qu'il le faut. Le régime est sain dans la mesure où il encourage la consommation de légumes et, contrairement au régime Atkins *(voir p. 167)*, les quantités de lipides et de protéines ne sont pas illimitées. Il encourage également l'utilisation de graisses monoinsaturées dans la cuisine (huile d'olive) et autorise, en portions modérées, les protéines maigres comme le poisson et la volaille. Cela permet de perdre du poids mais aussi d'améliorer son état de santé général.

Cela dit, la phase initiale au cours de laquelle les glucides et les fruits sont complètement éliminés de l'alimentation peut être difficile, malgré la présence des recettes et préparations alimentaires qui sont incluses dans le livre de référence.

Le livre est pratique – l'un des chapitres est consacré aux repas pris à l'extérieur et à la façon de poursuivre le régime au restaurant. De nombreuses informations sont données, notamment sur l'index glycémique et sur la façon dont la consommation de glucides affecte le taux de glucose dans le sang *(voir p. 47)*. Par exemple, on apprend qu'une pomme de terre cuite au four n'a pas la même valeur qu'une pomme de terre bouillie ou réduite en purée. La première sera digérée plus rapidement, sauf si, par exemple, on la mange parsemée de fromage râpé.

L'auteur prétend que le programme repose sur des bases scientifiques, mais aucune preuve n'est donnée à part les résultats de son expérience de médecin. De plus, l'idée que la satiété empêche le grignotage reste à prouver. Enfin, si l'usage des médicaments au cours du régime est abordé dans le livre, il néglige l'aspect bénéfique essentiel de l'exercice physique, considérant que le régime alimentaire suffit, à lui seul, à se maintenir en bonne santé.

Le régime Shapiro

Restriction des lipides

- ⊗ Achat de produits nécessaire
- ⊘ Facile à suivre à l'extérieur
- ⊘ Facile à suivre en famille
- ⊘ Achat d'un ouvrage nécessaire
- ⊗ Régime facile à poursuivre

Ce programme alimentaire, élaboré par le Dr Shapiro, repose sur le contrôle de la taille des portions et sur le calcul des calories que contiennent les divers choix alimentaires.

LE PRINCIPE

À force de conseiller, en clinique, les patients désireux de recouvrer leur poids de forme et de le maintenir, le Dr Shapiro a développé un programme particulier dans le dessein d'apprendre aux gens à faire leurs choix alimentaires en toute conscience. Il est persuadé que l'on peut changer les relations que l'on entretient avec la nourriture en apprenant à sélectionner des aliments peu caloriques qui rassasient sans faire prendre de poids excessif.

Le succès de ce régime passe à la fois par l'application des principes d'hygiène nutritionnelle du Dr Shapiro et par l'augmentation des dépenses physiques.

EN PRATIQUE

Le Dr Shapiro a développé un programme alimentaire flexible et non restrictif, dans lequel aucun aliment n'est tabou et les portions et les heures des repas ne sont pas imposées. On commence par tenir un journal pendant une semaine, en y indiquant les aliments consommés, avec quel degré de faim, à quel moment de la journée et dans quelle situation on les a mangés. On prend ainsi progressivement conscience de ses choix et de ses habitudes en matière alimentaire et on devient plus responsable. Tenir ce cahier permet de changer peu à peu son comportement alimentaire en se tournant vers des choix plus sains. Le Dr Shapiro conseille de faire des réserves de certains aliments à manger à tout moment en cas de fringale. Son ouvrage contient également des graphiques qui illustrent la teneur en calories de différentes portions d'aliments, ainsi que des conseils pour faire les courses, pour choisir des menus au restaurant et pour augmenter ses dépenses physiques.

EST-IL SAIN ?

L'intérêt du programme du Dr Shapiro est qu'il accorde beaucoup d'importance à l'exercice physique et que le régime alimentaire préconisé est sain. Il donne également aux candidats à l'amaigrissement les moyens de reconsidérer leur relation à la nourriture et aux régimes, grâce, notamment, à la tenue de leur journal de bord.

Utilisé correctement, le programme du Dr Shapiro fait perdre du poids sans ressentir de privation. Comme il n'est pas nécessaire de compter les calories, certaines personnes peuvent éprouver des difficultés à visualiser le rapport entre les portions et les calories. C'est pourquoi il est plus facile à suivre pour les personnes qui peuvent se rendre dans sa clinique et y recevoir le soutien et les conseils des nutritionnistes.

LE RÉGIME SHAPIRO

Petit déjeuner
- 1 petit bol de banane et melon en morceaux
- Saumon fumé
- 1 Pumpernickel (pain alsacien)

Déjeuner
- Salade verte, crevettes et assaisonnement léger
- Pain au levain

Dîner
- Potage Manhattan aux praires
- Pâtes aux légumes
- Fruits rouges et sorbet à la framboise

En-cas
- Yaourt écrémé
- Fruit
- Galettes de riz
- Poignée d'amandes

Le régime de Barbara Rolls

Contrôle des quantités

- ✖ **Achat de produits nécessaire**
- ✔ **Facile à suivre à l'extérieur**
- ✔ **Facile à suivre en famille**
- ✔ **Achat d'un ouvrage nécessaire**
- ✔ **Régime facile à poursuivre**

Ce régime s'appuie sur la notion de satiété et sur le constat qu'un corps rassasié est satisfait. Si vous avez suffisamment mangé au cours du repas, vous n'aurez pas envie de grignoter entre les repas ni de vous jeter sur la nourriture au repas suivant.

LE PRINCIPE

L'objectif de ce programme est de provoquer un état de satiété en remplaçant des aliments caloriques par d'autres, peu caloriques, à consommer en quantités suffisantes pour combler la faim. Le régime alimentaire est élaboré de telle façon que les besoins nutritionnels soient couverts. De plus, le programme met l'accent sur la pratique d'une activité physique. Avec ce programme, on peut espérer perdre entre 450 g et 900 g par semaine. Une fois les kilos perdus, le poids de forme est maintenu en conservant les mêmes habitudes alimentaires et en équilibrant la consommation et les dépenses caloriques.

EN PRATIQUE

La période d'amaigrissement ne doit pas, selon l'auteur du programme, dépasser six mois, au cours desquels on consomme entre 500 et 1 000 calories par jour, réparties sur trois repas et quelques en-cas. L'équilibre nutritionnel est respecté puisque le régime est fondé sur la pyramide alimentaire établie par les autorités, américaines, en l'occurrence. Ainsi, entre 20 et 30 % des calories ingérées sont fournies par les lipides, 55 % par les glucides (céréales complètes, légumes et fruits, l'idéal étant de consommer de 20 à 30 g de fibres par jour) et 15 % par les protéines (viande maigre, poisson peu gras et volaille sans peau). Le sucre,

---

LE RÉGIME DE BARBARA ROLLS

Petit déjeuner
- Salade d'agrumes
- Muffin anglais au beurre allégé et confiture allégée en sucre
- 1 verre de lait demi-écrémé

Déjeuner
- Tortilla aux haricots mexicains et fromage, tortillas chips et sauce à la tomate
- Pêches

Dîner
- Brochette de bœuf et légumes avec des asperges
- Salade romaine et vinaigrette allégée
- Cubes de pastèque et sorbet ou yaourt glacé

En-cas
- Poignée de mini bretzels

---

l'alcool, le thé et le café sont autorisés, en quantités modérées. Il est recommandé de boire beaucoup et de manger des aliments riches en eau (au total, 2,2 litres d'eau par jour pour les femmes et 2,9 litres pour les hommes). Aucun aliment n'est interdit, mais les aliments caloriques sont limités.

EST-IL SAIN ?

Le programme mis au point par Barbara Rolls est fondé sur des principes sensés et sains qui doivent permettre de maigrir et de maintenir le poids atteint. Ses résultats à court terme ont été attestés et une étude est en cours sur les effets à long terme de ce régime. Les principes sont clairement expliqués dans l'ouvrage de l'auteur, qui comporte également une liste d'aliments peu caloriques, des recettes et des menus types.

S'il est correctement suivi, ce régime fait perdre du poids en orientant les candidats vers des choix alimentaires judicieux qui apportent peu de calories tout en couvrant les besoins nutritionnels et vers l'augmentation, par l'activité physique, des dépenses caloriques. Il est viable à terme car, aucun aliment n'étant interdit, il n'entraîne pas de frustration. L'apport énergétique est limité à 1 000 calories journalières, mais l'alimentation est variée et équilibrée.

Le régime 90/10

Contrôle des quantités

- ⊗ **Achat de produits nécessaire**
- ⊗ **Facile à suivre à l'extérieur**
- ⊘ **Facile à suivre en famille**
- ⊘ **Achat d'un ouvrage nécessaire**
- ⊗ **Régime facile à poursuivre**

Ce régime basses calories, à teneur réduite en graisses saturées, est riche en fibres, en phytonutriments et en antioxydants. 90 % des aliments consommés sont des aliments sains et 10 % sont des « aliments-plaisir », d'où son nom.

LE PRINCIPE

Ce régime est un programme de quatorze jours qui peut être répété jusqu'à ce que le candidat à l'amaigrissement ait atteint son objectif. Il repose sur la consommation journalière de 1 200 à 1 600 calories en fonction de votre poids et de votre niveau d'activité. 90 % des calories ingérées proviennent des menus fournis, les 10 % restants sont à choisir dans une liste d'aliments-plaisir. Les portions sont limitées, mais permettent de manger de tout, avec modération, en particulier les aliments qui suscitent souvent une envie compulsive. L'activité physique est préconisée pour soutenir la perte de poids.

L'auteur de ce programme, Joy Bauer, admet que les kilos perdus au cours des deux premières semaines (jusqu'à 4,5 kg) sont essentiellement constitués d'eau. La perte moyenne est de 250 à 900 g au cours des semaines suivantes. Joy Bauer déconseille de maigrir plus vite pour des raisons de santé.

EN PRATIQUE

Le programme quotidien de ce régime comporte un petit déjeuner, un déjeuner, un dîner et quelques en-cas. On est autorisé à piocher tous les jours dans la liste des aliments-plaisir, que l'on peut consommer quand bon nous semble. Il n'est pas nécessaire de compter les calories si l'on suit les menus prévus pour quatorze jours de régime. Sont également fournis des exemples de menus alternatifs pour rendre le programme plus varié. Il est recommandé de prendre des compléments de vitamines et de calcium, pour prévenir d'éventuelles carences, et de boire beaucoup d'eau. Le café, le thé et l'eau gazeuse sans sucre sont également autorisés.

L'auteur suggère de se photographier avant de commencer le régime et de noter ses mensurations et la taille de ses vêtements, ainsi que sa proportion de masse grasse, si possible. Elle propose de répéter l'opération deux semaines plus tard, afin de constater les résultats obtenus autrement que sur la balance.

EST-IL SAIN ?

L'idée maîtresse de ce programme est de manger sainement dans l'ensemble tout en s'autorisant quelques aliments qui procurent du plaisir et évitent la frustration inhérente aux régimes alimentaires restrictifs. Les menus sont équilibrés sur le plan nutritionnel.

Cela dit, on peut reprocher à ce régime d'être un peu monotone à la longue, en dépit des alternatives de menus fournies dans le livre, surtout si l'on compte le suivre sur plusieurs sessions successives de quatorze jours.

LE RÉGIME 90/10

Petit déjeuner
- 1 gaufre à la farine complète et aux fruits rouges

Déjeuner
- Fromage blanc et salade de fruits frais

Dîner
- Lasagnes aux épinards
- Salade verte à l'huile d'olive et au vinaigre

En-cas
- Barre de céréales ou au muesli
- Chips (aliment-plaisir)

Le régime à 1 200 calories par jour est très restrictif et ne peut être suivi très longtemps. L'ouvrage de Joy Bauer contient beaucoup de conseils sur la façon de perdre du poids et de conserver ensuite un poids stable, mais manque quelque peu d'informations sur la taille des portions et sur le moyen de poursuivre son régime lorsqu'on mange en dehors de chez soi.

Le régime Change One

Contrôle des quantités

- ⊗ **Achat de produits nécessaire**
- ⊘ **Facile à suivre à l'extérieur**
- ⊘ **Facile à suivre en famille**
- ⊘ **Achat d'un ouvrage nécessaire**
- ⊘ **Régime facile à poursuivre**

Partant du principe qu'il est difficile de modifier son comportement, ce régime de douze semaines préconise de ne changer qu'une habitude alimentaire par semaine.

LE PRINCIPE

Le programme Change One commence par l'examen détaillé de votre petit déjeuner. Au cours du premier mois, on passe ensuite en revue sa façon de déjeuner, de dîner et de manger entre les repas. Chaque chapitre du livre de référence propose un régime à 1 300 calories par jour (1 600 si l'on est très actif ou si le surpoids est important) fondé sur le contrôle de la taille des portions. Le principe fondamental de ce régime est que les problèmes de poids ne surviennent pas à cause de la nourriture en soi, mais à cause des quantités que l'on absorbe. Les menus respectent l'équilibre nutritionnel, et une place importante est réservée à l'activité physique. On peut ainsi espérer perdre entre 450 g et 1,350 kg par semaine, la moyenne étant de 7,7 kg perdus au cours des douze semaines.

EN PRATIQUE

Durant la première semaine du programme, on se concentre sur le petit déjeuner. Un petit déjeuner équilibré

LE RÉGIME CHANGE ONE

Petit déjeuner

- 1 yaourt nature, muesli croustillant, fruit et noix de coco

Déjeuner

- Salade composée avec du blanc de dinde, jambon, fromage et sauce allégée en matières grasses
- 1 petit pain à la farine complète
- Cubes de melon à chair orange (cantaloup)

Dîner

- Filet de flétan grillé aux oignons et aux oignons nouveaux, petites pâtes et courgettes vapeur
- Mousse aux airelles

En-cas

- Tortilla chips et sauce tomate

et peu calorique est proposé, mais on ne change pas ses habitudes alimentaires pendant le reste de la journée. Pendant les trois semaines suivantes, on modifie progressivement le déjeuner, les en-cas et le dîner.

Au cours des huit autres semaines, on apprend à faire de bons choix alimentaires lorsqu'on mange à l'extérieur, en week-end ou en vacances, comment se constituer des réserves d'aliments sains et comment intégrer d'autres bonnes habitudes, telles que l'exercice physique, à son hygiène de vie. Tous les aliments sont autorisés dans des proportions variables.

Des suggestions de repas et des recettes sont proposées, ainsi que des conseils en cas d'écarts. Chaque chapitre donne des stratégies pour accélérer l'amaigrissement. Il est également conseillé de tenir un journal de bord.

EST-IL SAIN?

Le régime Change One est un moyen sain et sensé de perdre du poids et de maintenir les résultats acquis, sans remettre en question l'équilibre nutritionnel. Les recettes, les menus et les conseils sont des outils efficaces qui permettent de traverser au mieux les douze semaines du programme. De plus, le

site Internet est une mine d'informations supplémentaires et un moyen, pour les candidats à l'amaigrissement, de partager leur expérience avec d'autres, ce qui est certainement un facteur de succès.

Le régime Glucose Révolution

Index glycémique

- ⊗ Achat de produits nécessaire
- ⊘ Facile à suivre à l'extérieur
- ⊘ Facile à suivre en famille
- ⊘ Achat d'un ouvrage nécessaire
- ⊘ Régime facile à poursuivre

Ce programme alimentaire, comme tous ceux qui se fondent sur l'index glycémique *(voir p. 47)* des aliments, a été créé pour venir en aide aux diabétiques, mais les principes sur lesquels il repose peuvent être utiles à tous ceux qui désirent perdre du poids en suivant un régime sain et équilibré.

LE PRINCIPE

Le régime repose sur la recherche extensive de l'index glycémique des aliments, selon une méthode visant à identifier l'incidence immédiate de la consommation de glucides sur le taux de glucose dans le sang. Les aliments ayant un index gly-

cémique élevé provoquent une brusque augmentation, suivie d'une chute tout aussi brutale, du taux de glucose dans le sang, entraînant une réponse insulinique et une augmentation de l'appétit. Le régime Glucose Révolution préconise de manger des glucides à index glycémique bas et en quantité suffisante.

EN PRATIQUE

Ce régime propose une sélection d'aliments à index glycémique bas qui sont, en général, riches en fibres et ont l'avantage de rassasier plus vite, d'être digérés plus lentement et de contenir moins de sucre que les aliments à index glycémique élevé. Il est recommandé de consommer cinq portions de légumes et de légumineuses par jour, ainsi que deux portions de fruits, cinq portions de pain et de céréales, de manger régulièrement et de diminuer l'apport en lipides.

EST-IL SAIN?

Le concept d'index glycémique fait l'objet d'une polémique depuis des années à cause des variations dans la mesure de la vitesse de la réponse glycémique. Cela dit, la modernisation des instru-

Le régime Glucose Révolution Un blanc de poulet cuit au four avec une patate douce et des poivrons grillés est un repas typique de ce régime.

ments et la standardisation des mesures ont permis de considérer l'index glycémique comme un moyen efficace d'évaluer l'impact des glucides sur le taux de glucose, qu'ils soient consommés seuls ou au cours des repas. C'est particulièrement intéressant dans les cas d'insulinorésistance (diabète et obésité), dans lesquels l'organisme ne parvient pas à métaboliser correctement les glucides. Cela dit, la notion d'index glycémique a été galvaudée et certains régimes alimentaires connus ont été fondés sur une interprétation erronée de ce concept. Ce programme propose une approche plus équilibrée et plus facilement applicable à long terme.

Il est recommandé de consommer beaucoup de légumes riches en fibres et de légumineuses, ainsi que des fruits frais, des pains aux céréales et des céréales à index glycémique bas et de réduire sa consommation de lipides totaux et de lipides saturés. Ce régime est donc sensé, équilibré et sain. Il est particulièrement recommandé aux personnes souffrant d'un diabète de type 2 (voir p. 246-251).

Des conseils sont donnés sur les quantités d'aliments à consommer dans l'ouvrage de référence.

LE RÉGIME GLUCOSE RÉVOLUTION

Petit déjeuner
- Céréales au son et lait écrémé ou demi-écrémé
- Pain aux céréales et confiture allégée en sucre

Déjeuner
- Sandwich de pain complet ou aux céréales, au poulet, à la dinde ou au jambon
- Salade verte

Dîner
- Poulet rôti, patate douce, poivrons rouge et vert cuits au four
- Crème glacée allégée en matières grasses, poire fraîche ou en conserve.

En-cas
- Fruit frais

La méthode Montignac

Index glycémique

- ⊗ Achat de produits nécessaire
- ⊘ Facile à suivre à l'extérieur
- ⊘ Facile à suivre en famille
- ⊘ Achat d'un ouvrage nécessaire
- ⊘ Régime facile à poursuivre

Mis au point par Michel Montignac, ce régime se situe à cheval entre un régime contrôlant l'index glycémique *(voir p. 47)* des aliments et un régime prônant la dissociation des aliments.

LE PRINCIPE

Ce régime repose sur la consommation d'aliments à index glycémique bas, riches en fibres et à faible teneur en lipides, ainsi que sur l'association particulière des aliments entre eux. Il n'est pas nécessaire de compter les calories ni de limiter les quantités.

Les aliments sont classés en glucides (bons et mauvais), lipides (de la viande, des produits laitiers et des huiles), mixtes (oléagineux, avocats, abats) et fibres (légumes et céréales complètes), qu'il ne faut pas toujours consommer ensemble.

EN PRATIQUE

Le régime se divise en deux phases :
- Phase I : on fait trois repas par jour selon les principes de la dissociation des aliments (les fruits, par exemple, doivent être mangés seuls et loin des autres prises alimentaires).
- Phase II : on réintroduit progressivement certains « mauvais » glucides et on est autorisé à boire du vin et à manger un peu de chocolat noir sans sucre.

Il faut éviter de boire au cours des repas, mais boire beaucoup d'eau en dehors des repas. Il est préférable de ne pas boire à la fois du café et du thé.

EST-IL SAIN ?

La perte de poids est consécutive à l'abandon de mauvaises habitudes alimentaires telles que la consommation de chips ou de pâtisseries. Le fait que le vin et le chocolat soient autorisés – avec

LA MÉTHODE MONTIGNAC

Tôt le matin
- Raisin

Petit déjeuner
- Flocons d'avoine au lait écrémé

Déjeuner
- Poulet grillé, riz complet, tomates et courgettes
- Fromage sans matières grasses
- Compote de pommes

Dîner
- Chicorée, œuf dur en tranches, tomates, fromage râpé avec un assaisonnement sans sucre

En-cas
- Non autorisé en phase I. Chocolat noir en phase II.

modération – au cours de la deuxième phase n'est pas étranger à la popularité de la méthode. Cela dit, l'auteur appuie ses principes sur des théories non scientifiques et sur des constats erronés. Il affirme, par exemple, que les Américains (des États-Unis) ont diminué leur apport calorique de 30 % au cours des cent dernières années, mais que l'obésité a augmenté. Or, il se trouve que l'apport énergétique a augmenté de 200 calories par jour depuis vingt ans.

De plus, il pointe du doigt la baisse du niveau d'activité physique, qui a diminué considérablement en un siècle, mais c'est plutôt la combinaison d'une vie sédentaire et de l'augmentation de l'apport calorique qui est responsable de l'augmentation du surpoids.

Michel Montignac affirme également que les glucides à index glycémique élevé interfèrent, lorsqu'ils sont consommés ensemble, avec l'absorption des lipides et provoquent une accumulation de graisse dans l'organisme. Or, si l'absorption des lipides est inhibée, ceux-ci ne peuvent être stockés. Pour éviter les réserves de graisse, il vaut mieux éviter de manger les lipides avant les autres aliments.

Le régime GI

Index glycémique

- ⊗ **Achat de produits nécessaire**
- ⊘ **Facile à suivre à l'extérieur**
- ⊘ **Facile à suivre en famille**
- ⊘ **Achat d'un ouvrage nécessaire**
- ⊘ **Régime facile à poursuivre**

Ce régime a été mis au point par une nutritionniste, Azmina Govindji et une consultante et coach, Nina Puddefoot. Il repose sur le contrôle de l'index glycémique *(voir p. 47)*, mais également sur la consommation de fruits et de légumes et la diminution des lipides.

LE PRINCIPE
À chaque aliment (une centaine est répertoriée) est attribué un certain nombre de points (les GIP), en fonction de son index glycémique et du nombre de calories qu'il contient. Le livre répertorie, par ailleurs, l'index glycémique des aliments sous forme de tableaux. Le succès du régime tient au fait qu'il permet de perdre du poids tout en se sentant rassasié. Il est plus facile de maigrir, néanmoins, en suivant de près les menus conseillés. Cela dit, le programme encourage les candidats à faire des choix alimentaires plus sains, car moins gras, et permet d'atteindre leur objectif en limitant le nombre total de calories consommées.

EN PRATIQUE
Au cours de la première phase, qui dure deux semaines, les hommes sont autorisés à consommer 22 GIP (points d'index glycémique) par jour, les femmes, 17. Cette première phase déclenche une perte de poids relativement rapide. Elle est suivie d'une deuxième phase, au cours de laquelle les hommes peuvent consommer 25 GIP et les femmes, 20. On mange davantage, mais les auteurs du régime affirment que l'on continue à perdre entre 450 g et 900 g par semaine.

Durant ces deux premières phases, les candidats – hommes et femmes – peuvent consommer 200 ml de lait demi-écrémé, des boissons allégées en sucre tandis que l'eau plate et

gazeuse est autorisée sans limite. Il est possible de boire de l'alcool, jusqu'à sept unités par semaine pour les femmes et dix pour les hommes. Les légumes peuvent être consommés à volonté. Une fois l'objectif atteint, les candidats sont invités à suivre une troisième phase – de stabilisation – afin de maintenir les résultats obtenus au cours des périodes précédentes.

Le régime préconise de prendre trois repas et trois en-cas par jour à partir d'une grande variété d'aliments puisés dans tous les groupes. Le programme propose des recettes et des exemples de menus et donne des conseils pour poursuivre le régime en dehors de chez soi, ainsi que pour le démarrer. L'exercice physique est encouragé – au moins deux fois dix minutes d'exercice relativement soutenu par jour.

EST-IL SAIN ?
Le programme GI repose sur des principes alimentaires sains. Il propose des méthodes concrètes visant à modifier le comportement, assorties de conseils pour conserver sa motivation au cours du régime et au-delà. Il est maintenant prouvé qu'un régime alimentaire riche

en aliments à faible index glycémique et en céréales complètes diminue les risques de certains problèmes médicaux (affections cardiaques et diabète). Cependant, ce régime implique que les candidats comptent leurs points et gardent leur liste d'aliments sur eux, et la restriction calorique importante de la première phase peut être difficile à soutenir.

Le régime Hay

Dissociation des aliments

- ⊗ **Achat de produits nécessaire**
- ⊘ **Facile à suivre à l'extérieur**
- ⊘ **Facile à suivre en famille**
- ⊗ **Achat d'un ouvrage nécessaire**
- ⊗ **Régime facile à poursuivre**

Ce régime a été mis au point, dans les années 30, par le Dr William Hay, qui était convaincu qu'éliminer les produits raffinés et éviter de mélanger les protéines et les glucides complexes permettaient de recouvrer et de conserver une bonne santé.

LE PRINCIPE
Ce régime repose sur le principe que la prise de poids découle d'un déséquilibre métabolique résultant lui-même d'une mauvaise digestion. Selon cette théorie, fondée sur des expériences faites au cours des années 20, le métabolisme se déséquilibre à cause de la variété de notre régime alimentaire et parce que les enzymes nécessaires à la digestion des glucides sont efficaces dans un environnement chimique qui n'est pas du tout le même que celui dans lequel sont digérées les protéines. Si l'on mange des protéines et des glucides au cours d'un même repas, le milieu sera soit trop acide pour la digestion des glucides, soit trop alcalin pour la digestion des protéines. Il faut donc les manger séparément, à distance de quatre heures. Selon le Dr Hay, on peut classer les aliments selon leur action au cours de la digestion :
- Les fruits et les légumes sont alcalinisants et bons pour la santé.
- Il faut manger peu de protéines animales (viande, poisson, œufs, volaille et

---

LE RÉGIME GI

Petit déjeuner
- Jus de tomate
- 1 bol de céréales au son et de lait demi-écrémé

Déjeuner
- 1 bol de potage à la tomate
- Salade grecque (feta, olives, tomates, concombres, oignons) assaisonnée sans huile
- Gelée sans sucre et fraises

Dîner
- Légumes (poivrons rouges et verts, courgettes, brocoli et champignons) et poulet sautés au gingembre
- Riz basmati
- Raisin

En-cas
- Fruits frais ou secs, biscuits

LE RÉGIME HAY

Petit déjeuner
- 1 yaourt nature, lamelles de pomme et amandes effilées

Déjeuner
- Sandwich à la banane grillée
- Mélange de raisin, noisettes et raisins secs
- 1 poire fraîche

Dîner
- Cabillaud grillé, carottes, chou-fleur et petits pois
- Salade de pamplemousse et d'orange fraîche

En-cas
- Fruits frais
- Légumes hachés

fromage) qui sont acidifiantes.
- Les glucides sont également acidifiants, et leur consommation doit aussi être limitée.

EN PRATIQUE

Ce régime alimentaire préconise la consommation d'aliments complets naturels, dont au moins 50 % de fruits et de légumes frais. Les produits industriels et raffinés sont à éviter absolument. La dissociation de ce régime consiste à alterner les repas à base de protéines telles la viande ou le poisson, et les repas à base de glucides.

En conclusion, il faut éliminer les produits alimentaires raffinés et industriels, diminuer la consommation de lait, éviter le mélange des protéines et des glucides. Les autres aliments, comprenant les légumes, les oléagineux et les huiles, peuvent être consommés soit avec les protéines, soit avec les glucides.

EST-IL SAIN ?

Ce régime est sain dans la mesure où il préconise une consommation importante de fruits, de légumes, de céréales complètes et élimine les aliments ayant subi des processus de raffinage. De plus, il limite la consommation des protéines. Mais la perte de poids survient seulement si l'on réduit les quantités.

Le régime Somersizing

Dissociation des aliments

- ⊗ **Achat de produits nécessaire**
- ⊘ **Facile à suivre à l'extérieur**
- ⊘ **Facile à suivre en famille**
- ⊘ **Achat d'un ouvrage nécessaire**
- ⊗ **Régime facile à poursuivre**

Suzanne Somers a mis au point un programme original ou le plaisir est aussi important que la dissociation des aliments.

LE PRINCIPE

Le régime Somersizing vise à reprogrammer l'organisme pour lui faire brûler davantage de graisses en lui donnant très souvent de l'énergie sous la forme de repas fréquents et légers et d'en-cas de fruits et de légumes à répartir au long de la journée. Il n'est pas nécessaire de peser les portions ni de compter les calories, mais il faut être conscient du type d'aliment que vous mangez à chaque prise alimentaire. Il est recommandé de manger les protéines avec les lipides et les légumes mais sans autres glucides, et les glucides avec des légumes mais sans lipides. Les fruits sont consommés seuls.

LE RÉGIME SOMERSIZING

Petit déjeuner
- 1 toast complet et fromage blanc allégé en matières grasses

Déjeuner
- Poisson grillé, beurre-citron et haricots mangetout au beurre
- Salade verte et assaisonnement sans sucre

Dîner
- Rôti de bœuf aux oignons, tomates en tranches et asperges
- Salade verte et vinaigrette

En-cas
- Pêches

EN PRATIQUE

Le régime Somersizing élimine complètement les boissons alcoolisées ou caféinées. Les aliments tels que le sucre, le miel, la betterave, les carottes, la farine blanche, les pâtes et le riz blancs, le maïs, les bananes, les pommes de terre, les patates douces et le potiron sont à éviter, de même que les aliments dits « mixtes », c'est-à-dire ceux qui contiennent à la fois des glucides et des protéines, tels que les avocats, les oléagineux, y compris les olives, le foie, la noix de coco, le lait, le soja et ses dérivés.

Selon le régime Somersizing, il faut donc :
- consommer les fruits seuls et l'estomac vide ;
- ne manger les glucides qu'avec d'autres glucides ;
- ne pas consommer les protéines avec des glucides.

EST-IL SAIN ?

Le régime Somersizing est susceptible de vous faire perdre du poids, car certains groupes d'aliments sont éliminés et l'apport calorique s'en trouve diminué d'autant. De plus, il préconise la pratique d'une activité physique.

S'il est sain de réduire la consommation de certains produits alimentaires industriels, riches en sucres et pauvres en fibres, et de manger beaucoup de légumes frais, il n'est, en revanche, pas conseillé de se restreindre en aliments dits « mixtes », tels que les oléagineux, dont l'intérêt nutritionnel est reconnu. Les avocats, noix et olives sont, en effet, riches en graisses monoinsaturées utiles dans la prévention des maladies cardiovasculaires *(voir p. 214-221)*.

De plus, pourquoi serait-il plus sain de manger des lipides en même temps que des protéines que de consommer des protéines et des glucides ensemble ? L'auteur affirme que, lorsqu'on mange des glucides et des protéines, l'action de leurs enzymes respectives s'annule, entravant ainsi le processus digestif et provoquant la prise de poids. Pourtant, la plupart des aliments contiennent naturellement à la fois des protéines, des lipides et des glucides, en proportions variables, et le corps est capable de les digérer correctement.

Le nouveau régime de Beverly Hills

Dissociation des aliments

- ⊗ Achat de produits nécessaire
- ⊘ Facile à suivre à l'extérieur
- ⊘ Facile à suivre en famille
- ⊘ Achat d'un ouvrage nécessaire
- ⊗ Régime facile à poursuivre

D'après son auteur, Judy Mazel, ce programme serait davantage un mode de vie qu'un régime alimentaire. Il s'étale sur trente-cinq jours et vise à améliorer le bien-être et la santé par la dissociation des lipides, glucides et protéines.

LE PRINCIPE

Judy Mazel considère que les glucides ne sont pas digérés correctement lorsqu'ils sont consommés en même temps que les protéines et que cela conduit à l'accumulation de graisses dans les tissus. Elle part du principe que les aliments sont plus ou moins faciles à digérer, les plus difficiles à digérer étant les protéines, devant les glucides, les plus faciles étant les fruits, qu'il faut consommer seuls, sinon ils sont bloqués dans le tube digestif par les autres aliments et fermentent. Les lipides, eux, n'interfèrent pas avec la digestion des protéines ni avec celle des glucides.

Idéalement, les protéines et les glucides doivent être mangés séparément, et les fruits tout seuls.

EN PRATIQUE

Contrairement à sa première édition, le nouveau programme alimentaire de Beverly Hills inclut, pendant les dix premiers jours, des aliments de tous les groupes, y compris des protéines animales. Il recommande de manger des fruits tous les jours, à volonté, mais sans les mélanger et en les consommant en dehors des repas.

Les glucides (y compris les glucides complexes, les légumes et les salades) ne sont pas limités s'ils sont mangés après des fruits, jusqu'à l'absorption de protéines.

Après avoir mangé des protéines (viande, poisson, produits laitiers ou oléagineux), il faut faire en sorte que 80 % des aliments absorbés soient également des protéines.

S'il vous arrive de faire un repas mixte (au cours duquel les glucides sont mélangés aux protéines, comme dans les hamburgers ou les frites), les aliments consommés le même jour doivent être des glucides.

Les lipides (beurre, mayonnaise, huile, crème fraîche) peuvent être associés indifféremment aux protéines ou aux glucides. Les édulcorants et les produits édulcorés n'ont pas leur place dans ce régime. Les

NOUVEAU RÉGIME DE BEVERLY HILLS

Petit déjeuner
- Abricots secs

Déjeuner
- Salade d'épinards, de poireaux, de champignons et sauce Mazel (vinaigre de riz, huile de sésame, ail, clou de girofle, gingembre et poivre)

Dîner
- Pâtes aux fruits de mer et brocoli

En-cas
- N'importe quel glucide, protéine ou fruit, selon les jours

boissons alcoolisées, considérées comme des glucides, doivent n'être consommées qu'avec d'autres glucides, sauf le vin qui, considéré comme un fruit, peut être bu en même temps que des fruits.

Le plan donne également des conseils pratiques pour faciliter la digestion de certains aliments et en atténuer les effets secondaires. Par exemple, si l'on mange des aliments difficiles à digérer un jour, on recommande de manger des aliments « antidotes » le matin suivant ou le matin précédant la consommation de ces aliments. Ainsi, il est utile de manger du pamplemousse ou des fraises avant un plat gras, crémeux ou riche en fromage ou de prendre ces mêmes fruits comme antidote au petit déjeuner du lendemain, si vous avez consommé un plat lourd à digérer la veille.

Les compléments alimentaires ne sont pas nécessaires, mais il est intéressant de prendre de la levure de bière en paillettes, très riche en vitamines du groupe B, des graines de sésame pour le calcium, de la spiruline particulièrement riche en de nombreux nutriments, ainsi que 1 000 mg de vitamine C avec des bioflavonoïdes.

Le nouveau régime de Beverly Hills Cette assiette de pâtes aux tomates et aux brocoli frais est un plat riche en glucides typique de ce régime dissocié.

EST-IL SAIN ?

Ce régime repose sur le concept de la dissociation des aliments mais non sur des fondements scientifiques. L'idée que les glucides sont stockés sous forme de graisse s'ils sont mal digérés n'est pas absolument évidente d'un point de vue médical.

De même, le fait que la composition des aliments affecte la façon dont les enzymes digèrent la nourriture reste à démontrer. Quoi qu'il en soit, la plupart des aliments contiennent, à l'état naturel, un mélange de protéines, lipides et glucides, et il paraît assez improbable que notre corps ne soit pas apte à les digérer efficacement. Il est vrai que les glucides sont digérés plus lentement lorsqu'ils sont consommés avec d'autres types d'aliments, mais ils sont digérés de toute façon. Il faut également se rappeler que les glucides complexes, comme le pain complet, mettent plus de temps à être absorbés par l'organisme que les glucides simples.

Le nouveau régime Beverly Hills permet de perdre du poids, car les calories ingérées sont limitées. Cela dit, il est déroutant, laborieux et parfois frustrant de devoir dissocier systématiquement les aliments, en particulier au début et lorsqu'on doit préparer les repas pour la famille ou manger à l'extérieur.

Cette nouvelle version du régime de Beverly Hills reste donc, à notre avis, trop restrictive et pas suffisamment équilibrée pour être adoptée.

Le régime Fit For Life

Dissociation des aliments

⊗ **Achat de produits nécessaire**
⊘ **Facile à suivre à l'extérieur**
⊘ **Facile à suivre en famille**
⊘ **Achat d'un ouvrage nécessaire**
⊗ **Régime facile à poursuivre**

Fit For Life, autre régime dissocié, s'appuie sur la combinaison d'aliments qui améliore la digestion et l'amaigrissement.

LE PRINCIPE

Ce régime repose essentiellement sur la consommation d'aliments non industriels.

Il est riche en fruits et en légumes et limite l'apport en viandes et en produits laitiers. De plus, les aliments doivent être consommés selon des associations précises et à certains moments de la journée. Ce régime fait la synthèse de nombreuses théories nutritionnelles et a pour objectif de faire perdre du poids rapidement.

La théorie principale sur laquelle a été mis au point ce programme est que l'organisme n'est pas apte à digérer plus d'un aliment « concentré » à la fois (sont concentrés tous les aliments autres que les fruits et les légumes). Les auteurs citent une étude réalisée dans les années 40, selon laquelle les glucides et les protéines ne peuvent être digérés ensemble. Manger plus d'un aliment concentré empêcherait donc leur digestion correcte et provoquerait des fermentations dans le tube digestif.

Ils recommandent de manger des aliments contenant beaucoup d'eau, comme les fruits, à la fois pour hydrater le corps et en éliminer les déchets.

Une autre des notions sur lesquelles repose le livre est celle de l'hygiène naturelle du corps, c'est-à-dire sa faculté, qu'il faut encourager, à éliminer ses déchets.

LE RÉGIME FIT FOR LIFE

Petit déjeuner
● Salade de banane, pomme et pamplemousse

Déjeuner
● Salade composée (laitue, tomates, concombre, olives, choux de Bruxelles et graines de tournesol ou de sésame)
● Pain aux céréales

Dîner
● Soupe de chou-fleur
● Blanc de poulet rôti et haricots verts vapeur
● Salade verte
● Jus de légumes

En-cas
● Poignée d'amandes

L'organisme, enfin, procède par cycles :
● De midi à 20 heures, il se nourrit et digère.
● De 20 heures à 4 heures, il assimile les nutriments.
● De 4 heures à midi, il élimine.

EN PRATIQUE

Ce régime recommande de ne manger que des fruits le matin, des crudités et du pain complet ou une soupe à midi, de la salade, des graines et de la viande le soir. Il est préférable de cuisiner le moins possible, car la cuisson fait s'évaporer l'eau des aliments et détruit les enzymes. Or, si votre alimentation ne contient pas suffisamment d'eau, il vaut mieux boire de l'eau distillée plutôt que de l'eau minérale, car les sels minéraux naturellement présents dans l'eau se lient au cholestérol pour former des plaques. Enfin, les auteurs de ce programme encouragent vivement à manger des fruits, mais toujours seuls et en aucun cas après d'autres aliments.

EST-IL SAIN ?

En limitant votre consommation de certains aliments à chaque repas, vous diminuerez l'apport calorique et perdrez du poids. Pour notre part, nous remettons toujours en cause la théorie de la dissociation des aliments. Cela dit, rien n'empêche les personnes souffrant de troubles digestifs de suivre ce programme pendant quelques semaines et d'observer son effet sur leur santé et leur bien-être général.

La plupart des aliments conseillés sont sains, mais les principes d'hygiène alimentaire peuvent se révéler difficiles à appliquer à terme. Le concept des cycles de l'organisme repose sur les changements hormonaux, mais nous ne sommes pas convaincus que ces cycles aient une influence sur les besoins nutritionnels et sur la façon de consommer tel ou tel aliment.

De plus, les auteurs de ce régime prétendent que les calories ne sont nocives que si elles proviennent d'aliments transformés par l'industrie ou d'une mauvaise association d'aliments. Enfin et surtout, nous pensons que suivre ce régime au-delà de quelques semaines peut entraîner des carences en vitamine D, en calcium et en fer.

Manger selon son groupe sanguin

Types métaboliques

- ⊗ Achat de produits nécessaire
- ⊘ Facile à suivre à l'extérieur
- ⊗ Facile à suivre en famille
- ⊘ Achat d'un ouvrage nécessaire
- ⊗ Régime facile à poursuivre

Le groupe sanguin reflétant le moment de notre arrivée dans l'évolution de l'homme aurait une influence sur nos besoins nutritionnels.

LE PRINCIPE

L'auteur de ce programme affirme que les profils métaboliques ne sont pas les mêmes chez tout le monde et que cela a une influence sur notre façon de nous alimenter. Pour simplifier la chose, il a classé les individus selon leur groupe sanguin. Notre groupe sanguin est le reflet de notre passé lointain et dépend du fait que nos ancêtres ont été chasseurs, cultivateurs ou nomades. Selon son groupe, on n'a pas les mêmes anticorps et on ne réagit pas de la même façon aux aliments qui, pour cette raison, peuvent déclencher des maladies ou des allergies chez certaines personnes qui ne mangent pas la nourriture adaptée à leur groupe.

MANGER SELON GROUPE SANGUIN : O
Petit déjeuner
• 1 toast à la cannelle et aux raisins secs et fromage frais
Déjeuner
• Poulet grillé et salade verte à la vinaigrette allégée
Dîner
• Côtelettes d'agneau grillées, asperges, haricots verts et carottes
En-cas
• Cubes de tofu ou dessert au soja

Repas typique du groupe O Une côte d'agneau et des légumes constituent un plat riche en protéines adapté aux personnes du groupe O.

EN PRATIQUE

Chaque groupe sanguin dispose d'une liste d'aliments autorisés et non autorisés. Ce régime préconise un apport variant entre 1 500 et 1 800 calories par jour.
- Le groupe O serait le plus ancien dans l'évolution humaine. Les personnes de groupe O sont les plus aptes à manger de la viande rouge, mais les céréales, et en particulier la farine, ne leur conviennent pas.
- Le groupe A serait apparu au moment de la sédentarisation. Les personnes de ce groupe ont davantage besoin de légumes, et il leur est conseillé de suivre un régime plutôt végétarien, riche en glucides et pauvre en lipides.
- L'apparition du groupe B correspond à la fusion des peuples venus de tous les continents. Les personnes de ce groupe tolèrent un régime plus varié comportant des légumes, des fruits, des produits laitiers, des céréales et de la viande.
- Le groupe AB est le plus jeune. Il autorise la consommation de tous les aliments, pratiquement sans restriction.

EST-IL SAIN ?

Nous considérons que ces théories n'ont aucun fondement scientifique. Si les

risques de maladies étaient fonction du groupe sanguin, les soins apportés aux malades commenceraient par une prise de sang systématique et par un traitement en fonction du groupe sanguin.

En suivant le régime préconisé, les personnes appartenant aux groupes A et O, consomment peu de produits laitiers, risquent des carences en calcium.

Le régime Body Code

Types métaboliques

- ⊗ Achat de produits nécessaire
- ⊘ Facile à suivre à l'extérieur
- ⊘ Facile à suivre en famille
- ⊘ Achat d'un ouvrage nécessaire
- ⊗ Régime facile à poursuivre

Les humains peuvent être classés selon leur type génétique, en fonction duquel varient leurs besoins nutritionnels. Ce programme propose donc, pour chaque type, un régime spécifique et de l'exercice physique.

LE PRINCIPE

Selon les auteurs, tous les régimes alimentaires, les modes de vie et les activités sportives ne conviennent pas à tout le monde. Le genre humain est divisé en deux grands types génétiques, à savoir les forts et les fins. Les forts ont une structure musculaire généralement plus développée que les autres et ont besoin d'un régime alimentaire essentiellement végétal, peu protéiné, ainsi que d'une grande activité physique. Les fins sont plus maigres, ont besoin de davantage de protéines et de peu d'exercice.

Le type des forts comprend les « guerriers » et les « nourriciers », tandis que celui des fins inclut des « communicateurs » ou des « visionnaires », par exemple.

Selon les auteurs de ce programme, chaque type est influencé par une glande spécifique dont dépendent l'alimentation et le niveau d'énergie et doit suivre un régime et des exercices particuliers :
• Le guerrier a besoin d'un régime essentiellement végétarien (céréales complètes, fruits et légumes).
• Le nourricier ne doit pas manger de viande ou de poisson, mais du soja et des graines de lin.
• Le communicateur a besoin de légumes à feuilles, de graisses monoinsaturées et de protéines maigres (viandes blanches, produits laitiers écrémés, œufs, oléagineux et protéines de soja).
• Le visionnaire a besoin d'un régime de type asiatique, riche en légumes cuits, en céréales complètes et en protéines (surtout issues du soja).

EN PRATIQUE
Le régime Body Code s'inscrit dans un système de pensée holistique, c'est-à-dire fondé sur l'équilibre entre le corps et l'esprit. À chaque type correspondent des caractéristiques physiques et psychologiques particulières :
• Le guerrier doit manger des produits d'origine végétale, car les produits animaux ont tendance à stimuler les glandes surrénales et à les déséquilibrer. Il vaut mieux qu'il se nourrisse de légumes, de fruits, de racines et de céréales pour stimuler les autres glandes – non dominantes – et rééquilibrer l'énergie. S'il souhaite perdre du poids, il doit limiter sa consommation d'oléagineux, relativement caloriques. Le guerrier doit éviter les graisses saturées ou hydrogénées et préférer les

LE RÉGIME BODY CODE : LE GUERRIER
Petit déjeuner
• Céréales complètes, coulis de cerise et lait écrémé

Déjeuner
• Tomates et riz

Dîner
• Poulet à la parmesane et pâtes en sauce rouge
• Salade verte

En-cas
• Yaourt écrémé
• Crudités
• Fruits, légumes, céréales complètes, poisson blanc et rose, volaille blanche, blanc d'œuf, produits laitiers écrémés, tisane de gingembre, graines de lin, alfalfa.

viandes blanches aux viandes rouges. Il doit inclure des herbes, tisanes et condiments susceptibles de limiter son appétit et d'équilibrer son métabolisme.
• Le nourricier a un physique en poire plein de courbes. Il est charismatique, compatissant et désintéressé. Son alimentation doit être riche en eau et en aliments d'origine végétale, en particulier en fruits et en légumes. Étant donné que son appétit est plus grand le soir, c'est à ce moment-là qu'il devra prendre son repas le plus important de la journée.
• Le communicateur est grand et sec, allongé, vivant, créatif et imprévisible. Il lui faut des graisses monoinsaturées, des légumes, des protéines et de petites quantités de glucides. Il peut manger des protéines à volonté, tant qu'elles ne sont pas trop riches, par ailleurs, en graisses saturées.
• Le visionnaire est mince et juvénile, calme, intellectuel et réservé. Il doit manger des protéines, des céréales complètes et des légumes cuits. Les aliments qui lui conviennent le mieux sont les protéines de soja et les légumes.

EST-IL SAIN ?
Le régime Body Code est un mode de vie plus qu'un régime ponctuel. Il pré-

conise la pratique d'une activité physique comme moyen complémentaire de perdre du poids et de maintenir son poids de forme. Il met également l'accent sur le fait qu'une alimentation saine exige de l'engagement et de la persévérance, et s'inscrit dans un équilibre physique et émotionnel.

Cependant, nous n'avons pas de preuve qu'une glande dominante peut entraîner des déséquilibres physiologiques et intervenir comme facteur principal dans la prise ou la perte de poids. C'est l'ensemble des glandes qui travaillent en synchronie et en harmonie dans un organisme en bonne santé. Certes, le fonctionnement hormonal doit être pris en compte, mais il ne fait pas l'essentiel dans la gestion du poids de la majorité des gens. Enfin, l'élimination de groupes entiers d'aliments peut entraîner des carences.

Le régime Metabolic Typing

Types métaboliques

⊗ **Achat de produits nécessaire**
⊘ **Facile à suivre à l'extérieur**
⊗ **Facile à suivre en famille**
⊘ **Achat d'un ouvrage nécessaire**
⊗ **Régime facile à poursuivre**

Les êtres humains ont des besoins nutritionnels qui diffèrent en fonction de leur type physique, reflet de leur histoire ancestrale.

LE PRINCIPE
Le régime Metabolic Typing repose sur l'idée que notre type physique est le résultat des différents régimes alimentaires de nos ancêtres, qui étaient déterminés par un ensemble de facteurs géographiques et environnementaux. Ainsi, les descendants d'ancêtres des zones tropicales auraient des besoins différents de ceux qui sont originaires des zones tempérées.

Les auteurs de ce régime affirment que l'uniformisation des régimes ne permet pas de prendre en compte les différences physiologiques et les besoins nutritionnels des différentes populations. Ils préfèrent s'intéresser aux profils biochimiques et

Petit déjeuner
- Œufs brouillés, bacon et pommes de terre sautées au beurre

Déjeuner
- Pilon ou cuisse de poulet, carottes en rondelles, chou-fleur et tapenade

Dîner
- Steak grillé, petits pois et maïs doux
- Avocat, vinaigre et huile d'olive

En-cas
- Yaourt entier nature, graines de tournesol et noix de cajou

aux besoins individuels, afin d'apporter à chacun un bien-être sur mesure.

EN PRATIQUE

La première étape du programme consiste à déterminer votre type à l'aide d'un questionnaire en 65 points. Il s'agit d'évaluer votre apparence physique, vos caractéristiques anatomiques, structurelles et psychologiques, vos habitudes, vos préférences et vos réactions alimentaires. Du résultat découle un régime dans lequel on recommande l'association spécifique des nutriments en fonction de votre type : le type Protéine, le type Glucide ou le type Mixte.

• Le type Protéine a besoin de viande, de poisson, de fruits de mer et de produits laitiers à chaque repas. Les abats (comme le foie de bœuf ou de volaille), les sardines, les anchois, le caviar et les produits laitiers entiers sont recommandés. Les pains aux graines germées sont les seuls pains autorisés. Toutes les huiles et oléagineux peuvent être consommés, mais l'alcool, la caféine et les jus de fruits sont à éviter.

• Le type Glucide doit fonder son régime alimentaire sur des légumes riches en amidon, comme les pommes de terre et les patates douces, ainsi que sur les céréales complètes. Sont autorisés, mais avec modération, les

oléagineux, les huiles, les viandes, les poissons non gras et les produits laitiers écrémés. Les légumineuses, l'alcool et la caféine sont à éviter.

• Le type Mixte peut consommer des aliments correspondant aux deux types précédents.

EST-IL SAIN ?

Peu de personnes ont une généalogie rectiligne. Nous sommes tous un mélange de gènes et d'ethnies, et il paraît difficile d'établir nos régimes alimentaires sur les critères géographiques de la vie de nos ancêtres. Cela dit, il est important de se rappeler que l'alimentation de nos ancêtres était une alimentation naturelle, dont chaque aliment contient, dans des proportions variables, à la fois des glucides, des lipides et des protéines, que notre organisme est parfaitement capable de digérer. Le point positif de ce régime est sans doute qu'il incite à manger des aliments naturels.

De plus, il est évident que les modes de vie en général et l'alimentation en particulier se sont modifiés au cours des siècles en s'adaptant aux progrès technologiques, au niveau d'activité physique, à la disponibilité des aliments en provenance du monde entier, à la prospérité ou, au contraire, à la pénurie et à la maladie.

Le régime Soupe au chou Ce régime court repose sur la consommation d'une quantité illimitée de soupe faite maison.

Le régime Soupe au chou

Amaigrissement rapide

- ⊗ **Achat de produits nécessaire**
- ⊗ **Facile à suivre à l'extérieur**
- ⊗ **Facile à suivre en famille**
- ⊘ **Achat d'un ouvrage nécessaire**
- ⊗ **Régime facile à poursuivre**

Ce régime très basses calories ne doit pas être suivi pendant plus de sept jours, car il est déséquilibré sur le plan nutritionnel.

LE PRINCIPE

Les auteurs de ce régime affirment que l'on peut perdre entre 4,5 et 6,8 kg en mangeant de la soupe au chou à volonté pendant sept jours. La soupe au chou inclut également des légumes peu caloriques, des tomates pelées en conserve, un sachet de soupe à l'oignon et du bouillon.

EN PRATIQUE

Outre la soupe au chou à volonté, ce régime autorise, chaque jour, la consommation de certains aliments, comme des fruits et du lait un jour ou du bœuf et des légumes à volonté un autre jour. Le pain, l'alcool et les sodas ne font pas partie du programme.

LE RÉGIME SOUPE AU CHOU

Soupe au chou à volonté, plus :

Jour 1
- Tous les fruits, sauf la banane

Jour 2
- Légumes à volonté
- Pomme de terre au four et beurre

Jour 3
- Tous les fruits, sauf la banane
- Légumes à volonté

Jour 4
- Bananes (jusqu'à 8) et lait écrémé à volonté

Jour 5
- Bœuf en grande quantité et tomates
- 6 à 8 verres d'eau

Jour 6
- Légumes et viande à volonté

Jour 7
- Riz complet
- Jus de fruits sans sucre

En-cas
- Soupe au chou

Recette de la soupe au chou Cette recette permet de préparer environ six portions de soupe, à consommer à volonté dans la journée :
- 6 gros oignons coupés en dés
- 2 poivrons verts épépinés et coupés en dés
- 2 boîtes de 400 g de tomates pelées
- 1 branche de céleri coupé en dés
- $1/2$ chou coupé en dés
- 1 sachet de soupe à l'oignon lyophilisée
- 1 ou 2 cubes de bouillon
- 3 litres de jus de légumes mélangés à 1 litre d'eau ou juste 3 litres d'eau.

Emplissez un grand récipient d'eau et, éventuellement, du jus de légumes. Ajoutez les cubes de bouillon, la soupe lyophilisée, puis les légumes en morceaux. Portez à ébullition et laissez cuire pendant 2 heures. Assaisonnez en sel, poivre, persil haché ou curry.

EST-IL SAIN ?

Ce régime prône une perte de poids rapide, mais il faut savoir qu'il fait perdre essentiellement de l'eau. Il n'est ni équilibré ni sain sur le plan nutritionnel. Il est également trop restrictif, ce qui peut ne pas combler la faim, ou, pis, provoquer des envies compulsives de nourriture. Il ne doit, en aucun cas, être poursuivi au-delà de sept jours.

Le régime miracle de cinq jours

Amaigrissement rapide

- ⊗ **Achat de produits nécessaire**
- ⊘ **Facile à suivre à l'extérieur**
- ⊘ **Facile à suivre en famille**
- ⊗ **Achat d'un ouvrage nécessaire**
- ⊘ **Régime facile à poursuivre**

Ce programme vise à éviter le grignotage et les envies compulsives en maintenant le taux de glucose dans le sang à un niveau stable pendant toute la journée.

LE PRINCIPE

L'auteur de ce régime affirme que la chute du taux de glucose dans le sang provoque des envies compulsives incontrôlables de nourriture, en particulier d'aliments sucrés ou d'alcool. Le taux d'insuline augmente, le taux de glucose chute de nouveau, et il en résulte une nouvelle envie de manger. Ce régime préconise de manger régulièrement certaines associations d'aliments tout au long de la journée.

EN PRATIQUE

Le programme prévoit un petit déjeuner pris dans la demi-heure suivant le réveil, un en-cas deux heures après le petit déjeuner, un déjeuner vers 13 heures, un en-cas trois heures plus tard et un dîner, plusieurs heures après l'en-cas de l'après-midi.

En plus des heures des prises alimentaires, ce régime impose des aliments spécifiques pour chaque repas.
- Petit déjeuner : protéines et pain.
- Déjeuner : protéines, légumes frais et, éventuellement, fruit.
- Dîner : légumes, protéines et pain. Les hommes peuvent manger trois aliments glucidiques par jour, les femmes seulement un jour sur deux.

Les en-cas recommandés sont constitués de fruits et de légumes frais. Il est conseillé de boire beaucoup d'eau et d'éviter le café. Les pâtes sont au menu deux soirs par semaine, et l'on peut manger un ou deux de ses aliments préférés par semaine.

EST-IL SAIN ?

Ce régime est relativement sensé. Il consiste essentiellement à restreindre l'apport calorique et à limiter la consommation de glucides, qui sont autorisés au petit déjeuner et, soit au déjeuner, soit au dîner, mais pas aux deux repas de la même journée. Un tel régime a l'avantage d'apprendre à réguler son taux de glucose sanguin en mangeant régulièrement, sans sauter de repas, et de limiter ainsi les envies compulsives de sucreries, par exemple. Cela dit, les miracles n'existent pas en termes de perte de poids et il faut sans doute à la majorité des candidats plus de cinq jours de régime pour atteindre leur objectif.

LE RÉGIME MIRACLE DE CINQ JOURS

Petit déjeuner
- 1 œuf
- 1 tranche de pain beurrée

Déjeuner
- Thon, épinards, salade de tomates au vinaigre balsamique
- 1 orange

Dîner
- Poulet grillé, épinards vapeur
- Salade composée de tomates, poivrons verts ou rouges et laitue au vinaigre balsamique
- 1 tranche de pain

En-cas (matinée et après-midi)
- Nectarine, pamplemousse, carottes ou chou-fleur crus

Le régime Pamplemousse

Amaigrissement rapide

- ⊗ **Achat de produits nécessaire**
- ⊘ **Facile à suivre à l'extérieur**
- ⊗ **Facile à suivre en famille**
- ⊘ **Achat d'un ouvrage nécessaire**
- ⊗ **Régime facile à poursuivre**

Ce régime repose sur l'idée que la consommation quotidienne de pamplemousse aide à brûler les graisses.

LE PRINCIPE

La théorie sur laquelle s'appuie ce régime est que les enzymes contenues dans le pamplemousse aident l'organisme à brûler ses graisses. On peut perdre du poids rapidement – mais on perd essentiellement de l'eau.

EN PRATIQUE

Le régime Pamplemousse préconise de manger un demi-pamplemousse avant chaque repas et chaque boisson caféinée. Les produits laitiers, les autres fruits et la plupart des légumes en sont exclus.

EST-IL SAIN ?

Il n'est pas scientifiquement prouvé que le pamplemousse aide à brûler les graisses. La perte de poids s'explique

LE RÉGIME PAMPLEMOUSSE

Petit déjeuner
- $1/2$ pamplemousse

Déjeuner
- $1/2$ pamplemousse
- Œuf et salade de tomates et carottes
- 1 tranche de pain complet

Dîner
- $1/2$ pamplemousse
- Œufs, laitue et tomates vinaigrette
- Café ou thé noir

En-cas
- Non autorisés

plutôt par la restriction drastique des calories (moins de 800 calories par jour). Le corps perd plus d'eau que de graisse. Et même si l'on aime beaucoup le pamplemousse, on ne peut poursuivre ce régime plus d'une semaine.

De plus, ce régime n'est pas équilibré, pauvre en fibres, en vitamines essentielles et en sels minéraux, notamment en fer et en calcium. La restriction calorique créant un état d'acétonémie *(voir p. 168)*, il se peut que vous finissiez par manquer d'énergie ou par souffrir de vertiges.

Le régime Rotation

Amaigrissement rapide

- ⊗ **Achat de produits nécessaire**
- ⊘ **Facile à suivre à l'extérieur**
- ⊗ **Facile à suivre en famille**
- ⊘ **Achat d'un ouvrage nécessaire**
- ⊗ **Régime facile à poursuivre**

Ce régime a pour objectif de diminuer l'apport calorique global en veillant à ne pas provoquer de restriction telle que l'on reprend ses kilos dès qu'on arrête.

LE PRINCIPE

Ce programme repose sur la rotation de régimes alimentaires de différentes teneurs en calories. La restriction calorique est telle que l'on perd du poids, mais sans que l'organisme diminue son métabolisme de base comme lorsqu'il jeûne. L'auteur recommande de suivre deux cycles de régimes entrecoupés par une à quatre semaines de liberté alimentaire. Il est convaincu que c'est la restriction calorique qui entraîne le ralentissement du métabolisme de base et qui provoque une reprise de poids dès que l'on cesse le régime et que l'on revient à un apport calorique habituel.

L'auteur explique que l'organisme répond à la restriction alimentaire en diminuant son métabolisme de base *(voir p. 34)*, afin de conserver l'énergie pour assurer ses fonctions essentielles – donc en brûlant moins de calories.

EN PRATIQUE

Le régime n'est pas exactement le même pour les hommes et les femmes.

RÉGIME ROTATION : 1 200 CALORIES

Petit déjeuner
- $1/2$ pamplemousse
- 1 tranche de pain complet, 1 tranche de fromage
- Boisson sans calorie

Déjeuner
- Saumon et légumes autorisés à volonté
- Crackers complets
- Boisson sans calorie

Dîner
- Poulet rôti, chou-fleur et bette-rave
- 1 pomme
- Boisson sans calorie

En-cas
- Tous les fruits autorisés sur la liste (pommes, oranges, fruits rouges)

Il préconise une restriction drastique des calories pendant trois jours, suivie de quatre jours de régime moins contraignant, et qui s'assouplit encore au cours de la semaine suivante.
- Pour les femmes :
600 calories par jour pendant 3 jours ;
900 calories par jour pendant 4 jours ;
1 200 calories par jour pendant 7 jours.
- Pour les hommes :
1 200 calories par jour pendant 3 jours ;
1 500 calories par jour pendant 4 jours ;
1 800 calories par jour pendant 7 jours.

Ce régime est très restrictif pour la plupart de gens, qui risquent d'avoir faim, en tout cas la première semaine. Cela dit, certains légumes peuvent être mangés à volonté pour compenser (asperges, céleri, chicorée, chou chinois, endive, laitue, concombre, radis, courgettes, épinards et cresson).

Le régime propose aussi une liste de fruits à consommer comme en-cas si la faim se fait sentir : pommes, fruits rouges, pamplemousses, melons, oranges, pêches et ananas. Les portions correspondent à celles sur lesquelles se fonde la pyramide de l'équilibre alimentaire.

EST-IL SAIN ?

Ce régime ne devrait être suivi que sous contrôle médical. Il prétend que l'on ne reprend pas le poids que l'on a perdu, mais cela reste à démontrer. Le déficit calorique qu'il entraîne (7 200 la première semaine et 6 300 la deuxième) correspond à une perte de poids de 2,7 à 3,2 kg en deux semaines. Or, le régime annonce une perte de poids de 6,4 kg en trois semaines, ce qui nous paraît peu réaliste. De toute façon, même s'il permet de perdre du poids, ce régime très restrictif peut entraîner un état de déshydratation, mais également ne pas combler suffisamment la faim des personnes qui le suivent et provoquer leur découragement.

La rotation de régimes alimentaires préconisée semble être un artifice plutôt qu'un principe crédible. Les gens qui parviennent à le suivre perdent effectivement du poids, mais affirmer qu'ils réussiront à maintenir le poids atteint sans reprendre les kilos perdus nous semblent dépendre davantage de leur façon de manger après le régime.

Ce programme a été élaboré à l'aide des suggestions d'un psychologue expert en obésité. Son intérêt ne réside pas tant dans le régime alimentaire qu'il préconise que dans les conseils qu'il donne pour gérer sa relation à la nourriture et au poids.

Le régime Beauty Boot Camp

Amaigrissement rapide

* ⊗ **Achat de produits nécessaire**
* ⊘ **Facile à suivre à l'extérieur**
* ⊘ **Facile à suivre en famille**
* ⊗ **Achat d'un ouvrage nécessaire**
* ⊘ **Régime facile à poursuivre**

Mis au point par un ancien mannequin, ce programme intensif a pour objectif de transformer physiquement une personne en deux semaines. Il prend en compte les problèmes de poids, mais aussi d'estime de soi et d'apparence physique.

LE PRINCIPE
Le régime limite la consommation de sucre. Il est riche en protéines, en glucides complexes, en fibres et en légumes. Il inclut une consommation importante

d'eau, qui, selon l'auteur, facilite la transformation des nutriments en énergie, permet de brûler davantage de calories (pour la digérer) et augmente la sensation de satiété.

EN PRATIQUE
Le régime repose sur la prise de trois repas et d'un en-cas par jour, apportant entre 1 000 et 1 200 calories quotidiennes. Il est conseillé de boire de huit à dix verres d'eau fraîche, aromatisée avec du jus de citron ou de citron vert, ainsi que trois tasses de thé vert, connu pour ses propriétés antioxydantes *(voir p. 20)*. Un peu de café est autorisé. Il est recommandé de ne pas dîner après 20 heures ou dans les trois heures précédant le coucher. Ce principe vise à éviter de manger trop et permet de se réveiller en forme le lendemain matin.

EST-IL SAIN ?
De tous les régimes prônant une perte de poids rapide, celui-ci est le plus sain. Le fait de manger des aliments riches

---

LE RÉGIME BEAUTY BOOT CAMP

Petit déjeuner
* 1 bol de céréales au son et d'airelles
* 1 verre de lait écrémé ou de lait de soja

Déjeuner
* 1 pain pita garni de lamelles de mozzarelle, de tomates coupées en dés et assaisonné avec de l'origan, de l'ail en poudre, du basilic et du poivre noir
* Salade composée de légumes à feuilles, carottes, tomates, céleri au vinaigre balsamique

Dîner
* Poulet ou poisson grillé, jus de citron et légumes cuits
* Petite pomme de terre au four recouverte de yaourt nature

En-cas
* Pomme
* Beurre de cacahouètes allégé

---

en fibres, des légumes, du lait écrémé ou demi-écrémé ou du lait de soja et de boire de huit à dix verres d'eau par jour permet, sans aucun doute, de se sentir en forme et mieux dans sa peau.

La perte de poids effective résulte de la restriction calorique (il permet de consommer de 1 000 à 1 200 calories par jour) et encourage la poursuite du régime. La consommation d'aliments riches en fibres et de grandes quantités d'eau permet également de modérer son appétit, même si l'eau ne fait absolument pas brûler davantage de calories.

Cela dit, il ne faut pas perdre de vue que le poids que l'on perd au début de n'importe quel régime restrictif est souvent composé d'eau. C'est pourquoi il faut poursuivre le programme au-delà de deux semaines pour espérer obtenir un changement durable.

Nous conseillons également de prendre un complément en vitamines et en sels minéraux.

Le régime Cambridge

Restriction des lipides

* ⊘ **Achat de produits nécessaire**
* ⊗ **Facile à suivre à l'extérieur**
* ⊗ **Facile à suivre en famille**
* ⊗ **Achat d'un ouvrage nécessaire**
* ⊗ **Régime facile à poursuivre**

Ce régime repose sur la consommation exclusive d'aliments de substitution peu caloriques mais très riches en protéines.

LE PRINCIPE
Le régime Cambridge est un régime à très basses calories – seulement 400 calories par jour. Les repas sont remplacés par des boissons pendant au moins deux semaines. La perte de poids est conséquente au cours de cette première phase à cause de l'état d'acétonémie dans lequel se retrouve le corps et qui l'oblige à brûler ses graisses *(voir p. 168)*.

EN PRATIQUE
Au cours des deux premières semaines, on ingère trois ou quatre boissons par jour – il existe huit parfums différents –

LE RÉGIME CAMBRIDGE : PHASE I

Petit déjeuner
- Boisson protéinée

Déjeuner
- Boisson protéinée

Dîner
- Boisson protéinée

En-cas
- Non autorisés

---

ainsi que 2 litres d'eau ou de boissons ne contenant pas de calories. À l'issue de cette première phase, on introduit dans l'alimentation des soupes et des barres spécialement formulées.

Le régime à 400 calories par semaine ne doit pas s'étendre au-delà de huit semaines. Une fois que l'objectif de poids est atteint, on suit un plan de stabilisation : on augmente les calories (jusqu'à 800 à 1 500 calories par jour) et la proportion d'aliments traditionnels.

EST-IL SAIN ?

Les régimes fondés sur les repas de substitution font effectivement perdre du poids, en raison de la diminution drastique des calories, mais se révèlent inefficaces à long terme. En effet, la plupart des candidats reprennent les kilos qu'ils avaient perdus – et souvent davantage – dès qu'ils cessent de suivre ces régimes draconiens.

De plus, les régimes à très basses calories entraînent des carences et des déséquilibres en sels minéraux qui peuvent être fatals. Il ne faut en aucun cas les suivre sans avis médical. Les produits qu'il faut se procurer sont souvent vendus par des conseillers indépendants qui peuvent vous soutenir et vous donner des informations. Cela dit, ces personnes ne sont pas des médecins. Et il se trouve que les médecins ne conseillent pas de suivre ce genre de régime amaigrissant.

Si vous décidiez toutefois de le faire, parlez-en d'abord à votre médecin. Il sera qualifié pour adapter, le cas échéant, le régime à vos mode et hygiène de vie, quitte à supprimer l'un des substituts de repas quotidiens et à le remplacer par un repas plus équilibré.

Herbalife

Substituts de repas

- ✓ Achat de produits nécessaire
- ✓ Facile à suivre à l'extérieur
- ✗ Facile à suivre en famille
- ✗ Achat d'un ouvrage nécessaire
- ✗ Régime facile à poursuivre

Voici un autre régime dans lequel les repas sont remplacés par des aliments de substitution peu caloriques, en l'occurrence des boissons, des soupes et des barres.

LE PRINCIPE

Le régime Herbalife permet de perdre du poids en limitant l'apport calorique à 1 000 calories par jour et en remplaçant les repas par des aliments de substitution (soupes, barres et boissons). Les concepteurs de ce régime disent avoir aidé de nombreuses personnes à perdre du poids de façon significative.

EN PRATIQUE

Herbalife commercialise des produits et des compléments alimentaires pour les personnes désireuses de suivre l'un de leurs régimes. Les différents programmes consistent à remplacer

---

HERBALIFE : PROGRAMME GOLD

Petit déjeuner
- 1 barre protéinée Herbalife
- 1 fruit

Déjeuner
- Boisson Herbalife
- Grande salade verte

Dîner
- Boisson Herbalife
- Grande salade verte
- Légumes vapeur

En-cas
- Soupe Herbalife
- Graines de soja grillées Herbalife
- 1 fruit

---

deux des trois repas quotidiens par des soupes, des barres ou des boissons commercialisées sous la marque. Le programme Gold, par exemple, est fondé sur des boissons riches en protéines et pauvres en glucides – conçues notamment pour les personnes intolérantes aux glucides – et sur la consommation de légumes et de un ou deux fruits comme en-cas.

EST-IL SAIN ?

Ce programme est très coûteux – il faut acheter les boissons, barres, soupes et autres compléments alimentaires contenant des vitamines, minéraux et fibres – et ne donne pas les bases sur lesquelles fonder une hygiène alimentaire saine et durable.

Le régime Slim-Fast

Substituts de repas

- ✓ Achat de produits nécessaire
- ✓ Facile à suivre à l'extérieur
- ✗ Facile à suivre en famille
- ✗ Achat d'un ouvrage nécessaire
- ✗ Régime facile à poursuivre

Ce régime consiste à réduire l'apport calorique global en remplaçant deux repas ou en-cas quotidiens par des aliments de substitution – boissons, soupes et barres – commercialisés sous la marque.

LE PRINCIPE

L'apport calorique journalier est de 1 200 à 1 500 calories, ce qui entraîne une perte de poids chez la majorité des candidats. Le régime repose sur un vrai repas équilibré, aux portions raisonnables, et sur deux autres repas remplacés par des barres, soupes et boissons Slim-Fast. Le programme prévoit également de trente à soixante minutes d'exercice quotidien. De plus, on trouve, sur le site Internet, des conseils pour changer d'hygiène de vie, faire des exercices, préparer des repas et des en-cas sains et maintenir son poids.

SLIM-FAST

Petit déjeuner
- 1 barre ou 1 boisson Slim-Fast
- 1 verre de jus d'orange

Déjeuner
- 1 barre ou 1 boisson Slim-Fast
- 1 fruit

Dîner
- Viande maigre (grillée ou cuite au four), pomme de terre moyenne, légumes vapeur et salade
- 1 fruit frais

En-cas
- Pop-corn
- Fruit frais
- Légumes frais
- Barre Slim-Fast

EN PRATIQUE

Le régime Slim-Fast ne s'appuie pas sur la consommation exclusive des produits de la marque. Ce régime à 1 200 calories par jour est donc plutôt sain sur le plan nutritionnel. Les auteurs du programme déconseillent de perdre plus de 900 g par semaine après la première semaine. La consommation d'alcool est contrôlée, ainsi que la taille des portions et les heures des prises alimentaires.

EST-IL SAIN ?

Ce régime convient parfaitement aux personnes pressées dont l'emploi du temps les incite à manger sur le pouce mais qui veulent éviter de s'alimenter dans les *fast-foods*. Les substituts de repas sont très faciles à préparer. Cela dit, il peut être lassant de se nourrir de barres et de boissons et difficile d'inscrire ce régime dans la durée.

Le régime Slim-Fast fait perdre du poids parce qu'il restreint l'apport calorique. La clé de son succès réside dans le dîner équilibré qui donne de bonnes bases pour apprendre à se nourrir sainement. Des études ont montré que les personnes ayant suivi ce régime pendant plusieurs années avaient perdu du poids et réussi à maintenir un poids stable par la suite.

Le régime Fat-Flush

Élimination des toxines

- ⊘ Achat de produits nécessaire
- ⊗ Facile à suivre à l'extérieur
- ⊗ Facile à suivre en famille
- ⊘ Achat d'un ouvrage nécessaire
- ⊗ Régime facile à poursuivre

Ce régime a pour objectif de nettoyer le foie afin de mieux éliminer les toxines dont l'accumulation est source de cellulite, d'hypertension ou de sautes d'humeur.

LE PRINCIPE

Ce régime vise à éliminer la graisse accumulée sur les hanches, la taille et les cuisses en se fondant sur la théorie selon laquelle la prise de poids découle de cinq facteurs :
- l'accumulation de toxines dans le foie ;
- l'accumulation d'eau dans les tissus ;
- la peur de manger du gras ;
- l'excès d'insuline ;
- le stress.

L'accumulation des toxines – trop de sucres, de caféine, d'acides gras trans, de médicaments, de certaines plantes et pas assez de fibres – est responsable de maux divers : cellulite, prise de poids, hypertension, ballonnements, cholestérolémie, sautes d'humeur et éruptions cutanées.

La peur de manger des aliments gras provient du mauvais choix des lipides que l'on consomme (trop de graisses saturées), et l'excès d'insuline découle d'un excès de glucides raffinés.

Selon les auteurs, qui s'appuient sur les résultats de la recherche scientifique, le stress provoque l'augmentation du taux de cortisol, une hormone impliquée dans le développement de l'obésité au niveau de la taille.

EN PRATIQUE

Les auteurs du programme conseillent de prendre des compléments alimentaires et une boisson (à base de jus d'airelles, de psyllium, de graines de lin, d'eau et de jus de citron) censés nettoyer l'organisme et l'aider à se débarrasser de ses toxines et des graisses accumulées. Il faut prendre cette boisson au réveil, dans l'après-midi et vingt minutes avant le déjeuner et le dîner.

Les autres aliments préconisés dans ce régime ont également des propriétés détoxifiantes : la viande rouge (L-carnitine), les œufs (taurine, cystéine et méthionine), les crucifères, l'ail, l'oignon et certaines plantes (racines de pissenlit ou de mahonia, chardon, curcuma).

Les aliments contenant de la farine, du sucre, des matières grasses, des édulcorants et de la caféine sont à éviter autant que possible.

Le régime se répartit en trois phases :
- Phase I : c'est une phase de perte de poids. On consomme environ 1 200 calories, et la priorité est mise sur l'élimination des toxines dans le foie.
- Phase II : c'est une phase de transition au cours de laquelle on consomme entre 1 200 et 1 500 calories.
- Phase III : plus qu'un régime, c'est une véritable hygiène alimentaire.

EST-IL SAIN ?

Si votre objectif est de fondre littéralement, vous risquez d'être quelque peu déçu par ce régime. En effet, il est prouvé que la combustion des graisses n'est possible que lorsqu'on pratique un sport d'endurance, comme le jogging, le cyclisme, la natation et la danse en aérobie.

LE RÉGIME FAT-FLUSH

Petit déjeuner
- Œufs brouillés, épinards, poivrons verts, oignons nouveaux et persil haché

Déjeuner
- Saumon grillé, jus de citron et asperges
- Salade composée de légumes à feuilles vertes, brocoli et concombre, vinaigrette à l'huile de lin

Dîner
- Côtelette de porc grillée et chou vapeur
- Pâtisson cuit au four et huile de lin

En-cas
- ½ pamplemousse
- Pomme

L'idée que l'accumulation de toxines dans le foie est à l'origine de bien des désagréments et des maladies est le fondement de la pratique de nombreux thérapeutes alternatifs. Cela dit, le lien direct entre les toxines du foie et les amas graisseux ne nous semble pas évident. Cependant, la boisson incluse dans le programme présente l'avantage de fournir des vitamines et des sels minéraux.

Éliminer les produits laitiers, la farine, les sucres et les aliments contenant de la levure est utile pour les personnes, de plus en plus nombreuses, qui souffrent d'allergies ou d'intolérances à ces aliments, mais leur suppression n'entraîne pas forcément une perte de poids. Si vous voulez maigrir, le seul moyen reste de réduire l'apport calorique de votre alimentation.

Augmenter sa consommation d'eau et d'huile de lin est très bénéfique pour la santé – l'huile de lin est très riche en acides gras oméga-3.

Le régime Juice Fasts

Élimination des toxines

- ⊗ **Achat de produits nécessaire**
- ⊗ **Facile à suivre à l'extérieur**
- ⊗ **Facile à suivre en famille**
- ⊘ **Achat d'un ouvrage nécessaire**
- ⊗ **Régime facile à poursuivre**

Ce régime, littéralement « jeûne à base de jus », s'appuie sur l'idée qu'un jeûne au cours duquel on ne s'alimente que de jus de fruits et de légumes nettoie le corps de l'intérieur et le débarrasse de ses toxines, pour peu que les ingrédients soient frais et biologiques.

LE PRINCIPE

Les auteurs affirment que ce régime est un moyen sain et facile de débarrasser de ses toxines et de perdre ses kilos superflus. Les jus de fruits sont de véritables élixirs : facilement digérés, les nombreux nutriments qu'ils contiennent se lient aux déchets toxiques pour mieux les évacuer.

EN PRATIQUE

Il est permis de boire autant de jus de fruits et de légumes – autorisés – que l'on veut, à n'importe quel moment de la journée. La quantité recommandée d'une portion est de 240 à 500 ml, mais ne doit pas excéder 600 ml.

Les fruits tels que la pomme, la poire, le raisin et la pastèque, très riches en eau, ont la propriété de nettoyer le tube digestif et les reins et de purifier le sang.

Les fruits ont également un effet dépuratif sur le foie et sur la vésicule biliaire. Le pamplemousse, par exemple, contient de la bromélaïne, une enzyme qui favorise la sécrétion d'acide chlorhydrique dans l'organisme et la digestion des protéines. Les fruits et les légumes permettent d'éliminer les toxines du corps. Le raisin et les pommes en sont de parfaits exemples. La pastèque a un effet diurétique, c'est-à-dire qu'elle augmente la production d'urine. Les jus de pruneau et d'abricot sont des laxatifs naturels qui favorisent le péristaltisme. Le jus de chou calme l'aérophagie intestinale et les ulcères.

D'autres fruits, comme la papaye, la noix de coco, la banane, la fraise, la pêche, le melon cantaloup, la miellée, la prune et l'avocat rendent moins d'eau. Il est préférable de les manger entiers. Les fruits secs peuvent servir à augmenter la valeur nutritionnelle d'un jus.

Mélangez les fruits et les légumes, comme la carotte avec de la pomme, de l'alfafa, du gingembre, de la pastèque et du zeste de citron.

Vous pouvez également préparer des jus verts qui ont des vertus cicatrisantes, stabilisantes et calmantes pour l'organisme, qu'ils détendent et recen-

---

LE RÉGIME JUICE FASTS

Pour une journée
- 120 ml de jus de raisin
- $1/2$ tasse (70 g) de betteraves
- 2 bottes de carottes
- 1 poivron rouge
- 4 ou 5 branches de céleri
- une poignée d'épinards frais
- 1 gousse d'ail
- piment

En-cas
- Jus de fruits ou de légumes

---

trent. Goûtez les mélanges tels que céleri et épinards ; céleri, épinards et tomates ; chou, céleri et tomate ; céleri, épinard, chou, aneth, tomate, citron, ail, gingembre, piment et tamari. Les jus verts sont cependant limités à un par jour.

EST-IL SAIN ?

Les jeûnes ont toujours fait partie de l'histoire et des pratiques religieuses. Ils permettent d'éliminer les toxines et de purifier l'organisme et sont redevenus populaires depuis quelques années. Cela dit, le jeûne ne peut constituer un régime alimentaire à long terme, car il ne fournit évidemment pas au corps les nutriments dont il a besoin pour fonctionner. Mais c'est un bon moyen de nettoyer ponctuellement l'organisme. Le jeûne à base de jus de fruits et de légumes, en raison de sa teneur élevée en glucides, ne convient pas aux diabétiques.

Certains régimes préconisent d'associer des jus de fruits et de légumes à des aliments riches en protéines pour perdre du poids. Mais ce mélange de protéines et de glucides ne convient pas aux personnes souffrant de diabète, d'hypertension, de maladies cardio-vasculaires, de calculs rénaux, de goutte ou dont le taux d'acide urique dans le sang est élevé.

Le régime Living Beauty Detox

Élimination des toxines

- ⊘ **Achat de produits nécessaire**
- ⊗ **Facile à suivre à l'extérieur**
- ⊗ **Facile à suivre en famille**
- ⊘ **Achat d'un ouvrage nécessaire**
- ⊗ **Régime facile à poursuivre**

Ce programme, spécialement conçu pour les femmes, vise à améliorer l'apparence extérieure et le bien-être de chacune en nettoyant et en purifiant le corps de l'intérieur.

LE PRINCIPE

Ce programme prend en considération les fluctuations physiologiques quotidiennes, hebdomadaires, mensuelles et annuelles que connaissent

LIVING BEAUTY DETOX : TYPE 1

Au lever
- L'élixir Living Beauty
- 2 compléments riches en fibres
- 2 verres d'eau

Avant le petit déjeuner
- 1 tasse d'infusion de racines de pissenlit

Petit déjeuner
- $1/2$ pamplemousse
- Œufs durs
- Chou vapeur et poivrons rouges au thym frais

Déjeuner
- Agneau de lait grillé
- Salade de cresson et de germes de soja à l'huile de lin, jus de citron et ciboulette fraîche hachée

Après-midi
- 2 verres d'eau

Goûter
- Fraises

Dîner
- Saumon poché et choux de Bruxelles vapeur
- Salade de tomates au persil et oignons nouveaux à l'huile de lin, jus de citron vert et menthe fraîche ciselée.

Soirée
- L'élixir Living Beauty
- 2 compléments riches en fibres
- 2 verres d'eau

En-cas
- Selon les recommandations

les femmes. Il se veut un guide personnalisé visant l'équilibre hormonal, nutritionnel, émotionnel et spirituel, s'appuyant sur sept éléments :
- un foie débarrassé de ses toxines ;
- de l'eau purifiée pour nettoyer l'organisme ;
- des protéines pour la santé de la peau, des cheveux et des ongles ;
- des huiles bienfaisantes pour stabili-

ser le taux de sucre dans le sang et calmer l'appétit ;
- des fruits et des légumes biologiques pour stimuler le système immunitaire ;
- des vitamines, sels minéraux et antioxydants ;
- l'équilibre hormonal.

Le régime Living Beauty Detox cherche à faire en sorte que, en intégrant ces sept éléments et en éliminant le sucre, la caféine, l'alcool, les céréales raffinées et les huiles hydrogénées *(voir p. 38)* de leur alimentation, les femmes se sentent transformées de l'intérieur et révèlent leur beauté extérieure.

EN PRATIQUE

Ce régime, qui dure entre trois jours et deux semaines, préconise la consommation de fruits, légumes, protéines maigres, vitamines, sels minéraux, antioxydants, herbes aromatiques et épices, ainsi que d'un élixir censé dépolluer l'organisme. Il est également recommandé de boire beaucoup d'eau et des tisanes de racines de pissenlit.

À chaque changement de saison, on propose aux femmes de s'observer afin de déterminer leur type et de découvrir l'origine de leurs déséquilibres internes. Chaque type peut ainsi suivre son régime saisonnier.
- Type 1 : excès de toxines au printemps.
- Type 2 : excès de toxines en été.
- Type 3 : excès de toxines en automne.
- Type 4 : excès de toxines en hiver.

EST-IL SAIN ?

Ce régime exige que l'on y consacre du temps et de l'argent. Il est pauvre en glucides, ce qui peut se révéler difficile à supporter à terme.

L'organisme humain est capable de maintenir l'équilibre entre son fonctionnement interne et l'environnement extérieur. La peau, les poumons et le système immunitaire constituent des barrières externes, tandis que le foie, les reins et le tube digestif ont pour fonction d'éliminer les déchets métaboliques et les toxines du corps. Le régime Living Beauty Detox, riche en fruits, légumes,

céréales complètes, protéines maigres, produits laitiers écrémés, préconise également la pratique d'une activité physique régulière et a pour but d'aider le corps à assurer ses fonctions physiologiques et à maintenir leur équilibre. Cela dit, si vous souffrez de certains troubles ou si vous êtes malade, il vaut mieux consulter votre médecin avant de vous engager dans un tel régime.

Le régime Detox

Élimination des toxines

- ⊗ **Achat de produits nécessaire**
- ⊘ **Facile à suivre à l'extérieur**
- ⊗ **Facile à suivre en famille**
- ⊘ **Achat d'un ouvrage nécessaire**
- ⊗ **Régime facile à poursuivre**

Le Dr Elson M. Haas a créé ce régime, convaincu que le régime alimentaire des Américains n'accorde pas suffisamment de place à l'élimination des toxines, pourtant garante d'un poids sain et d'une bonne santé.

LE PRINCIPE

L'élimination des toxines a pour objectif d'aider les gens à recouvrer santé, énergie et vitalité, ainsi qu'à perdre du poids. Le Dr Haas est un praticien en médecine intégrée et la fondatrice et directrice du Preventive Medical Center, en Californie. Elle est persuadée que les problèmes de santé découlent souvent d'une mauvaise alimentation ou d'une intoxication liée, soit à une mauvaise élimination, soit à la consommation excessive de substances polluantes (caféine, alcool, nicotine, aliments raffinés).

D'après elle, la carence en certains nutriments provoque fatigue, sensation de froid, perte de cheveux ou sécheresse de la peau. Mais ces maux peuvent être guéris en consommant des aliments complets et en favorisant l'élimination des toxines.

Les problèmes congestifs, comprenant aussi bien les maladies aiguës que les maladies chroniques, sont dus à l'engorgement et à l'étouffement des cellules et de l'énergie vitale. Les rhumes, les angines, les maladies cardio-vasculaires, l'arthrose ou les allergies en font partie. Il est possible de les prévenir et de les guérir et, en tout cas, d'améliorer considérablement son état de santé en débarrassant son organisme de ses toxines.

En consommant davantage de fruits, de légumes et d'eau, moins de protéines et de graisses d'origine animale, et en éliminant les substances nocives, on fait entrer le corps dans un processus de renouvellement.

EN PRATIQUE

Le régime comporte trois repas par jour et des en-cas liquides composés de bouillon de légumes et d'eau citronnée, ainsi que les recommandations suivantes :

● Prendre son temps pour manger et mâcher soigneusement les aliments.
● Se détendre avant et après les repas pendant quelques minutes.
● Manger dans une position confortable.
● Consommer beaucoup de légumes frais.
● Ne boire que des infusions de plantes après le dîner.

Le Dr Haas recommande de suivre ce régime pendant cinq à sept jours et

---

LE RÉGIME DETOX

Petit déjeuner
● 1 fruit frais

15 à 30 minutes plus tard
● 1 bol de céréales complètes cuites et 1 jus de fruit frais

11 heures
● 1 ou 2 verres de bouillon de légumes peu salé

Déjeuner
● Assiette de légumes vapeur, comprenant des carottes, des haricots verts et des brocolis

15 heures
● 1 ou 2 verres de bouillon de légumes peu salé

Dîner
● Asperges, courgettes et oignons vapeur

En-cas
● Non autorisés

---

explique que l'état nauséeux, congestif ou de fatigue qui peut survenir au bout de deux ou trois jours de régime est dû à l'élimination massive des toxines. Ces symptômes disparaissent d'eux-mêmes, si l'on poursuit le régime, dès le quatrième jour (et même avant chez certaines personnes).

Si vous ressentez de la fatigue ou de la faim au cours du régime, buvez. Vous pouvez éventuellement consommer une petite portion de protéines (de 85 à 115 g) en milieu d'après-midi : poisson, volaille biologique, pois chiches, lentilles, germes de soja ou haricots rouges.

EST-IL SAIN ?

Nous ignorons sur quelles bases scientifiques repose le principe selon lequel l'élimination des toxines de l'organisme peut prévenir et soigner des maladies. Le régime Detox est très restrictif et ne fournit pas les nutriments dont a besoin l'organisme pour fonctionner normalement, ce qui peut entraîner des carences si on le suit longtemps. Il vaut mieux le considérer comme une action ponctuelle de nettoyage de l'organisme. Cela dit, la consommation de fruits, de légumes, d'eau, la diminution des protéines et des graisses d'origine animale, ainsi que l'élimination de la caféine, de l'alcool, de la nicotine et des aliments industriels sont des principes alimentaires très sains, qui peuvent vous aider à perdre du poids et à vous sentir mieux.

Weight Watchers

Groupe de soutien

⊗ **Achat de produits nécessaire**
⊘ **Facile à suivre à l'extérieur**
⊘ **Facile à suivre en famille**
⊘ **Achat d'un ouvrage nécessaire**
⊘ **Régime facile à poursuivre**

Ce programme, très populaire depuis des années, est fondé sur un système de points accordés aux aliments selon qu'ils sont plus ou moins sains. Il comprend une période d'amaigrissement, suivie d'une phase de stabilisation, encourage l'exercice physique et prévoit des réunions de soutien.

WEIGHT WATCHERS

Petit déjeuner
● 1 petit verre de jus de fruits
● Céréales sans sucre, lait écrémé (dans les quantités autorisées) et banane écrasée

Déjeuner
● 1 pomme de terre moyenne cuite au four
● Salade Coleslaw (à base de chou et d'oignons)
● 1 cuillerée de cheddar râpé
● Salade verte, assaisonnement sans huile
● 1 pomme

Dîner
● Blanc de poulet grillé ou cuit au four, couscous et brocoli
● Pêches au sirop léger et crème glacée allégée en matières grasses
● 1 petit verre de vin

En-cas
● 300 ml de lait écrémé (selon les quantités autorisées)
● Yaourt nature écrémé
● Petite poignée de pistaches

LE PRINCIPE

Weight Watchers a pour objectif d'apprendre aux gens à modifier leur mode de vie. Pour cela, les candidats à l'amaigrissement sont soutenus par des conseillers et par les autres candidats au cours de réunions hebdomadaires. Des points sont attribués aux aliments en fonction de leur teneur en lipides, en fibres et en calories. Aucun aliment n'est interdit, ce qui donne au régime une grande souplesse et encourage à composer des menus sains. Pour ceux qui ne peuvent assister aux réunions, un programme par correspondance ou par Internet est également disponible.

EN PRATIQUE

On ne pèse pas les aliments, mais on dispose d'un quota de points journalier, dans lequel compte chaque aliment consommé. Weight Watchers a également développé une gamme de produits alimentaires pour faciliter la vie

Weight Watchers Ce régime repose sur une alimentation équilibrée et nutritive, comme l'illustre cette assiette de saumon, de purée et de haricots verts.

de ses adhérents, mais leur consommation n'est en aucun cas obligatoire. Les quotas sont établis individuellement, en fonction de l'indice de masse corporelle *(voir p. 26-27)* et du poids que l'on souhaite perdre. On peut consommer n'importe quels aliments à condition de ne pas dépasser son quota journalier, sachant que les aliments très caloriques ont un nombre de points supérieur aux aliments sains. Ainsi :

• 1 blanc de poulet = 2,5 points
• 1 nem = 5 points
• 1 pomme moyenne = 0,5 point
• 175 ml de vin = 2 points

Il est recommandé de boire beaucoup d'eau. Le thé, le café et les boissons peu caloriques sont autorisés.

Le programme encourage la pratique d'une activité physique régulière. On est amené à se peser régulièrement, et les conseillers sont là pour aider à adopter une meilleure hygiène de vie.

EST-IL SAIN ?
Le programme Weight Watchers permet aux candidats une grande souplesse dans leurs choix alimentaires et les aide à prendre de bonnes habitudes, dès le départ, pour maigrir mais aussi pour

maintenir leur poids de forme. Il comprend un soutien et des conseils sur l'aspect comportemental de l'alimentation et encourage la responsabilité des personnes face à leurs choix. Son succès repose sur le fait qu'il entraîne de vrais changements comportementaux à terme. Les menus et les recettes proposés sont équilibrés et faciles à préparer, ce qui constitue une autre facette positive du programme.

Weight Watchers est un régime idéal pour les personnes qui veulent perdre du poids durablement et modifier leur hygiène de vie en profondeur. Les réunions de groupe sont un soutien important et permettent de rencontrer des gens qui partagent la même expérience.

Le chronorégime

Régime tendance

⊗ **Achat de produits nécessaire**
⊗ **Facile à suivre à l'extérieur**
⊗ **Facile à suivre en famille**
⊗ **Achat d'un ouvrage nécessaire**

Le principe de ce régime repose sur le respect des rythmes biologiques de l'organisme. Il s'agit de répartir les prises alimentaires dans la journée et de consommer certains aliments à des moments précis.

LE PRINCIPE
Le chronorégime suit les principes de la chrononutrition, selon lesquels les nutriments ne sont pas absorbés de la même manière à tous les moments de la journée. Par exemple, les graisses ingérées le soir sont stockées par l'organisme, alors qu'elles sont utilisées comme source d'énergie si on les consomme le matin. De plus, ce régime préconise de laisser s'écouler au moins quatre heures entre deux prises alimentaires, soit le temps nécessaire à l'organisme pour digérer correctement.

EN PRATIQUE
Les partisans de la chrononutrition affirment que les désagréments tels que le sentiment de fatigue ou de faiblesse après les repas, la somnolence dans la journée ou le mauvais sommeil la nuit sont souvent dus au non-respect des rythmes biologiques de l'organisme et des besoins alimentaires qui leur sont associés. Une mauvaise hygiène alimentaire a également une influence sur l'équilibre de notre poids. Ainsi, selon l'heure à laquelle on consomme certains aliments, ceux-ci sont plus ou moins bien assimilés et entraînent une prise de poids plus ou moins conséquente. Il s'agit donc de répartir les prises ali-

LE CHRONORÉGIME

Petit déjeuner
• Pain (de toutes sortes)
• Beurre
• 100 g de fromage

Déjeuner (minimum 4 heures après le petit déjeuner)
• 250 g de viande
• 1 bol de féculents (riz, pâtes, pommes de terre, légumineuses)

En-cas (minimum 4 heures après le déjeuner)
• 1 bol de fruits frais ou de fruits secs
• 30 g de chocolat noir

Dîner
• Poisson (à volonté)
• 1 bol de légumes verts

mentaires en trois repas par jour, à heures fixes, et de ne rien manger en dehors de ces prises alimentaires.

Par ailleurs, il est essentiel de bien mastiquer les aliments pour que le maximum de nutriments soit assimilé par l'organisme. Il est conseillé de manger dans le calme, en prenant son temps. Enfin, ce programme prévoit la pratique régulière d'une activité sportive.

EST-IL SAIN ?

Ce programme autorise la consommation de presque tous les aliments, ce qui, d'une part, permet de respecter l'équilibre nutritionnel et, d'autre part, de le suivre relativement facilement. Cela dit, la consommation de graisses saturées est importante (fromage le matin et viande à midi). De plus, on peut reprocher à ce régime d'imposer des habitudes alimentaires relativement rigides.

Le régime TGV du Dr Fricker

Régime tendance

- ⊗ **Achat de produits nécessaire**
- ⊗ **Facile à suivre à l'extérieur**
- ⊘ **Facile à suivre en famille**
- ⊘ **Achat d'un ouvrage nécessaire**

Ce régime, fondé sur la consommation de tous les aliments à l'exclusion des glucides, permet de maigrir rapidement (il dure entre trois et huit semaines).

LE PRINCIPE

Ce régime, appelé TGV (Très Grande Vitesse) parce qu'il permet de perdre 3,5 kg en deux semaines, se déroule sur trois à huit semaines. Le Dr Fricker, auteur de nombreux ouvrages sur le sujet, affirme que l'amaigrissement obtenu au cours de ce régime est durable, car il apporte des nutriments indispensables pour rester en bonne santé et en forme, et son équilibre comme sa durée n'induisent pas de manques. Le Dr Fricker propose également un régime Pleine Forme, moins restrictif et plus personnalisable.

EN PRATIQUE

Il s'agit de faire trois repas par jour, les en-cas n'étant pas autorisés. Le petit déjeuner se compose de un à quatre produits laitiers et d'un fruit, tandis que les deux autres repas comportent des protéines et des légumes, mais ni glucides complexes (pain, céréales), ni dessert. Il est recommandé de boire 2 litres d'eau par jour. Dans le régime Pleine Forme, les glucides sont intégrés progressivement, et une phase de stabilisation amène à une plus grande liberté alimentaire.

EST-IL SAIN ?

Le régime TGV est un régime qui interdit la consommation de glucides afin que l'organisme puise dans ses réserves. En ce sens, il supprime un groupe d'aliments important pour la santé et pour l'équilibre. Il est important de réintroduire progressivement

LE RÉGIME TGV DU Dᴿ FRICKER
Petit déjeuner
• 200 g de fromage blanc à 0 %
• 1 yaourt nature à 0 %
• 1 fruit non pressé
Déjeuner
• Crudités ou soupe de légumes
• 200 g de poisson ou 150 g de viande ou 4 œufs
• 200 g de légumes avec 10 g d'huile d'olive
Dîner
• Crudités ou soupe de légumes
• 200 g de poisson ou 150 g de viande ou 4 œufs
• 200 g de légumes avec 10 g d'huile d'olive
En-cas
• Non autorisés

les glucides dans l'alimentation, à la fois pour rétablir l'équilibre et pour éviter une reprise de poids. Une table des équivalences est proposée afin de rendre le régime moins monotone.

De plus, la quantité de protéines animales (produits laitiers au petit déjeuner et viande, œufs ou poisson au déjeuner et au dîner) est relativement importante. Le régime TGV fait maigrir, certes, mais n'induit pas de bonnes habitudes alimentaires, et le risque est grand de reprendre rapidement les kilos perdus.

Le régime Fibres

Régime tendance

- ⊗ **Achat de produits nécessaire**
- ⊘ **Facile à suivre à l'extérieur**
- ⊘ **Facile à suivre en famille**
- ⊗ **Achat d'un ouvrage nécessaire**

Le régime Fibres, comme son nom l'indique, repose sur une consommation élevée de fibres, dont les bienfaits, à la fois sur le transit intestinal et sur l'assimilation des nutriments, ne sont plus à démontrer. Ce régime est censé apporter entre 30 et 50 g de fibres par jour, soit une quantité supérieure à l'apport recommandé (entre 30 et 35 g par jour). Cela dit, cet apport élevé en fibres ne doit pas être suivi par des personnes ayant des problèmes intestinaux.

LE PRINCIPE

Ce régime repose sur la consommation accrue d'aliments riches en fibres, tels que les légumes, les légumineuses, les fruits, les céréales complètes et le pain complet. On est, en outre, censé manger régulièrement un mélange, que l'on confectionne soi-même, à partir de fruits secs, de céréales enrichies en son et de son de céréales et qui augmente considérablement l'apport journalier en fibres. Parallèlement, l'objectif de ce régime étant de faire perdre du poids aux personnes qui le suivent, il s'agit également de diminuer l'apport calorique des autres aliments consommés dans la journée, en prenant garde de

LE RÉGIME FIBRES

Petit déjeuner
- 1 grand bol de céréales
- 1 bol de lait

Déjeuner
- Salade de légumes, vinaigrette
- Poulet grillé
- Endives, huile d'olive et citron
- 1 tranche de pain complet
- 1 yaourt

Dîner
- Filet de poisson
- 1 part de fromage
- 1 tranche de pain complet

En-cas
- 1 fruit frais

choisir des aliments à faible teneur en sucres et en matières grasses.

EN PRATIQUE

Ce régime permet de manger moins, en volume, car les fibres ne sont pas assimilables par l'organisme. En gonflant dans le tube digestif et en retenant l'eau, elles facilitent le transit intestinal et favorisent l'élimination des toxines. Cela dit, il faut absolument veiller à ce que l'augmentation des fibres dans l'alimentation soit progressive et ne pas changer brutalement de régime alimentaire si l'on veut éviter des ballonnements, des spasmes douloureux et des gaz intestinaux.

Il faut savoir que ce régime n'est pas toujours bien toléré sur le plan digestif, car il peut être irritant chez les personnes sensibles. Il est, en tout cas, fortement déconseillé aux personnes souffrant de problèmes intestinaux tels que des diverticules, par exemple, qu'il risquerait d'aggraver.

EST-IL SAIN ?

Le régime Fibres permet de bénéficier des avantages pour la santé d'un apport suffisant de fibres alimentaires, c'est-à-dire qu'il contribue à faire baisser le taux de cholestérol et à prévenir la constipation, le cancer du côlon, les calculs biliaires et le diabète.

Cela dit, les risques d'irritation de l'intestin restent présents. C'est pourquoi il est conseillé, même si l'on ne souffre pas de problèmes intestinaux, de ne pas suivre ce programme trop longtemps afin de ne pas malmener le système digestif. En outre, le régime Fibres reste un régime hypocalorique, avec toutes les restrictions – en sucres et en matières grasses – que cela impose.

Le régime méditerranéen

Régime tendance

- ⊗ **Achat de produits nécessaire**
- ⊘ **Facile à suivre à l'extérieur**
- ⊘ **Facile à suivre en famille**
- ⊗ **Achat d'un ouvrage nécessaire**

Plus qu'un régime hypocalorique, ce régime est une hygiène de vie, fondée sur la consommation d'aliments naturels riches en antioxydants, en graisses monoinsaturées, en vitamines et sels minéraux.

LE PRINCIPE

Également appelé régime crétois, il a suscité l'intérêt des chercheurs à la suite d'une étude, menée dans les années 50, qui a révélé des disparités énormes en terme d'espérance de vie des habitants de différents pays. On s'est aperçu, par exemple, que, contrairement à de nombreux pays nordiques et occidentaux, le nombre de décès par maladie coronarienne était incroyablement bas en Crète. Les maladies cardio-vasculaires étant la première cause de mortalité au monde, l'hygiène de vie crétoise connaît un regain d'intérêt mérité.

EN PRATIQUE

Il s'agit d'augmenter la consommation de céréales, légumineuses, fruits et légumes frais, d'aliments riches en acide linoléique et de boire, régulièrement, mais dans de petites proportions, du vin rouge. Parallèlement, on diminue largement la consommation de viande, de charcuteries, de beurre et de crème,

soit de toutes les graisses saturées.

De plus, les Crétois – qui ont toujours le taux de mortalité cardio-vasculaire le plus bas du monde – se nourrissent de façon traditionnelle d'aliments naturels et mangent très peu d'aliments industriels, transformés ou importés. Ce régime laisse une grande liberté de choix, et le renouvellement saisonnier des aliments permet une grande variété dans la consommation des aliments.

EST-IL SAIN ?

On attribue les bienfaits de ce régime à l'apport élevé en acides gras monoinsaturés (huile d'olive) et à la teneur réduite en graisses saturées, qui ont pour effet de réduire le taux de cholestérol total et LDL et d'augmenter celui de bon cholestérol HDL. Sa teneur en fibres (fruits, légumes, céréales, oléagineux) est un autre atout pour la santé.

De plus, la richesse en fruits et en légumes frais permet de faire le plein de phytonutriments, notamment d'antioxydants, qui contribuent à lutter contre le vieillissement des cellules. C'est donc la synergie de tous ces éléments qui fait du régime méditerranéen un mode de vie sain et facile à adopter.

LE RÉGIME MÉDITERRANÉEN

Petit déjeuner
- Pain complet et huile d'olive
- 1 yaourt de chèvre et miel
- 1 fruit frais et des noix

Déjeuner
- Crudités et pois chiches
- Riz sauvage et petits légumes
- Poire à la cannelle

Dîner
- Crudités
  et salade de légumes
- Sardines
- Pain complet
  et huile d'olive
- 1 verre de vin

En-cas
- Non autorisés

Se faire aider pour maigrir

Il peut être utile d'être aidé pour réussir à perdre du poids.

Il est prouvé que les programmes d'amaigrissement sont plus efficaces lorsqu'ils sont assortis de conseils sur la façon de changer son comportement en profondeur. Rencontrer à intervalles réguliers quelqu'un avec qui parler de son expérience et se peser aide à mesurer les progrès réalisés et à ne pas perdre de vue son objectif.

Les centres de soutien

Les programmes de groupe (voir p. 194-195) tels que les Weight Watchers fournissent un soutien efficace et permettent de contrôler la perte de poids tout en recevant des conseils et des réponses à ses interrogations. Le choix de maigrir au sein d'un groupe dépend de votre motivation et de la façon dont vous gérez votre expérience personnelle. Si vous sentez que vous avez besoin de partager vos progrès et vos doutes avec des gens qui vivent la même expérience que vous, c'est une bonne solution.

Les autres éléments à prendre en compte dans le choix d'un accompagnement sont : la proximité géographique ; l'assurance que la personne qui vous accompagne est vraiment à l'écoute et non là pour vendre ses produits ; la certitude que le programme comprend une phase de stabilisation du poids d'au moins un an après la perte de poids. Et souve-

nez-vous que l'objectif premier est de rééquilibrer ses habitudes alimentaires, pas de fondre.

Les nutritionnistes

Si vous cherchez l'aide d'un professionnel spécialiste de l'amaigrissement, vous pouvez vous adresser à un nutritionniste, en particulier si vous souffrez de diabète ou de troubles cardio-vasculaires. Demandez à votre médecin les coordonnées d'un praticien sérieux qui vous aidera à adapter votre régime à votre mode de vie.

Il existe également des centres d'amaigrissement sous contrôle médical, ainsi que des centres d'amaigrissement pour les enfants en surpoids ou obèses (voir p. 199). Ces solutions s'adressent essentiellement aux personnes souffrant de troubles sévères.

Le gras est-il héréditaire ?

L'obésité est une affaire de famille : un enfant dont les deux parents sont obèses a presque deux fois plus de risques de devenir obèse qu'un enfant dont un seul parent l'est.

La transmission de l'obésité est un phénomène très complexe. Ce que les gènes déterminent, c'est le métabolisme. La différence entre celui qui mange tout ce qu'il veut sans prendre un gramme et celui qui a l'impression de grossir rien qu'en regardant un gâteau est effectivement d'ordre génétique.

On pense aujourd'hui avoir découvert le gène du gras, mais la génétique ne concerne qu'un tiers des variations de poids. L'obésité s'est développée de façon dramatique aux États-Unis et progresse maintenant en Europe. Or, on n'a pas observé de modification génétique correspondante. Le phénomène s'explique donc par des facteurs environnementaux plus que par des facteurs héréditaires.

Un avis médical Lorsque le surpoids ou l'obésité menace la santé d'une personne, un nutritionniste peut l'aider à trouver la meilleure approche thérapeutique.

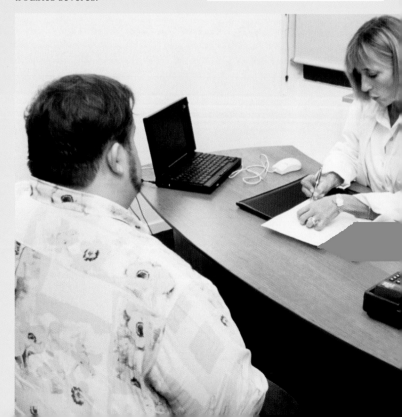

Où se faire aider ?

Si le contrôle de votre poids vous a complètement échappé mais que vous ne trouviez pas la motivation pour modifier votre comportement alimentaire et votre hygiène de vie, il faut peut-être vous tourner vers une aide extérieure. Les personnes qui en ont les moyens peuvent s'offrir le soutien d'un coach qui créera avec elles un programme de remise en forme sur mesure.

LES CENTRES MÉDICALISÉS

Passer du temps dans un spa ou un centre d'amaigrissement médicalisé peut être une bonne solution si vous avez des problèmes de santé et que vous ayez besoin de motivation pour maigrir. L'alimentation y est contrôlée et l'emploi du temps rempli d'activités physiques, de relaxation et de soins. Vous perdrez du poids et améliorerez votre état de santé, mais il vous faudra maintenir le programme par la suite si vous ne voulez pas reprendre les kilos perdus et modifier en profon-

deur vos habitudes, une fois de retour à la maison.

LES CAMPS D'AMAIGRISSEMENT

Les enfants obèses ou en surpoids ont la possibilité de passer quelques semaines dans des camps d'amaigrissement où leur alimentation est saine et où on leur fait prendre l'habitude de se dépenser physiquement. Cela dit, il

Un programme intensif Un séjour dans un centre d'amaigrissement peut déclencher la perte de poids, mais le travail doit être poursuivi de retour à la maison.

est essentiel que les parents se sentent concernés et s'impliquent dans le processus afin que leurs enfants puissent poursuivre à la maison le travail commencé en camp.

Le traitement médical de l'obésité

En cas d'échec des régimes alimentaires et des programmes d'activité physique, la médication et, dans les cas d'obésité particulièrement graves, la chirurgie peuvent être une solution, à entreprendre, évidemment, sous contrôle médical.

La chirurgie Vous ne pouvez avoir recours à la chirurgie que si votre IMC est supérieur à 35 *(voir p. 26-27)*, si vous avez déjà tenté, sans succès, plusieurs régimes et si vous ne souffrez pas de troubles psychiatriques.

La gastroplastie laparoscopique est l'une des méthodes les plus courantes Elle consiste à limiter la quantité d'aliments qui entrent dans l'estomac en plaçant un anneau ajustable. Le résultat est, en général, efficace et stable. Les patients doivent ensuite suivre un régime qui consiste à ingérer de très

petites quantités de nourriture – principalement des protéines – et des vitamines et des sels minéraux tous les jours pendant les six semaines qui suivent l'opération.

Mais on constate des effets secondaires, comme la mauvaise absorption des nutriments et le passage trop rapide des aliments de l'estomac à l'intestin, provoquant sueur, évanouissement et palpitations.

La prescription médicale Deux médicaments sont utilisés actuellement dans le traitement de l'obésité : la sibutramine et l'orlistat. La sibutramine agit comme inhibiteur de la recapture de la sérotonine et de la noradrénaline. Elle est commercialisée en France depuis 2001 et prescrite sous certaines conditions. Ses effets secondaires sont une augmentation

de la fréquence cardiaque et de la pression artérielle. Elle est donc déconseillée aux personnes souffrant de troubles cardio-vasculaires.

L'orlistat, quant à lui, bloque une partie de l'absorption des triglycérides dans l'estomac et l'intestin. 30 % des graisses ingérées sont ainsi excrétées directement. La prise de ce médicament doit être assortie d'un régime pauvre en lipides. Elle est déconseillée aux femmes enceintes ou qui allaitent, ainsi qu'aux personnes souffrant de troubles de l'absorption des nutriments et de problèmes hépatiques.

La sécurité Méfiez-vous des médicaments qui promettent une perte de poids et qui ne sont pas délivrés sur ordonnance. Demandez toujours un avis médical.

Planifier Avant de commencer votre régime, faites une liste de vos objectifs. Puis tenez un journal de bord pour prendre conscience de vos habitudes.

Personnaliser son régime

Il faut maintenir les résultats dans la durée.

Nombreuses sont les personnes qui maigrissent en suivant un régime basses calories pendant quelque temps et qui reprennent les kilos perdus dès qu'elles se remettent à manger comme avant. Pour maigrir, il faut vraiment reconsidérer son mode de vie dans son ensemble.

Des objectifs réalistes

Lorsque vous êtes prêt pour le changement (voir p. 30-31) et décidez de commencer un régime, essayez de vous fixer des objectifs réalistes. Il faut pouvoir atteindre son but, dans un premier temps, puis maintenir les résultats obtenus. Il est plus efficace de se fixer des étapes à franchir progressivement et à stabiliser les unes après les autres. Quand il est question d'amaigrissement, rien ne sert de vouloir aller trop vite, sous peine de perdre de l'eau ou du muscle, donc de l'énergie : perdre 1 % de son poids par semaine est un objectif raisonnable, donc plus facile à atteindre.

À l'écoute de son corps

Si vous ne maigrissez pas alors que vous mangez moins et que vous vous dépensez davantage, ne baissez pas les bras. Il y a mille autres bénéfices à retirer lorsqu'on mange sainement et que l'on est plus actif : non seulement on diminue les risques de développer des maladies graves, mais on retrouve également de l'énergie et un sentiment de bien-être.

Pour maigrir sainement

Les clés d'un poids de forme stable sont une alimentation sensée et une activité physique. Voici quelques bases :

Une vie active Dépensez-vous le plus possible dans votre vie quotidienne. Trouvez un sport qui vous plaît et variez les activités pour ne pas vous lasser.

Un régime équilibré Ne sautez pas de repas et mangez des aliments de tous les groupes (voir p. 72-73). Éliminer ponctuellement un groupe d'aliments pendant votre régime ne vous apprendra pas à établir une hygiène de vie saine, équilibrée et durable.

Un petit déjeuner sain Sauter le petit déjeuner peut vous amener à manger davantage d'aliments gras au cours de la journée. Le matin, mangez des aliments pauvres en matières grasses et riches en fibres.

Moins de calories Les régimes contenant des aliments riches en protéines, en lipides et en glucides ne sont effi-caces qu'à condition de diminuer l'apport calorique. Pour maigrir, il faut déjà manger moins de calories que d'habitude.

Des graisses saines Notre alimentation est trop riche en graisses saturées. Il vaut mieux diminuer la consommation des viandes et des produits carnés, des biscuits, des gâteaux et des produits laitiers entiers au profit d'aliments riches en graisses mono et polyinsaturées, plus saines pour l'organisme.

De petites portions Apprenez à vous arrêter de manger lorsque vous êtes rassasié. Ne vous resservez pas.

Des en-cas Choisissez des en-cas sains – des fruits ou des amandes – si vous avez faim entre deux repas. Cela vous évitera de vous jeter sur la nourriture et de manger trop ou mal au repas suivant. De l'eau en abondance On confond parfois la soif et la faim. Lorsque vous avez faim, il s'agit peut-être de soif : buvez un grand verre d'eau. De même, boire de l'eau une demi-heure avant les repas aide à manger moins.

Des compensations Si, un jour, vous mangez plus que prévu, essayez de manger moins le lendemain (ou la veille) ou de vous dépenser davantage.

Pas de grignotage en soirée Ce que vous mangez dans la soirée ne sera pas dépensé en totalité par l'organisme pendant la nuit.

● Débarrassez la table après le repas et évitez d'aller traîner dans la cuisine.

● Si vous vous retrouvez en train de rôder dans la cuisine, allez feuilleter un magazine.

● Dépensez-vous : l'exercice modéré diminue l'appétit et favorise le sommeil. Après le dîner, faites une petite marche ou un peu de bicyclette d'appartement.

● Si la faim vous empêche de dormir, mangez un fruit ou buvez un verre de lait (écrémé ou demi-écrémé).

Des changements, jour après jour

Pour perdre du poids, il faut manger moins et se dépenser davantage. Mais il faut également veiller à ce que le corps reçoive suffisamment de nutriments. Ce qui implique de prendre conscience de ce que l'on mange, de choisir, repas après repas, des aliments sains, nutritifs et peu caloriques, et d'éviter les calories vides.

Voici quelques suggestions afin de vous aider à maigrir en mangeant de façon équilibrée et sans menacer votre santé. Tous les jours, vous devez manger :

Deux ou trois portions de légumes Les légumes contiennent peu de calories, rassasient et sont sources de phytonutriments, dont les bienfaits ne sont plus à démontrer *(voir p. 76-77)*. Consommez-les crus ou cuits à la vapeur sans adjonction de matières grasses saturées telles que le beurre, la margarine ou le fromage. Vous pouvez, de temps en temps, les faire revenir dans un peu d'huile d'olive ou de colza.

Deux ou trois portions de fruits Les fruits constituent des en-cas idéaux, à consommer crus, de préférence entre les repas ou cuits en dessert. Veillez à ce que les jus de fruits ne contiennent pas de sucre ajouté et coupez-les avec de l'eau.

Au moins cinq portions de céréales Choisissez des céréales complètes : riches en fibres, elles rassasient plus vite que les céréales raffinées et contiennent davantage de nutriments. Associez les céréales aux légumineuses pour un repas riche en protéines.

Deux ou trois portions de produits laitiers La consommation de calcium favorise l'amaigrissement et prévient la prise de poids *(voir p. 63)*. Choisissez des produits laitiers allégés en matières grasses. En cas d'intolérance au lactose, choisissez des produits de remplacement *(voir p. 232)*.

Deux ou trois portions de protéines Ne mangez pas trop de viande et choisissez-la sans gras et sans peau, dans le cas de la volaille *(voir p. 86-91)*. Consommez d'autres sources de protéines, comme le poisson et les fruits de mer, les œufs, les produits laitiers, le soja et ses dérivés, les légumineuses et les oléagineux.

Manger à l'extérieur

Il n'y a aucune raison de vous priver de sorties au restaurant ou chez des amis lorsque vous suivez un régime. Il faut, en revanche, rester vigilant sur la qualité et sur la quantité d'aliments que vous mangez au cours du repas.

● Afin de ne pas être affamé en arrivant au restaurant, mangez un en-cas sain avant de partir. Vous serez moins tenté de manger du pain ou de prendre une entrée.

● Soyez à l'écoute de votre corps et arrêtez-vous de manger dès que vous êtes rassasié, même si votre assiette n'est pas vide.

● Commandez le vin au verre plutôt qu'en bouteille et faites durer votre verre de vin jusqu'à la fin du repas. Buvez de l'eau si vous avez soif.

● Ne commandez pas de pain et, le cas échéant, demandez au serveur qu'il retire la corbeille de la table pour ne pas être tenté. Manger du pain pendant le repas n'est pas utile et ajoute des calories.

La pause déjeuner

Lors de la pause déjeuner à l'extérieur, on est souvent confronté à une abondance d'aliments appétissants mais riches en graisses saturées et en calories – comme les sandwiches dégoulinants de mayonnaise – et qu'il vaut mieux éviter si l'on cherche à perdre du poids.

Il est néanmoins possible de déjeuner sur le pouce mais plus sainement, en changeant quelques éléments :

● Si vous prenez un sandwich, choisissez du pain complet ou aux céréales plutôt que du pain blanc. Vous mangerez ainsi davantage de fibres et d'autres nutriments intéressants.

● Préférez les viandes maigres – blanc de poulet ou de dinde – ou des crevettes aux aliments riches en graisses saturées comme la charcuterie.

● Choisissez une garniture composée de crudités nature ou avec un assaisonnement léger plutôt que de fromage et de mayonnaise.

Un choix trop gras
Ce pain blanc garni de salami, de fromage industriel et de mayonnaise contient plus de 800 calories, 50 g de lipides dont 30 g sont saturés.

Un choix plus sain
Ce pain aux céréales, garni de blanc de dinde, avocat, laitue et tomate, contient 500 calories, 30 g de lipides dont 7 g sont saturés.

Activité physique et perte de poids

L'activité physique favorise la perte de poids.

En France, moins de la moitié des hommes et des femmes pratiquent une activité physique régulière. L'idéal est de se dépenser physiquement au moins trente minutes par jour, cinq fois par semaine. La sédentarité est à l'origine de nombreux problèmes de santé sérieux et constitue un facteur aggravant dans le phénomène alarmant du développement du surpoids et de l'obésité.

Si vous cherchez à perdre du poids, l'activité physique est un élément du processus aussi important que votre alimentation. Par activité physique, on entend tous les mouvements du corps – dans la vie quotidienne ou dans la pratique d'une activité sportive – qui entraînent une dépense d'énergie.

Démarrez en douceur

Si vous êtes sédentaire depuis quelque temps et que vous ayez envie de vous dépenser davantage, commencez progressivement par

Un exercice aérobie Sauter à la corde est une activité excellente pour le système cardio-vasculaire, encore plus bénéfique lorsqu'elle est pratiquée à l'extérieur.

La mise en route

Après avoir consulté votre médecin et décidé du programme que vous allez entreprendre *(voir encadré p. 203)*, il faut prendre en considération un certain nombre d'éléments pour être sûr que les changements que vous projetez de faire deviendront vite de nouvelles habitudes de vie.

SOYEZ RÉALISTE

N'oubliez pas de commencer votre programme d'activité physique en douceur et d'augmenter vos efforts très progressivement. Si vous faites des efforts démesurés dès le départ, vous risquez non seulement de vous faire mal, mais également de vous lasser plus vite.

Fixez-vous des objectifs à long terme et d'autres à court terme. Si vous êtes resté inactif pendant longtemps, commencez par pratiquer une activité modérée – comme la marche ou la natation – deux ou trois fois par semaine, à l'heure du déjeuner, par exemple. Puis augmentez peu à peu l'intensité, la durée ou la fréquence de l'activité.

PLANIFIEZ

Choisissez une activité qui vous plaît et pratiquez-la, doucement au début, mais le plus régulièrement possible. Vous vous rendrez vite compte que cela vous fait du bien et vous serez surpris de ne plus pouvoir vous en passer. Pensez aussi à varier les plaisirs.

Choisissez des exercices qui font travailler tous les groupes de muscles du corps, qui aident à brûler les calories et qui améliorent aussi la souplesse. La natation, la bicyclette, la course à pied sont, en outre, excellentes pour le système cardio-vasculaire.

Lorsqu'on maigrit, on perd du gras, mais la masse musculaire diminue également. Le sport permet de maintenir la masse musculaire tout en faisant perdre de la graisse. Soulever des haltères ou des poids sur des machines augmente la masse musculaire et le métabolisme de base, tout en tonifiant l'ensemble du corps.

Il est important de s'échauffer pendant au moins cinq minutes avant l'effort

et de s'étirer après chaque séance, afin d'éviter les blessures et les courbatures.

PERSÉVÉREZ !

Ne baissez pas les bras si les résultats ne sont pas immédiats. Beaucoup de gens qui se lancent dans la pratique d'un sport abandonnent au bout de deux mois, sous prétexte que leur corps ne s'est pas métamorphosé. Ils sont persuadés que leurs efforts n'ont pas été récompensés et se découragent.

En réalité, il faut pratiquer pendant environ trois mois avant de constater de vraies modifications physiques. Mais le jeu en vaut la chandelle et les changements sont souvent impressionnants.

Persévérez et soyez patient. Et n'oubliez pas que le sport aide à maintenir la masse musculaire, tout en diminuant la masse grasse. Comme le muscle est lourd, il se peut que votre poids ne diminue pas au départ, alors que vous sentez que vos vêtements sont moins serrés.

être plus actif dans votre vie quotidienne. Faites le tour de votre quartier ou allez marcher au parc, par exemple. N'en faites pas trop, les premières fois, sous peine de vous faire mal ou de vous décourager et de laisser tomber. Il s'agit davantage de se faire du bien, de mettre son corps en mouvement le plus souvent possible en profitant éventuellement du paysage que de se lancer un défi et de peiner parce qu'on a placé la barre trop haut.

Sport et poids

Si votre objectif est de perdre du poids, l'idéal est de pratiquer à la fois des exercices aérobies et des exercices anaérobies. Les sports anaérobies, dont fait partie l'haltérophilie, par exemple, sont ceux qui sollicitent la résistance de l'organisme. Ils renforcent et tonifient les muscles tout en améliorant l'endurance. En augmentant la masse musculaire, ils augmentent également le métabolisme de base, c'est-à-dire la capacité de l'organisme à dépenser de l'énergie. Étant donné que maigrir fait perdre à la fois du gras et du muscle, il est très important d'inclure des exercices anaérobies dans votre programme.

Les exercices aérobies, comme la danse ou la natation, augmentent le rythme cardiaque et brûlent des calories, en particulier du gras. Ce qui est intéressant quand on cherche à perdre du poids.

Conserver sa souplesse

Les étirements (comme dans le stretching) n'ont pas d'influence sur le poids, mais ils permettent d'échauffer le corps avant l'exercice à proprement parler, de le détendre après l'effort et d'entretenir sa souplesse, et d'éviter ainsi les accidents.

L'avis médical

Si vous souffrez de problèmes médicaux, si vous êtes en surpoids, si vous avez plus de cinquante ans ou si vous n'avez pas fait de sport depuis longtemps, il est essentiel que votre médecin vous examine avant tout changement.

Il vous soumettra à des tests pour vérifier votre tension artérielle et votre tension veineuse. Il peut vous faire pédaler sur une bicyclette d'appartement ou marcher sur un tapis roulant et constater les réactions de votre cœur et de votre organisme lorsqu'il augmente l'effort. Ce genre de test permet de déceler, par exemple, qu'une artère est bouchée. Si le test révèle un problème, il vous sera peut-être conseillé de modifier votre programme sportif pour éviter des complications.

Comment se dépenser davantage au quotidien

Se dépenser davantage signifie non seulement pratiquer une nouvelle activité physique en prenant des cours de danse hebdomadaires, par exemple, mais également bouger davantage dans la vie quotidienne. Là encore, les changements doivent être progressifs *(voir p. 30-31)*. Introduisez-les par étape dans votre vie de tous les jours et ne passez pas trop rapidement d'une étape à l'autre.

● Marchez une demi-heure par jour. Demandez éventuellement à vos proches de vous accompagner ou faites plaisir à votre chien en le sortant plus longtemps que d'habitude.
● Partout où vous allez, prenez les escaliers plutôt que l'ascenseur.
● Laissez votre voiture au garage et organisez-vous pour aller au bureau ou à l'école à pied.
● Descendez du bus avant votre station et finissez le trajet à pied.
● Garez votre voiture loin de l'endroit où vous devez vous rendre.

● Faites le ménage, lavez votre voiture, ratissez les feuilles, jardinez en prenant conscience de vos muscles qui travaillent.
● Procurez-vous une bicyclette d'appartement pour pouvoir faire du sport chez vous.
● Prenez le sport au sérieux et considérez vos séances comme s'il s'agissait de rendez-vous. Beaucoup de gens préfèrent faire du sport le matin avant que les autres activités ne prennent le dessus.
● Faites du sport, seul ou en famille, devant une cassette vidéo ou un DVD de sport au lieu de regarder la télévision ou de jouer à des jeux vidéo.
● Habituez vos enfants à marcher. Marcher ensemble peut être un formidable moment d'échange en dehors du cadre habituel de la maison.

De bonnes habitudes Apprenez à vos enfants à se déplacer à pied. Pour les encourager s'ils sont petits, faites-les jouer le long du trajet.

Activité physique et dépenses caloriques

La pratique régulière d'une activité physique a des répercussions énormes, tant sur le plan physique que mental. Tous les types d'activité physique sont bénéfiques : vous n'avez pas besoin de vous lancer dans la compétition sportive pour vous sentir bien dans votre corps. Tondre le gazon ou jouer avec les enfants sont aussi de bons moyens de se dépenser.

Le nombre de calories dépensées au cours d'une activité physique varie selon le sexe et le poids. À niveau d'activité égal, les hommes brûlent davantage de calories que les femmes, car leur masse musculaire est plus importante. Plus on est lourd, plus on dépense de calories. À l'inverse, lorsqu'on maigrit, les besoins énergétiques diminuent, même sans modifier son niveau d'activité physique.

Les haltères
Soulever des poids ou des haltères permet de développer les muscles. Plus on est musclé, plus on brûle de calories.

ACTIVITÉ 30 MINUTES	CALORIES HOMME (80 KG)	CALORIES FEMME (60 KG)
Badminton	180	135
Basket-ball	280	225
Cyclisme	334	258
Danse	188	145
Football	292	225
Jardinage	209	161
Golf	180	135
Randonnée	251	193
Équitation	167	129
Ménage	188	145
Jogging	292	225
Tondre la pelouse	251	193
Jouer avec les enfants	167	129
Skate	292	225
Saut à la corde	400	300
Step	180	140
Stretching/yoga	167	129
Natation	334	258
Tennis	292	225
Marche	167	129
Haltères	162	127

Augmenter son métabolisme de base

Le métabolisme de base représente la consommation d'énergie nécessaire à l'organisme pour fonctionner.
• Plus on est lourd, plus le métabolisme de base est élevé.
• Le métabolisme de base augmente au cours des périodes de forte croissance.
• Le métabolisme de base est toujours plus élevé chez les personnes dont la masse musculaire est supérieure à la masse grasse.

DES MENSONGES

De nombreux régimes alimentaires prétendent augmenter le métabolisme de base. Or, à partir du moment où l'on maigrit, celui-ci diminue.

DAVANTAGE D'EXERCICE

L'exercice physique est le seul moyen d'augmenter le métabolisme de base. Non seulement il permet de dépenser de l'énergie, donc de brûler des calories sur le moment, mais il élève également le métabolisme pendant les heures qui suivent. L'évolution du métabolisme de base varie d'un individu à l'autre. Son augmentation, même modeste, permet de contrecarrer sa tendance à diminuer naturellement.

On ignore encore pourquoi, mais l'exercice physique aide à préserver la masse musculaire plus efficacement que la masse grasse dans les périodes d'amaigrissement.

Un point d'équilibre

Les régimes alimentaires qui promettent une perte de poids rapide sont voués à l'échec. En effet, le corps reprend les kilos perdus dès que l'on revient à son alimentation habituelle. En fait, il existe un point d'équilibre auquel le corps reste attaché. Si vous dépensez davantage de calories que vous n'en consommez, le corps les transformera plus efficacement en calories afin que vous ne perdiez pas de poids. Si vous voulez perdre du poids, il faut vous engager à long terme afin que le corps réajuste ce point d'équilibre.

Les différents types d'exercice physique

L'activité physique se réfère à tous les mouvements par lesquels le corps dépense de l'énergie. L'exercice physique, en revanche, consiste en des mouvements ordonnés, programmés et souvent répétitifs dont l'objectif est de maintenir le corps en bonne santé et en forme. L'exercice peut être pratiqué à la maison, dans des salles de sport ou en plein air. On distingue les exercices aérobies et les exercices anaérobies.

LES EXERCICES AÉROBIES

Il s'agit d'exercices qui sollicitent plusieurs groupes de muscles et exigent un effort physique soutenu dans la durée. Ils sollicitent également le cœur et les poumons qui doivent fournir davantage d'efforts que s'ils étaient au repos. Les exercices aérobies sont, par exemple, la course à pied, la natation, la danse, la corde à sauter et le cyclisme. Leurs bénéfices pour la santé sont nombreux :
- bénéfices cardio-vasculaires,
- diminution de la tension,
- hausse du HDL, baisse du LDL,
- diminution de la masse grasse et stabilité du poids,
- meilleure tolérance au glucose, baisse de la résistance à l'insuline.

LES EXERCICES ANAÉROBIES

Contrairement aux précédents, les exercices anaérobies – pompes, abdominaux, haltères – impliquent un effort physique intense et bref, suivi de périodes de repos. Il en résulte un développement de la force musculaire. Les exercices anaérobie ne brûlent pas de gras, mais permettent néanmoins d'augmenter la masse musculaire, donc de brûler davantage de calories.

UN PROGRAMME SUR MESURE

Avant de commencer un programme d'exercices physiques, il est essentiel de définir vos objectifs avec un professionnel qui vous aidera à trouver les exercices adéquats et à les modifier au fur et à mesure de vos progrès.

Le rameur Le rameur est un outil qui permet de muscler l'ensemble du corps et d'améliorer la résistance du système cardio-vasculaire.

Exemple Un quadragénaire en surpoids a besoin de faire du sport

Son nom Danny

Son âge 45 ans

Son problème
Danny a 23 kg en trop, et son médecin lui a récemment conseillé de pratiquer une activité physique afin d'améliorer son état de santé général. Sa mère, obèse, est atteinte d'un diabète de type II, tandis que son père souffre de troubles cardio-vasculaires.

Son mode de vie Danny est directeur régional dans une entreprise pharmaceutique et il passe beaucoup de temps à voyager. Il affirme ne pas avoir de temps pour faire du sport mais qu'il se dépense déjà suffisamment à son travail. Son poids n'a cessé d'augmenter depuis les années du lycée. Il passe beaucoup de temps sur les routes pour se rendre dans toutes les succursales. Lorsqu'il n'est pas dans sa voiture, il passe un peu de temps avec ses enfants. Le soir, il organise sa journée du lendemain, assis devant son ordinateur. Danny ne possède pas de carte d'abonnement dans un club de sport, ni d'équipement sportif à la maison.

Nos conseils Avant de commencer un programme d'exercice physique régulier, Danny doit prendre conscience de l'engagement que cela représente et des changements qu'il va devoir réaliser dans son comportement et son hygiène de vie. Mais la première chose, dans son cas, est de faire un bilan de santé chez son médecin. Puis d'établir un programme en fonction de son emploi du temps. Comme il lui arrive fréquemment de séjourner à l'hôtel, il pourrait emporter une tenue et faire du sport le soir, lorsqu'il n'est pas avec ses enfants. Il peut également s'inscrire dans une salle de sport proche de chez lui et s'y rendre, pour commencer, au moins une fois par semaine, avant ou après le travail. Là-bas, il pourrait faire de vingt à trente minutes de tapis roulant et de dix à quinze minutes de poids. Non seulement il se sentira mieux, mais il aura également davantage d'énergie.

S'il ne pense pas avoir suffisamment de temps pour se rendre dans un club de sport, il peut investir dans un tapis roulant ou une bicyclette d'appartement à installer chez lui, ce qui lui donnerait peut-être davantage d'occasions de faire du sport, en semaine et le week-end.

Ses antécédents familiaux augmentant considérablement les risques de problèmes de santé, il est temps qu'il suive les conseils de son médecin et qu'il commence à pratiquer un sport de façon régulière.

Les enfants et le poids

Le surpoids des enfants est en train de devenir un problème préoccupant.

Le nombre des enfants et des adolescents en surpoids a augmenté de façon dramatique, au cours des dernières décennies, dans les pays industrialisés. Les chiffres français n'ont pas atteint ceux des pays anglo-saxons, mais la situation est alarmante.

Cette situation est due à un ensemble de facteurs culturels, tels que l'accès facile aux aliments, en particulier les aliments gras et sucrés, et la sédentarité croissante (l'augmentation du temps passé devant la télévision et l'ordinateur). Le problème est que les enfants en surpoids sont de futurs adultes en surpoids. De plus, ils encourent les mêmes risques que les adultes.

Les causes de l'obésité

Il semble que l'hérédité joue un rôle important dans le développement de l'obésité. En effet, un enfant dont les deux parents sont obèses a lui-même 80 % de risques de devenir obèse. La proportion diminue de moitié si un seul parent l'est.

Les enfants sédentaires augmentent leurs risques d'être obèses, en particulier ceux qui passent plus de deux heures par jour devant la télévision et qui sont confrontés à l'abondante publicité télévisuelle pour la nourriture. Ils passent aussi souvent beaucoup de temps à manger devant leur écran.

Les enfants en surpoids

Pour savoir si votre enfant est en surpoids, calculez son indice de masse corporelle (voir p. 113) et vérifiez, à l'aide du graphique de la page 113, dans quelle zone il se situe : s'il est maigre, normal, en surpoids ou obèse. Il est important

Les risques de l'obésité

Il est désormais prouvé que les enfants obèses risquent de devenir des adultes obèses. Le danger de devenir obèses une fois adultes est plus importants chez les enfants en surpoids que chez les autres. Prévenir ou traiter l'obésité d'un enfant diminue donc sensiblement ses risques d'être obèse à l'âge adulte. Diminuent également les risques de maladies associées.

Les risques sont les mêmes chez les enfants et les adolescents en surpoids ou obèses que chez les adultes (voir p. 158). Les troubles en question sont le diabète, l'hypertension, la cholestérolémie, l'apnée du sommeil, l'asthme, les affections de la vésicule biliaire, du foie, des os et des articulations (voir p. 214-251).

de ne pas se focaliser sur un chiffre, mais de suivre l'évolution de l'IMC dans le temps. Avant la puberté, les enfants en surpoids sont plus grands que ceux qui ont un poids normal. Par ailleurs, les enfants en surpoids sont pubères plus tôt que les autres.

Si votre enfant présente un surpoids, il n'est pas conseillé de le mettre au régime. Il est préférable de modifier en douceur quelques éléments de son hygiène de vie et de celle de la famille, car on sait qu'un enfant adopte les habitudes que lui donnent ses parents, qui sont ses premiers modèles.

Les autres troubles

À l'adolescence, les enfants sont susceptibles de développer des troubles du comportement alimentaire. Dans ce cas, il faut recourir à l'aide d'un professionnel (voir p. 207).

L'activité physique Si votre enfant est en surpoids, aidez-le à trouver une activité physique qu'il aime. Le fait que son entourage l'accompagne peut également l'aider.

Une alimentation saine et du mouvement

La meilleure façon d'aider votre enfant à avoir un poids sain est de le nourrir correctement et de l'habituer à faire de l'exercice physique.

• Il ne s'agit pas de maigrir, mais de manger sainement. Veillez à ce que toute la famille ait une alimentation variée et mange des fruits et des légumes tous les jours.

• Veillez à ce que les placards et le réfrigérateur contiennent des aliments sains. N'achetez plus de chips ou de sodas : il n'est pas juste de les interdire à un enfant si le reste de la famille en consomme devant lui.

• Faites des repas des réunions agréables. Essayez de manger ensemble et éteignez le poste de télévision.

• Servez de l'eau et du lait plutôt que des boissons sucrées.

• N'utilisez pas d'assiettes et de verres trop grands. Si la famille a encore faim, réservez des aliments sains et peu caloriques (salade, légumes).

• Ne forcez pas vos enfants à finir leur assiette. Laissez-les écouter leur corps et

Partager les repas Pour donner de bonnes habitudes alimentaires aux enfants, il est important de manger avec eux. Faites des repas en famille des moments de plaisir et d'échange.

se laisser guider par les sensations physiques de faim et de satiété.

• Limitez la nourriture des *fast-foods*. Elle contient trop de graisses saturées et manque cruellement de nutriments tels que les fibres, les vitamines et les sels minéraux, en particulier de calcium, indispensable à la croissance des enfants et des adolescents.

• Si vos enfants souffrent d'allergies ou

d'intolérances alimentaires, faites-vous aider par un nutritionniste pour trouver des solutions variées.

• Encouragez vos enfants à pratiquer des activités sportives et montrez-leur votre intérêt.

• Trouvez des activités que vous pouvez pratiquer en famille.

• Montrez l'exemple en vous dépensant physiquement et en faisant du sport.

Les troubles du comportement alimentaire

Les troubles du comportement alimentaire touchent le plus souvent les adolescents et les jeunes femmes. Près de 20 % des adolescents ne se nourrissent pas correctement, mais seulement 3 % d'entre eux souffrent de troubles graves.

Les adolescents souffrant d'anorexie ont une image complètement faussée de leur corps *(voir encadré)* qui les conduit à ne pas s'alimenter afin de perdre du poids. Les parents doivent être très vigilants et s'inquiéter des changements d'habitudes chez leurs enfants, tels que la pratique d'un sport pendant plusieurs heures par jour ou le fait de sauter des repas. Les adolescents atteints mettent leur santé en danger. Les filles n'ont souvent plus leurs règles.

La boulimie, elle, se manifeste par

l'ingestion de quantités énormes de nourriture suivie de vomissements provoqués, de purges et de périodes de restriction alimentaire *(voir encadré)*. Les conséquences sont également très graves, d'autant que le problème est difficilement repérable (à part si vous voyez votre enfant aller aux toilettes systématiquement après les repas).

OÙ TROUVER DE L'AIDE ?

Les troubles du comportement alimentaire sont d'origine psychologique. Leur traitement est complexe et nécessite un accompagnement psychologique plus que des conseils d'ordre nutritionnel. Il est crucial, pour la santé de l'enfant, que le médecin consulté ait l'habitude de soigner ces troubles.

Définitions

L'anorexie Ce trouble, qui touche essentiellement – mais pas exclusivement – des jeunes filles à l'adolescence, se manifeste par la hantise de grossir et par une image du corps complètement faussée. Les adolescents atteints cessent de s'alimenter et pratiquent un sport de façon très intensive afin de dépenser davantage de calories.

La boulimie L'image de soi et le poids sont également obsessionnels pour les boulimiques, qui ingèrent de grandes quantités de nourriture mais trouvent des stratégies pour ne pas grossir (vomissements, usage de laxatifs).

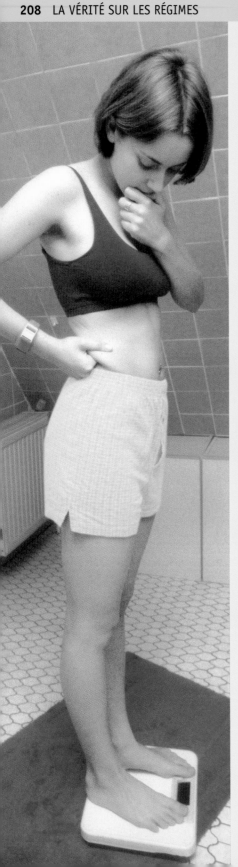

Comment prendre du poids

Il est aussi grave d'être maigre que d'être en surpoids ou obèse.

La maigreur est un problème dont on parle peu. Or, certaines personnes ont un poids en deçà des normes de poids sain. La maigreur commence lorsque l'IMC d'un adulte ou d'un adolescent est inférieur à 18,5 *(voir p. 26-27 et p. 113)* ou que celui d'un enfant se situe sous la limite inférieure des normes *(voir p. 113)*.

Il est aussi inquiétant, d'un point de vue médical, d'être maigre que d'être en surpoids ou obèse. Les principales conséquences sont une plus grande vulnérabilité face aux infections, des problèmes de cicatrisation, voire des escarres de décubitus, ainsi que des problèmes cardiaques.

Vérifier son poids La maigreur est un problème, en particulier si elle résulte d'une perte de poids brutale. Pesez-vous et n'hésitez pas à consulter votre médecin.

Les causes

Un amaigrissement imprévu est souvent le lot des personnes âgées ou un signe de maladie grave. La perte de poids est provoquée par :
- Les cancers du côlon, poumon, pancréas ou la leucémie.
- Des troubles gastro-intestinaux (ulcère peptique, pancréatite chronique, maladie inflammatoire intestinale ou cœliaque).
- Des troubles endocriniens (de la thyroïde ou diabète).
- Des infections (tuberculose, maladie dermatophytique, parasites et HIV).
- Une dépression, la schizophrénie, la maladie d'Alzheimer (les personnes atteintes maigrissent, car elles perdent l'appétit et oublient de manger).
- Certains médicaments qui coupent l'appétit ou provoquent nausées et diarrhée *(voir p. 153)*.

Le traitement

L'objet des thérapies est d'augmenter l'apport énergétique de l'alimentation et d'éviter les carences sans pour autant augmenter les quantités de nourriture.

Les facteurs nutritionnels dans les retards de croissance

Les enfants qui ne prennent pas de poids régulièrement sont considérés comme des enfants souffrant d'un retard de croissance. Des problèmes médicaux peuvent être à l'origine de ce problème, mais dans 80 % des cas, les causes sont d'origine alimentaire. Un retard de croissance, s'il n'est pas traité à temps, peut provoquer la perte de masse musculaire, des dysfonctionnements cardiaques, respiratoires ou immunitaires. S'il est détecté à temps, l'alimentation peut aider à réparer certaines erreurs telles que :

- les biberons mal dosés,
- la consommation de lait écrémé ou demi-écrémé au lieu de lait entier entre un et deux ans,
- une alimentation inappropriée pour l'âge de l'enfant, comme un excès de jus de fruits,
- une alimentation peu nutritive quoique calorique au lieu d'une alimentation riche en nutriments nécessaire entre un et deux ans,
- une alimentation liquide alors que l'enfant a l'âge de manger des aliments solides.

Comment prendre du poids

La première chose à faire, face à une personne dont le poids est trop bas, est d'identifier les facteurs qui en sont à l'origine. Puis il s'agit de lui proposer des compléments alimentaires, un traitement médical ou une psychothérapie.

LORSQU'ON MAIGRIT

Il peut se révéler plus difficile de grossir que de maigrir, en particulier lorsqu'on a perdu l'appétit ou que l'on a des nausées. L'objectif est donc d'augmenter l'apport énergétique de sorte que les besoins en vitamines et en sels minéraux soient couverts, mais sans augmenter le volume de nourriture à consommer. Manger fréquemment, à l'occasion de petits repas caloriques et nutritifs, permet d'ingérer davantage de calories, de prendre du poids et de le maintenir.

Une rééducation nutritionnelle, comportant une éducation alimentaire et la consommation éventuelle de compléments, peut être suivie chez un nutritionniste. Le degré de gravité de la situation pourra être évalué à l'aide d'analyses et d'entretiens avec la personne au sujet de ses antécédents et de son état actuel.

L'objectif est que la personne amaigrie consomme de 30 à 35 calories par kilo de poids par jour. Au moins 20 % des calories consommées doivent provenir d'aliments riches en protéines. Les personnes âgées qui souffrent de malnutrition et les personnes qui sont malades ont besoin de 40 calories par kilo de poids par jour pour parvenir à résorber leur maigreur.

COMMENT GROSSIR

Voici quelques suggestions pour vous aider à prendre du poids :
- Ajoutez du beurre ou de l'huile sur les légumes et de l'huile sur les salades.
- Ajoutez du fromage dans les omelettes ou les œufs brouillés.
- Ajoutez de la crème, du lait entier ou concentré aux soupes, sauces et desserts.
- Ajoutez de la viande, du poisson, de la volaille aux sauces pour les pâtes.
- Utilisez du beurre ou de la mayonnaise dans les sandwiches.
- Consommez des produits laitiers entiers et non écrémés ni allégés.
- Utilisez un réveil pour vous rappeler qu'il est l'heure de manger.
- Prenez des en-cas entre les repas : morceaux de fromage, tartines au beurre de cacahouète ou au fromage frais, avocat, entremets au lait entier, yaourts entiers.
- Buvez du lait entier ou des jus à table.
- Ne buvez pas trop avant le repas : cela peut vous couper l'appétit.

Des compléments liquides

Il existe des boissons riches en nutriments et en calories qui sont tout indiquées pour les personnes désireuses de prendre du poids. L'apport nutritionnel varie d'une boisson à l'autre (à choisir en fonction de ses besoins). Elles peuvent être prescrites par le médecin, mais on les trouve également en vente libre.

Ces boissons contiennent 100 % de l'apport conseillé en vitamines et en sels minéraux. Elles sont aromatisées, et vous pouvez les trouver dans une infinité de parfums (comme la vanille ou le chocolat). Les versions sucrées sont généralement meilleures lorsqu'on les consomme bien fraîches.

Ces compléments liquides doivent s'intégrer à un régime alimentaire équilibré et ne peuvent en aucun cas remplacer l'alimentation, car elles manquent de certains nutriments, comme les fibres. Aussi n'ont-elles aucune influence sur le transit intestinal et ne peuvent pas prévenir la constipation. Elles ne contiennent pas non plus les phytonutriments présents dans les fruits et les légumes.

Pour ouvrir l'appétit

La perte de l'appétit est un problème qui survient fréquemment après une maladie ou lorsqu'on suit certains traitements médicaux. Or, ce sont précisément des circonstances dans lesquelles l'organisme a plus que jamais besoin d'être nourri correctement pour pouvoir se rétablir et recouvrer un système immunitaire efficace. Voici des suggestions pour que vous retrouviez l'appétit :
- Lorsque vous faites des courses, achetez des aliments différents d'une semaine sur l'autre.
- Tâchez de manger en dehors de chez vous au moins une fois par semaine.
- Mangez en compagnie d'amis ou de proches.
- Même si vous n'avez pas faim, mangez un peu à tous les repas.
- Quand le temps le permet, mangez dehors, ouvrez la fenêtre ou faites un pique-nique.
- Soignez la présentation de vos assiettes pour les rendre plus appétissantes.
- Arrangez la table : une belle nappe, de la belle vaisselle et, pourquoi pas, des fleurs.
- Allez prendre l'air avant de passer à table.

Recouvrer l'appétit Manger en compagnie d'autres personnes peut aider à retrouver l'appétit après une maladie tout en partageant de bons moments.

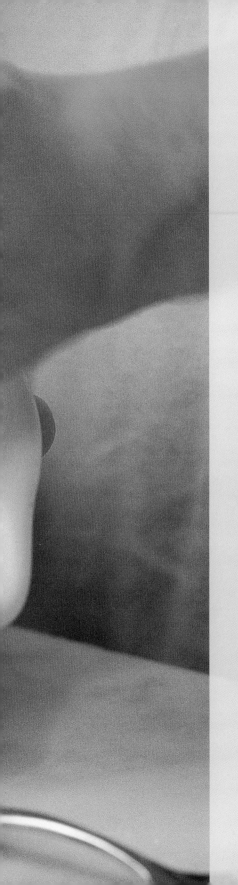

Se nourrir pour guérir

En se nourrissant sainement, on améliore sa qualité de vie, sa forme et sa santé et on vit plus longtemps. Ce chapitre est consacré au rôle que joue l'alimentation dans la prévention et le traitement de certains problèmes de santé.

Alimentation et santé

Les aliments que l'on mange ont un impact sur notre état de santé présent et à venir.

Ce chapitre est consacré au rôle de l'alimentation dans la prévention des maladies. Mais il peut également aider les personnes malades à modifier leurs habitudes alimentaires dans le dessein d'améliorer leur état de santé.

Se protéger des maladies

De nouvelles études viennent régulièrement corroborer l'idée qu'une alimentation saine et la pratique d'une activité physique régulière aident à se protéger contre les maladies cardio-vasculaires, le diabète, le cancer et l'ostéoporose. En d'autres termes, les personnes qui ont une alimentation équilibrée et variée sont moins malades que les autres.

L'impact de l'alimentation sur les problèmes de santé est énorme, en effet. Par exemple, les avancées de la recherche médicale ont permis de faire baisser le nombre de décès provoqués par les maladies cardio-vasculaires en Angleterre. Mais, dans ce pays où l'alimentation est encore trop grasse et où les gens se dépensent de moins en moins physiquement, l'obésité ne cesse de se développer. Et d'augmenter les risques de maladies cardio-vasculaires.

Un poids sain

Il est désormais prouvé qu'une personne en surpoids augmente son espérance de vie dès qu'elle perd quelques kilos. Améliorer son hygiène de vie permet aussi d'améliorer son état de santé.

L'exercice et une alimentation nutritive et équilibrée sont donc les clés d'une bonne santé et permettent d'éviter de nombreux problèmes.

Le vieillissement

En vieillissant, l'organisme change et, avec lui, les besoins alimentaires. Il est désormais avéré que les personnes adultes améliorent leur santé en mangeant moins. Ce raisonnement est évident pour les personnes en surpoids, qui ont tout intérêt à maigrir, mais il concerne également les personnes dont le poids est sain. On sait maintenant qu'elles peuvent vivre plus longtemps et mieux en continuant à manger équilibré, mais en diminuant le nombre de calories ingérées.

Consultez votre médecin

Un médecin ou un nutritionniste peuvent vous conseiller sur l'alimentation à adopter en fonction de votre état de santé. Les informations que nous donnons dans ce chapitre n'ont pas valeur de prescription ni de traitement médicaux. Elles peuvent néanmoins vous aider à prendre conscience de l'opportunité de changer certaines de vos habitudes alimentaires, afin de vivre en bonne santé et en pleine forme.

Des choix sains À tout âge, une alimentation équilibrée peut prévenir et, bien souvent, traiter certaines maladies.

Les meilleurs aliments

Les aliments répertoriés ci-dessous sont riches en nutriments très efficaces dans la prévention des maladies.

Les airelles Riches en fibres et en vitamines C et du groupe B, elles contiennent également des flavonoïdes utiles à la circulation du sang et au système immunitaire.

Le brocoli C'est un excellent légume, riche en sels minéraux, en vitamines C et B9 et en bêta-carotène, dont le rôle protecteur contre les maladies cardiovasculaires et le cancer est attesté.

Les graines de lin Riches en acides gras oméga-3, utiles pour traiter l'hypercholestérolémie et de l'hypertension.

Le yaourt écrémé Haute teneur en protéines et en calcium, vital pour la santé des os.

Les oléagineux Débordants de sélénium et de vitamine E, ils aident à faire baisser le taux de cholestérol et l'hypertension *(voir p. 220)*.

Les poissons gras Le thon, le saumon, le maquereau et la truite sont riches en acides gras oméga-3 qui contribuent à l'équilibre du taux de cholestérol.

L'huile d'olive Excellente source de graisses monoinsaturées qui permettent de maintenir le taux de bon cholestérol dans le sang *(voir p. 40)*.

L'orange Riche en vitamine C, elle prévient la dégradation des cellules et des tissus par les radicaux libres.

Le poivron Très riche en vitamine C et en bêta-carotène aux propriétés antioxydantes utiles dans la prévention des cancers.

Les légumineuses Riches en fibres solubles, fer, vitamine B9 et potassium. Leur consommation régulière permet de réduire le taux de cholestérol.

Les flocons d'avoine Leurs fibres permettent de faire baisser le taux de cholestérol dans le sang. Ils contiennent également du magnésium et du zinc.

Le quinoa Cet excellent aliment, qui ne contient pas de gluten, est originaire d'Amérique du Sud. Il est riche en fibres et en protéines.

Le raisin noir Il contient des antioxydants qui protègent contre le cancer.

L'amande Considérée comme le fruit oléagineux le plus équilibré, l'amande contient des protéines, de la vitamine E et du sélénium.

Les épinards Haute teneur en vitamines B9 et E, ainsi qu'en lutéine, ils ont des propriétés antioxydantes.

La tomate Riche en lycopène, la tomate a des propriétés anticancéreuses. Sa cuisson dans l'huile améliore l'absorption du lycopène.

Adoptez de nouvelles habitudes

Une alimentation équilibrée et variée peut aider à contrôler son poids, à réduire le taux de cholestérol dans le sang, à traiter les infections et à couvrir les besoins de l'organisme en vitamines et en sels minéraux essentiels.

Ce que vous mangez Planifier ses repas sur un ou plusieurs jours est un moyen efficace d'équilibrer et de varier son alimentation :

• Consommez au moins cinq portions de fruits et de légumes par jour.

• Diminuez votre consommation de lipides et remplacez les graisses saturées par des graisses mono et polyinsaturées.

• Faites des céréales complètes – pain, riz ou pâtes complets – la base de vos repas. Elles sont riches en fibres, rassasient et ne contiennent presque pas de lipides.

• Consommez des aliments riches en fibres solubles : légumineuses (lentilles, petits pois), avoine, maïs doux.

• Mangez du poisson régulièrement – au moins deux fois par semaine, dont une fois, du poisson gras *(voir ci-dessus)*.

• Choisissez de la viande et de la volaille maigres.

• Consommez au moins deux portions de produits laitiers écrémés par jour (lait ou yaourt écrémés).

• Diminuez votre consommation de sel et préférez-lui les herbes aromatiques ou les épices.

• Buvez de six à huit verres d'eau par jour. Ayez une bouteille d'eau à portée de main.

Comment vous le mangez Prendre conscience de votre façon de manger peut vous aider à identifier les domaines dans lesquels il serait utile de changer vos habitudes :

• Au lieu de manger sur le pouce, asseyez-vous à table. Un repas pris en compagnie d'autres personnes est un moment de partage qui peut prévenir les problèmes digestifs.

• Diminuez vos portions et arrêtez de manger quand vous n'avez plus faim. Vous n'êtes pas obligé de finir votre assiette (ni vos enfants, d'ailleurs).

• Faites des en-cas sains (un fruit, quelques amandes, des graines) et éliminez les calories vides de votre alimentation (sucreries, biscuits, sodas).

• N'allez pas dans les *fast-foods* plus d'une fois par semaine. Choisissez les aliments les moins nocifs possible.

• Si vous ne pouvez vous passer de biscuits ou de gâteaux, faites-les vous-même et, lorsque vous en mangez, réduisez la taille des parts.

Les maladies cardio-vasculaires

Certaines affections touchent les vaisseaux sanguins et le cœur.

Les maladies cardio-vasculaires sont nombreuses et comprennent : l'hypercholestérolémie (l'excès de cholestérol dans le sang), l'hypertension (l'excès de tension artérielle), les infarctus et les attaques cérébrales.

Les dysfonctionnements

Les troubles cardio-vasculaires se manifestent par une interruption de l'activité cardiaque ou de la circulation sanguine. Les parois des artères se couvrent de dépôts graisseux, notamment de cholestérol, qui en rétrécissent le diamètre et entravent la circulation du sang. Lorsque les artères coronaires se rétrécissent et cessent d'irriguer le cœur, survient un infarctus. Si la circulation est interrompue dans le cerveau, on parle d'attaque cérébrale.

Les troubles fréquents

Les troubles cardio-vasculaires les plus courants sont l'hypertension et l'hypercholestérolémie. Si votre tension artérielle est supérieure à 140 mmHg (systolique) sur 90 mmHg (diastolique), cela signifie que vous obligez votre cœur et vos artères à fonctionner en surrégime et que vous augmentez vos risques d'avoir un accident cardiaque.

On appelle hyperlipidémie l'excès de cholestérol total (taux supérieur à 5 mmol par litre de sang), de cholestérol LDL ou de triglycérides dans le sang *(voir p. 23)*. L'hyperlipidémie entraîne souvent le dépôt de graisse sur la paroi interne des artères, freinant l'irrigation sanguine de certaines parties du corps.

Des troubles mortels

Les maladies cardio-vasculaires sont la première cause de mortalité en France, en dépit des progrès du dépistage, des traitements et de l'amélioration de l'alimentation. On

Le système circulatoire

Il comprend les artères (en rouge), qui transportent le sang oxygéné, et les veines (en bleu) qui véhiculent le sang désoxygéné.

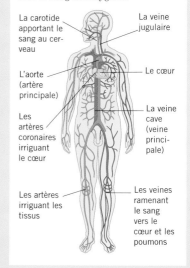

La carotide apportant le sang au cerveau

La veine jugulaire

L'aorte (artère principale)

Le cœur

Les artères coronaires irriguant le cœur

La veine cave (veine principale)

Les artères irriguant les tissus

Les veines ramenant le sang vers le cœur et les poumons

peut diminuer considérablement les risques de développer des maladies cardio-vasculaires en modifiant son hygiène de vie. Il est recommandé de maigrir si l'on présente un surpoids, de pratiquer une ou plusieurs activités sportives et d'arrêter de fumer.

Les personnes les plus vulnérables

Les personnes les plus vulnérables face aux maladies cardio-vasculaires (et au diabète) sont celles qui sont atteintes du syndrome métabolique.

LE SYNDROME MÉTABOLIQUE

Le mode de vie occidental génère un nouveau fléau : le syndrome métabolique ou syndrome X. Vous pouvez en être atteint si vous présentez au moins trois des symptômes suivants :
- Du diabète ou une glycémie à jeun supérieure à 6,7 mmol par litre.
- Une tension artérielle supérieure à 130/85 mmHg.
- Un taux de triglycérides sanguins supérieur ou égal à 2 mmol par litre.

- Un taux de HDL inférieur à 1 mmol par litre pour les hommes, 1,4 mmol par litre pour les femmes.
- Un tour de taille supérieur à 102 cm pour les hommes, 88 pour les femmes.

LA MALADIE CORONARIENNE

La maladie coronarienne est provoquée par un syndrome métabolique ou l'un des neufs facteurs suivants. Si vous êtes concerné, changez d'hygiène de vie *(voir tableau p. 115)*.
- Taux de LDL supérieur à 3 mmol par litre.
- Taux d'homocystéine ou de protéine C-réactive élevé.
- Hypertension (tension supérieure à 140/90 mmHg) ou prise d'hypotenseurs.

- Taux de HDL bas (si vous avez un taux de HDL supérieur à 1 mmol par litre pour les hommes, 1,4 mmol par litre pour les femmes, il devient un risque négatif et annule un des autres facteurs).
- Antécédents familiaux de maladies cardio-vasculaires avant cinquante-cinq ans chez les hommes et soixante-cinq ans chez les femmes.
- Âge supérieur à quarante-cinq ans (hommes) ou cinquante-cinq ans (femmes)
- Diabète.
- Tabagisme.
- Obésité : IMC supérieur à 30 *(voir p. 26-27)*.

Comment guérir ?

Les maladies cardio-vasculaires groupent un ensemble d'affections au cours desquelles les artères ou d'autres vaisseaux, ainsi que le cœur, forcent pour fonctionner. Les artères sont souvent rétrécies ou bouchées.

Le mode de vie et l'hygiène alimentaire jouent un rôle non négligeable aussi bien dans la prévention de ce genre de maladies que dans leur traitement. En diminuant la consommation des graisses saturées au profit des acides gras oméga-3 et des graisses monoinsaturées

et en mangeant davantage de fruits et de légumes, vous pouvez déjà très nettement améliorer la situation. Le tableau ci-dessous suggère quelques changements à réaliser dans ce sens.

De plus, il est primordial d'arrêter de fumer et de s'exposer au tabagisme passif, de diminuer sa consommation d'alcool – il est même à éliminer complètement si vous avez un taux de triglycérides élevé. Si vous êtes en surpoids, maigrissez. Et, dans tous les cas, dépensez-vous davantage physiquement.

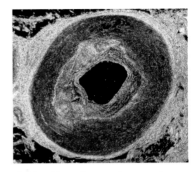

L'athérosclérose La coupe de cette artère montre ses parois épaissies par une alimentation riche en graisses saturées.

TROUBLE	DESCRIPTION	QUE FAIRE ?
Hyperlipidémie	C'est un excès de cholestérol total, de cholestérol LDL et/ou de triglycérides dans le sang *(voir p. 23)*, qui entraîne un rétrécissement des vaisseaux sanguins et des artères. Non traitée, elle peut dégénérer en angine de poitrine ou en infarctus.	• Réduire les graisses saturées, les trans et le cholestérol. • Augmenter les graisses monoinsaturées et les oméga-3. • Éviter l'alcool.
Hypertension artérielle	Elle correspond à une tension artérielle supérieure à 140/90 mmHg et augmente les risques de développer les autres troubles cardio-vasculaires.	• Réduire sa consommation de sel et d'alcool. • Manger davantage de fruits, légumes et produits laitiers écrémés.
Maladie coronarienne	Les artères entourant le cœur se bouchent à cause d'un dépôt excessif d'athéromes (souvent un excès de cholestérol). En conséquence, la circulation sanguine en direction du cœur est entravée, ce qui peut provoquer une angine de poitrine ou un infarctus.	• En cas d'hyperlipidémie, voir ci-dessus. • Manger des céréales complètes (magnésium), des fruits et des légumes (potassium). • Faire régulièrement de l'exercice. • Prendre une petite dose d'aspirine par jour.
Angine de poitrine	Douleur aiguë dans la poitrine. Le cœur ne reçoit plus suffisamment d'oxygène parce que les coronaires sont rétrécies. Elle est souvent déclenchée par le sport ou le stress.	• Consulter son médecin avant de faire du sport si on a plus de cinquante ans. • Réduire le stress et les graisses saturées.
Infarctus	L'infarctus, ou infarctus du myocarde, survient lorsque une ou plusieurs artères coronaires se bouchent à cause d'un excès d'athérome sur leurs parois internes et/ou à cause d'un caillot de sang (thrombose coronarienne).	• Réduire les graisses, en particulier les graisses saturées, les trans et le cholestérol. • Augmenter les graisses monoinsaturées et les oméga-3.
Attaque cérébrale	Une attaque cérébrale survient lorsqu'un caillot de sang bouche un vaisseau sanguin dans le cerveau, lorsqu'un vaisseau sanguin se rompt dans le cerveau, interrompant ainsi son irrigation, ou lorsqu'une hémorragie cérébrale se produit. Une attaque cérébrale entraîne la perte de facultés mentales ou physiques.	• En cas d'hyperlipidémie, voir plus haut. • En cas d'hypertension artérielle, voir plus haut. • Prendre des anticoagulants si les risques sont élevés.
Défaillance cardiaque	On appelle défaillance cardiaque une diminution de l'efficacité du cœur, qui ne pompe plus autant de sang en une minute qu'il ne devrait. Elle se traduit par de la rétention d'eau dans les extrémités, en particulier dans les jambes et les chevilles, de la rétention de sel, une déficience d'organes et une sous-nutrition provoquée par la perte d'appétit.	• Réduire sa consommation de sel. • Manger davantage de protéines en cas de maigreur. • Éviter le stress. • Pratiquer une activité physique sous contrôle médical.

Alimentation et maladies cardio-vasculaires

Alimentation et activité physique ont un fort impact sur les maladies cardio-vasculaires.

Il est possible d'intervenir sur les maladies cardio-vasculaires, en particulier sur l'hypertension et la maladie coronarienne, très fréquentes en France, en modifiant son hygiène alimentaire.

Le taux de cholestérol

L'excès de cholestérol dans le sang est un facteur aggravant dans le développement des autres troubles cardio-vasculaires (puisqu'il peut boucher les artères), la priorité est donc de le faire baisser.

Pour ce faire, il suffit de réduire sa consommation de graisses saturées, au profit des graisses mono et polyinsaturées *(voir p. 40-41)*. Une alimentation riche en graisses monoinsaturées permet de diminuer les taux de cholestérol LDL et de triglycérides tout en maintenant le taux de cholestérol HDL. Le tableau de la page 217 fournit de plus amples informations à ce sujet.

L'hypertension artérielle

L'hypertension est également à l'origine de nombreuses affections cardio-vasculaires *(voir p. 214-215)*. Plus la pression exercée sur les vaisseaux est forte, plus ils se resserrent, ce qui entraîne un ralentissement de la circulation sanguine et force l'ensemble du système cardio-vasculaire.

L'hypertension peut être traitée en modifiant son alimentation et en augmentant son activité physique. Changer ainsi son hygiène de vie peut vous permettre de réduire, voire de supprimer, les médicaments hypotenseurs.

Une autre alimentation

Le lien est désormais attesté entre la consommation de graisses saturées, qui font augmenter le taux de LDL dans le sang, et les maladies cardio-vasculaires. C'est pourquoi

Le cholestérol dans les aliments

On trouve du cholestérol dans les aliments d'origine animale, tels que la viande, la volaille, le poisson, les fruits de mer, les œufs et les produits laitiers. Les aliments d'origine végétale (fruits, légumes, céréales, légumineuses et oléagineux) n'en contiennent pas.

Les aliments les plus riches en cholestérol sont le jaune d'œuf, le caviar, le foie et les autres abats. Le jaune d'un œuf de taille moyenne contient environ 200 mg de cholestérol alimentaire, ce qui correspond à la quantité journalière maximale recommandée, aux États-Unis, par l'American National Cholesterol Education Program.

il est recommandé de limiter la consommation de lipides à 10 % de l'apport calorique global.

Il est également conseillé de diminuer la consommation de sel, notamment en cas d'hypertension ou de défaillance cardiaque, et de manger des aliments riches en potassium et en calcium *(voir p. 220)*.

Un autre mode de vie

Arrêter de fumer, perdre ses kilos superflus et pratiquer une activité physique plus régulièrement sont des changements dont l'impact sur le système cardio-vasculaire, l'hypertension et le taux de cholestérol se fait rapidement sentir. Cela dit, en cas d'angine de poitrine, il faut consulter un médecin avant de débuter un sport.

Si vous souffrez de défaillance cardiaque, essayez quand même de rester actif, veillez à vous nourrir suffisamment et limitez votre consommation de sel.

Les bienfaits du vin rouge Boire – avec modération – du vin rouge augmente le taux de bon cholestérol (HDL).

Réduire les taux de cholestérol, de LDL et de triglycérides

La première étape du traitement des maladies cardio-vasculaires est de faire baisser les taux de cholestérol LDL et de triglycérides dans le sang. Il vaut mieux commencer à faire diminuer ce taux en modifiant l'alimentation et, en particulier, en réduisant sa consommation de graisses saturées. Perdre du poids, faire de l'exercice et arrêter de fumer contribuent également à diminuer les risques de maladies cardio-vasculaires. De plus, il est recommandé non seulement de réduire les taux de triglycérides et de LDL, mais également d'augmenter, grâce à l'alimentation, le taux de cholestérol HDL (le bon cholestérol).

OBJECTIFS	MOYENS	CONSEILS D'HYGIÈNE DE VIE
Diminuer le taux de LDL	• Moins de graisses saturées • Plus de graisses mono et polyinsaturées • Moins de cholestérol alimentaire • Davantage de fibres solubles • Moins d'acides gras trans	• Viandes maigres et produits laitiers écrémés • Huile d'olive ou de colza pour cuisiner • Moins d'œufs, de beurre et de viandes grasses • Davantage d'avoine, de légumineuses et de pommes • Moins d'acides gras trans et de matières grasses hydrogénées (margarines et pâtisseries industrielles)
Diminuer le taux de triglycérides	• Plus de graisses mono et polyinsaturées • Davantage d'oméga-3 • Moins de glucides • Éliminer l'alcool • Maigrir le cas échéant	• Huile d'olive ou de colza pour cuisiner • Davantage de poissons, d'huile et de graines de lin • Moins de glucides • Moins d'alcool • Sport, moins de graisses saturées, petites portions
Augmenter le taux de HDL	• Plus de graisses mono et polyinsaturées • Moins d'acides gras trans • Maigrir le cas échéant	• Huile d'olive ou de colza pour cuisiner • Moins d'acides gras trans et de matières grasses hydrogénées (margarines et pâtisseries industrielles) • Moins de graisses saturées, petites portions, amaigrissement et sport

Exemple Un quinquagénaire atteint du syndrome métabolique

Son nom Henri

Son âge 52 ans

Son problème Henri a pris 5,5 kg en trois ans. Sa tension artérielle a augmenté, ainsi que ses taux de cholestérol LDL et de triglycérides dans le sang. Il ne fume pas et ne suit aucun traitement médical. Il boit trois grandes tasses de café tous les matins et un litre de bière tous les soirs après le travail.

Son mode de vie Henri est comptable; stressé, aussi bien au bureau qu'à la maison et tellement pris par son travail, il déjeune souvent d'une pizza livrée au bureau. Lorsqu'il rentre chez lui, le soir, il n'a plus l'énergie de faire de l'exercice physique. Il mange souvent un steak et, plus tard dans la soirée, de la glace et des chips.

Nos conseils Henri souffre du syndrome métabolique *(voir p. 214)*. Ses risques de développer une maladie cardio-vasculaire sont grands. Il a besoin de perdre ses kilos superflus et de pratiquer une activité physique. Les résultats d'analyses de sang *(voir p. 23)* l'incitent à vouloir diminuer ses taux de cholestérol total, de LDL et de triglycérides, et augmenter son taux de HDL. Pour ce faire, il doit aussi suivre un régime *(voir p. 218)*.

L'alimentation d'Henri est trop riche en graisses et en cholestérol. Il devrait remplacer les graisses saturées par des graisses monoinsaturées et des acides gras oméga-3, réduire la taille des portions et faire du sport.

Consommer davantage de fruits, légumes, céréales complètes, légumineuses, produits laitiers écrémés, poisson, volaille et viande maigres lui serait profitable. Il peut également manger deux œufs par semaine.

Henri pourrait manger des flocons d'avoine au lait écrémé pour le petit déjeuner. Au déjeuner, un sandwich thon-crudités ou poulet-crudités, ou un peu de pizza aux légumes, serait suffisant. Le soir, il devrait manger moins de viande rouge et préférer du poisson ou du poulet.

Henri devrait manger davantage de fibres (avoine, légumineuses, fruits). Il pourrait également remplacer le beurre par une margarine sans cholestérol, afin de faire baisser son taux de LDL. Il lui serait également bénéfique de réduire sa consommation de sel *(voir p. 221)*.

Une nouvelle hygiène alimentaire

Si vous souffrez d'une affection cardio-vasculaire, vous devez prendre conscience de l'impact de votre alimentation sur votre état de santé. En remplaçant les aliments gras par des aliments allégés en matières grasses, les produits à base de lait entier par des produits laitiers écrémés, en diminuant votre consommation de graisses saturées au profit des huiles mono-insaturées et des oméga-3, vous augmenterez vos chances de voir disparaître un certain nombre de troubles.

TYPE D'ALIMENTS	DE BONS CHOIX	DE MAUVAIS CHOIX
Pain, pâtes, riz, pommes de terre (5 portions par jour)	Céréales, biscottes et pain complets, galettes d'avoine, barres au muesli; pâtes et riz complets; galettes de lentilles; houmous allégé en matières grasses	Aliments riches en graisses saturées et en acides gras trans (beignets, croissants, pâtisseries, tartes, biscuits); pâtes raffinées et riz blanc; gâteaux apéritifs; pop-corn au beurre
Légumes (2-3 portions par jour)	Légumes vapeur et légumes-racines cuits au four sans beurre; légumes grillés arrosés d'huile d'olive; crudités, sauce allégée	Légumes frits ou cuisinés au beurre, au fromage ou à la crème; crudités en sauce
Fruits (2-3 portions par jour)	Fruits frais; fruits au sirop léger; fruits cuits au four, crème allégée ou yaourt; tartes aux fruits allégées en matières grasses	Fruits servis avec de la crème ou du beurre; fruits au sirop; tartes et pâtisseries au beurre
Produits laitiers (2-3 portions par jour)	Lait écrémé ou demi-écrémé; yaourt écrémé; yaourt glacé écrémé; fromages allégés en matières grasses; fromage blanc à 0 %	Lait entier; crème; yaourt entier; crème glacée; fromage; crème aigre; fromage à tartiner
Œufs (2 jaunes max. par semaine)	Blanc d'œuf; omelettes réalisées avec des blancs d'œufs uniquement	Jaune d'œuf; œufs entiers; omelettes aux œufs entiers
Poisson, volaille, viande (125 g par jour)	Poisson cuit au four ou grillé; volaille sans peau cuite au four ou grillée; viande maigre (filet ou jarret) cuite au four ou grillée; saucisses de viande maigre ou protéines de soja	Friture de poisson; volaille frite avec la peau; morceaux gras de viandes (côtes de porc); saucisses; produits carnés industriels (salami, corned-beef); abats; hot-dogs
Matières grasses (1-2 cuil. à s. par jour)	Huiles d'olive et de colza; margarine sans cholestérol ni acides gras trans	Beurre; saindoux; margarine; assaisonnements riches en graisses; noix de coco

Les graines de lin, riches en oméga-3

On connaît les vertus thérapeutiques des graines de lin depuis l'Antiquité. Ce sont l'une des meilleures sources d'acides gras oméga-3, dont le rôle très bénéfique dans la régulation de la pression artérielle n'est plus à démontrer (*voir p. 39-40*). Leurs fibres solubles aident à réduire le taux de cholestérol, tandis que les fibres insolubles permettent d'éliminer les toxines de l'intestin.

Broyées au mortier Des graines de lin broyées parsemées sur les soupes et les salades sont un bon moyen d'augmenter l'apport en oméga-3.

Il est facile d'intégrer des graines de lin à votre alimentation. Le corps ne pouvant les digérer entières, il est préférable de les broyer avant de les incorporer dans vos céréales, yaourts, salades, soupes ou *milk-shakes*. Vous pouvez également ajouter des graines de lin dans vos pains et vos galettes, ainsi que dans les sauces.

L'huile de lin est riche en oméga-3, mais elle ne contient pas de fibres. De plus, elle doit être consommée crue, jamais cuite, et entreposée au réfrigérateur, car elle s'oxyde très vite à la lumière, à la chaleur et à l'air.

Pour combattre les maladies cardio-vasculaires

En plus de diminuer votre consommation de graisses saturées et d'augmenter celle d'oméga-3 et de fibres, voici quelques autres changements qui vous aideront à améliorer l'état de votre système cardio-vasculaire.

MANGEZ DU SOJA

Certaines études ont montré que, en mangeant quotidiennement 25 g de protéines de soja, on pouvait faire baisser son taux de cholestérol LDL de 5 %. Il est désormais avéré que la consommation de soja et de ses dérivés a une influence très bénéfique dans la prévention et dans le traitement des maladies cardio-vasculaires.

DIMINUEZ L'HOMOCYSTÉINE

L'homocystéine est un acide aminé dont on pense qu'un excès dans le sang augmente les risques de maladies cardio-vasculaires. Cet excès serait dû à une défaillance génétique des enzymes chargées de dégrader l'homocystéine, ainsi qu'à une carence en vitamine B9. Les vitamines B6 et B12 jouent également un rôle dans ce processus. C'est pourquoi les personnes qui ont un taux d'homocystéine élevé ou qui sont susceptibles de développer une maladie cardio-vasculaire peuvent prendre un complément vitaminique.

PLUTÔT DES HUILES VÉGÉTALES

Les stérols et les stanols végétaux sont des alcools que l'on trouve dans les huiles végétales et qui ont la propriété de faire baisser le taux de LDL dans le sang jusqu'à 14 %. C'est pourquoi on en enrichit maintenant certaines margarines.

Aux États-Unis, l'American National Cholesterol Education Program recommande d'intégrer 2 g de stanols et stérols végétaux dans son alimentation, qui doit, par ailleurs, contenir peu de graisses saturées et de cholestérol alimentaire. En outre, plus le tube digestif absorbe de stérols et de stanols, moins il absorbe de cholestérol.

Si vous souffrez de troubles cardio-vasculaires, vous pouvez donc remplacer les matières grasses habituelles de votre alimentation – beurre, margarine, huile ou fromage à tartiner – par de la margarine enrichie en stérols et en stanols.

Et l'alcool ?

Le vin rouge est bon pour le cœur : ses propriétés anti-oxydantes empêchent l'oxydation du cholestérol LDL et son dépôt sur les parois des artères. De plus, il augmente le taux de cholestérol HDL. Cela dit, il ne faut pas dépasser trois à quatre unités d'alcool par jour pour les hommes, deux à trois pour les femmes, sous peine d'accroître les risques d'hypertension, d'hyperlipidémie, de dilatation cardiaque et de crise cardiaque. Mieux vaut donc boire avec modération.

Davantage de fibres

Une alimentation riche en fibres permet de réduire les risques d'infarctus et de prévenir un certain nombre d'autres maladies cardio-vasculaires.

LES ALIMENTS RICHES EN FIBRES

Manger des fibres tous les jours permet de réduire le taux de cholestérol LDL d'environ 5 %.

Les aliments riches en fibres solubles sont les légumineuses, les céréales complètes (avoine, seigle), les légumes et les fruits, qui contiennent de la pectine. Ils favorisent la diminution du taux de mauvais cholestérol, donc, des risques de maladies cardio-vasculaires.

Il est facile de transformer un repas pour le rendre plus riche en fibres *(voir ci-contre)*. En remplaçant les croissants ou le pain blanc par du pain complet ou aux céréales, on augmente, jour après jour, la quantité de fibres solubles présente dans son alimentation.

Pauvre en fibres Un café accompagné de céréales soufflées et sucrées et d'un croissant : 27 g de lipides, 105 mg de cholestérol et seulement 1,5 g de fibres.

Riche en fibres Un jus d'orange, du muesli aux céréales complètes, une tranche de pain complet et un fruit : 7 g de lipides, 4,9 g de cholestérol et 3 g de fibres.

Alimentation et hypertension

Si vous êtes sujet à l'hypertension, quelques modifications simples dans votre régime alimentaire peuvent vous aider à améliorer la situation, mais toujours sous avis médical. Mais, dans tous les cas, il est essentiel de diminuer sa consommation de sel *(voir encadré p. 221)*.

CALCIUM ET POTASSIUM

Les régimes visant à réduire l'hypertension sont toujours riches en calcium et en potassium *(voir ci-dessous)*. Le potassium est présent dans tous les groupes d'aliments : dans les fruits et les

Les courgettes Des moitiés de courgettes, farcies aux épinards et aux pois chiches cuits dans une sauce tomate, constituent un délicieux plat végétarien riche en potassium.

légumes (oranges, poires, courgettes, épinards et pommes de terre) et les aliments riches en protéines (viande, volaille, légumineuses), ainsi que dans les produits laitiers, qui présentent l'avantage de contenir aussi du calcium. On trouve également du calcium dans les légumes à feuilles vertes *(voir p. 62)*.

L'ALCOOL

Les grands consommateurs d'alcool sont plus exposés aux risques d'hypertension que les autres, car l'alcool a des propriétés vasoconstrictrices (c'est-à-dire qu'il rétrécit le diamètre des vaisseaux sanguins) et oblige le cœur à faire davantage d'efforts pour fonctionner. Cela dit, consommé en petites quantités, l'alcool augmente le taux de HDL dans le sang, ce qui est bénéfique pour le système cardio-vasculaire.

Le régime contre l'hypertension

Comme nous le rappelions plus haut, un régime visant à faire baisser la tension artérielle doit contenir des fruits, des légumes et des produits laitiers écrémés, qui fournissent à la fois du calcium et du potassium. Les fruits oléagineux apportent du magnésium et des fibres. En revanche, il faut diminuer sa consommation de sucreries et de viande. Les graisses saturées ne doivent pas représenter plus de 7 % de l'apport calorique total et le cholestérol doit être limité à 200 mg par jour.

LES RÉSULTATS

Les personnes – tous âges, sexes et groupes ethniques confondus – qui intègrent ces suggestions à leur régime alimentaire voient leur pression diastolique (relevée lorsque le cœur est au repos) diminuer sensiblement (jusqu'à 5 mmHg). Chez ceux dont la tension artérielle était, avant le régime, comprise entre 140/90 et 159/99 mmHg, la modification du régime alimentaire a la même efficacité que la prise de médicaments hypotenseurs.

ALIMENTS	QUANTITÉS	EXEMPLES
Pains, pâtes, riz, pommes de terre	7-8 portions par jour	• 1 tranche de pain complet • 25 g de céréales • 75 g de riz ou de pâtes cuits
Légumes	4-5 portions par jour	• 50 g de légumes à feuilles crus • 75 g de légumes cuits • 180 ml de jus de légumes
Fruits	4-5 portions par jour	• 120 ml de jus de fruits • 1 fruit moyen • 75 g de fruits frais, secs, surgelés ou en conserve
Produits laitiers écrémés	2-3 portions par jour	• 225 ml de lait • 225 ml de yaourt • 40 g de fromage
Viande, volaille, poisson	Moins de 2 portions par jour	• 100 g de viande, de volaille ou de poisson maigres
Matières grasses	2-3 portions par jour	• 1 cuil. à s. de margarine • 1 cuil. à s. de mayonnaise allégée • 2 cuil. à s. de vinaigrette allégée • cuil. à s. d'huile végétale
Oléagineux et légumineuses	4-5 portions par semaine	• 3 cuil. à s. de fruits oléagineux • 3 cuil. à s. de graines • 3-4 cuil. à s. de haricots cuits

Alimentation et défaillance cardiaque

Les personnes cardiaques ont souvent tendance à perdre du poids parce qu'elles suivent des régimes alimentaires stricts qui n'apportent pas suffisamment de calories. Si c'est votre cas, demandez conseil à votre médecin qui vous aidera à trouver un régime qui vous convient, pauvre en sel et en liquides, mais riche en nutriments et en calories.

UN POIDS SAIN

Il est important de se nourrir suffisamment pour ne pas perdre de poids. Si vous avez déjà maigri parce que vous avez perdu l'appétit, il est conseillé de prendre des repas fréquents, nutritifs et caloriques afin que vos besoins en énergie soient couverts. Reportez-vous à la page 224 ; vous y trouverez des idées de repas et d'en-cas nourrissants.

MOINS DE SEL

Les personnes cardiaques ont une tendance à la rétention d'eau et de sel. Dans tous les cas de figure, il est bénéfique de limiter sa consommation de sel. La restriction dépend, bien entendu, de la gravité des troubles. Les personnes atteintes depuis longtemps, par exemple, ne doivent pas consommer plus de 2 g de sodium par jour.

Il ne suffit pas de ne pas ajouter de sel aux aliments dans les plats ou dans son assiette. Il faut également vérifier les étiquettes et s'abstenir de manger les aliments contenant plus de 400 mg de sodium par portion (voir encadré ci-contre).

MOINS DE LIQUIDES

Votre médecin vous conseillera certainement de ne pas boire plus de six à huit verres par jour (soit 1,5 à 2 litres) si vous êtes atteint d'une défaillance cardiaque. Les patients qui séjournent à l'hôpital doivent même boire moins.

LES COMPLÉMENTS ALIMENTAIRES

Lorsque l'on perd l'appétit, il peut être intéressant de prendre des compléments alimentaires riches en calories et en protéines, qui permettent, en quelques bouchées ou gorgées, d'ingérer un nombre relativement grand de calories. Mais il faut toujours demander l'avis d'un médecin ou d'un nutritionniste avant de prendre des compléments alimentaires.

Moins de sel

Les gens souffrant de défaillance cardiaque ou d'hypertension ont tout intérêt à suivre un régime pauvre en sodium. Réduire sa consommation de sel permet, en effet, de diminuer la tension artérielle.

Comment consommer moins de sel ? Il faut se méfier des aliments industriels, des plats préparés et des conserves qui contiennent souvent beaucoup de sel. Lisez attentivement les étiquettes si vous suivez un régime pauvre en sodium.
- Utilisez des épices et des herbes aromatiques pour assaisonner vos aliments.
- Ne salez pas les aliments à table.
- Utilisez peu de sauce de soja (1 200 mg de sodium par cuillerée).
- Achetez des légumes frais, surgelés ou en conserve sans sel.
- Rincez les aliments en conserve, pour enlever l'excédent de sel.
- Achetez des aliments à teneur réduite en sodium.
- Achetez des aliments sans sel ajouté.

Recette Brochettes de poulet épicé

INGRÉDIENTS
4 escalopes de poulet sans sel
poivre noir
3 citrons
1 cuil. à s. de gingembre râpé
3 gousses d'ail écrasées
½ cuil. à s. de cumin moulu
1 piment vert

Pour 4 personnes

1 Coupez les escalopes en cubes de 2,5 cm de côté. Faites-les mariner dans le jus de citron poivré, pendant 30 minutes, au réfrigérateur.

2 Dans un bol, mélangez le gingembre râpé, l'ail écrasé, le cumin moulu et le piment éminé. Enrobez-en le poulet que vous remettrez à mariner pendant 1 heure.

3 Coupez les citrons en quartiers. Embrochez les cubes de poulet et le citron en alternance sur des piques.

4 Faites cuire les brochettes au barbecue ou au gril pendant 5 minutes en les retournant de temps en temps. Vous pouvez servir les brochettes avec du raïta au concombre.

Valeur nutritionnelle (par portion)
Cal. 160, lipides 1,6 g (sat. 0,5 g, poly. 0,3 g, mono. 0,8 g), cholestérol 105 mg, protéines 36 g, glucides 0,2 g, fibres 0,3 g, sodium 90 mg ; bonne source de Ca, K, Mg, P, Se.

Les affections respiratoires

Une alimentation appropriée peut soulager les affections respiratoires.

C'est grâce à l'appareil respiratoire, qui comprend les poumons et les voies aériennes supérieures, et au système cardio-vasculaire que l'oxygène est transporté des poumons vers les cellules et que le dioxyde de carbone est envoyé vers les poumons.

La respiration

Chaque fois que nous respirons, nous faisons entrer de l'oxygène dans le sang, que les cellules transportent des poumons vers les tissus. Ce sont les muscles respiratoires qui permettent d'emplir et de vider les poumons.

Le muscle respiratoire principal est le diaphragme, qui se situe entre la poitrine et l'abdomen. Ce sont ses mouvements – contraction et relâchement – qui provoquent l'inspiration et l'expiration. Les autres muscles respiratoires sont situés entre les côtes, dans le cou et dans l'abdomen. Des problèmes respiratoires apparaissent si l'un de ces muscles ou si les os de la cage thoracique sont malades, ou si le trajet de l'air du nez aux poumons est entravé.

Les troubles respiratoires

La broncho-pneumopathie chronique obstructive (BPCO) résulte d'un affaiblissement progressif des poumons, essentiellement dû au tabagisme.

L'apnée du sommeil est une interruption de la respiration due au relâchement des tissus souples situés dans la gorge et qui bloquent le passage de l'air. La respiration cesse pendant au moins dix secondes, ce qui provoque une diminution de l'apport d'oxygène dans le sang. On rencontre fréquemment ce trouble chez les personnes en surpoids.

L'asthme se manifeste par un rétrécissement des voies aériennes supérieures qui empêche de respirer normalement et provoque essoufflement et sifflement gras.

Changer de mode de vie

Les troubles que nous venons de décrire peuvent être soulagés en respectant quelques principes d'hygiène alimentaire. Il faut, tout d'abord, veiller à se nourrir correctement. En cas de surpoids, la perte de quelques kilos peut aider à venir à bout de certaines affections. Certains aliments peuvent également déclencher une crise d'asthme. Il faut les repérer rapidement et les éviter.

Le mode de vie joue aussi un rôle important dans la santé du système respiratoire. L'arrêt du tabac et la pratique d'exercice physique sont recommandés. Consultez votre médecin le cas échéant.

L'appareil respiratoire

Il comprend les voies supérieures (du nez à la trachée), les voies inférieures et les poumons.

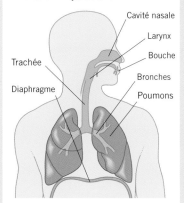

Cavité nasale
Larynx
Bouche
Trachée
Bronches
Diaphragme
Poumons

Les facteurs de risques d'affections respiratoires

Il existe une multitude de facteurs qui déclenchent et entretiennent les troubles respiratoires. Voici les plus courants :

L'hygiène de vie L'excès de poids, en particulier le gras entoure le cou, le tabagisme et l'abus d'alcool peuvent être à l'origine de l'apnée du sommeil. La BPCO est provoquée, dans la majorité des cas, par le tabagisme, qui peut également être un facteur déclenchant de l'asthme chez de nombreuses personnes.

L'âge L'asthme se manifeste chez les enfants, la BPCO chez les personnes âgées de plus de quarante ans.

Le sexe La BPCO est deux fois plus répandue chez les hommes que chez les femmes, qui sont, en revanche, plus souvent asthmatiques.

Les antécédents familiaux L'asthme est souvent familial.

Les autres facteurs de risque Les enfants allergiques ont plus de risques d'être asthmatiques. La poussière ou certains polluants peuvent entraîner une BPCO ou déclencher des crises d'asthme.

Les signaux d'alarme

Si vous êtes enrhumé le matin et manquez de souffle, il est probable que vous soyez atteint de bronchite chronique ou d'emphysème, tous deux étant des formes de BPCO.

Le tabagisme augmente de façon dramatique les risques d'emphysème. Cesser de fumer et de vivre au milieu de fumeurs est une priorité absolue, dont les bénéfices sur le système respiratoire et sur l'état de santé général sont considérables et immédiats.

Reconnaître les affections respiratoires

La BPCO, l'asthme et l'apnée du sommeil sont les affections respiratoires les plus courantes. Mais elles peuvent être évitées ou soulagées en opérant quelques changements d'hygiène de vie et d'hygiène alimentaire en particulier, comme l'illustre le tableau ci-dessous.

La BPCO et l'asthme sont des affections qui touchent les poumons et les voies aériennes inférieures (les bronchioles), tandis que l'apnée du sommeil résulte de l'obstruction des voies supé-

rieures (le rhinopharynx, situé à l'arrière du nez et qui rejoint la gorge).

Si l'on est prêt à modifier légèrement son hygiène de vie – en arrêtant de fumer, de manière active ou passive, en réduisant sa consommation d'alcool et en se nourrissant correctement –, on peut venir à bout de ces troubles.

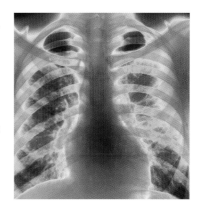

La bronchite chronique Les rayons X font apparaître des lésions provoquées par le tabac dans les tissus des poumons.

TROUBLE	DESCRIPTION	QUE FAIRE ?
BPCO	Les personnes atteintes de BPCO souffrent généralement de bronchite chronique et d'emphysème. Les bronches et les bronchioles, ainsi que les tissus constituant les poumons, s'abîment progressivement, et la personne atteinte s'essouffle rapidement. Les lésions pulmonaires provoquées par la BPCO sont irréversibles.	● Se nourrir correctement pour éviter la perte de poids ou la sous-nutrition, fréquentes dans ce genre d'affections. ● Arrêter de fumer.
Apnée du sommeil	L'apnée du sommeil se manifeste par l'interruption de la respiration pendant le sommeil et par le blocage des voies respiratoires supérieures.	● Perdre du poids. ● Éviter l'alcool. ● Arrêter de fumer.
Asthme	L'asthme est une forme d'affection pulmonaire chronique, provoquée par l'inflammation et par le gonflement des parois des voies respiratoires dans les poumons, et souvent déclenchée par des substances allergènes.	● Se nourrir correctement. ● Éviter les substances allergènes. ● Faire de l'exercice pour améliorer sa résistance. ● Arrêter de fumer.

Conseils diététiques en cas de BPCO

Nombreuses sont les personnes atteintes de bronchite chronique obstructive qui ne se nourrissent pas suffisamment et qui maigrissent, ce qui peut aggraver les troubles. L'alimentation doit être rééquilibrée et l'apport calorique revu à la hausse pour éviter la sous-nutrition.

Les aliments riches en antioxydants, comme les fruits et les légumes, en acides gras oméga-3, comme les poissons gras (voir p. 90), aident à prévenir la BPCO. Une supplémentation en vitamines et sels minéraux peut également être utile.

UNE ALIMENTATION CALORIQUE

Si vous faites partie des gens maigres et que vous ayez besoin de reprendre des forces, augmentez progressivement les quantités de nourriture que vous ingérez,

au cours de repas fréquents et nutritifs (*voir p. 224*). Vous pouvez également :
● Prendre trois repas par jour, plus quelques en-cas. Il vaut mieux manger moins mais plus fréquemment que faire un gros repas qui fatigue l'organisme, y compris le système respiratoire.
● Programmer votre repas principal au moment où vous avez le plus d'énergie et prendre le temps de vous reposer avant et après les repas.
● Éviter les aliments qui provoquent des gaz et des ballonnements.
● Éviter la constipation en mangeant davantage de fibres.

La salade de fruits Composée de fruits variés et riches en antioxydants, cette salade est bénéfique pour les personnes atteintes de BPCO.

● Mâcher soigneusement les aliments.
● Miser sur les petits repas faciles et rapides à préparer, y compris sur les plats préparés, dont vous aurez vérifié la teneur en sodium et en graisses saturées.
● Penser à boire suffisamment – au moins de six à huit verres d'eau par jour – afin de maintenir le taux d'hydratation de votre organisme.

Comment prévenir la perte de poids dans la BPCO ?

Si vous êtes atteint de BPCO et que vous ayez maigri, la priorité est de reprendre du poids. Consommez des aliments gras (très caloriques) comme l'huile, le beurre ou le fromage, mais n'exagérez pas sur les quantités de graisses saturées. N'oubliez pas de consommer des céréales complètes. Préparez des en-cas sains et nourrissants, gorgés de nutriments, en particulier de vitamines, sels minéraux et protéines :

- Oléagineux (amandes, noisettes, pignons)
- Guacamole avec des légumes crus ou des tortilla chips
- Sandwich de pain complet au thon, poulet ou saumon et crudités
- Pain pita garni de fromage, de jambon et de salade
- Omelette au fromage, au jambon et à la tomate
- Pain pita garni de falafels (boulettes de pois chiches), salade, poivrons rouges et houmous
- Céréales complètes et lait entier
- Yaourt entier ou yaourt grec avec des fruits
- Une tasse de lait entier ou de chocolat préparé avec ce lait

Un sandwich au jambon Ce sandwich de pain complet au jambon et crudités est un en-cas riche en protéines et en fibres.

Une omelette Facile à préparer, l'omelette au fromage est un plat riche en protéines et en calcium.

Falafels et pain pita Pour un en-cas nutritif, du pain pita garni de falafels épicés, de salade, de poivrons et d'houmous.

Exemple Une femme amaigrie par une bronchite chronique obstructive

Son nom Patricia

Son âge 53 ans

Son problème
Patricia souffre de BPCO depuis huit ans. Elle s'essouffle de plus en plus rapidement, en particulier lorsqu'elle se sent mal, qu'elle est stressée, qu'a froid, ainsi qu'après un repas trop copieux ou par temps humide. Elle est souvent trop fatiguée pour cuisiner et s'essouffle rien qu'à mâcher et à avaler les aliments. En fait, elle se sent faible et épuisée tout le temps, en particulier au moment des repas. Elle a perdu 4,5 kg en un an.

Son mode de vie Patricia vit avec son mari. Ils ont quatre enfants et quatorze petits-enfants. Elle a pris sa retraite l'an dernier à cause de sa maladie. Depuis peu, elle se sent même trop fatiguée pour sortir, et c'est son mari qui se charge d'aller faire les courses. En général, son régime alimentaire est pauvre en sodium et en lipides.

Le matin, Patricia prend des céréales et du pain. À midi, un yaourt écrémé et du jus de pomme. Le soir, elle mange souvent du poulet avec des légumes, et, plus tard dans la soirée, un fruit. Elle consomme environ 1 000 calories par jour. Elle pèse 67 kg et mesure 1,57 m. Elle a fumé pendant trente ans, jusqu'à l'an dernier.

Nos conseils Avec 1 000 calories journalières, Patricia ne consomme que deux tiers de ses besoins nutritionnels. À cause de sa maladie, elle dépense plus de calories pour respirer que quelqu'un d'autre. C'est pourquoi les personnes atteintes de BPCO doivent manger davantage que les autres pour maintenir leur poids. Lorsqu'une personne est atteinte d'une BPCO, l'objectif est donc d'éviter qu'elle ne perde du poids et que ses muscles respiratoires ne s'affaiblissent encore davantage.

La nutritionniste de Patricia lui conseille de se reposer avant les repas et de manger des aliments faciles à mâcher. Elle peut également se tourner vers des boissons caloriques et riches en protéines, à consommer une fois par jour, et fractionner ses prises alimentaires en petits repas fréquents, composés d'aliments nourrissants, comme des sandwiches au fromage, des tartines, des pommes de terre et des légumes.

Il vaut mieux que Patricia prenne le repas principal de la journée au moment où elle est le moins fatiguée. Elle devrait également éviter de boire pendant les repas.

Comment traiter l'apnée du sommeil

L'apnée du sommeil *(voir p. 223)* se manifeste souvent chez les obèses. Une perte de poids, même minime (4,5 kg), peut soulager sensiblement les symptômes.

PERDRE DU POIDS

Si vous souffrez d'apnée du sommeil, consultez un médecin ou un nutritionniste avant de modifier votre hygiène alimentaire. Cela dit, vous pouvez d'ores et déjà suivre les conseils suivants :

● Ne restez pas dans la cuisine après le dîner et ne mangez pas en soirée.

● Si vous avez faim entre les repas, mangez un fruit ou quelques crudités, mais en prenant garde de ne pas ajouter d'assaisonnement calorique.

● Si vous êtes tenté d'acheter n'importe quoi parce que vous avez faim, résistez. Faites des réserves d'aliments sains pour éviter de craquer sur des aliments caloriques et nocifs.

● Faites attention aux portions que vous vous servez, à la maison comme à l'extérieur. Ne prenez pas d'entrée ou partagez-la, évitez le pain beurré, choisissez soit de manger un dessert, soit de boire du vin.

● Pratiquez une activité physique (marche, natation, bicyclette) : vous aurez davantage d'énergie et dormirez mieux.

● Évitez de boire de l'alcool qui a tendance à obstruer la gorge pendant le sommeil.

UNE BONNE HYGIÈNE DE VIE

Outre le poids, certains comportements peuvent améliorer sensiblement la maladie :

● Abstenez-vous de fumer.

● Ne vous couchez pas immédiatement après le repas. Marchez.

● Soignez-vous sans antihistaminiques ni tranquillisants.

● Dormez sur le côté ou en surélevant la tête de lit.

Asthme et alimentation

Les personnes asthmatiques ont, en général, les mêmes besoins nutritionnels que les personnes qui ne le sont pas, mais il est important qu'elles aient une alimentation saine et équilibrée. L'asthme, en effet, est un facteur de stress supplémentaire pour l'organisme, en particulier si le sujet prend des corticostéroïdes, grands voleurs de vitamines et de sels minéraux.

DES ALIMENTS SAINS

Consommez beaucoup de fruits et de légumes, des légumineuses, du pain et des céréales complètes. Limitez votre consommation de produits laitiers, de protéines animales, de matières grasses et de sucres. Une alimentation saine et un peu d'exercice pratiqué régulièrement, améliorent sensiblement l'asthme. Mais certains aliments et additifs alimentaires l'exacerbent.

LES ALIMENTS À ÉVITER

Les asthmatiques doivent, en général, éviter deux ou trois aliments, mais pas forcément davantage, contrairement à une croyance répandue.

Les facteurs déclenchants doivent être identifiés le plus rapidement possible, afin d'éviter une aggravation de la situation. Les principaux sont le lait, le yaourt ou d'autres produits laitiers, les œufs, les crevettes, le poisson, les agrumes, le soja et le blé. Les enfants sont particulièrement concernés par les crises d'asthme provoquées par ces aliments, mais, fort heureusement, ces allergies disparaissent avec le temps. Il faut être particulièrement vigilant vis-à-vis des additifs, tels que la tartrazine, les sulfites, l'acide benzoïque et le glutamate monosodique, ajoutés dans les aliments industriels et souvent responsables de crises d'asthme.

Attention aux additifs En cuisinant soi-même, on donne à son enfant les meilleurs ingrédients et, surtout, on évite les additifs chimiques des aliments industriels.

L'asthme chez les bébés

L'asthme est souvent lié à des allergies, qui peuvent être évitées en surveillant l'alimentation de l'enfant. L'utilisation précoce de farines infantiles est liée à l'augmentation de l'asthme déclenché par les pollens. L'allaitement maternel des premiers mois prévient ce phénomène.

Les aliments probiotiques, tels le yaourt aux ferments lactiques vivants, favorisent la santé de la flore intestinale *(voir p. 48)*, très importante dans la digestion des protéines provoquant les allergies.

Les troubles digestifs

De nombreux problèmes peuvent toucher le tube digestif et les organes associés.

L'appareil digestif comprend le tube digestif, les glandes salivaires, le foie, la vésicule biliaire et le pancréas. Le tube digestif est une sorte de tuyau d'environ 7,3 m de longueur, divisé en plusieurs parties : la bouche, l'œsophage, l'estomac, l'intestin grêle, le gros intestin, le rectum et l'anus.

Son fonctionnement

Le rôle de l'appareil digestif est de digérer les aliments et de transporter les nutriments nécessaires à l'organisme pour fonctionner, se développer et s'entretenir. Les déchets sont ensuite éliminés.

Grâce au péristaltisme œsophagien, c'est-à-dire aux contractions des muscles des parois de l'œsophage, les aliments sont transportés de la bouche dans l'estomac. Ces contractions, ainsi que celles du sphincter œsophagien inférieur, empêchent que la nourriture ne remonte dans l'œsophage (reflux gastro-œsophagien – RGO).

Des problèmes médicaux surviennent lorsqu'il se produit un changement structurel ou fonctionnel dans le tube digestif et ses organes.

Les problèmes

Les troubles de l'appareil digestif peuvent être traités ou prévenus grâce à une hygiène alimentaire ou un mode de vie adéquat, comme l'illustre le tableau de la page 227.

Les troubles digestifs les plus courants sont des problèmes ponctuels d'indigestion, de diarrhée et de constipation. L'indigestion peut être provoquée par le reflux gastro-œsophagien, c'est-à-dire des remontées liquides acides de l'estomac. L'ulcère peptique touche aussi bien l'estomac que le duodénum, soit de façon continue, soit de façon récurrente.

Certaines affections, comme la colite ulcérative et la maladie de Crohn, provoquent une inflammation de l'intestin et affectent l'absorption des nutriments.

L'appareil digestif

L'appareil digestif comprend le tube digestif (de la bouche à l'anus) et des organes, comme le foie ou la vésicule biliaire.

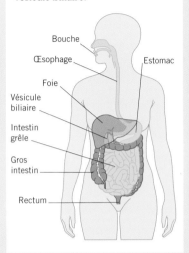

Bouche
Œsophage
Estomac
Foie
Vésicule biliaire
Intestin grêle
Gros intestin
Rectum

L'intolérance au lactose et la maladie cœliaque sont, quant à elles, des réactions à des substances contenues dans les aliments. Les changements que l'on peut opérer dans son mode de vie et dans son alimentation pour combattre ces maladies sont détaillés dans les pages suivantes.

Les facteurs de risques

Les facteurs de risques connus sont l'hygiène de vie et l'alimentation, l'âge, le sexe et les antécédents familiaux.

L'hygiène de vie Une alimentation pauvre en fibres entraîne des troubles digestifs. On a remarqué, par exemple, que les maladies diverticulaires sont plus fréquentes dans les régions dans lesquelles l'alimentation, à base de céréales raffinées, comporte peu de fibres. Toutes les personnes en surpoids ou dont l'alimentation est riche en matières grasses sont susceptibles d'avoir des calculs biliaires. La consommation d'alcool, le tabagisme et le stress peuvent déclencher ou aggraver les ulcères de l'estomac.

L'âge Lorsque l'on vieillit, la tonicité du tube intestinal diminue, ce qui provoque un ralentissement du péristaltisme (les contractions de l'intestin) et, par suite, peut conduire à un état de constipation. Les maladies diverticulaires sont beaucoup plus répandues chez les personnes âgées de plus de cinquante ans (elles touchent la majorité des personnes âgées de plus de quatre-vingts ans).

Le syndrome de l'intestin irritable affecte essentiellement les personnes qui ont entre quinze et quarante ans. De même, la maladie de Crohn ainsi que la colite ulcérative se développent d'abord chez les jeunes gens, entre quinze et trente ans.

Le sexe L'ulcère peptique se développe plus fréquemment chez les hommes, tandis que les calculs biliaires ou le syndrome de l'intestin irritable sont plus typiquement féminins.

Les antécédents familiaux Certains troubles digestifs, telle la maladie cœliaque, sont héréditaires. Si un membre de votre famille est atteint d'un trouble digestif héréditaire, n'hésitez pas à faire des examens pour estimer vos propres risques.

Entre 15 et 30 % des personnes atteintes de la maladie de Crohn et de colite ulcérative ont des antécédents familiaux. Cela laisse penser que l'hérédité est impliquée dans ces maladies.

Reconnaître les troubles digestifs

La diarrhée, la constipation et l'indigestion sont des troubles relativement communs qui peuvent être prévenus et soignés de manière relativement simple. Cela dit, la diarrhée peut également être le symptôme d'une affection plus grave, comme le syndrome de l'intestin irritable, une colite ulcérative ou la maladie de Crohn. Si elle persiste, il faut consulter.

Le reflux gastro-œsophagien (RGO) est un trouble courant qui provoque des indigestions et peut endommager les parois de l'œsophage. L'ulcère peptique est généralement dû à une bactérie appelée *Helicobacter pylori*.

De nombreux troubles digestifs peuvent être résorbés en modifiant certaines de ses habitudes de vie, comme le suggère le tableau ci-dessous.

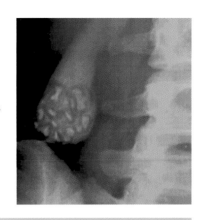

Les calculs biliaires Cette vue prise aux rayons X montre une vésicule biliaire pleine de calculs (en vert sur la gauche).

TROUBLE	DESCRIPTION	QUE FAIRE ?
Indigestion	Douleur ou inconfort dans le haut de l'abdomen, souvent après avoir mangé	• Éviter les aliments irritant pour l'estomac (agrumes, épices). • Faire des repas légers et prendre des en-cas.
Constipation	Difficulté à évacuer les selles régulièrement	• Consommer des fibres solubles et insolubles. • Boire beaucoup d'eau.
Diarrhée	Excrétion de selles non moulées et liquides, due à une infection	• Éviter les fibres (si elle débute). • Consommer des fibres (si elle persiste). • Éviter le sorbitol et boire beaucoup d'eau.
Syndrome de l'intestin irritable	Douleurs, ballonnements et gaz intestinaux Changements dans la digestion	• Éviter les graisses, augmenter les fibres. • Éviter les boissons décaféinées.
Reflux gastro-œsophagien (RGO)	Régurgitation douloureuse de liquides acides de l'estomac dans l'œsophage	• Limiter les graisses, augmenter les fibres. • Surveiller son poids. Arrêter de fumer.
Ulcère peptique	Lésion des parois de l'estomac et du début de l'intestin grêle (duodénum)	• Faire trois repas par jour. Arrêter de fumer. • Limiter l'alcool, la caféine et les épices.
Cholécystite et calculs biliaires	Inflammation de la vésicule biliaire et production de calculs	• Éviter les graisses, augmenter les fibres. • Maigrir et faire du sport.
Intolérance au lactose	Incapacité à digérer le lactose (sucre naturellement présent dans le lait)	• Éviter le lait et ses dérivés. • Consommer des aliments sans lactose. • Prendre en complément calcium et vitamine D.
Maladie cœliaque	Lésion de l'intestin grêle provoquée par une réaction au gluten et qui empêche l'absorption	• Éliminer le gluten. • Lire les étiquettes des produits.
Maladie de Crohn	Maladie inflammatoire qui touche principalement l'iléum et le côlon	• Éviter les graisses, les fibres et le lactose. • Prendre un complément multivitaminé.
Colite ulcérative	Inflammation et ulcère affectant le rectum et le côlon (ou gros intestin)	• Manger des fibres insolubles. • Prendre un complément multivitaminé.
Maladie diverticulaire	Petites poches du côlon (diverticules) qui s'enflamment et deviennent douloureuses (diverticulite)	• Manger des fibres insolubles. • Boire beaucoup d'eau. • En cas de douleur, consulter un médecin.

Alimentation et troubles digestifs

La façon dont on se nourrit a un impact énorme sur les problèmes digestifs.

L'alimentation joue un rôle dans les troubles digestifs puisqu'elle influence le fonctionnement du tube digestif à tous les niveaux.

Le rôle de l'alimentation

Si le médecin constate un dysfonctionnement dans votre appareil digestif, il préconisera aussitôt un changement d'hygiène alimentaire. Par exemple, il vous faudra consommer davantage de fibres et boire beaucoup d'eau si vous souffrez de constipation. Si vous êtes atteint de maladie cœliaque, il vous sera recommandé d'éliminer le gluten de votre alimentation pour le restant de votre vie. Ce genre de recommandation peut sembler arbitraire, mais c'est votre santé qui est en jeu. Il vaut mieux

adopter de nouvelles habitudes alimentaires pour se porter bien et faire disparaître définitivement des symptômes parfois douloureux.

Dans certains cas, il est également utile de modifier d'autres habitudes, en évitant, par exemple, de s'allonger après le repas en cas de reflux ou de consommer des aliments caféinés si vous souffrez d'ulcère peptique.

Changements alimentaires

Trouver l'alimentation adéquate selon les troubles dont vous souffrez requiert de la patience. Il peut être utile de noter ce que vous mangez ou ce que vous ne devez pas manger, par exemple, en fonction des réactions de votre organisme. Ainsi, vous finirez par trouver les aliments qui vous conviennent et par éliminer ceux qui sont nocifs pour vous. Mais veillez tout de même à avoir une alimentation équilibrée. Au besoin, prenez des compléments pour éviter de développer des

Un petit déjeuner riche en fibres Augmentez votre consommation de fibres en commençant la journée par un bol de céréales complètes et des fruits frais ou secs.

carences et d'autres maladies.

Les conseils que nous avons recensés dans ce chapitre sont ceux que les médecins donnent à l'heure actuelle pour traiter les troubles digestifs.

Traiter l'indigestion

Les conseils suivants permettent de soulager les douleurs ou l'inconfort ressentis, souvent après les repas, dans l'estomac ou le haut de l'abdomen (indigestion). L'indigestion s'accompagne parfois de nausées, d'éructations ou de ballonnements, souvent provoqués par le stress, mais elle peut aussi être le symptôme d'une affection plus grave, comme un ulcère peptique *(voir p. 227)*.

● Évitez les aliments irritants pour l'estomac, tels que la caféine, la menthe verte, la menthe poivrée, les agrumes, les épices, les graisses et la tomate.

● Buvez des infusions de fenouil ou de camomille.

● Faites des repas et des en-cas légers et peu gras (fruits, biscottes, yaourt allégé), à intervalles réguliers dans la journée.

● Mangez lentement et mâchez soigneusement.

● Buvez en dehors des repas (pas pendant).

● Faites quelques pas après les repas, mais pas d'exercice

soutenu pendant au mois une heure.

● Évitez de vous allonger pendant deux heures après le repas.

● Buvez un verre de lait chaud avant de vous coucher et surélevez votre tête dans le lit.

● Apprenez à vous détendre grâce à des techniques de relaxation, de méditation ou de yoga qui aident à digérer.

● Arrêtez de fumer. Le tabagisme aggrave tous les symptômes des troubles digestifs.

● Prenez des médicaments qui neutralisent l'acidité de l'estomac et soulagent la douleur.

● Ne prenez pas de médicaments irritants pour l'estomac, tels que l'aspirine ou l'ibuprofène.

● Le surpoids aggravant les symptômes. Perdez vos kilos superflus.

● Consultez un médecin si les symptômes persistent au-delà de deux semaines ou deviennent chroniques.

Combattre la constipation

Une alimentation riche en graisses d'origine animale (viande, fromage, œufs) et en sucres raffinés, et pauvre en fibres (légumes, fruits, céréales complètes) est une cause courante de constipation.

L'irrégularité et la difficulté de l'excrétion des selles sont fréquentes chez les personnes âgées, chez lesquelles la tonicité des muscles de l'intestin est plus faible et ralentit la progression des déchets à la fin du tube digestif. L'utilisation de laxatifs peut être utile, mais ne doit pas être régulière, car l'intestin s'habitue à leurs effets. Mieux vaut modifier durablement son alimentation.

L'exercice physique est l'un des meilleurs moyens de combattre la constipation, car il stimule l'activité intestinale.

CONSOMMEZ DES FIBRES

Les fibres contenues dans l'alimentation *(voir p. 48-49)* capturent l'eau et hydratent les selles, ainsi plus vite évacuées.
● Augmentez progressivement votre consommation de céréales, de pain et de pâtes complets (l'idéal est d'en manger cinq portions par jour), de légumes, de fruits et de légumineuses.
● Mangez suffisamment de fruits et de légumes frais, y compris de fruits et de légumes aux propriétés laxatives, comme les pruneaux, les abricots et les pommes.
● Prenez un petit déjeuner riche en céréales et en fruits (bananes, raisins secs, fraises). Les céréales contenant du son sont particulièrement riches en fibres.
● Délaissez les céréales raffinées au profit des céréales (pain, pâtes, riz) complètes.
● Évitez les aliments raffinés et la nourriture industrielle, riches en glucides et sucres mais pauvres en fibres.

BUVEZ DE L'EAU

Boire beaucoup d'eau est un geste très bénéfique pour la santé, à plus forte raison lorsqu'on est constipé, car les selles sont plus difficiles à expulser lorsqu'elles sont sèches. Boire de l'eau permet de les hydrater et de les rendre plus malléables. Cela dit, il faut éviter les boissons caféinées et l'alcool, qui tendent à déshydrater l'organisme.

MAGNÉSIUM ET EXERCICE

Le magnésium *(voir p. 63)* aide à lutter contre la constipation. Il est naturellement présent dans les épinards, les amandes, les raisins secs et les artichauts. On peut aussi le prendre en complément *(voir p. 271)*.

Les fruits secs On peut faire tremper les fruits secs – abricots, figues et raisins, riches en fibres – dans de l'eau avant de les manger. Les raisins sont riches en magnésium.

Quand faut-il consulter ?

Si vous avez augmenté votre consommation de fibres et d'eau et fait davantage d'exercice physique, mais que vous souffriez malgré tout de constipation depuis plus de deux semaines, prenez rendez-vous chez un médecin.

Il faut également consulter si vous constatez la présence de sang dans vos selles, car celle-ci peut être le symptôme de troubles graves tels qu'un cancer colorectal.

Prévenir la diarrhée

Une bonne hygiène permet, en général, d'éviter la contamination et de prévenir la diarrhée :
● Lavez-vous les mains en sortant des toilettes ou après le change de bébé.
● Nettoyez régulièrement les plans de travail et la salle de bains.
● Si vous voyagez, buvez de l'eau minérale, des boissons gazeuses et des boissons préparées avec de l'eau bouillie (thé, café). Ne buvez pas d'eau du robinet et ne mangez pas de glaces.
● Évitez les viandes et les poissons crus ou rares.
● Pelez les fruits et les légumes.

La diarrhée

La diarrhée, c'est-à-dire l'émission fréquente de selles liquides, est souvent due à une infection par de l'eau ou des aliments contaminés. Les conseils suivants peuvent soulager les symptômes :
● Comme la diarrhée fait perdre beaucoup de liquides, il faut boire beaucoup pour remplacer l'eau et les sels minéraux qu'elle contient (électrolytes). Buvez au moins 500 ml d'eau par période d'une à deux heures.
● Évitez les boissons très chaudes ou très froides, le café, l'alcool et les boissons sucrées caféinées, irritants pour l'intestin.
● Lisez les étiquettes des produits alimentaires et évitez ceux qui contiennent du sorbitol ou de la lactulose, tous deux pouvant provoquer de la diarrhée.
● Si vous ne souffrez pas d'intolérance au lactose, mangez des yaourts avec des ferments vivants, favorables à la flore intestinale. Évitez les fibres insolubles (céréales complètes).
● Mangez des aliments naturels et peu gras. Évitez le lait, la viande rouge et les mets très épicés.
● Si la diarrhée est récente, évitez les aliments riches en fibres (céréales complètes, fruits et légumes frais) qui peuvent irriter l'intestin. Si la diarrhée dure depuis plus de deux semaines, vous pouvez manger davantage de fibres, mais consultez votre médecin le

Le syndrome de l'intestin irritable

Le corps médical pense que les personnes souffrant du syndrome de l'intestin irritable ont un côlon anormalement sensible aux stimuli comme le stress, le vent, les aliments riches en fibres ou en matières grasses, la caféine et l'alcool. En conséquence, le côlon est irrité, douloureux, et des crampes ou des diarrhées peuvent apparaître. Les symptômes peuvent s'aggraver chez les femmes pendant leurs règles, probablement pour des raisons hormonales. Le fait de manger en soi ou le stress sont également des facteurs aggravants.

LES ALIMENTS EN CAUSE

Une alimentation équilibrée peut soulager les symptômes. Il peut être utile de repérer les aliments qui les provoquent et de les éliminer de votre alimentation. Les aliments concernés ne sont pas les mêmes pour tout le monde. Certaines personnes sont sensibles aux oignons et aux champignons, tandis que d'autres guérissent en supprimant le blé.

LE YAOURT

Les produits laitiers sont souvent difficiles à tolérer *(voir p. 232)*, mais le yaourt est une exception. Il contient, en effet, des organismes vivants qui fournissent la lactase, l'enzyme nécessaire à la digestion du lactose (le sucre contenu dans le lait). Vous pouvez également consommer des produits sans lactose. Si vous supprimez totalement les produits laitiers de votre alimentation, n'oubliez pas de consommer d'autres sources de calcium.

D'AUTRES FACTEURS

Les aliments riches en fibres, tels que le pain et les céréales complètes, les fruits, les légumes et les légumineuses permettent d'éviter les crampes et les spasmes intestinaux, ainsi que la constipation. Il vaut mieux éviter, cependant, les jus de fruits, trop riches en fructose et qui aggravent les symptômes et provoquent des diarrhées. Les boissons caféinées irritent le côlon, tandis que certaines infusions ont des vertus apai-

La menthe poivrée La menthe poivrée en infusion est une excellente alternative au café ou au thé, en raison de ses propriétés antispasmodiques.

santes (menthe poivrée, fenouil). Il est important de boire beaucoup d'eau pour nettoyer le système de l'intérieur. Enfin, les fumeurs ont tout intérêt à s'arrêter de fumer, car le tabagisme ne fait qu'exacerber les symptômes.

Exemple Une jeune femme souffrant du syndrome de l'intestin irritable

Son nom Mégane

Son âge 25 ans

Son problème Il y a cinq ans, Mégane a découvert qu'elle souffrait du syndrome de l'intestin irritable. Ses crampes abdominales, très douloureuses, sont soulagées par l'expulsion des selles. Elle a souvent des selles molles ou des diarrhées, suivies de plusieurs jours de constipation. Tous ces symptômes empirent dès qu'elle est stressée. Son poids reste stable et elle n'a ni fièvre ni saignement quand elle va aux toilettes.

Son mode de vie Mégane est une avocate très affairée et souvent stressée. Les symptômes de sa maladie se manifestent plusieurs fois par semaine,

ce qui n'est pas sans poser problème lorsqu'elle travaille. Elle prend deux repas par jour, souvent sur le pouce (sandwich ou pizza à midi, pâtes ou traiteur pour le dîner). Elle ne sait pas quoi manger à cause de sa diarrhée mais boit du jus de pomme. Elle ne fait pas de sport.

Nos conseils Plusieurs facteurs contribuent à la maladie de Mégane. Comme son travail très prenant la stresse, nous lui conseillons de faire du yoga et du sport. Elle devrait prendre un petit déjeuner riche en fibres – pain ou céréales complets – afin d'améliorer son transit intestinal.

Mégane s'est également aperçue que certains aliments comme les légumineuses, les oignons, les pruneaux et les crucifères (famille des choux et des brocoli) provoquaient chez elle des spasmes intestinaux et des gaz.

Elle devrait essayer de les éliminer un par un de son alimentation, de même que les produits laitiers, étant donné que l'intolérance au lactose provoque les mêmes symptômes que ceux du syndrome de l'intestin irritable. Elle peut, si elle les tolère, manger des yaourts, riches en calcium.

Augmenter sa consommation de fibres devrait considérablement aider Mégane, en changeant la nature de ses selles et en améliorant son transit intestinal. Cela dit, si elle ne supporte pas certains aliments, par ailleurs riches en fibres, elle peut aussi s'adresser à son médecin afin qu'il lui prescrive un complément en fibres.

Enfin, Mégane devra limiter le jus de pomme, trop riche en fructose, et boire plus d'eau, y compris si elle prend un complément alimentaire, pour réduire les gaz qui pourraient survenir au début de son changement de régime.

Le reflux gastro-œsophagien (RGO)

Le reflux gastro-œsophagien est une cause courante d'indigestion qui se manifeste par des régurgitations acides qui remontent de l'estomac vers l'œsophage. Ces liquides acides irritent l'œsophage, provoquant une inflammation et des brûlures, voire, si l'affection n'est pas traitée, des lésions sur les parois internes de l'œsophage. Le reflux gastro-œsophagien est essentiellement dû au manque de tonicité du sphincter œsophagien ou à la pression exercée par l'abdomen distendu, chez les obèses ou chez les femmes enceintes. Il faut savoir que les aliments gras distendent le sphincter, ralentissant le passage des aliments dans l'estomac, donc prolongeant le contact de l'œsophage avec les substances qui l'irritent. Mieux vaut également éviter, autant que possible, l'alcool, le chocolat et le café, et maigrir, si vous êtes en surpoids.

OBJECTIFS	TRAITEMENTS
Diminuer la fréquence et la quantité des régurgitations acides	• Faire des repas légers et fréquents. • Boire en dehors des repas, non pendant. • Consommer des fibres pour éviter la constipation et la pression sur l'intestin.
Diminuer l'irritation de l'œsophage	• Éviter ou limiter les aliments qui provoquent ou aggravent les symptômes. La réaction aux aliments est variable, mais il s'agit souvent des aliments gras, des agrumes, des tomates, des épices et des boissons gazeuses.
Favoriser la descente des aliments dans l'estomac	• Ne pas s'allonger immédiatement après avoir mangé. Faire quelques pas. • Éviter de manger pendant les deux ou trois heures qui précèdent le coucher. • Surélever la tête de lit.
Éviter les lésions de l'œsophage	• Manger des aliments faciles à mâcher et à avaler, comme le fromage blanc.
Perdre du poids	• Réduire les portions, éviter le gras et faire du sport.

Les ulcères peptiques

Les ulcères peptiques sont des lésions des parois de l'estomac ou du duodénum (la première partie de l'intestin). On peut les traiter grâce à une alimentation adéquate, qui réduit et neutralise l'acidité gastrique et maintient la résistance des parois de l'estomac vis-à-vis de l'acide. On parvient ainsi à soulager les symptômes.

Il n'existe pas d'alimentation antiulcère, elle varie selon les individus. Cela dit, chacun pourra appliquer avec profit les conseils suivants :

• Prenez trois repas par jour, évitez de sauter des repas et limitez les épices, les graisses et les aliments irritants.
• Évitez de grignoter le soir, les symptômes se manifestant surtout la nuit.
• Limitez votre consommation de caféine (café, thé, chocolat et cola).
• Évitez les boissons alcoolisées, à plus forte raison si vous avez l'estomac vide.
• Évitez le tabagisme, actif et passif, qui stimule les sécrétions acides, augmente la fréquence des ulcères du duodénum et retarde la guérison.

Des repas réguliers Il est très important de ne sauter aucun repas, y compris le petit déjeuner, si vous avez un ulcère.

L'infection à Helicobacter pylori et l'ulcère peptique

Les ulcères peptiques sont communément associés à l'infection à *Helicobacter pylori* qui se propage, pense-t-on, dans de mauvaises conditions sanitaires. Elle touche l'estomac et entraîne la production de substances qui réduisent l'efficacité de la couche qui protège les parois de l'estomac de l'acidité des sucs gastriques. En conséquence, les sucs gastriques attaquent les parois de l'estomac ou du duodénum, ce qui favorise le développement des ulcères peptiques. Il faut recourir aux d'antibiotiques.

Les calculs de la vésicule biliaire

Les calculs biliaires sont constitués de bile, un liquide riche en cholestérol produit par le foie et stocké dans la vésicule biliaire, dont le rôle est de faciliter la digestion. Les calculs sont plus fréquents chez les personnes de plus de quarante ans ou en surpoids et chez les femmes. L'hérédité est un facteur de risque.

MOINS DE GRAISSES, PLUS DE FIBRES

Pour prévenir les calculs biliaires et soulager les symptômes lorsqu'ils sont déjà formés, il est important de consommer des aliments riches en fibres, tels que le son, le soja, la pectine, que l'on trouve dans de nombreux fruits et légumes. L'exercice physique régulier est également un bon moyen de diminuer les risques.

Les risques de calculs biliaires sont accrus chez les personnes obèses. D'où l'intérêt d'avoir une alimentation pauvre en lipides et d'augmenter son activité physique. Cela dit, une perte de poids rapide peut, paradoxalement, provoquer la formation de calculs biliaires chez certains sujets. Il est donc préférable de maigrir progressivement.

L'ABLATION DE LA VÉSICULE

L'ablation de la vésicule biliaire est le moyen le plus radical de se débarrasser des problèmes. Cela dit, une fois la vésicule retirée, il n'y a plus de réservoir pour la bile, ce qui peut affecter l'absorption des lipides. Il est donc conseillé de suivre un régime pauvre en lipides.

Un plat sain et riche en fibres Cette salade au thon et aux haricots est un plat sain, peu gras et riche en fibres, idéal pour prévenir la formation de calculs biliaires.

L'intolérance au lactose

La lactase est une enzyme chargée de dégrader le lactose – c'est-à-dire le sucre naturellement présent dans le lait et les produits laitiers – dans l'intestin pour le transformer en glucose et en galactose, qui passent alors facilement dans le sang.

Vérifier les ingrédients En cas d'intolérance au lactose, il est essentiel de lire attentivement les étiquettes et de repérer les aliments susceptibles d'en contenir.

Si cette enzyme est absente ou insuffisante, le lactose, non digéré, fermente, provoquant des symptômes douloureux comme des ballonnements et des spasmes abdominaux, des diarrhées et des vomissements. Cette maladie n'existe pas chez les enfants et se développe en général au cours de l'adolescence ou à l'âge adulte. Le seul moyen de soulager les symptômes est d'adapter son alimentation.

ÉVITER LE LACTOSE

Certaines personnes peuvent se contenter de diminuer leur consommation d'aliments contenant du lactose (le lait et les produits laitiers) pour voir disparaître les symptômes, tandis que d'autres seront malades en n'en consommant qu'une quantité minime. Ceux qui ne tolèrent absolument pas le lactose peuvent se procurer des enzymes (lactase) qui les aideront à digérer les aliments contenant du lactose qu'ils auront pu ingérer.

LIRE LES ÉTIQUETTES

Si vous souffrez d'intolérance au lactose, vérifiez toujours attentivement la composition des produits alimentaires. On peut trouver des traces de lactose dans le pain, les céréales, les biscuits, la margarine, les viandes cuites, les sauces de salades, les soupes, les sucreries et bien d'autres aliments.

LE SOJA COMME ALTERNATIVE

Il existe du lait sans lactose, mais certaines personnes ne le digèrent pas non plus. Dans ce cas, le lait de soja est une alternative saine et nutritive. Goûtez le lait de soja sous ses différentes formes jusqu'à trouver celui qui vous conviendra le mieux.

LES CARENCES EN CALCIUM

Les produits laitiers étant une source importante de calcium, indispensable à la santé des os, il est important de trouver d'autres sources de calcium lorsqu'on souffre d'une intolérance au lactose. Le calcium est naturellement présent dans les dérivés du soja, le saumon en conserve, les légumes à feuilles vertes *(voir p. 63)*. Afin de prévenir des carences, on peut également prendre de 800 à 1 200 mg en complément.

La maladie de Crohn et la colite ulcérative

Les personnes souffrant de troubles inflammatoires intestinaux, comme la maladie de Crohn ou la colite ulcérative, n'absorbent pas les nutriments et risquent des carences et la sous-nutrition.

LE PLEIN DE NUTRIMENTS

Si vous êtes atteint de troubles inflammatoires intestinaux, assurez-vous que votre alimentation couvre vos besoins nutritionnels. Au besoin, consultez un nutritionniste qui vous aidera à trouver comment vous nourrir malgré votre incapacité à absorber correctement les nutriments. Les symptômes de ces troubles sont nausées, diarrhées et douleurs abdominales qui se manifestent au moment des repas et qui, souvent, coupent l'appétit. Dans la maladie de Crohn, l'inflammation de l'intestin peut provoquer une prolifération de bactéries. Si le sujet a, de plus, déjà été opéré et privé d'une partie de son intestin, l'absorption des nutriments s'en trouvera doublement entravée. Les personnes ayant subi une telle opération ont souvent des difficultés à digérer les lipides. Si l'on ajoute à cela des crises fréquentes de diarrhée, c'est même la croissance et le développement qui risquent d'être perturbés.

Il est essentiel d'augmenter sa consommation de protéines – viande maigre, volaille, poisson gras et légumineuses *(voir p. 84-85)* –, car les troubles inflammatoires intestinaux augmentent les sécrétions d'un liquide très riche en protéines à travers les parois enflammées de l'intestin.

LES ALIMENTS PROTECTEURS

De nombreux aliments permettent de prévenir et de soulager les symptômes gênants de ces maladies.
- Les glucides complexes *(voir p. 46-47)*, que l'on trouve dans les céréales complètes, les légumes et les fruits contiennent des fibres bénéfiques au transit intestinal. Si vous avez des gaz, prenez un complément alimentaire.
- Buvez beaucoup d'eau et évitez les boissons caféinées. Le thé vert est également bénéfique.
- Consommez des acides gras oméga-3, présents dans les graines de lin, l'huile de colza, le soja et les poissons gras.
- La sauge peut également être utile.

LES ALIMENTS À ÉVITER

Les aliments qui provoquent les symptômes sont, le plus souvent l'alcool, la caféine, le sucre, certains fruits (raisin, ananas) qui peuvent causer des inflammations ; les aliments contenant du gluten (tous les aliments contenant du blé, l'avoine, l'orge) ; le lait et ses dérivés : les aliments allergènes (les œufs, le soja, les cacahouètes) ; les légumes de la famille des brassicacées (les choux, les choux de Bruxelles et les brocoli).

LES COMPLÉMENTS

On conseille aux personnes atteintes de la maladie de Crohn ou de colite ulcérative de prendre un complément multivitaminé, car les carences en vitamines liposolubles (A, D, E, K) ainsi qu'en vitamines B9 et B12 sont courantes. Les patients prenant de la sulfasalazine doivent prendre de la vitamine B9 dont l'absorption est inhibée par ce médicament. Certains ont besoin d'injections de vitamine B12. Une diarrhée persistante nécessite une supplémentation en zinc et en magnésium.

Recette Truites à la sauge

INGRÉDIENTS

2 truites fraîches vidées et nettoyées

1 bouquet de sauge fraîche

2 citrons

poivre noir fraîchement moulu

3 cuil. à s. d'huile d'olive

Pour 2 personnes

1 Préchauffez le four à 180 °C (th. 4). Préparez deux feuilles de papier sulfurisé ou d'aluminium.

2 Farcissez les poissons avec la sauge, assaisonnez-les avec le jus d'un des citrons et le poivre et déposez-les sur le papier.

3 Coupez l'autre citron en quartiers et déposez-les autour des truites. Aspergez d'huile d'olive.

4 Refermez le papier en papillote autour de chaque truite. Faites cuire pendant environ 35 minutes.

5 Sortez délicatement les poissons du papier. Décorez avec la sauge. Vous pouvez accompagner ces truites de pommes de terre nouvelles et de haricots verts vapeur.

Valeur nutritionnelle (par portion)

Cal. 316, lipides 22 g (sat. 2 g, poly. 1,5 g, mono. 12 g), cholestérol 10 mg, protéines 29 g, glucides 2 g, fibres 0,5 g, sodium 84 mg ; bonne source de vitamine A et de Ca, K, Mg, P.

Les maladies diverticulaires

La diverticulose est la présence de petites poches, appelées diverticules, sur la paroi du côlon et qui apparaissent lorsque des parties de l'intestin forment une excroissance. Ce phénomène est aggravé par la constipation qui exerce une pression supplémentaire sur le côlon.

Il arrive qu'une ou plusieurs de ces diverticules s'enflamment – on parle alors de diverticulite. Cette affection peut être traitée par une alimentation adaptée.

PRÉVENIR LA DIVERTICULOSE

La diverticulose est très répandue chez les personnes âgées. Elle peut s'accompagner ou non de symptômes, parmi lesquels des spasmes intestinaux, des ballonnements et un transit irrégulier, mais sans fièvre ni infection.

Prévenir et traiter la diverticulose par l'alimentation consistent à augmenter la quantité de fibres ingérées, afin d'hydrater les selles, d'améliorer le transit intestinal et de prévenir la constipation, qui tend à aggraver les symptômes.

Les spécialistes recommandent de consommer au moins 18 g de fibres alimentaires par jour. Il faut donc veiller à manger une quantité suffisante de

MENU TYPE RICHE EN FIBRES

Petit déjeuner
- Muesli, fruits et toast complet (voir p. 219)

Déjeuner
- Patate douce au four et roquette
- Orange
- Verre de lait demi-écrémé

Dîner
- Poêlée de poulet et légumes, riz complet
- Pomme cuite et yaourt à la vanille

En-cas
- 6 ou 7 abricots secs
- Yaourt écrémé aux fruits

MENU TYPE PAUVRE EN FIBRES

Petit déjeuner
- Riz soufflé avec du lait demi-écrémé et une banane
- Verre de jus de pomme

Déjeuner
- Omelette jambon avec une biscotte
- Pomme cuite
- Eau ou lait demi-écrémé

Dîner
- Gratin de pâtes au thon et fromage râpé allégé
- Mousse au chocolat allégée

En-cas
- Yaourt écrémé à la vanille
- Galettes de riz et gelée de fruits

fruits, de légumes et de céréales complètes (voir p. 48-49).

Si vous souffrez de diverticulose, vous avez également intérêt à boire beaucoup d'eau (au moins 2 litres). Un régime riche en fibres et une bonne hydratation sont de bons moyens d'éviter la constipation. Or, l'excrétion difficile des selles exerce une pression sur l'intestin et tend à entraîner la formation de nouveaux diverticules et à aggraver les symptômes.

Un plat pauvre en fibres Les personnes atteintes de diverticulite pourront manger sans danger ce gratin de pâtes au thon recouvert de fromage râpé.

UN RÉGIME PAUVRE EN FIBRES

La diverticulite est une infection ou une inflammation aiguë des diverticules, qui gonflent quand une partie des déchets à évacuer se coince dans l'un d'eux. Elle s'accompagne de douleurs abdominales, de fièvre, de nausées et dure une semaine.

Lorsqu'une personne atteinte de diverticulose développe une diverticulite, il faut qu'elle modifie son alimentation et qu'elle remplace son régime riche en fibres par un régime pauvre en fibres, qui facilite le passage des selles dans la partie du côlon qui est enflammée et rétrécie.

Il est également conseillé de se nourrir d'aliments mous, c'est-à-dire faciles à mâcher, tels que les soupes, les purées de légumes, les pâtes bien cuites ou les bananes. Après la guérison, les patients peuvent reprendre progressivement une alimentation riche en fibres.

LES OLÉAGINEUX

Dans le passé, les médecins recommandaient d'éviter les graines et les fruits oléagineux (amandes, noix…) de peur qu'ils ne se logent dans les diverticules et ne provoquent une inflammation. Cela dit, cette théorie n'a pas été vérifiée. Il semble donc que l'on puisse manger des graines et des fruits oléagineux, bénéfiques en cas de diverticulose car ils sont riches en fibres. Le seul cas où il faut les éviter est la présence de sang dans les selles.

Une assiette pleine de fibres Cette patate douce, servie avec de la roquette, constitue un plat nutritif, facile à préparer et bénéfique dans le traitement de la diverticulite.

L'alimentation sans gluten

La maladie cœliaque se manifeste par une réaction au gluten qui empêche l'absorption correcte des aliments. Le gluten est une protéine que l'on trouve dans le blé, le seigle, l'orge ou l'avoine. Le seul traitement possible est d'éliminer à vie les aliments contenant du gluten. Dès lors, les symptômes dispa-raissent très rapidement (dès le premier jour), et on évite d'éventuelles complications. Le tableau présenté ci-dessous peut servir de base. Vérifiez les étiquettes, car on trouve du gluten dans de nombreux produits alimentaires, même dans des protéines végétales hydrolysées (PVH).

ALIMENTS	ALIMENTS AUTORISÉS	ALIMENTS NON AUTORISÉS
Pains, pâtes, céréales, riz et graines	Pain et pâtes à la farine de maïs, riz, soja, amidon de maïs, farine de pomme de terre, de haricots, tapioca, son de riz, sorgo, quinoa, aliments à base de riz ou de maïs	Pains, pâtes et tous les produits alimentaires contenant du blé, du seigle, de l'orge, de l'avoine, son de blé, amidon de blé, semoule, couscous
Fruits et légumes	Fruits et légumes frais, surgelés et en conserve (mais attention aux émulsifiants et aux agents stabilisateurs)	Recettes industrielles aux fruits et aux légumes (lire les étiquettes)
Produits laitiers	Lait, crème, babeurre, yaourt, fromage, fromage à tarti-ner, fromage industriel	Certains produits laitiers industriels – milk-shakes, fromages (lire les étiquettes)
Protéines	Viande, volailles et poissons frais ; légumineuses ; oléa-gineux ; tofu	Viandes cuites, saucisses et jambon ou thon en conserve pouvant contenir des PVH
Matières grasses	Beurre, margarine, huiles végétales	Graisse de rognon, sprays contenant de l'alcool de grain
Alcool	Vin, vodka, rhum, tequila, saké	Bières, alcools de grain, la plupart des liqueurs
Mélanges	Soupes maison ; sauce de soja sans blé ; vinaigre de vin ou de fruits	Soupe industrielle, bouillon en tablettes, sauce de soja, vinaigre blanc de céréales

Recette Poivrons farcis au quinoa

115 g de quinoa

1 oignon

2 gousses d'ail

1 courgette

85 g de pois chiches cuits

1 citron

4 poivrons

Pour 4 personnes

1 Faites cuire le quinoa selon les indications de l'emballage. Lorsqu'il est cuit, réservez-le au chaud pendant 15 minutes.

2 Préchauffez le four à 200 °C (th. 6). Pelez et émincez les oignons, écrasez l'ail et coupez la courgette en dés. Faites chauffer un peu d'huile dans une poêle et faites revenir les légumes jusqu'à ce qu'ils soient tendres. Ajoutez le quinoa, les pois chiches, 1 cuillerée à soupe de jus de citron et du poivre noir fraîchement moulu.

3 Décalottez et épépinez les poivrons. Farcissez-les de la pré-paration au quinoa et remettez la calotte. Disposez les poivrons farcis dans un plat, arrosez d'huile et enfournez.

4 Faites cuire les poivrons pen-dant environ 45 minutes, jusqu'à ce qu'ils soient tendres et légè-rement grillés.

Valeur nutritionnelle (par portion)
Calories 219, lipides 2,5 g (sat. 0,3 g, poly. 1,1 g, mono. 0,6 g), cholestérol 0 mg, protéines 8,4 g, glucides 46 g, fibres 4 g, sodium 71 mg ; bonne source de vitamines A, B9, C et de Ca, K, Mg, P.

Les affections urinaires

L'appareil urinaire
débarrasse
l'organisme
de ses déchets.

L'appareil urinaire comprend les reins, la vessie, les uretères, qui relient chaque rein à la vessie, et l'urètre, canal excréteur de l'urine qui part de la vessie et aboutit à l'extérieur du corps.

Le rôle des reins

La fonction principale des reins est de débarrasser l'organisme de ses déchets et de l'excès de liquides (l'urine), d'assurer l'équilibre de certaines substances dans le sang (les sels, par exemple), de produire certaines hormones et de réguler la pression artérielle.

Chaque jour, les reins filtrent environ 190 litres de sang et produisent 2 litres de liquide et de déchets, le volume variant en fonction de la quantité d'aliments et de boissons que l'on a ingérés. Les déchets et le liquide produits forment l'urine, qui demeure dans la vessie en attendant d'être évacuée. Les déchets présents dans le sang

proviennent de la dégradation normale des tissus de l'organisme et des aliments ingérés. Si les reins ne sont plus capables de débarrasser le sang de ses déchets, ceux-ci s'accumulent dans le sang, et des problèmes surgissent.

Les problèmes

La plupart des affections rénales proviennent d'un dysfonctionnement dans le filtrage des reins.

On distingue les affections aiguës – comme certaines insuffisances rénales, qui peuvent être fatales – et les affections chroniques, un affaiblissement progressif de la fonction rénale.

Bien que le système urinaire soit conçu pour éviter au maximum les risques d'infections, celles-ci peuvent survenir, à cause de germes qui, en remontant l'urètre, vont infecter les reins.

Le système urinaire

Il est différent chez l'homme et chez la femme. Chez l'homme, l'urètre passe par la prostate. Chez la femme, la vessie est située sous l'utérus. La miction est contrôlée par les muscles situés à l'arrière de la vessie.

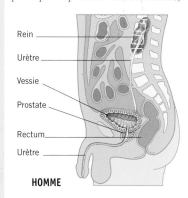

Rein
Urètre
Vessie
Prostate
Rectum
Urètre

HOMME

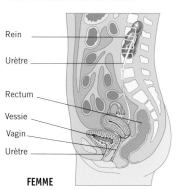

Rein
Urètre
Rectum
Vessie
Vagin
Urètre

FEMME

Les facteurs de risques

Voici une liste de facteurs de risques des maladies de l'appareil urinaire abordées dans ce chapitre :
L'hygiène de vie La chaleur peut être un facteur de risque de calculs rénaux si les sujets sensibles ne boivent pas suffisamment d'eau pour remplacer les liquides évacués par la sueur.
Le sexe et l'âge Environ 20 % des femmes sont atteintes d'infection urinaire au moins une fois dans leur vie. On n'en connaît pas toutes les raisons, mais cela est probablement dû à la petite taille de l'urètre : les microbes remontent plus rapidement vers la

vessie. Les calculs rénaux sont, eux, plus fréquents chez les hommes de type européen et âgés de vingt à quarante ans.
Les antécédents familiaux Vos risques d'avoir des calculs rénaux augmentent si un membre de votre famille a été atteint ou si vous-même en avez déjà eu.
Les autres facteurs Tout ce qui entrave le fonctionnement normal de l'appareil urinaire, comme un calcul rénal, est susceptible de provoquer une infection urinaire. C'est le cas de l'élargissement de la prostate qui ralentit l'excrétion de

l'urine. L'utilisation d'un diaphragme contraceptif rend aussi les femmes plus vulnérables. De même, les diabétiques, dont le système immunitaire se modifie, sont plus sujets aux infections.

Les personnes atteintes de colite ulcérative ou de la maladie de Crohn ou qui ont subi une iléocolostomie risquent d'avoir des calculs d'oxalate de calcium et peuvent suivre un traitement préventif.

Les insuffisances rénales sont fréquentes chez les diabétiques, les personnes qui souffrent d'hypertension ou qui ont déjà eu des infections rénales.

Les troubles de l'appareil urinaire

Les principales affections urinaires touchent les reins, la vessie ou l'urètre. Le rôle de l'appareil urinaire est essentiel puisqu'il maintient l'équilibre chimique du corps en éliminant les déchets et l'eau en excès.

L'une des affections les plus courantes est la formation de calculs rénaux qui sont des dépôts de calcium, d'oxalate, d'acide urique ou de citrate. Le risque de développer des calculs rénaux aug-

mente lorsqu'on ne boit pas suffisamment d'eau. L'insuffisance rénale est soit aiguë, soit chronique. Dans ce dernier cas, l'évolution de la maladie est si lente que les personnes atteintes ont du mal à s'en rendre compte.

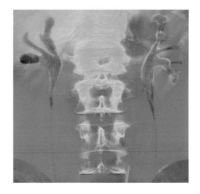

Un calcul rénal Cette image montre, en rouge, à gauche, un calcul qui s'est développé dans le rein droit.

TROUBLES	DESCRIPTION	QUE FAIRE ?
Infection urinaire	Une infection peut apparaître lors de l'irruption d'une bactérie, d'un champignon ou d'un virus dans l'appareil urinaire. Elle peut donner de la fièvre et des douleurs dans les reins.	• Boire beaucoup d'eau et du jus de canneberge. • Ne pas se retenir d'uriner.
Calculs rénaux	Les calculs sont les troubles les plus fréquents. Il s'agit de dépôts de cristaux provenant de l'urine et qui s'accumulent dans le rein. Ils s'évacuent, en général, d'eux-mêmes et ne nécessitent pas de médicaments autres qu'un traitement contre la douleur. Des mesures diététiques peuvent cependant éviter la récurrence du phénomène. Des calculs peuvent également se former dans la vessie.	• Maintenir le taux d'hydratation de l'organisme. • Maintenir sa consommation de calcium mais réduire celle d'oxalate. • Éviter les régimes protéinés. • Consommer des glucides complexes. • Consommer davantage de fruits et de légumes.
Insuffisance rénale	Il s'agit d'une lésion du rein qui l'empêche de filtrer et d'éliminer correctement l'eau et les déchets de l'organisme, qui finissent par s'accumuler dans le sang.	• Contrôler la tension et la glycémie. • Réduire les protéines et le sodium.

Les infections urinaires

Les infections urinaires, plus fréquentes chez les femmes que chez les hommes, sont dues à l'intrusion d'une bactérie, par le sang ou par l'urètre.

LA CONTAMINATION

Bien que pleine de déchets, de fluides et de sels, l'urine est stérile, c'est-à-dire qu'elle ne contient pas de germes. Si une bactérie se retrouve dans l'urine, c'est qu'il y a infection. Chez la femme, l'orifice urétral est proche de l'anus et du vagin, qui sont deux sources possibles de bactéries. De là, elles peuvent remonter le long de l'urètre jusqu'à la vessie, provoquant une cystite. Si l'infection n'est pas traitée, elle peut s'étendre aux reins et dégénérer en pyélonéphrite.

LE TRAITEMENT

Les symptômes – envie fréquente d'uriner, brûlure à la miction et inconfort généralisé – peuvent être soulagés en prenant quelques mesures simples :
• Buvez beaucoup d'eau.
• Buvez du jus de canneberge, anti-infectieux qui empêche les bactéries de se fixer sur les parois de la vessie.
• Ne vous retenez pas d'uriner.
• Essuyez-vous d'avant en arrière.
• Évitez les sprays pour l'hygiène intime.
• Prenez des douches plutôt que des bains.
  Si les symptômes persistent, le médecin vous prescrira des antibiotiques.

Le jus de canneberge Le jus de canneberge pur est un traitement curatif et préventif des infections urinaires.

Alimentation et calculs rénaux

Les calculs rénaux apparaissent lorsque l'urine est saturée en déchets, qui cristallisent, ou lorsque les composés chimiques qui empêchent la cristallisation en temps normal font défaut. Le plus souvent, les calculs contiennent du calcium et, soit du phosphate, soit de l'oxalate. Chez les goutteux, les calculs contiennent de l'acide urique *(voir p. 245)*.

On peut trouver dans l'alimentation les moyens de réduire les risques de formation des calculs et de prévenir la croissance de calculs existants.

L'HYDRATATION

La chose la plus urgente et la plus importante est de boire beaucoup d'eau, afin de diluer l'urine et donc de réduire la concentration des déchets susceptibles de s'agglutiner en calculs. Cette recommandation est encore plus valable lorsqu'il fait chaud et que l'organisme perd une grande partie de son eau par la sueur.

Cela dit, une consommation modérée d'alcool, de café et de thé peut diminuer les risques de formation des calculs, probablement à cause de l'effet diurétique de la caféine.

• En cas de calculs, il est recommandé de boire de 3 à 3,5 litres d'eau par jour.

LE CALCIUM

La présence de calcium dans les calculs n'est pas liée à la consommation élevée d'aliments riches en calcium. Il est important, au contraire, d'en consommer en quantité suffisante afin d'éviter la formation de calculs d'oxalate de calcium.
• En cas de calculs, il est conseillé de consommer de 600 à 800 mg de calcium par jour.

ÉVITER L'OXALATE

Les sujets sensibles doivent réduire leur consommation d'aliments riches en oxalate *(voir encadré à droite)* qui favorisent la formation de calculs d'oxalate de calcium.

Il vaut mieux également éviter de prendre des compléments de vitamine C, car cette vitamine peut être transformée en oxalate avant d'être évacuée par les reins *(voir p. 269)*.

LIMITER LES PROTÉINES ANIMALES

Les protéines animales sont acidifiantes et augmentent l'excrétion du calcium dans les urines. De plus, l'association des sulfates aux protéines alimentaires diminue la réabsorption du calcium par les reins. C'est pourquoi il vaut mieux limiter à 60-70 g par jour sa consommation de protéines d'origine animale (viande, volaille, poisson et œufs).

MOINS DE SEL

Une grande consommation de sel *(voir p. 221)* augmente l'excrétion du calcium dans les urines, donc le risque qu'il se transforme en calcul. Elle ne devrait pas excéder de 2 à 4 g par jour. Il convient donc d'éviter les aliments riches en sel, soit la plupart des aliments industriels. Vérifiez leur valeur nutritionnelle sur les étiquettes : un aliment est considéré comme riche

Boire de l'eau En cas de calculs rénaux, il est essentiel de boire de l'eau afin de diluer l'urine et de réduire la concentration et l'accumulation des substances incriminées.

en sodium s'il en contient plus de 400 mg par portion.

LES GLUCIDES COMPLEXES

Les personnes souffrant de calculs rénaux doivent réduire leur consommation de sucres simples et de produits alimentaires à base de farines raffinées (pain blanc, gâteaux, biscuits) au profit de céréales complètes (riz, pâtes et pain complets), à haute teneur en glucides complexes *(voir p. 46-47)*. Il est également recommandé de manger davantage de fruits et de légumes.

Éviter l'oxalate

Contrairement à une croyance répandue, les calculs rénaux, même s'ils contiennent du calcium, ne sont pas liés à une consommation excessive de ce sel minéral. Au contraire, une alimentation pauvre en calcium augmente l'absorption de l'oxalate, dont l'excrétion dans les urines favorise la formation de calculs d'oxalate de calcium chez les sujets sensibles.

La consommation d'oxalate dans l'alimentation a un impact fort sur la formation des calculs rénaux. C'est pourquoi, s'il n'est pas conseillé de manger moins de calcium, il est, en revanche, recommandé de réduire fortement sa consommation d'aliments riches en oxalate, dont les principaux sont répertoriés ci-dessous :
• Épinards
• Bettes
• Choux
• Persil
• Betterave
• Rhubarbe
• Thé
• Chocolat
• Cacao et boissons chocolatées
• Farine de caroube
• Oléagineux (entiers ou en purée)
Limitez la consommation de framboises, de céleri et de café instantané qui contiennent également un peu d'oxalates.

L'insuffisance rénale

L'insuffisance rénale est un dysfonctionnement d'un ou des deux reins. Les personnes souffrant de maladies rénales doivent suivre un régime alimentaire spécifique visant à réduire leur apport en protéines, sodium, phosphore ou potassium, en fonction des résultats des analyses de sang hebdomadaires.

Le médecin peut prescrire une dialyse, réalisée soit en filtrant le sang (hémodialyse), soit par l'injection d'une solution saline dans l'abdomen (dialyse péritonéale). Dans ces deux cas, le patient doit suivre très scrupuleusement un régime alimentaire riche en calories afin de prévenir une perte de poids et fondé sur les éléments détaillés ci-dessous.

MOINS DE PROTÉINES
Les personnes atteintes d'insuffisance rénale perdent leur capacité à éliminer l'urée, c'est-à-dire le produit de la dégradation des protéines dans l'organisme. C'est pourquoi elles doivent limiter leur consommation de protéines afin de minimiser l'accumulation de ces déchets riches en nitrogène dans le sang. La diminution de l'apport en protéines peut ralentir l'évolution de la maladie et reculer le moment où le traitement par dialyse devient inévitable. On recommande

aux patients atteints d'insuffisance rénale de consommer moins de 0,6 g de protéine par kilo de poids et par jour.

LES MATIÈRES GRASSES
Cela dit, l'insuffisance rénale augmentant les risques de sous-nutrition, il est important que les personnes atteintes aient un régime riche en calories. Elles peuvent donc augmenter leur consommation de lipides – mono et polyinsaturés – en veillant à ne pas augmenter leurs taux de cholestérol total et de LDL et en faisant régulièrement contrôler leur taux de lipides dans le sang (lipidémie).

LE SEL
Au fil de l'évolution d'une insuffisance rénale, les reins perdent leur capacité à éliminer le sodium. C'est pourquoi il faut limiter la consommation d'aliments riches en sel *(voir p. 221)* et maintenir l'apport en sodium à 2 000 à 3 000 mg par jour.

LE POTASSIUM
Plus la maladie progresse, plus il est préférable de limiter sa consommation de potassium à 2 000 à 3 000 mg par jour, surtout si l'on prend certains médicaments qui augmentent le taux de potassium dans le sang.

Peu de protéines Réduire sa consommation de protéines en mangeant des plats tels que ces pâtes aux légumes peut ralentir la progression de l'insuffisance rénale.

L'EAU
Les quantités de liquides qu'il faut boire en cas d'insuffisance rénale dépendent de la capacité d'élimination des reins. Tant que les reins éliminent autant que ce qui a été ingéré, l'équilibre est maintenu. Sinon, il vaut mieux réduire sa consommation de liquides afin de prévenir une rétention d'eau.

Une alimentation équilibrée

Les personnes atteintes d'insuffisance rénale doivent suivre un régime alimentaire très particulier afin de ralentir l'évolution de la maladie, de soulager les symptômes et de prévenir d'éventuelles carences. L'idéal est d'avoir recours aux services d'un nutritionniste.

Étant donné que ces personnes souffrent généralement d'autres affections, telles que le diabète, l'hypertension ou l'hypercholestérolémie, il est essentiel que leur régime alimentaire respecte l'équilibre nutritionnel, afin d'éviter l'amaigrissement et la malnutrition.

Il faut veiller à consommer suffisamment de calories, de matières grasses monoinsaturées, de vitamines et de sels minéraux, afin de maintenir un poids stable et sain. Puisque la

consommation de protéines est réduite, on peut compenser la perte calorique en consommant de bonnes graisses et en mangeant plus fréquemment.

COMPLÉMENTS ALIMENTAIRES
En raison des restrictions alimentaires qu'elles subissent, les personnes atteintes d'insuffisance rénale doivent prendre des compléments en vitamines B1, B2, B3, B6, B9, C et D, mais pas en vitamine A.

L'insuffisance rénale entraîne souvent une anémie, car les reins produisent moins d'érythropoïétine, une hormone indispensable à la production des globules rouges. L'anémie est alors soignée par un traitement à l'érythropoïétine et par une supplémentation en fer.

MENU DE L'INSUFFISANT RÉNAL

Petit déjeuner
- Œuf brouillé, toast de pain complet à la margarine
- Tranche de melon

Déjeuner
- Blanc de dinde sans sel, salade et pain complet
- Verre de citronnade

Dîner
- Spaghettis à la tomate ou aux fruits de mer sans sel
- Haricots verts
- Pomme cuite et yaourt écrémé

En-cas
- Crudités avec sauce allégée

Les os et les articulations

L'alimentation est cruciale dans la santé des os et des articulations.

Les os et les articulations constituent la structure du corps, protègent les organes internes et travaillent en conjonction avec nos muscles pour nous permettre de nous mouvoir. Il est essentiel de se nourrir correctement pour avoir des os solides et de pratiquer régulièrement de l'exercice afin de maintenir la santé des os et des articulations.

L'ostéoporose

L'ostéoporose, l'une des maladies des os les plus courantes, est un problème de santé majeur en France. Elle touche de 20 à 30 % des femmes ménopausées. Elle se manifeste par la détérioration progressive du tissu osseux qui rend les os plus fragiles et plus vulnérables face aux fractures. On estime à plus de 2 millions le nombre de femmes qui en sont atteintes.

La consommation de calcium est cruciale pour la formation et l'entretien des os (voir p. 62). L'organisme ne pouvant fabriquer lui-même ce minéral, il doit provenir de l'alimentation. Si l'on ne mange pas suffisamment d'aliments riches en calcium, les os se fragilisent.

La vitamine D est également indispensable à la santé des os (voir p. 57), dans la mesure où elle participe à l'absorption du calcium, tout comme les isoflavones du soja et d'autres œstrogènes (voir p. 144). Une carence en vitamine D contribue à la perte de densité osseuse.

Ostéomalacie et rachitisme

L'ostéomalacie est une maladie qui touche les adultes et se caractérise par des os mous. Sa principale cause est l'incapacité de l'organisme à absorber le calcium : carence alimentaire en vitamine D, manque d'exposition à la lumière du soleil, une mauvaise absorption de la vitamine D provoquée par une maladie cœliaque (voir p. 235) ou une opération de l'intestin. Les symptômes sont des douleurs dans le corps et une fragilité osseuse qui entravent la mobilité.

Chez les enfants, cette maladie porte le nom de rachitisme et provient d'une carence en vitamine D. Les nourrissons qui sont allaités pendant plus d'un an sans prendre de complément en vitamine D et les enfants privés de soleil ont plus de risques de développer la maladie.

Le rachitisme a pratiquement disparu en France, grâce, notamment, aux progrès en matière de nutrition.

Fibromyalgie et alimentation

La fibromyalgie est une maladie chronique très complexe des muscles. Elle se manifeste par des douleurs musculaires généralisées et par une mollesse dans tout le corps, une fatigue intense et un sommeil non réparateur.

L'efficacité d'un régime spécifique n'est pas prouvée scientifiquement, mais la douleur et la mollesse ressenties sont parfois soulagées par des compléments en hydroxyde de magnésium et en acide malique. De nombreux patients se tournent également vers des compléments en vitamines, magnésium et acides aminés ainsi que vers la phytothérapie.

L'articulation

L'articulation est ce qui relie les os entre eux, grâce au cartilage, et permet au corps de se mouvoir.

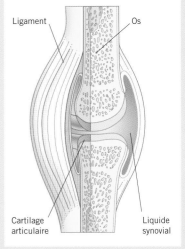

Ligament · Os · Cartilage articulaire · Liquide synovial

L'arthrite

Il existe plusieurs types d'arthrite, mais le terme se réfère en général à l'inflammation d'une ou de plusieurs articulations qui deviennent douloureuses, gonflent et se rigidifient. L'arthrite rhumatoïde est l'inflammation des articulations la plus répandue en France (300 000 cas). Elle peut s'étendre à d'autres tissus dans l'organisme, mais les articulations sont les plus touchées.

L'arthrose est aussi courante, notamment chez les personnes âgées de plus de soixante ans. Elle se manifeste par l'altération progressive du cartilage des articulations et parfois, par une inflammation des articulations, le plus souvent des mains, des genoux, de la colonne et des hanches.

La goutte est une autre forme d'arthrite. Elle affecte l'articulation située à la base du gros orteil. Elle est provoquée par l'excès d'acide urique dans le sang (hyperuricémie). On assiste à la formation de dépôts de cristaux d'acide urique sur l'articulation qui devient rouge, gonflée et molle. La crise de goutte s'accompagne parfois de fièvre.

Les sujets à risques

La masse osseuse des adultes est déterminée par la quantité d'os formée durant l'enfance et jusqu'à trente-trente-cinq ans, où elle est la plus importante. Elle est influencée par de nombreux facteurs, le plus important étant l'hérédité.

L'hygiène de vie Un régime pauvre en calcium et en vitamine D est le principal facteur de risques de maladies des os. L'excès d'alcool et de tabac, qui va souvent de pair avec une mauvaise alimentation et un manque d'exercice physique, aggravent les problèmes. La goutte est souvent liée à un régime alimentaire trop riche et à la consommation d'alcool.

L'âge Les affections des os et des articulations sont plus fréquentes à partir de quarante ans. L'arthrite rhumatoïde se manifeste souvent entre quarante et soixante ans, l'arthrose, entre soixante et quatre-vingts ans, et la goutte, entre quarante et cinquante ans chez les hommes, vers soixante ans chez les femmes. Les femmes asiatiques et européennes de plus de soixante-cinq ans sont les plus touchées par l'ostéoporose. Les femmes africaines, quant à elles, ont généralement une masse osseuse plus importante que celle des Européennes et sont moins sujettes à l'ostéoporose.

Le sexe L'ostéoporose est plus fréquente chez les femmes, car leur masse osseuse est, dès le départ, moins importante. Les femmes qui ont des grossesses rapprochées ou de nombreux enfants sont particulièrement exposées. La ménopause augmente les risques, car le taux d'œstrogènes, indispensables à la fixation du calcium, diminue à cette période. Les femmes ont deux fois plus de risques d'avoir de l'arthrite rhumatismale, mais la goutte touche vingt fois plus les hommes.

Les antécédents familiaux Les risques d'ostéoporose et de goutte augmentent avec les antécédents familiaux. Les risques d'ostéoporose sont plus grands chez les personnes dont la mère s'est cassé le col du fémur après cinquante ans.

Les affections osseuses et articulaires

Les affections du système musculo-squelettique sont relativement courantes. Elles comprennent des maladies plus ou moins graves, allant de la crise de goutte à l'arthrose, en passant par l'arthrite rhumatoïde. Les symptômes les plus courants sont la douleur et la difficulté de mouvement et peuvent être très handicapants dans la vie quotidienne. Les problèmes osseux et articulaires sont très fréquents, mais les gens en meurent rarement. Les traitements associent généralement les médicaments, la chirurgie, la diététique et la physiothérapie.

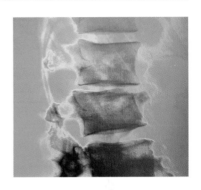

L'ostéoporose Cette vue montre le bas de la colonne vertébrale d'une personne atteinte d'ostéoporose. Les vertèbres se touchent et la douleur entrave la mobilité du patient.

TROUBLES	DESCRIPTION	QUE FAIRE ?
Ostéoporose	Perte de la densité osseuse qui fragilise les os et les rend vulnérables aux fractures. Comme il n'y a pas de symptômes, le diagnostic est souvent établi à la suite d'une fracture ou d'un tassement vertébral.	• Augmenter l'apport en calcium et vitamine D ; arrêter de fumer ; faire du sport.
Ostéomalacie	Ramollissement et affaiblissement des os chez l'adulte, dus à une mauvaise absorption du calcium.	• Augmenter l'apport en vitamine D. • 20 à 30 minutes de soleil par jour.
Rachitisme	Responsable de retards de croissance, de malformations articulaires, d'inflammation de l'extrémité des os, cette maladie infantile entraîne des malformations (jambes arquées, colonne).	• Augmenter l'apport en calcium et vitamine D. • 20 à 30 minutes de soleil par jour.
Arthrite rhumatoïde	Inflammation de la membrane synoviale qui entoure les articulations, provoquant douleur, raideur et enflement, et pouvant entraîner des déformations articulaires.	• Alimentation riche en micronutriments. • Faire du sport.
Arthrose	Dégénérescence du cartilage situé à l'extrémité des os qui provoque douleur, enflement et raideur dans les genoux et les hanches.	• Faire du sport. • Maigrir le cas échéant.
Goutte	Dépôts de cristaux d'acide urique sur les articulations, le plus souvent à la base du gros orteil, provoquant une inflammation douloureuse.	• Éviter les purines *(voir p. 245)*. • Limiter l'alcool.

L'ostéoporose

L'ostéoporose est une maladie des os courante, qui se manifeste par la détérioration du tissu osseux et la fragilité des os. Elle est en passe de devenir un véritable fléau dans les pays industrialisés. Il est néanmoins possible de ralentir l'évolution de la maladie en procédant à quelques modifications dans son hygiène de vie.

Le calcium Le corps ne produit pas de calcium, mais en dépense chaque jour. D'où l'intérêt d'augmenter sa consommation d'aliments riches en calcium *(voir ci-dessous)*.

La vitamine D Cette vitamine permet non seulement l'absorption du calcium dans l'organisme, mais aussi sa fixation sur les os *(voir p. 57)*. C'est pourquoi il est essentiel de consommer suffisamment de vitamine D et de s'exposer régulièrement au soleil.

Le tabagisme Les fumeurs ont une densité osseuse inférieure à celle des non-fumeurs. Arrêter de fumer, même tard, permet de limiter la perte osseuse, d'autant que les fumeurs ont tendance à boire davantage d'alcool et à faire moins de sport. Les femmes suivant un traitement hormonal de substitution sont mieux protégées contre l'ostéoporose, sauf si elles fument, car le tabac a un effet antiœstrogénique.

L'alcool Les alcooliques sont davantage sujets aux fractures et à la perte osseuse, à la fois parce qu'ils ont une mauvaise hygiène de vie et qu'ils font davantage de chutes.

L'exercice régulier L'activité physique aide à augmenter la masse osseuse et à réduire la perte de densité, en particulier la marche, la danse et le soulèvement de poids.

Mesurer la densité osseuse

Le scanner Dexa (ostéodensitométrie) est l'instrument le plus utilisé et le plus fiable pour mesurer la densité osseuse de la colonne vertébrale et des extrémités. L'examen dure quelques minutes, puis on compare les résultats avec les chiffres d'une personne plus jeune et d'une personne du même âge que le patient et dont la densité osseuse est normale (en tenant compte de la perte osseuse physiologique). Les risques d'ostéoporose sont accrus chez les personnes prenant des médicaments tels que les stéroïdes, chez les femmes atteintes d'aménorrhée ou qui sont ménopausées très tôt et les personnes souffrant de maladies inflammatoires intestinales. Si vous vous trouvez dans l'un de ces cas, allez passer cet examen.

Consommer davantage de calcium

Le calcium est vital pour la formation et pour la solidité des os. Il est essentiel d'augmenter votre consommation de calcium si vous êtes atteint d'ostéoporose ou si vous êtes un sujet à risque.

L'apport journalier conseillé en calcium est de 350 mg pour les enfants entre un et trois ans, 450 mg de quatre à six ans, 550 mg de sept à dix ans, 1 000 mg pour les garçons de onze à dix-huit ans, 800 mg pour les filles du même âge et 900 mg pour les adultes. Les personnes atteintes d'ostéoporose peuvent augmenter leur consommation de calcium jusqu'à 1 200 mg par jour.

LES SOURCES DE CALCIUM

Le calcium est mieux assimilé s'il est contenu dans l'alimentation que s'il est consommé sous forme de complément. Il est naturellement présent dans le lait et ses dérivés, mais aussi dans les légumes verts (épinards, brocoli), les poissons en conserve dont on mange les arêtes, le tofu, les abricots secs et les figues. Il est donc relativement facile de composer des repas riches en calcium, comme le prouve l'expérience illustrée ci-contre.

Pauvre en calcium
Bien que sain par ailleurs, ce repas composé d'une soupe à la tomate, d'un sandwich thon-tomates, d'une poire et d'un verre d'eau ne contient que 94 mg de calcium.

Riche en calcium
Un bol de soupe de brocoli au fromage râpé, un sandwich au cresson et au saumon en conserve, des figues sèches et un verre de lait écrémé fournissent 821 mg de calcium.

L'ostéomalacie et le rachitisme

L'ostéomalacie et le rachitisme sont la conséquence d'une carence en vitamine D *(voir p. 57)*, chez l'adulte (ostéomalacie) ou chez l'enfant (rachitisme).

LA VITAMINE D

Les carences en vitamine D sont provoquées, soit par une trop faible consommation d'aliments en contenant, soit par une faible exposition au soleil. Le soleil permet, en effet, de synthétiser la vitamine D, c'est-à-dire de la transformer afin que l'organisme puisse l'utiliser. Les sources naturelles de vitamine D sont l'huile de foie de morue, le jaune d'œuf, le saumon et les sardines en conserve (dont on mange les arêtes), le hareng, les légumes à feuilles vertes et le tofu. Certains aliments industriels sont parfois enrichis.

Il n'existe pas d'ANC en vitamine D pour les personnes ayant un mode de vie normal et de moins de soixante-cinq ans. En revanche, on conseille aux personnes qui ne sortent pas ou qui ont plus de soixante-cinq ans d'en consommer 10 µg par jour.

L'arthrite rhumatoïde

Le traitement de l'arthrite rhumatoïde varie en fonction du degré d'évolution de la maladie. Le traitement initial vise à réduire l'inflammation en essayant d'atténuer les effets secondaires. La présence d'autres maladies, telles que les affections hépatiques ou rénales, influence le type de traitement. Dans certains cas, on peut avoir recours à la chirurgie.

UNE ALIMENTATION SAINE

Les personnes atteintes d'arthrite rhumatoïde n'ont souvent pas une alimentation correcte, car la maladie leur fait perdre l'appétit. De plus, certains médicaments utilisés dans le traitement contre cette affection requièrent un apport supplémentaire en nutriments ou réduisent leur absorption.

Comme dans le cas de l'arthrose *(voir p. 245)*, il est conseillé aux personnes en surpoids ou obèses de perdre du poids afin de ne pas aggraver l'état de leurs articulations. Dans tous les cas, il faut veiller à avoir une alimentation variée et équilibrée.
• La vitamine E *(voir p. 58)* est importante pour la santé des articulations. On la trouve dans les huiles, le poisson, les oléagineux (noix et graines).
• Consommez des aliments sources de vitamines du groupe B *(voir p. 53-56)*, de vitamine D *(voir p. 57)*, de calcium *(voir p. 62)*, de fer *(voir p. 66)* et d'acides gras oméga-3 *(voir p. 90)*.
• Ayez une alimentation riche en antioxydants *(voir p. 20)*.

LA DENSITÉ OSSEUSE

L'arthrite rhumatoïde entraîne une détérioration du tissu osseux qui peut conduire à l'ostéoporose *(voir p. 241)*. La perte osseuse est d'autant plus rapide que la personne atteinte d'arthrite rhumatoïde est handicapée et n'exerce plus d'activité sportive. Les stéroïdes accélèrent également ce phénomène, notamment chez les femmes ménopausées.

La perte osseuse peut être combattue en consommant suffisamment d'aliments riches en calcium et en vitamine D (ou en prenant des compléments).

EXERCICE ET MOUVEMENT

La douleur et la raideur que provoque l'arthrite rhumatoïde incitent les malades à ne plus se servir des articulations touchées. Or, cela ne peut que faire empirer la situation, car les articulations perdent leur mobilité et leur stabilité, et les muscles s'affaiblissent. L'exercice peut prévenir et contrer ce phénomène. Il est préférable de s'adresser à un spécialiste qui mettra au point avec vous un programme adapté à votre forme physique et au stade de votre maladie.

Les sardines Très riches en calcium, en vitamines du groupe B, en fer et en acides gras oméga-3, les sardines sont un moyen facile et nutritif de combattre l'arthrite rhumatoïde.

Les oméga-3 et l'arthrite rhumatoïde

Des études ont montré que des personnes traitées avec des compléments d'huile de poisson pendant trois à quatre mois ont vu diminuer le nombre de leurs articulations atteintes.

On pense que les acides gras oméga-3, naturellement présents dans les huiles de poisson et dans certaines huiles végétales *(voir p. 90)*, pourraient réduire l'inflammation et soulager les symptômes gênants de l'arthrite rhumatoïde en diminuant le nombre de molécules proinflammatoires de l'organisme.

Il est conseillé de prendre de fortes doses d'acides gras oméga-3, mais sous contrôle médical afin d'éviter les interactions avec des médicaments ou certains effets secondaires. Si vous souffrez d'arthrite rhumatoïde, essayez de manger des poissons gras tels que le thon, le saumon ou le maquereau, riches en oméga-3, au moins deux fois par semaine.

Arthrite et alimentation

Selon certaines théories, éliminer de son alimentation certains aliments tels que la tomate, la pomme de terre ou le poivron, prendre des compléments alimentaires ou du miel, du vinaigre ou des plantes, soulagerait l'arthrite. Mais ces théories n'ont pas été scientifiquement prouvées, sauf dans le cas de la goutte où le régime a une grande influence.

Les régimes alimentaires à teneur réduite en graisses saturées ou riches en acides gras oméga-3 semblent cependant avoir un effet anti-inflam-

matoire, mais il n'est pas certain qu'ils soient efficaces dans le traitement de l'arthrite. Ce n'est donc pas la peine de vous acharner à avaler de grandes quantités d'huile de foie de morue.

Certains pensent que les régimes détoxifiants ont une utilité certaine, mais nous ne sommes pas sûrs de leur intérêt à long terme. Il faut, en tout cas, veiller à ne pas manquer de nutriments pour ne pas aggraver son cas.

LA GLUCOSAMINE

Il semble que la glucosamine, prise à certaines doses (1 500 mg par jour), soulage la douleur causée par l'arthrose. Des études sont en cours afin de déterminer si ce complément aide à préserver ou à régénérer les cartilages endommagés. La glucosamine doit être prescrite par un médecin et complètement évitée en cas de gros-

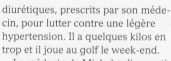

Une tartine de fromage frais Les personnes souffrant d'arthrite doivent consommer des aliments riches en calcium, mais non gras pour ne pas prendre de poids.

sesse ou d'allaitement, car elle affecte l'action de l'insuline dans l'organisme et peut provoquer des désordres digestifs ou des réactions allergiques. On étudie également l'effet de la chondroïtine S-adénosylméthionine, du sulfate, du zinc et du cuivre.

QUELQUES CONSEILS

Si vous souffrez d'arthrite et avez l'impression que la consommation de certains aliments aggrave la maladie, essayez de tenir un journal pendant quelques semaines, sur lequel vous noterez tout ce que vous mangez et buvez, puis consultez votre médecin. Si vous supprimez un aliment, veillez à lui trouver une alternative sur le plan nutritionnel. Faites en sorte d'avoir une alimentation saine, pauvre en graisses et en sucre, et équilibrée. Vous pouvez également appliquer les quelques conseils ci-dessous :

- Évitez les régimes stricts.
- Consommez du calcium.
- Buvez beaucoup d'eau.
- Surveillez votre poids.
- Limitez votre consommation d'alcool.

Exemple Une crise de goutte douloureuse

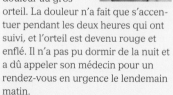

Son nom Michel

Son âge 62 ans

Son problème
Michel s'est réveillé une nuit, avec une douleur au gros orteil. La douleur n'a fait que s'accentuer pendant les deux heures qui ont suivi, et l'orteil est devenu rouge et enflé. Il n'a pas pu dormir de la nuit et a dû appeler son médecin pour un rendez-vous en urgence le lendemain matin.

Son mode de vie Michel est chef cuisinier dans un petit restaurant. Il est debout de dix à douze heures par jour. La douleur qu'il ressent à l'orteil risque de l'empêcher d'aller travailler. Il prend des médicaments

diurétiques, prescrits par son médecin, pour lutter contre une légère hypertension. Il a quelques kilos en trop et il joue au golf le week-end.

Le médecin de Michel a diagnostiqué une crise de goutte et lui a prescrit des anti-inflammatoires. Il lui a conseillé de ne pas reposer sur son pied pendant cinq à sept jours et de reprendre rendez-vous pour trouver le moyen de prévenir d'autres crises. Il lui a recommandé d'éviter les aliments riches en purines (voir p. 245).

Lors de sa deuxième visite, le médecin lui a expliqué le lien entre la goutte et une alimentation trop riche et trop arrosée. Le traitement hypotenseur a été suspendu, car les diurétiques peuvent aggraver la goutte. Le médecin compte vérifier le taux d'acide urique et de choles-

térol LDL de Michel. La goutte, en effet, révèle parfois la présence du syndrome métabolique, qui expliquerait son léger surpoids et son hypertension (voir p. 214).

Nos conseils Michel peut prévenir une crise de goutte ultérieure en réduisant sa consommation d'alcool et d'aliments riches en purines. Il est important qu'il perde du poids, mais très progressivement, car un amaigrissement trop rapide peut être à l'origine de crises de goutte. De même, la consommation d'alcool aggrave le phénomène, et certaines bières contiennent même des purines. Michel va devoir augmenter nettement sa consommation d'eau, afin de diluer ses urines et d'éviter la formation de calculs d'acide urique.

L'activité physique et l'arthrose

Les personnes qui pratiquent une activité physique régulière pour contrôler leur poids et améliorer l'arthrite souffrent moins que les personnes inactives.

LES BIENFAITS DE L'EXERCICE

Non seulement le surpoids augmente les risques de développer de l'arthrose, mais il accentue la pression exercée sur les articulations des hanches, des genoux et de la colonne vertébrale, qui sont déjà mises à rude épreuve par la maladie. C'est pourquoi l'activité physique est bénéfique aux personnes en surpoids souffrant d'arthrose.

Il faut faire des exercices d'étirements

Prendre soin de ses articulations Les activités aquatiques permettent de se muscler, d'améliorer sa souplesse et de maintenir sa ligne sans exercer de pression sur les articulations.

afin de réduire la raideur des articulations et d'augmenter leur souplesse. Les exercices de musculation sont importants, car ils maintiennent la masse et la force musculaires et permettent également d'augmenter la densité osseuse. De plus, avoir des muscles forts favorise la stabilité des articulations. Enfin, les exercices cardio-vasculaires aident à perdre du poids.

LES DIFFÉRENTS EXERCICES

Si vous commencez une activité physique, faites-le progressivement pour ne pas forcer sur les articulations. Les activités aquatiques sont particulièrement indiquées, car le poids du corps est supporté par l'eau. Les exercices comme la marche ou le tai-chi sont également bénéfiques et faciles à intégrer dans la vie de tous les jours.

La goutte et l'alimentation

La goutte est une forme d'arthrite très douloureuse, qui touche, en général, la base du gros orteil. Les crises sont déclenchées par un excès d'acide urique dans le sang, qui entraîne l'accumulation de cristaux d'acide urique sur les tissus des articulations. Le traitement consiste à contrôler le taux d'acide urique dans le sang, à réduire ou à éliminer l'alcool et les médicaments (en particulier les diurétiques) et à perdre du poids si nécessaire.

LES PROTÉINES ET LES PURINES

Étant donné que les protéines et les purines contribuent à l'augmentation du taux d'acide urique dans le sang, il vaut mieux les éliminer de son alimentation si l'on souffre de la goutte. La bière est à proscrire, car elle contient à la fois de l'alcool et des purines. Le lait, les œufs et le fromage ne contiennent pas de purines, mais des protéines et des lipides. Attention à ne pas en abuser si vous devez perdre du poids :
• Limitez ou éliminez l'alcool ; cessez, en particulier, de boire de la bière.

• Évitez les viandes riches en purines (foie, rognons, ris et cervelle).
• Évitez les concentrations de viande, comme le jus qui s'écoule à la cuisson.
• Ne mangez pas plus de 85 à 115 g de viande par jour.
• Évitez les aliments gras.
• Évitez les fruits de mer, les œufs de poisson et les poissons gras (anchois, hareng).
• Ne faites pas d'excès, ou alors occasionnellement. Diminuez les portions et partagez-les au restaurant.
• Mangez lentement.
• Pour perdre du poids, ne suivez pas de régime strict. Maigrissez progressivement.
• Buvez beaucoup d'eau.
• Ne prenez pas de complément en vitamine C.
• Faites de l'exercice régulièrement.
• Suivez votre traitement contre l'hypertension ou l'excès de cholestérol.

Des protéines sans purines Les œufs sont une excellente source de protéines pour les goutteux. Ils sont préparés ici en brick avec des poireaux et des pommes de terre.

Définition

Les purines Les purines sont un produit de la dégradation des protéines dans l'organisme. Elles augmentent le taux d'acide urique dans le sang. Aliments riches en purines : crabe, harengs, anchois, maquereaux, sardines, œufs de poisson, coquilles Saint-Jacques, gibier, abats, bouillon en tablettes, extraits de viande, asperges, chou-fleur, épinards et champignons.

Le diabète

Cette maladie peut être nettement améliorée par l'alimentation.

Le diabète est une maladie qui empêche le corps d'utiliser les glucides pour produire de l'énergie *(voir p. 46)*. Il survient si la concentration de glucose dans le plasma veineux est supérieure à 11,1 mmol par litre ou si la glycémie à jeun est supérieure à 7 mmol par litre.

Le rôle de l'insuline

Les glucides sont les plus grandes sources d'énergie pour l'organisme qui les transforme en glucose. Afin que le glucose puisse pénétrer les cellules, il faut de l'insuline, une hormone produite par le pancréas.

Il arrive que l'organisme ne parvienne pas à fabriquer suffisamment d'insuline ou qu'il ne puisse pas utiliser correctement l'insuline qu'il fabrique. Cette résistance à l'insuline fait augmenter le taux de glucose dans le sang. On sait désormais que l'insulinorésistance est liée à la fois à l'hérédité et à l'hygiène de vie.

L'insulinorésistance et l'excès de glucose dans le sang pouvant entraîner un diabète, la plupart des traitements contre le diabète consistent à restaurer et à maintenir un taux de glucose normal.

Une maladie courante

Le diabète est l'une des maladies chroniques les plus courantes dans les pays industrialisés et qui ne cesse de se développer. En France, il touche environ 3 % de la population, sans compter les cas qui s'ignorent.

L'alimentation des enfants Les enfants qui grignotent et ne pratiquent pas de sport augmentent leurs risques d'être en surpoids et de devenir diabétiques.

Les personnes à risques

Il est important de connaître les facteurs de risques afin de détecter le diabète le plus rapidement possible et d'éviter ses complications.

Les facteurs de risques généraux Faites contrôler votre taux de glucose dans le sang si vous êtes concerné par l'un des facteurs suivants :
- Des cas de diabète dans votre famille. Si un membre de votre famille a un diabète de type II, faites du sport et surveillez votre poids pour minimiser vos risques de développer la maladie.
- Un indice de masse corporelle (IMC) supérieur à 25 *(voir p. 26-27)*. Les personnes en surpoids sont sujettes à l'insulinorésistance (condition du diabète de type II), car l'excès de gras interfère avec l'action de l'insuline.
- Vous appartenez à un groupe ethnique à risques.
- Vous avez eu un diabète gestationnel pendant la grossesse.
- Vous souffrez d'hypertension.
- Votre taux de cholestérol HDL est inférieur à 1 mmol par litre (pour les hommes) ou à 1,4 mmol par litre (pour les femmes) ou votre taux de triglycérides est supérieur à 2 mmol par litre. Vous souffrez peut-être du syndrome métabolique *(voir p. 214)*. Consultez votre médecin.
- Votre taux de glucose était élevé lors d'une précédente analyse de sang.
- Vous êtes atteinte du syndrome polykystique ovarien.

L'âge Le risque de diabète augmente avec l'âge et est particulièrement élevé chez les plus de soixante-cinq ans. S'il y a des cas de diabète dans votre famille, parlez-en à votre médecin et faites vérifier votre glycémie à partir de quarante-cinq ans. Si les résultats sont normaux, refaites l'examen tous les trois ans. Les enfants doivent être contrôlés si :
- Ils sont concernés par au moins deux des facteurs suivants : un cas de diabète de type II dans leur famille, un groupe ethnique à risque, un signe d'insulinorésistance (le cou prend une coloration gris-brun).
- Leur IMC est situé dans la bande supérieure du graphique *(voir p. 113)*.

Le sexe Les risques sont accrus chez les femmes atteintes de syndrome polykystique ovarien. Les femmes en surpoids ou dont la famille comporte des diabétiques ont plus de risques de développer un diabète gestationnel que les autres. Le risque est également élevé chez celles qui ont déjà donné naissance à un bébé de plus de 4 kg, à un bébé mort-né, ou qui ont fait une fausse couche.

Le groupe ethnique Les personnes originaires d'Afrique, des Caraïbes et d'Asie du Sud vivant en Europe sont trois fois plus exposées que les Européens.

Le diabète de type I

Il correspond à un tiers des cas de diabète diagnostiqués et touche principalement les enfants et les individus de moins de trente ans. Il est également connu sous le nom de diabète insulinodépendant. Il est provoqué par la destruction des cellules du pancréas chargées de la fabrication de l'insuline. On le traite en faisant au sujet des injections d'insuline synthétique.

Privées d'insuline, les personnes atteintes de diabète de type I peuvent perdre du poids, se déshydrater, avoir faim, soif, des envies fréquentes d'uriner, un manque d'énergie, des nausées, des vomissements. Ce type de diabète peut aussi conduire à l'acidocétose (*voir encadré*).

Le diabète de type II

Le développement du diabète de type II, ou diabète non insulino-dépendant, est fortement lié à l'hygiène de vie. Il peut être ralenti ou retardé chez les sujets à risques, si ces derniers font davantage d'exer-cice physique, s'ils retrouvent un poids sain et le stabilisent, et s'ils améliorent leur régime alimentaire en mangeant davantage de fibres et moins de graisses (en particulier de graisses saturées).

Le diabète de type II représente la majorité des cas de diabètes en France. Il se manifeste essentielle-ment chez les adultes âgés de plus de quarante ans et souvent en surpoids. Cela dit, la situation est préoccupante puisque des cas de ce diabète apparaissent chez les enfants en surpoids.

Les symptômes surviennent lentement et ne sont pas évidents à reconnaître (certaines personnes se sentent simplement fatiguées). Lorsque la glycémie est élevée, les symptômes sont similaires aux symptômes du diabète de type I. Chez les personnes atteintes de diabète de type II, le pancréas continue de fabriquer de l'insuline, mais, dans certains cas, les patients ont besoin d'insuline supplémentaire pour maintenir la stabilité de leur taux de glucose.

Le diabète gestationnel

Ce type de diabète apparaît chez certaines femmes quand elles sont enceintes, car la grossesse entraîne l'augmentation, entre autres, de certaines hormones aux propriétés antiinsuliniques. Certaines peuvent recevoir de l'insuline mais, le plus souvent, l'alimentation et l'exercice physique parviennent à faire baisser la glycémie (*voir p. 141*).

Définition

L'acidocétose Lorsque les tissus ne peuvent utiliser le glucose, ils puisent de l'énergie dans les lipides, dont la dégradation produit des substances appelées corps cétoniques. Leur accumulation dans l'organisme provoque une acidocétose, qui peut entraîner la déshydratation, le coma ou la mort. Les symptômes sont : des douleurs abdominales, une respiration rapide, une haleine acétonique, faiblesse, confusion, stupeur et choc.

Vivre avec le diabète

Les maladies chroniques impliquent une certaine réorganisation de la vie quotidienne : un régime alimentaire particulier, la pratique d'une activité physique et souvent, un traitement médical.

LA VIE QUOTIDIENNE

En prenant ses responsabilités face au diabète, on peut améliorer sa qualité de vie, à court comme à long terme. Il est important de contrôler régulièrement ses taux de glucose, de cholestérol et de triglycérides et sa pression artérielle, afin d'éviter les complications de toute nature. De nombreux médecins encouragent leurs patients à prendre en charge leur diabète eux-mêmes, avec l'aide de leur famille. En plus de la prescription habituelle, certains spécialistes mettent à leur disposition des programmes de diététique et d'activité sportive. Vous pouvez aussi faire appel à un nutrition-niste qui vous aidera à mettre au point un régime personnalisé.

LE CONTRÔLE DE LA GLYCÉMIE

Les diabétiques peuvent contrôler leur taux de glucose à l'aide de bandelettes réactives ou d'un lecteur de glycémie. En effectuant ce contrôle quotidiennement, vous pouvez déterminer l'impact des aliments que vous consommez et de votre activité physique sur votre glycémie. Cela permet, le cas échéant, de modifier et d'adapter votre régime alimentaire afin d'avoir une glycémie la plus proche possible de la normale. Si vous devez recevoir des injections d'insuline, il est préférable de contrôler la glycémie trois ou quatre fois par jour. Si vous avez un diabète de type II et suivez un traitement médical, vérifiez-la, par analyse d'urine, plusieurs fois par semaine.

Consulter un nutritionniste Si vous êtes diabétique, un nutritionniste pourra vous aider à mettre en place un programme alimentaire sain et équilibré.

Un délicieux milk-shake En mixant des fruits avec du yaourt écrémé, vous obtiendrez une boisson rafraîchissante et saine.

Alimentation et diabète

L'alimentation peut aider à équilibrer la glycémie et à perdre du poids si besoin est.

Lorsque l'on est diabétique, l'objectif premier, du point de vue nutritionnel, est de faire revenir le taux de glucose dans le sang le plus près possible de la normale afin d'éviter tout risque de complication. En prêtant simplement attention à ce que vous mangez et au moment auquel vous le mangez, vous pouvez équilibrer votre glycémie, faire baisser votre tension et éviter l'hypoglycémie.

L'hyperglycémie
Ce terme désigne un taux élevé de glucose dans le sang. C'est précisément ce que les diabétiques essaient de contrôler. Une hyperglycémie grave peut survenir lorsqu'on mange un aliment très sucré ou lorsque l'organisme ne produit pas suffisamment d'insuline. Les symptômes de l'hyperglycémie sont la fatigue, la soif, ainsi qu'une excrétion excessive d'urine.

Le traitement
Il est à présent reconnu que le traitement du diabète par la combinaison d'un régime alimentaire adapté, du contrôle du poids et de la pratique d'exercices physiques, le tout sous la supervision d'un médecin qualifié, est efficace au point de permettre la suppression de certains médicaments.
   Par ce type de traitement, vous pourrez faire diminuer sensiblement votre taux d'hémoglobine HbA1c. Le contrôle de l'hémoglobine HbA1c permet d'apprécier le contrôle global de l'équilibre du glucose pendant les trois derniers mois et aide à suivre son évolution au fil du temps.

Une alimentation saine
Être diabétique ne signifie pas être condamné à suivre un régime strict, sans glucides ou sans sucre *(voir p. 250)*. Cela veut simplement dire que votre alimentation doit, plus que jamais, être saine et équilibrée.

Le poids
Le surpoids est un facteur de risque. Un organisme en surpoids ne peut pas fabriquer suffisamment d'insuline pour que le taux de glucose reste normal.
   Si un membre de votre famille a du diabète de type II et si vous êtes en surpoids, vous devez tout faire pour maigrir et stabiliser votre poids : la moindre perte de poids a une incidence sur l'insulinorésistance et sur le taux de glucose sanguin.

Les maladies cardio-vasculaires
Les diabétiques ont plus de risques de développer une maladie cardio-vasculaire que les autres *(voir p. 214-215)*. Il est important de manger moins de graisses saturées et, en cas d'hypertension, de réduire également votre consommation de sel *(voir p. 221)*.

Définition

L'hypoglycémie On parle d'hypoglycémie lorsque le taux de glucose dans le sang chute dangereusement vite. L'hypoglycémie est due à un excès d'insuline et se manifeste par une sorte d'ébriété, des mouvements irréguliers, un discours confus, des nausées et des sueurs, des vertiges, des maux de tête ou une certaine faiblesse. La consommation de n'importe quel type de glucide permet de relever le taux de glucose.

Que manger ?

Il est plus facile de contrôler et de stabiliser son taux de glucose lorsqu'on est conscient de ce que l'on mange. Si vous êtes diabétique, il est essentiel de prêter une attention particulière à votre consommation de glucides *(voir p. 250)*. Les fibres peuvent faire diminuer le taux de glucose sanguin et réduire votre besoin d'insuline.

LES PROTÉINES

En cas de diabète, il n'est pas nécessaire de modifier votre consommation de protéines (qui doivent représenter de 15 à 20 % de l'apport calorique global), car les protéines ont peu d'effet sur le taux de glucose. Vous trouverez, page 45, une liste des sources de protéines intéressantes sur le plan nutritionnel.

On connaît les effets à long terme d'un régime alimentaire riche en protéines et pauvre en glucides. Au départ, la glycémie s'améliore et on perd même du poids, mais il n'est pas certain que l'amaigrissement soit plus durable qu'avec un régime d'un autre genre.

Quand manger ?

Il est important de reconnaître les moments où vous devez manger et boire, afin de tenir compte de l'effet de vos médicaments ou de l'insuline sur votre glycémie. Les diabétiques, en effet, doivent manger à intervalles réguliers tout au long de la journée pour stabiliser le taux de glucose et éviter l'hypoglycémie.

Pour peu qu'il contienne des graisses saturées, ce qui est souvent le cas des régimes protéinés, un tel régime finit par avoir un impact négatif sur le taux de cholestérol *(voir p. 38)*.

LIMITEZ LES GRAISSES

Il est important de ne pas consommer trop de graisses saturées, d'acides gras trans ni de cholestérol alimentaire, en particulier si votre taux de LDL est supérieur à 3 mmol par litre. Les lipides *(voir p. 38-43)* n'ont pas un grand impact sur la glycémie, mais ils sont très caloriques.

Faire un seul gros repas par jour risque de provoquer un déséquilibre du taux de glucose, car l'organisme devra fournir des efforts énormes pour transformer rapidement une grande quantité de nourriture en énergie. Il vaut mieux manger plus souvent mais moins, et de façon équilibrée.

Or, les diabétiques, surtout lorsqu'ils ont un diabète de type II, doivent réduire leur apport en calories totales.

LES PRODUITS LAITIERS

Les produits laitiers sont un mélange de lipides, de protéines et de glucides. Ils n'affectent pas directement le taux de glucose sanguin. En cas de diabète, il est préférable de choisir des versions écrémées ou allégées en matières grasses. De même, faites attention au sucre contenu dans des produits laitiers tels que les glaces ou les *milk-shakes*.

Exemple de menus

Voici un exemple de repas prévus pour une journée entière. Il vous aidera à composer d'autres menus à partir d'aliments sains. Souvenez-vous de faire trois repas légers par jour. Si vous prenez de l'insuline, essayez de manger toujours à la même heure, afin de maintenir le glucose à un niveau stable. Vous pouvez remplacer la banane et le porridge du petit déjeuner par des céréales sans sucre et des fraises. Les en-cas sont importants pour les personnes recevant de l'insuline, mais les diabétiques de type II qui ne sont pas sous insuline n'ont pas besoin de deux en-cas quotidiens.

Un sandwich sain Ce pain pita garni de blancs de poulet et de salade, servi avec une sauce peu grasse, constitue un repas léger, idéal pour les diabétiques.

MENU TYPE DU DIABÉTIQUE

Petit déjeuner
- ½ banane moyenne
- Bol de porridge
- Verre de lait demi-écrémé

En-cas
- Yaourt écrémé sans sucre
- Mélange d'oléagineux sans sel

Déjeuner
- Pain pita garni de poulet grillé et de salade, sauce allégée
- Carottes crues, sauce allégée
- Pomme moyenne

En-cas
- Tortilla chips
- Sauce tomate

Dîner
- Pavé de saumon au four
- Brocoli, courgettes et riz complet vapeur
- Petit pancake aux airelles

L'importance des glucides

Il ne faut jamais perdre de vue qu'un régime alimentaire sain doit contenir des glucides complexes, que l'on soit diabétique ou non. Les glucides sont une source essentielle d'énergie. En incluant des glucides dans votre ali-

mentation, vous empêchez l'élévation ou la chute brutale du taux de glucose dans le sang, ce qui est tout à fait indiqué lorsqu'on est atteint de diabète.

Il existe une polémique à propos des glucides et de la façon de les classer selon leur index glycémique *(voir p. 47)*. Il est vrai que certains glucides ne provoquent pas la même réponse glycémique que d'autres. On sait également que les régimes privilégiant des aliments à index glycémique bas sont plus bénéfiques à long terme que ceux qui préconisent la consommation d'aliments à index glycémique élevé *(voir p. 47)*.

Un couscous végétarien Ce plat coloré et appétissant est pauvre en lipides mais riche en fibres et en glucides complexes qui favorisent la stabilité du taux de glucose dans le sang.

LA GLYCÉMIE

Dans le cas du diabète de type I, la quantité de glucides que l'on mange est l'élément-clé qui permet d'agir sur le taux de glucose et sur la dose d'insuline dont on a besoin pour contrôler ce taux. Si vous recevez des doses fixes d'insuline au lieu des doses à ajuster avant chaque repas, la quantité de glucides doit être constante à chaque repas.

Les diabétiques doivent miser sur les glucides à index glycémique bas. En effet, l'organisme met plus de temps à les digérer et à les transformer et ils ne provoquent pas de pic de glycémie brutal. En mangeant ce type d'aliments (avoine, pâtes, légumineuses, pommes, tomates et yaourt), il devient plus aisé de contrôler son taux de glucose.

On apprend vite la quantité de glucides que l'on peut ou que l'on ne peut pas manger lorsqu'on est diabétique et la façon de contrôler ses besoins en insuline. En cas de doute, n'hésitez pas à consulter un médecin spécialisé.

Vos aliments préférés

La grande question que se posent les diabétiques est de savoir s'ils pourront continuer à manger ce qu'ils aiment. La réponse est oui. Question d'équilibre.

LE SUCRE

Avoir du diabète ne signifie pas que l'on doive supprimer totalement le sucre de son alimentation. Il faut cependant réduire sa consommation au minimum. L'ingestion d'aliments sucrés, en effet, provoque des pics de glycémie, en particulier lorsqu'on les mange le ventre vide. Si un aliment sucré vous fait envie, mangez-le au cours d'un repas et prenez-le en compte dans votre consommation totale de glucides, afin d'éviter de provoquer une hyperglycémie.

UNE QUESTION D'ADAPTATION

Si vous êtes diabétique, vous ne devez pas nécessairement renoncer à vos aliments préférés, mais plutôt bien les choisir et les adapter à votre nouvelle alimentation. Optez pour les produits lai-

tiers écrémés, les protéines maigres et des modes de cuisson sains. Diminuez la quantité de sucre lorsque vous cuisinez et utilisez des édulcorants en cuisine et à table.

Lorsque vous sortez, renseignez-vous sur les ingrédients utilisés et commandez les sauces à part. Dans les avions, vous pouvez réserver des repas pour diabétiques.

Les édulcorants

Les édulcorants ont l'avantage de ne pas contenir de sucre, mais de donner un goût sucré aux aliments. Le nombre de calories qu'ils contiennent est souvent insignifiant, d'autant qu'on les utilise en quantités minimes. Les édulcorants font partie des additifs. Leur commercialisation et leur utilisation dans des produits alimentaires sont contrôlées par les autorités sanitaires. L'acésulfame-K, l'aspartame, le sucralose, et la saccharine sont les édulcorants les plus employés *(voir p. 280)*. Ils sont utilisés dans l'industrie agroalimentaire, mais sont également disponibles dans le commerce sous forme de comprimés, de liquides et de pou-dres. Nombreuses sont les personnes qui consomment ces produits sans sucre dans le cadre d'un régime amaigrissant.

ALCOOL ET DIABÈTE

Évitez toujours de boire de l'alcool le ventre vide, car cela provoque une augmentation brutale du taux de glucose. En cas de diabète de type I, mangez toujours quelque chose en buvant et, quoi qu'il en soit, buvez peu. Votre consommation d'alcool ne doit pas dépasser trois à quatre unités par jour pour les hommes, deux à trois pour les femmes.

L'importance de l'exercice

L'activité physique est très bénéfique pour les personnes atteintes de diabète. Elle permet de diminuer la glycémie postprandiale en augmentant la captation de l'insuline par l'organisme et en améliorant sa sensibilité à l'insuline. De plus, l'exercice réduit les risques de maladies cardio-vasculaires, car il fait baisser la pression artérielle. Il aide également à contrôler son poids, à augmenter son énergie et à se sentir mieux en général.

Les muscles ayant besoin de glucose pour travailler, le sport fait aussi diminuer le taux de glucose dans le sang.

RETARDER LE DIABÈTE

Chez les personnes à risques, on a observé que l'activité physique permet de prévenir ou de retarder le début de la maladie. Si vous êtes en surpoids, qu'un membre de votre famille a – ou a eu – du diabète, que vous êtes atteint de syndrome métabolique, par exemple, il est urgent de vous (re) mettre au sport.

UN PROGRAMME D'EXERCICES

Pour commencer, faites-vous un programme d'exercices, en tenant compte de votre âge, de votre état de santé général, de votre forme physique, et soumettez-le à votre médecin avant de le mettre en application. Commencez doucement, régulièrement, sans forcer. Marchez, nagez, pédalez à votre rythme. Les bienfaits ne tarderont pas à se manifester. Ayez toujours sur vous une carte de diabétique, emportez des aliments glucidiques et essayez de faire de l'exercice avec une personne qui saura réagir en cas d'hypoglycémie.

DES EN-CAS ÉNERGÉTIQUES

Pour soutenir leurs efforts lorsqu'ils pratiquent une activité physique, les diabétiques ont besoin de glucides :
• Yaourt écrémé aux fruits, sans sucre
• Banane ou pomme
• Tranche de pain complet
• Galette de riz

Une pause pleine d'énergie Afin que votre taux de glucose reste stable, il est important de prendre un en-cas sain et énergétique pour soutenir vos efforts pendant le sport.

Exemple Un quadragénaire sédentaire et diabétique

Son nom David

Son âge 45 ans

Son problème David a consulté son médecin pour une fatigue qui durait depuis six mois. Il mesure 1,72 m et pèse 98 kg. Son indice de masse corporelle est de 33, ce qui signifie qu'il est obèse. Il souffre d'hypertension, et des examens sanguins ont permis de diagnostiquer un diabète de type II (comme chez son frère).

Son mode de vie David est marié, il a deux enfants. Son métier d'ingénieur l'oblige à passer la quasi-totalité de la journée assis devant son ordinateur. Il joue parfois au tennis, ne prend pas de médicaments et a fumé vingt cigarettes par jour pendant vingt-cinq ans.

Pour le petit déjeuner, David prend un petit pain au fromage à tartiner et du jus d'orange. En milieu de matinée, il s'accorde un café et un beignet. Le déjeuner consiste souvent en un sandwich à la viande ou au fromage, un paquet de chips et du jus de fruits. Le soir, s'il ne dîne pas avec des clients, il passe chez le traiteur indien ou chinois pour manger en famille. Il boit deux bouteilles de bière au cours du dîner.

Nos conseils La priorité de David est de maintenir son taux de glucose et sa tension artérielle les plus proches possibles de la normale. Il doit absolument diminuer ses risques de maladies cardio-vasculaires et de complications de son diabète. Il lui faut donc réduire l'apport en calories, en graisses saturées, en cholestérol et en sel. L'arrêt du tabac et l'exercice seront également bénéfiques.

Certes, David peut prendre des médicaments pour améliorer sa tension et son diabète, mais il est crucial qu'il perde du poids et qu'il modifie en profondeur ses habitudes alimentaires. Nous lui conseillons de consulter un nutritionniste et d'impliquer sa femme dans ses nouvelles résolutions.

Il serait bénéfique, pour David, de manger des céréales complètes et d'autres glucides à index glycémique peu élevé. Le nutritionniste peut lui faire prendre conscience de la composition des aliments et des alternatives plus saines qui existent à son alimentation habituelle à la maison et lorsqu'il achète des plats tout faits chez le traiteur. Ainsi il perdra certainement du poids et fera baisser sa tension artérielle *(voir p. 220-221)*. Il lui sera très profitable d'augmenter sa consommation de fibres (céréales complètes, légumineuses, fruits et légumes).

Il est important pour sa santé que David commence un programme d'activité sportive régulière, en marchant, par exemple, pendant trente minutes au moins cinq jours par semaine.

Allergies et intolérances alimentaires

Certaines personnes réagissent mal à certains aliments.

On parle d'allergie alimentaire lorsque l'organisme réagit à un aliment en déclenchant une réponse immunitaire. Les oléagineux, les œufs et les fruits de mer sont des exemples d'aliments allergènes. L'intolérance alimentaire ne déclenche pas de phénomène allergique, mais une réponse particulière de l'appareil digestif. L'intolérance la plus connue est l'intolérance au lactose, c'est-à-dire au sucre contenu dans le lait et ses dérivés *(voir p. 232)*.

Les réactions

La première fois que l'on mange un aliment potentiellement allergène, les symptômes n'apparaissent pas, mais le système immunitaire se prépare, à mauvais escient, à protéger l'organisme contre cet aliment. Les symptômes apparaissent lorsqu'on l'absorbe de nouveau *(voir p. 254)*.

Les allergies alimentaires se manifestent souvent dans l'enfance et peuvent durer toute la vie. Cela dit, l'allergie au lactose apparaît à l'âge adulte.

Les personnes souffrant d'intolérance ne sont pas capables de digérer correctement certains aliments, ce qui provoque ballonnements, douleurs abdominales, gaz, vomissements ou diarrhée, mais ne met pas la vie du sujet en danger. Le problème vient, en général, de la déficience de l'enzyme chargée de digérer l'aliment en question.

Les symptômes

Les symptômes apparaissent entre quelques instants et deux heures après l'ingestion : picotements dans la bouche, eczéma, urticaire, vomissements, spasmes abdominaux, diarrhée, gonflement de la langue ou de la gorge, difficultés respiratoires, chute de tension.

Prévenir les allergies Allaiter son bébé pendant au moins trois mois est un bon moyen de prévenir les allergies.

Les risques d'allergies alimentaires

Les risques d'allergies alimentaires sont élevés chez les personnes souffrant d'eczéma, de rhume des foins ou d'asthme.

LES ANTÉCÉDENTS FAMILIAUX
On estime à 5 à 8 % le nombre d'enfants risquant d'avoir une allergie alimentaire avant deux ans, mais les bébés naissant dans des familles « sensibles » ont entre deux et quatre fois plus de risques que les autres de développer une allergie ou une intolérance alimentaires.

Étant donné que les allergies apparaissent surtout dans l'enfance, la prévention doit commencer dès la naissance pour être efficace. On sait que les bébés allaités pendant une période prolongée (au moins trois mois) ont moins d'eczéma et d'asthme au cours de leur première année que les bébés nourris au lait artificiel ou au lait de soja.

LES FACTEURS DE RISQUES
Si vous répondez oui à l'une de ces questions, votre enfant est un sujet à risque. Demandez conseil à votre médecin.
- Y a-t-il des cas d'allergie dans votre famille (eczéma, asthme, allergie alimentaire, aux poils d'animaux, au pollen, à la poussière, aux moisissures) ?
- Y a-t-il des cas d'allergie dans la famille de votre conjoint ?
- Vos autres enfants sont-ils allergiques ?

Les tests cutanés

Les tests cutanés consistent à placer une goutte de substance allergène sur la peau du sujet, tout en piquant l'endroit avec une petite aiguille pour faire pénétrer la substance dans l'organisme. Si la peau réagit par une rougeur ou par un urticaire, le test est positif. Dans ce cas, le sujet doit éliminer la substance incriminée de son alimentation. L'aliment pourra être réintroduit plus tard progressivement afin de contrôler si l'allergie persiste, mais sous contrôle médical, pour éviter tout risque d'anaphylaxie *(voir p. 254)*.

Éviter les aliments allergènes

Quelque 90 % des allergies sont déclenchées par seulement huit aliments : les œufs, le lait, le poisson, les fruits de mer, le soja, le gluten, les cacahouètes et les fruits oléagineux (amandes, noix…). C'est toujours une protéine qui est à l'origine de la réaction allergique, même si les aliments concernés ne sont pas des aliments particulièrement riches en protéines (comme les agrumes ou les pommes de terre).

MANGER À L'EXTÉRIEUR

Lorsqu'on est allergique, le plus difficile est de se protéger de la substance allergène lorsqu'on est en dehors de chez soi. De nombreux plats contiennent des protéines ou de l'huile d'arachide (ou cacahouète), du gluten ou du soja. La seule solution est de s'informer sur les ingrédients qui entrent dans la composition des plats. N'hésitez pas à expliquer les raisons de votre curiosité, l'enjeu est important.

Si vous voyagez à l'étranger, protégez-vous en écrivant et en apprenant le nom, dans la langue du pays, des aliments qui déclenchent votre allergie.

LES INGRÉDIENTS INVISIBLES

Si vous êtes allergique ou intolérant à une substance, il est vital que vous sachiez repérer sa présence et que vous appreniez sous quelle appellation il figure sur les étiquettes. Certains dérivés du lait, l'œuf, le gluten entrent dans la composition d'un nombre incalculable d'aliments industriels. Un exemple : si vous êtes allergique au maïs, il ne suffit pas de ne plus en manger à table. Le maïs figure souvent dans la nourriture industrielle sous la forme de sirop, et les produits contenant du dextrose ou du fructose contiennent souvent un colorant à base de maïs.

Le tableau ci-dessous recense les produits qui contiennent les aliments allergènes les plus courants.

Vérifiez les ingrédients En cas d'allergie ou d'intolérance, vérifiez les ingrédients et, en particulier, la présence d'aliments parfois invisibles. Apprenez à vos enfants à être vigilants.

ALIMENTS	ALIMENTS À ÉVITER	OÙ ILS SE CACHENT
Arachide et fruits oléagineux	• L'arachide (cacahouète) est un poison mortel pour les personnes allergiques. Attention à l'huile d'arachide, au beurre de cacahouète, à l'arôme de cacahouète et aux purées d'oléagineux • Les allergies aux fruits oléagineux (noix, noisettes, amandes…) sont moins graves, mais évitez-les tous	• Céréales du petit déjeuner, barres de céréales, biscuits, gâteaux, pâtisseries, massepain, nougat, sucreries, glaces • Sauces et assaisonnements pour la salade • Cuisine africaine, chinoise, mexicaine, indonésienne, thaïlandaise, vietnamienne
Œufs	• Albumine, ovoalbumine, lécithine d'œuf, mayonnaise, meringue, poudre de meringue, surimi	• Pâtes et nouilles, soupes • Pâtisseries, gâteaux, biscuits, massepain, nougat • Le vaccin contre la grippe peut contenir de l'œuf
Lait	• Le lait sous toutes ses formes, y compris le lait de chèvre ; produits contenant du beurre et son arôme, babeurre, caséine, tous les fromages, lait caillé, petit-lait, flan, yaourt, ghee (beurre clarifié), la crème sous toutes ses formes, la lactoalbumine et le phosphate de lactoalbumine, le lactulose	• Pains, biscuits, gâteaux, pâtisseries, céréales industrielles, purée instantanée, soupes, sauces, assaisonnements, margarine, viande cuite en tranches • Mousses, flans et entremets, desserts, boissons protéinées
Gluten	• Blé, épeautre, seigle, avoine, son, orge et les produits céréaliers les contenant, boulgour, couscous, durum, semoule, pâtes, chapelure • Protéines de blé, amidon, protéines hydrolysées, arômes naturels et artificiels	• Pains, muffins, gâteaux, biscuits, céréales, viandes cuites tranchées, saucisses, sauces, soupes, nouilles, ketchup, sauce de soja • Pancakes, crème glacée, chocolat, friandises
Soja	• Sauce de soja, soja, huile de soja, farine de soja, tofu, tempeh, miso, protéines végétales texturées • Végétaux et protéines végétales hydrolysés	• Aliments au four, thon à l'huile de soja, céréales, sauces, soupes, substituts (beurre, viande, lait), beurre de cacahouète, pizza surgelée

Prévenir l'allergie chez les bébés

L'allergie alimentaire se développe chez un bébé lorsque le système immunitaire crée des anticorps, par réaction à un aliment, la première fois qu'il en mange. La deuxième fois qu'il consomme cet aliment, les symptômes de l'allergie alimentaire apparaissent. Les bébés naissant dans des familles à risques peuvent développer une réaction allergique à un aliment présent, même en quantités infimes, dans le lait maternel. Ils peuvent également être allergiques au lait de vache ou de soja des laits artificiels.

ALLAITEMENT ET OLÉAGINEUX

On recommande aux mères qui vivent dans des familles comptant des cas d'allergies d'éviter de manger des fruits oléagineux (noix, amandes…) pendant qu'elles allaitent. La protéine d'arachide sécrétée dans le lait maternel augmenterait les risques de leurs enfants déjà sensibles. Le tableau de la page 253 recense les aliments et les ingrédients allergènes.

LES LAITS HYPOALLERGÉNIQUES

Si les risques que votre enfant développe une allergie sont grands, parlez à votre médecin de la possibilité de lui donner un lait artificiel hypoallergénique, c'est-à-dire élaboré pour minimiser les risques d'allergie. Cela lui évitera peut-être une allergie au lait de vache et un eczéma allergique.

LES ALIMENTS SOLIDES

Chez les enfants dont les risques allergiques sont élevés, il est préférable de repousser le moment où l'on introduit des aliments solides. Il vaut mieux attendre que l'enfant ait au moins six mois. Les produits laitiers ne seront introduits

qu'à partir de un an, les œufs à deux ans, les cacahouètes, noix et poissons à trois ans. Cela peut sembler très circonspect, mais, étant donné l'enjeu, la prudence est de mise. Vous pouvez également consulter un médecin ou un nutritionniste qui répondra à vos questions et à vos craintes d'introduire des aliments potentiellement allergènes dans l'alimentation de votre enfant.

L'anaphylaxie

L'anaphylaxie est une réaction allergique grave, qui se manifeste par le gonflement de la langue et de la gorge, des difficultés respiratoires, des chutes de tension et la perte de conscience. Une injection d'adrénaline peut faire cesser les symptômes, mais si elle n'est pas traitée, l'anaphylaxie est mortelle.

Le traitement des allergies et des intolérances

Chez les personnes allergiques ou intolérantes à un aliment, même une quantité infime de ce dernier peut provoquer des symptômes, simplement gênants dans le cas d'une intolérance, mais parfois mortels en cas d'anaphylaxie

(voir encadré ci-dessus). La seule prévention possible est la suppression de l'ingrédient incriminé, ce qui implique une extrême vigilance, en particulier lorsque l'on mange à l'extérieur.

RECONNAÎTRE LES INGRÉDIENTS

Il n'est pas toujours évident de reconnaître la substance à laquelle on est allergique ou intolérant, étant donné que la réaction peut porter aussi bien sur un aliment que sur un ingrédient ajouté en cours de préparation. On ne peut compter que sur son sens de l'observation et sur sa vigilance. Pour reconnaître la substance à laquelle vous réagissez mal, vous pouvez noter dans un journal tous les aliments que vous mangez et la réaction consécutive. Vous devez pouvoir identifier, en quelques semaines, les aliments suspects et les éliminer les uns après les autres pour déterminer lesquels sont responsables de vos symptômes.

Tenir un journal Si vous avez l'impression d'être allergique ou intolérant, tenir un journal peut vous aider à identifier le ou les aliments responsables de vos symptômes.

ÉLIMINER LES INGRÉDIENTS

Le seul traitement possible des allergies et des intolérances alimentaires consiste à éliminer, sous suivi médical, les aliments ou les ingrédients suspects et à observer la réaction de votre organisme. Voyez et notez si l'élimination de chacun des aliments soulage les symptômes.

Une fois que vous pensez avoir identifié un ou plusieurs aliments allergènes, il s'agit de les réintroduire dans l'alimentation, toujours un à un et toujours sous contrôle médical. Là encore, observez la réaction de votre corps.

Si, lorsque vous consommez un aliment que vous aviez éliminé de votre alimentation, les symptômes reviennent, alors le diagnostic est confirmé. Vous savez que cet aliment n'est pas bon pour vous et vous devez l'éliminer définitivement de votre régime alimentaire. Peu à peu, après avoir reconduit l'expérience avec tous les autres aliments ou ingrédients que vous suspectiez, vous saurez avec certitude lesquels vous devez désormais éviter. Si vous devez éliminer plus d'un aliment, veillez à ce que l'équilibre nutritionnel ne soit pas remis en cause (voir p. 255).

L'équilibre alimentaire

Si l'allergie ou l'intolérance alimentaire oblige à supprimer un groupe d'aliments entier, on encourt le risque d'avoir une carence en certains nutriments. Ce qui peut entraîner des conséquences graves, en particulier chez les enfants en pleine croissance, chez les femmes enceintes ou qui allaitent et chez les personnes âgées.

LE LAIT

Les personnes allergiques au lait (et à ses dérivés) ou intolérantes au lactose peuvent manquer de calcium *(voir p. 62)* ou de phosphore *(voir p. 63)*.

Il faut donc trouver des alternatives riches en calcium, comme le lait de soja enrichi, le tofu, les jus de fruits enrichis, le saumon en conserve dont on mange les arêtes et les légumes à feuilles vertes comme les brocolis et les épinards. Un bon apport en vitamine D facilite l'absorption du calcium. On trouve la vitamine D dans les œufs et les poissons gras, ainsi qu'en s'exposant au soleil. Le phosphore est présent dans la viande, la volaille, le poisson, les œufs et les céréales complètes.

LE GLUTEN

L'allergie au gluten – donc au blé – peut entraîner des carences en vitamines du groupe B, notamment en vitamines B1, B2, B3 et B9 *(voir p. 53-56)*, ainsi qu'en potassium *(voir p. 63)*, en magnésium *(voir p. 63)*, en fer *(voir p. 66)* et en phosphore *(voir p. 63)*.

La vitamine B9 est présente dans le jus d'orange, les fruits, les légumes à feuilles et les légumineuses. La viande, le poisson et la volaille sont de bonnes sources de fer, de vitamine B3, de potassium et de phosphore. On trouve également du magnésium dans de nombreux fruits, dans les légumineuses et les légumes à feuilles vertes.

LES ÉTIQUETTES

En cas d'allergie ou d'intolérance, vérifiez attentivement la liste des ingrédients des produits alimentaires que vous achetez et des plats que vous commandez au restaurant. Sur les étiquettes, vérifiez également la valeur nutritionnelle des aliments afin d'équilibrer votre régime.

Les légumes à feuilles vertes Ce sont des alternatives riches en nutriments, idéales dans un régime sans lait ou sans gluten.

LES NUTRITIONNISTES

Toutes les personnes qui souffrent d'allergie ou d'intolérance alimentaire peuvent trouver un soutien et des conseils auprès d'un nutritionniste. Il pourra les aider à analyser leur régime, à identifier d'éventuelles carences et à les rééquilibrer.

Exemple Un enfant actif allergique

Son nom Malik

Son âge 10 ans

Son problème Vers trente mois, Malik a commencé à avoir de l'eczéma et des rhinites à répétition. Le médecin a conseillé à sa mère de tenir un journal. Cela a permis de comprendre que les œufs et le chocolat étaient probablement des aliments allergisants. Un test cutané *(voir p. 252)* s'est révélé positif pour les noix, le chocolat, la pastèque et les œufs, mais négatif pour l'arachide, le soja, les agrumes, le gluten et le lait. Malik ne consomme plus les aliments allergènes mais, en grandissant, il s'inquiète de savoir ce qu'il peut ou ne peut pas manger lorsqu'il sort.

Son mode de vie Malik est un enfant très actif et qui adore le sport. Il prend son petit déjeuner à la maison, le plus souvent des céréales avec du lait demi-écrémé, une banane et du jus d'orange. Par contre, il emporte son déjeuner à l'école (un sandwich au jambon, au fromage ou au poulet ou une part de pizza). Pour accompagner son repas, Malik boit essentiellement de l'eau, parfois une boisson gazeuse.

Après l'école, Malik joue au football ou au hockey. Il prend un en-cas avant d'aller faire du sport, le plus souvent composé de galettes d'avoine ou d'un fruit et d'une boisson énergétique.

Au dîner, il mange la même chose que le reste de sa famille, à savoir des pâtes, de la viande ou du poulet accompagnés de légumes verts.

Nos conseils Malik continue à avoir une réponse positive aux tests que pratique régulièrement le médecin. Cela signifie qu'il est toujours allergique, ce qui n'est pas le cas de tous les enfants, dont l'allergie peut cesser au bout de quelques années. Être allergique au chocolat, à l'œuf et aux noix complique passablement la vie d'un enfant – et celle de ses parents. Non seulement il faut se méfier des produits alimentaires industriels, mais même la pâtisserie maison est un casse-tête. Maintenant qu'il a grandi, Malik prend ses responsabilités. Les symptômes de son allergie n'étant pas dangereux, il peut se permettre de faire quelques erreurs d'évaluation. Il ne doit pas hésiter à poser des questions et à lire les étiquettes afin d'éviter les aliments qui ne lui conviennent pas.

La migraine

Certains aliments déclenchent des migraines, d'autres les préviennent.

Une personne sur dix fait régulièrement l'expérience de la migraine. Une migraine est un mal de tête particulier : tous les maux de tête ne sont pas des migraines, un mal de tête chronique n'est pas non plus une migraine. Une migraine peut se manifester plusieurs fois par semaine ou deux fois par an.

Une douleur lancinante La migraine se manifeste par une douleur vive et lancinante qui touche généralement un seul côté de la tête, au-dessus de l'œil ou vers la tempe.

C'est un trouble qui peut être handicapant et vous épuiser pendant plusieurs jours. En général, les gens connaissent leur première attaque de migraine avant l'âge de trente ans. Il est rare qu'elle commence à se manifester au-delà de quarante ans, mais elle peut toucher certains enfants de trois ans.

Les symptômes
La différence entre la migraine et les autres maux de tête réside dans les symptômes caractéristiques. La moitié des personnes souffrant de migraines les sentent arriver. On parle d'auras visuelles pour désigner les sensations – phosphènes (taches brillantes, éclairs) ou scotomes – qui précèdent l'arrivée de la crise migraineuse. On peut égale-

Prévenir et soigner la migraine

Il existe plusieurs moyens de réduire les risques de migraines, comme manger régulièrement, boire beaucoup d'eau (ou de boissons sans caféine) et consommer des aliments riches en magnésium.

MANGER RÉGULIÈREMENT
Si vous souffrez de migraines ou de maux de tête, il est important de manger régulièrement, afin d'éviter l'hypoglycémie, qui est un élément déclencheur connu, surtout si elle s'accompagne de fatigue et/ou de stress. Il vaut donc mieux éviter de sauter des repas, de manger sur le pouce et de suivre des régimes draconiens.

BOIRE BEAUCOUP D'EAU
La déshydratation est un facteur déclenchant des maux de tête et des migraines. Si l'on ne boit pas suffisamment, le corps prend le liquide dont il a besoin dans le sang et les tissus. Les vaisseaux sanguins se resserrent pour conserver les fluides de l'organisme, ce qui peut provoquer un mal de tête. Il faut donc

boire beaucoup d'eau, à plus forte raison si vous faites du sport ou lorsque vous buvez de l'alcool, qui est un des principaux facteurs de déshydratation.

CONSOMMER DU MAGNÉSIUM
La consommation d'aliments riches en magnésium aide à traiter les migraines. Les carences en magnésium sont dues à une faible consommation d'aliments qui en contiennent, au tabagisme, à d'alcool, au stress ou à des problèmes génétiques. Elles entraînent la constriction des vaisseaux à l'intérieur du cerveau. Il faut donc consommer 420 mg de magnésium par jour si l'on est un homme, 360 mg si l'on est une femme.

Les végétaux tels que les légumineuses, les céréales et les légumes sont riches en magnésium. Les aliments raffinés n'en contiennent pratiquement pas – les céréales, par exemple, perdent

jusqu'à 80 % de leur magnésium au raffinage. Remplacez donc le riz blanc par du riz complet. Mangez également des fruits oléagineux et des graines, ainsi que des brocoli, des épinards et des bettes, tous riches en magnésium. Une supplémentation en magnésium est, dans certains cas, utile.

Ajoutez du tofu à vos légumes Le tofu est riche en magnésium. N'hésitez pas à en ajouter régulièrement à vos plats.

ment ressentir des difficultés à parler, de la confusion, de la faiblesse dans un membre ou des picotements sur les mains. L'aura se manifeste en général entre dix et trente minutes avant l'apparition de la migraine à proprement parler.

Les migraines ne sont pas toutes annoncées par cette aura. En revanche, certaines d'entre elles sont précédées par un ensemble de symptômes nommés collectivement « prodrome » et qui ont tendance à se manifester approximativement une heure avant la crise migraineuse : angoisse, troubles de l'humeur, altération du goût et de l'odorat, manque ou excès d'énergie.

Le symptôme le plus courant de la migraine est une douleur lancinante dans la tête, aggravée par le mouvement, la lumière ou le bruit. Elle n'apparaît généralement que d'un côté de la tête, au-dessus de l'œil ou vers la tempe. La migraine peut aussi provoquer des nausées ou des vomissements.

En général, si un mal de tête tel que nous venons de le décrire vous empêche de poursuivre vos activités, il s'agit d'une migraine.

Les causes de la migraine

Il existe plusieurs facteurs qui déclenchent les migraines, parmi lesquels le stress, la faim et la déshydratation. Nombreuses sont les femmes qui souffrent d'accès de migraines au moment de leurs règles. De plus, il semble que l'hérédité entre en compte dans le développement des migraines.

Les migraines sont parfois liées à une carence en magnésium *(voir p. 256)* ou à une intolérance à un aliment particulier – souvent le fromage, le chocolat et le vin rouge. Dans ce cas, on vient à bout de ce type de migraine en déterminant et en éliminant de son alimentation

Les aliments déclencheurs

Certains aliments, comme les produits laitiers, les fromages à pâte pressée et l'alcool contiennent des amines, que l'organisme des personnes sensibles a du mal à digérer. En conséquence, ces substances restent plus longtemps dans le corps et provoquent soit une dilatation du cerveau, soit la constriction des vaisseaux dans le cerveau.

Lorsque les vaisseaux sanguins se resserrent à l'intérieur du cerveau, cela provoque le ralentissement de l'afflux sanguin et peut déclencher une migraine chez les sujets sensibles. De nombreux migraineux sont réactifs à d'autres aliments et ingrédients, tels que le glutamate de monosodium, le chocolat, les agrumes, la caféine et certains additifs alimentaires que l'on trouve dans les aliments industriels.

Exemple Une trentenaire active souffrant de migraines

Son nom Julie

Son âge 30 ans

Son problème Julie a l'impression que ses migraines s'aggravent avec le temps. Le matin, elle prend un petit déjeuner, mais saute souvent le déjeuner parce qu'elle n'a pas de temps et que son travail la stresse. Ses migraines l'assaillent le plus souvent en fin de journée. Elles durent également plusieurs jours avant et pendant ses règles. Elle n'a pas l'habitude de boire de l'alcool et, lorsque cela lui arrive, elle se réveille le lendemain avec une migraine et des nausées, même si elle n'a bu que deux verres la veille.

Son mode de vie Julie est clerc dans une étude notariale. Son travail est assez prenant, et elle passe beaucoup de temps devant son ordinateur. Elle ne prend pas le temps de déjeuner, mais tient jusqu'au soir grâce au café et aux friandises. Elle travaille à plein temps et prend des cours de droit trois soirs par semaine. Elle est abonnée dans une salle de sport, mais ne s'y rend pas régulièrement.

Le vendredi soir, elle décompresse souvent en allant boire un verre avec des amis. Elle aime bien le vin rouge, mais son week-end est fréquemment gâché par de violentes migraines. Pour les atténuer, elle prend des cachets contre le mal de tête, qu'elle achète à la pharmacie, sans ordonnance.

Nos conseils Faire une pause pour le déjeuner serait un bon moyen d'éviter les migraines qui sont de plus en plus fréquentes en fin d'après-midi. Cela ne lui prendra pas beaucoup de temps : elle peut apporter un sandwich, un plat congelé ou les restes de son dîner de la veille, à faire chauffer dans le four à micro-ondes de l'étude. Déjeuner lui donnerait aussi l'occasion de se décoller de son écran d'ordinateur et de se couper du stress de son travail. Le reste du temps, elle pourrait avantageusement remplacer les pauses café-confiseries par des en-cas composés de fruits frais et de yaourts.

Bien que Julie ne boive pas beaucoup d'alcool, elle devrait, lorsque cela lui arrive, boire également beaucoup d'eau. L'alcool déclenche des maux de tête en partie parce qu'il déshydrate l'organisme. Si l'abondance d'eau ne suffit pas à améliorer la situation, elle devrait essayer de ne pas boire de vin rouge pendant quelques semaines.

Reprendre une activité physique régulière (au moins une fois par semaine) devrait également lui permettre d'agir sur le stress et sur son bien-être général.

Le cancer

Le cancer est la deuxième cause de mortalité en France.

On appelle cancer un ensemble de maladies qui ont pour point commun la croissance incontrôlée et la prolifération de cellules anormales. Dans la majorité des cas, ces cellules forment une tumeur à un endroit spécifique – le plus souvent sur la peau, le sein, le poumon, le côlon ou la prostate. Puis la maladie s'étend dans le corps par l'intermédiaire du système veineux et lymphatique (dans lequel circule la lymphe).

La connaissance et la compréhension de la maladie ont énormément progressé en quelques décennies, et on sait aujourd'hui que la prévention et le traitement des cancers sont considérablement améliorés par des changements d'hygiène de vie et de nouvelles thérapies.

Différents types de cancers

Il existe différents types de cancers, selon qu'ils affectent des organes (le côlon, le sein ou la prostate, par exemple) ou des tissus (comme le sang ou les os). Les cancers les plus courants en France sont le cancer de la peau, du poumon, du sein, de la prostate et le cancer colorectal. Environ un Français sur trois est atteint, un jour, d'un cancer.

Les facteurs de risques

Les risques de développer un cancer dépendent à la fois de facteurs externes (le tabagisme, la pollution chimique ou radioactive, les organismes infectieux) et de facteurs internes (les gènes, leur mutation, les hormones, le système immunitaire). Il faut éviter l'exposition aux substances cancérigènes les plus courantes, comme le tabac ou les rayons ultraviolets.

Des facteurs individuels influencent également le développement de la maladie : l'état de santé général, l'alimentation, l'âge, l'obésité ou l'hérédité.

Les traitements

Le traitement du cancer dépend, en général, du stade qu'a atteint la maladie. L'ablation chirurgicale d'une tumeur peut être efficace si le cancer n'est pas étendu aux nodules lymphatiques ou à certains autres endroits du corps. La chimiothérapie et la radiothérapie peuvent, soit remplacer, soit compléter l'intervention chirurgicale, selon les cas. Les nouvelles thérapies consistent à désactiver les gènes endommagés et à relancer

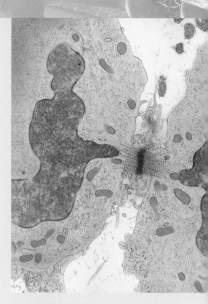

La multiplication des cellules cancéreuses
Sur cet agrandissement, une cellule cancéreuse se divise pour former deux cellules contenant des gènes endommagés.

le système immunitaire pour qu'il détruise les cellules cancéreuses. Cela dit, le moyen le plus efficace d'enrayer la mortalité par cancer reste la prévention et la détection.

Alimentation et cancer

Dans cette partie, nous nous intéresserons essentiellement à trois types de cancers – le cancer du sein, le cancer de la prostate et le cancer colorectal – parce qu'une hygiène de vie saine peut, dans ces cas, être un moyen de prévention et de traitement très efficace. Le rôle de l'alimentation est crucial lorsqu'on suit un traitement par chimiothérapie ou par radiothérapie (*voir p. 262*).

Certains des médicaments employés au cours de la chimiothérapie usent les vitamines et les sels minéraux de l'organisme. C'est pourquoi le médecin peut vous prescrire un complément. Cela dit, il est déconseillé de dépasser les apports nutritionnels conseillés (ANC) car, à haute dose, certains nutriments interfèrent avec des médicaments pris en cours de chimiothérapie.

Obésité et cancer

On estime que, dans de nombreux cas, le décès par cancer est étroitement lié aux conséquences d'une mauvaise alimentation et du manque d'activité physique, et en particulier, de l'obésité.

Une étude réalisée aux États-Unis sur plus de 900 000 personnes (hommes et femmes) sur une période assez longue a abouti à la conclusion que les décès à la suite d'un cancer pouvaient être attribués au surpoids et à l'obésité dans 14 % des cas chez les hommes et dans 20 % des cas chez les femmes. Quand l'IMC est supérieur à 40, le taux de mortalité par cancer augmente de 52 % chez les hommes et de 62 % chez les femmes. L'augmentation de l'IMC va de pair avec l'augmentation des décès par cancer de l'œsophage, du côlon, du rectum, du foie, de la vésicule biliaire, du pancréas et du rein.

Les sujets à risque

Le risque de développer un cancer augmente généralement avec l'âge. Les personnes âgées ont plus de risques d'avoir un cancer, principalement parce que leurs cellules ont eu plus de temps pour accumuler des gènes détériorés, mais également parce que leur système immunitaire n'est plus aussi efficace pour repérer et détruire les cellules malignes.

LE CANCER DU SEIN

C'est le cancer le plus répandu chez les femmes – près d'un cancer sur trois est un cancer du sein. Dans la plupart des cas, il se développe chez les femmes âgées de plus de cinquante ans. À trente ans, une femme a un risque sur 1 900 de développer un cancer du sein. Ce chiffre passe à 1 sur 50 après cinquante ans et à 1 sur 15 au-delà de soixante-dix ans. Les femmes qui encourent le plus de risques de développer un cancer de ce type sont les femmes dont la mère, la sœur ou la fille a ou a eu un cancer du sein, celles qui ont eu leurs règles avant douze ans, les femmes obèses ou en surpoids et celles qui sont ménopausées après cinquante ans.

Les femmes qui sont enceintes pour la première fois après trente-cinq ans et celles qui n'ont jamais mené à terme une grossesse font également partie des sujets à risque. Enfin, les femmes qui suivent un traitement hormonal de substitution augmentent leurs risques d'avoir un cancer du sein.

LE CANCER DE LA PROSTATE

Les causes du cancer de la prostate ne sont pas encore élucidées. De nombreuses études réalisées sur le sujet ont identifié un certain nombre de facteurs de risques, dont le plus important est l'âge. On ne trouve pratiquement pas de cas de cancers de la prostate avant cinquante ans, et la moitié d'entre eux apparaissent après soixante-quinze ans. Les antécédents familiaux augmentent également les risques. Le cancer de la prostate est le cancer le plus fréquent chez l'homme. Les cas ont quadruplé en vingt ans. Les risques de cancer de la prostate augmentent proportionnellement avec le nombre des années.

LE CANCER COLORECTAL

Chaque année, 33 500 cas de cancer colorectal sont diagnostiqués en France. Si l'on excepte le cancer de la peau sans mélanome, c'est le cancer le plus fréquent et le deuxième en termes de mortalité. La recherche a identifié une composante génétique parmi les facteurs de risque, mais son lien avec le développement de la maladie est complexe. Environ un quart des personnes atteintes d'un cancer colorectal ont des antécédents familiaux. Le cancer colorectal est rare chez les personnes âgées de moins de quarante ans. Il se développe le plus souvent chez les personnes âgées de plus de soixante ans.

Comment réduire les risques

En cas d'antécédents familiaux, il est vital d'adopter une hygiène de vie saine pour diminuer vos risques.

LE POIDS ET L'EXERCICE

Un gain de poids, même minime, augmente les risques de cancer. Si vous êtes en surpoids, maigrissez, stabilisez votre poids et faites de l'exercice : outre son rôle dans le maintien d'un poids sain, l'exercice diminue les risques de cancer colorectal, de la prostate et du sein.

LE TABAGISME

Le tabagisme est l'une des causes principales du cancer du poumon, qui touche de plus en plus les femmes. Le risque de cancer du poumon dépend également de l'âge et du nombre de cigarettes fumées. Le mieux est d'arrêter de fumer définitivement.

L'ALCOOL

Il est faut limiter ou éviter la consommation d'alcool, car l'alcool augmente les risques de développer certains cancers, tels le cancer du sein et le cancer colorectal. Les buveurs d'alcool ne devraient, de toute façon, pas dépasser trois à quatre unités d'alcool par jour, pour les hommes et deux à trois pour les femmes.

LES RADICAUX LIBRES

Le tabagisme, la pollution des fruits et des légumes par les nitrates et les engrais et tous les autres poisons environnementaux favorisent la production de radicaux libres dans l'organisme (*voir p. 58*) et, par conséquent, le vieillissement, le cancer ou les maladies cardio-vasculaires.

ALLAITEZ VOTRE ENFANT

De récentes recherches ont montré qu'une femme qui allaite son bébé n'a plus que 4 % de risques d'avoir un cancer du sein et que ces risques diminuent de 7 % à chaque nouvel enfant allaité. L'allaitement maternel déclenche des modifications hormonales qui rendent les cellules de leur organisme plus résistantes face au cancer.

Laver les fruits et les légumes Cela permet d'enlever, au moins en partie, les nitrates et engrais qui font proliférer les radicaux libres.

L'alimentation dans la prévention du cancer

On estime qu'un tiers des décès par cancer (tous cancers confondus) pourrait être évité si les sujets avaient eu une alimentation plus saine, riche en fruits, en légumes, en légumineuses et en céréales complètes, et si leur poids avait été sain et stable. Comme l'activité physique, certains aliments sont très efficaces dans la prévention des cancers *(voir ci-dessous).*

CINQ PAR JOUR

Les fruits et les légumes contiennent beaucoup de sels minéraux, de vitamines, de fibres et des centaines de phytonutriments *(voir p. 59)*, dont l'efficacité a été reconnue dans la prévention comme dans le traitement du cancer. Certains de ces phytonutriments par exemple protègent l'ADN d'éventuelles lésions et favorisent sa réparation. Le Fonds mondial de recherche contre le cancer a estimé qu'environ 20 % des cancers (tous types confondus) pourraient être évités si les gens consommaient au moins cinq portions de fruits et légumes par jour.

MOINS DE GRAISSES

Une alimentation riche en graisses saturées est calorique et contribue au développement de l'obésité qui, elle-même, constitue un facteur de risque élevé de nombreux cancers. Limitez votre consommation de viande rouge, surtout si elle est grasse, au profit des blancs de volaille, du poisson et des fruits de mer.

PLUS DE FIBRES

Les fibres aident à éliminer les toxines engendrées par le cancer et, comme les antioxydants, elles aident l'organisme à lutter contre les radicaux libres. Mangez des fruits, des légumes et des céréales complètes, qui sont également une bonne source de vitamines du groupe B et de lignanes – des composés que l'on trouve également dans les graines de lin – qui pourraient jouer un rôle protecteur contre le cancer colorectal, du sein et de la prostate.

PAS DE SURPOIDS

En perdant vos kilos superflus, vous diminuez considérablement vos risques de développer un cancer. Une augmen-

Le plein de fruits frais Les fruits frais contiennent des vitamines, des sels minéraux et des phytonutriments qui aident à prévenir le cancer.

tation de poids de seulement 5 % chez des femmes préménopausées augmente de manière significative le risque de cancer du sein après la ménopause. Donc, perdez les kilos que vous avez en trop et, une fois que vous y êtes parvenu, stabilisez votre poids de forme.

Les aliments anticancéreux

Aucun aliment ne peut, à lui seul, vous protéger contre le cancer, mais la combinaison de certains aliments peut donner un coup de fouet à votre immunité.
Les crucifères Les brocolis et toutes les sortes de choux contiennent des substances qui augmentent les défenses antioxydantes des cellules et déclenchent l'action d'enzymes qui détoxifient les substances cancérigènes.
Les fruits et légumes orange Les carottes, les potirons, les mangues, par exemple, contiennent des caroténoïdes, dont le bêta-carotène, qui aident les cellules à se défendre contre les modifications pouvant aboutir au cancer.
Les tomates Riches en lycopène, surtout si elles sont cuites dans de l'huile, elles sont utiles dans la prévention contre le cancer de la prostate.

Les légumineuses Elles contiennent des saponines qui empêcheraient les cellules cancéreuses de se multiplier.
Les baies Les fraises et les framboises contiennent de l'acide ellagique qui réduit les dégâts cellulaires provoqués par le tabac et la pollution.
Les céréales complètes Le blé, le riz, l'avoine et l'orge sont riches en nutriments, notamment en fibres, et peuvent diminuer les risques de cancer.
Les oléagineux Les acides gras et les acides phénoliques qu'ils contiennent sont utiles dans le traitement du cancer de la prostate. Les noix du Brésil, par exemple, sont riches en sélénium, efficace dans la prévention du cancer de la prostate.
Les graines de lin Riches en fibres, elles contiennent des lignanes, qui sont

des phytonutriments bénéfiques dans la lutte contre le cancer.
Le thé Noir ou vert, le thé est riche en substances actives, comme les polyphénols qui auraient un effet protecteur contre le cancer de l'estomac, ou les flavonoïdes, utiles contre les infections virales.

Les antioxydants

Les antioxydants sont des substances présentes principalement dans les fruits et les légumes. Ils aident l'organisme à lutter contre la prolifération des radicaux libres et à réparer leurs méfaits sur les cellules. Il est intéressant de les associer afin de bénéficier de leurs différentes propriétés.

Se nourrir quand on a un cancer

Si vous avez un cancer, il se peut que, certains jours, vous vous sentiez faible et dépourvu de toute énergie, au point que même manger vous coûte. La maladie et le traitement peuvent provoquer cet état *(voir p. 262)*.

LA MALABSORPTION

La malabsorption, c'est-à-dire l'absorption incorrecte des nutriments par l'organisme, peut provoquer une perte de poids si les besoins nutritionnels ne sont pas couverts, ou des diarrhées, une déshydratation ou de la fatigue. De nombreuses maladies peuvent être à l'origine de la malabsorption, mais elle peut être soignée. Pour la prévenir ou la traiter, demandez conseil à votre médecin ou à un nutritionniste.

LA SATIÉTÉ

Il est fréquent de se sentir rassasié après avoir avalé seulement quelques bouchées de nourriture. Cela dit, si l'on s'arrête de manger à ce moment-là, on peut se retrouver rapidement amaigri par manque de calories. Si vous mangez peu, mangez plus souvent. Préparez-vous des en-cas sains, nourrissants et pleins de vitamines et de sels minéraux afin d'éviter de perdre du poids et de l'énergie *(voir encadré)*.

LA PERTE D'APPÉTIT

La perte d'appétit est aussi courante que la sensation de satiété chez les personnes atteintes d'un cancer. La nourriture perd de son attrait, et l'appétit diminue à cause du stress et de l'angoisse que génère la maladie, ou des nausées et des vomissements provoqués par les traitements *(voir p. 262)*. Votre organisme a besoin de force et d'énergie pour lutter contre la maladie. Si vous n'avez pas envie de manger, préparez des petites portions d'aliments faciles à manger et appétissants ou parfumés pour stimuler votre appétit, comme des soupes *(voir ci-dessous)* ou des en-cas *(voir p. 224 et 260)*.

Des en-cas nourrissants et sains

Lorsqu'on est traité par chimiothérapie ou par radiothérapie, on se sent très souvent faible et on n'a pas envie de manger, d'autant que les aliments peuvent avoir mauvais goût. Essayez de trouver des aliments qui vous font envie et qui n'ont pas une saveur trop prononcée. Dans la liste ci-dessous, vous trouverez des idées d'en-cas riches en protéines et en nutriments, qui pourront vous aider à maintenir à la fois votre poids et votre énergie :

- Céréales, fruits et lait entier
- Yaourt aux fruits et muesli
- Flocons d'avoine et raisins secs
- Soupe et petit pain
- Biscotte et fromage à tartiner
- Tortilla au fromage fondu
- Mélange d'oléagineux et crackers

Recette Soupe de nouilles au poulet

INGRÉDIENTS
400 g de blancs de poulet
1 petit oignon
1 branche de céleri
1 gousse d'ail
du persil plat
1 litre de bouillon de volaille
½ cuil. à s. de thym séché
85 g de nouilles

Pour 4 personnes

1 Retirez la peau des blancs de poulet et coupez-les en fines lamelles. Pelez et émincez l'oignon, coupez le céleri en dés et pressez la gousse d'ail. Hachez le persil en en gardant quelques brins pour la décoration.

2 Portez le bouillon à ébullition dans une marmite. Ajoutez le poulet, l'oignon, le céleri, l'ail, le persil haché et le thym.

3 Faites de nouveau bouillir, puis couvrez et laissez cuire à feu doux pendant 30 minutes, jusqu'à ce que le poulet soit tendre.

4 Ajoutez les nouilles. Lorsque le bouillon bout de nouveau,

réduisez le feu, couvrez et laissez cuire pendant 10 minutes, jusqu'à ce que les nouilles soient cuites.

5 Assaisonnez la soupe avec du poivre fraîchement moulu. Servez-la bien chaude, décorée de feuilles de persil et, selon les goûts, de fromage râpé.

Valeur nutritionnelle (par portion)

Calories 200, Lipides 3 g (sat. 0,7 g, poly. 0,5 g, mono. 0,3 g), Cholestérol 40 mg, Protéines 27 g, Glucides 16 g, Fibres 1 g, Sodium 600 mg ; bonne source de vitamine B9 et de Ca, K, P, Se.

Les effets secondaires des thérapies anticancéreuses

Si vous suivez une chimiothérapie ou une radiothérapie, il faut adapter votre alimentation afin d'aider le corps à lutter contre la maladie.

LES EFFETS SECONDAIRES

La chimiothérapie détruit les cellules cancéreuses, mais également les cellules saines. Les cellules de la paroi intestinale, en particulier, sont souvent touchées, ce qui peut provoquer des problèmes d'absorption des nutriments. Le goût et l'odorat sont parfois altérés et on perd, en général, l'appétit. Voici les effets secondaires le plus couramment observés.

LA PERTE DE L'APPÉTIT

Pour ne pas perdre complètement l'appétit, essayez de manger régulièrement et aux heures où vous avez le plus d'énergie (en général, le matin et à midi). Si possible, faites-vous aider pour la préparation des repas. Évitez de prendre vos médicaments l'estomac vide, car cela peut aggraver les nausées, les vomissements et les diarrhées. Mangez fréquemment de petites quantités de nourriture, en choisissant des aliments caloriques (*milk-shakes*, avocats, oléagineux, sandwiches).

LES NAUSÉES

Les nausées sont un symptôme très fréquent chez les personnes suivant un traitement anticancéreux. Si c'est votre cas, mangez de petites quantités de nourriture digeste : crackers, biscottes, flocons d'avoine, nouilles et pommes de terre bouillies. Évitez les aliments gras et les plats riches. Dans certains cas, les plats froids sont mieux tolérés, en particulier lorsqu'on est sensible à l'odeur des aliments. Reposez-vous, en position assise, après avoir mangé et buvez des tisanes digestives.

LES VOMISSEMENTS

N'ingurgitez rien jusqu'à ce que les vomissements aient complètement cessé. Une fois la crise passée, buvez quelques gorgées d'eau, de jus de pomme ou de canneberge, de bouillon ou de tisane. Si votre organisme tolère ces liquides, vous pouvez alors manger un peu de pommes de terre ou de riz nature, puis des fruits ou des jus de fruits.

LES TROUBLES INTESTINAUX

La chimiothérapie affecte les cellules de l'intestin et peut déclencher des diarrhées (*voir p. 229*).

La constipation peut être provoquée par certains médicaments. Vous trouverez des conseils pour soulager ces troubles à la page 229.

MÂCHER ET AVALER

La chimiothérapie peut provoquer des ulcérations dans la bouche qui rendent la mastication douloureuse. Coupez très fin ou hachez les aliments et ajoutez de la sauce ou du beurre pour pouvoir les avaler plus facilement. Bannissez la nourriture épicée ou acide qui aggraverait les symptômes. Afin d'éviter les carences en nutriments si vous ne pouvez manger correctement, prenez des compléments alimentaires liquides.

LES REINS ET LA VESSIE

Certains médicaments peuvent irriter la vessie ou provoquer des lésions, temporaires ou définitives, à la vessie ou aux reins. Il est important de boire beaucoup (eau, jus de fruits dilués) et de manger liquide (bouillon, soupe, fruits écrasés, sorbet) pour favoriser la production et l'évacuation de l'urine et prévenir les infections. Le jus de canneberge est recommandé pour éviter les infections urinaires.

La prise de poids

Il peut arriver que les personnes souffrant d'un cancer prennent du poids, soit à cause du traitement – c'est souvent le cas lors d'un cancer du sein ou de la prostate –, soit en raison du stress induit par la maladie.

Afin d'éviter de prendre trop de poids, veillez à choisir des protéines maigres (parties maigres de la viande et de la volaille, poisson, produits laitiers écrémés), à consommer davantage de fruits et de légumes et à bannir les calories vides (chips, biscuits, crème glacée). Faites de l'exercice et suivez les conseils donnés aux pages 156 à 209.

Les nausées et les difficultés à avaler La soupe de légumes est un concentré de vitamines et de sels minéraux, facile à préparer et à avaler pour ceux qui ne parviennent pas à manger.

Contre la perte d'appétit Une assiette, petite ou grande, de poulet accompagné de riz est facile à préparer et à digérer et contient des protéines non grasses.

La mastication pénible Coupez la nourriture en petits morceaux et choisissez des aliments mous. Les fruits peuvent être pochés ou cuits à la vapeur.

Cancer et régimes

Certaines personnes atteintes d'un cancer se lancent dans un régime draconien, au risque de se priver de nutriments et d'aggraver leur situation.

LES RÉGIMES FARFELUS

Les régimes alimentaires farfelus ont tous connu leur heure de gloire, mais ils sont à éviter en cas de cancer. Ne manger qu'une sorte d'aliment ou en éliminer un groupe entier peut mettre la personne en danger de carence. De plus, un corps malade est plus vulnérable aux infections. Il est plus prudent d'en tenir compte *(voir ci-dessous)*.

LE RÉGIME MACROBIOTIQUE

Il s'agit d'un régime végétarien très restrictif *(voir p. 101)*, longtemps prôné comme mode d'alimentation efficace dans la lutte contre le cancer de la prostate et du côlon. Cela dit, les risques de carences en certains nutriments existent et une supplémentation est conseillée à qui veut suivre un tel régime.

Crostini aux haricots cannellini Si vous suivez le régime macrobiotique, veillez à manger des protéines, en associant céréales et légumineuses, par exemple.

Éviter l'infection par les aliments

La chimiothérapie affaiblit considérablement le système immunitaire et rend l'organisme plus vulnérable face aux infections et aux microbes, en particulier aux germes présents dans la nourriture. Ne gardez pas d'aliments périssables (lait, yaourts, sandwiches) pendant plus de deux heures à température ambiante. Les aliments chauds doivent être conservés à une température supérieure à 75 °C, les aliments froids à moins de 4 °C. La température du réfrigérateur doit être comprise entre 1 et 4 °C. Vous trouverez, dans le chapitre suivant, des conseils d'hygiène pour la conservation et la préparation des aliments, et, ci-dessous, la liste des aliments augmentant et diminuant les risques d'infection.

GROUPES D'ALIMENTS	ALIMENTS À RISQUE	ALTERNATIVES MOINS RISQUÉES
Fruits et légumes	Fruits et légumes crus ; buffets de salades ; jus de fruits et de légumes non pasteurisés ; fruits secs ; oléagineux secs	Fruits frais lavés et pelés ; fruits surgelés et en conserve (sauf les fruits rouges) ; fruits frais cuits sans peau ; légumes surgelés ou en conserve cuits
Viande, volaille, poisson	Viande, volaille et poisson crus ; viandes cuites et produits carnés provenant de chez le charcutier (jambon, salami) ; saumon fumé ; œufs crus ou à peine cuits	Viande et poisson en conserve ou bien cuits ; charcuterie préemballée ; thon en conserve ; œufs bien cuits (au moins dix minutes)
Pain, riz, pâtes, pommes de terre	Produits céréaliers crus ; pain, gâteaux, beignets et muffins du commerce	Pâtes, riz et céréales cuits ; pain et pâtisseries surgelés ; chips, pop-corn, bretzels et crackers
Produits laitiers	Lait, fromages, yaourts et autres produits laitiers crus ou non pasteurisés ; fromages à moisissures (bleu, roquefort, gorgonzola) ; fromages à pâte molle (brie, camembert)	Produits laitiers pasteurisés, y compris les yaourts ; glaces et yaourts glacés conditionnés individuellement ; fromages à pâte dure préemballés
Boissons	Jus de pommes frais ; limonade maison ; eau de source ; eau minérale ; café fraîchement moulu	Jus de pommes pasteurisé ; boissons en canettes, en bouteilles et en poudre, eau du robinet ; café soluble instantané
Mélanges	Miel ; certains compléments nutritionnels à base de plantes ; restes de nourriture	Miel, confitures et sirops pasteurisés ; compléments en comprimés et en poudre ; plats cuisinés surgelés

Les carences en vitamines et en minéraux

Veillez à consommer suffisamment de micronutriments.

Une alimentation variée doit fournir à votre organisme tous les sels minéraux et les vitamines dont il a besoin pour fonctionner correctement. Les carences en micronutriments surviennent, en général, lorsqu'on supprime certains aliments de son alimentation.

Les végétaliens, par exemple, doivent veiller à ne pas manquer de vitamine B12, que l'on ne trouve que dans les produits d'origine animale. Les intolérants au lactose, eux, risquent de manquer de calcium et de phosphore.

De plus, à certaines périodes de la vie, les besoins en nutriments sont accrus (la vitamine B9 pendant la grossesse, par exemple).

Cela dit, il est rare qu'une personne manque d'un seul sel minéral ou d'une seule vitamine à la fois. Les symptômes indiquent le plus souvent une carence en plusieurs nutriments. Le tableau figurant ci-dessous propose une liste des différents symptômes et des carences qui leur sont associées.

Compléments alimentaires

Si vous avez l'un des symptômes recensés dans le tableau, consultez votre médecin. Lui seul pourra évaluer si vous avez besoin d'une supplémentation.

Du sorbet et des fruits rouges Il y a mille façons de manger des fruits. Ici, ils accompagnent un sorbet, pour un dessert très riche en vitamines et en sels minéraux.

Augmenter sa consommation de micronutriments

Le tableau qui suit présente une liste des signes et des symptômes de carences en vitamines ou en sels minéraux. Vous pouvez ainsi repérer, à partir des symptômes, le, ou plutôt les nutriments – car les carences en un seul sel minéral ou en une seule vitamine sont rares – dont vous manquez. Les carences touchent essentiellement les personnes qui ont une alimentation peu variée. Vous trouverez, page 296, la signification des abréviations utilisées dans le tableau.

ZONE	SIGNES ET SYMPTÔMES	CARENCE POSSIBLE VITAMINES/MINÉRAUX
État général	• Manque d'énergie • Perte de poids • Perte ou peu d'appétit • Fatigue	• Vitamines B1, B3, B6, B9, B12 • Vitamines B1, B3 • Vitamines B1, B3, B8, B9/Fe, Mg, Zn • Vitamines B6, C, D/Fe
Peau	• Peau qui marque facilement • Boutons rouges ou violacés • Mauvaise cicatrisation • Peau sèche, desquamation, eczéma, dermatite, éruption cutanée • Pâleur	• Vitamines C, K • Vitamine C • Vitamines A, C, E/Zn • Vitamines A, B2, B3, B6, B8, B9, B12/Zn • Vitamines A, B2, B12/Fe
Cheveux et ongles	• Chute de cheveux • Cheveux mous • Cheveux ternes ou gras • Ongles concaves, cassants, dédoublés	• Vitamines B8, D/Zn • Vitamines B8, B12 • Vitamine B2 • Vitamine B2/Fe

ZONE	SIGNES ET SYMPTÔMES	CARENCE POSSIBLE VITAMINES/MINÉRAUX
Bouche	• Lèvres sèches, gercées ; inflammation buccale	• Vitamines B2, B3, B6, B12
	• Commissures fendues	• Vitamines B2, B3, B6, B12/Fe
	• Gencives douloureuses, saignements	• Vitamines B2, C, K
	• Inflammation de la langue	• Vitamines B2, B3, B6, B9, B12
	• Caries	• Sel minéral F
	• Retard de dentition chez le nourrisson	• Vitamines C, D
	• Défaut d'émail	• Vitamines D/Ca, F, P
	• Maladies parodontales	• Vitamines C
	• Perte du goût	• Vitamine A/Zn
Abdomen et appareil gastro-intestinal	• Diarrhées	• Vitamines B3, B6, B9, B12/Mg, Zn
	• Nausées et/ou vomissements	• Sel minéral Mg
	• Douleur abdominale	• Vitamine B3
	• Sang dans les selles	• Sel minéral Fe
	• Transit lent	• Sels minéraux K, P
	• Constipation	• Sel minéral Mg
Appareil respiratoire	• Rhumes fréquents	• Vitamine C
	• Essoufflement pendant l'effort	• Vitamine C
Yeux	• Vue brouillée, yeux injectés, irrités, larmoyants ; sensibilité à la lumière	• Vitamine B2
	• Mauvaise vision nocturne ; yeux secs	• Vitamine A
Système cardio-vasculaire	• Palpitations	• Vitamine B1/Mg
	• Arythmie	• Sels minéraux Ca, K, Mg
	• Anomalies de l'électrocardiogramme	• Vitamine K
	• Insuffisance cardiaque congestive	• Vitamine B1
Sang	• Anémie microcytaire	• Sel minéral Fe
	• Anémie macrocytaire	• Vitamines B6, B9, B12
	• Mauvaise coagulation	• Vitamine K
	• Anémie hémolytique du nourrisson	• Vitamine E
	• Hémorragie chez le nourrisson	• Vitamine K
	• Règles abondantes, hémorragie	• Sel minéral Fe
Os, muscles, articulations	• Os douloureux ou faibles	• Vitamines C, D/Ca, P
	• Crampes musculaires	• Vitamines B6/Ca, K, Mg, Na
	• Courbatures et douleurs musculaires	• Vitamines B1, B8, B12
	• Douleurs articulaires	• Vitamines C, D/Ca
	• Faiblesse musculaire	• Vitamines B6, C, D/K, Mg, P, Se
	• Rétention d'eau	• Vitamine B1
	• Retard de croissance	• Vitamine D/Zn
	• Os mous	• Vitamines D/Ca, P
	• Anomalies de courbure du rachis	• Vitamines D/Ca
Système nerveux	• Spasmes et contractions	• Vitamines D/Ca, Mg
	• Maux de tête	• Vitamine B3/Mg
	• Fourmillements dans les mains et les pieds	• Vitamines B1, B6, B12/Ca
	• Irritabilité	• Vitamines B1, B3, B6, B12/Zn
	• Manque de concentration	• Vitamines B3/Fe, Mg
	• Anxiété	• Vitamines B3, B9, B12
	• Déprime	• Vitamines B3, B6, B9, C/Zn
	• Insomnie, troubles du sommeil	• Vitamines B3, B6

Les compléments alimentaires

Les compléments peuvent améliorer votre santé.

Une supplémentation en certains sels minéraux ou vitamines peut parfois être utile, dans le dessein d'améliorer sa santé, voire de prévenir les maladies cardio-vasculaires, le cancer et l'ostéoporose.

Le marché des compléments alimentaires est en pleine expansion en France. Dans cette partie, nous passerons en revue les principaux compléments en vitamines et en sels minéraux et nous donnerons, pour chaque cas, les principales indications et les précautions à respecter lorsque l'on a recours à ces compléments.

Des compléments pour la santé De plus en plus de personnes ont recours à des compléments alimentaires.

La législation

La législation française est la plus stricte en matière de compléments alimentaires qui ne peuvent être lancés sur le marché par les fabricants sans avoir reçu l'agrément des autorités sanitaires. Contrairement aux pays anglo-saxons, où un produit reste sur le marché tant que l'on n'a pas prouvé sa toxicité, les ingrédients des compléments alimentaires que l'on trouve en France sont contrôlés par l'AFSSA qui en autorise ou non la commercialisation. Mais la possibilité d'acheter des produits provenant du monde entier sur Internet complique les choses. De plus, les mentions apposées sur l'emballage ne doivent pas faire allusion à un effet préventif ou curatif.

La sécurité

En ce qui concerne les compléments alimentaires, leur définition, leur composition et les normes d'étiquetage, les législateurs européens finiront sans doute par trou-ver un compromis entre la libéralité anglo-saxonne et les restrictions du marché espagnol. Quoi qu'il en soit, si vous prenez des compléments alimentaires, n'oubliez pas de les comptabiliser en fonction des Apports nutritionnels conseillés (ANC) fixés par les autorités et veillez également à ne pas dépasser les limites de sécurité. Dans tous les cas, la prudence est recommandée.

Les recommandations

Les compléments alimentaires sont commercialisés sous forme de gélules, de comprimés, de liquides ou de poudres à diluer. En dépit des apparences, ils ne font pas partie de la catégorie des médicaments, mais des aliments. Les fabricants sont donc tenus de se soumettre à la réglementation sur l'étiquetage des produits alimentaires. Cela dit, la confusion peut induire les consommateurs en erreur. Il faut être vigilant et prudent.

Les sels minéraux chélatés

Dans les compléments alimentaires, les sels minéraux sont souvent associés – chélatés – à d'autres substances afin d'améliorer leur absorption et leur exploitation par l'organisme. Ils sont mieux tolérés ainsi que purs.

Parmi les substances en question, on trouve des acides aminés, des gluconates, des citrates et des picolinates. Sur les étiquettes, les minéraux ont plusieurs appellations : le picolinate de zinc pour le zinc, l'oxyde de magnésium pour le magnésium, le fumarate ferreux pour le fer ou le carbonate de calcium pour le calcium. C'est parce que les fabricants choisissent, selon l'indication du produit, la forme qui sera la mieux acceptée et digérée par l'organisme.

Les compléments sont-ils efficaces ?

En prenant un complément multivitaminé, on est sûr de ne pas manquer de certains nutriments si l'alimentation n'est pas très équilibrée ou si l'on a besoin de nutriments supplémentaires pendant une période donnée.

Cela dit, nombreuses sont les personnes, y compris dans le corps médical, qui sont convaincues et qui s'efforcent de prouver que les compléments alimentaires en vitamines et en sels minéraux peuvent également jouer un rôle dans la prévention et le traitement des maladies chroniques.

PAS DE PREUVES SCIENTIFIQUES

L'utilisation de la vitamine E dans le traitement et la prévention des maladies cardio-vasculaires est à l'étude depuis une trentaine d'années, mais les tests sur les personnes atteintes de la maladie ou sur les sujets à risque n'ont pas apporté la preuve de son efficacité. On commence même à découvrir des effets secondaires négatifs.

D'autres exemples : le chrome est un sel minéral essentiel pour la régulation de l'insuline et du glucose dans le sang. Cela dit, un complément en chrome ne semble pas améliorer radicalement la situation des diabétiques. Le bêta-carotène, donné en complément, n'a pas le même effet sur le développement du cancer que lors des tests effectués sur des cellules en laboratoire.

DEMANDEZ CONSEIL

Si vous pensez avoir besoin d'un complément alimentaire, il est préférable de consulter un médecin ou un nutritionniste qui pourra vous conseiller sur ce que vous pouvez ou ne pouvez pas prendre en fonction de votre état de santé. Il saura vous mettre en garde sur les éventuels effets secondaires et interactions de ces compléments.

Une supplémentation multivitaminée peut être utile tant que les doses ne dépassent pas les apports nutritionnels conseillés *(voir p. 35)*. Il est difficile à dire s'il est plus intéressant de prendre plusieurs compléments différents ou un complément associant plusieurs nutriments, comme les vitamines C et E, le carotène et le sélénium, par exemple. Enfin, il ne faut pas oublier que le corps absorbe mieux les vitamines lorsqu'elles proviennent des aliments naturels.

Prendre un complément Cela peut être utile, surtout dans les périodes où les besoins en nutriments sont accrus.

Le surdosage

Les effets secondaires négatifs des vitamines et des sels minéraux sont toujours liés à un surdosage ou à une mauvaise utilisation. Ne prenez jamais des doses importantes de sels minéraux ou de vitamines sans avis médical. Il faut savoir que les vitamines liposolubles – A, D, E et K – sont plus rapidement dangereuses, à fortes doses, que les vitamines hydrosolubles – les vitamines du groupe B et C – car elles sont stockées par le foie *(voir p. 268-271)*.

Si vous prenez un complément alimentaire, n'achetez pas n'importe quoi n'importe où et évitez de dépasser l'apport maximal tolérable *(voir encadré)*.

Définition

L'apport maximal tolérable (AMT)

C'est la quantité maximale d'un nutriment – présent dans l'alimentation ou pris en complément – qu'un individu peut consommer sans risque pour sa santé. Dans le tableau présenté dans les pages suivantes, l'apport maximal tolérable est donné pour les compléments alimentaires.

LES VITAMINES

Certaines vitamines sont dangereuses à hautes doses. Un excès de vitamine A, par exemple, entraîne des maux de tête, une vue brouillée, des gerçures et une sécheresse cutanée. Trop de vitamine D provoque des nausées, des vomissements et des dépôts calciques sur les tissus. Les vitamines du groupe B, en surdose, donnent des démangeaisons, des bouffées de chaleur, des nausées, des délires et des fourmillements, voire la perte de l'équilibre et des sensations dans les jambes. Trop de vitamine C donne la diarrhée et favorise la formation des calculs d'oxalate de calcium *(voir p. 237)* chez les sujets sensibles. Les symptômes disparaissent lorsqu'on arrête de prendre la vitamine en question.

LES SELS MINÉRAUX

Chez les enfants, trop de fer est dangereux et un excès de fluor rend les dents marron. Les personnes traitées pour des ulcères peuvent développer le syndrome du lait et alcalins, provoqué par l'excès de calcium dans les médicaments. Une consommation trop importante de vitamine D peut entraîner une surabsorption du calcium, tandis que l'excès de zinc affaiblit le système immunitaire et inhibe l'absorption du cuivre.

Les compléments en nutriments

Le tableau qui suit présente les différents nutriments qu'il est possible de prendre sous forme de compléments alimentaires, ainsi que les cas dans lesquels la supplémentation est utile, et une mise en garde contre d'éventuels effets secondaires. Les compléments sont plus particulièrement indiqués en cas de besoins accrus (grossesse, allaitement, suites opératoires ou d'accident, régime restrictif, alcoolisme, tabagisme, maladie). Dans tous les cas, consultez un médecin.

Les doses que le corps est capable d'absorber dépendent de ses besoins. Par exemple, les femmes et les enfants en pleine croissance absorbent davantage de calcium et de fer qu'un homme adulte parce que leurs besoins en ces minéraux sont plus grands. L'absorption dépend de la forme sous laquelle le nutriment se présente, ainsi que du degré d'acidité ou d'alcalinité du milieu dans lequel il est absorbé dans le tube digestif. L'acidité de l'estomac, par exemple, convient bien à l'absorption du calcium et du fer. C'est pourquoi les personnes souffrant d'achlorhydrie, dont l'estomac produit peu d'acidité, ou les personnes prenant des médicaments antiacides, absorbent moins bien ces deux minéraux.

COMPLÉMENTS	DANS QUELS CAS ?	MISES EN GARDE
Vitamine A *(voir p. 52)* AMT : 2300 µg par jour	• Problèmes de peau (acné ou psoriasis) • Infections comme la rougeole ou la péritonite (inflammation de la membrane séreuse qui tapisse les parois intérieures de la cavité abdominale ou pelvienne) • Arthrose *(voir p. 241)* • Faible vision nocturne	• À éviter si vous utilisez des traitements pour la peau à base de rétinoïdes, une contraception orale ou si vous êtes enceinte. • À fortes doses : démangeaisons, desquamation, troubles de la vision et maux de tête. • À doses toxiques : augmentation du volume de la rate ou du foie, douleurs articulaires.
Vitamine B1 *(voir p. 53)* AMT : 100 mg par jour	• Système immunitaire affaibli • Consommation d'alcool ou tabagisme	• Pas de problème connu.
Vitamine B2 *(voir p. 53)* AMT : 200 mg par jour	• Végétarianisme *(voir p. 100-101)* • Pratique sportive intensive *(voir p. 146-149)* • Migraines *(voir p. 256-257)* • Problèmes de peau (acné, eczéma) et ulcères • Syndrome du canal carpien (fourmillements et douleurs dans la main et l'avant-bras)	• À fortes doses : problèmes gastriques.
Vitamine B3 *(voir p. 53)* AMT : 150 mg par jour	• Hypercholestérolémie	• La vitamine B3 est prescrite dans le traitement de l'hypercholestérolémie. • À prendre au milieu des repas pour réduire le risque de troubles gastriques. • À éviter en cas de troubles hépatiques ou d'ulcère peptique. • Consultez un médecin en cas de diabète, de goutte, d'affection de la vésicule biliaire, d'hémorragie interne provoquée par des artères affaiblies, d'ulcère, d'hypotension ou de glaucome. • Une dose de 50 mg par jour peut provoquer bouffées, démangeaisons, céphalées, crampes et nausées. • À fortes doses sur une longue période : lésions du foie, élévation du taux de glucose dans le sang, irrégularité des battements cardiaques (arythmie).

COMPLÉMENTS	DANS QUELS CAS ?	MISES EN GARDE
Vitamine B6 *(voir p. 54)* AMT : 100 mg par jour	• Mauvaise alimentation des alcooliques ou difficulté d'absorption de la vitamine B6 chez les personnes âgées • Sensibilité au glutamate de monosodium • Contraception orale • Traitement contre l'asthme (théophylline) ou contre la tuberculose (isoniazide) • Taux élevé d'homocystéine *(voir p. 219)* – à associer aux vitamines B9 et B12	• Dose supérieure à 100 mg par jour : engourdissements et fourmillements dans les doigts (mains et pieds). • À fortes doses sur une longue période : lésions du foie et du tissu nerveux. Ces dernières sont heureusement réversibles dès lors que l'on cesse de consommer la vitamine. • Consultez un médecin en cas de troubles intestinaux ou hépatiques, d'hyperthyroïdie, d'anémie falciforme ou de convalescence après une opération chirurgicale, un accident ou une maladie. • Risques de calculs rénaux.
Vitamine B9 *(voir p. 56)* AMT : 400 µg par jour	• Grossesse *(voir p. 138-141)* • Difficulté d'absorption de la vitamine B9 • Troubles hépatiques, dialyse du rein *(voir p. 237)* • Taux élevé d'homocystéine *(voir p. 219)* – à associer aux vitamines B6 et B12	• Peut masquer une carence en vitamine B12. • Consultez un médecin en cas d'anémie. • À fortes doses : urine jaune foncé, fièvre, essoufflement, éruption cutanée, diarrhée, nausées, perte de l'appétit, flatulences, ballonnement, risques d'interférence avec certains traitements contre l'épilepsie.
Vitamine B12 *(voir p. 55)* AMT : 3 000 µg par jour	• Végétarianisme et végétalisme *(voir p. 100-101)* • Difficulté d'absorption de la vitamine B12 • Anémie *(voir p. 55)* • Ablation d'une portion d'intestin et iliéocolostomie • Taux élevé d'homocystéine *(voir p. 219)* – à associer aux vitamines B6 et B9	• Pas de problème connu.
Vitamine C *(voir p. 56)* AMT : 2 000 mg par jour	• Consommation d'alcool ou tabagisme réguliers • Brûlures, fractures, pneumonie, fièvre rhumatismale (inflammation des articulations qui s'accompagne de fortes poussées de fièvre), tuberculose • Préparation avant une opération chirurgicale	• À fortes doses : risque d'interférence avec l'absorption du cuivre et du sélénium. • Consultez un médecin en cas de problèmes rénaux, calculs, goutte, anémie falciforme ou d'hémochromatose. • À fortes doses : nausées, vomissements, flatulences, diarrhée, crampes abdominales, céphalées.
Vitamine D *(voir p. 57)* AMT : 10 µg par jour	• Manque de soleil • Difficulté d'absorption des lipides dans l'intestin (fibrose kystique, par exemple) • Antécédents familiaux d'ostéoporose *(voir p. 241)* • Diminution de la synthèse de la vitamine D, chez les personnes âgées de plus de soixante-cinq ans	• Consultez un médecin en cas d'épilepsie, de maladie cardio-vasculaire, de diarrhée chronique, de problèmes rénaux, hépatiques, pancréatiques ou intestinaux, de sarcoïdose, ou si vous prévoyez d'être enceinte. • À fortes doses : nausées, vomissements, diarrhée, constipation, céphalées, épuisement, manque d'appétit, perte de poids, miction fréquente, irrégularité des battements cardiaques (arythmie), faiblesse des os et des muscles. • À fortes doses sur une longue période : calculs rénaux et durcissement irréversible des tissus. • Chez les nourrissons et les enfants, un excès de vitamine D peut provoquer des retards de croissance et des difficultés d'apprentissage.

COMPLÉMENTS	DANS QUELS CAS ?	MISES EN GARDE
Vitamine E *(voir p. 58)* AMT : 800 mg par jour	• Tabagisme de la femme enceinte (la vitamine E peut contribuer à protéger le fœtus des dégâts causés par le tabac) • Risque élevé de maladie d'Alzheimer	• À fortes doses : vertiges, fatigue, céphalées, douleurs abdominales, diarrhée, symptômes grippaux, nausées, troubles de la vision et baisse de la libido. • À éviter deux semaines avant et après une opération. • Consultez un médecin en cas de traitement anticoagulant (fluidifiant du sang), d'anémie, d'hémorragie ou de problèmes de coagulation, de fibrose kystique, d'affection hépatique ou de problèmes intestinaux. • À fortes doses : risque d'interférence avec l'absorption de la vitamine A et avec les propriétés anticholestérolémiantes de la vitamine B3. • À fortes doses : risque d'hémorragie et de dysfonctionnement des globules blancs.
Vitamine K *(voir p. 58)* AMT : non établi	• Chez le nourrisson, injection à la naissance pour prévenir les hémorragies • Chez les femmes, pendant et après la ménopause pour ralentir la perte osseuse • Troubles hépatiques, jaunisse, difficulté d'absorption des nutriments, utilisation prolongée d'aspirine ou d'antibiotiques	• La vitamine K inverse les effets des anticoagulants *(voir p. 153)*. • À fortes doses : réactions allergiques et lésions cérébrales chez le nourrisson.
Calcium *(voir p. 62)* AMT : 1 500 mg par jour	• Grossesse *(voir p. 140)* et allaitement *(voir p. 142)* • Risque élevé d'ostéoporose *(voir p. 241)* • Besoin de perdre du poids *(voir p. 62)* • Diabète *(voir p. 246-247)*	• On trouve du calcium sous différentes formes. Demandez conseil à votre médecin. • Ne prenez pas de compléments de calcium et de fer en même temps : le calcium limite l'absorption du fer. Il limite également l'absorption du zinc. • Consultez un médecin si vous voulez prendre plus de 5 000 mg par jour, ou en cas de : sarcoïdose, troubles rénaux, constipation chronique, colite, diarrhée, hémorragie intestinale ou gastrique ou problèmes cardiaques. • Effets secondaires : flatulences, céphalées, constipation, confusion, douleurs musculaires ou osseuses, nausées, vomissements et modification du rythme cardiaque. • À très fortes doses sur une longue période : risques de calculs rénaux.
Fluor *(voir p. 65)* AMT : non établi	• Pas de fluorisation de l'eau dans la zone d'habitation *(voir p. 66)* • Chez certains nourrissons allaités qui ne reçoivent pas suffisamment de fluor *(voir p. 109)* • Ostéoporose *(voir p. 241)*	• On trouve du fluor sous différentes formes. Demandez conseil à votre médecin. • Ne pas avaler les dentifrices fluorés. • Surveiller les enfants qui se lavent les dents : ils ne doivent pas utiliser plus de l'équivalent d'une noisette de dentifrice fluoré. • De 20 à 40 mg par jour : risque d'interférence avec le métabolisme du calcium. • De 40 à 70 mg par jour : brûlures d'estomac et douleurs aux extrémités.

COMPLÉMENTS	DANS QUELS CAS ?	MISES EN GARDE
Fer **(voir p. 66)** AMT : 15 mg par jour	• Faible consommation de fer (végétariens et végétaliens) • Difficulté d'absorption du fer, affections rénales, hémorragies (à la suite d'un accident, par exemple) • Anémie par carence en fer • Grossesse et allaitement • Règles abondantes	• Consultez toujours un médecin avant de prendre un complément en fer. • Prenez de la vitamine C pour favoriser l'absorption du fer. • Les gens atteints d'hémochromatose doivent éviter les compléments en fer. • À fortes doses sur une période prolongée : pigmentation de la peau, lésions du foie et du pancréas, diabète.
Magnésium **(voir p. 63)** AMT : 300 mg par jour	• Pratique sportive intensive, crampes musculaires • Risque d'accouchement prématuré • Hypertension et autres affections cardio-vasculaires *(voir p. 214-215)*, irrégularité des battements cardiaques (arythmie) • Asthme et migraines fréquentes • Diabète (le magnésium favorise la production d'insuline) • Constipation chronique • Pertes excessives de magnésium dans l'urine, taux de magnésium très bas, difficultés chroniques d'absorption des nutriments, diarrhée sévère, vomissements répétés	• Consultez toujours un médecin avant de prendre un complément en magnésium. • À fortes doses : diarrhée, nausées, faiblesse musculaire, vertiges, léthargie, confusion et difficultés respiratoires.
Zinc **(voir p. 67)** AMT : 15 mg par jour	• Perte du goût et de l'odorat • Faiblesse du système immunitaire • Rhume, grippe ou mal de gorge	• Ne prenez pas de complément de calcium ni de fer, car ces deux minéraux inhibent l'absorption du zinc. • À éviter en cas d'ulcère peptique. • 15 mg par jour peuvent affaiblir le système immunitaire. • Effets secondaires : diarrhée, brûlures d'estomac, nausées, vomissements et douleurs abdominales. • À fortes doses sur une période prolongée : diminution du taux de bon cholestérol HDL, carence en cuivre, dédoublement des ongles. • Si vous prenez des antibiotiques, attendez au moins deux heures avant de prendre du zinc.
Multivitamine et sels minéraux Respecter les recommandations du fabricant	• Grossesse et allaitement *(voir p. 142)* • Convalescence après une opération ou un accident grave • Infections (VIH, par exemple) • Anémie ou carence en hémoglobine (globules rouges) *(voir p. 55)* • Consommation régulière d'alcool et tabagisme • Suppression d'un groupe entier d'aliments (comme les produits laitiers en cas d'intolérance au lactose) • Régime pauvre en calories, irrégularité des repas • Chez les personnes âgées atteintes de maladies qui affectent l'absorption des nutriments • Contraception orale	• Déconseillés aux personnes prenant déjà un complément de la liste ci-dessus. • Déconseillés aux personnes prenant des médicaments antiapoplexie ou anticoagulants.

Faire
les courses

Ce chapitre est émaillé de conseils
pratiques et d'explications théoriques
qui vous aideront à faire des achats
sains et judicieux, mais aussi à comparer les produits, à stocker, préparer,
cuisiner et conserver les aliments.

L'industrie agroalimentaire

La technologie nous permet de disposer toute l'année d'un vaste choix d'aliments.

Des réfrigérateurs aux congélateurs et des boîtes de conserve aux briques de lait, les cuisines d'aujourd'hui sont remplies d'appareils et de produits qui ont révolutionné notre façon de nous nourrir. Ces produits de la technologie moderne permettent de gagner du temps et de l'énergie, de manger ce que l'on veut, comme on veut et quand on veut, sans être obligé d'aller se ravitailler tous les jours en produits frais. On a désormais la chance de disposer d'aliments d'une qualité égale tout au long de l'année.

L'impact sur l'alimentation
La grande disponibilité des aliments, à des prix abordables, est le résultat d'avancées technologiques énormes. Mais ce résultat est largement remis en question de nos jours, car on commence à en mesurer sérieusement l'impact négatif sur la santé et sur l'envi-

La production de masse Les étalages des supermarchés regorgeant de denrées en tout genre nous offrent de quoi nous nourrir toute l'année à des prix abordables.

Les produits frais

Il est évident que les produits frais ont une plus grande valeur nutritionnelle : des pommes de terre nouvelles à peine sorties de terre ou des petits pois fraîchement écossés contiennent plus de nutriments que leurs équivalents surgelés ou en conserve – sans parler de leur consistance et de leur goût. Tout le monde n'a pas la chance d'avoir un potager, loin s'en faut, et les aliments que l'on nous vend pour « frais » subissent souvent des heures de camion et d'entrepôt frigorifique avant d'arriver sur les rayons de nos supermarchés. Sont-ils toujours aussi bons ?

FRAIS, SURGELÉS, EN CONSERVE ?
Voici quelques conseils pour vous aider à faire les choix les plus nutritifs et les plus sains.
● Lorsque vous achetez des fruits et des légumes frais, choisissez des variétés locales qui seront vraisemblablement plus fraîches que des variétés qui ont voyagé.
● Pour les mêmes raisons, choisissez des fruits et des légumes de saison qui auront certainement été stockés moins longtemps.
● Les fruits et les légumes congelés immédiatement après la récolte contiennent autant de nutriments que les frais.
● Si vous achetez des aliments déjà emballés, vérifiez l'étiquette : il se peut qu'elle contienne une longue liste d'additifs en tout genre *(voir p. 278-280)*, sans intérêt nutritionnel, voire nocifs.
● Achetez de la viande fraîche, de préférence peu grasse, comme le bœuf maigre ou les blancs de volaille, au lieu des viandes transformées (saucisses, hamburgers…), pleines de graisses saturées, de sel et d'additifs.
● Achetez du pain frais, complet, plutôt que du pain industriel en sachet qui se conserve longtemps parce qu'il est bourré d'additifs.

Des aliments frais Les fruits et légumes fraîchement cueillis sont les plus riches en nutriments, mais n'oubliez pas qu'ils peuvent aussi avoir été stockés pendant des mois.

ronnement. En conséquence, de plus en plus de gens, inquiets de l'usage abusif des pesticides ou des maladies typiques de l'élevage intensif, se tournent vers des produits issus de méthodes de cultures plus écologiques et plus saines.

Il est désormais prouvé que les aliments issus de la culture biologique contiennent davantage de nutriments que les aliments de la culture traditionnelle. En contrepartie, les aliments biologiques, qui ne contiennent pas de conservateurs, se conservent moins longtemps que les autres. Le coût de la production biologique est également plus élevé, car on n'y utilise pas les méthodes de culture intensive, dont la productivité est plus grande. Cela dit, au fur et à mesure que la demande augmente, les prix deviennent de plus en plus abordables, permettant à un nombre toujours plus grand de consommateurs de se fournir en produits alimentaires plus sains et plus écologiques.

Aliments et santé

L'industrie agroalimentaire a entendu le message des consommateurs inquiets des effets de la production industrielle sur leur santé. D'où la diffusion de produits contenant moins de matières grasses, de sel, de sucre ou de cholestérol. Plus récemment sont apparus sur le marché de nouveaux aliments, censés améliorer la santé.

En conséquence, si l'on peut se féliciter des progrès qui ont mis à notre disposition, à longueur d'année, une si grande variété d'aliments, il ne faut pas perdre de vue l'énorme impact de nos choix, à la fois sur l'écologie et sur notre santé.

Aliments à base d'OGM

Les progrès de la génétique, appliqués à l'industrie agroalimentaire, ont permis la modification génétique de certaines variétés de végétaux. L'objectif du transfert de particularités génétiques d'une variété à l'autre est de rendre les cultures plus résistantes aux insectes et aux maladies et d'augmenter les rendements agricoles. À l'avenir, on peut également espérer améliorer la valeur nutritionnelle des aliments et leur résistance à tous les changements climatiques.

Cela dit, on s'aperçoit que la modification génétique n'est pas sans poser de problèmes, en particulier en ce qui concerne ses conséquences sur la santé humaine et sur l'environnement (toxicité, développement d'allergies, tolérance des OGM aux herbicides…).

Les aliments biologiques

Un aliment doit remplir un certain nombre de conditions relativement contraignantes s'il veut avoir droit à l'appellation « biologique ». Les fruits, les légumes et les céréales doivent avoir poussé sur un sol cultivé uniquement avec des engrais et des pesticides répondant à un cahier des charges strict. La viande, la volaille, les œufs et les produits laitiers proviennent d'animaux auxquels on n'a pas administré de médicaments pour les engraisser le plus vite possible ou pour les doper.

● Les fruits et légumes issus de la culture biologique ne contiennent pas de conservateurs. Il faut donc les acheter très frais, car ils ne se conservent pas longtemps. Demandez à votre marchand de primeurs quel jour il est livré et essayez d'acheter vos produits ce jour-là. Choisissez, autant que possible, des fruits et des légumes locaux, sans marques ni trous d'insectes.

● Lisez attentivement les étiquettes : ce n'est pas parce qu'un aliment est biologique qu'il contient moins de graisses, de sucre et de calories.
● Ne confondez pas les aliments dits « naturels » avec les aliments biologiques. Cherchez la certification Ecocert et le logo AB.
● Les produits biologiques ne sont pas forcément composés à 100 % d'ingrédients biologiques, pour la bonne raison que certains aliments ne peuvent l'être (l'eau, par exemple). Un produit dit « biologique » doit contenir au moins 95 % d'ingrédients issus de la culture biologique. Il est certifié par un organisme indépendant agréé par l'État et porte le logo AB. Entre 70 et 95 % d'ingrédients biologiques, l'étiquette doit, de toute façon, mentionner la composition du produit et le pourcentage d'ingrédients biologiques qui entrent dans sa composition et qui sont généralement indiqués par un astérisque.

Les méthodes de conservation

Différentes techniques permettent de conserver les aliments.

De tout temps, l'homme a essayé de prolonger la durée de vie des aliments, par le fumage, la salaison, le saumurage ou l'utilisation du froid, afin de ne pas être à court de nourriture quand les circonstances limitent l'accès aux produits frais.

Aujourd'hui, les méthodes traditionnelles n'ont pas disparu, elles cohabitent avec de nouvelles techniques, comme la conservation en boîtes, la pasteurisation ou l'irradiation.

La conservation des aliments présente le double avantage de mettre, toute l'année, à disposition du consommateur, un grand choix d'aliments et de lui éviter d'avoir à se procurer quotidiennement des produits frais.

Les méthodes

L'une des méthodes les plus courantes, pour conserver les aliments, est la congélation . Elle préserve généralement bien l'aliment, sa saveur, sa couleur, sa consistance et sa valeur nutritionnelle. Les légumes sont souvent d'excellente qualité puisqu'ils sont traités rapidement après la récolte et gardent ainsi beaucoup de nutriments.

Les aliments conservés dans des boîtes ont une très longue durée de vie et sont pratiques et rapides à préparer. On trouve des fruits, des légumes, des soupes, des sauces et des plats cuisinés sous cette forme. La liste des ingrédients et la valeur nutritionnelle doivent toujours figurer sur l'étiquette (voir p. 277).

La pasteurisation permet la conservation du lait et des produits laitiers sans en modifier ni le goût ni la valeur nutritionnelle. Elle consiste à faire chauffer l'aliment jusqu'à éliminer toutes les bactéries qu'il contient. Les produits laitiers sont soumis à d'autres méthodes de conservation (voir p. 82), telles que l'évaporation, la condensation et la pasteurisation UHT (ultra-haute température).

Les méthodes traditionnelles comme la salaison, le saumurage et le fumage concernent les poissons, les viandes et la volaille, auxquels elles confèrent un arôme caractéristique. Traditionnellement, les poissons et les viandes étaient salés avant d'être fumés, ce qui renforçait leur goût.

Les additifs

Les étiquettes figurant sur les emballages des produits alimentaires révèlent souvent une liste interminable de substances que l'on ajoute aux aliments pour les rendre plus attractifs et augmenter leur durée de vie sur les étals. Les pages 278 à 280 sont consacrées à ces additifs.

Des étals bien garnis Les méthodes de production alimentaire modernes assurent la disponibilité permanente de produits qui peuvent se conserver longtemps.

L'irradiation

L'irradiation – ou radiation ionisante – est une méthode de conservation qui, grâce à des ondes électromagnétiques, tue les micro-organismes qui provoquent la détérioration des aliments. Les scientifiques considèrent que cette méthode est efficace et contrôlable et qu'elle a l'avantage de conserver les caractéristiques – apparence et texture – de la plupart des produits. En France, on autorise la radiation d'un grand nombre d'aliments (ail, oignons, crevettes, viande de poulet, blanc d'œuf).

Les étiquettes des produits

Les étiquettes sont une source intéressante d'informations sur la valeur nutritionnelle des produits. L'étiquetage nutritionnel n'est pas obligatoire, sauf si le fabricant veut mettre en avant, à des fins publicitaires, sa teneur élevée en tel ou tel nutriment, en le mentionnant sur l'emballage. L'harmonisation européenne en cours vise à éviter les malentendus et les informations mensongères.

L'étiquetage est déterminé par une directive européenne. Cela facilite la comparaison des aliments. La teneur en nutriments est toujours donnée pour 100 g ou 100 ml de produits, et parfois par portion, dont le volume ou le poids sont également mentionnés sur l'étiquette.

Les vitamines et les sels minéraux apparaissent sur l'étiquette à partir du moment où le produit contient au moins 15 % de l'apport journalier recommandé (AJR) en ces nutriments. Les AJR figurant sur les emballages sont les AJR établis par l'Union européenne *(voir p. 35 et 266)*.

LES INGRÉDIENTS

Si le produit contient plusieurs ingrédients, l'étiquette doit en donner la liste, par ordre décroissant de poids, en incluant les additifs et les conservateurs ajoutés au produit d'origine, et qui sont identifiés par la lettre E (pour Européen) suivie d'un nombre *(voir p. 278-279)*.

Si la liste comprend des matières grasses hydrogénées ou partiellement hydrogénées, c'est que le produit contient des acides gras trans *(voir p. 38)*.

La date de péremption

La date limite de consommation doit figurer sur les denrées périssables. Ne consommez pas les aliments au-delà de cette date, même s'ils vous semblent mangeables. Si le produit est « à consommer de préférence avant » une date, cela signifie que le produit sera excellent jusqu'à cette date, à condition qu'il soit conservé correctement.

LES AUTRES INFORMATIONS

Les étiquettes doivent aussi mentionner :
- Le nom ou une description du produit
- Le poids du produit
- La date limite de consommation du produit *(voir encadré)*
- Le mode de conservation
- Le mode de préparation.

Valeur ou analyse nutritionnelle Ces informations se réfèrent à 100 g ou 100 ml de produit, et non au contenu total de l'emballage. Parfois, l'analyse nutritionnelle est également donnée par portion (dont le poids est également défini sur l'étiquette). Ces chiffres indiquent la teneur de l'aliment en différents nutriments.

Énergie C'est la valeur calorique de 100 g ou 100 ml de produit. L'énergie est exprimée en calories (kcal) et en kilojoules (kJ), sachant que 1 kcal = 4,2 kJ.

Glucides La quantité de glucides présents dans le produit est exprimée en grammes, et toujours pour 100 g ou 100 ml. On trouve parfois aussi la proportion de sucre incluse dans les glucides, mais il n'est pas spécifié si ce sont des sucres ajoutés ou naturellement présents dans l'aliment.

Sodium La quantité de sodium est également exprimée en grammes pour 100 g ou 100 ml, sachant que 1 g de sodium = 2,5 g de sel.

Informations supplémentaires Il s'agit souvent de mise en garde, très importante pour les personnes qui ne doivent pas consommer certains ingrédients.

ANALYSE NUTRITIONNELLE

Analyse moyenne pour	100 g	1 portion
Valeur énergétique	1 741 kJ	1 219 kJ
	414 kcal	290 kcal
Protéines	3,5 g	2,5 g
Glucides	65,8 g	46,1 g
dont sucres	49,1 g	14,4 g
Lipides	15,2 g	10,6 g
dont acides gras saturés	3,6 g	2,5 g
Fibres	2,3 g	1,6 g
Sodium	0,1 g	0,1 g
Environ 8 portions par gâteau		

INGRÉDIENTS :
Raisins secs, cerises confites, farine de froment, œufs, huile végétale partiellement hydrogénée, noix de pécan, sucre, sirop de glucose, miel, arômes, émulsifiants (E471, E435), épices, sel, conservateur (E202), gélifiant (E440), régulateur d'acidité (E330), colorants (E127, E133, E102, E129)

- **CE PRODUIT CONTIENT DES NOIX**
- **CONVIENT AUX VÉGÉTARIENS**

Portion Faites attention à la taille des portions (on en mange souvent plus d'une) et au nombre de portions dans le produit.

Protéines La quantité de protéines est exprimée en grammes pour 100 g ou 100 ml. Elle est toujours indiquée, même si le produit n'en contient pas.

Lipides La quantité de lipides est exprimée en grammes pour 100 g ou 100 ml. On trouve parfois la proportion, dans les lipides totaux, des acides gras saturés, mono ou polyinsaturés. C'est une information utile dans le cadre de la prévention des maladies cardio-vasculaires.

Fibres La quantité de fibres est exprimée en grammes pour 100 g ou 100 ml. Un aliment est considéré comme source de fibres s'il en contient au moins 3 g. Au-delà de 6 g, il est considéré comme une bonne source de fibres.

La valeur nutritionnelle On la trouve sur l'étiquette de la plupart des produits alimentaires préemballés. Elle indique la quantité de calories et de nutriments que contient le produit.

À quoi servent les additifs ?

Les additifs alimentaires sont des substances que les fabricants ajoutent aux aliments dans l'objectif d'en améliorer la saveur, l'apparence ou la texture, de conserver leur fraîcheur, de prolonger leur durée de vie ou d'améliorer leur valeur nutritionnelle. Les additifs sont d'origine naturelle ou synthétisés dans des laboratoires afin d'être chimiquement identiques aux substances naturelles, soit ils sont artificiels. Dans l'UE, ces additifs doivent être mentionnés par leur nom ou leur nombre, précédé d'un E.

On recense au moins trois mille additifs différents, qui vont des substances les plus familières (le sel ou le sucre) à des substances chimiques ou à des conservateurs tels que l'acide citrique. Ils sont classés en différentes catégories : les colorants, censés rendre le produit plus attractif ; les édulcorants, les arômes naturels et synthétiques et les exhausteurs de goût, censés rendre le produit meilleur ; les épaississants,

les émulsifiants et les stabilisateurs qui jouent sur la texture du produit.

Les additifs ont aussi pour fonction de protéger les aliments des variations de température ou des avaries qui peuvent se produire en cours de distribution. Les conservateurs évitent la détérioration des produits pendant le stockage et le transport (comme le rancissement des matières grasses), diminuent le gaspillage et protègent les consommateurs contre d'éventuelles intoxications alimentaires. Certains acides sont des conservateurs efficaces pour certains produits alimentaires.

PRODUITS FORTIFIÉS ET ENRICHIS

Certains produits, comme les céréales du petit déjeuner ou des produits laitiers, sont renforcés en vitamines et en sels minéraux qu'ils ne contiennent pas naturellement, ou enrichis en nutriments qu'ils ont perdus en cours de raffinage *(voir p. 50)*.

Mieux couvrir les besoins Certaines marques renforcent leur jus de fruits en calcium *(voir p. 62)*. C'est un bon moyen de couvrir les besoins des enfants en pleine croissance.

Exemple Un enfant allergique au soja

Son nom Alexandre

Son âge 5 ans

Son problème
L'hiver dernier, Alexandre s'est

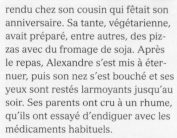

rendu chez son cousin qui fêtait son anniversaire. Sa tante, végétarienne, avait préparé, entre autres, des pizzas avec du fromage de soja. Après le repas, Alexandre s'est mis à éternuer, puis son nez s'est bouché et ses yeux sont restés larmoyants jusqu'au soir. Ses parents ont cru à un rhume, qu'ils ont essayé d'endiguer avec les médicaments habituels.

Mais le rhume a persisté, malgré l'arrivée de l'été. Puis est survenue une éruption cutanée qui a poussé les parents d'Alexandre à consulter. Le médecin a fini par comprendre que les parents d'Alexandre avaient changé quelques-unes de leurs habitudes alimentaires, et, influencés par

la tante d'Alexandre, ils ont commencé à acheter de nouveaux aliments, parmi lesquels des saucisses végétales et du fromage de soja pour garnir les pizzas. Le médecin a orienté Alexandre vers un allergologue qui, grâce à un test dermatologique, a identifié le soja comme déclencheur des troubles d'Alexandre, tandis que le test s'est révélé négatif pour le lait, les œufs, le chocolat et les cacahouètes.

Son mode de vie Alexandre est un enfant de cinq ans débordant d'énergie. Cinq jours par semaine il va à l'école. Pour le déjeuner, il emporte un repas que lui a préparé sa maman le matin. Il adore manger en compagnie des autres enfants. Il prend le petit déjeuner et le dîner à la maison, et un goûter en sortant de l'école. Le week-end, il passe son temps à jouer avec sa sœur dans le jardin, à faire de la bicyclette et à jouer au parc.

Nos conseils Alexandre étant allergique aux protéines du soja, ses parents doivent veiller à ce qu'il n'en consomme sous aucune forme. Ils doivent examiner les emballages des aliments à la recherche des ingrédients susceptibles d'en contenir : légumes hydrolysés ou protéines végétales, bouillon de légumes, gommes et amidons. En revanche, la lécithine de soja est généralement acceptée par les allergiques au soja.

Il faut donc qu'Alexandre ait une alimentation équilibrée, incluant davantage de céréales, de légumes et de fruits, mais sans produits à base de soja. Ses parents peuvent acheter des saucisses allégées en matières grasses et garnir la pizza de mozzarella allégée. En revanche, ils doivent rester particulièrement vigilants lorsque Alexandre doit manger à l'extérieur (assaisonnements pour la salade, mayonnaise, tofu, sauce de soja).

Les additifs alimentaires

Voici une liste des additifs ou groupes d'additifs dont l'Union européenne a approuvé l'utilisation dans l'industrie agroalimentaire.

Acide citrique (E330) Substance chimique provenant des agrumes. Stabilise la couleur, augmente l'acidité et prévient le rancissement des aliments.

Acide phosphorique (E338) Acidifie les aliments et donne de la consistance aux boissons sucrées.

Agar (E406) Gomme végétale : stabilisateur ou épaississant.

Agents levants Levures et poudres à lever qui augmentent le volume des pâtes à tartes et à gâteaux pendant la cuisson.

Alginate (E400-404) Algue employée comme épaississant.

Amidon modifié (E1414) Substance extraite des céréales, des pommes de terre ou du tapioca qui empêche la séparation des ingrédients et la formation de grumeaux.

Annatto (E160b) Colorant des yaourts, de la margarine et des poissons fumés.

Antiagglomérants Absorbent l'excès d'humidité et préviennent la formation de grumeaux.

Antioxydants (E300-321) Protègent les aliments de l'oxydation et de l'altération à l'air.

Benzoate de sodium (E211) Empêche les microbes d'abîmer les aliments.

Caramel (E150) Sucre cuit utilisé comme colorant.

Caroube (E410) Épaississant, améliore la texture et lie les aliments.

Carraghénane (E407) Algue utilisée pour stabiliser les cristaux de glace dans les crèmes glacées.

Cellulose (E460) Améliore la texture et maintient le taux d'humidité des confitures et confiseries.

Chlorure d'ammonium Agent de levage pour le pain.

Chlorure de calcium Fait lever le pain et aide les fruits et les légumes à rester fermes à la cuisson.

Dextrine Amidon destiné à épaissir les sauces, les jus ou pour la pâtisserie.

Dioxyde de silicone Empêche le sel de coaguler ou de mousser.

Dioxyde de soufre (E220) Empêche la décoloration des fruits secs et la prolifération bactérienne dans le vin.

Émulsifiants Utilisés pour lier les aliments qui ne se mélangent pas en temps normal, comme l'eau et l'huile, par exemple. On en trouve dans les assaisonnements où ils empêchent l'huile et le vinaigre de se séparer.

Érythorbate de sodium (E316) Conserve le goût et la couleur des viandes transformées.

Gomme guar (E412) Substance végétale utilisée comme épaississant dans les sauces, produits laitiers et préparations pour pâtisseries.

Gomme xanthane (E415) Épaississant, émulsifiant et stabilisateur (produits laitiers, desserts, entremets et assaisonnements).

Humectants Maintiennent le taux d'humidité des aliments. ce sont le glycérol, le propylène glycol et le sorbitol.

Lécithine (E322) Substance extraite des œufs ou du soja. Empêche les aliments de se séparer et évite la perte de saveur et le rancissement.

MSG (E612) Glutamate de monosodium. Exhausteur de goût, ingrédient de nombreux produits alimentaires.

Pectine (E440) Substance extraite des fruits utilisée comme épaississant et comme gélifiant dans les confitures et les friandises molles.

Phosphate d'aluminium sodique acide Favorise le caillage des fromages et permet aux fruits et aux légumes de rester fermes.

Polysorbates Agents liants qui empêchent l'eau et l'huile de se séparer.

Poudre à lever Mélange de bicarbonate de soude et d'acide (crème de tartre). Fait lever les gâteaux.

Propionate de calcium (E282) Prévient le développement des moisissures (fromages et cuisson au four).

Protéines végétales hydrolysées Exhausteurs de goût dérivés du soja, du blé ou du maïs.

Séquestrants Substances qui évitent aux aliments de se décolorer et de rancir.

Sorbate de potassium (E202) Empêche la détérioration des fromages, de la margarine et du vin.

Stearoyl-2-lactylate de sodium (E481) Aide la pâte à pain à cuire uniformément. Empêche la séparation de l'huile et de l'eau dans les assaisonnements et les crèmes non laitières.

Sulfate de calcium (E516) Augmente la teneur en calcium du pain ; maintient la fermeté des tomates et des légumes.

Sulfate de sodium (E515) Régulateur d'acidité.

Tartrazine (E102) Dérivé du goudron utilisé comme colorant.

Le sucre et les édulcorants

Outre qu'il confère aux aliments une saveur douce, le sucre permet de les conserver plus longtemps. Le saccharose, qui est l'autre nom du sucre que nous consommons à table, a la capacité d'absorber et de retenir l'eau. C'est ce qui pousse les fabricants à en ajouter dans les pains, qui restent ainsi moelleux plus longtemps. Le sucre empêche

Moins de sucre Les enfants adorent le sucre, mais il vaut mieux les habituer à manger des aliments à teneur réduite en sucre.

également la prolifération des bactéries dans les confitures et les conserves. Les fruits, lorsqu'ils sont conservés dans le sirop, gardent mieux leur couleur. Cela dit, le sucre est une source de calories vides *(voir p. 129)* peu intéressante, voire nocive, pour la santé.

Manger sucré diminue également l'appétence pour des aliments plus nutritifs, tels que les glucides complexes, les vitamines et les sels minéraux. Il vaut donc mieux limiter sa consommation de sucre.

LES ÉDULCORANTS

Les industriels du secteur agroalimentaire ajoutent des polyols dans certains produits afin de leur donner un goût sucré mais sans ajouter de sucre, ni de calories. Ces édulcorants ont un pouvoir sucrant très supérieur à celui du sucre : on en utilise donc beaucoup moins. Voici les principaux édulcorants :

L'acésulfame-K (E950) Il sucre deux cents fois plus que le sucre, mais ne contient que quatre calories par cuillerée. Il n'est pas absorbé par le corps et convient aux diabétiques.

L'aspartame (E951) Son pouvoir sucrant est deux cents fois supérieur à celui du sucre, mais une cuillerée contient moins de quatre calories. Il ne supporte pas la cuisson. Un rapport du Comité scientifique de l'alimentation humaine de l'Union européenne (CSAH), datant de 2002, a confirmé son innocuité sur la santé des adultes et des enfants. Cela dit, il peut être dangereux pour les personnes souffrant de phénylcétonurie, dont l'organisme ne peut digérer la phénylalanine. C'est pourquoi la présence d'aspartame est toujours signalée sur les étiquettes.

La saccharine (E954) Elle a été le premier édulcorant employé dans les produits alimentaires. Elle sucre trois cents fois plus que le saccharose et supporte la cuisson. Des études confirment qu'elle n'est pas dangereuse pour la santé.

Le sucralose Son pouvoir sucrant est six cents fois supérieur à celui du sucre et ses usages sont multiples. On le trouve, entre autres, sous forme de poudre à utiliser dans la cuisine.

Le sorbitol (E420) On utilise le sorbitol autant comme édulcorant que pour maintenir le taux d'hydratation des aliments. Il est soixante fois plus sucré que le saccharose et trois fois moins calorique. Il supporte bien les hautes températures.

Le mannitol (E421) Cet édulcorant est également employé comme stabilisateur, agent volumique et humectant. Son pouvoir sucrant est soixante-dix fois supérieur à celui du saccharose.

Les lipides

La prise de conscience du public des liens existant entre alimentation et santé incite les industriels à réduire la teneur de leurs produits en certains nutriments, souvent les matières grasses ou le sodium, et à l'afficher sur les étiquettes. Cela dit, le consommateur doit rester vigilant.

En effet, certaines mentions sont formulées de telle façon qu'elles sont source de confusion. Par exemple, une huile végétale qui « ne contient pas de graisses saturées » peut être perçue par le consommateur comme une huile moins grasse qu'une autre. Or, toutes les huiles contiennent la même proportion de lipides, c'est-à-dire 100 %. Il faut donc apprendre à lire les étiquettes et à déchiffrer leurs messages.

Les indications nutritionnelles sur les étiquettes

Les indications apposées sur les emballages des produits alimentaires sont soumises à une réglementation stricte. Il en est ainsi de la teneur des aliments en matières grasses, en sodium, en fibres et en calories. Voici quelques définitions :

Allégé en matières grasses 30 % de matières grasses en moins, minimum, par rapport à un produit similaire.

À faible teneur en lipides Moins de 3 % de lipides pour 100 g.

Sans matières grasses Moins de 0,5 g pour 100 g de produit.

À teneur réduite en graisses saturées Moins de 1,5 g pour 100 g de produit.

Pauvre en sodium Doit contenir moins de 0,12 g de sodium pour 100 g.

Très pauvre en sodium Doit contenir moins de 0,04 g de sodium pour 100 g.

Riche en fibres Doit contenir au moins 6 g de fibres pour 100 g.

Source de fibres Doit contenir au moins 3 g de fibres pour 100 g.

Des achats judicieux

Une alimentation saine commence par des achats judicieux.

En matière de consommation alimentaire, le choix est tellement vaste qu'il est facile de faire des achats sains, à condition de ne pas céder à toutes les tentations qui s'offrent dans les magasins et les supermarchés. Il existe des « trucs » pour ne pas tomber dans les pièges de la surconsommation ou de la consommation compulsive et pour pouvoir faire des choix sains.

Se contrôler

Le meilleur moyen d'emplir vos placards et votre réfrigérateur d'aliments sains et d'éviter la tentation de manger n'importe quoi n'importe quand, est de planifier les repas de la famille et de faire une liste des ingrédients nécessaires pour la semaine, par exemple. Ainsi, face aux rayons des supermarchés, vous serez moins tenté de succomber aux sirènes du marketing et d'acheter des produits dont vous n'avez pas besoin.

Faire des choix sains

Consommer signifie faire des choix. En tant que consommateur, vous avez toujours le choix d'acheter un produit plus sain qu'un autre. Prenez le temps de comparer, lisez les étiquettes, la valeur nutritionnelle, ne perdez pas de vue l'impact de l'alimentation sur votre santé. Dans ces pages, nous allons vous aider à faire des choix responsables et judicieux.

Un budget serré

On peut avoir un budget serré et acheter des produits alimentaires de qualité, avec certaines habitudes.
- Comparez les prix et le poids ou la taille des paquets.
- Évitez les plats préparés : il est plus économique et plus sain de cuisiner soi-même.
- Ne mangez pas de la viande tous les jours. Il existe des sources de protéines moins chères *(voir p. 84-85)*.
- Gardez les bons de réduction et utilisez-les.
- Achetez les aliments en promotion.
- Choisissez les fruits et les légumes de saison, meilleurs et moins chers que les autres.

Vérifiez ce que vous achetez Avant de mettre un aliment dans votre panier, vérifiez sa date limite de consommation et la liste des ingrédients qu'il contient.

Quelques stratégies

Les supermarchés sont des lieux dans lesquels les tentations sont grandes. Voici quelques stratégies qui vous aideront à ne pas perdre de vue vos objectifs.

Planifiez vos achats Planifiez les repas de la semaine et faites une liste des aliments dont vous avez besoin. N'achetez que ce qui est inscrit sur la liste.

Mangez avant de faire les courses On a moins envie de gâteaux et de biscuits quand on a l'estomac plein.

Commencez par les fruits et les légumes Les fruits et les légumes frais sont les aliments les plus riches en nutriments.

Remplissez votre chariot de ces bons aliments avant d'aller chercher le reste.

Les bons rayons Dans la plupart des supermarchés, les fruits, les légumes, le pain, les produits laitiers, le rayon boucherie et le rayon poissonnerie sont situés sur les bords. Commencez par faire le tour de ces rayons avant d'aller chercher ce qui vous manque dans les rayons du milieu du magasin.

Évitez les achats compulsifs Les supermarchés encouragent nos tendances à la compulsion. Ne vous écartez pas de la liste que vous avez établie.

Lisez les étiquettes Prenez le temps de lire la composition des aliments, leur teneur en calories et en nutriments (soyez particulièrement attentif à leur teneur en calories et en graisses saturées). Comparez la valeur nutritionnelle pour 100 g ou 100 ml plutôt que par portion (variable).

Faites-vous livrer En faisant ses courses sur Internet, il est plus facile d'éviter les tentations omniprésentes dans les supermarchés. C'est le meilleur moyen d'éviter les achats compulsifs. L'autre avantage est la livraison à domicile.

Les choix par groupes d'aliments

D'une semaine à l'autre, variez les aliments que vous achetez dans chaque groupe *(voir p. 70-71)*.

Le pain, le riz, les pâtes Choisissez les variétés complètes ou intégrales, riches en fibres, en vitamine B, en minéraux et pauvres en lipides.

• Il existe une variété infinie de pâtes. Traditionnellement composées de farine raffinée, il vaut mieux les choisir à base de céréales complètes.

• Préférez le riz complet dont le son, très nutritif, n'a pas été retiré de la graine.

• Les pains complets ou aux céréales sont les meilleurs pour la santé.

Les légumes Choisissez-les fermes, colorés et sans taches. Jetez les légumes abîmés, afin d'éviter le développement de moisissures qui peuvent contaminer les autres.

• Les légumes à feuilles doivent être croquants et non fanés.

• Ne conservez pas les végétaux trop longtemps, ils perdent rapidement leurs nutriments et leur goût.

• Il vaut mieux acheter des légumes surgelés juste après la cueillette (maïs, petits pois, épinards) que manger des légumes qui ont traîné trop longtemps dans les rayons des magasins ou dans votre réfrigérateur.

• Les conserves sont bien pratiques, mais veillez à ce qu'elles ne contiennent ni sel ni sucre ajoutés.

Des plaisirs sains

Il peut être difficile, voire contre-productif, d'éliminer totalement les aliments néfastes, tout en sucres et en matières grasses, de son alimentation. Il est important de s'accorder régulièrement quelques plaisirs :

• Sorbet
• Génoise
• Biscuits au gingembre
• Gaufrettes
• Barre de céréales
• Tortilla chips
• Pop-corn nature
• Bretzels
• Oléagineux (sans sel ajouté)
• Yaourt glacé

Les fruits Choisissez des fruits de saison, plus économiques et plus savoureux. Achetez les bananes et les poires encore un peu fermes, afin qu'elles ne se gâtent pas trop rapidement.

• Les fruits doivent avoir une belle couleur, une belle peau et aucune marque de choc ni d'insecte.

• Les fruits secs sont très riches en nutriments et en fibres, mais sont beaucoup plus caloriques que les fruits frais.

Les produits laitiers Choisissez-les, si possible, écrémés ou allégés.

• Le lait entier contient 3,9 % de matières grasses, le lait demi-écrémé en contient 1,8 % et le lait écrémé, entre 0,1 et 0,3 % seulement.

• Le fromage est du lait sous une forme concentrée. Il est donc riche en matières grasses, notamment saturées. Choisissez de préférence des fromages frais, comme la ricotta ou des versions allégées.

• Les yaourts entiers contiennent 3 % de matières grasses, les yaourts écrémés, moins de 1 %.

Les œufs Vérifiez bien la date limite de consommation et mangez-les les plus frais possible. Avant l'achat, vérifiez qu'ils ne sont pas cassés.

La volaille Plus l'animal est jeune, plus il est tendre. Évitez la viande qui présente des signes de dessèchement et de décoloration ou des marques. Vérifiez également que l'emballage est intact.

• Les parties les plus maigres sont les blancs du poulet et de la dinde.

• Les parties foncées de la volaille (les cuisses et les pilons) sont deux fois plus grasses que le blanc.

Le poisson et les fruits de mer Les produits de la mer doivent être d'une fraîcheur irréprochable : les écailles, la peau ou la coquille doivent être brillantes et humides. La protubérance des yeux des poissons est un signe de fraîcheur. La chair doit être ferme, rebondie. L'odeur est également un bon indicateur.

• Les bords des filets et des darnes ne doivent pas être foncés.

• N'achetez pas de poisson surgelé à moitié décongelé. Il doit être sans odeur et sans traces de décoloration.

Du poisson frais Le poisson que vous achetez doit être le plus frais possible : contrôlez l'odeur, la chair et les yeux. Une fois le poisson acheté, ne tardez pas à le cuisiner.

La viande Choisissez des morceaux maigres bien coupés et évitez ceux qui sont veinés de gras.

• La couleur doit être saine, la texture, fraîche et humide.

• Si vous achetez de la viande hachée, choisissez-la maigre. Ou achetez un morceau maigre que vous hacherez vous-même.

• Chez le traiteur, achetez de la dinde, du jambon maigre et du rosbif. Les charcuteries – saucisses, saucissons, pâtés – ont une teneur en matières grasses insaturées très élevée.

• Vérifiez la date limite de consommation sur les viandes préemballées.

Les légumineuses Les pois, lentilles et autres haricots doivent être uniformément colorés et sans défauts tels que des craquelures, des corps étrangers ou des trous d'insectes. Les légumineuses sont plus économiques si on les achète en vrac, mais il ne faut pas les conserver trop longtemps. Les conserves sont pratiques, mais il faut rincer leur contenu avant de le consommer afin d'éliminer l'excès de sel et de réduire les flatulences.

Des alternatives saines

Faire les courses est souvent considéré comme une routine et une obligation plutôt que comme un choix. Si vous souhaitez vraiment améliorer votre santé et votre bien-être, il faut également modifier l'approche que vous avez des achats alimen-taires. On est ce que l'on mange – et ce que l'on mange est ce que l'on achète. Les choix que vous opérez au supermarché ont une incidence sur vous et sur votre famille. Le tableau ci-dessous peut vous aider à les améliorer.

ALIMENTS	CHOIX CALORIQUES	CHOIX MOINS CALORIQUES
Pains, riz, pâtes, céréales	• Céréales du petit déjeuner sucrées • Pain *ciabatta* (à l'huile d'olive) • Petit pain au chocolat ou aux fruits • Croissant • Gâteau au chocolat ou aux carottes • Gâteaux aux pépites de chocolat • Biscuits aux flocons d'avoine	• Céréales, muesli ou porridge complets • Pain complet • Petit pain nature • Baguette • Génoise aux fruits rouges • Barres aux figues ou biscuits digestifs • Barre de céréales allégée
Produits laitiers	• Lait entier • Crème fraîche • Yaourt entier • Fromage entier • Crème acide • Beurre • Crème double ou fouettée • Fromage fondu • Sauce de salade crémeuse	• Lait écrémé ou demi-écrémé • Lait entier ou yaourt nature • Yaourt écrémé, sans sucre • Fromage allégé en matières grasses • Yaourt nature écrémé ou fromage frais • Margarine ou huile d'olive • Yaourt grec • Sauce tomate • Vinaigrette
Viande, volaille, poisson	• Côte de bœuf • Côte de porc • Bacon entrelardé • Parties foncées de poulet ou de dinde • Escalopes de poulet panées • Poisson pané	• Bœuf maigre • Filet de porc • Bacon maigre ou jambon de Parme • Blanc de poulet ou de dinde • Escalope de poulet grillée • Filet et darne de poisson grillés, fruits de mer
Traiteur	• Salami • Corned-beef • Fromage gras • Salade de pommes de terre • Pâté	• Dinde rôtie ou jambon cuit • Rosbif maigre ou blanc de dinde • Fromage allégé • Poivrons grillés, salade de carottes aux raisins secs • Pâté allégé ou pâté végétal
Surgelés	• Pizza au salami ou à la viande • Croissant ou brioche • Légumes revenus dans du beurre • Steak haché • Poulet pané • Crème glacée • Plat préparé	• Pizza aux légumes • Petits pains • Légumes nature • Steak végétal • Blanc de poulet • Yaourt glacé ou sorbet • Plat préparé allégé
Conserves	• Thon à l'huile ou saumuré • Fruits au sirop • Légumes salés ou sucrés • Sauce crémeuse pour les pâtes • Haricots préparés	• Thon au naturel • Fruits au jus • Légumes sans sel ni sucre ajoutés • Sauce tomate • Haricots nature
En-cas	• Chips • Tortilla chips	• Chips allégées en matières grasses • Gressins ou bretzels

Le stockage des aliments

Il n'est pas compliqué de stocker les aliments correctement.

Une fois que vous avez acheté vos produits, il faut les manipuler avec précaution et les stocker correctement afin de préserver leurs qualités et leur goût.

Le froid

Les aliments frais doivent être conservés à l'abri de la chaleur. Le réfrigérateur, qui est l'équivalent moderne des garde-manger d'autrefois, doit être spacieux afin que la nourriture n'y soit pas entassée et que la fraîcheur y soit constante. La température doit être maintenue à 5 °C maximum.

Le congélateur permet de conserver les aliments plus longtemps et d'éviter qu'ils ne perdent leurs qualités nutritionnelles et gustatives. Le temps de conservation au congélateur varie selon les aliments *(voir p. 287)*, mais la température ne doit pas être supérieure à – 18 °C. Pour mieux gérer votre stock d'aliments congelés, prenez l'habitude de bien les emballer et de les étiqueter, en inscrivant la date de congélation.

L'obscurité

Les céréales, les légumes, les fruits, le poisson et les soupes en conserve, les sauces, le vinaigre et l'huile doivent être conservés dans un endroit situé à l'abri de la lumière, mais pas au-delà d'une année. Vérifiez régulièrement votre stock et jetez les produits périmés. L'obscurité empêche aussi les pommes de terre de germer.

Des aliments bien conservés Les pâtes, les céréales et les légumineuses doivent être conservées à l'abri de l'air et de la lumière.

Dans le réfrigérateur

Il est important de veiller à ce que les aliments conservés au réfrigérateur ne soient pas contaminés. Il faut savoir que la paroi arrière du réfrigérateur est la plus fraîche.

- Faites refroidir les aliments avant de les placer dans le réfrigérateur.
- Enveloppez toujours les aliments.
- La viande, la volaille, le poisson et les fruits de mer crus doivent être stockés dans le bas.
- Les produits laitiers, les pâtisseries, les aliments cuits seront placés dans le haut.
- Rangez les fruits et les légumes (sauf les pommes de terre) dans les tiroirs du bas.
- Les bouteilles et les briques trouvent leur place dans la porte.
- Une fois par mois, lavez soigneusement l'intérieur du réfrigérateur avec une solution antiseptique et rincez-le avant de le sécher.

Où ranger les aliments ?

Pour que les aliments que vous avez achetés conservent à la fois leurs qualités nutritionnelles et leur goût, il faut les ranger correctement en respectant le mode de conservation le plus approprié pour chaque produit. Certains aliments, en effet, doivent être conservés au frais, d'autres dans l'obscurité, d'autres encore peuvent être congelés *(voir p. 287)*. L'essentiel est, dans tous les cas, de respecter la date limite de consommation. Jetez les aliments périmés.

ALIMENTS	CONSERVATION
Céréales et graines	À température ambiante, dans l'obscurité. Une fois que l'emballage est ouvert, il faut le refermer soigneusement ou transvaser les céréales dans un bocal hermétique. Les céréales doivent être consommées dans l'année suivant leur achat ou congelées.
Pâtes et nouilles	Les pâtes sèches se conservent comme les céréales. Quant aux pâtes fraîches, on les garde deux jours au réfrigérateur ou deux mois au congélateur.
Pain	Le pain de mie se conserve quelques jours à température ambiante, deux semaines dans le réfrigérateur et jusqu'à six mois au congélateur.
Légumes	Vérifiez que les légumes ne soient pas abîmés. Conservez les légumes racines à l'abri de la lumière et de la chaleur, les autres légumes et la salade, dans le bas du réfrigérateur. Les légumes surgelés se conservent jusqu'à un an au congélateur.
Fruits	Jetez les fruits abîmés afin qu'ils ne contaminent pas les autres. Ne lavez pas les fruits avant de les ranger. Les fruits en conserve, une fois la boîte ouverte, doivent être transférés dans un récipient en verre ou en plastique et conservés au réfrigérateur. Il est possible de congeler certains fruits *(voir p. 287)*. Les fruits secs se conservent jusqu'à six mois dans leur emballage fermé, puis un mois au frais une fois l'emballage ouvert.
Produits laitiers	Rangez les produits laitiers au réfrigérateur le plus vite possible après l'achat, à l'exception des produits longue conservation. Dans le réfrigérateur, le lait frais se conserve cinq jours. Les fromages doivent être soigneusement emballés avant d'être rangés dans le réfrigérateur. Les fromages à pâte pressée se conservent de trois à quatre semaines, les pâtes molles de une à deux semaines. Le parmesan râpé peut se conserver au réfrigérateur ou être congelé.
Poisson et fruits de mer	À conserver dans la partie la plus froide du réfrigérateur, soigneusement emballés, pendant deux jours au maximum. Le poisson peut également être congelé et conservé au congélateur pendant six mois. Les fruits de mer doivent être consommés le plus rapidement possible après l'achat, ou cuits et conservés au frais – trois jours au réfrigérateur, trois mois au congélateur.
Volaille	La volaille doit être mangée rapidement après l'achat. Elle se conserve, soigneusement emballée, dans la partie la plus froide du réfrigérateur pendant deux jours ou au congélateur jusqu'à huit mois. Il ne faut jamais laisser la volaille à température ambiante afin d'éviter la prolifération des bactéries.
Viande	La viande se conserve dans la partie la plus froide du réfrigérateur, dans son emballage d'origine, pendant trois à quatre jours, sauf la viande hachée qui doit être consommée dans les deux jours suivant l'achat. On peut également la congeler, sous vide, en notant la date de congélation sur l'emballage.
Œufs	Les œufs frais se conservent dans leur boîte, jusqu'à un mois au réfrigérateur. Il vaut mieux éviter de les entreposer près d'aliments odorants, car ils ont tendance à absorber les odeurs. On peut congeler le blanc d'œuf (pendant six mois) et le jaune, après l'avoir mélangé à une pincée de sel ou une cuillerée à soupe de sucre pour quatre jaunes. Faites-les décongeler pendant une nuit au réfrigérateur.
Légumineuses	Les pois, lentilles et autres haricots secs se conservent dans des bocaux hermétiques, dans un endroit frais et sec. Ne mélangez pas les légumineuses achetées à différents moments, car les plus vieilles sont plus sèches et mettent plus longtemps à cuire. Triez-les et lavez-les avant la cuisson.

Conserves et congélation

Il est économique et facile de congeler ou de faire soi-même ses conserves.

Lorsqu'on a un potager ou qu'on achète ses fruits et légumes en grandes quantités, faire ses conserves soi-même est un bon moyen de ne pas gaspiller et de profiter des aliments hors saison. La congélation permet, elle aussi, de conserver des aliments crus ou cuits, dont on peut ensuite profiter à n'importe quel moment.

Tradition et modernité
Lorsque les congélateurs n'existaient pas, on conservait les aliments de différentes façons : le

Les conserves maison Il est toujours appréciable de garnir ses étagères de conserves, de confitures ou de légumes au vinaigre que l'on a faits soi-même.

séchage, le saumurage, le fumage, la conserve dans le vinaigre ou au naturel. Aujourd'hui, les aliments sont disponibles en abondance tout au long de l'année dans nos supermarchés, mais on peut tout de même se faire plaisir en mettant en conserve ses propres récoltes, par exemple.

Au début, la congélation consistait à emballer les aliments dans de la glace. Les congélateurs d'aujourd'hui sont beaucoup plus fiables, puisqu'ils permettent de maintenir les aliments à une température constante, pendant une période qui dépend de la nature de l'aliment.

Un meilleur contrôle
Congeler les aliments ou les mettre en conserve permet de ne pas dépendre des approvisionnements extérieurs et de profiter, à tout moment de l'année, des plats que l'on aime, d'une grande qualité nutritionnelle et dont on est sûr qu'ils ne contiennent pas d'additifs.

Mettre sa propre récolte en conserve

Si vous avez la chance d'avoir un jardin et de cultiver vos fruits et vos légumes, il est probable que vous vous retrouviez avec une récolte abondante à certaines périodes de l'année et que vous souhaitiez en faire des conserves, afin d'en profiter dans les moments où ils ne seront plus de saison.

LES CONSERVES DE FRUITS
Contrairement aux conserves de fruits que l'on achète dans le commerce, les fruits au sirop, les confitures, les chutneys et autres gelées que l'on réalise soi-même ne contiennent que des ingrédients de qualité.
- N'utilisez que des fruits mûrs et fraîchement cueillis pour les confitures et les gelées, car ils sont riches en pectine.
- Préparez les fruits en les lavant et, si nécessaire, en ôtant la peau, les parties abîmées, la queue, les pépins ou le noyau.
- N'utilisez que des pots et des bocaux très propres, éventuellement stérilisés dans de l'eau bouillante et séchés.

- Scellez les pots afin d'éviter le développement de germes et n'utilisez pas les mêmes caoutchoucs pour sceller les bocaux d'une fois sur l'autre.

LES LÉGUMES AU VINAIGRE
Choisissez des légumes jeunes et fermes. Ces conseils généraux vous aideront à réaliser vos conserves au vinaigre :
- Le chou-fleur, le chou, le concombre, la betterave et le cornichon sont parfaits pour ce type de conserve.
- Avant de les mettre dans le vinaigre, salez les légumes ou faites-les mariner dans de la saumure : ils perdront ainsi de leur eau et s'imbiberont mieux du vinaigre. Ensuite, rincez-les soigneusement afin de les débarrasser du sel et rangez-les dans les bocaux prévus à cet effet.
- Ajoutez des épices et des aromates, tels que du poivre, des graines de moutarde ou des baies de coriandre.
- Emplissez les bocaux de vinaigre et fermez-les soigneusement.

La congélation

La congélation est le moyen le plus facile et le plus efficace pour préserver la saveur, la couleur, la texture et la valeur nutritionnelle des aliments. Il existe désormais du papier d'emballage spécialement conçu pour la congélation, en plus des boîtes et des sachets traditionnels. Il évite que la glace ne se dépose sur les aliments, ne les brûle et n'en altère le goût et la qualité.

- Laissez les aliments refroidir complètement avant de les conditionner pour la congélation. La chaleur serait néfaste à la fois pour l'appareil et pour les aliments environnants.
- Emballez les aliments en quantités pratiques à utiliser par la suite, telles que des portions individuelles.
- Chassez l'air des sachets dans lesquels vous venez de mettre les aliments à congeler et fermez-les hermétiquement.

- Vérifiez que le joint du congélateur est étanche pour éviter les déperditions.
- Étiquetez les aliments congelés en inscrivant le contenu du sachet et la date de congélation.
- Ne congelez pas trop d'aliments en même temps pour ne pas forcer le congélateur. Certains appareils sont équipés d'une option de congélation rapide.
- N'entassez pas les aliments, mais laissez l'air passer entre eux jusqu'à ce qu'ils soient congelés. Vous pouvez alors les rapprocher les uns des autres.
- Pour gagner de la place, congelez les liquides dans des récipients plats et rectangulaires avant de les ranger dans des sacs et de les empiler.

Des portions individuelles Lorsque vous avez le temps, vous pouvez congeler la soupe ou les repas de bébé en portions individuelles.

Les fruits de saison Pour que les framboises ne s'écrasent pas, on peut les précongeler à plat avant de les mettre en sachet.

La décongélation

À l'exception des légumes, que l'on peut jeter directement dans l'eau bouillante sans décongélation préalable, la plupart des aliments doivent être décongelés avant d'être cuisinés. On peut décongeler les aliments à température ambiante, dans le réfrigérateur (ce qui est plus long) ou au four à micro-ondes (plus rapide). Le tableau ci-dessous donne le temps de décongélation à température ambiante.

Quels aliments congeler ?

La plupart des aliments, (pain, pâte à pizza, fruits, légumes, viande, volaille, poisson, soupes et plats cuisinés) peuvent être congelés.

En règle générale, les légumes que l'on consomme cuits peuvent être congelés, mais pas ceux que l'on mange crus, comme la salade, les radis ou les oignons. Il est préférable de blanchir les légumes, c'est-à-dire de les tremper pendant quelques minutes dans l'eau bouillante, avant de les congeler, afin qu'ils ne perdent pas leurs vitamines et leur couleur.

Les œufs ne peuvent être congelés dans leur coquille, mais il est possible de congeler le blanc et le jaune, ensemble ou séparément, dans des bacs à glaçons, par exemple.

ALIMENTS	CONSERVATION	DÉCONGÉLATION
Pain	6 mois	2 à 3 heures
Pizza	2 à 3 mois	2 à 4 heures
Brocoli	9 à 12 mois	Sans décongélation
Carottes	12 mois	Sans décongélation
Maïs en épi	12 mois	3 à 4 heures
Prunes	10 à 12 mois	5 à 10 heures
Framboises	10 à 12 mois	3 à 7 heures
Bœuf	6 à 12 mois	10 à 12 heures
Poulet (1 à 1,35 kg)	8 mois	10 à 12 heures
Filets de poisson	2 à 3 mois	6 à 8 heures
Ricotta	1 mois	3 à 4 heures
Soupe	3 à 6 mois	Sans décongélation

Préparer et cuisiner les aliments

Tirez le meilleur parti des aliments en les cuisinant le plus sainement possible.

Cuisiner sainement ne demande pas plus de temps ni plus d'efforts. On n'a pas non plus besoin de matériel particulier. Il s'agit essentiellement de modifier quelques détails dans sa façon habituelle de préparer les aliments, afin d'en améliorer la qualité nutritionnelle et, souvent aussi, le goût.

Un des moyens de rendre votre alimentation plus saine est de réduire la quantité de graisses

Aux fourneaux Cuisiner chez soi permet de sélectionner les meilleurs ingrédients et les méthodes de cuisson les plus saines.

saturées que vous consommez *(voir p. 42-43)*. Cela implique de choisir soigneusement les ingrédients, de les débarrasser de tout gras visible à l'œil nu et de n'ajouter qu'un minimum de graisse en cuisinant. Les méthodes de cuisson recensées dans le tableau de la page 289 sont respectueuses des qualités nutritionnelles et gustatives des aliments.

Cuisiner sainement signifie également diminuer l'apport en sel, dont l'excès est néfaste, en particulier chez les personnes souffrant d'hypertension *(voir p. 221)*. Il est facile d'avoir la main légère et de redécouvrir les saveurs d'assaisonnements plus sains, composés d'herbes aromatiques et d'épices, par exemple.

Dans les pages suivantes, vous trouverez des suggestions pour une préparation et une cuisson plus saines des aliments.

L'assaisonnement

Une cuisine saine n'est pas dénuée de saveur. Au contraire, en vous débarrassant de certaines mauvaises habitudes, comme celle de resaler les aliments ou de manger le gras de la viande, vous ferez redécouvrir à votre palais le vrai goût des aliments. En matière d'assaisonnement, on peut jouer à l'infini avec les épices, les aromates et les marinades.

UN ASSAISONNEMENT SAIN
Lancez-vous dans de nouvelles expériences culinaires et apprenez à apprécier le parfum subtil des herbes, des épices et des autres condiments sains.
- Les épices moulues à la maison sont plus parfumées.
- Utilisez des herbes fraîches ou séchées.
- Le jus des citrons (jaune ou vert) ou leur zeste, ajouté pendant ou après la cuisson, donne aux aliments une saveur fraîche et acidulée.

- Ajoutez quelques gouttes de vinaigre balsamique ou de vinaigre aromatisé aux herbes ou aux fruits en fin de cuisson.
- Parsemez vos plats d'oléagineux ou de graines grillées à sec.
- Les poivrons grillés donnent une saveur douce et légèrement fumée.

LA MARINADE
Non seulement la marinade parfume la volaille, le poisson, la viande et les légumes, mais elle les rend également plus tendres. De plus, faire mariner les aliments avant de les faire cuire au barbecue permet de réduire la quantité d'hydrocarbures produits au cours de ce type de cuisson.

La recette la plus simple consiste à recouvrir les ingrédients crus d'un mélange de jus d'agrumes et d'aromates, de couvrir et de laisser les ingrédients s'imprégner les uns des autres au frais.

Plus de saveurs Les marinades rehaussent la saveur des aliments. Des piments, de l'ail, du gingembre frais et de la coriandre relèvent parfaitement des blancs de poulet.

Cuire sainement les aliments

La cuisson, quelle qu'elle soit, détruit une partie des nutriments. Cela dit, certaines méthodes de cuisson sont plus respectueuses des aliments et de notre santé que d'autres.

● Investissez dans des poêles et des casseroles antiadhésives qui évitent l'ajout de matières grasses.

● Quelques gouttes d'huile suffisent pour empêcher les aliments d'adhérer à la poêle.

● Remplacez le beurre par de l'eau, du vin ou du bouillon.

● Enlevez l'excédent de gras des soupes, des plats mijotés et des sauces : il se fige en refroidissant.

● Remplacez le beurre ou le saindoux par des huiles végétales (olive ou colza).

Des poires pochées On peut également pocher du poisson, de la viande ou des œufs dans un bouillon parfumé.

ALIMENTS CUITS	LE PRINCIPE
Au barbecue	Cette méthode de cuisson convient au poisson, aux fruits de mer, à la viande, à la volaille, aux légumes et même aux fruits. On dispose les aliments sur une grille placée au-dessus de braises incandescentes (ou d'une résistance électrique, mais le goût n'est pas fumé). On n'a pas besoin d'ajouter des matières grasses, mais on peut faire mariner les aliments pendant quelques heures avant de les faire cuire *(voir p. 288)*.
Braisés	Braiser consiste à faire cuire les aliments à feu doux et, le plus souvent, à couvert, dans une petite quantité de liquide, sans nécessairement ajouter de matières grasses. Le jus rendu à la cuisson donne toute sa saveur au plat. On peut l'épaissir en fin de cuisson, en faisant cuire à feu plus vif et sans couvercle pendant quelques minutes.
Grillés	La cuisson au gril consiste à déposer des morceaux de volaille, de poisson ou de viande sur une grille. Si les aliments ne sont pas gras, il peut être nécessaire de les enduire d'un peu d'huile avant la cuisson pour éviter qu'ils ne se dessèchent. Dans le cas contraire, la grille permet à l'excédent de graisse de s'écouler.
Au micro-ondes	Dans un four à micro-ondes, des ondes sont émises, qui font vibrer les molécules des aliments. C'est cette friction qui chauffe la nourriture en très peu de temps. L'ajout de matières grasses est inutile. On peut éventuellement ajouter un peu d'eau à la cuisson. Cette méthode convient à la cuisson de tous les aliments, en particulier des légumes, qui gardent leurs couleur, saveur et consistance.
Pochés	On peut pocher des fruits, du poisson, des œufs ou de la viande dans un liquide frémissant (du bouillon, du jus de fruit ou du vin) jusqu'à ce que les aliments soient tendres. On poche les aliments dans une casserole ou au four.
Rôtis	Cette méthode de cuisson convient aux grosses pièces de viande ou aux volailles entières. L'idéal est de placer la viande sur une grille au-dessus d'un plat, afin que l'excédent de gras s'écoule en cours de cuisson. On vérifie la cuisson à l'aide d'un thermomètre *(voir p. 292)*.
Sautés	Les aliments sont cuits rapidement à feu vif, dans une poêle ou une sauteuse, de préférence à revêtement antiadhésif pour ne pas avoir à ajouter de matières grasses. Le cas échéant, utilisez un peu d'huile, plutôt que du beurre, pour éviter que les aliments n'attachent. Il est plus sain de faire sauter les aliments que de les faire frire.
À la vapeur	La cuisson à la vapeur est l'une des méthodes qui conservent le plus de nutriments, surtout s'il s'agit d'une vapeur douce. Elle ne nécessite aucune adjonction de matières grasses. Il faut simplement disposer les aliments dans un panier fermé, placé au-dessus d'une certaine quantité d'eau bouillante. Certains appareils électriques permettent de faire cuire simultanément plusieurs types d'aliments.
Au wok	La cuisson au wok est une méthode rapide et saine, en particulier si l'on utilise un wok antiadhésif. Pour une cuisson optimale, il suffit de couper tous les ingrédients en morceaux de taille identique et de les faire cuire, à feu vif, tout en les remuant au fur et à mesure qu'ils sont saisis.

Faire des réserves

Il est intéressant d'avoir en réserve, dans ses placards comme au congélateur, des aliments sains sur lesquels on peut toujours compter. Faire de bons choix facilite amplement l'élaboration de plats et de menus sains. Il suffit d'ajouter à cette base des aliments frais. Par exemple, des pâtes ou du riz complets en réserve – plutôt que des pâtes ou du riz blanc – constituent la base saine d'un repas nutritif.

Recopiez la liste d'ingrédients de base ci-contre, en l'adaptant à vos propres goûts, et affichez-la dans la cuisine. Puis emportez-la chaque fois que vous allez faire des courses.

Des pâtes à gogo Les pâtes sont nourrissantes, économiques et faciles à préparer. Complètes, elles sont riches en vitamines du groupe B.

Des réserves saines

Ayez toujours des aliments sains en réserve, afin de ne jamais être pris au dépourvu.

Boîtes, bocaux, briques
- Purée de pommes (sans sucre ajouté)
- Haricots blancs
- Fruits dans leur jus
- Jus de fruits (sans sucre ajouté)
- Lentilles
- Bouillon de volaille (peu salé)
- Sauce de soja (peu salée)
- Jus de légumes (peu salé)
- Tomates pelées ou concassées
- Sauce piquante
- Sardines à l'huile d'olive
- Maïs doux
- Coulis de tomate
- Sauce tomate
- Purée de tomates
- Thon au naturel
- Lait écrémé UHT
- Jus de légumes

Surgelés
- Escalopes de poulet et de dinde
- Plats cuisinés allégés
- Yaourt glacé allégé
- Mini bagels complets
- Pain prêt à cuire
- Pâte à pizza
- Crevettes
- Pavés de saumon
- Sorbet
- Fruits rouges
- Steaks végétariens
- Légumes

Céréales
- Riz complet
- Boulgour
- Couscous
- Muesli
- Flocons d'avoine
- Céréales complètes
- Pâtes complètes

Desserts
- Biscuits digestifs
- Fromage frais
- Gelée aux fruits
- Biscuits au gingembre
- Yaourt écrémé aux fruits

En-cas
- Chips cuites au four
- Tortilla chips cuites au four
- Fruits secs
- Barres aux figues
- Pop corn nature
- Petits pains
- Galettes de riz
- Oléagineux non salés (amandes, noix)
- Crackers complets

Huiles et pâtes à tartiner
- Margarine
- Spray d'huile végétale
- Huile d'olive
- Huile de colza
- Beurre de cacahouètes
- Confitures allégées en sucre

Boissons
- Eaux minérales et tisanes

Le micro-ondes en toute sécurité

La rapidité et la simplicité d'emploi du four à micro-ondes ont assuré son succès. Pratique, il permet de décongeler, de réchauffer et de faire cuire les aliments. Cela dit, il est important de connaître les défauts de ce mode de cuisson afin d'éviter tout risque d'accident. Les ondes, en effet, ne sont pas présentes uniformément dans tout le four, et il peut subsister des endroits où les aliments ne sont pas cuits et où les bactéries peuvent se développer.

- Pour une cuisson uniforme, remuez les aliments de temps en temps, étalez-les bien et retournez les gros morceaux en milieu de cuisson.
- Retirez les emballages d'origine des aliments avant de les faire décongeler, car ils peuvent contenir des substances toxiques susceptibles de passer dans la nourriture.
- La cuisson de la viande et de la volaille peut commencer en cours de décongélation : n'attendez pas pour les cuisiner.
- N'introduisez jamais de métal dans les fours à micro-ondes. Le papier essuie-tout et le papier journal peuvent contenir du métal.
- Si vous faites réchauffer des aliments pour bébé, mélangez-les uniformément afin d'éviter les brûlures.
- Utilisez un thermomètre ou une sonde *(voir p. 292)* pour vérifier la température des aliments, en plusieurs endroits dans le cas d'une grosse pièce de viande.

Cuisiner vite et bien

Si vous avez suivi les suggestions de la page précédente et décidé de vous constituer des réserves d'aliments nutritifs, vous avez de quoi réaliser des repas rapides et sains pour toute votre famille. Voici quelques idées :

Des pâtes Servez-les avec une sauce allégée en matières grasses ou une sauce maison congelée dans des bacs à glaçons. Les restes de pâtes peuvent être servis en salade avec des légumes crus coupés en dés et une sauce légère.

Du riz Le riz brun peut constituer une bonne base de repas. Vous pouvez le servir en pilaf épicé, avec des légumes cuits, du blanc de poulet ou du tofu, de la coriandre, du cumin et du gingembre.

Une pizza En quelques minutes, vous pouvez garnir une pâte à pizza de tomates, champignons, oignons, poivrons et de fromage râpé.

Une omelette Pour des repas légers et nutritifs, vous pouvez inventer toutes sortes d'omelettes, en ajoutant aux œufs des légumes cuits à la vapeur. Pour une omelette au fromage légère, ajoutez du fromage allégé ou de la ricotta avant ou pendant la cuisson.

Du saumon ou du poulet grillés Frottez le poisson ou la volaille avec des épices moulues ou des herbes aromatiques avant de les faire cuire au gril. Servez avec des légumes et du riz.

Des légumes sautés Achetez des mélanges de légumes tout prêts – carottes, brocoli, oignons, champignons, soja – et faites-les revenir avec des cubes de tofu, des crevettes décortiquées ou des lamelles de poulet et un trait de sauce de soja.

Des pommes de terre Faites cuire les pommes de terre au four dans leur peau et garnissez-les de sauce piquante, de chili végétarien, de fromage ou d'houmous.

Un couscous végétarien Le couscous est rapide et facile à préparer. Pendant qu'il absorbe le bouillon ou l'eau bouillante, vous pouvez faire revenir du tofu et des légumes coupés en dés avec lesquels vous mélangerez la graine lorsqu'elle sera prête (*voir recette ci-dessous*).

Des steaks végétariens Les steaks végétariens peuvent se manger nature ou en sandwich dans un pain *ciabatta* (à l'huile d'olive) grillé, avec des tomates et de la salade.

Du fromage frais Le fromage frais constitue une bonne base de sauce pour les pâtes, la salade ou les crudités. On peut le déguster nature ou l'assaisonner avec des épices, de l'ail, des herbes fraîches comme du basilic ou de l'aneth.

Des légumes grillés Enduisez les légumes d'un peu d'huile d'olive avant de les faire griller de trois à cinq minutes sur chaque face. Les légumes grillés peuvent être mangés en entrée, avec du pain, ou en accompagnement d'une volaille, d'une viande, de riz ou de pâtes. Les oignons, les aubergines, les champignons, les poivrons, les pointes d'asperge, les courgettes, les pommes de terre et les tomates cerises se prêtent bien à ce genre de cuisson.

Recette Couscous rapide aux légumes

INGRÉDIENTS

1 bouillon en tablette

---

115 g de couscous

---

2 courgettes

---

1 morceau de gingembre frais (2,5 cm)

---

6 oignons nouveaux

---

2 poivrons rouges

---

350 g de tofu

---

2 gousses d'ail

Pour 4 personnes

1 Diluez le bouillon dans 350 ml d'eau bouillante.

2 Mettez le couscous dans un saladier moyen, versez le bouillon et mélangez bien. Laissez reposer la graine jusqu'à ce qu'elle ait absorbé le liquide.

3 Émincez les courgettes et les oignons nouveaux. Pelez et râpez le gingembre. Équeutez, égrainez et coupez les poivrons en tranches. Coupez le tofu en dés. Épluchez et écrasez les gousses d'ail.

4 Huilez légèrement un wok et faites-le chauffer. Ajoutez les courgettes et faites les cuire pendant 5 minutes en remuant.

5 Ajoutez le tofu et les autres légumes. Remuez encore pendant 5 minutes.

6 Retirez les légumes et le tofu du feu et ajoutez-les délicatement au couscous en prenant soin de ne pas écraser les légumes. Servez immédiatement.

Variantes Vous pouvez remplacer le tofu par du blanc de poulet ; ajouter du cumin et de la coriandre ; décorer le plat d'amandes effilées.

Valeur nutritionnelle (par portion)

Calories 171, lipides 4,5 g (sat. 0,6 g, poly. 2 g, mono. 1 g), cholestérol traces, protéines 11 g, glucides 22 g, fibres 2 g, sodium 189 mg ; bonne source de vitamines A, B9, C, K et de Ca, K, Mg, P.

Hygiène et alimentation

Quelques règles d'hygiène peuvent éviter l'intoxication.

D'après une étude menée par l'Institut national de veille sanitaire (INVS) et l'Agence française de sécurité sanitaire des aliments (AFSSA), les infections alimentaires, causées par des bactéries telles que *E. coli*, la listeria ou la salmonelle, provoquent environ 250 000 maladies par an en France.

Les aliments peuvent être contaminés au cours du stockage, de la manipulation ou de la préparation, à la maison comme dans les restaurants ou les magasins. Il faut être vigilant dès que l'on manipule des aliments. Par exemple, lorsque vous faites des courses, n'achetez jamais un produit alimentaire dont l'emballage est défectueux (comme les boîtes de conserve déformées ou les emballages déchirés). Transportez les produits frais et surgelés dans des sacs hermétiques jusqu'au réfrigérateur.

Séparer les aliments
Les aliments cuits peuvent être contaminés par des aliments crus. En conséquence, assurez-vous de ne pas les transporter ni les stocker ensemble dans le réfrigérateur. Il est préférable d'utiliser des planches à découper différentes pour les aliments crus et les aliments cuits, comme il est indispensable de laver les ustensiles et les plans de travail minutieusement.

Une cuisson adéquate
La plupart des intoxications surviennent après l'ingestion d'aliments crus ou mal cuits, en particulier de viande, de volaille ou poisson, étant donné que les produits d'origine animale ont parfois des bactéries qui ne peuvent être éliminées qu'à la cuisson. Il faut donc respecter les temps de cuisson et, éventuellement, s'assurer de la température de la viande à l'aide d'un thermomètre. Le temps de cuisson varie d'une viande à l'autre *(voir ci-dessous)*.

La réfrigération
Vérifiez régulièrement la température de votre réfrigérateur, qui ne doit pas excéder 5 °C. Adaptez-la, par ailleurs, chaque fois que vous

Le thermomètre alimentaire

L'utilisation d'un thermomètre alimentaire permet de vérifier que la température, à l'intérieur des aliments, est suffisamment élevée pour que les bactéries soient détruites. Il existe deux types de thermomètres alimentaires : l'un est fixé, dès le début de la cuisson, dans une partie charnue, sans os, de la viande ou de la volaille. On peut ainsi vérifier la température à n'importe quel moment. L'autre modèle est piqué dans les aliments, le plus souvent en fin de cuisson, pour vérifier s'ils sont cuits. On trouve également des thermomètres pour vérifier la cuisson des œufs ou des aliments cuits au micro-ondes.

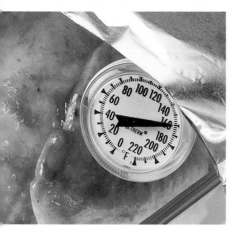

C'est cuit ? Le meilleur moyen de vérifier si la viande et la volaille ont suffisamment cuit pour que les bactéries soient détruites est d'utiliser un thermomètre spécial que l'on fixe dans la viande pendant la cuisson (comme ici) ou à la fin.

ALIMENTS	TEMPÉRATURE
Bœuf, porc, veau et agneau hachés	• 71 °C
Pièce de bœuf, de veau et d'agneau	• Saignante 63 °C • À point 71 °C • Bien cuite 77 °C
Volaille	• Volaille entière 82 °C • Blancs, cuisses, pilons, ailes 77 °C • Hachée 74 °C
Porc	• À point 71 °C • Bien cuit 77 °C
Quartier de lard et jambon	• Cru 71 °C • Précuit 60 °C
Poisson	• 63 °C
Œufs	• 71 °C
Ragoûts, civets, plats composés, restes, farces	• 74 °C

emplissez ou videz le réfrigérateur. Au besoin, installez un petit thermomètre à l'intérieur de l'appareil, pour mieux en contrôler la température.

Une hygiène irréprochable

Les planches à découper, les ustensiles et les plats doivent être nettoyés tous les jours. On peut passer les planches en bois et les éponges au four à micro-ondes afin de tuer les bactéries. Désinfectez quotidiennement les plans de travail.

De telles précautions peuvent éviter la contamination des aliments et, par suite, l'intoxication de ceux qui les consomment.

Des planches impeccables Afin de prévenir la contamination des aliments, utilisez des planches à découper différentes pour le cru et le cuit et nettoyez-les soigneusement.

L'hygiène dans la cuisine

Seule une hygiène irréprochable peut prévenir les risques de contamination.

• Lavez-vous les mains avec de l'eau chaude et du savon dès que vous manipulez des aliments, que vous les préparez ou les cuisinez. Lavez la face et le dos des mains, les interstices, les ongles et les bagues.

• Séchez-vous soigneusement les mains à l'aide de papier essuie-tout. Si vous utilisez des torchons en tissu, changez-les souvent.

• Relavez-les après être allé aux toilettes, avoir téléphoné, touché des animaux, changé votre bébé, éternué, vous être mouché.

• Nettoyez et coupez régulièrement vos ongles. Désinfectez et mettez un pansement étanche sur vos blessures.

Hygiène et pique-niques

Au cours d'un pique-nique, il faut s'assurer que les aliments frais restent frais et que les aliments chauds ne refroidissent pas. Pour ce faire, il s'agit de bien choisir, emballer et conserver les aliments jusqu'au repas.

Les aliments chauds qui refroidissent dans un panier sont le terrain idéal dans lequel les bactéries se développent. Il vaut mieux éviter d'emporter des plats chauds en pique-nique, à moins d'avoir de quoi les conserver correctement dans un récipient isotherme. De même, il faut éviter de laisser tiédir les aliments frais.

• Les salades et les viandes cuites doivent être conservées dans une glacière, avec de la glace.

• Jetez les aliments qui sont restés dehors, au soleil.

• Laissez la glacière le plus tard possible à l'intérieur de la voiture.

• N'oubliez pas d'emporter des bouteilles d'eau et de jus de fruits, afin de vous rafraîchir et d'éviter la déshydratation, en particulier si vous pique-niquez l'été.

IDÉES DE PIQUE-NIQUE

Voici quelques idées d'aliments sains et sûrs à emporter pour un pique-nique :

• Des salades fraîches composées, par exemple, de carottes râpées aux raisins secs ou de tomates et d'oignons à l'huile d'olive.

• Les salades de pâtes, de riz ou de couscous, idéales pour les pique-niques. Agrémentez-les de miettes de thon, de légumes, d'olives et de sauce légère.

• De la viande froide, comme de la dinde, du jambon ou du rosbif, avec différentes sortes de pains.

• Des petits pains plutôt que des chips.

• Des fruits en-cas rafraîchissants. Emballez les fruits fragiles, comme le raisin, les cerises et les tranches de melon dans des sacs étanches.

• Si vous prévoyez un barbecue, emportez une sélection de légumes coupés en lamelles (poivrons, oignons, courgettes et aubergines) et des épis de maïs.

• Pour un barbecue de viandes ou de poissons, laissez-les dans la glace, dans une glacière, jusqu'au dernier moment. Puis faites-les cuire soigneusement.

En voyage

Si vous voyagez dans des zones où l'alimentation en eau et l'hygiène alimentaire sont défaillantes, prenez les précautions suivantes :

• Laissez le temps à votre organisme de s'adapter aux aliments auxquels il n'est pas habitué.

• Mangez dans des lieux fréquentés, où la nourriture est vite écoulée.

• Assurez-vous que les aliments sont bien cuits avant de commencer à manger.

• Ne buvez que du lait et des boissons pasteurisées ou bouillies.

• Lavez les fruits et légumes crus à l'eau minérale, en cas de doute sur l'eau locale.

• Évitez les salades et salades de fruits si vous n'êtes pas sûr de la qualité de l'eau.

• Si l'eau n'est pas potable, faites-la bouillir ou utilisez des comprimés de stérilisation. Vérifiez que les bouteilles sont bien fermées.

Analyse nutritionnelle

Connaître les nutriments que contiennent les aliments que vous mangez peut vous aider à faire des choix plus sains et plus équilibrés. Dans ce chapitre, nous vous indiquons, sous la forme d'un tableau, la composition en lipides, protéines, glucides, fibres, vitamines et sels minéraux de près de cinq cents aliments.

Que contiennent les aliments ?

Pour manger sainement, il faut savoir de quoi sont faits les aliments.

Il est important d'avoir quelques notions sur la composition des aliments et sur leur valeur énergétique lorsqu'on a l'intention de manger de manière plus saine et plus équilibrée. Vous pourrez utiliser les informations de ce chapitre comme une banque de données bien utile pour faire vos courses et composer vos menus.

Les macronutriments
Connaître la teneur en protéines, en lipides, en glucides et en fibres des aliments est le meilleur moyen

d'équilibrer vos repas et de ne pas souffrir de carences. Cela permet d'éviter les aliments trop riches en graisses saturées, d'augmenter votre consommation de fibres et de varier les apports en tous les macronutriments.

Les micronutriments
Nous vous donnons également la teneur de tous ces aliments en vitamines et en sels minéraux, afin que vous puissiez comparer les différentes sources de micronutriments et diversifier vos menus.

En effet, puiser les vitamines et les sels minéraux dans différents aliments est un bon moyen de couvrir l'ensemble des besoins de l'organisme. Il est désormais prouvé que, plus on inclut de micronutriments dans son ali-

La variété dans l'alimentation Manger différents aliments chaque jour est le meilleur moyen de fournir à son organisme tous les nutriments dont il a besoin pour fonctionner.

mentation, plus on a de chances d'être en bonne santé. Souvenez-vous que les vitamines et les sels minéraux provenant des aliments sont mieux assimilés que lorsqu'on les consomme en compléments.

Comprendre le tableau

Les pages qui suivent sont consacrées à la teneur de près de cinq cents aliments en calories, lipides, protéines, glucides et fibres, mais aussi en vitamines et en sels minéraux. L'information est donnée pour 100 g ou 100 ml d'aliment ou, le cas échéant, par portion. Certains chiffres ne sont pas indiqués (notamment en ce qui concerne les lipides et les fibres), car on ne les connaît pas.

Sauf indication contraire, les aliments sont analysés crus. Ils sont classés selon les groupes d'aliments que nous avons évoqués tout au long de cet ouvrage *(voir Une alimentation saine, p. 68-103)*.

Les glucides Nous avons divisé les glucides en plusieurs catégories : les céréales ; les céréales du petit déjeuner ; les pâtes et les nouilles ; les pains ; les pommes de terre.

Les légumes Frais, en conserve, surgelés ou secs.

Les fruits Frais, en conserve, surgelés ou secs.

Les produits laitiers En fonction de leur teneur en lipides.

Les protéines Les œufs ; la viande et la volaille ; les produits carnés ; le poisson et les fruits de mer ; les légumineuses et le soja ; les oléagineux.

Les boissons et les aliments à éviter Les graisses, huiles, pâtes à tartiner et sirops ; les boissons ; les desserts ; les biscuits et les gâteaux ; les pâtisseries ; les en-cas.

Les abréviations utilisées

Dans ce tableau, comme tout au long de cet ouvrage, nous utilisons des abréviations pour désigner les sels minéraux et certaines unités de mesure. En voici la liste :

Les sels minéraux
Macrominéraux *(voir p. 60)* :

Ca	Calcium
K	Potassium
Mg	Magnésium
Na	Sodium
P	Phosphore
S	Soufre

Microminéraux *(voir p. 60)* :

Cr	Chrome
Cu	Cuivre
F	Fluor
Fe	Fer
I	Iode
Se	Sélénium
Zn	Zinc

Les autres abréviations utilisées dans ce livre :

cal	calories	**mg**	milligrammes
g	grammes	**tr**	traces d'un nutriment
kcal	kilocalories	**-**	pas d'information disponible pour le moment
µg	microgrammes		

	Cal (kcal)	Lipides (g)	Sat. (g)	Mono. (g)	Poly. (g)	Protéines (g)	Glucides (g)	Fibres (g)	Source de Vitamines/Minéraux
CÉRÉALES									
Boulgour 100 g	353	1,7	0,1	tr	tr	9,7	76,3	tr	B1, B3/Fe, Zn
Couscous 100 g	227	1	tr	tr	tr	5,7	51	tr	B1, B3
Gruau de sarrasin 100 g	364	1,5	0,2	0,3	0,3	8,1	84	2,1	B1, B2, B3/Ca, Fe, K, Mg, P, Zn
Orge, perlé 100 g	360	1,7	0,2	0	0	7,9	83,6	0,5	B3/Cu, Fe
Orge perlé, cuit 100 g	120	0,6	0,1	0	0	2,7	27	-	Cu
Quinoa 100 g	309	5	0,5	1,3	2	13,8	57	tr	B1, B2, B3, B5, B9/Fe, K, Mg, P, Zn
Riz blanc, long grain 100 g	383	3,6	0,9	0,9	1,3	7,3	85	0,4	B1, B3/Fe
Riz blanc, long grain, cuit 100 g	138	1,3	0,3	0,3	0,5	2,6	31	0,1	B1, B3/Fe
Riz complet, long grain 100 g	357	2,8	0,7	0,7	1	6,7	81,3	1,9	B1, B3/Mg, P, Zn
Riz complet, long grain, cuit 100 g	141	1,1	0,3	0,3	0,4	2,6	32	0,8	B1, B3/Mg, P, Zn
Semoule fine 100 g	350	1,8	0,2	0,2	0,1	10,7	77,5	2,1	P
CÉRÉALES DU PETIT DÉJEUNER									
Blé soufflé 100 g	321	1,3	0,2	0,2	0,6	14,2	67,3	5,6	B1, B2, B3/Fe
Céréales de blé filamentées 1 biscuit	73	0,5	0,1	0,1	0,2	2,5	15,8	2,2	B1, B3/Fe, K, P, Zn
Céréales de son 100 g	270	3,5	0,7	0,5	0,5	13	48	24,5	A, groupe B, C/K, Mg, P, Zn
Flocons d'avoine 200 g	401	8,7	-	-	-	12,4	72,8	6,8	B1, B2, B3/Ca, Fe
Flocons d'avoine cuits avec du lait entier 200 g	226	10	5,6	2,9	1,2	10	25	2	B1, B2, B12/Ca, Mg, P, Zn
Muesli (sans sucre ajouté) 100 g	366	7,8	1,5	3,5	2,4	10,5	67,1	7,6	B1, B2, B3/Fe

	Cal (kcal)	Lipides (g)	Sat. (g)	Mono. (g)	Poly. (g)	Protéines (g)	Glucides (g)	Fibres (g)	Source de Vitamines/Minéraux
Muesli croustillant 100 g	453	20	-	-	-	8	59,3	6,6	B1, B2, B3
Muesli suisse 100 g	363	6,7	0,8	2,8	1,6	9,8	72	6,4	B1, B2, B3/Fe
Pétales de blé complet et fruits 100 g	353	15	2,5	1	0,7	9	72,5	7	B1, B2, B3, B6, B9, B12/Fe, Zn
Pétales de blé complet, raisin et noisettes 100 g	346	0,5	tr	tr	tr	10,5	79,9	0,2	B1, B2, B3, B6, B12/Fe, Zn
Pétales de maïs 100 g	376	0,7	0,2	0,2	0,4	7,9	89,6	0,9	A, B1, B2, B3, B6, B9, C/Fe, Zn
Pétales de son 100 g	330	1,9	0,3	0,3	1,5	10,2	71,2	13	A, groupe B/Fe, K, Mg, P, Zn
Riz soufflé 100 g	380	3	-	-	-	8	80	9	B1, B2, B3/Fe
Weetabix 1 biscuit	70	0,4	0,1	0,1	0,4	2,2	15	1,9	B1, B2, B3, B9/Fe, P
PÂTES ET NOUILLES									
Macaroni 100 g	348	1,8	0,3	0,1	0,8	12	75,8	3,1	B1, B2, B3/Fe
Macaroni, cuits 100 g	86	0,5	0,1	tr	0,2	3	18,5	0,9	B1, B2, B3/Fe
Nouilles chinoises 100 g	391	8,2	2,3	3,5	0,9	12,1	71,7	2,9	B1, B2, B3/Cu, Zn
Nouilles chinoises, cuites 100 g	62	0,5	0,1	0,2	0,1	2,2	13	0,6	B1, B2, B3/Cu, Zn
Nouilles de riz 100 g	360	0,1	0	0	0	4,9	81,5	tr	P
Nouilles de riz, cuites 100 g	60	0,2	0,1	0	0	2	13	0,7	P
Spaghetti 100 g	342	1,8	0,2	0,2	0,8	12	74	2,9	B1, B2, B3/Fe
Spaghetti complets 100 g	324	2,5	0,4	0,3	1,1	13,4	66,2	8,4	B1, B3/Mg, Zn
Spaghetti complets, cuits 100 g	113	1	0,1	0,1	0,4	5	23	3,5	B1/Cu, Mg, P
Spaghetti, cuits 100 g	104	0,7	0,1	0,1	0,3	3,6	22,2	1,2	B1/Cu, Mg, P

	Cal (kcal)	Lipides (g)	Sat. (g)	Mono. (g)	Poly. (g)	Protéines (g)	Glucides (g)	Fibres (g)	Source de Vitamines/Minéraux
PAINS ET PÂTES									
Bagel nature 1 bagel	195	1,1	0,2	0,1	0,5	7,5	37,9	0,7	B1, B2, B3, B6, B9/Fe, Zn
Baguette 1 tranche fine (40 g)	105	0,8	0,1	0,1	0,3	3,6	22,4	1	B1, B3
Baguette viennoise 100 g	258	2	-	-	-	8	52	-	B1/Cu, Se
Biscotte 10 g	39	0,5	-	-	-	1	8	0,4	B1, B3, B6
Muffin anglais 1 muffin (60 g)	134	1	0,2	0,3	0,4	6	26,2	1,1	B1, B2, B3/Fe
Naan (pain indien) 1 pain (160 g)	456	11,7	1,6	4,9	3,8	12,5	80,3	3,2	B1, B9/Ca, Cu, Fe, Mg, P, Zn
Pain au lait 100 g	366	14,8	4,34	2,69	7,01	10	46,8	2,5	B1, B2, B3/K
Pain aux céréales 1 tranche	65	1	0,2	0,4	0,2	2,6	12,1	1,7	B1, B3/Mg, P, Se
Pain aux germes de blé 1 tranche (38 g)	76	1,9	-	-	-	7	32,3	2,5	B1/P, Zn
Pain azyme 10 g	25,5	0,1	-	-	-	0,7	5,5	-	
Pain bis 100 g	255	2,5	-	-	-	9,5	49	1	Groupe B/Cu, P, Se
Pain blanc 1 tranche (38 g)	89	0,7	0,2	-	-	3,2	18,7	0,6	Se
Pain blanc enrichi en fibres 1 tranche (38 g)	87	0,6	0,2	0,2	0,1	2,9	18,8	1,2	Se
Pain brioché 100 g	267	3	-	-	-	7	53	-	B1/Cu, P, Se
Pain complet 1 tranche (38 g)	82	1,1	0,2	0,2	0,3	3,6	16	1,9	B1, B3/Mg, P, Se
Pain croustillant au seigle 1 tranche (10 g)	31	0,1	0	0	0,1	0,9	7,1	1,2	B1
Pain de mie 100 g	284	4	-	-	-	7	55	-	B1/P
Pain de mie aux céréales 1 tranche (38 g)	90	0,9	0,3	0,2	0,3	3,6	18	1,3	B1, B6, B9

	Cal (kcal)	Lipides (g)	Sat, (g)	Mono, (g)	Poly, (g)	Protéines (g)	Glucides (g)	Fibres (g)	Source de Vitamines/Minéraux
Pain de seigle 1 tranche (25 g)	55	0,4	0,1	0,1	0,1	2,1	11,4	1,1	B1/P
Pain grillé 10 g	41,6	0,8	-	-	-	1,2	7,4	-	B1, B2
Pain pita 1 petit (50 g)	191	1	0,1	0,1	0,3	6,8	41,3	1,8	B1, B3/Ca, Fe, P
Pain sans gluten 100 g	230	0	0	0	0	10	52	-	B1, B6, B9/Cu, Fe, Mg, P, Zn
Pâte à pizza maison 23 cm de diamètre1 tranche (1/8)	121	8	2	3,5	2,1	1,5	10,9	0,4	B1, B3/P
Pâte brisée, cuite 100 g	527	32,2	-	-	-	6,9	50,8	2,4	B3, E/Ca, P
Pâte feuilletée, cuite 100 g	560	40	-	-	-	5,8	43	2	B3, E/Ca
Pâte sablée 100 g	445	22,1	-	-	-	6,1	55,3	-	B6/P
Petit pain à hamburger 1 pain	123	2,2	0,5	1,1	0,4	3,7	21,6	1,2	B1/Cu, P, Se
Scone aux raisins 1 scone (50 g)	158	6,7	1,2	2	0,8	3,3	28,1	1	B1/P
Scone nature 1 scone (50 g)	182	7,4	1,8	2,2	2,9	3,6	26,9	0,9	B1/P
Tortilla 1 tortilla (60 g)	157	0,6	0,1	0,2	0,1	4,3	35,8	1,4	
POMMES DE TERRE									
Frites 100 g	270	13	-	-	-	3	33	2	B1, B3, C/K, Mg, P
Pomme de terre bouillie, épluchée 100 g	72	0,1	0	0	0,1	1,8	17	1,2	B1, B6, C/K
Purée de pommes de terre au beurre 100 g	104	4,4	2,8	1	0,2	1,8	15,5	1,1	B1, B6, C/K
LÉGUMES									
Ail 3 gousses (10 g)	9	0,1	tr	tr	tr	0,7	1,5	0,4	
Algues nori, séchées 28 g	38	0,4	0,1	0	0,2	8,6	0	12,4	B12/Cu, Fe, I, P

	Cal (kcal)	Lipides (g)	Sat, (g)	Mono, (g)	Poly, (g)	Protéines (g)	Glucides (g)	Fibres (g)	Source de Vitamines/Minéraux
Algues wakamé 100 g	71	2,4	0,3	0,1	1,5	12	tr	47	B12/I
Artichaut, cuit 1 moyen	150	0,5	0,1	-	0,2	10,4	33,5	7	A, B1, B2, B3, B5, C/Fe, K, Mg, P, Zn
Artichaut (fond d') 100 g	21,9	0,25	-	-	-	1,7	3,2	8,12	B1, B9, C
Asperges, cuites 80 g	21	0,6	0,1	0,2	0,2	2,7	1,1	1	B9, C
Aubergine 100 g	15	0,4	0,1	tr	0,2	0,9	2,2	2	B6
Aubergine frite 80 g	302	32	4	8	18,5	1,2	2,8	2,3	B6
Avocat 1 moyen (145 g)	276	28	5	17	3	2	2	4	B1, B6, C, E/Cu, Mg, P
Betterave au vinaigre 35 g	10	0,1	0	0	0,1	0	2	0,3	B9
Betterave cuite 1 petite (35 g)	16	0,1	0	0	0,1	0	3	0,5	B9
Blettes 150 g	30	0,9	0	0	0	3	6	2	B3, C/K
Brocoli 100 g	33	0,9	0,2	0,1	0,5	4,4	1,8	2,6	A, B6, B9, C, Vit K
Brocoli, cuits 80 g	24	0,7	0,2	0,1	0,3	2,6	0,9	2	A, B6, B9, C, Vit K
Carottes 100 g	35	0,3	0,1	tr	0,2	0,6	7,9	2,4	A, B1, B6, C, Vit K
Carottes, cuites 80 g	19	0,3	0,1	tr	0,2	0,5	3,9	2	A
Céleri 1 branche	2	0,1	tr	tr	tr	0,1	0,3	0,3	
Céleri rave, cru 120 g	18	0,3	0	0	0	1,5	2,5	5	C/P
Champignons 100 g	13	0,5	0,1	tr	0,3	1,8	0,4	1,1	B1, B2, B3, B5, B6, B9/Cu, Fe, K, P
Champignons sautés au beurre 100 g	157	16,2	10,7	3,9	0,5	2,4	0,3	1,5	B1, B3, B6/Cu, K, P
Champignons séchés 10 g	28	0,2	tr	tr	tr	1	6	tr	

	Cal (kcal)	Lipides (g)	Sat, (g)	Mono, (g)	Poly, (g)	Protéines (g)	Glucides (g)	Fibres (g)	Source de Vitamines/Minéraux
Châtaignes, cuites 100 g	131	1,38	0,26	0,47	0,54	2	27,76	-	B1, B2, B6, C/K
Chicorée (scarole) 100 g	13	0,2	0,1	tr	0,1	1,8	1	2	B1, C
Chicorée rouge 30 g	5	0,1	0	0	0	0,3	0,9	0,2	C
Chou chinois 100 g	12	0,2	tr	tr	0,1	1	1,4	1,4	C
Chou de Milan 100 g	27	0,5	0,1	tr	0,3	2,1	3,9	3,1	B1, B9, C/S
Chou de Milan, cuit 80 g	14	0,4	0,1	tr	0,2	0,9	1,8	1,6	A, B1, B9, C/S
Chou-fleur 100 g	34	0,9	0,2	0,1	0,5	3,6	3	1,8	B1, B6, C, Vit K/K
Chou fleur, cuit 80 g	22	0,7	0,2	0,1	0,4	2,3	1,7	1,3	B6, C
Chou frisé 100 g	33	1,6	0,2	0,1	0,9	3,4	1,4	3	A, C/S
Chou-rave 100 g	27	0,1	tr	tr	tr	1,7	6,2	-	B3, C/K, P
Chou-rave, cuit 80 g	29	0,1	tr	tr	tr	1,8	6,7	1,1	B3, C/K
Chou rouge 100 g	21	0,3	tr	tr	0,2	1,1	3,7	2,5	A, B9, C/S
Chou rouge, cuit 80 g	12	0,2	tr	tr	0,2	0,6	1,8	1,6	A, B9, C/S
Chou vert 100 g	26	0,4	0,1	tr	0,3	1,7	4,1	2,4	B6, B9, C, Vit K/S
Chou vert, cuit 80 g	11	0,2	tr	tr	0,1	0,8	1,8	1,2	B9, C/S
Choux de Bruxelles, cuits 80 g	28	1	0,2	0,1	0,6	2,8	2	3,4	A, B9, C, Vit K
Ciboule 1 ciboule (10 g)	2	0,1	tr	tr	0	0,2	0,3	0,1	
Concombre 100 g	10	0,1	tr	tr	tr	0,7	1,5	0,6	B9, C/K
Courgette 100 g	18	0,4	0,1	tr	0,2	1,8	1,8	0,9	B6, B9, C/K

	Cal (kcal)	Lipides (g)	Sat, (g)	Mono, (g)	Poly, (g)	Protéines (g)	Glucides (g)	Fibres (g)	Source de Vitamines/Minéraux
Courgette, cuite 80 g	15	0,3	0,1	0	0,2	1,6	1,6	1	B9, C
Cresson 100 g	22	1	0,3	0,1	0,4	3	0,4	1,5	A, C/Ca, Fe, K, Mg
Échalote 100 g	20	0,2	0	0	0,1	1,5	3,3	1,4	B6, C
Endive 100 g	11	0,6	0,2	tr	0,3	0,5	2,8	0,9	B1, B5, C
Épinards 100 g	25	0,8	0,1	0,1	0,5	2,8	1,6	2,1	A, B6, B9, C, Vit K/Ca, Fe, K, Mg
Épinards cuits 80 g	17	0,6	0,1	0,1	0,4	2,5	0,4	1,7	A, B6, B9, C, Vit K/Ca, Fe, K, Mg
Fenouil 100 g	13	0,2	0,1	tr	0,1	1,8	1	2	B9, C/K
Germes d'alfalfa 100 g	2	tr	0	0	0,1	0	0	0	C
Germes de soja 100 g	13	0,1	-	-	-	2	1	2,3	C
Haricots plats d'Espagne 100 g	22	0,4	0,1	tr	0,2	1,6	3,2	2	A, B9, C
Haricots plats d'Espagne, cuits 80 g	14	0,4	0,1	tr	0,2	1	1,8	1,5	A, B9, C
Haricots verts, cuits 80 g	18	0,4	0,1	tr	0,2	1,4	2,3	1,9	A, B9, C
Igname 100 g	119	0,1	0	0	0	1,5	28	-	A, B9, C/ Ca, Mg, K, Fe
Laitue iceberg 100 g	13	0,3	tr	tr	tr	0,7	1,9	0,6	A, B1, B9, C
Laitue romaine 100 g	16	0,6	0,1	tr	tr	1	1,7	1,2	A, B1, B9, C
Maïs doux, cuit 1 épi	135	2,5	0,3	0,8	1	5,1	24,8	2,3	B1, B3, B6, B9, C/Mg, P
Maïs doux en conserve 100 g	66	0,8	0,1	0,2	0,4	2,1	15,2	1,6	B6, B9/P
Maïs doux, grains 100 g	93	1,8	0,2	0,5	0,7	3,4	17	1,5	B1, B3, B6, B9, C/Mg, P
Manioc 100 g	142	0,2	0,1	0,1	tr	0,6	36,8	1,6	C

	Cal (kcal)	Lipides (g)	Sat, (g)	Mono, (g)	Poly, (g)	Protéines (g)	Glucides (g)	Fibres (g)	Source de Vitamines/Minéraux
Mini épis de maïs en conserve 100 g	23	0,4	tr	tr	tr	2,9	2	1,5	B6, B9
Navet 100 g	23	0,3	tr	tr	0,2	0,9	4,7	2,4	B6, C/S
Navet, cuit 80 g	10	0	0	0	0,1	2,2	0,2	tr	C
Oignon 100 g	36	0,2	tr	tr	0,1	1,2	7,9	1,4	C
Oignon frit 80 g	164	11	1,4	2,8	6,5	2,3	14	3	
Okra (gombo) 100 g	31	1	0,3	0,1	0,3	2,8	3	4	A, B1, B2, B6, B9, C/Ca, Cu, K, Mg
Okra (gombo), cuit 80 g	22	0,7	0,2	0,1	0,2	2	2,2	2,9	B6, B9, C
Olives noires 1 moyenne	5	0,4	0,1	0,3	0	0	0,3	0,1	
Pak choi (chou chinois) 100 g	25	0,8	0,1	0,1	0,5	2,8	1,6	2,1	A, B1, B9, C
Panais 100 g	64	1,1	0,2	0,5	0,2	1,8	12,5	4,6	B1, B6, B9, C/K, P
Panais, cuit 80 g	66	1,2	0,2	0,5	0,2	1,6	12,9	4,7	B9, C/P
Patate douce 100 g	87	0,3	0	0	0,1	1,2	21,3	2,4	A, B1, B6, C, E/K
Patate douce, cuite au four 100 g	115	0,4	0,2	0	0,1	1,6	27,9	3,3	B2, B9
Persil 100 g	34	1,3	tr	tr	tr	3	2,7	5	A, C
Petits pois surgelés, cuits 80 g	55	0,7	0,2	0,1	0,4	4,8	7,8	4,1	B1, B9, C/P
Poireau 100 g	22	0,5	0,1	tr	0,3	1,6	2,9	2,2	B1, B6, B9, C
Poivron rouge 100 g	32	0,4	0,1	tr	0,2	1	6,4	1,6	A, B6, C
Potiron, cuit 80 g	10	0,2	0,1	0	0	0,5	1,7	0,9	A, B1, C
Pousses de bambou, cuites 100 g	11	0,2	0,1	tr	0,1	1,5	0,7	1,7	C

	Cal (kcal)	Lipides (g)	Sat, (g)	Mono, (g)	Poly, (g)	Protéines (g)	Glucides (g)	Fibres (g)	Source de Vitamines/Minéraux
Radis noir 100 g	1	0	0	0	0	0,1	0,2	0,1	C
Radis roses 1 radis (8 g)	1	0	0	0	0	0,1	0,2	0,1	C
Roquette 30 g	4	0,1	tr	tr	tr	0,2	0,5	0,3	C
Rutabaga 100 g	24	0,3	tr	tr	0,2	0,7	5	1,9	B1, B6, B9, C
Rutabaga, cuit 80 g	9	0,1	0	0	0	0,2	1,8	0,6	B1, C
Salsifis 100 g	27	0,3	tr	tr	tr	1,3	10,5	3,2	B2, B9
Tomate 1 tomate (85 g)	14	0,3	0,1	0,1	0,2	0,6	2,6	0,8	A, B6, C
Tomates en conserve 100 g	16	0,1	tr	tr	tr	1	3	0,7	B6, C
Tomates séchées, à l'huile 100 g	495	51	6,7	15	27	3,3	5	tr	A/Cu, Fe, Zn
Topinambours, cuits 80 g	33	0,1	tr	tr	tr	1,3	8,5	2,8	K
FRUITS									
Abricot 1 moyen (40 g)	12	0	0	0	0	0,4	2,9	0,7	A
Abricots au sirop 100 g	34	0,1	0	0	0	0,5	8,4	0,9	A
Abricots secs 100 g	158	0,6	tr	tr	tr	4	36	6	A, B2, B3, B6/Ca, Cu, Fe, K, Mg
Airelles 100 g	55	0,4	tr	tr	0	0,5	12	2,5	C, E
Ananas 100 g	52	0	0	0	0	0,4	13	0,5	B6, C
Ananas au sirop 100 g	64	0	0	0	0	0,5	16,5	0,7	C
Ananas en conserve, dans son jus 100 g	47	0	0	0	0	0,3	12	0,5	C
Banane 1 moyenne (100 g)	95	0,3	0,1	0	0,1	1,2	23	1,1	B6, C/K, Mg

	Cal (kcal)	Lipides (g)	Sat, (g)	Mono, (g)	Poly, (g)	Protéines (g)	Glucides (g)	Fibres (g)	Source de Vitamines/Minéraux
Banane plantain 100 g	117	0,3	0,1	0	0,1	0,1	29	1,3	A, B6, B9, C/K, Mg
Canneberge 100 g	15	0,1	0	0	0,1	0,4	3	3	B6, C
Cassis 80 g	28	0	0	0	0	0,9	6,6	3,6	C
Cerises 100 g	48	0,1	tr	0	0	0,9	11,5	0,9	A, C
Cerises au sirop 100 g	71	0	0	0	0	0,5	18,5	0,6	A, C
Citron 1 moyen	17	0,2	0	0	0,1	0,6	5,4	1	C
Citron vert 1 moyen	20	0,1	0	0	0	0,5	7,1	1,5	C
Coing 100 g	26	0,1	0	0	0	0,3	6,3	tr	C
Dattes sèches 100 g	270	0,2	0,1	0,1	0	3,3	68	4	B3, B6/Cu, K, Mg
Figues 100 g	43	0,3	0,1	0,1	0,1	1,3	9,6	1,6	B6
Figues sèches 100 g	227	1,6	0,1	tr	tr	3,6	53	7,5	B6/Ca, Cu, Fe, K, Mg, P, Zn
Fraises 100 g	27	0,1	0	0	0	0,8	6	1,1	C
Framboises 100 g	25	0,3	0,1	0,1	0,1	1,4	4,6	2,5	B6, B9, C
Framboises au sirop 100 g	88	0,1	0	0	0,1	0,6	22,5	1,4	C
Framboises surgelées 100 g	25	0,3	0,1	0	0,1	1,4	4,6	2,5	B6, B9, C
Fruit de la Passion 1 moyen (15 g)	5	0,1	0	0	0,1	0,4	0,9	0,5	
Goyave 1 moyenne	46	0,5	0,2	0	0,2	0,7	10,7	3	C
Grenade 1 moyenne (150 g)	77	0,3	0,1	0,1	0,1	2	17,7	5	B6, C/Cu, K
Groseille à maquereau 100 g	40	0,3	0,1	0,1	0,1	0,7	9	2,4	C

	Cal (kcal)	Lipides (g)	Sat, (g)	Mono, (g)	Poly, (g)	Protéines (g)	Glucides (g)	Fibres (g)	Source de Vitamines/Minéraux
Groseilles, rouges et blanches 100 g	21	0	0	0	0	1,1	4,4	3	C
Kaki 100 g	53	0,2	-	-	-	0,6	13	2,1	A
Kiwi 1 moyen (60 g)	25	0,2	0	0	0	0,6	5,5	1	B6, C
Kumquat 1 moyen	12	0	0	0	0	0,2	3,1	0,5	C
Lychees 100 g	58	0,1	tr	tr	tr	0,9	14,3	0,7	C
Lychees au sirop 100 g	68	0	0	0	0	0,4	17,7	0,5	C
Macédoine de fruits au jus 100 g	29	0	0	0	0	0,4	7	1	C
Mandarine 1 moyenne (70 g)	25	0,1	0	0	0	0,6	5,6	0,9	A, C/K
Mandarines au sirop 100 g	52	0	0	0	0	0,5	13	0,2	C
Mandarines en conserve, dans leur jus 100 g	32	0	0	0	0	0,7	7,7	0,3	C
Mangue 1 moyenne (150 g)	86	0,3	0,1	0	0	1,1	21	3,9	A, B6, C/Cu
Mangue au sirop 100 g	77	0	0	0	0	0,3	20	0,7	A, C/Cu
Melon cantaloup 100 g	56	0,4	0,1	0	0,2	1,4	13,4	1,3	A, B6, C
Melon jaune 100 g	28	0,1	0	0	0,1	0,6	6,6	0,6	C/K
Mûres 100 g	25	0,2	tr	0	0,1	0,9	5,1	3,1	B9, C
Myrtilles 40 g	19	0	0	0	0	0,3	4	1,5	B9, C/K
Nectarine 1 moyenne (100 g)	36	0,1	0	0	0	1,2	8	1,1	A, C
Orange 1 moyenne (160 g)	60	0,1	0	0	0	1,8	13,6	2,7	B1, B9, C/Ca, K
Pamplemousse, rose et rouge 1/2 moyen (80 g)	24	0,1	0	0	0	0,6	5,4	1	B9, C

	Cal (kcal)	Lipides (g)	Sat, (g)	Mono, (g)	Poly (g)	Protéines (g)	Glucides (g)	Fibres (g)	Source de Vitamines/Minéraux
Papaye 150 g	41	0,1	0	0	0	1,4	8,3	2,3	A, C/K, Mg
Pastèque 100 g	31	0,3	0,1	0,1	0,1	0,5	7	0,1	A, B6, C
Pêche 1 moyenne (110 g)	37	0,1	0	0	0	1,1	8,4	1,7	A, C
Pêches en conserve, dans leur jus 100 g	39	0	0	0	0	0,6	9,7	0,8	A, C
Poire 1 moyenne (150 g)	60	0,1	0	0,1	0	0,5	15	3,3	C
Poires en conserve, dans leur jus 100 g	33	0	0	0	0	0,3	8,5	1,4	C
Pomme, avec peau 1 moyenne (100 g)	47	0,1	0	0	0	0,4	11,8	1,8	C
Pommes (compote de), sans sucre 100 g	64	0,1	0	0	0	0,2	16,7	1,1	C
Prune 1 moyenne (60 g)	22	0,1	0	0	0	0,4	5,3	1	
Pruneaux 100 g	141	0,4	0	tr	tr	2,5	34	6	A, B2, B3, B6/Cu, K, Mg, P
Raisin 100 g	60	0,1	0,1	0	0,1	0,4	15,8	0,7	B6, Vit K/Cr, Cu
Raisins secs 100 g	272	0,5	0,1	0	0,1	2,1	69	2	B1, B6/Cu, Fe, K, Mg, P, Se
Rhubarbe 100 g	7	0,1	0	0	0,1	0,8	0,8	1,4	C/Ca
Rhubarbe, cuite, sans sucre 100 g	7	0,1	0	0	0	0,9	0,7	1,3	Ca
PRODUITS LAITIERS									
Babeurre 100 ml	37	0,5	0,3	0,1	0,1	3,4	5	0	B2/Ca, P
Bleu 30 g	124	10,2	-	2,4	-	7,2	0,9	0	A, B2, B3/Ca, P
Brie 28 g	96	7,8	5,1	1,9	0,2	5,9	0,1	0	A, B2, B12/Ca, P
Camembert 28 g	81	6,9	4,3	2	0,2	5,6	0,1	0	A, B2, B12/Ca, P

	Cal (kcal)	Lipides (g)	Sat, (g)	Mono, (g)	Poly (g)	Protéines (g)	Glucides (g)	Fibres (g)	Source de Vitamines/Minéraux
Cantal 30 g	103	7	-	2,4	-	9	0,9	0	A, B2 /Ca, P
Cheddar 28 g	114	9,4	6	2,7	0,3	7,1	0,4	0	A, B2, B12/Ca, P
Cheddar allégé 28 g	76	4,4	2,8	1,3	0,1	9,2	0,2	0	A, B2, B12/Ca, P
Comté 30 g	103	7	-	1,5	-	9	0,9	0	A, B2 /Ca, P
Cottage-cheese allégé 28 g	22	0,4	0,3	0,1	0	3,7	0,9	0	B12
Cottage-cheese allégé 100 g	79	1,5	1	0,4	0	13,3	3,3	0	B12
Cottage-cheese, nature 28 g	28	1,1	0,6	0,3	0	3,5	0,9	0	B12
Cottage-cheese, nature 100 g	101	3,9	2,3	1,2	0,1	12,6	3,1	0	B12
Crème double 100 ml	496	54	33	13,8	1,9	1,6	1,7	0	B12
Crème fraîche 100 g	378	40	27	8,6	1,1	2,2	2,4	0	B2
Crème fraîche allégée 100 g	162	15	10,2	3,2	0,4	2,7	4,4	0	B2
Crème légère 100 ml	193	19	12,2	5	0,6	3,3	2,2	0	B12
Édam 28 g	95	6,9	4,4	1,5	0,1	7,5	0	0	A, B2 /Ca, P
Emmental 30 g	121	9	-	-	-	9	0,9	0	A, B2/Ca, P
Emmental allégé 30 g	93	4,5	-	-	-	11	1	0	A, B2 /Ca, Mg
Feta 28 g	70	5,7	3,8	1,1	0,2	4,4	0,4	0	A, B2, B12/Ca, P
Fontina 28 g	110	8,8	5,4	2,5	0,5	7,3	0,4	0	A, B2, B12/Ca, P
Fromage à tartiner 28 g	123	13,3	8,3	3,8	0,4	0,9	0	0	B12
Fromage à tartiner allégé 28 g	50	3,7	2,8	0,5	0,5	0,2	0,9	0	B12

	Cal (kcal)	Lipides (g)	Sat, (g)	Mono, (g)	Poly (g)	Protéines (g)	Glucides (g)	Fibres (g)	Source de Vitamines/Minéraux
Fromage blanc aux fruits 100 g	124	5,6	3,5	1,6	0,2	5,3	13,9	0	B1, B2, B12/Ca, P
Fromage blanc aux fruits 0 % MG 100 g	50	0,2	0,1	0,1	0	6,8	5,6	0,4	B2, B12/P
Fromage blanc nature 100 g	113	8	5,5	1,8	0,2	6,1	4,4	0	B1, B2, B12/Ca, P
Fromage blanc nature 0 % MG 100 g	49	0,1	0,1	0	0	7,7	4,6	0	B2, B12/P
Fromage de chèvre, pâte molle 30 g	69	5,8	-	-	-	3,6	0	0	B9/Ca, Fe, K, P
Fromage de chèvre, sec 30 g	155	13	-	-	-	9,2	0	0	B2, B3, B9/Ca, Fe, K, P
Gorgonzola 30 g	169	15,2	-	-	-	7,2	0,8	0	Ca, P
Gouda 28 g	106	8,6	5,7	2,1	0,3	7,1	0	0	A, B12/Ca, P, Zn
Gruyère 28 g	117	9,2	5,4	2,8	0,5	8,5	tr	0	A, B12/Ca, P, Zn
Lait concentré écrémé 100 ml	107	4,1	2,5	1,1	0,1	7,8	10,3	0	B2
Lait concentré entier 100 ml	151	9,4	5,9	2,7	0,3	8,4	8,5	0	B2
Lait de chèvre 100 ml	62	3,7	2,4	0,9	0,2	3	4,4	0	A, B2, B12/Ca, P
Lait demi-écrémé 100 ml	46	1,7	1,1	0,4	0	3,4	4,7	0	B2, B12/Ca, P
Lait écrémé 100 ml	32	0,3	0,1	0,1	0	3,4	4,4	0	B2, B12/Ca, P
Lait entier 100 ml	66	3,9	2,5	1	0,1	3,3	4,5	0	B2, B12/Ca, P
Maroilles 30 g	113	9,4	-	-	-	6,8	0	0	A, B9, B12/Ca, P
Mozzarelle 28 g	80	6,1	3,7	1,9	0,2	5,5	0,6	0	A, B2, B12/Ca, P
Mozzarelle allégée 28 g	72	4,5	2,9	1,3	0,1	6,9	0,8	0	A, B2, B12/Ca, P
Munster 28 g	104	8,5	5,4	2,5	0,2	6,6	0,3	0	A, B2, B12/Ca, P

	Cal (kcal)	Lipides (g)	Sat, (g)	Mono, (g)	Poly (g)	Protéines (g)	Glucides (g)	Fibres (g)	Source de Vitamines/Minéraux
Neufchâtel 28 g	74	6,6	4,2	1,9	0,2	2,8	0,8	0	A, B2, B12/Ca, P
Parmesan 28 g	111	7,3	4,7	2,1	0,2	10,1	0,9	0	B2, B12/Ca, P
Pecorino 28 g	110	7,6	4,9	2,2	0,2	9	1	0	B2, B12/Ca, P
Petit-suisse (40 % MG) 50 g	70	4,9	-	-	-	5	1,3	0	Ca, P
Port-Salut 28 g	100	8	4,7	2,6	0,2	6,7	0,2	0	A, B2, B12/Ca
Provolone 28 g	100	7,5	4,8	2,1	0,2	7,3	0,6	0	A, B2, B12/Ca, P
Ricotta 28 g	40	3	1,9	0,8	0,1	2,6	0,6	0	A, B2, B12/Ca, P
Roquefort 28 g	105	8,7	5,5	2,4	0,4	6,1	0,6	0	A, B2, B12/Ca, P
Saint-marcellin 30 g	98	8,4	-	-	-	5,6	0	0	B9, B12/P, Zn
Saint-nectaire 30 g	96	7,4	4,8	2	0,2	6,9	0,5	0	A, B2, B12/Ca, P
Stilton 28 g	114	9,6	-	-	-	9,8	0	0	A, B9, B12/Ca, K, P
Yaourt écrémé aux fruits 100 g	78	1,1	0,8	0,3	0	4,2	13,7	0	B2, B12/Ca, P
Yaourt écrémé nature 100 g	56	1	0,7	0,2	0	4,8	7,4	0	B2, B12/Ca, P
Yaourt entier aux fruits 100 g	109	3	2	0,7	0,1	4	17,7	tr	B2, B12/Ca, P
Yaourt entier nature 100 g	79	3	1,7	0,9	0,2	5,7	7,8	0	B2, B12/Ca, P
Yaourt grec nature 100 g	92	6	4,2	1,6	0,2	4,8	5	0	B2, B12/Ca, P
ŒUFS									
Blanc d'œuf de poule 1 gros blanc	17	0	0	0	0	3,5	tr	0	B2
Jaune d'œuf de poule 1 gros jaune	61	5,2	1,6	2,4	0,6	2,8	tr	0	A, B2, B6, B12/P, Zn

	Cal (kcal)	Lipides (g)	Sat, (g)	Mono, (g)	Poly (g)	Protéines (g)	Glucides (g)	Fibres (g)	Source de Vitamines/Minéraux
Œuf de caille 1 œuf	14	1	0,3	0,4	0,1	1,2	0	0	B2/P
Œuf de canard 1 œuf (75 g)	122	8,8	2,2	3,7	1,5	10,7	tr	0	A, B1, B12/Fe, P, Zn
Œuf de poule 1 œuf (65 g)	98	7	2	2,9	1,1	8,1	0	0	A, B2, B6, B12/P, Zn
VIANDES ET VOLAILLES									
Aloyau de bœuf maigre, grillé 100 g	166	6,7	3	2,9	0,2	26	0	0	B1, B2, B3, B6, B12/Fe, P, Zn
Blanc de dinde rôtie, sans peau 100 g	157	3,2	1	0,6	0,9	29,9	0	0	B2, B3, B6, B12/P, Zn
Blanc de poulet rôti, avec peau 100 g	222	10,8	3	4,3	2,3	29	0	0	B2, B3, B6/P, Zn
Blanc de poulet rôti, sans peau 100 g	173	4,5	1,3	1,5	1	30,9	0	0	B2, B3, B6/P, Se, Zn
Bœuf maigre haché, grillé 100 g	244	14,3	5,5	5,7	0,5	27	0	0	B2, B3, B6, B12/Fe, P, Zn
Caille, sans peau 100 g	134	4,5	1,3	1,3	1,2	21,8	0	0	B1, B2, B6/Fe, P, Zn
Canard rôti, sans peau 100 g	201	11,2	4,2	3,7	1,4	23,5	0	0	B1, B2, B3, B6, B12/Cu, Fe, P, Se, Zn
Chevreuil, rôti 100 g	165	2,5	tr	tr	tr	35	0	0	B1, B2, B3, B6, B12/Cu, Fe, P, Zn
Collet d'agneau 100 g	203	13,9	6,4	5,3	0,7	19,4	0	0	B1, B2, B3, B6, B12/P, Zn
Dinde rôtie, parties foncées, sans peau 100 g	187	7,2	2,4	1,6	2,2	28,6	0	0	B2, B3, B6, B12/P, Zn
Épaule d'agneau, rôtie 100 g	204	10,8	4,1	4,4	0,9	24,9	0	0	B2, B3, B6, B12/Fe, P, Zn
Faisan, sans peau 100 g	133	3,6	1,2	1,2	0,6	20,6	0	0	B1, B2, B3, B6, B12/Fe, P, Zn
Filet d'agneau, rôti 100 g	202	9,8	3,7	4	0,9	26,6	0	0	B2, B3, B6, B12/Fe, P, Zn
Foie de veau, braisé 100 g	161	4,9	1,9	0,7	1,1	24,4	3,4	0	A, groupe B, C/Cu, Fe, P, Zn
Foie d'agneau, braisé 100 g	220	8,8	3,4	1,8	1,3	30,6	2,5	0	A, groupe B, C/Cu, Fe, P, Zn

	Cal (kcal)	Lipides (g)	Sat, (g)	Mono, (g)	Poly (g)	Protéines (g)	Glucides (g)	Fibres (g)	Source de Vitamines/Minéraux
Foies de poulet, braisés 100 g	157	5,5	1,8	1,3	0,9	24,4	0,9	0	A, groupe B, C/Cu, Fe, P, Zn
Filet de bœuf maigre, braisé 100 g	188	8	3,6	3,2	0,5	29	0	0	A, B2, B3, B6, B12/Fe, P, Zn
Filet de porc 100 g	122	4	1,4	1,6	0,7	21,4	0	0	B1, B2, B3, B6, B12/P, Se, Zn
Gigot d'agneau, rôti 100 g	258	16,5	6,9	7	1,2	25,6	0	0	B2, B3, B6, B12/Fe, P, Zn
Jambon, rôti 100 g	211	9,4	3,3	4,5	0,8	29,4	0	0	B1, B2, B3, B6, B12/K, P, Zn
Lapin, en fricassée 100 g	114	3,5	1,7	0,7	0,6	29,1	0	0	B1, B2, B3, B6, B12/P, Zn
Oie rôtie, sans peau 100 g	238	12,7	4,6	4,3	1,5	29	0	0	B2, B3, B6, B12/Fe, P, Zn
Pigeon, sans peau 100 g	142	7,5	2	2,7	1,6	17,5	0	0	B1, B2, B3, B6, B12/Fe, P, Zn
Pintade, sans peau 100 g	110	2,5	0,6	0,7	0,6	20,6	0	0	B2, B3, B6, B12/P, Zn
Poitrine de bœuf maigre, braisée 100 g	218	10,1	3,6	4,7	0,3	29,8	0	0	B2, B3, B6, B12/Fe, P, Zn
Poulet rôti, parties foncées sans peau, 100 g	205	9,7	2,7	3,6	2,3	27,4	0	0	B2, B3, B6, B12/P, Se, Zn
Rognons d'agneau, braisés 100 g	137	3,6	1,2	0,8	0,7	23,6	1	0	A, B2, B6, B12/Cu, Fe, P, Zn
Rouelle de porc, grillée 100 g	170	4	1,5	1,4	0,8	33	0	0	B1, B2, B3, B6, B12/K, P, Zn
Sanglier, rôti 100 g	160	4,4	1,3	1,7	0,6	28,3	0	0	B1, B2, B3/K, Fe, Zn

CHARCUTERIE ET PRODUITS CARNÉS

	Cal (kcal)	Lipides (g)	Sat, (g)	Mono, (g)	Poly (g)	Protéines (g)	Glucides (g)	Fibres (g)	Source de Vitamines/Minéraux
Andouillette 1 andouillette (160 g)	512	35	-	-	-	37	tr	0	B12/ Ca, K
Bacon maigre, grillé 2 tranches (50 g)	144	10,8	4	4,5	1,4	11,6	0	0	B1, B3, B6, B12/P, Zn
Boudin blanc 100 g	242	20	-	-	-	10	5,5	0	B3
Boudin noir 100 g	410	38	-	-	-	14	-	-	Fe

	Cal (kcal)	Lipides (g)	Sat, (g)	Mono, (g)	Poly (g)	Protéines (g)	Glucides (g)	Fibres (g)	Source de Vitamines/Minéraux
Corned-beef 28 g	43	1,7	0,7	0,8	0,1	6,4	0	0	B12/Zn
Foie gras 1 tranche (50 g)	259	25	-	-	-	5	1,5	0	A, B6, B9, B12/ P
Jambon cru 1 tranche (60 g)	136	9	-	-	-	13,8	0,2	0	B1, B12/K
Jambon maigre 28 g	30	1,4	0,5	0,7	0,1	5,4	0,3	0	B1, B3, B6, B12/P
Merguez 100 g	300	26	-	-	-	16	0,6	0	
Quartier de lard, cuit 28 g	47	1,5	0,6	0,7	0,1	8,2	0	0	B1, B6/Zn
Rillettes de porc 50 g	217	22	-	-	-	7	tr	0	Ca, Fe, K, Mg
Saucisse de Francfort (bœuf) 1 saucisse (50 g)	135	12	4	5	1,5	6,4	0,5	0	B1, B12/P
Saucisson 1 tranche (5 g)	23	2	-	-	-	1	0,1	0	Fe
POISSONS ET FRUITS DE MER									
Anchois à l'huile d'olive 5 anchois	29	1,5	0,4	0,8	0,5	5,8	0	0	B12
Bar commun, cuit 80 g	105	2,5	0,6	0,7	0,9	19,3	0	0	B12/P
Brochet, cuit 80 g	96	0,7	0,1	0,2	0,2	21	0	0	B3, B12/K, P, S
Bulots, cuits 80 g	76	1	0,2	0,2	0,3	16	0	0	B12/Cu, Fe, Mg, P, Zn
Cabillaud, poché 80 g	89	0,7	0,1	0,1	0,2	19,4	0	0	B3, B6, B12/I, Se
Carpe 80 g	138	6,1	1,2	2,5	1,6	19,4	0	0	B1, B3, B6, B12/P, Zn
Carrelet à la vapeur 100 g	94	2	-	-	-	19	0	0	B3/K
Caviar 100 g	269	17	-	-	-	25	4	0	A, D/Ca, Fe, Mg, P
Chair de crabe, cuite 100 g	128	5,5	0,7	1,5	1,6	19,5	0	0	B2, B6/Cu, Mg, P, Se, Zn

	Cal (kcal)	Lipides (g)	Sat. (g)	Mono. (g)	Poly. (g)	Protéines (g)	Glucides (g)	Fibres (g)	Source de Vitamines/Minéraux
Colin 100 g	92	2,2	0,3	0,6	0,5	18	0	0	P
Coques, cuites 100 g	53	0,6	0,2	0,1	0,2	12	0	0	B12/Fe, I, P, Se
Coquille Saint-Jacques 100 g	118	1,4	0,4	0,1	0,4	23	3,4	0	B12/P, Se
Crevettes, cuites 80 g	85	0,8	0,2	0,2	0,2	19,6	0	0	B3, B12/Cu, Mg, P, S, Se, Zn
Écrevisses, cuites 80 g	75	1	0,2	0,2	0,3	14,3	0	0	B3, B12/Cu, P, S, Se, Zn
Encornet 80 g	69	1,2	0,3	0,1	0,4	13,3	1	0	B2, B3, B6, B12/Cu, I, P, Se, Zn
Escargots, nature 50 g (12 escargots)	40	0,5	-	-	-	8	1	0	Ca, Fe, Mg
Espadon, grillé 80 g	118	4,4	1	1,8	1,2	19,5	0	0	B1, B2, B3, B6, B12/P, Se
Flet, cuit 80 g	62,4	6	0,3	0,2	0,5	12	0	0	B1, B2, B3, B6, B12/P, S, Se
Flétan, cuit 80 g	119	2,5	0,4	0,8	0,8	22,7	0	0	A, B3, B6, B12/I, K, P, S
Friture 100 g	525	47,5	-	-	-	19,5	5,3	0,2	Ca, Fe, Mg, P
Haddock, cuit 80 g	95	0,8	0,1	0,1	0,3	20,6	0	0	B3, B6, B12/I, K, P, S
Hareng, cuit 80 g	173	9,9	2,2	4,1	2,3	19,6	0	0	B3, B6, B12/K, P, S, Zn
Homard, cuit 80 g	83	0,5	0,1	0,1	0,1	17,4	1,1	0	B12/Cu, P, S, Se, Zn
Huîtres, crues 140 g (12 huîtres)	75	2,7	-	-	-	13	tr	0	Groupe B, D, E/Cu, Fe, I, P, Se, Zn
Huîtres cuites, sans coquille 80 g	55	1,1	0,2	0,2	0,3	9,2	2,3	0	A, B1, B6, B12/Cu, I, Fe, P, S, Se, Zn
Lieu noir 100 g	82	1	0,1	0,3	0,3	18,3	0	0	I, P, Se
Lotte, cuite 80 g	82	1,7	0,1	0,1	0,2	15,8	0	0	K, P, S
Loup de mer, cuit 80 g	105	2,2	0,6	0,5	0,8	20,1	0	0	A, B12/Ca, Fe, P

	Cal (kcal)	Lipides (g)	Sat, (g)	Mono, (g)	Poly (g)	Protéines (g)	Glucides (g)	Fibres (g)	Source de Vitamines/Minéraux
Maquereau, cuit 80 g	223	15,1	3,6	6	3,7	20,3	0	0	A, B1, B2, B3, B6, B12/I, P, S, Se
Maquereau, fumé 100 g	354	31	6	15	6	19	0	0	A, B1, B2, B3, B6, B12/I, P, Se, Zn
Merlan, cuit 80 g	78	0,8	0,1	0,3	0,2	18	0	0	B2, B6/I, P, Se
Mérou 80 g	100	1,1	0,3	0,2	0,3	21,1	0	0	A, B5/K, S
Moules cuites, avec coquille 100 g	28	0,7	0,1	0,1	0,3	4,5	0,9	0	B12/I, Se
Moules cuites, sans coquille 80 g	88	2,3	0,4	0,3	0,8	14,2	3	0	A, B1, B2, B12/Fe, I, K, P, Se, Zn
Mulet, cuit 80 g	128	4,1	1,2	1,2	0,8	21,1	0	0	B3, B6, B12/K, P, Mg, S, Se
Œufs de hareng 28 g	25	0,7	0,1	0,2	0,2	4,7	0	0	B12/P
Ormeau, frit 80 g	161	5,8	1,4	2,3	1,4	16,7	9,4	0	B1, B2, B3, B12/ P, K
Palourdes au naturel, égouttées 100 g	65	0,5	0,2	0,1	0,1	13,6	0	0	B3/Cu, Fe, P, Zn
Perche, cuite 80 g	100	1	0,2	0,2	0,4	21,1	0	0	B3, B12/K, P, S, Zn
Pilchards à la sauce tomate 1 pilchard (55 g)	79	4,5	0,9	1,2	1,9	9	0,6	0	B2, B3, B6, B12/Ca, P
Poulpe, cuit 80 g	71	1,1	0,3	0,2	0,4	15	0	0	A, B3, B6, B12/Cu, P, S, Se, Zn
Poutargue 28 g	7	0,1	0	0	0,1	1,5	0,5	0	B1, B3, B12/P
Raie, grillée 100 g	79	0,5	0,1	0,1	0,2	19	0	0	B1, B2, B3, B6, B12/I, P
Requin 80 g	111	3,8	0,8	1,5	1	17,8	0	0	B1, B2, B3, B6, B12
Rollmops 28 g	59	3,1	0,4	0,3	0,8	4,7	2,8	0	B6
Rouget 120 g (2 petits)	178	9,5	-	0,7	-	23	0,1	0	A, B12, D, E /I, P, K, Zn
Saint-pierre 100 g	89	1,4	0,3	0,2	0,5	19	0	0	B6/P

	Cal (kcal)	Lipides (g)	Sat, (g)	Mono, (g)	Poly (g)	Protéines (g)	Glucides (g)	Fibres (g)	Source de Vitamines/Minéraux
Sardines à la sauce tomate 2 sardines (50 g)	81	5	1,4	1,5	1,6	8,5	0,7	0	B2, B3, B12/Ca, Fe, P, Zn
Sardines à l'huile 2 sardines (50 g)	110	7	1,5	2,4	2,5	11,7	0	0	B2, B3, B6, B12/Ca, P, S, Se
Sardines fraîches 1 sardine (25 g)	41	2,3	0,7	0,6	0,7	5	0	0	B6, B12/P
Saumon, fumé 80 g	121	3,8	0,7	1,5	1,1	21	0	0	B3, B6, B12/P, Se
Saumon, grillé 80 g	175	10,5	2,1	3,8	3,8	18,8	0	0	B1, B2, B3, B6, B9, B12/K, P, S, Se
Saumon rose en conserve, sans arêtes 80 g	130	5,6	1,1	2	1,6	20	0	0	B2, B3, B6, B12/I, P, Se
Saumon rouge en conserve, avec arêtes 80 g	130	5,6	1,1	2,3	1,4	20	0	0	B2, B3, B6, B12/Ca, Mg, P, Se
Sole 80 g	76	1,5	0,3	0,2	0,5	15,4	0	0	B3/Mg, P, S, Se
Surimi 100 g	68	0,4	0,1	0,1	0,1	10	6,6	0	B12/Zn
Thon à l'huile, égoutté 80 g	161	7,7	1,3	2	4,1	23	0	0	B3, B6, B12/Cu, P, Se, Zn
Thon au naturel, égoutté 80 g	84	0,5	0,2	0,1	0,2	20	0	0	B3, B6, B12/P, Se
Thon frais, steak 80 g	116	3,9	1	1	1,4	20,1	0	0	A, B3, B6, B12/Cu, I, P, Se
Truite, cuite 80 g	115	3,8	0,8	1,4	1,3	20	0	0	A, B1, B3, B6, B12/P, Se
Turbot, grillé 80 g	104	3,2	0,8	0,7	0,6	19,3	0	0	B6/Mg, P
Vivaneau, cuit 80 g	109	1,5	0,3	0,3	0,5	22,4	0	0	B3, B6, B12/I, P, S, Se
LÉGUMINEUSES ET SOJA									
Fèves, cuites 100 g	48	0,8	0,1	0,1	0,3	5,1	5,6	5,4	B3, B6, B9, C/Cu, Fe, Mg, P, Zn
Fèves en conserve 100 g	87	0,7	0,1	0,1	0,4	8,3	12,7	5,2	B3, B6, B9/Fe, Mg, P, S, Zn
Flageolets, cuits 100 g	102	0,5	-	-	-	7	18,5	8	B1, B6/Ca, Fe, K, Mg, P

	Cal (kcal)	Lipides (g)	Sat, (g)	Mono, (g)	Poly (g)	Protéines (g)	Glucides (g)	Fibres (g)	Source de Vitamines/Minéraux
Graines de soja, cuites 100 g	141	7,3	0,9	1,4	3,5	14	5,1	6,1	B1, B6, B9/Ca, Cu, Fe, K, Mg, P, Zn
Haricots à la tomate en conserve 100 g	81	0,6	0,1	0,1	0,3	4,8	15,1	3,5	B1, B6, B9/Mg, P, S
Haricots à la tomate, à teneur réduite en sucres 100 g	74	0,6	0,1	0,1	0,3	5,4	12,8	3,8	B1, B6, B9/Mg, P
Haricots azuki, cuits 100 g	123	0,2	0,1	tr	tr	9,3	22,5	5,5	B1/Cu, Fe, K, Mg, P, S, Zn
Haricots blancs, cuits 100 g	116	0,7	0,2	0,1	0,3	8,8	19,9	3,5	B1, B6, B9/Fe, Mg, P, Zn
Haricots blancs, secs 100 g	286	1,6	0,3	0,4	0,5	21,4	49,7	17	B1, B6/Fe, Mg, P, Zn
Haricots cornilles, cuits 100 g	95	0,5	0,1	0,1	0,1	6,6	17,2	6,1	P, Zn
Haricots rouges en conserve 100 g	100	0,6	0,1	0,1	0,3	6,9	17,8	6,2	B1, B6/Fe, P, S, Zn
Haricots rouges, secs 100 g	266	1,4	0,2	0,1	0,8	22,1	44,1	15,7	B1, B6/Fe, Mg, P, Zn
Houmous 100 g	187	12,6	-	-	-	7,6	11,6	2,4	Fe, P, Zn
Lait de soja, adouci 100 ml	43	2,4	0,4	0,5	1,4	3,1	2,5	0,2	P
Lait de soja nature 100 ml	26	1,6	0,2	0,3	1,1	2,4	0,5	0,2	P
Lentilles corail, cuites 100 g	100	0,4	tr	0,1	0,2	7,6	17	1,9	B1, B6, B9/Cu, Fe, P, Zn
Lentilles corail, sèches 100 g	318	1,3	0,2	0,2	0,5	23,8	56	4,9	B1, B6, B9/Cu, Fe, P, Zn
Lentilles vertes/blondes, cuites 100 g	105	0,7	0,1	0,1	0,3	8,8	16,9	3,8	B1, B6/Cu, Fe, Mg, P, Se, Zn
Lentilles vertes/blondes, sèches 100 g	297	1,9	0,2	0,3	0,8	24	48,8	8,9	B1, B6/Cu, Fe, Mg, P, Se, Zn
Lupins 50 g	208	6,5	-	-	-	22,5	15	1	groupe B, C/Ca, K, Mg, P
Miso 100 ml	203	6,2	1,2	1,9	4,7	13,3	23,5	tr	B2, B6, B9, B12/Cu, Fe, Mg, P, S, Zn
Pois cassés, secs 100 g	341	1,7	-	-	-	23,5	58	11	B1, B3, C/ Fe, Mg, K, P

	Cal (kcal)	Lipides (g)	Sat, (g)	Mono, (g)	Poly (g)	Protéines (g)	Glucides (g)	Fibres (g)	Source de Vitamines/Minéraux
Pois chiches en conserve 100 g	115	2,9	0,3	0,7	1,3	7,2	16,1	4,1	Fe, P, S, Zn
Pois chiches, secs 100 g	320	5,4	0,5	1,1	2,7	21,3	49,6	10,7	Fe, P, Zn
Tempeh 50 g	73	3,8	0,6	0,9	-	6,8	2,8	0,5	Fe, K, P
Tofu 100 g	73	4,2	0,5	0,8	2	8,1	0,7	tr	Ca, Cu, P

OLÉAGINEUX

	Cal (kcal)	Lipides (g)	Sat, (g)	Mono, (g)	Poly (g)	Protéines (g)	Glucides (g)	Fibres (g)	Source de Vitamines/Minéraux
Amandes 100 g	612	56	4,4	38,2	10,5	21,1	6,9	7,4	groupe B, E/Ca, Cu, Fe, K, Mg, P, S, Zn
Beurre de cacahouètes 100 g	606	51,8	12,8	19,9	16,8	22	13	5,4	B3, B6, B9/Cu, Mg, P, S, Zn
Cacahouètes 100 g	563	46	8,7	22	13	25,6	12,5	6,2	B1, B3, B6, B9/Cu, Mg, P, S, Zn
Châtaignes, cuites 100 g	170	2,7	0,5	1	1,1	2	36,6	4,1	B6
Crème de coco 100 g	669	68,8	59	3,9	1,6	6	7	tr	Cu
Graines de courge 100 g	569	45	7	11	18,3	24,4	15,2	5,3	Cu, Fe, Mg, P, S, Zn
Graines de sésame 100 g	598	58	8,3	21,7	25,5	18,2	0,9	7,9	B1, B6/Ca, Cu, Fe, Mg, P, S, Zn
Graines de tournesol 100 g	581	47	4,5	9,8	31	19,8	18,6	6	B1/Cu, Fe, Mg, P, S, Se, Zn
Lait d'amandes 100 ml	51	2,3	0,6	1,3	0,4	1	6,6	0,3	
Noisettes 100 g	650	63	4,7	50	5,9	14	6	5	B1, B6/Cu, K, Mg, P, S, Zn
Noix 100 g	688	68,5	5,6	12,4	47,5	14,7	3,3	3,5	B6/Cu, Mg, P
Noix de cajou 100 g	611	50,9	10,1	29,4	9,1	20,5	18,8	3,2	B1, B6/Cu, Fe, K, Mg, P, S, Se, Zn
Noix de coco déshydratée 100 g	604	62	53	3,5	1,5	5,6	6,4	13,7	Cu
Noix de coco fraîche 100 g	351	36	31	2	0,8	3,2	3,7	7,3	Cu

	Cal (kcal)	Lipides (g)	Sat, (g)	Mono, (g)	Poly (g)	Protéines (g)	Glucides (g)	Fibres (g)	Source de Vitamines/Minéraux
Noix de Macadamia 100 g	784	77,6	11,2	61	1,6	7,9	4,8	5,3	B1, B6/Cu, P
Noix de Pécan 100 g	689	70,1	5,7	42,5	18,7	9,2	5,8	4,7	B1/Cu, Mg, P, S, Zn
Noix du Brésil 100 g	682	68	16,4	25,8	23	14,1	3,1	4,3	B1, B6/Ca, Cu, K, Mg, P, S, Se, Zn
Pignons 100 g	688	68,6	4,6	19,9	41,1	14	4	1,9	B1/Cu, Mg, P, S, Zn
Pistaches 100 g	601	55	7,4	27,6	17,9	17,9	8,2	6,1	B1/Cu, Mg, P, Zn
HUILES, SIROPS ET PÂTES À TARTINER									
Beurre 10 g	76	8,4	-	2	-	0,1	0,1	0	A, E/Ca, K
Beurre allégé 40 % 10 g	33	3,4	-	-	-	0,4	0,3	0	A, E/Ca, K
Confiture (fruits à noyau) 1 cuil. à s.	39	0	0	0	0	0,1	10,4	0,2	
Confiture (fruits à pépins) 1 cuil. à s.	39	0	0	0	0	0,1	10,4	0,3	
Huile d'arachide 1 cuil. à s.	99	11	2,2	4,9	3,4	0	0	0	
Huile de carthame 1 cuil. à s.	99	11	1,1	1,3	8,1	0	0	0	E
Huile de colza 1 cuil. à s.	99	11	0,7	6,5	3,2	0	0	0	E
Huile de foie de morue 1 cuil. à s.	99	11	2,3	4,9	3,4	0	0	0	A, D
Huile de maïs 1 cuil. à s.	99	11	1,6	3,3	5,2	0	0	0	E
Huile de noix 1 cuil. à s.	99	11	1	1,8	7,7	0	0	0	
Huile de sésame 1 cuil. à s.	99	11	1,6	4,1	4,8	0	0	0	
Huile de soja 1 cuil. à s.	99	11	1,7	2,3	6,5	0	0	0	
Huile de tournesol 1 cuil. à s.	99	11	1,3	2,3	7	0	0	0	E

	Cal (kcal)	Lipides (g)	Sat, (g)	Mono, (g)	Poly (g)	Protéines (g)	Glucides (g)	Fibres (g)	Source de Vitamines/Minéraux
Huile d'olive 1 cuil. à s.	99	11	1,6	8	0,9	0	0	0	E
Margarine solide 1 cuil. à s.	111	12,4	4	5,6	2,1	0	0	0	
Margarine tendre (polyinsaturée) 1 cuil. à s.	112	12,4	2,5	4	5	0	0	0	D, E
Mayonnaise 1 cuil. à s.	109	11,9	1,7	8,2	1,3	0,2	0,1	0	
Mayonnaise allégée 1 cuil. à s.	43	4,2	0,6	1	2,4	0,1	1,2	0	
Mélasse 1 cuil. à s.	40	0	0	0	0	0	10,3	0	B6
Miel 1 cuil. à s.	69	0	0	0	0	0	18,3	0	
Moutarde 1 cuil. à c.	2	0,1	-	-	-	0,3	0,2	0	C/Ca, K, Mg
Pâte à tartiner noisettes chocolat 10 g	53,3	3,1	-	-	-	0,6	5,7	0,4	
Saindoux 1 cuil. à s.	134	14,9	6	6,5	1,5	0	0	0	
Sirop d'érable 1 cuil. à s.	39	0	0	0	0	0	10,1	0	
Vaporisateur d'huile végétale 1 vaporisation	2	0,2	0	0,1	0,1	0	0	0	
BOISSONS									
Bière, amère 287 ml	86	tr	0	0	0	0,9	6,3	tr	B6
Bière, blonde 287 ml	83	0	0	0	0	0,9	tr	tr	B2, B3, B6, B9/P
Café noir 180 ml	0	0	0	0	0	0	0	0	
Champagne 1 petit verre (125 ml)	95	0	0	0	0	0,4	1,8	0	
Cola 1 canette (330 ml)	135	0	0	0	0	0	36	0	
Cola light 1 canette (330 ml)	0	0	0	0	0	0	0	0	

	Cal (kcal)	Lipides (g)	Sat, (g)	Mono, (g)	Poly (g)	Protéines (g)	Glucides (g)	Fibres (g)	Source de Vitamines/Minéraux
Eau du robinet 240 ml	0	0	0	0	0	0	0	0	
Eau minérale 240 ml	0	0	0	0	0	0	0	0	
Fruits pressés avec de l'eau 100 ml	19	0	0	0	0	0	5	0	
Ginger ale, sec 100 ml	15	0	0	0	0	0	3,9	0	
Infusion 180 ml	0	0	0	0	0	0	0	0	
Jus d'ananas 100 ml	41	0,1	0	0	0	0,3	10,5	tr	C
Jus de canneberge 100 ml	61	0	0	0	0	0	14,4	tr	C
Jus de carotte 100 ml	24	0,1	0	0	0,1	0,5	5,7	tr	A, B6, C
Jus de mangue 100 ml	39	0,2	0	0,1	0,1	0,1	10	tr	A, C
Jus de pamplemousse 100 ml	33	0,1	0	0	0,1	0,4	8,3	tr	C
Jus de pomme 100 ml	38	0,1	tr	0	0,1	0,1	9,9	tr	C
Jus de raisin 100 ml	46	0,1	0	0	0	0,3	11,7	0	C
Jus de tomate 100 ml	14	0,1	0	0	0	0,8	3	0,6	A, B6, C
Jus d'orange 100 ml	36	0,1	0	0,1	0	0,5	8,8	0,1	B6, B9, C
Dummy entry 1 mesure (25 ml)	56	0	0	0	0	0	0	0	
Thé noir 180 ml	0	0	0	0	0	0	0	0	
Thé vert 180 ml	0	0	0	0	0	0	0	0	
Tonic water 100 ml	33	0	0	0	0	0	8,8	0	
Vin blanc 1 petit verre (125 ml)	93	0	0	0	0	0,1	3,8	0	

	Cal (kcal)	Lipides (g)	Sat, (g)	Mono, (g)	Poly (g)	Protéines (g)	Glucides (g)	Fibres (g)	Source de Vitamines/Minéraux
Vin rosé 1 petit verre (125 ml)	89	0	0	0	0	0,1	3,1	0	
Vin rouge 1 petit verre (125 ml)	85	0	0	0	0	0,1	0,3	0	
Vodka 1 mesure (25 ml)	56	0	0	0	0	0	0	0	
DESSERTS GLACÉS									
Crème glacée à la fraise 100 g	179	8	5,2	2	0,3	3,5	24,7	0	B2
Crème glacée à la vanille 100 g	177	8,6	6,1	2,8	0,3	3,6	19,8	0	B2
Crème glacée au chocolat 100 g	180	8	6,1	2	0,3	3,5	25	0	B2
Gelée aux fruits (à l'eau) 200 g	122	0	0	0	0	2,4	30,2	0	
Sorbet au citron 100 g	97	0,3	0	0	0	0,2	24,8	0	
GÂTEAUX ET BISCUITS									
Barquette à la fraise 100 g	350	2,5	-	-	-	4,5	79	-	
Barre de céréales, croustillante 100 g	468	22,2	4,5	11,3	5,4	10,4	60,5	4,8	B1, B2, B6/Mg, P
Barre de céréales, moelleuse 100 g	419	16,4	5	8,7	1,8	7,3	64,7	3,2	B1, B2, B6/Mg, P
Biscuit au gingembre 1 biscuit (10 g)	44	1,3	0,6	0,5	0,1	0,6	7,9	0,1	
Biscuit aux flocons d'avoine 100 g	493	27	5	7,6	10,3	4,5	62,4	2,6	B1/Fe, Mg, P, Zn
Brownie au chocolat 100 g	341	11,4	-	-	-	5,5	67,5	1,5	
Cake aux fruits maison 100 g	322	12,5	-	-	-	4,9	50,7	1,7	
Cake aux fruits maison, avec glaçage 100 g	350	9,8	1,8	3,6	3,8	3,6	65	1,3	
Cheesecake 100 g	426	35,5	18,8	11,4	2,8	3,7	24,6	0,4	

	Cal (kcal)	Lipides (g)	Sat, (g)	Mono, (g)	Poly (g)	Protéines (g)	Glucides (g)	Fibres (g)	Source de Vitamines/Minéraux
Cookie aux pépites de chocolat 1 cookie (25 g)	119	5,7	2,7	2,2	0,6	1,5	16	0,5	
Gâteau au chocolat (glaçage au beurre) 100 g	481	29	-	-	-	5,7	50,9	tr	
Gaufre 1 gaufre (50 g)	167	8,3	-	-	-	4,3	19,8	0,3	
Gaufrette, nature 100 g	363	1,2	-	-	-	3,7	84,3	-	
Génoise 100 g	467	27	5,8	8,9	10,9	6,3	52	0,9	
Langue de chat 100 g	429	9,3	-	-	-	5,4	80,8	-	
Meringue 100 g	381	0	0	0	0	5,3	96	0	
Muffin aux pépites de chocolat 100 g	385	18,2	10,7	5,2	0,9	6,3	52,3	1,6	
Pain d'épices 100 g	379	12,6	-	-	-	5,7	64,7	1,2	
Palmier 1 biscuit	200	5,5	-	-	-	5	32,5	-	
Pancake sans sucre 1 petit pancake (60 g)	153	9,3	2,7	2,9	3,1	3,8	14,3	0,5	
Pancake sucré 1 petit pancake (60 g)	181	9,8	4,2	3,9	1	3,6	20,9	0,5	
Petit-beurre 100 g	437	11	-	-	-	8,2	75	2,2	
Sablé 1 biscuit (13 g)	66	3,6	2,4	0,9	0,2	0,8	8,2	0,2	
PÂTISSERIES ET ENTREMETS									
Beignet à la confiture 1 beignet (75 g)	252	10,8	3,2	4	2,7	4,3	36	tr	
Beignet nature 1 beignet (60 g)	242	13,4	3,5	5,6	3,6	3,7	28	tr	
Crème caramel 100 g	104	1,5	0,9	0,5	0,1	3	21	0	B2, B12/I
Croissant 1 moyen (60 g)	224	15,6	5,9	2,8	1	5	26,1	1	

	Cal (kcal)	Lipides (g)	Sat, (g)	Mono, (g)	Poly, (g)	Protéines (g)	Glucides (g)	Fibres (g)	Source de Vitamines/Minéraux
Éclair au chocolat 1 éclair (50 g)	187	11,9	-	-	-	2	18,9	0,3	
Pain au chocolat 100 g	407	20,7	-	-	-	7,4	46,4	2	Ca, K, Mg
Pain aux raisins 1 pain (110 g)	378	15,5	9,4	2,2	2,1	6,4	56	1,8	
Pâte de fruits 100 g	328	0	-	-	-	0	82	-	K
Riz au lait allégé en matières grasses 100 g	71	0,8	0,5	0,2	0,1	3,5	13,4	0,1	B2/Ca
Riz au lait maison 100 g	85	1,3	0,8	0,3	0,1	3,3	16	0,1	B2/Ca
Tarte au citron meringuée 100 g)	251	8,5	3,1	3,5	1,5	2,9	43	0,7	
Tarte au flan 100 g	280	16,7	-	-	-	5,7	28,5	0,9	P
EN-CAS									
Bretzels 28 g	108	1	0,2	0,4	0,3	2,6	22,5	0,9	
Chips 28 g	148	9,6	3,9	3,8	1,4	1,6	15	1,3	
Chips allégées en matières grasses 28 g	128	6	2,6	2,4	0,7	1,8	17,8	1,7	
Crackers à la crème 1 cracker (17 g)	29	0,9	0,4	0,4	0,1	0,7	4,8	0,2	
Crackers complets 1 cracker (7 g)	29	0,8	0,2	0,2	0,3	0,7	5	0,3	
Galette de riz et maïs 100 g	410	8	1,2	-	-	6,5	77	1	
Galette de riz, sans sel 1 galette (10 g)	34	0,3	0,1	0,1	0,1	0,9	7,3	0,3	
Mélange de fruits secs 28 g	121	8,3	1,6	3,6	2,7	3,9	10,4	1,2	
Pop-corn nature 100 g	108	1	-	-	-	2	22	2	
Tortilla chips 28 g	129	6,3	1,1	3	1,9	2	16,8	1,8	

Adresses utiles

Voici quelques adresses postales et sites Internet relatifs aux sujets traités tout au long de cet ouvrage. La première liste groupe des adresses d'associations ou d'organisations spécialisées dans l'alimentation et la nutrition, tandis que la seconde est consacrée aux associations d'information et de soutien aux personnes atteintes de problèmes de santé.

L'alimentation et la nutrition

Agence canadienne d'inspection des aliments
www.inspection.gc.ca

Agriculture et Agroalimentaire Canada (AAC)
www.agr.gc.ca

Association des Diététistes du Québec
544, rue de l'Inspecteur, bureau 210
Montréal (Québec) H3C 2K9
Tél. : (514) 954-0047
Téléc. : (514) 390-0681
www.adaqnet.org

Diététistes du Canada
480, University Avenue,
suite 604
Toronto (Ontario) M5G 1V2
Tél. : (416) 596-0857
Téléc. : (416) 596-0603
www.dietitians.ca

Extenso
Centre de référence sur la nutrition humaine
Tél. : (514) 343-6111 poste 1-5494
www.extenso.org

Femmes en santé
www.femmesensante.ca

Groupe Harmonie Santé
1385, chemin des Patriotes
Otterburn Park (Québec) J3H 4K7
Tél. : (514) 990-7128 ou 1 877
HARMONIE
Téléc. : (450) 464-4679
www.harmoniesante.com

Institut national de la nutrition
408, Queen Street, 3rd Floor
Ottawa (Canada) K1R 5A7
Tél. : (613) 235-3355
Téléc. : (613) 235-7032
www.nin.ca

MAPAQ
Ministère de l'Agriculture, des Pêcheries et de l'Alimentation du Québec
200, chemin Sainte-Foy
Québec (Québec) G1R 4X6
Tél. : (418) 380-2110 ou 1-888-222-6272
www.mapaq.gouv.qc.ca

MSSS
Ministère de la Santé et des Services Sociaux
www.msss.gouv.qc.ca/sujets/santepub/nutrition/index.html

Ordre professionnel des diététistes du Québec
2155, rue Guy, bureau 1220
Montréal (Québec) H3H 2R9
Tél. : (514) 393-3733 ou 1-888-393-8528
Téléc. : (514) 393-3582
www.opdq.org

PasseportSanté.net
111, rue Duke, bureau 2600
Montréal (Québec) H3C 2M1
Tél. : (514) 393-9280
Téléc. : (514) 393-9281
www.passeportsante.net

Réseau canadien de la santé
www.reseau-canadien-sante.ca

Réseau canadien pour la santé de la femme
419, avenue Graham, bureau 203
Winnipeg (Canada) R3C 0M3
Tél. : (204) 942-5500 ou 1-888-818-9172
Téléc. : (204) 989-2355
www.cwhn.ca

Santé Canada
Bureau divisionnaire Québec
200, boul. René-Lévesque Ouest, Tour Est
Bureau 218, Complexe Guy-Favreau
Montréal (Québec) H2Z 1X4
Tél. : (514) 283-2306
Téléc. : (514) 283-6739
www.hc-sc.gc.ca

Vas-y, fais-le pour toi !
www.vasy.gouv.qc.ca

ALLERGIES ALIMENTAIRES

Anaphylaxis Canada
416, Moore Avenue, suite 306
Toronto (Ontario) M4G 1C9
Tél. : (416) 785-5666
Téléc. : (416) 785-0458
www.anaphylaxis.ca

AQAA
Association québécoise des allergies alimentaires
445, boulevard Sainte-Foy, bureau 100
Longueuil (Québec) J4J 1X9
Tél. et téléc. : (514) 990-2575
www.aqaa.qc.ca

Société canadienne d'allergie et d'immunologie clinique
774, Echo Dr.
Ottawa (Ontario) K1S 5N8
Tél. : (613) 730-6272
Téléc. : (613) 730-1116
www.csaci.medical.org
Pour obtenir des documents :
www.allergyfoundation.ca

Les problèmes de santé

ARTHRITE

La société d'arthrite
Bureau divisionnaire Montréal
380, rue Saint-Antoine Ouest, bureau 3280
Montréal (Québec) H2Y 3X7
Tél. : (514) 846-8840 ou 1-800-321-1433
Téléc. : (514) 846-8999
www.arthrite.ca

CANCER

Association canadienne du cancer colorectal
Bureau divisionnaire Québec
5, place Ville-Marie, suite 1230
Montréal (Québec) H3B 2G2
Tél. : (514) 875-7745 ou 1-888-318-9442
www.ccac-accc.ca

Fondation du cancer du sein du Québec
1155, rue René-Lévesque Ouest, suite 1003
Montréal (Québec) H3B 2J2
Tél. : (514) 871-1717 ou 1-877-990-7171
Téléc. : (514) 871-9797
www.rubanrose.org

Fondation canadienne de recherche sur le cancer de la prostate
145, Front Street East, suite 306
Toronto (Ontario) M5A 1E3
Tél. : 1-888-255-0333
Téléc. : (416) 441-2325
www.prostatecancer.ca

Fondation québécoise du cancer
2075, rue Champlain
Montréal (Québec) H2L 2T1
Tél. : (514) 527-2194 ou 1-800-363-0063
Téléc. : (514) 527-1943
www.fqc.qc.ca

Société canadienne du cancer
5151, boul. de l'Assomption
Montréal (Québec) H1T 4A9
Tél. : 1-888-939-3333
division du Québec :
Tél. : (514) 255-5151
www.cancer.ca

DIABETE

Association canadienne du diabète
522, University Avenue, suite 1324
Toronto (Ontario) M5G 2R5
Tél. : 1-800-226-8464
Téléc. : (416) 363-7465
www.diabetes.ca

Diabète Québec
8550, boul. Pie-IX, bureau 300
Montréal (Québec) H1Z 4G2
Tél. : (514) 259-3422 ou 1-800- 361-3504
Téléc. : (514) 259-9286
www.diabete.qc.ca

MALADIES CARDIOVASCULAIRES

Fondation des maladies du cœur du Québec
1434, rue Sainte-Catherine Ouest, bureau 500
Montréal (Québec) H3G 1R4
Tél. : (514) 871-1551 ou 1-800-567-8563
Téléc. : (514) 871-9385
www.fmcoeur.ca

MALADIES DIGESTIVES

Association canadienne de la maladie coeliaque
Bureau divisionnaire Québec
685, rue Verdure
Brossard (Québec) J4W 1R5
Tél. : (450) 672-3415 ou 1-800-363-7296
www.celiac.ca

Fondation canadienne des maladies inflammatoires de l'intestin
Bureau divisionnaire Montréal
3767, boulevard Thimens, bureau 223
Saint-Laurent, Québec) H4R 1W4
Tél. : (514) 342-0666 ou 1-800-461-4683
Téléc. : (514) 342-1011
www.fcmii.ca

Fondation québécoise de la maladie coeliaque
4837, rue Boyer, bureau 230
Montréal (Québec) H2J 3E6
Tél. : (514) 529-8806
Téléc. : (514) 529-2046
www.fqmc.org

MALADIES RENALES

Fondation canadienne des maladies du rein
Bureau divisionnaire Québec
2300, boulevard René-Lévesque
Montréal (Québec) H3H 2R5
Tél. : (514) 938-4515 ou 1-800-565-4515
Téléc. : (514) 938-4757
www.reinquebec.ca

MALADIES RESPIRATOIRES

Association pulmonaire du Québec
855, rue Sainte-Catherine Est, bureau 222
Montréal (Québec) H2L 4N4
Tél. : (514) 287-7400 ou 1-800-295-8111
Téléc. : (514) 287-1978
www.pq.poumon.ca

Association pulmonaire du Canada
Bureau national
3, rue Raymond, bureau 300
Ottawa (Ontario) K1R 1A3
Tél. : (613) 569-6411 ou 1-888-566-5864
Téléc. : (613) 569-8860
www.poumon.ca

MIGRAINE

Clinique de la migraine de Montréal
1575, boulevard Henri-Bourassa Ouest, bureau 330
Montréal (Québec)
Tél. : (514) 337-0432
Téléc. : (514) 337-0942
www.migrainemontreal.com

OSTEOPOROSE

Société de l'ostéoporose du Canada
Bureau divisionnaire Québec
1200, avenue Germain-des-Prés, bur. 100
Sainte-Foy, Québec G1V 3M7
Tél. : (418) 651-8661ou 1-800-977-1778
Téléc. : (418) 650-2916
www.osteoporosecanada.ca

TROUBLES ALIMENTAIRES

ANEB Québec
Association québécoise d'aide aux personnes souffrant d'anorexie nerveuse et de boulimie
114, avenue Donegani
Pointe-Claire (Québec) H9R 2W3
Tél.: (514) 630-0907 ou 1-800-630-0907
Fax: (514) 630-1225
www.anebquebec.com

Équi*Libre*
Groupe d'action sur le poids
7378, rue Lajeunesse, bureau 315
Montréal (Québec) H2R 2H8
Tél. et téléc. : (514) 270-3779
www.equilibre.ca

National Eating Disorder Information Center
200, Elizabeth Street
Toronto (Ontario) M5G 2C4
Tél. : (416) 340-4156 ou 1-866-633-4220
Téléc. : (416) 340-4736
www.nedic.ca

Outremangeurs anonymes
312, rue Beaubien Est
Montréal (Québec) H2S 1R8
Tél. : (514) 490-1939 ou 1-877-509-1939
http://outremangeurs.org

Index

Crédits photographiques

L'éditeur remercie les personnes et les institutions suivantes qui lui ont permis de reproduire les photographies de cet ouvrage :
(légende : h = en haut ; b = en bas ; d = à droite ; g = à gauche ; c = au centre ; a = au-dessus)

12-13 : Getty Images : Stewart Cohen (h) ; **13 : Corbis** : John Henley (b) ; **14 : Camera Press** : Richard Stonehouse (hg) ; **15 : Getty Images** : Arthur Tilley ; **17 : Getty Images** : Jonelle Weaver (bd) ; **18 : Corbis** : Darama (hg) ; **19 : Corbis** : Nancy A. Santullo ; **20 : Zefa Picture Library** : creasource ; **22 : Getty Images** : Paul Avis (b) ; **23 : Getty Images** : Photodisc ; **24 : Getty Images** : Ebby May ; **25 : Getty Images** : Barry Yee (bg) ; **27 : Corbis** : LWA-Dann Tardif ; **28-29 : Masterfile UK** : Kathleen Finlay (h) ; **29 : Alamy Images** : Imagestate (cg) ; **30 : Retna Pictures Ltd** : Andrew Carruth ; **31 : Corbis** ; **34 : Getty Images** : Photodisc Blue (bd), Mel Yates (hg) ; **40 : Robert Harding Picture Library** ; **50 : Alamy Images** : The Anthony Blake Photo Library ; **61 : Alamy Images** : Jeff Singer (cg) ; **70 : Getty Images** : Harald Sund ; **72 : Getty Images** : Gerard Loucel ; **79 : Getty Images** : Yellow Dog Productions ; **83 : Rex Features** : Woman's Own ; **95 : Rex Features** (hd) ; **Getty Images** : Rita Maas (bc) ; **96 : Getty Images** : Photodisc/Ryan McVay (bd), Antony Nagelmann (hd) ; **102 : Getty Images** : Romilly Lockyer (bg) ; **107 : Corbis** : Ariel Skelley ; **109 : Corbis** : Norbert Schaefer ; **110 : Getty Images** : Photodisc Collection ; **111 : Mother & Baby Picture Library** : Ruth Jenkinson ; **112 : Getty Images** : Paul Thomas ; **116 : Getty Images** : Bruce Ayers ; **117 : Corbis** : Rick Gomez ; **119 : Corbis** : Jose Luis Pelaez, Inc. ; **126 : Getty Images** : Duncan Smith ; **128-129 : Corbis** : Charles Gupton ; **132 : Alamy Images** : David Young-Wolff ; **137 : Corbis** : David Raymer ; **138 : Retna Pictures Ltd** : John Powell ; **139 : Food Features** ; **141 : Getty Images** : Mark Williams ; **142 : Rex Features** : PHN (br) ; **Getty Images** : Photodisc (hg) ; **143 : Alamy Images** : Jackson Smith ; **144-145 : Getty Images** : David Madison ; **146 : Corbis** : Steve Thornton ; **147 : Corbis** : Tim McGuire ; **148 : Empics Ltd** ; **149 : Corbis** : Ed Bock ; **150 : Alamy Images** : Dennis Hallinan ; **151 : photolibrary.com** : IPS Photo Index ; **153 : Corbis** : Ariel Skelley ; **154 : Getty Images** : Marc Romanelli ; **155 : Alamy Images** : Elvele Images (cg) ; **Anthony Blake Photo Library** : Joy Skipper ; **158 : Corbis** : Rob & Sas ; **159 : Corbis** : David Woods ; **160 : Science Photo Library** : BSIP, Chassenet ; **161 : Alamy Images** : ImageState/Pictor International (cbg) ; **Getty Images** : Photodisc (hd) ; **162 : Getty Images** : David Sacks ; **198 : Science Photo Library** : BSIP Laurent/Pat H.Amer ; **199 : Getty Images** : Jurgen Reisch ; **200 : Getty Images** : Yellow Dog Productions ; **202 : Masterfile UK** : Kevin Dodge (hd) ; **203 : Corbis** : Tom & Dee McCarthy (bd) ; **204 : Corbis** : Ken Kaminesky ; **205 : Alamy Images** : BananaStock (hd) ; **Getty Images** : Edward Holub (b) ; **206 : Getty Images** : Sean Murphy ; **207 : Getty Images** : V.C.L. ; **208 : Alamy Images** : Photofusion Picture Library ; **209 : Corbis** : George Disario ; **212 : Alamy Images** : Studio M ; **215 : Science Photo Library** : Eye of Science ; **216 : Corbis** : Norbert Schaefer ; **217 : Alamy Images** : Mick Broughton ; **223 : Powerstock** : Fichtl (b) ; Science Photo Library : CNRI (h) ; **224 : Alamy Images** : Rex Argent (cg) ; **Anthony Blake Photo Library** : Amanda Heywood (ca), Roger Stowell (cg), Steve Lee (cda) ; **225 : Bubbles** : Lucy Tizard ; **227 : Science Photo Library** : Gca ; **228 : Masterfile UK** : Rick Gomez ; **229 : Anthony Blake Photo Library** : Georgia Glynn Smith ; **230 : Alamy Images** : Jackson Smith (b) ; **231 : Getty Images** : Paddy Eckersley ; **232 : Alamy Images** : David Young-Wolff (b) ; **237 : Science Photo Library** : CNRI (h) ; Getty Images : Victoria Blackie (b) ; **238 : Masterfile UK** : Kathleen Finlay ; **241 : Science Photo Library** : Zephyr ; **243 : Science Photo Library** : Sheila Terry ; **244 : Alamy Images** : Butch Martin (b) ; **Anthony Blake Photo Library** : Eaglemoss Consumer Publications (c) ; **245 : Anthony Blake Photo Library** : Sian Irvine (b) ; **Getty Images** : Zigy Kaluzny (h) ; **246 : Getty Images** : Donna Day ; **247 : Getty Images** : Photodisc Green/David Buffington ; **248 : Corbis** : Michael Keller ; **251 : Alamy Images** : Jackson Smith (b) ; **252 : Getty Images** : Caren Alpert ; **253 : Alamy Images** : Myrleen Cate ; **254 : Getty Images** : Photodisc Red/Ryan McVay ; **255 : Alamy Images** : Imagestate/Pictor (bg) ; **256 : Anthony Blake Photo Library** : Martin Brigdale (b) ; **Getty Images** : Laurence Monneret (h) ; **257 : Alamy Images** : Jackson Smith ; **258 : Science Photo Library** ; **259 : Masterfile UK** : John Lee ; **262 : Anthony Blake Photo Library** : Joff Lee (bg), Tim Hill (bc) ; **263 : Anthony Blake Photo Library** : Iain Bagwell ; **266 : Corbis** : Jose Luis Pelaez, Inc. ; **267 : Corbis** : Jose Luis Pelaez, Inc. ; **274-275 : Getty Images** : PBJ Pictures ; **278 : Alamy Images** : Butch Martin (cbg) ; **Getty Images** : Philippe Gelot (hr) ; **280 : Alamy Images** : BananaStock (cga) ; **281 : Getty Images** : Michael Krasowitz (hd) ; **282 : Getty Images** : Photodisc Green (hd) ; **284 : Getty Images** : Photodisc/K; Ovregaard/Cole Group ; **286 : Corbis** : Michael Boys (hg) ; **288 : Getty Images** : Alan Becker (hg) ; **290 : Alamy Images** : BananaStock ; **293 : Rex Features** : OPL (hg).

Tous les efforts ont été réalisés pour retrouver les propriétaires des droits. Dorling Kindersley présente ses excuses au cas où une omission se serait produite et s'engage à corriger toute erreur dans ses éditions futures. Toutes les autres images sont la propriété de Dorling Kindersley.

Pour plus d'informations, consultez : **www.dkimages.com**

Remerciements

Nous tenons à remercier les responsables de la rédaction scientifique, Gabriella Maldonado et Jamie Spencer, pour leur assistance à tous les niveaux dans l'élaboration de cet ouvrage. C'est Gabriella qui a réalisé la majorité des recherches et qui a créé la plupart des tableaux et des graphiques présents dans le livre, ainsi que le répertoire des vitamines et des sels minéraux et les informations nutritionnelles des recettes. Jamie Spencer, quant à elle, a permis que les informations médicales destinées aux médecins et aux étudiants en médecine soient transposées en des textes compréhensibles pour des lecteurs non initiés.

Nous remercions également Dorling Kindersley, notre maison d'édition, qui a su reconnaître l'importance du rôle de l'alimentation dans la prévention et le traitement des maladies chroniques. Nous avons apprécié le travail de toute l'équipe qui a permis la publication de *Bien manger pour mieux vivre*. Jemmina Dunne, la directrice de la publication, a supervisé de main de maître ce projet colossal. Nous devrons une grande partie du succès à venir de cet ouvrage à son esprit visionnaire et à sa grande expérience.

Merci également à Irene Lyford et Liz Coghill, directrices éditoriales, pour leur diligence et leur façon de nous faire prendre part à toutes les décisions concernant les textes, les photographies, les titres et les graphiques. Nous vous sommes reconnaissants d'avoir écrit, publié, mis en forme et géré toutes les informations que nous avons dû échanger, sans jamais en oublier une seule. Sara Kimmins et Mariane Markham, (conception artistique) méritent également toute notre reconnaissance pour leur choix de toutes les images du livre.

Merci à Isabel de Cordova, maquettiste, et à Iona Hoyle, son assistante, à Julian Dams, infographiste, à Wendy Penn et à Sarah Coltman (production) sans lesquels *Bien manger pour mieux vivre* n'aurait jamais pu voir le jour. Un grand merci !

Nous tenons enfin à remercier les étudiants en médecine de l'école de médecine de l'université de Pennsylvanie pour les recherches qu'ils ont effectuées et les textes qu'ils ont rédigés pour cet ouvrage. Nombreux seront les patients qui profiteront du savoir et de l'intérêt de Jeremy Brauer, Caitlin Carr, Rex Parker et Kristen Vierregger pour la nutrition.

Dédicace de Lisa A. Hark

À mes enfants, Jamie Erica (dix ans) et Brett Daniel (six ans), pour l'amour infini qu'ils portent à leur maman. Ils sont heureux que le livre soit enfin publié et impatients de me voir bientôt - après deux ans d'attente - sur les écrans de télévision.

À mes parents, Diane et Jerry, pour leur incroyable soutien et pour l'amour et l'attention qu'ils m'ont accordés depuis des années et, en particulier, au cours de la rédaction de cet ouvrage. Ils ont, en outre, toujours été des modèles dans leur façon de vivre sainement au quotidien.

À mes frères et à leurs familles, David, Cinde et Nicholas ; Richard, Pam, Alexandra, Mitchell et Samantha ; Jeffrey, Stacy, Rachel, Louis et Joel pour leur amour et leur soutien de toujours et pour leur enthousiasme à l'idée que ce livre soit enfin réalisé.

À mon ami et mentor, le docteur Gail Morrison, professeur en médecine et vice-doyen à la faculté de médecine de l'université de Pennsylvanie, qui m'a permis de me réaliser au cours des quinze ans que j'ai passés là-bas et m'a donné le temps et l'énergie de mener à bien cet immense projet.

À Darwin Deen, médecin et ami, si qualifié en matière de nutrition et si soucieux de trouver les preuves scientifiques de toutes les idées développées dans cet ouvrage. Je n'aurais jamais pu réaliser ce livre sans toi. Merci pour tout !

Dédicace de Darwin Deen

Je souhaite dédicacer *Bien manger pour mieux vivre* à ma famille, le creuset de mon inspiration. À ma mère, Ruth, qui m'a appris que bien se nourrir est une garantie de bonne santé. À mon père, Darwin Senior qui a stimulé mon intérêt pour la nutrition. À mon frère Anthony et à ma sœur Irene qui ont été mon meilleur public. À mes enfants, Benjamin et Jesse, qui ont remis en question tout ce que j'ai appris sur la nutrition.

À mes patients, dont le souhait de trouver des informations réunies dans un livre simple et pratique sur l'alimentation et la nutrition m'a poussé à rédiger cet ouvrage. Mes patients m'ont toujours donné envie d'apprendre davantage pour pouvoir mieux prendre soin d'eux. Ils ont supporté avec patience et indulgence mes exhortations à se nourrir correctement et à faire davantage d'exercice. J'espère que *Bien manger pour mieux vivre* répondra à leurs attentes.

Remerciements de l'éditeur

Dorling Kindersley souhaite remercier Ian O'Leary pour ses nouvelles photographies ; Beth Heald pour avoir préparé à manger ; Francis Wong pour son assistance au graphisme ; Gemma Casajuana Filella et Karen Constanti pour leur assistance à l'infographie ; Salima Hirani et Kathryn Wilkinson pour leur assistance à la rédaction ; Anna Bedewell pour la recherche d'images ; Romaine Werblow - librairie photographique ; Babita Bholah, Liz Coghill, Laura Forrester, Martin Gough, Marek Gwiazda, Beth Heald, Iona Hoyle, Crispin Lord et Francis Wong pour les maquettes ; Hilary Bird pour l'index ; Mary Lindsay et Teresa Pritlove pour les corrections.

Les graphiques de croissance ont été établis à partir d'informations et de graphiques de la Child Growth Foundation et sont soumis à des droits d'auteur. Les originaux sont disponibles à Harlow Printing, Maxwell Street, South Shields NE33 4PU.

'A dark, epic family saga about rural Ireland... The end is as shocking as it is inevitable...delivering a gut punch that both holds a mirror to Ireland's recent past and warns of the dangers of being too in thrall to ancient history.'
i

'Hughes is attentive to the larger political context of her narrative and to more granular details of language and place, and her prose is vivid and unsparing... A striking novel about fathers and sons in 21st-century Ireland.'
Kirkus

'Splendidly witty and dark... An intelligent and lacerating depiction of paternity and pathos, one that is boldly told and sensitively composed.'
RTÉ

'This dazzling family portrait from the acclaimed novelist, short story writer and poet makes for one of the year's most essential reads... It is a punch in the gut. Yet, for all that, it leaves you craving anything and everything Caoilinn Hughes has ever written or will ever write.'
Lunate

'*The Wild Laughter* is a raucously intelligent, tough and tender black comedy written in jaggedly beautiful prose and confirms Caoilinn Hughes as a restlessly inventive, exciting new voice in Irish literature.'
Colin Barrett, author of *Young Skins*

'The narrative voice is ingenious... [Its scenes] are rendered with keen observation. But beyond the humour and verbal exuberance is a slowly darkening portrait of guilt and trauma.' *Literary Review*

'Hughes's taut, voice-driven work balances colourful dialogue with wry commentary, which extends from the characters to the shifting values of their country... This solid family drama stands out by doubling as a poignant state-of-the-nation novel.'
Publishers Weekly

'*The Wild Laughter* is a glorious, tender, wounded and furiously funny book. It couldn't suit our times better if it tried.'

A.L. Kennedy, author of *Serious Sweet*

'Hughes is never less than a joy. Hers is a waggish voice wrangling with nationhood, family, ethics and religion with dark humour.'

Sydney Morning Herald

'Hughes is a writer of immense ability and vitality – she's a true natural, with the talent to match her ambition.'

Kevin Barry, author of *City of Bohane*

'It will be interesting to see where Hughes' obvious gifts take her next.' *New York Times*

'From the first arresting paragraph of *The Wild Laughter,* Caoilinn Hughes enthrals us on a journey through contemporary Ireland, one that even the most far-flung reader will find delightful, in all of its hilarity, peculiarity and states of flux.'

Elnathan John, author of *Born on a Tuesday*

'*The Wild Laughter* wowed me… Hughes's writing is truly inventive, with the richness of poetry. She brings rural Ireland to the page in a way that is fresh, sharp, and original.'

Danielle McLaughlin, author of *The Art of Falling*

'*The Wild Laughter* is painfully smart, comically brilliant and boldly subversive. Hughes makes her subject matter entirely her own while providing a lacerating look at the world we live in.'

Olivia Sudjic, author of *Sympathy*

'A stunning piece of writing. Hughes' sentences are so well-crafted I read many of them several times and discovered fresh layers with each read.' **Jan Carson, author of** *The Fire Starters*

R

21

... the Dalkey Literary Award, 2021

... ...vel of the Year

Finalist for the RTÉ Radio 1 Listeners' Choice Award 2020
One of the *Irish Times*' Fifty Great Irish Novels of the 21st Century
A Madison Street Books 'Top 5 of 2020'
Named a 'Best Book of the Year' by Rick O'Shea, the *Irish*
Times, Irish Independent, Sunday Independent, Irish Sunday Times,
Fashion Journal, Extra.ie* & *Sydney Morning Herald

'Hughes' writing…has a dry, dark humour that recalls figures such as Samuel Beckett, J.M. Synge and Brian Friel… *The Wild Laughter* meditates on this dialectic of paternity, asking whether we can anchor ourselves in the past without being consumed by it. Taking its cues from a grand comedic tradition, yet asserting its originality with every line, Caoilinn Hughes's prose answers that question resoundingly in the affirmative.'   ***TLS***

'A sharply rendered study in sibling rivalry… A very funny novel. There's a spiky levity to dialogue and narration alike, with liberal sprinklings of snark, gallows humour and word play. The story's elegiac quality is well served by Hughes' distinctive prose.'
Financial Times

'A writer of the most extraordinary intellect and wit, talent and style.'   **Sarah Perry, author of *The Essex Serpent***

'Told in fresh, spiky prose, this tale of two warring brothers and their terminally ill father is a metaphor for the boom-to-bust saga of the Celtic tiger Ireland. It was justifiably nominated for Novel of the Year at this year's Irish Book Awards.'
***Irish Sunday Times*, 'The Best 21st Century Irish Fiction'**

THE WILD LAUGHTER

CAOILINN HUGHES

A Oneworld Book

First published in Great Britain, North America,
Ireland and Australia by Oneworld Publications, 2020
This paperback edition published 2021

ISBN 978-1-78607-859-9
ISBN 978-1-78607-782-0 (eBook)

Printed and bound in Great Britain by Clays Ltd, Elcograf S.p.A.

This book is a work of fiction. Names, characters, businesses, organisations,
places and events are either the product of the author's imagination or are used
fictitiously. Any resemblance to actual persons, living or dead, events or locales
is entirely coincidental.

Extract from *Portia Coughlan* by Marina Carr, quoted
with permission of the author.

Oneworld Publications
10 Bloomsbury Street
London, WC1B 3SR
United Kingdom

Stay up to date with the latest books,
special offers, and exclusive content from
Oneworld with our newsletter

Sign up on our website
oneworld-publications.com

MIX
Paper from
responsible sources
FSC
www.fsc.org   FSC® C018072

for Seán, for Ailbhe

1.

The night the Chief died, I lost my father and the country lost a battle it wouldn't confess to be fighting. For the no-collared, labouring class. For the decent, dependable patriarch. For right of entry from the field into the garden.

Jurors were appointed to gauge the casualty. They didn't wear black. Don't they know black is flattering? The truth isn't. They kept safe and silent. I didn't. When is a confession an absolution and when is it a sentencing, I'd like to find out. I suppose there's only one outcome for souls like us—heavy-going souls the like of mine and the long-lost Chief's—and not a good one.

But I'll lay it on the line, if only to remind the People of who they are: a far cry from neutral judicial equipment. Determining the depth of rot that's blackening the surface can't always be left to deities or legislators—sometimes what's needed is to tie a string around the tooth and shut the door lively.

2.

He was a bright young thing. My brother, Cormac. His mind was a luxury. The face was rationed, it must be said, but there's not a body with everything. Part t-rex, part pelican. Picture that menace of features! Close-eyed, limb-chinned, skin thick as the red carpet he imagined laid down beneath his wellies. Tall as the door he expected to be let in. When he was twelve, he looked twenty. The mind was ahead too, as I said. The odd girl went in for such a harrow of a fella (the odd girl and not the even) on account of his brains and chesty conduct. Not that he was liberal with his cleverness. But there was the atmosphere of it, knowing at any moment something you'd say would be turned inside out like a child's eyelid to traumatise you, to show you the violence behind it that you never meant, or maybe you did.

I might have voiced some innocent idea. Some vague concern about a spray the Chief was sampling, and Cormac would go, 'Yeah yeah yeah. Atrazine. It's no fucken DDT, but it's been proved to be an endocrine disruptor. Environmental protection agency done a tonne of research on amphibians, showering them in the new compounds, and the creatures wound up with extra pee holes. A surplus set of balls, or quarter fanny, two-fifths bollocks—scrambled their sex organs, so it did. Foul stuff, in high doses.' And then I'd nod and mutter a bit, dizzying with the image of the two pee holes, as if a snake bit itself in its artichoke-green scales, and I'd be caught up in the symbolism to do with a snake snacking on its own tail, nodding along because Cormac didn't abet attention-wandering, and I'd get a clobber on the head if I asked was a snake an amphibian. He'd have clocked my yea-saying, and he'd go: 'So you're anti-pesticides, would you say?' On the main, I might answer, I am. There's natural ways to rid a field of pests—letting birds eat the ladybugs and all that—isn't there? Some of them chemicals do more harm than good. I might not be a fan of dogs, but teeny frogs are adorable. Then he'd look down his bucked nose at me, like a horse that couldn't be fucked to lep the last fence for the sugar cube reward. 'And I suppose you think seven billion people can be fed on a batch of organic carrots? Ya privileged, gentrified, self-serving colonial twit,' he'd say, 'letting billions starve, so long as they're out of sight, all to spare a few extra cunts on a toad.'

As I say, I didn't resent him his mind. Early on, its potential was fearsome, but he cached it away too long, until it curdled. He could have his intellect. I had the looks. The Chief's mud-coloured locks, yellowing now like a stack of cut grass drying out for haymaking, hey! Square skull, cultured nose, the kind of eyes that might be described as pea and mint soup, best served cold. I was shorter than my brother by a foot, but divvied up as good as David. I'd the emotions of every girl in the County Roscommon over a barrel. A fact he found hard to swallow, in spite of—or maybe because of—the pelican chin. Excepting gobshites, I liked people. And I was well liked—for no good reason, far as Cormac was concerned. I'd zilch to contribute in the way of knowledge or guile or points for the home side, and sure, how else can a person be of use? Sport lent him an absence note for the farm work that needed doing. For the care work. For the life sentence. His absence meant my containment. Stay put, Hart, he was telling me. Stay a mile wide of my circle.

There's only so many circles in a town the size of a souterrain. What I did and said reflected on him, so he wanted the sticks brushed from my hair, the charm wiped off my face. He wanted me capable of summing sums and changing tyres. To be mad on mechanics—Newtonian and Fordian both. To know a stock option hadn't to do with cattle. But I wasn't after his or his boyos' approval—that panel of experts. Where we're from, infants get swaddled in hessian sacks. I never bought into an alternative reality, no matter how low the interest rates limbo'd for the new millennium, no matter how you could go the whole way to Dublin on a test drive and, if you weren't satisfied, no one would lambaste you or demand a tenner for petrol. Cormac *did* clinch a deal with the new reality. Nothing daft: he didn't barter his youth, as many did, for a barge on the Shannon or a conservatory extension or an interior decorator or a rotary milking parlour or a personal stylist. No. He wanted a college education. A new way of life, less like subsistence—one that didn't stink of fear and survival. A challenge that called for grey matter and not gruntwork. He did fast maths on how the island was transfiguring—one of them scenarios like if a train is going at such-and-such a pace in the direction of a stone wall but it's absolute gas craic on the train, what are your options?

Land had been the Chief's idea of a fortune up to then. He was jubilant to get two extra acres in 2003 for twenty-two grand, on a five-year loan. High milk prices coupled with favourable weather conditions meant banks were lending freely for farmers to expand their livestock, upgrade machinery, to purchase double chop silage over single so the animals could eat shorter grass. Didn't they deserve it! Fatten them quicker. Growth, ladies and gentlelads. The Feelgood Factor.

Cormac wouldn't have advised our father to buy land. Not that year. Not in Roscommon. Not if all he planned to do with it was to work it himself and not let someone else's livelihood be exposed to fickle conditions and soil that would've needed gold in it to be amply mineral-rich. But then, he could respect the challenge that the Chief had lived up to when he'd been the same age, when his parents and small sister had burnt alive in a hay fire and he'd had to take over the farm. There followed a stretch of the Chief's life that was toilsome and lonesome. He had been left behind. Until he married Nóra in '82, when he was thirty-two and she thirty. By then, he had turned the arid earth over and over until it was fertile. So how could such a man's son see fit to question his choices?

3.

One muggy August Sunday the year following, after mass, we drove fifty miles to Offaly for the agricultural show. The four of us away together was a rare thing. (That said, our final trip together would be infamous, would be played out in the courts, reported on the telly. But back then, we were culchie innocence incarnate.) I was a yoyo-voiced fifteen, in my Junior Certificate year. It sank in then I mightn't do the Leaving Cert., but Cormac—nearing seventeen—would do it well enough for the pair of us. It was the last stretch of holidays before his last year in school, and he was jockeying up accordingly. We hadn't gone to Tullamore since it was cancelled in 2001 thanks to foot-and-mouth (the year Cormac collected my Easter eggs in a bin liner, saying 'twas all over the news that Nestlé chocolate had mad cow disease and your brain could get infected; it took the sight of his brown teeth later for me to cop on to my robbing), but by 2004 the Celtic Tiger was on the prowl even in the midlands, and the place was a big trough of milk for her to lap up.

Sixty thousand country people the colour of rain turned out in complicated hairdos and rosette-augmented breasts. They sashayed between alpaca-shearing competitions, pig agility exhibitions and Herefords with weird clean arses being spruced for the stock judging. A new fad among the women was to wear skirts atop trousers—the height of meanness, leaving no view to take in but drooping peach udders mocking us from every angle. Needlework, arts and crafts, fashion shows, food stands, cookery demos, bread-baking tournaments and flower-arrangement tents were in among hundreds of trade stands, advertising everything from insurance to religions to hypnotherapy tapes, soaps, sausages, jams, universities for the high and mighty and jammy. Cormac carried his six-pack from one trade stand to the next, conversing with fellas in pinstriped suits that weren't even Adidas. He opened beer bottles with his belt. Since we'd each been given twenty-five euros to spend, it was an economy I couldn't fathom, bottled beer when cans were half the price. But what did I know about economics? Only that it's a creed we're all baptised into against our will, and our heads can be pushed back underwater and held there if ever the fealty wavers.

'Agribusiness,' Cormac declared to the Chief later, who was stationed at the vast machinery exhibition at the heart of the fair, 'is not the same as agronomy.'

Another father might have clipped his ear. But the Chief clutched his wrists behind his back and squinted at his son's puffed chest, inviting a lesson on the difference between agri and agro, and it nearing forty years his occupation. There were youngsters in Monaco majoring in Luxury Studies, and yet the Chief hadn't taken a day of luxury in his life, to get some distance from his work, to see where efficacies could be won. Cormac was telling him: 'If the old combine harvester's on the bust for even a pair of hours on the wrong day, the tiny margins in tillage mean you're well and truly—you know yourself, Dad. *And* it's versatile, like.'

The Chief heeded Cormac that afternoon because it was fine to have sons who wanted your ear. Because of the report card that had come in the post, marking his eldest the first family member bound for university. Because of the Excel spreadsheet that had been a Father's Day gift in the early summer, by which Cormac had made the case for various technological investments—a new power harrow with trailing serrated discs, for example, whose loan could be paid off quick 'if Hart contracted himself out with the machine when it's not needed on our own farm. New streams of income.' My brother's sums had my submission worked into them.

'If we're flush enough to buy new machines,' I said, 'what about a holiday abroad?' A thing we'd never done in our lives. As I suggested this, a few tractors paraded past like blown-up toys, shiny red and green, the tyre nodules pleasingly Lego-edged. 'I want to go to Barcelona, with the skull balconies and lizard-skin roofs, and Athens, with the crumbly anfitheatres …' I paused then, thinking up a joke to do with Excel columns versus Roman, but Cormac was off again, saying we were all so wet for *buildings* and *holidays* because any stunted eejit can understand them things, and the government could only fathom factories and stadiums besides—more of the same. There's more helicopters in Ireland than high-speed modems. Yeah yeah yeah, it was normal to covet our own places after a century's occupation, he said, but we'd need to get wise if all this luck wasn't to be idled away. He flung his arms out to the fair, like a ringmaster whose arena encompasses the far reaches of the imagination. But he wasn't imaginative. He was a ledger.

He gestured to the thriving gala, but me and the Chief looked past it to the real fortress behind the bouncy one—the gorgeous grey, gothic Charleville Castle, the land it looked over—and the truth was we both saw it as evidence of what he'd been describing. The national wealth and the luck. What it meant to prosper. Heritage worth restoring. 'Do they do bullfighting still in Madrid,' I said, 'with matadors and the pole through the pate?'

'A lance, it's called,' Cormac said, watching the Chief's gaze connecting the castle back to the big machine that had been in question—a sort of building, surely.

'Horns blowing for the start of the fight!' I said to myself, vaguely searching among the bulls for my slinky cousin Shane, who we'd given a lift to, and who'd made a needle of himself soon as we arrived at the haystack. (That he baled a fashion model, as he'd insist upon later, was a tall one. She was a twelve-year-old who came Highly Commended in the All-Ireland Farm Skills competition—in the First Aid category and not, as he'd try to imply, in Manual Handling. 'Ah ya havta throw some shnazz on it, lads.')

'Bugle,' Cormac muttered. He opened his last two beer bottles on his belt and offered one to the Chief, who declined. Cormac didn't press him, hoping it was because he'd be driving heavy machinery. A fine thing in a bright red fleece walked by, and we clocked her. I'd've held out the spare beer to her with a broody smile. Instead, Cormac took turns swigging from each bottle.

'The bulls'll be after her,' I said.

Cormac tutted. 'Bulls are colour-blind, you mong.'

That was no time to admit confusion. I pivoted. 'Why didn't Mam bring Big Red for the poultry competition?' Her prize-worthy rosecomb cock.

'Ah now,' the Chief said from his great height, with his arms crossed so I could barely see his face. 'Watching and appreciating's more her style. She's not competitive.'

'Why not?' I said.

'Just, it doesn't suit her,' the Chief said. He spotted his pal, our neighbour Gerry, across the way and waved. The Chief had nothing else to say about our mother behind her back. A peculiar sort of romance, but largesse and courtesy can amount to the same.

'She's more private,' Cormac said, as if to conclude the mention of her positively. He sympathised with her for what she couldn't speak of—the same ordeals, he supposed, that explained her estranged siblings. She had four, apparently, but we didn't know if they were alive or what. Cormac pitied that she'd never been given a challenge to live up to. The only challenge he knew she'd had was to keep on at it. Cormac must have deemed it too late for her, then, though I didn't.

'*I'll* show her chickens for her next year,' I said, 'if it's because she's embarrassed.'

'Then she'll have every right to be morto.' Cormac drained one of the bottles and put it in the back pocket of his jeans so he had a free hand to shake Gerry's.

Gerry wore his cap low to keep the sun off him but the skin around his eyes was stuffed against the band of it with his smile. He nodded at each of us and said our names, as if to prove he could recognise us out of context. Then he jabbed his thumb in the direction of the big green harvester the Chief had been studying. 'She's the one?' he asked.

The Chief shrugged gently. 'It's the bank has to say "I do".'

Gerry twitched his head diagonal. 'Well wear, Manus. It's lovely!' Then he stood side by side with the Chief and they looked at the machine.

I looked up too, at the sky that wasn't a thing we could modernise or beautify. It emptied out onto our fields when it wanted to, having no mind for our buildings and brand-new plans or for timing.

'Well, I'm getting a celebratory six-pack,' Cormac said, even including me in his mirthy eye contact. 'Any takers?'

'Oh,' Gerry said, 'in actual fact, I'm for the road this minute. I'm too long gone as it is. Thanks all the same, Cormac. I wonder will it be yourself operating this fine outfit?'

Cormac shook his head and let out a small burp. 'Excuse me,' he said. 'No, Gerry. I'm for college next year.'

'Oh?' Gerry said. Then he turned to me and pushed up the brim of his cap so all his moles were on display. It was a bit like the clouds clearing at night, showing a familiar constellation. Heralding nothing. Only constancy. The plough, the plough, the plough.

Cormac had left, and I don't know if he said anything more. But Gerry hadn't asked me the same question. He didn't want to offend me and he couldn't think of what to say. So there was a moment of silence, which was nice. Then the Chief said that he shouldn't speak for me, but that I'd only been saying I'd like to travel the world, 'and that *is* the other family tradition, so it is, Gerry. There's a whole band of Blacks down there in New Zealand.'

'So there is,' Gerry said. 'And I wonder … how they pronounce Black … do you think?' Gerry was too shy to say it—*Blick*—but he and the Chief laughed at the sound of it in their heads.

''Tis a bit zany, the accent alright,' the Chief said. He turned to me and put his heavy hand on my shoulder, like a loaded canvas saddlebag. Gerry said he thought I was more of a homebody. The Chief gave me time to answer, and when I couldn't, he hummed a little, to put the silence at ease. I was looking at the harvester. At that huge worldly thing my brother had been able to convince him of. How many huge nebulous things had he convinced me of, and for whose harvest?

But there was one time three years on—a hair's breadth of a moment in the tail end of our youths—when me and Cormac put our differences aside, pooled our minds and work ethics, and I'll

9

tell you what, there was no splitting of hairs but splitting of atoms. That's where we were when it comes to what I'm confessing, and I'd rather it out of the way. None of this 'we'll wait and watch the tragedy to the last curtain', as Patrick Kavanagh would have it. This is the prodigal son *scéal* of our times, so out with it.

4.

Before the bubble burst, the conditions were set in by which the Chief would have to work his dying day, tilling his grave in the fields with the heatless sun hung low in the sky. Until then, we wouldn't know the goings-on of his mind, never mind the spoiling meat of him. To think of the foreign things he let eat him alive for he wouldn't leave his sons a worse debt than what he'd already accumulated. The foreign things we'll get back to. First, how did he get so sick as that, as if his lips had been stretched round a chimney flue? By association. Haven't we the Black Death and the well-fed crows and the Famine Roads going nowhere to teach us that in Ireland? Many a friend the Chief had despite his being largely silent. When he had something to say, he knew how to open the chamber of his throat and come out with something brief but mighty, so that everybody heeded him and the principles he lived by—hard-earned learnings. The stories he told were local in the sense of being local to the soul, not to the landlocked midlands culture. But primarily, he was a listener.

One day in the height of the country's delirium, he listened to a subsidy-suckling sheep husband by the name of Tony Morrigan, whose palms convened round a pint of Guinness of a Sunday morning. With a necktie he must've tugged up from his grand-father's grave, he'd come to our house midday midweek to show the lazy hours of a sheep-farming property owner (he'd hired shearers) with the advice of the centuries: 'There's azy money to be made off bricks and mortar. Spain's past its best now, so you've to know what you're at. I've four bought off-plans in Bulgaria. I'll keep one and dole out the rest to my pals with only ten percent atop the price I got them. Going up sure as escalators. More reliable even. Stairs! I'll be having me ease retiring before my own father, I'll tell you that for nothing. There's a ticket out of this slog, Manus, and here's me handing it to you on a platter.'

I won't make excuses for the Chief—he shouldn't have heeded such an infested-arseholed skiving prick, but they'd copied each other's algebra sums on the school bus, so why shouldn't they copy each other's assumption sums on the train to Dublin? The way you come to trust a thing you've known your lifelong is the way you come to trust the sea, until one day you're napping in your La-Z-Boy and a tsunami rolls in and wakes you with the lungful of salt water and the shame of dying without your feet on the floor. Like that, he wound up with an apartment in Malaga and the plan for one in Sunny Beach—the portent of it—on the east coast of Bulgaria by the time Morrigan had jellied him up like an aul sow in muck and introduced him to the creditor—citing the Chief's land for leverage, his cultivator, seeder, sprayer, the harvester he'd been prompt in his hire-purchase payments for. The three of them sipping lattes and our father who never had a latte in his life— who drank milky tea only. Our father who didn't have an atlas to look up where Bulgaria was besides—not for stupidity or naivety, but he was a working man with no time for atlases or affogatos or amortisations.

He looked for proof and he saw it in the Range Rover he was picked up in, in pals calling round on a Thursday afternoon, saying to leave the spade alone and join them for a jar in Monroe's, in the mansions going up along these boreens, the ribbon housing that made no sense for the development of townships. But no one voiced a word of provocation or changed the planning legislation or sought out unbiased advice or turned down the 10K loan when they'd only asked the bank teller for directions. They let it happen and our father saw that. He envied the people of Ireland their long driveways that Polish hands were weeding on the weekends. Their furniture imported from China and not fought over from the pickings of a dead relative. Underfloor heating warming their soles. Their kids driving themselves to school in Mini Coopers. It was true, he feared himself left behind. He'd been left behind before—as he saw it, his loved ones gone off to greener pastures. The scent of smoke had never left him. But mostly it was Tony Morrigan's visits and promises. He was buying from someone he knew—not some faceless developer. That was the way he got himself half a million in debt. Two sun-soaked chalets he'd never cross the thresholds of when he hadn't the roof above our heads paid off.

Us youths were staggered at his undertaking: the back for labour, the perseverance for farming, the mind for finance, the foresight for investment, hands big enough to hold everything in them at once. He was a veritable twenty-first-century Irishman as should be governing the country. Cormac took close measure of our situation. As to where he reckoned us headed, I only knew it was away from where we came. But as time went on and the forecast changed, the redness in the Chief's face never fully drained and we quieted down. He thumped our shoulders less often. Rarely. The food he shovelled down wasn't tasted. Like how you could settle the interest on a loan, and something would have been spent, but nothing would be paid. The working day ate away at the night hours till there was almost no break in his work but his back. Two silver coins in his pocket reminded him of what his great-grand-father set out with in the 1800s. The bottom line might have been writ on his brow: 'And I'm about to lose it all here.' We became a quiet house. Though I barely went to school, I was aiming for my Leaving Certificate, reluctant to sign on just yet—to be relied upon. Cormac had moved to Galway for college in '06 and only came back the odd weekend. He helped out when he was around so long as he could sleep in and take his pick of the jobs. But eventually, he avoided us. Home was some nugatory equation he couldn't solve, and so couldn't stand the sight of.

Nóra muted the radio whenever the Chief came in, for all that was on it was the R-word that should never have entered a country-man's vocabulary. He didn't tell us, but we knew well enough. Morrigan hadn't shown his wet-eyed weasel's face in months. The Chief was ruined—as were we all, by default—and the retirement that had been nearing slipped away like a pike till he lost sight of her entirely. That was when the brothers Black put differences aside and heads together to restore the pride of our father.

5.

Good Friday was only hours off, and our bellies already grumbled for the Sunday roast. Cormac was home from Galway for the long weekend and the atmosphere beefed up accordingly. We borrowed the antique Land Rover and told the Chief we were going twenty miles to visit cousin Shane. Cormac had to thrash out a business proposition with him that wasn't fit for the phone. The two of them being entrepreneurs, the story was credible, though the Chief recoiled at the suggestion of private enterprise and at the forty miles of petrol. (It being 2008, the sliding sensation was queasily felt, even if the country wasn't yet officially declared recessed.) Ketamine, syringes, head torches, scissors, knives, ice-filled cooler boxes loading down the boot, we stole into the night like two moths intent on lustre.

That night, *I* had a lesson for my brother: the 'quick brain death' manner of slaughter I described to him in the dark of the car parked a few fields down from Morrigan's ... until their sheepdog, out for a sniff, made the proposition catch in my gullet. Even with the protection of the car, my heart snatched at my throat like himself at the window. Airports, I realised that very instant, would be a problem if I ever wanted to escape this place. You've no choice but to let the sniffer dogs come right the fuck up to you, the way the darkness came right up to me then with a woozy haymaker's lurch.

Cormac didn't take it seriously. He thought I gave into it. The palpitations, sweat glands fizzing, stomach floating, leather-strapped chest. He thought I could control it if I put my mind to it, with the power of logic, as if it wasn't an infirmity that made my life a torture chamber, being reared in dog-ridden farmland. 'He won't touch you.'

'*You* go. You'll manage without me. Go on!' That was the way of my please, he knew well.

'Shut your face.' Cormac was there with me but I could sense him stood outside himself, watching our parochial ways, our inept, abortive solutions. 'Nothing to do with your hysterics,' he said, 'but we'll give the dog a dose of K to send him off, case he makes a racket.'

'That's a fair point,' I said, stifling the urge to whine. 'You'll do that so, will you?'

'Fuck you. I'll do everything.'

He had the job done by the time my heart was down to a canter. I heard the dog panting and whimpering, entering his cat-chasing dreams, and felt better directly. More so when Shane's Subaru rattled in. We leapt out into the field, igniting the head torches and readying the equipment like the neurosurgeons we could've been had we been born moneyed in Dublin—or maybe Cormac would've been that and me a gynaecologist, cutting out the browny petals as do the lotus flower a disservice. Oh for the road we're born on! It calluses more than our soles.

The spring lambs were comatose at our knees before long—
fluffy slippers of things only two month old or around. We could
barely see well enough for the job by the torches, so in spite of
my 'gentle brain death' talk, we just slit the necks and hung them
on the paddock posts. Shane panthered towards us from the road.
He had the pelt for it—black, shorn, oily—and the lean, prowling
body. His eyes wobbled through the dark field like a *púca*'s. 'He'll
be giddy,' Cormac warned. This was the kind of thing Shane
lived for—not that he was a farm lad. His father—our uncle-in-
law Mitch's brother (Shane wasn't really our cousin, but close
enough)—owned a hardware shop and planned to fob it off on one
of them soon enough. But he took Shane hunting once and taught
him how not to spoil a carcass in the gutting by sticking Shane's
head into the hollowed-out innards of a wild goat and holding
him in till he gagged. Shane would've flicked his father if the latter
hadn't sworn the whole thing was ritualistic: his first kill, neat in the
eye. His first good gutting. The head stuck in was traditional. The
crock of shite that's swallowed in the name of man-making.

'Lads, look at the job on ye!' (Cormac was right about Shane
being giddy. He might make the thing feel prankish, which I didn't
like.) 'That's the stuff. Spuds! Slugger!' He clapped our backs. I was
Spuds, for the obvious reason. Slugger meant someone who could
hit a ball hard. Though it was a flattering nickname, Cormac would
soon put an end to it. 'Ye've them docked and de-bollocked by the
looks of it,' Shane said. 'That's half the job. Now we cut round the
anus to free the tract, peel back their coats along the run of their
necks to the rear trajectory, then draw the insides out.' He snapped
on a pair of latex gloves as cocky as condoms. We let him have his
moment. 'Skinnin' the animal proper afore spillin' the guts would
be the ideal, but we've no time for that?'

'No,' Cormac snapped.

Shane threw him a look. 'Ye've buckets for the muck?'

'No buckets is the idea,' I said. 'To leave splattered guts for

Morrigan to slip on and learn what his like done to men like our father.' Seeing in Shane's gittish expression that he mightn't have grasped it, I added: 'It's metaphorical-like. For gutting the economy.'

'Hear fucken *hear*.' Shane slow-clapped. He liked me better than Cormac. I knew how to address him in his own talk. 'Listen, lads,' he said. 'The noggins on ye, with the day that's in it! These lambs are due to town in the morning to peddle for the Sunday roast.'

'The timing's no accident.' Cormac's words were clipped. 'Morrigan changes their breeding cycles for the swelled prices.'

'Is that right?' Shane opened the first lamb from chest to crotch and the guts flopped onto the grass, spattering the bin liner we loaned him.

'It takes some meddling to fuck with nature's cycles,' Cormac informed us. 'The cute whore. Want to know how he manages it?' He had an audience made of us all right. 'Tricks the ewes with hormones, so he does. He wanks the rams, upends the ewes on a cradle and forces the semen into them.' There was an ire in his voice that wasn't meant to entertain but to warn. He had the knowledge could do us the same. We were silent after that. Shane hadn't stopped working, though he'd heard Cormac well enough. He pulled out the long, shell-pink anal tract like a stiff squid, the full bladder, kidneys, gall bladder, all the innards of the first lamb. He lifted out the liver and held it on his palm like a red fortune fish.

'We want the livers.' I stepped in with a plastic container.

Shane grinned and stuck the arm in again. I watched the purple jelly pulse of it and didn't know how he could tell one organ from the next. That mess filled each of us. 'Now,' he commentated, seeing I was interested: 'Watch close. This is fucken needlework. I'm goin' through the gullet now, the windpipe … separaten the diaphragm from the ribcage with a few … wily … scoops.'

I stepped closer, careful on the slimy grass, and heard the scraping flesh. Just then, the whole viscera dropped out onto the ground like a cut fishnet. Cormac bust into laughter behind, from a safe distance. Cold sweat tickled my forehead and I swallowed bile. 'You've a talent there,' I told Shane through a clenched jaw, the liver trembling in the container.

'Thanking you, Doharty.'

He knew the politics of the situation, and not to goad. Then he did me a favour I'll not forget. 'Slugger,' he said, 'root through them organs and see none are inflamed or infected. No boils or warts or pus on them. Dig out the heart too, will ya? I'll have the hearts myself if ye're not up to them. And if there's not a metaphor in that, I never fucked a dishtant cousin.'

I moved away from that scene and on to the next gentle lamb wilting in the darkness, our own father not enough unlike the sagging creature, all blood-let, bloodless. That's the way the world felt—as a post we were hung from, and no one willing to say who fixed the meat hook into the decade. Worse: the blood hadn't gone to some cause so we could've been grateful for the slow sacrifice. It hadn't been spread into the soil as it was on that night, to feed back into the rivers so the ones who'd done it could taste the contagion. No. The blood of the country had gone nowhere but gutters.

6.

Easter Sunday breakfast was hard-boiled eggs on brown bread with a sedimentary layer of butter. Nóra kept a palatial henhouse out back so we'd eggs to feed the bare-knuckled boxers of Longford. (We'd buy chocolate eggs when they were half price on Tuesday.) Eggs dropped from my armpits in the morning when I stretched, but I rarely sickened of them. Exposing the sunny yolks was a metaphysical occasion. After breakfast, we took the Land Rover to mass. Neither the Chief nor herself sniffed at the lavender air freshener. The notification—'Lambs to the Slaughter: Easter Embezzlement'—would be in the next *Roscommon Herald*. We'd see the look on his face then. But surely he already knew. We'd spied him going out to the shed for his toolkit to bleed the radiators, convinced no heat came from them at all. Would the mess we'd left be cause for our first true clobbering? Worse: would he be saddened? The Cranberries sang 'Linger' in the aromatised car.

That mass was the first we'd been dragged to since Christmas, but from that day until the fateful day I had to drive them weekly, with the Chief waning as slowly and irreversibly as an ice cap. The sermon started out promising. Cormac and I caught eyes. The Chief shifted in his seat. Nóra, for a brief moment, didn't look taxidermied. Had Father Shaughnessy been enlightened since Christmas? Had he Darwin checked out of the library? 'The world is a truly magnificent place, brothers and sisters,' he bellowed. 'The science of it is extraordinary and poetic in the highest degree. This world, *our* world, is made up of atoms and molecules. Galileo, Einstein, Newton … these were religious men, scientific men. These worshippers did what we must do now. We must see in this exquisite design, this infinitesimal complexity, the celestial architect and physicist behind it all: the Lord Jesus Christ our Saviour.'

The Chief's shoulders dropped. We didn't even skitter for the feeling there was of a man closing in on himself beside us, and not a particle of faith he could store away. The anxiety of being away from his work had returned already, after a scant hour's respite. His lumbering body put a bend in the pew, and dandruff flakes from his auburn-grey hair fell around him in his own weather system, slow to move on from winter and into spring.

We heard the rattle in his chest that had long replaced the rattle in his pockets. The collection came round and I saw the coin he slipped in. No notes or brown envelopes those days. The wicker basket, even, was coming apart: a discredit to its lavish past, when to weigh it down was to give weight to a hard-won collective. Perhaps the whole sect should have quit that Easter Sunday while it had some vestige of reputation, dignity, history about it. But our father got on his knees and convened his palms. I don't know what neurons fired in him, but I felt like standing up and wailing out to all the obedient parishioners in that hollow chantry to look at him: a hard-working man, brought to his knees.

And what? What then? Would I ask for their money, their diagnoses or their prayers? I don't know. I didn't stand to ask. Maybe this was the day the idea was planted into the minds of us Blacks: walk out of this world while you have the use of your legs.

7.

It rains 175 days of the year in Roscommon, with global warming set to triple that. Rain fizzed on the sill that April afternoon as I tucked my chair close to the table and Cormac forked peas from the bowl individually, flaunting his fine motor skills. Nóra was stood by the oven wringing her hands as we awaited the Chief, pulling off his boots in the garage.

Steaming carrots, peas, our own floury Kerr's Pinks, gravy and a basket of bread were on the table. In the middle was a mat for the roast to be set. I gave Cormac a freaked look to say: *Do you smell that?* By the dice eyes he threw back, he did. Then we heard the doors opening and closing beyond, in an effort to contain the cold, damp air. I had to blurt something out so the Chief wouldn't walk in on the quiet. 'How was the game anyways?' Cormac had had a hurling match. 'Is Brian back playing yet, with the glued forehead on him?'

Cormac sniffed, reluctant to be friendly. 'A learned wrinkle down the middle.' He indicated by fingering vertically between his brows. 'I christened him Wisecrack. Had the lads pissing themselves.'

'*An teanga!*' Nóra said. She was showing off for the Chief arriving in.

'*Céard é?*' He threw his wet cap on the counter and sat at the head of the table. His chest broke into a snare drum solo before she could respond. Cormac cracked his knuckles and inhaled as if he was going to say something over the coughing, deliver some insight. Then he busied himself tonguing pea jackets from his teeth. The Chief caught his breath and asked in a quiet voice that compelled Cormac to lean in: 'Did you score any points for the county?'

''Twas only a training match. We've all got college assignments. No proper matches till May.'

The Chief angled his gaze at me. 'A *no* if ever I heard one.'

I smirked quickly before Cormac caught sight. Then Nóra opened the oven door to *it*. We all turned to put an image to that mouth-flooding smell. The lamb had been roasted with garlic and mint and rosemary and was haloed in vapour. Not a word was uttered as she laid the weeping centrepiece on the table. The Chief stood up and took the carving knife in his fist. He stalled, seeming to inspect the meat for leanness, but he was taking measure of something else.

Nóra battled with this prolonged self-awareness, roping her hands. I came to know her awkwardness as a six-year-old boy, home from school after having won a Noddy book in a lucky dip, and only delighted. But when I got home to her, I began feeling strange and sick. The thing I'd been excited for wasn't the story itself, or it being the first book that was mine; it was the image I'd had of it being read to me with a mother's fluency and confidence, before a glowing fire. I'd held the glossy book out to her, hoping I wouldn't have to explain, but I did have to explain. And her stuck face revealed that she had no such experience of love or comfort to draw from, and she seemed embarrassed to be the stand-in adult in my fantasy. 'Ask your father,' she told me, knowing full well that the Chief never sat in front of the fire. I pictured him reading to me by an empty hearth, and cried.

On the Easter Sunday in question, she wore her collared, long-sleeved, raisin-coloured dress from mass with a bloodstained apron over it. She was uniquely equipped for some activity that neither she nor me nor the numen could name. For a minute, I thought she looked handsome, in the hoary way of a fossil—after all, she gave me the nose I have and the long eyelashes—but then, the way her eyes devoured her husband's face, she looked wicked again. The Chief winced with a pain we couldn't imagine and held his breath a while. At long last, he said 'Eaten bread is soon forgotten', and carved into the roast lamb in a tender way that couldn't have been further from the hacking of two nights earlier. That was the way he'd leave you shamed. I wanted to tell him all about it then. About the sheepdog and the fright I suffered, about the apprenticeship in butchery his sons undertook and the long hours spent contriving the only treatment our vernal minds could dream up for the injury. Though it wasn't a lottery win or a cancer cure, I wanted to know if it was something, anything at all—if it would do for the minute. But I already knew there was something nobler and far more difficult to be done, as soon as we were men.

8.

'You can't downsize a potato field … *agus sé sin an fhadhb*,' the Chief called from his tractor the following night when I went out with a sandwich. The Chief's parents—who, as I said, were burnt to slags in a hay barn when he was a youth—were Gaelgoirs. He kept on the bit of Irish to honour them. I made my way along the mud bank towards him. I wanted him inside in the sitting room with the paper flopped across his wide lap like a dead stingray and me sprawled sleepily on the couch, pretending to read *Philadelphia! Here I Come* (the Leaving Cert. play text, all about what Private wants to say but Public can't manage to get out because of the Indian cobra between his thighs and for fear of how the outside world would react, and couldn't we all relate to those obstacles?). I wanted to get straight to the point with the Chief, like the garrulous Private, and make frantic recommendations to do with the properties:

Wasn't there some poor illiterate creature who doesn't get out much or have the internet, who by some miracle doesn't know the home soil has gone to slurry, who'd happily lap up a villa in Malaga with a shared swimming pool and a dishwasher and a motorised awning and oversized tiles? Alternatively, wasn't there investing to be done, now that we were all in the pits and could only crawl upwards? Wasn't it time to let go of this outmoded life? If we could *sell* something—I'd live without a kidney, I had my looks—or arrange a countywide poker championship for Cormac to work the odds of with the Brobdingnagian brain on him ... for us to win ourselves back, slowly but surely? What I ended up saying, holding out the sandwich, was:

'There's lamb in that.'

He laboured out of the tractor. It was dragging a disc-type hiller behind for bringing earth up to the potato vines. Though the engine was turned off and its hoovering noise had fallen silent, the pattern of it carried on: the angled discs scooping in soil like a child's hands gathering sand to make a castle. The vines bowing down to let the tractor pass over them and then springing up behind—seeming renewed, devoted.

'Doing lines?'

We both squinted back down the length of the row that had been turned a deeper shade of earth, illumed by a flash of moonlight, leading straight back to our lit house an acre off.

'A manner of lines,' he said. 'I'll be doing it by hand before long. Spraying pesticide one squirt at a time.' He took the sandwich from me.

'Out of a Mr Muscle bottle?'

He winked and put a quarter of the sandwich in his mouth at once. Opportunities come in all ways and sizes: this time, in the form of a stuffed gob? No, it was too soon. But then my mind was so filled with the large things I wanted to say, I was stuck for small ones. The Chief chewed away and swallowed dryly. Never one to force talk. He was happy enough in his calm refuelling.

'We're back to school Tuesday. Tomorrow's off,' I said. He made a noise of acknowledgement. 'Cormac's doing college stuff.'

He looked at me sideways, then spoke with a full mouth: 'Have you enough to be doing?' I cringed suddenly at my school talk, so late in the day. I'd scraped together three of the six Leaving Cert. subjects last year: Irish, Geography and pass Maths. Managing the others this year was doubtful. 'You could help me widen the pond below,' the Chief said, almost optimistic, 'drain out the wet year that's in it.'

'Ya, I'll do that. I want to *do* something though, I don't know.' Some variety of physical mastery would've been the thing to want, but I tried not to lie to him. 'I like *making* things. Woodworking maybe, if I wasn't so tired from—' I looked from field to sky to lay the blame elsewhere for my wreckery. Huge iron clouds blockaded the moon. '*Gandhi* wouldn't't've had the fortitude for stargazing in these parts.' I heard the promising outbreath of a laugh. 'Home-brewing's inevitable, one of these days,' I said. 'But maybe I should take that fiddle down from the attic. Learn to play a woeful recession tune.'

He grimaced. 'Woeful 'twould be. Don't be demanding fiddle lessons, is all I'll say.' I saw his hand go to his pocket in the gloom. 'Always on about the travel, you might take a look at your own country before scarpering off to Germany or Cambodia or

23

wherever it is you're thinking? Walking's as good a pastime as any, to know yourself. There's history in these flatlands to fill a sizeable mind. No elbowing tourists along the stone wall.'

I looked across to let him read my expression.

'Oh. I do forget about the dogs.' He took in the last of the sandwich. He didn't press me on it. I handed him a flask of grey tea in exchange for the kitchen towels. Then I gauged him loosened enough, so I took a deep breath and spoke quickly:

'We could declare bankruptcy. It was Cormac came up with it, so it'll be well thought out. The thing is, neither of us wants the farm, Dad. It's a good life but Cormac's too arrogant for it. He said he will in his shite work for government subsidies … And … you can go anywhere with a face like mine! I might meet a girl who won't want this. I'm thinking Australia sounds the job. And the thing is … if you go bankrupt you could retire then, that was the point of the houses and the whole mess anyways?'

He had the mouthful long-swallowed and was looking into the restless landscape, sporadically moonlamped, as if the night was giving sign to a dangerous reef up ahead. He was six foot two and had another year of standing to his full height, then a five-year crash and collapse. I felt a gossoon stood by him.

'You lads and yer grand plans,' he said, not to me but to the hours of work ahead. I was glad not to have his gaze on me then. There was no way of knowing how wrong I'd been, but I was relieved not to have the idea strangled in my skull any longer. 'You can tell your brother your ideas are for lining the pockets of men like Morrigan. And making them more self-righteous, while you're at it.'

I tried to understand him but it was a tone I hadn't heard. I guessed right that he wasn't talking bankruptcy: 'It was to get back at him,' I said.

The Chief lifted his stubbled jowl, the cap shadowing his face. 'On the insurance claim them lambs went, and Morrigan unable to sell them for the price he was asking, the fierce market that's in it. He was waiting till the last minute to get rid of them. He telephoned Gerry this morning, boastful of the Easter godsend.'

The Chief would never have spoken so freely with Cormac. It was as if the night air and the waxy ears of his harmless youngest son were the particular conditions for talking. But I would've gone ignorant just then. Like a gomey, I said, 'I'll do an hour for you now. I'm used to doing lines.'

He didn't smile but threw the thermos into the tractor and hauled the new weight of himself up onto the seat. 'What ye lads don't understand—' He stopped himself. 'But sure, why would ye? Who'd have taught you?'

The engine coughed up, and off he moved in his tired machinery, making lines as straight as humanly possible into the unknowable night.

9.

Twenty-five percent of potatoes are rejected from supermarkets for being too ugly, so we only ever ate hideous ones. The tuberous things got to be an affront sitting visceral on the kitchen table when the Chief had been diagnosed and had decided against the low odds of successful treatment. He'd spend what time he had left doing what he could to salvage our finances, to keep the farm in a workable condition so its sale might settle the bulk of the debt—though lowland wasn't what it used to be. No such thing as a stronghold.

Cormac had got first class honours from University College Galway and had moved into a flat with the lads in Roscommon town. He was working for an engineering firm that made humongous air-conditioning units or something. I'd stayed at home that long while, on the dole—a thing I wasn't doing to plump out my sculpted arse but on account of my obligation. So Cormac never saw the worst of it. Only at weekends when he'd call round and hear the Chief's slow breathing and see him go green over lunch, or they'd meet in a café when the auls were in to visit the bank manager, returning home without pigment in their skin.

Cormac didn't hear what I heard. The disgusting bathroom coughing. The bickering with inanimate objects. Worst: the whistling. At first he used his two fingers, but when his lungs became more plastic bags than bellows, it was a Christmas cracker whistle he used for summons. (Nóra didn't want the irony of him sounding his own bell.) *Whewwww*. 'Hart!' he'd call. 'Would you take the ashes out of the hearth before I'm among them myself.'

What else did Cormac not hear? The night sounds. The night I went for a lash and saw the bathroom door open and the light on. There the Chief lay exposed and stark in a bath of ice, submerged to his chin in the Arctic shock—legs jutted out the far end like an old man trying to sleep in the cot of his boyhood but life not allowing him the retreat. Humpback whale sounds as weren't meant for human ears. I wanted to lift my head out of his ocean so as not to have that raw calling reverberating through me. What I would've given not to be afeared of dogs then, to throw on a coat and runners and tear out into the night, abscond all places interior, on and on away off to the coast, the island's end, eyes adjusting to the bleakness eventually. The Chief announced he'd sleep downstairs from then on and there was no conversation. Nóra called the relatives round for moral support under the guise of helping convert the living room into a dying room. Cormac came too and brought a *Farmer's Journal* and a pack of chocolate digestives, at which Nóra beamed. 'Isn't that manners to make a mother proud of her rearing.'

Then Cormac was awakened to it. The strangeness of a patient man, composed as a pillar, now irritable as a teenager. The side effects of chronic opioids: nausea, itching, slow breathing, tiredness, constipation, low tolerance; cumulus, cirrus, cirrocumulus, altocumulus, altostratus, stratocumulus—the ways of the clouds were the ways of his condition. You could see there was rain in him, but would it arrive before the washing was in off the line?

Despite his exhaustion, he was staunch in the work getting done. Even with visitors, he wouldn't be called in from the field or away from his bookkeeping in the study. He wouldn't arrive till the table was set and hands were full of drinks. (They'd brought brandy, *buíochas le Dia.* Thank God, they said, *le Dia, le Dia. Dia leis. Dia i ngach áit. Go mbeannaí Dia is Muire dhuit.* God be with ye. God everywhere. What if we don't want God with us? We don't want God nor Mary neither. Go away with your *Dia is Muire.* Get them off us. Get them off.) Uncle Mitch and Auntie Bridie didn't know where to lay their eyes, but I was glad for the witnesses. If they could have reduced the cornea's aperture, they'd have made it a pinprick. *Enough* came in different measures for every person in the country, even if—on the whole—we were beginning to abide larger portions of it.

A casserole was simmering in the oven, a half-hour off, so Nóra paraded her vegetable patch, tearing a miserly bit of dill for Mitch and Bridie to take home. Inside, Cormac was doing chin-ups on the bar he'd had affixed to his bedroom door frame since he was fifteen. This was 2014, and he was a twenty-six-year-old fucken chin-up. In his work shirt, he counted loudly. 'I'll leave you to it,' I told him. 'I'm going to check on the small bucks below. Make sure they're not practising arsenic.'

'Arsenic?' Cormac dropped down.

'What? Arsenal, whatever.'

'Arson, you gobshite. Arsenic's a chemical element. Arsenal's a soccer club.'

'Call me a gobshite again.' I was tired and didn't want hate to overpower the other more complicated feeling I was having but couldn't yet name.

'Holy Joe, she's touchy today,' he said. 'Touchy as a bishop.' He lay his arm horizontal across the wall and pressed his chest in to stretch his pecs. He smelt sour. He didn't bother washing himself for this rough house.

I thudded downstairs, but when I got to the kitchen, my mood did another turn. The two lads—our red-headed cousins Neil and Thomas, nine and eleven—were sat in front of tumblers of clear liquid, in fits of giggles. Vodka it looked like. They were red-faced and glassy-eyed. I couldn't tolerate any more sickness or cleaning up after people. They were wild giddy, though. Shouldn't they be afeared of me? To be so blithe-like, caught not only drinking but *stealing*? I didn't want to scold them. Though I couldn't give a crotch louse about adults, I preferred to be on a child's good side. But what could I do? 'What the hell, lads? It's four in the afternoon. Are ye trolloped?'

That only burst the seams of their laughter. Tears canyoned down their freckled faces and their chins showed cellulite. I went to the table for the bottle to make sure it was only vodka and not *poitín*. 'Ye know the saying *blind drunk*'s no joke, lads? Ye'll blind yersels, drinking straight spirits. The hip flasks of ye couldn't hold a pint.'

Thomas tried to calm himself to get the words out: 'We're not drunk, Uncle Hart.'

Neil was ruined and couldn't face me, but he told off Thomas: 'He's not our uncle!'

'Well,' I said, 'if ye're not locked and ye're not liars, what are ye?'

Thomas glanced at a bottle on the counter. The penny dropped. One stubborn experience of every patient on chronic opioids is constipation. Thomas had eyed the Chief's half-filled bottle of Peri-Colace. The boys were doing shots of liquid laxative, to see who could keep it in the longest. I hadn't seen laughter like it since I was a boy myself, and it a prescription Hamlet might've come right with. I bent down and put my ear to Neil's belly for the symptoms, then rose with a stolid face.

'Nothing's happening, Hart!' Neil whined. 'I was on to win a fiver. I could've held it in. But neither of us have the shits at all.' This coming from a nine-year-old.

'Ah, my half-sized tyros. This here is one of life's great lessons. Ye're digesting it early. This here is what you'd call an anti-climax.' The boys glanced at each other, almost comforted. 'But there's another thing ye may or may not learn from this.'

'What?' Neil asked.

'What is it?' Thomas piped in, the colour of his face slowly differentiating from his hair.

'The long game,' I said.

With that, Nóra came in, the boys' parents in tow, and went to the oven to check on the casserole. The savoury smell hit the boys' nostrils and they looked at each other, what I'd said clicking. I sleeved the bottle and gave them a wink.

'Do ye want another sup of lemonade, lads, for the big feed?'

They paled and nodded. Their parents sat down opposite and began fussing, taking relief from the weighty atmosphere of our house in trivial ordeals. ('Have you washed your hands?' 'Were you pestering cousin Hart?' 'Don't nag.' 'Stop fidgeting.')

'You might have set the table, Doharty, knowing the amount I have to do,' Nóra said. 'When you've that mountain climbed, you can freshen the guests' glasses and call your father down to civilisation.'

The relatives had freed her tongue, normally glued to her hard palate—how I preferred it.

''Tis hard, all right,' Uncle Mitch said, grinning at his boys. ''Tis hard to drink from an empty glass.'

'Cormac's doing chin-ups,' I said.

'*Good*,' Nóra snapped. 'He'll be fit for pall-bearing so.'

Only the day before, I'd felt sorry for her. The whistle-blowing would've been hard on anyone, but especially on a self-strict woman whose time for taking external orders had long passed. She'd begun closing every door in the house, as if that might contain the awfulness. It made it harder to hear him at least. You'd lose a chunk of flesh if you didn't push the hall door shut to a click so it wouldn't open again with a draught. Her cooking had gone to shite. Everything was underdone. Raw. As if she couldn't bear to have anything softened, for it wouldn't be true to our lives. Carrots to break your teeth. Lettuce with the muck and maggots left on. Cold, squidgy meat. I bore the brunt of her bitterness, since she'd no one to gossip and gripe with. The phone was a month off the hook. (The Chief said it set off migraines. More like the messages coming through did as much.) To own a mobile would be to suggest her availability. As she put it: it would be one more thing to ill afford. So, with the landline off-limits, she'd been deprived of her intermittent whinge, and all that poison had collected ... and was eroding some part of her, though none of us was to know which part, just yet.

Once the table was set, the eight of us jammed around it and the auls had gabbled Grace, we were relieved to find she'd spared us the bellyaches of a crunchy casserole. Maybe it was fear of word getting round the parish that 'Mrs Black has forgot how to cook a stew and, sure, no wonder her husband's poorly' that made her leave the crockpot in the oven for the full length of time. Nevertheless, the Chief—sunken-eyed, frayed—tilted the contents of his plate onto mine and said, 'Get me a bowl of warm milk and a few slices of white bread broken up in it.'

Everyone went quiet. Nóra regarded him with a look of injury.

'Do you not have the stomach for it, Dad?' I asked.

He made an involuntary face as if the smell of the food was sickening. I got up and fixed him a bowl of heated milk and bread while cutlery clicked. Eventually, out of awkwardness, Uncle Mitch declared: 'Neil and Thomas have been making model aeroplanes. Haven't ye?' Mitch had swallowed his plateful before we'd even begun and was ladling seconds.

'Have ye, boys?' Cormac asked. 'World War Two aircrafts, it is? Fighter planes? Hurricanes and Spitfires?' He looked genuinely excited at the prospect of war talk.

'They're Ryanair planes Dad got off a flight,' Neil said.

Cormac took in a quick mouthful of mash.

'They make you pay a euro for each appendage, is it?' the Chief asked gruffly. 'Even the toys are robbing the children these days.'

The bald arc of Mitch's head reddened. They'd lost half their savings from collapsed shares, but they hadn't been ruined by property like we had, by leveraging a house that had gone up in value by three hundred percent in a decade and dropped nearly that again in a year.

Auntie Bridie to the rescue: 'Isn't it *desperate*. All we can hope for is to have learned our lesson.' Mitch shifted in his seat. She quickly added 'As a country' then blathered on to make her words forgotten: 'Cáit is still on the dole, the poor pet. No redundancy package to tide her over. She's searching tirelessly but she hasn't the experience and it's a *nabsolute* catch twenty-*two* to have no experience when the most *lauded* barristers in the country are twiddling their thumbs. She'll have to do something *way* below her grade before long. Did you ever hear of qualified barristers driving taxis but in Ireland?' Though her head moved about like a bobblehead Jesus figurine when she talked, her bonnet of beige hair stayed perfectly still. Not a strand out of place. Better than Jesus, she was like the hens out back: if you held onto her body and twirled her in Os, the hair would stay perfectly still in the centre. 'But she's thinking of going abroad as a *nalternative*. She could do very well in Canada being so gifted and accomplished and *polite*, if she could put away the pennies for the flight. It's not unlike the passage to the USA long ago, when you think of it.'

'It's a passage like the coffin ships of the famine?' the Chief asked. Bridie suppressed her response. She didn't know what was being implied: the head didn't yet know if the body would be thrust upwards or down. 'The same way as we were burnt out of our houses by the lessors?' the Chief said. '*An Drochshaol.* There's a difference. Can you *páistí* spot the difference?' He asked the boys, who looked back dopishly. His pace of talk was half that of the auntie and it made you hear each sentence distinctly. 'The difference is that back then, we were burnt out by opportunists. This time, we were burnt out by ourselves. Alit our own arses. And not the first time in our history to do the same.' To stave off a coughing fit, the Chief swallowed a spoonful of soggy bread mixture. It seemed a lumpy white baby food in the bowl. Nóra took this row out on her eczema'd palms. Discretion had been her lifelong aspiration, and here she was being commingled with the nation, and denied virtue's achievement. Had her stag efforts been for naught?

Cormac stepped in. 'Here, Tom. If you ever want to learn how to build a model aeroplane, call into me on the weekend at the flat. I'll show you my hand-painted war birds. The RAF trainers were my favourite, but I've them as ornaments now so they're just for looking. But you could have a go of the plastic models that aren't in their boxes. There's a de Havilland DH98 Mosquito, Gloster Gladiator, Hawker Tempest obviously, a Supermarine Spitfire, and I've a P-26A Peashooter … that is, if you're very good for your mammy, ha?'

Nóra took her first breath in half an hour and looked ardently at her son. The only one among us who didn't make her wish she'd put cyanide in the casserole.

'Class,' Thomas said.

'A peashooter!' Neil called. 'Is that for shooting peas?' He fingered a pea out of his casserole and flicked it at his brother.

Cormac, Nóra and Uncle Mitch laughed and Bridie clipped Neil's ear, feigning admonishment.

I looked at the Chief, who was deep in thought, miles away from us. Bridie made the boys put their knives and forks together on their plates to indicate they'd had 'a nelegant sufficiency'.

'Can we go outside, Mum?' Neil nursed his ear.

'You'll wait for the dessert,' Bridie said.

I looked at Nóra and by her expression, I knew. I said: 'There's no dessert, sorry.'

The boys made clownish frowns.

'There's biscuits,' Nóra said. 'We have tea and biscuits.'

Bridie smiled thinly. She watched the Chief opening the Saturday of his seven-day pillbox and spilling its United Colours of Benicar onto his palm.

'How's the health at the minute, *a grá?*'

Ohgod.

The Chief looked up at her. So it was true that siblings could live the same trauma and one can come away with third-degree burns and the other with a sponsor for a sprinkler business. 'Did Nóra not say? I'm fixed. Bailed out.' He coughed.

Silence. Everyone's eyes scanned the room, their voices faltering. That was the first time I'd heard the Chief use sarcasm. I couldn't help but smirk. Yes. That's the answer. That stupid woman had no idea of the pain of saying, 'Fine. I'm grand. Thanking you.' I burst out laughing.

Nóra snarled at me, pronouncing both of her Ts: 'Get out.'

'You may leave the table now, boys. Go outside,' Bridie said.

But I stayed there and continued laughing and soon the Chief joined in with his maracas. After a minute of absolute bafflement, the cubs added silent hysterics. Their stomachs gurgled. Their parents didn't stop them with words, though they tried to with eyes. Cormac frowned, picked a splinter from the table with his knife. Nóra cleared away the plates, the ruins, and prayed to our father who art on sick leave.

No. There would be no dessert, only wild laughter. We laughed until there was the threat of dying from it—of never being able to stop. Those were the days for laughing and by golly we would let it out.

10.

A few weeks later, the Chief told me to phone Cormac and ask him round for tea. It was a Wednesday. There was some research he wanted done for the weekend. I didn't ask what it was. He'd have good reason for wanting Cormac's help, though Cormac would have his gloat about it.

'Post-nominal letters are what you need,' he said, 'to do the Chief's research.'

'Yeah, right, are you coming or not?'

'Lighten up, Doharty. You sound so *serious*.'

'I am serious. I'm very fucken serious.'

Cormac was quiet and there was just the phone static.

'He's taken a turn for the worse,' I said. 'He's no spirit left in him for a temper. No tolerance for ice baths either.'

'That'll be the meds.'

'It's not right,' I said, 'how it's happening, swarming in him like flies, and no one allowed to swat them. Blowing his whistle night and day, but not for help, not for real help. Yesterday, he couldn't make it outside so he called out the window, directing me how to hitch the tractor attachments, as if their being on *hire* meant I'd to curtsy before touching them. "Slide the linchpin through the link holes and blade," he's shouting, "and connect the clevis pin. Get in and start the engine. Raise the blade careful, see it doesn't interfere with the drawbar. Watch the tyres, Hart!" Then he halts his roaring to heave up a lung.'

'Look, I know, Hart. You don't need to—'

'*You don't know the half of it!* Shitting in the downstairs bed 'cause it's easier on his lungs than dragging himself to the jacks. Some days he can't swallow the tablets his throat's so swollen and he won't go near the doctor no matter what I say, what anyone … so he goes without them and those are bad days, the worst days of his life, they are, the worst days of mine, if it's not wrong to say.' I was sobbing and Cormac waited this time. He wasn't even tapping or fidgeting, or if he was I couldn't hear it. I wanted him to suffer the knowledge in a way that might've been vicious, but I needed his company in the knowledge too. If he didn't know it, there'd be no one that knew, no one to tell, and I'd never be like that. That mute cast of a man. The rural, angered bachelor. Friel's Public has the self-same balls on him as Private. I'd not have any private fist ghouled around my throat. Fuck away off to Philadelphia.

Cormac arrived at six in the company Skoda estate wearing a plaid blue shirt, a North Face jacket and straight-legged jeans, pockets bulging. He resembled a building inspector, chin for a hard hat. I'd have suggested disguising the chin in a bit of stubble but then he'd shave twice a day out of spite. In the front door he came. Rang the bloody doorbell! The garage entrance and in through the utility room was no longer convenient. He was a guest, henceforth, was the message.

I was sorry it was one of the Chief's good days. He'd been well enough to stay out in the field from six in the morning—despite the sea-spray weather—as hadn't been the case for a week. Maybe it wasn't a good day at all and the Chief was gritting his teeth because it was reaping season and there was literally tonnes of work to be done (there being the best part of forty tonnes of potatoes to a hectare and ten hectares of the laden muck to turn). The Chief insisted on powering through the grim conditions. His friend Gerry lent a hand. I'd been out too and felt a sore-muscled wharfie. It was a lot of driving machinery, excavating, cleaning elevators and unloading in the shed. I drove the hired tractor-towed container alongside him in the harvester. A line had fixed between my brows from peering through the drizzle, but I don't know that it lent me any wisdom.

Nóra answered the door to Cormac in her apron (an Egg-Egg-7 'Time to Grill' apron he got her a few birthdays ago, which she was wearing inside out, in case she'd give anyone a laugh). She beamed at the Lidl lemon cheesecake he gave her.

'We'll have proper dessert this time,' he said, 'so we will. None of them biscuits.'

'*Ní raibh aon ghá, a stór.*' Her Irish was more synthetic than the Chief's. Holding the cheesecake close, she lowered her eyes at me as she passed in the hall, then pulled the kitchen door so it clicked.

'You've some shite on your nose there,' I said.

Cormac schkelped me on the shoulder and my tired back gave a whinge. 'Here, what're you upta Friday night?'

'Why?'

'Nothing? Thought so,' he said. 'Come into town. Flee the quarantine for a night. I'm seeing a Galway girl who's only local for the month and she asked me to watch her in a play. I won't sit on my own like a spanner and I'm not asking any of the lads to a fucken play, like. But you'd be half into that kinda bollocks anyways—stories, fictions, woe-is-me jeremiad shite—wouldn't ya? You can perfect your act. The throwback spud farmer who thinks software means his limp cock. Good luck installing that!' To limpen my fist, he added, 'She'll bring a friend out after. The stage manager ... I think she said. She's female and single. She'll do the job. They come with their own instructions these days. You need to get out the house, so you do. Get some fucken notion of what's going on in the world, ya nun.' He clicked his fingers in front of my nose and I batted him away. 'Latvia's part of the Eurozone, like.'

'Stage manager'—I gave him a wary look—'means *backstage*. She'll be rough as a dance hall in Dingle.'

'You're coming.'

I stroked my chin. 'What's the play?'

'*What?*'

'What is the play?' I enunciated.

'Who the fuck *cares?*' Cormac said.

'*I* do.'

Here's what I'd've said to my brother if I knew then what I know now: 'Because the only reason to step out the door is to hear tales of people worse off than ourselves. So if it's Noël Coward or Wilde on about pomp and circumstance, celebrities with silken skin and trust funds, I've no interest. But if it's Beckett on about some poor sod getting stuck in a mound of earth for the rest of her life for she couldn't be bothered digging herself out, or about a disembodied head, or about a man listening to tapes of his youngster self, appalled at the twat he used to be, or an aul legless couple living out of bins in their blind son's flat, all of them routine addicts, unable to leave the room they're in nor stay put, then I might be interested.' That would've done it. Would've drove him spare. Only I didn't have that power of knowledge, then.

He wiped his nose on his sleeve. 'Look it up online. I don't give a fuck.'

'I'll come if you'll buy me early-bird dinner. There's full carvery with ice cream and jelly and coffee at O'Sullivan's for a tenner.'

Cormac clicked his tongue. 'Early-bird dinner's false economy. It means more drinking hours and drink's taxed more than food.'

'We'll eat out early, then go back to your flat for a sup before the play.'

'We will to fuck. Have Mam feed you and I'll swing by at six. We'll get our Vitamin G at Fox's.'

The whistle went off somewhere in the house. Nóra opened the hall door so the *gongggg-gongggg* of the six o'clock Angelus extolled from the kitchen radio. The soundtrack became her. Her untalked-of years in the Sisters of Mercy Convent before she left to play housekeeper to the parish priest. A queer step downwards, but there was no asking why she took it. It was quite impressive, actually—the convoluted infrastructure she'd built around her so she couldn't be approached head-on, even by her own sons. I got the feeling her gods were all part of that scaffold, left up around her long after her structure had been weather-sealed. Watching the ungraspable spectre of her in the doorway, I wondered had I ever seen her hair down. It was in a low bun like a half-used ball of yarn, enough to knit a balaclava. She was taller than me standing there in her shoes and me in my socks. But she still had to look up to Cormac, who had the Chief's tall genes.

'He's in the study,' she said. 'Would you try and talk sense into him, Cormac? He might listen to you, with the education. I'm no use to him. An ignorant skivvy poltergeist.'

'Mam,' Cormac said, shocked.

She inhaled and shifted her gaze to me. We had the same deep-green eyes, though Nóra wore them like wreaths. 'And would you ever close the doors after you. Keep the winter from following me around, *le do thoil.*'

Le do thoil means please unless a woman like Nóra says it. Leh-tho-hell, she says. *With your hell.* What would she have me do with my hell? With my hell *what*?

In the study, the whistle hung from the Chief's neck on a noosey bit of twine. He sat on the swivel chair by the PC. One of the small bucks must've lowered the chair when they visited, for the Chief's knees were daddy-long-legged up at his chest. He wore a soft-collar shirt beneath an old vector-patterned maroon jumper and he had his quilted jacket on over it. Filthy work jeans. Threadbare socks, no shoes. He had his wool cap on still. The ceiling bulb in the study needed changing, blinking its measly watts. The murky light cast all sorts of shadows. Paperwork was strewn on the table. Petals from a forgotten festoon.

'Are you not hot in that?' I asked, to stir him.

'It's cold.' He looked up, saw Cormac. 'If it isn't the man himself. *Mo mhac caillte.*' My lost son.

Cormac's Irish was dog piss.

'*Mo mhac cliste,*' the Chief revised his wording. My clever son.

'Smart, is it?' Cormac asked me.

'We'll see if it is now,' the Chief said. 'Do you still read books?'

Cormac shifted his weight. The room was too small for him. The whole house was a farcical set design to him, by then. He endured it out of respect for the auls. And it was useful for toilet rolls and eggs. 'The odd one, yeah,' he said. 'But not in Irish.'

'English will do us so.'

'*I* read more books than him!' I said.

'I'm not talking thrillers or spy novels, Hart,' the Chief said. 'Not *The Barracks* or *Ulysses.*'

Cormac prevaricated: 'I only read non-fiction, though.'

The Chief shook his head. 'It's … a philosophical thing.' He packed a frown as if he was trying to recall the year of some battle. 'It's … maybe … remedial.' He gave up and shook out a cough.

'Is it medical?' I asked.

The heavy lines of the Chief's face skewed. I scanned the books on the shelves. There was one on Mao. Maybe he was looking at mystic tomfoolery treatments. Or maybe he'd a bucket list to run by us. Maybe one of the items on the bucket list was to read the best book ever printed and he wanted recommendations. Maybe one of the items was telling his sons he loved them. He loved them equal.

'Is it metaphysical, Dad?'

He looked up at me and took off his wool cap. He stuffed it in his jacket pocket and lifted his unworkable body from the chair. He staggered to the shelves and pulled out a red cloth-covered hardback from beside *Magner's Classic Encyclopaedia of the Horse.* There were a lot of single-use books in the house. He dropped the red one on the table before us. *Holy Bible.* Pressing his thick fingers on its linen, he said: 'Will you read that for me and find the bits that reference suicide.' Our eyes rested on the book and his muddy nails. We didn't look up for a while. He allowed us the time to understand. Then he said: 'There's spraying to be done before the dinner.' He left us standing in the puddles of our own shadows. But Cormac wouldn't let the moment absorb fully. He grabbed the book and stormed out. I had to let the blood that was pooled in my feet rise back up to the rest of my body before I could move anywhere, or step away from the question. If he's that far gone, why wouldn't he read it himself? Why couldn't *he* do it? There must have been another reason. Fear of fire talk?

11.

I perched on my bar stool sideways, watching his chin go. Brian the barman was an old classmate of Cormac's. They were shooting the bullet points of their adult lives at each other, hoping one of them wasn't a blank. Brian had no hope, his weapon banjaxed to begin with.

'You've a woman?'

'I do, yeah,' Brian said, towelling a pint glass. 'And a wain.'

Cormac squinted into his Guinness as if into the shotgun's eyepiece. I felt my blood quicken, seeing him limbering up to destroy that poor caffler. He opened his throat like a chamber and swallowed the Guinness in one. It practically clunked. 'She's *old* ... says the fellas. Forty anyways?' Cormac clicked his tongue. 'Sure, isn't your mammy younger than that!'

Sweat twinkled on Brian's far-flung hairline. He was casting about for a comeback. Your mammy is—

Cormac prompted: 'Ha?'

Come on, Brian. Tell him: your woman might be old but your

daddy's not a walking corpse. Your mammy's not a nunnery reject. You're not a big-chinned dryshite who wouldn't know a girl from a go-cart. Fuck off to that apartment in Bulgaria that the bank owns, tell him. *Tell him.*

Brian made brave sounds that were beyond the human register— beak agape, Adam's apple pulsating, before shrinking away. I thumped Cormac on the arm, though I was glad he'd spent that bit of rancour on someone else. I moved off to one of the wooden booth asylums we're so drawn to—them being alike confessionals. The pints would act as the bit of curtain between us. Now, to determine the dirty sinner. Cormac set both pints before himself so I had to reach out for mine. 'You ate?'

'Watery chicken and spuds hard as apples,' I answered. 'I'll get my iron though.'

'Not like back in the day, we'd lamb every night! 'Member? A month o' the stuff. Rack, shoulder, loin, shank—'

'Lamb pot pie, Barbados black-belly lamb—'

'Cutlets in eggy breadcrumbs—'

'Pan-fried kidneys, lamb casserole—'

'Lamb chops for mopping up the lamb gravy!'

We smirked and our eyes met. Then, out of awkwardness, we watched a game of Gaelic playing on a television small enough and high enough in the corner to be a CCTV camera.

'How's Mam holding up anyway?'

'Wojous,' I said.

He tutted. 'Ah, it's tough on her. Sure, the whistling'd have Mary chewing her halo.'

'What gets her is the quiet. The phone's off the hook so she has nowhere to projectile her poison. The griping's stored inside her like battery acid. She'll leak soon enough.' I lifted my glass. 'How d'you get rid of spoilt batteries again?'

'Shut your gob while it's still on your face.' Cormac looked deadly at me. 'You couldn't be more wrong about her if you tried.'

'Fill me in so. On all the wrongness.'

The bridge of Cormac's nose bunched, as if he'd been given an offer of advice. 'That's none of your fucken business. And why d'you need to know her trauma to have some fucken sympathy. How the hell you got your sensitive reputation with the girls is a fucken—'

'In my arse, trauma! If the ruler really stung her, from that place and from her rearing, she'd be a bohemian now, smoken hash and picken flowers, and not Luthering herself bloodless. You know, I've a feeling ...' I shook my head. 'I've a feeling she had the time of Riley in with the nuns, and—'

'AND?' Cormac laid that syllable on the table like a knife, the 'D' misleadingly blunt. He waited until my eyes went to it. 'Feelings, Hart. 'Twould convert an atheist, the impossible range of feelings piled into one man. Can't be science, did that.'

We settled down then and Cormac took a page he'd torn from the Bible from the breast pocket of his jacket. 'So,' I said. 'Is it acceptable to hang yourself, if you do it with a string of rosary beads?'

Cormac took the drink mat from under his pint and began tearing it. 'Brutal thing to ask me to do.'

'Would he ask if he wasn't desperate?'

'The fuck do I know if Heaven lets you top yourself? The fuck do I care?'

'Don't waste your time with it,' I said. 'I googled it and there's only a few vague things in the Bible to do with suicide, so we'll tell him there's fuck all. The point is, you know as well as I do, he wasn't asking for an essay on holy allowances. It's him warning us, of his mindset.'

Cormac downed a quarter of his pint. A silence went on long enough for us to make out the music playing. It was your man from Led Zeppelin talking bollocks, singing about a train *rolling* down the track. Sure, trains don't roll down tracks. They're moved by way of energy transference. They're pushed.

'You think he was warning us?' Cormac said, flicking his pile of shredded cardboard. It was strange having him vulnerable to my knowledge. I swallowed the rest of my pint in one.

'Whether he was or he wasn't—' I caught my breath '—that's no ending for our father. Neither is vomiting the content of his bowels, which is the way it'll go, with the secondary. Vomiting faeces or coughing up a lung in bits and pieces. Neither of them are options for the Chief. Nor is stringing himself to the shed rafters.' Cormac looked up at me. *What's that you're saying?* I gave him a minute, then pulled a wad of paper from my pocket and laid it down. 'If he's away off, we'll help him leave standing up. We'll administer euthanasia.' I had practised that line many times, but the words still felt extreme. They were culpable words fit for the booth we were tucked in. The probability sums of the universe threw us an eight ball then, and Zeppelin belted out a plea to the hangman to hold it awhile. He offered all kind of bribes to fend off the gallows pole, including sex acts with his sister, which was fucken odd to say the least and ruined the vibe, to be honest. Brian arrived to clear our glasses. I thought the song might give us away.

'Will I repair these for ye?' Brian meant the pints, though he was eyeing Cormac's beermat flitters. Cormac was leafing through my paperwork on the Swiss laws of euthanasia.

'No, thanks, Brian. We're off.' I stood up.

'Ye are so.' Addressing Cormac's rusty head, Brian delivered his own lines: 'You never could sit still, sit the fuck down. Al'as somewhere be'er to be. Al'as some'n to say on your way out. Schooling us all, ya wiseacre. You were that way long ago, you're that way still, by the looks of it.'

So that was his long-considered comeback, and Cormac heard not a word of it. I looked at the dancing nerves of Brian's face and tried to seem regretful on my brother's behalf. 'Come on,' I said. Cormac grabbed his jacket and got up without lifting his eyes from the pages. We left Brian to gather the beer mat confetti and the singer to suffer his raspy fate.

12.

There wasn't a play in all the countries and all the centuries that wouldn't have represented some part in the drama of our lives that night. Every statement and act and interrogative spoke to the melogent hand we'd been dealt, the responsibility we'd been given like the sole torch in a district blackout.

The play that was on was a home-grown thing called *Bailegangaire* by a Galway sham, Tom Murphy. *An baile gan gáire* means 'the town without laughter' and what a title that was to make a man hold his breath. What a national Christening was that. The *town*, for we were only ever a town and nothing larger; the town *without*, for we were defined by what we weren't—not married, not fertile, practising, prosperous, no longer political, no more brave rebels; the town without what? Without hope? We never needed hope to keep us going, keep us drinking. We never needed promises or prospects like the Yanks. No, no. What we could not be without is *laughter*—the thing austerity couldn't touch. O-ho, the wild laughter! And what would we be without that but a grassland blackened by scarecrows, hoping the hooded game might hold off and not circle down on us as they'd done long ago, hoping they'd stay in the sky like old-fashioned film credits, gliding an eternal acknowledging script.

'The town without laughter is close to home,' I whispered to Cormac in the dim auditorium.

'We'll see, so we will.'

The story was about two long-suffering granddaughters attending to their bossy, bedridden Mommo, who was losing her memory if not her mind—a vicious but fervent, tragic type that brought a pang to the back of my throat. Maybe that had to do with the acting. Maybe it was the writing. I wished the senile Mommo was my own mother, even with her grief and misery. She wanted heeding—her epic tale of the village laughing match. Dolly and Fidelma were fine white-armed daughters: honey-haired Fidelma in tight trousers and leather jacket and Dolly in a homely layered skirt. With all the layers that covered her, the under-layer was surely crushed velvet. She was fleshy in the right places and she'd a mole high up on her chest that made the rest of her a white canvas. Her hair was black as space. She'd be Cormac's date, the fuck. If I caught her eye, I'd have given her a look to make her thighs quiver, but she couldn't see me in the stalls and the blood with Cormac was never worth it. Besides, she was a bit plain in the face. I planned on peering into the shadowed wings to catch a glimpse of Gillian, the girl meant for me, but I was too caught up in the story being told or trying to be told that was the pain of their lives: the knowledge that once Mommo's story was narrated—once she was purged of it—the past would be separate from her and the present would peel itself away too before long. Murphy's words doing the paring—jaypers, they were forceful. The primeval way they came out of the women's mouths. The whole thing made me horny and doleful at once. Being pulled into Mommo and Dolly's world and away from our own was some kind of relief, though their world wasn't in the least comforting.

After, I sat in the stalls watching people leave in pairs and groups, listening to their chatter and impressions. Then I followed the route Cormac had taken backstage. A small blackboard hung from one of the doors with *Green Room* writ in blue chalk. I saw the Fidelma actress first. Costume racks compartmentalised the room, so I couldn't see Cormac. Fidelma was wiggling her hips to hoist up her tight jeans with diamanté pockets. With the water-balloon tits on her, I couldn't help imagining pinning on a brooch and bursting one. In her V-neckline, they were squeezed together unnaturally so the liquid of them was towards her chin. The stage make-up was still caked on and she'd an orange stripe on her jaw. But she was all right for a go. A bit old—she'd ten, fifteen years on me. I gave her the narrow eyes anyway. Why not? She lifted her brows, setting off a chain reaction on her forehead. She rooted in her handbag and found what she was looking for, then held her left hand up, and slowly, seductively, lowered the gaudy ring onto her wedding finger. So I gave her permission to go to the toilet: '*Tá cead agat dul go dtí an leithreas.*'

'*Tá cead agat dul* back to your favourite sheep,' she said. 'Muck snorkeller!' Her adenoidal Dublin accent was a far cry from the west-country lilt of her character. She pushed past me.

I took a look around once she'd gone, pleased with myself. I saw the old Mommo pulling on a pair of skin-coloured stockings over varicosed shins like blackberry ripple ice cream. The tights were opaque enough to make mauve of the worrying purple. I supposed all actors were deceiving like that. 'I enjoyed your performance.'

She looked up, dropping the stocking. Her face was gluey. 'It felt middling. I didn't do it justice.'

'There was nothing middling about it, 'twas powerful. *Powerful.*' That was the only word I could come up with. So I said it a third time. She must have been disappointed, as she got going on the stocking again. She seemed older and wearier in that fluorescent lighting than on the stage. The clothing racks grew around her, boxing her in mustiness. She panted with the effort of dressing, prodding her foot into a maroon patent shoe, though the stocking wasn't fully up. I wanted it to be easier for her, but I was mildly repulsed. 'You all right there, Mommo? You seem feverish.'

She stood up lively and said: 'Oh, a fever, is it?' She held the back of her hand to her brow. 'A fever. Give me a second. Let me think. Yeah … Go alone to a crossroads at night and when the church bell tolls midnight turn around three times then drive a hefty nail into the ground to the head. Walk backwards from the nail before the clock is finished with the twelfth kneel. No. Knell. The ague will leave you directly but 'twill go to the person next to step on the nail, so you best be able to live with that fact.' She leaned in discreetly. 'Passing it on.'

I pulled a face. 'What's that from?'

'What's that *from?*' she baulked. 'It's from *life*!' She became purposeful suddenly and finished clothing herself with greater success.

I stumbled back and tumbled through a clothing rack to where Cormac was chewing the face off the black-haired girl. 'Dolly, is it?' They pulled apart and she turned to me with sucked lips.

'Aleanbh.' When she made the 'v' sound at the end of the name, her teeth caught on her bottom lip and stayed like that for a second, until the lip slipped free. It had been too long since I'd breathed in non-menopausal women. This realisation came as a shock: no wonder I was out of sorts. I got half my confidence from the gee-box. The other half from the fact the owners of the lovely contraptions seemed to like my company.

'We'll stick with Dolly, so we will,' Cormac cautioned, standing tall. 'Keep it simple for him.'

I caught her giving me the once-over. 'Your performance was powerful,' I said. Practised, this time. A dimple sank into her left cheek. She did a small bow. She wore a navy dress with tiny white polka dots, short sleeves and a collar. The skirt went out like a swing dancer's. There was no doubt that her shape was mighty. She turned to the bulb-ensconced mirror and put on an oval of cherry lipstick, which gave her face the definition it lacked naturally.

'Gillian's the name of your girl tonight,' Cormac said. He flashed the underbite.

'Your *date*.' Dolly side-eyed Cormac, then addressed me. 'She's good company, don't worry. Just don't bring up Fine Gael and you'll be grand. Gill gets very heated on politics.'

'Heated's not a bad state to be in, babe,' I said.

Cormac pummelled my shoulder. 'Do you want your tongue cut out?'

Dolly laughed.

'*What?*' I said. 'Her name's babe!' I nursed my shoulder. '*Leanbh*. Means "baby" in Irish.'

Cormac looked at her for corroboration. He relaxed a bit then, but she'd seen his temper. She'd seen my wiles, too. 'Old Mommo there,' I said to Dolly, 'is she all right? I was just having a chat with her about Murphy's genius take on regret and ageing, and she suddenly lost her lid.'

'Yeah,' Dolly said, seeming to let her eyes unfocus. 'Could be she's *taking on* a bit of the character, d'you know the way? Just to stay in the frame of mind, for the run. Or it could be serious. Half the time she thinks it's the sixteen hundreds and she has the plague. Writing "ABRACADABRA" in a pyramid on her mirror in eyeliner. Stuff like that.'

'A triangle, d'you mean?' Cormac said. Dolly puckered her brow. 'You'd want to be an artist to draw a pyramid on a mirror, is all,' he said.

Dolly continued: 'Just as well she *is*, an artist. She hasn't stalled on a line or missed a cue to date, so. We won't interfere for the minute. So long as she keeps her monologues about the printing press saving us from British Rule for backstage!' (We looked at her, hungry for her mouth to keep moving.) 'She's been yabbing on about the printing press coming *late* to Ireland, which meant Protestant ideas weren't properly disseminated, and by the time they *were*, we couldn't be budged.'

'Fascinating!' I said.

'Well, it is, yeah. It's 'cause she's a Fitzgerald from Kildare. The Fitzgeralds were a dynasty back in the day.'

'Right?'

'Ran the country till they were ousted by Henry the Eighth and his lot. Once the planters arrived in the sixteen, seventeen hundreds, we were ruined. Just biding time then, really, as Ruth said. Writing aisling poetry out of blood on one another's jumpsuits, locked up for speaking our own language.' She caught her breath. 'What do you think, Cormac? Do you think *Bailegangaire* is a kind of modern aisling? Mourning the loss of our nation's stories—the ones we can't recall? Or is it a kind of wake for Kathleen Ni Houlihan?'

Cormac blushed. A lot of declarative statements had been made, as were his sore spot. 'I wouldn't say it was biding time for those hundreds of years, no,' he said. 'That's a bit simplistic, so it is. There were civil wars as good as genocide. Do they teach ye about the freedom fighters in Galway? The hunger strikers—'

'Dolly,' I interrupted loudly. 'You said it was Gillian gets hot on politics. It seems as if we're getting warm here too. And the problem with heat is that it disperses. That's what my engineering brother taught me.' I clapped a palm on Cormac's shoulder. 'A bit of heat is being lost with everything we're saying now, and, if you don't mind, I'd like to store a bit of the stuff for later. So I suggest we go and whet the backs of our throats with the black stuff, if not the brown stuff, if not the clear stuff altogether.'

'Oh?' said Dolly. Cormac looked at her for a reaction. I put my arms round the two characters—Dolly clicking in her heels, Cormac's tail unstiffening, slowly but surely—and off we went down the yellow brick road … or the famine road … which of the two, it had yet to be decided.

13.

The girls were happier with off-licence prices, being poor thespians, so we went straight back to Cormac's gaff. His flatmate was gone to Athlone for a match and I was let kip in his room. We'd limbered up with a few Jack and Cokes and yakked with the ladies about films we liked and didn't, what life was like as a part-time actress, how the country had become more self-reflective for having a poet-president but that if he'd been a playwright the banter would be brilliant; which airborne diseases you could catch in the midlands if you yawned too wide (manic depression or SARS). Dolly liked my self-deprecation and the way me and Cormac one-upped each other. Like the bottle of Johnnie Walker Black Label drained and filled up with Bushmills, we were showing misleadingly good spirits. Cormac even went soft on the facts.

Gillian would've been a better match for him. She'd earned herself a restraining order by hosing a water inspector's garden with Coca-Cola to protest water charges. She said things like 'fiscal rectitude, my arse' and meant nothing fucken kinky by it. She wasn't near as handsome as Dolly. Skinny in the body and pointy in the face. Nut-brown hair was braided down her back. I made her my horsey anyway, used her plait for reins. *Up up a chapaillín, up up again, you couldn't sell this chapaillín for five pounds ten*, I hummed over her yelping. She had an eternity symbol tattooed on her shoulder. Idiotic thing to put on a lump of flesh that's doing nothing but perishing. I tried to rub it off. She wiggled the shoulder blades and I wondered if something might come out from under them, like beetles from a cleft stone. To override that image, I thought of Dolly, who wouldn't be stiff like this one. Whose black hair would be slinking across her neck to the damp-skin slapping sounds. Who I could make tremble. Fuck him, getting her. It was one thing I'd always had: first dibs on the women. 'Are you bored or what?' I tried to grab her buttocks but they were strapped to her. Her skin was cling film wrapped around her bones. The whole of her was tight, I'll give her that, but there can be too much of a good thing. I reached round and grabbed the front for something to hold on to. She howled. 'Do you like that?'

'No, not so hard.'

I slapped her bony arse very hard then. Air whistled in through her teeth. Hardness was the only way with this one. For all her hardness, I'd give her hardness back. She was wet for it. I slapped her again on top of the red hand mark. She screamed. Not the right kind of scream. *Fuck*. There was a knock on the wall from Cormac's room. I wanted her off. I pushed her forward. Her head whacked the headboard. She wailed. A rush of footsteps shook the apartment's cardboard walls. Dolly opened the door, holding Cormac's chequered shirt in front of her. A swollen nipple was exposed. Redder than it should've been. He'd been sucking on it, the gimp. Of course he had. Gimpy mammy's boy.

'Jesus! Gill, are you okay?' Dolly stayed in the doorway.

Gillian was holding her forehead in her hand, fake-snivelling. 'Should've left him to his livestock,' she said to Dolly, who mumbled something back. I was hard as a fresh-pumped tyre and made sure Dolly saw it. 'Copper-nobbed fuck!' Gill picked up her jeans and top. She stepped into her high heels and looked the right scanger walking out on tiptoes with her bare, slapped arse not even giving the slightest wobble.

'What's going on?' Cormac called from the adjacent room. He wouldn't come out and risk comparison.

Dolly was talking with Gill in low voices outside my open door as the latter pulled on her clothes. Keys. Phone calls. Taxis. 'It's fine,' Dolly called to Cormac. 'Gill has to go. It's fine. Back in a sec.'

A minute later, when the front door had clicked shut, Dolly reappeared at my doorway. Her red lipstick was long gone, but she no longer needed it. I didn't find her face plain any more, not after the things I'd heard her say. It was a devastating face. She looked at me seriously and said: 'There's rough and there's rude, Doharty Black. Some girls don't like either.'

'I don't like some girls.'

She raised the decisive black brushstrokes of her brows. 'You're very harsh.'

'Maybe I am. Maybe I need improving. Like what's-her-name. Pygmalion.' I gave her the narrow eyes, but I needn't have. She could see my scouring-pad chest and she struck me as a woman who'd want her supple white body scrubbed raw with it. I know where I'd start.

'Dolly?' Cormac called.

The dimple sank into her cheek. She dropped the shirt and gave me a moment before she turned and left.

14.

'"A" is for Asphyxia.' Each day, I phoned Cormac with the findings. He came around to the idea fairly quick, so then it was a matter of researching the best itinerary out of this life and presenting it to the Chief conjointly: a mortal holiday brochure.

Option 1: A snapped neck. Twist that substantial chin he passed on to you.

Cormac hung up.

Option 2: A pillow in a deep moonshine sleep, once he's consented, like?

Mind what you bring to these phone calls, Hart, if you value your bollocks.

Option 3: We could drive to the Cliffs of Moher. I know it's County Clare, but we could avoid the locals, keep a hurling stick handy. We could wait till all the tour buses have fled for Galway.

We could have a picnic. That'd be peaceful and honourable. Might even be beautiful, watching him plummet like that Red Bull boyo who skydived from space.

Bickering erupted then about the force of gravity and *terminal* velocity (which Cormac saw no humour in) and whether or not a big man would fall faster off a cliff and Cormac shouting: Gallileogallileoyoufeatherbrainedfuck!

Option 4: He could pull a MacSwiney.

Terence Joseph MacSwiney starved himself to death over seventy-four days in the War of Independence, bringing the concern of the world to our wee struggle. South American countries were appealing to the Pope over us. Not only that kind of martyrship, and he a mayor, but he wrote *plays* while he was at it. Why wouldn't you pay homage to an activist man who wrote a play called *The Revolutionist* and died as loud a death as can be drummed.

And how would starving himself be *less* painful than the way he'll go naturally? Cormac asked.

Option 5: Drugs. We didn't have access to the death-by-sleep pill, pentobarbital. But a decent percentage wake up from a supposedly lethal dose, gasping and vomiting. Well, that's not fucken on, Cormac said. I read out: *To reduce the chances of the euthanasia drugs being vomited up, an anti-emetic must be given.* His flatmate had access to P, E, a bog-load of hash and a nugget of crystal meth, but we decided that kind of ashen cocktail would make for a very bumpy journey out that wouldn't be at all ideal. The only doable drug was diacetylmorphine hydrochloride. A stocktake of the Chief's medical cabinet showed he'd less than sixty milligrams of morphine in capsules. He'd need four times that, given the hulk of him. We formulated a plan for obtaining the additional quantity: he'd been contending with a sore throat. He'd voiced that complaint in front of various people. The whistle was evidence enough. I'd caught Nóra filling the Chief's glass with holy water from Lourdes and setting it beside his pills. (What she thought would happen is beyond me, besides the stale old water giving him the scutters.) He could make a simple phone call to the doctor for liquid solution or morphine sulphate suppositories instead. We'd collect the prescription for him. The doctor would hardly ask for the old pills back.

The truth is we feared it would be traumatic. The research mentioned flaccid muscles, pinpoint pupils, fading pulse, stupor, fluid in the lungs, the slow onslaught of breathlessness. Finally, death by respiratory depression. Since the lungs were the main culprits to begin with, we expected a choked end. We'd have to warn him, so he knew what he was in for. He'd be courageous, but I couldn't vouch for the rest of us. I couldn't promise I wouldn't try CPR after. I couldn't promise anything.

When? Cormac asked. He's not sick enough yet, I said. You had to be fierce sick for euthanasia, for it to look forgivable. When either of us had to digest a thing like that, there'd be long silences. My mind would fill them with imagined exchanges: Nóra imploring of Father Shaughnessy, 'He was *hours* from dying and wanted to speed up the journey to Heaven. *Ar dheis Dé go raibh a anam.*' 'Lord save us, of *course* he did.' The priest would convene his palms. ''Twas a *bad* dose he had, poor craythur.'

What room would it be done in? One with enough chairs for the four of us. Not the kitchen, with its smells. Strung up in his shed, like the aul lambs? No. Not his bedroom nor the living room with its fireplace and crucifix. There'd be no kneeling. No counting off beads or blessings or minutes. No one would sing 'The Well Below the Valley' or 'The Dawning of the Day'. There'd be no music. I hadn't learned the fiddle, after all. Though I'd never asked my father for lessons, I got them anyway.

15.

Me and Dolly thrashed out our differences in Cormac's shower the morning after *The Town Without Laughter*, and I absented with the steam through the window. We didn't get it out of us on the first wash, it turned out. No matter: we'd have a few more goes at it. Nothing perseverance wouldn't solve. Being needed day and night was a new, nervous experience and I felt a man for it. Cormac started pestering me: why had my research dried up? Why did I sound so zonked? Why hadn't I helped the Chief out of bed this morning? Was I hiding out in my room? Nóra phoned saying she near made a wishbone of her back. Couldn't I find the Chief a bell from the attic forfuckssake instead of that whistle? Didn't I know he could barely blow the clock off a dandelion?

'How did you sleep, on a scale of one to five,' Dolly asked, 'one being extremely well, five being extremely shite?'

It was our fifth night together, in her house-hotel. We were head-to-toe on the bed, drinking Jack D from mugs. She had on a silky black slip with wet patches drying to shadows. I could have sold her for an estate in Spain, or a car park in Dublin.

She worked part-time in a call centre forcing questionnaires on people at ungodly hours. Market research in such a maimed decade is not for the thin-skinned. 'You've to be very self-effacing. You've to tut a lot and inhale every other word. Do you know the way? *Empathise.*' She'd scythe the grass of my chest with her fingers, telling me how many people out of every ten are Polish or Nigerian in different counties and how that's not represented in popular culture. She couldn't think of a single Irish play with a character called Piotr or Dorota. I started to get the feeling her knowledge was unreliable. That it came more from the stage than the call centre. Feminism by way of Caryl Churchill, socialism via Seán O'Casey and George Bernard Shaw, cruelty according to Antonin

Artaud, sexuality à la Marquis de Sade, disenfranchisement via John Osborne, strangement from Bertolt Brecht. I absorbed what I could and said I liked the sound of her theatre. She asked if I'd move to Galway and live in a flat on the docks with an electric piano and book stacks for divider walls and beanbags for chairs and no television to be sucked into or clocks to be whiled away by. There'd be a circle of friends to join like some kind of ring-around-the-rosie and me going '*A-tishoo!*' with my culchie plague. Had I no friends at all in Roscommon? A cousin and brother were no good for friends: blood ties can putrefy like an umbilical cord left hanging from a child's belly. They were never meant to hold. I could go to college a mature student. I could do anything I wanted. Didn't I know I was full of potential? If I turned out a cunt, I'd be out arseways, but she suspected I wouldn't. I hadn't the makings of a player.

'Are you a lassie for your father?' She watched my reaction to this closely, no doubt to add to her play-text understanding of how fathers and sons keep the real meanings of their sentences in asides. 'Why are you at home still? Not out living your own life like your brother?'

'What if I like having my bed made for me? And my sandwiches.'

'Go away with your sandwiches! I know a daddy's boy when I see one. I'd suppose you were staying on to take over the farm, but you just don't seem the farming type.'

'Oh? What type do I seem?'

She tilted her head so her hair closed around her face, then she brushed it back. 'Like the type that lets others ascribe a type to him, without seeing that's what he's doing.'

I looked at her legs: the muscles that proved her venturesome, the flesh that proved her desirous. 'I'm at home, waiting for my father to die. He's dying, I'm waiting, that's all there is to it.'

I felt her eyes search me as I traced the ins and outs of her shin, like roughly sawn but smoothly sanded oak.

'And then what?' she said.

'Then? I'll sell the lot to settle our debt, lock Nóra in a shed with the unsellable potatoes, and see if I can't live some kind of life. Penniless. Fatherless. Cursed.'

'What's wrong with him?' She wasn't polite in asking. She was hungry to know.

I clutched her ankle in my fist. 'Wrong?' I said. 'What's wrong with the best of us?' I dragged the heat of her towards me and pushed up her satin, slipping my fingers into her, like a gorgeous greasy tractor axle, thumb on her clit. 'He won't let a doctor take the wrongness from him. Won't let anybody lay a finger on him. Doesn't think he deserves repairing.'

'Fingers,' she said, like a curse word. First I thought she was mocking my accent but then she tightened around my hand and repeated the word in a spiteful old person's voice: '"Who's talkin' about fingers when the whole world knows ya can kill a body just be lookin' at them if you look long enough and you look wrong enough".'

I felt her skin texture where my other hand rested on her thigh. She'd given the both of us goosebumps.

'What's that from?' (I recalled the batty actress scolding me for the same question: *It's from life!*)

'*Portia Coughlan.*' Dolly spoke her other language. I frowned, still holding her glut. 'It's a Marina Carr play about a woman haunted by the ghost of her dead twin and ex-lover. I played Portia a few years back. That wasn't my line to deliver but it's the one I was there for. Haunted me more than the ghost twin.' She leaned into me, compressing my fingers with her pelvic bone so it hurt a little and she delivered the line again, more slowly, darkly, forbidding.

I thought about asking what it meant to her. Instead, I pushed up her skirt fully to regain command. 'That's some line,' I said. She looked at me like no girl I ever dreamt of. White flesh, black silver-threaded hair, her gall and her vigour and her nerves in all the right places.

'I think you have something unique to say with that silver tongue, Doharty Black, and I intend to draw the words out of you.' Then she drew me into her and we both got very fucken eloquent.

Those were the ways we spent our nights together. Her teaching me the dramas of her life, which weren't her personal dramas but ones borrowed. She'd have her own woes too, I was sure, but right then, she was the one star that shone through a clouded night. The only thing better than a fresh batch of *poitín* from the bathtub. The next best thing was the Chief being too breathless to blow his whistle for a whole afternoon.

16.

I wasn't plying facts earlier when I said the Chief worked his dying day. He could barely make it to the kitchen by the last, but I wasn't ready to say it as it was and we only in the springtime of our story. I couldn't tell how it happened, the scent still hanging in the air.

In a conversation that was mostly silences, the Chief indicated he wanted to go sooner rather than later. Could we have one last family trip to see him off? But to the coast, for once, for scenery he could take with him on his way, as a kind of reverse honeymoon, to a lucidness that can only be reached by way of cobalt sea. If there were seals, they might help him come to terms with the cold blubber self. If there was a bottle shored up on the strand, he might find a prayer in it.

We'd make the trip on Sunday, then back to do the job Monday morning. Monday would be the day for putting him down, gentle as we could manage. That gave me a tight schedule for coaxing and confessing.

17.

We'd found neither allowance nor consolation in the scriptures for the Chief. Though he hadn't brought it up with us again, I had the sick feeling he'd beg for holy orientation just before the whistle fell finally from his lips. After seeing Dolly eight or nine times, I told her. Well, I told her we suspected he'd top himself and that we'd let it happen. I didn't say we'd go so far as to pour the toxin down his gullet and pinch his nose for him. I said he'd asked us to search the scriptures—for lines, of a kind, to learn by heart. 'Oh. Well, in that case, ask the director can you alter the script,' she suggested, meaning a priest. But priests aren't GPs, held to privacy: there was no way of asking for sweet sacred nothings without condemning myself. They mightn't be allowed to disclose your dark enquiry outright, but they could phone up your auntie and talk around it in that transubstantiative way.

Dolly went to her closet and began rifling, mumbling that none of it would do. She shut the closet, put her hands on her gorgeous wide hips and said: 'We'll have to break into the theatre.' It was a curse to be around her altogether. I was halfway to rigor mortis myself. 'All I'm saying is, if you're worried about incriminating yourself by asking the priest for a pep talk for your dad's soul—which is ludicrous by the way—then remove the risk. Go in costume. Are you any good at accents?'

'You bet your ass,' I said, in my best generic American.

'Hats!' Dolly announced, ignoring me. 'I've a pair of hats that'll do, in case you take the wrong angle first time round, or you get the willies. You've to look like a visitor. Talk like a visitor. Not a local. Else he'll place you. The shoebox town you're from. Don't address him by name. Just "Father".'

'Hats it is!' Her giddiness was infectious. I wanted to pull on the costume immediately. But first, I wanted hers off. It was beginning to get painful. 'What's this about breaking and entering?' I swung her onto the bed.

'Ah,' she said, one leg bent in, fingers flexing in her lap. 'What's one more sin to be sorry for!'

Later, when we hadn't a usable muscle between us, she said: 'You know I've only a week left?' She stared at me, unblinking. Was the look to say: is that us? Our energy spent? I found it hard to meet her ransacking gaze.

'Oh.' I hadn't calculated it. 'You're back to Galway then? What day?'

'Sunday.' I must have scowled in my calculations, for she asked: 'On a scale of one to ten, one being absolutely overjoyed, ten being downright ruint, how do you think you'll feel come Monday?'

I felt the blood rushing to where she rested her palm on my cheek—my still-young, bristled cheek that hadn't yet totally vacuum-packed to the skull—and thought: *Will I be relieved?*

18.

'I lug it round with me ... like a bindle on my shoulder,' I whispered in a lilting Donegal *blas*, angled out of sight in the dark oak snug. 'The hate.'

'You're not confusing hate with dislike?'

'I'm sorry, Father, but it's hate.' Hushed, the haitches came out like a gas. Only a long brown curtain hung on my side—no door— and I hoped my words wouldn't carry out to the pews. The curtain was thick flannel: a fabric that thwarts all manner of advances. Father Shaughnessy's robes made a dry chafing sound as he settled. I knelt, head down, hands pocketed.

'You want to repent to the Lord and honour his directive that you shall not take vengeance or bear a grudge against the sons of your own people, but love your neighbour as yourself?'

'I'd go on bearing it—the hate, Father—only I've a feeling it's sinking into me. Splinters from the old bindle stick are nesting in under the skin.' And it came to me like that, only a few lines into the role—an understanding of Dolly's calling. The mad release, and possession.

He responded gently through the grille: 'The longer you let hate sit on your shoulder, the more embedded its talons will become, the more you'll be bound and pressured to do its bidding. Explain now to the Lord what's driven you so far from his bright and temperate skies and so close to Satan's underworld, whose fires your hate fuels?'

Who else could I pin the blame on? Flan-flavoured Clara at Spar, for charging the full €9.20 for Benson and Hedges, back when I could afford to kill myself slowly? Morrigan, for absconding in his daughter's 2007 Alfa Romeo and returning in 2009 through his cast-iron gates to live off caviar in the panic room while the rest of us were pulling out our teeth in a tribal effort to seed the desiccated soil? Mr Lyon the bank manager, for the warped press-stud of his wallet in the sunshine and his dry hands come the rains? *Rainy days are no good for harvesting, I'm afraid to say, Mr Black.*

'It's my brother.' I blurted this out, annoyed I'd not started with the real subject. I had no stage fright. I'd needed no warm-up.

Father Shaughnessy sucked in air through his teeth. 'Your brother. Your own brother that you hate.' You could hear the sieve straining lumps out of his crude judgement. 'What despicable thing has he done to be the victim of your hatred?'

'*I'm* the victim. *He's* the aggressor. That's the way.' I pulled my flat cap down and tried to stay anonymous. 'He's a vainglorious, conceited c—'

The priest made no sound for a while, other than involuntary body sounds. The whistling of air finding its way through a shaggy nasal passage.

'It might be only small stuff, Father, but it's built up. You could build a pyre from it. I could set up a stall selling bangles from the Chinese burns he gave me. Oh, and when we got a new car, he told the whole school it was from saving up the disability allowance we got for *me* being Technically Retarded! All sorts of ... Like, I'd a terrible fear of dogs ... as a child, so when he found a dead dog fresh kilt on the road, he ran off to get a neighbour's wheelbarrow. He pushed that carcass all the way home, waited till I was asleep, *broke* its rigormortised jaw to affix it around my *ankle* in bed, so I *woke up* to—' Then the priest cut in to ask if I knew the parable of Cain and Abel. I didn't like that. The cutting in. 'Yes,' I snapped, without the 'Father'. 'The jealous brothers trying to one-up each other for God's approval,' I said. I felt my cheeks hotten.

'And what did the Lord say to Cain?' Then he answered himself: '"Why are you furious? And why are you downcast? If you do right, won't you be accepted? But if you don't do right, sin is crouching at the door. Its desire is for you, but you must master it".'

'Right. So that's the advice? Master your sin.'

'Avoid succumbing to it. And do you know what Cain did then?'

I didn't like the schoolteacher questions and my kneecaps were beginning to ache on the miserly cushion. 'I'm not jealous of my brother. He has a good job and brains—a right know-it-all cut-jack mammy's boy—but he's nothing to envy. Hasn't a funny bone in his body. Not a funny knuckle on either fist. And God forgot to do his face. There's textbook rivalry right enough, but that's not it. It's more ...' I trailed off in my performance, but Father Shaughnessy had been listening.

'If it's not jealousy, are you trying to prove yourselves to someone else? The way Cain and Abel tried to prove themselves to the Lord with offerings.' I could hear the click of heels outside that might've belonged to one of the local gossips who can detect the agnost in the church just by sniffing. How the hell would I get from here to the suicide question? 'Listen to me, son. For your confession of bearing a grudge, I can absolve you through the Sacrament of Reconciliation, but it's the Samaritans you need to talk to if you fear that you yourself or your brother might become violent.'

'I'm not going to murder my brother, Father. I might dream of him drowning in a slurry pit, but I do *not* dream of pushing him in.' This was a waste of time. Dolly only encouraged it because the drama roused her—it was never going to help.

Father Shaughnessy made a horrible gulping sound that had me peering through the lattice gaps to see he wasn't choking on his collar. Doubled over in his chair, his elbows were on his knees and his palms were convened in prayer, fingertips pressed against his forehead. Then he sat upright and asked me to come out to the church and have a talk, 'as two fellows rather than as priest and penitent. There's something you might benefit from hearing, but outside of the confessional.'

I pulled my cap low and stretched the cuffs of my sleeves over my hands. 'No, Father. I'll not.' I could feel him gape at me then, as I inspected the kneeling bench. The wood smell became sharp and thick as if it was sighing.

'Well, may I speak to you as Declan Shaughnessy in here then, and not as the representative of the Lord, just for a moment?'

Jesus Christ. Fine. I'd tolerate that. His breathing whistled through the congested nasal tunnels. It was a sound I was used to hearing through a microphone, but it sounded louder without one. 'I had a brother myself,' he said. 'But he wasn't for this world. Original Sin didn't sit well with him. So the Lord took him from us early. Jason, his name was.'

'Younger or older?'

'He was my twin. My only sibling. Our mother suffered complications birthing us that put an end to her childbearing. And the fact is, we treated each other brutishly. We harassed one another from the outset.'

'We were the same. That's normal, Father.'

'It's natural for siblings to prod and provoke—particularly boys close in age—but our rivalry wasn't *normal* brotherly competitiveness, as you say, though our parents dismissed it as just that. No. It was the Devil pitting us against each other. And one day, with the Devil perched on his shoulder, Jason made me swallow down a shell with some sour milk.' Father Shaughnessy took a deep breath and didn't seem to let it out. 'When he saw the pain on my face and the little flecks of blood that came out on the handkerchief as I tried to cough it free, he promised to swallow something in return, so long as I wouldn't tell. As if it had been a test of machismo all along and not a deliberate injury. Rather than going to our parents or to a neighbour or to our Lord, we went to the garage so that I could choose something for my twin to swallow. Dad was an electrician, so there were lots of gadgets and appliances. I opened a box marked "Neodymium Magnets N38–52". In it were small magnets the size of copper coins, kept apart by thick slabs of plywood. I recall the sharp pain in my chest from the shell. Jason joked that the sphere magnets looked like Christmas cake decorations and said they might be tasty … so I chose the less festive discs. I pulled one off and told him to kneel before me. I placed the magnet on his tongue like the Eucharist, and … Lord have mercy on me … I said to my brother, I said: "One for God the Father".'

His words began to break up and I thought I should stop him there, but the place was so dusty my chest felt like an hourglass too tight for its sand—stucking us both in the moment.

'Jason swallowed it with a gulp of flat 7Up and pulled a face,' he said in one go. 'When we were sure it had gone down and wasn't coming back up, I took another magnet from the box.'

A kind of closed sound came with it too—the dust—the weight of sand over our heads so that everything the priest confessed was a record playing in another room of an unfamiliar house, with the notes all out of true and not loud enough to dance to.

'Jason gave out … but I said that if he didn't do it, I'd tell on him about the shell. The Devil then crept off his shoulder and climbed onto mine.' All there was for it was to cover my ears and wait for him to skip. He spoke right into my ear through the dust and all, and it must have been my penance in there, and his own, when he cried: 'Lucifer couldn't believe his luck! To my brother, to my twin, I said: "One for God the Son".' Ohmygod ohgod ohmygod. 'Jason uncrossed his arms from his eight-year-old chest,' the priest said, 'all ribs … and swallowed. I recollect feeling some powerful change in the world—something altering irreversibly in the constitution of myself, akin to what a girl must feel when first she bleeds. Scared, forbidden, perversely … thrilled. It was a kind of trespassing. After enough time passed for the wrongness to catch us up, I looked straight through Jason's watery eyes and placed a third magnet on his worming tongue. "One for the Holy Spirit".'

There followed a gasping like a dry kettle switched on, and I pressed my forehead to the grate, tasting its bitter varnish. Tears wrung from Father Shaughnessy's close-set eyes. Though he faced me, I needn't have feared he was seeing me at all. He was seeing the inside of his twin brother—the powerful disc magnets attracting to each other, taking a shortcut through the intestine, perforating the gastrointestinal tract. He was seeing the buckshot through an abdomen, with no evidence or trace of a bullet from the outside. He was hearing the screams as Jason clutched his gouged stomach. He was imagining his younger self—hearing, seeing, wondering whether to get their father or mother or to leave his twin in the hands of the Lord.

'I have to go.' I pulled aside the curtain, and the priest started.

'Not yet—'

'I *have* to.'

'Let's complete the Act of Contrition,' he pleaded.

'I can't, Father, I'll miss—' It was all I could do not to run. But the curtain stuck to my clothes and Father Shaughnessy caught me by the wrist. I looked back at him, but he kept his gaze directed at his own hand, sparing me. 'How many Hail Marys will I say, Father … for hating my brother?'

The priest tried to clear his throat, but it couldn't be cleared by will alone. A nocturnal, songless bird with not one fellow creature to witness his endurance. 'One Hail Mary,' he said, tender as you like.

'*One* … Father?'

'And I'll fast for you for thirty days.'

19.

Friday night, I woke to an explosion. I took the stairs four at a time and skidded into the living room where the Chief's bed sheets were straitjacketed on the floor. The puncture-headed image of him threatened to take shape in every unlit space. The mess he'd have left for us. No. The kitchen was empty. That wouldn't be the way he'd do it. No mess. The study was empty. He was a tidy man. He'd spent the last six years hauling his would-be capital into as compact a settlement as possible so as to leave us less mess: a failure neat as an own goal. Lavatory. Utility room. The shotgun was gone from the closet. The garage door was open a sliver and the cold sucked in. '*Get.*' The Chief's granular voice milled to powder on the night air. I ran out to see his figure wobbling towards me from the newly seeded field. He wore slippers, a dressing gown and Y-fronts, washed grey. He dug the muzzle of the shotgun into the grass for a walking stick. A plume of smoke settled lazily beyond.

'Jesus!'

'Back to bed, Doharty,' he croaked.

'The hell, Dad?'

He suddenly twisted to look behind him, leaning dangerously. Peering at something. 'He's a brazen fella, that one.' He sounded winded. 'I won't shoo him off gentle any longer. The country's in no mood for manners.'

'What are you on about, Dad?'

'I ask you! What protection has a father to give when *gunpowder* won't hold them off?'

'Let me take this from you. Save you carting it.'

The Chief held onto the stock for a minute and I was alarmed by the strength of his grip. I clapped eyes with him until he let go, panting.

'You might have to use it yet,' he said.

'On *who*?'

He turned round again and scoped the field. I tore my gaze from his wilting chest to the gloom he squinted at. I wanted to tighten the belt of his bathrobe. My teeth clicked like a frigid engine. He thrust his arm out. 'The watchdog. I'm not at all sure that sins matter. Though not a word of that to your mother.'

It was then I made out the black spot of the scarecrow in the distance. 'Dad, are you well?'

Looking at me, the charcoal lines of his cheeks compressed. He took a firm hold of my shoulders so the shotgun's warm barrel pressed my thigh. 'I'm so sorry to have caused you this.' Tears glinted in the ruts of his face. '*Tá brón orm.*' I braced myself—one foot behind—and let him lean into me. *Tá brón orm.* Not 'I'm sorry' exactly … but 'sorrow is on me'. The sorrow weighed of two grown men. Rubbing his back in large heavy circles, I warned him to calm down before his lungs gave in. The hiccuping slowed and he managed to swallow the fit that might well have killed him then and there in his stained Y-fronts.

I wrapped a hot-water bottle in tea towels and took it to the living room, where my father lay shaking, to tuck it under his thick back. I thought it might feel natural, inevitable, hormonally programmed to be nursing a parent and putting him to bed.

20.

Sunday morning at ten, through the kitchen window I saw Cormac tear up the drive in his estate. 'Let him in!' Nóra called from her utility chamber.

'He has someone with him,' I found myself calling back. 'A woman.'

'What?' The iron thudded and sizzled in my non-response. Nóra came in with lips like washers. For Cormac to have brought a *girl* along to his father's farewell! Not one additional dark deed could our home accommodate. Not the rind of a noxious lemon. She shut herself into the hissing-iron environment for the next half-hour and I wondered might she do herself an injury, scald a stigma out through her skin.

I took the stairs by threes and changed my clothes. Pushed away all thoughts besides the impending greetings. What would I say to a girl I'd met just the once (as far as Cormac knew) versus a girl who'd rudely, unconscionably turned up on the day we were due to say goodbye to our father for good? Was Cormac dragging her along to pad out the experience from himself? Maybe she wouldn't stay. Maybe she'd just be dropping him off. That was more likely. But she was stood at the door with him when I opened it.

'Hawaii, Barbie?' I leaned on the door frame. 'What's the craic?'

Cormac scowled in his shiny grey suit. 'Dolly,' he corrected me. As usual, he'd brought his mammy an offering. A wad of salmon-pink lottery tickets.

'Cormac says ye're headed west,' Dolly said. 'I'll grab a lift, if ye'll have me. The bus smells of puke.'

'Oh?' I tried to look at her innocently. 'I suppose a second date with this fella beats puke.'

Cormac whacked the back of my head. I felt the dig of his palladium ring. A new chunky thing he bought himself online from Dubai.

'Unless ye'll be *at* each other all day?' Dolly frowned, stepping in. 'All day?'

Would she be around all day? Was she coming to Connemara? What had Cormac said about tomorrow? A mighty one for the backstory, she'd've been asking curly questions. How much had he let on? He ballooned his chest and said: 'Sure, sand tiger sharks eat one another while they're still embryos. Intrauterine cannibalism. If he's not dead yet, I'm going easy on him, so I am.' Dolly rolled her eyes, somehow not disparagingly.

When Cormac demanded the Chief's whereabouts, I said he'd been on the phone since we came back from early mass. He was on to Gerry, consolidating his dues. He said to leave him be till we're for the road. Nóra was ensuring the coop and the crucifix would survive a day's forsaking. Egg-and-spinach sandwiches were parcelled in tinfoil. Our overnight bags were packed and lined up by the door. There'd be no time for saying the things I needed to say to the Chief or for hearing the things I needed to hear said. He was on the phone and then we'd be in the car and then we'd be at the ocean, where Nóra would sequester him for prayers and whatever else were her priorities and then we'd be in the mobile home and I couldn't disturb the final processings of his whiskeyed head. Twenty-four, thirty, thirty-six hours was a short time left for a lifetime. A hangover's worth of time. Cormac was scanning me like the World section of the newspaper—wanting to see how the Syrian Rebels welded their home-made missiles, but squinting to block out the aftermaths. He wouldn't worry after me for a second—he only wanted to know roughly what was on my mind. What was on it? Something the Chief said when I was putting his shoes on for him that morning. *Ní dhíolann dearmad fiacha.* A forgotten debt is still unpaid. No matter how often I replayed it,

I couldn't make head nor tail of it. He wasn't leaving some huge debt; the bank had the foreign properties long snatched back. What did he think could be forgotten?

'You look a bit shook, Hart,' Dolly said. 'Come here and sit down beside me.' She patted the wooden chair at the kitchen table. She shrugged off her red wool coat so it spilled around her like a pool of blood. In a sexy way, though. Underneath was the wrap-around polka dot dress from the night I first met her at the theatre. She didn't have on the lipstick and her hair wasn't loose but was pulled back in a plait. Her earlobes were white downy disks, weightless as Eucharists or Disprins. I'd never had them on my tongue. I wondered if they'd melt or, if I bit them off and swallowed them, if the lobes would draw towards one another in my brain, taking a shortcut through my consciousness.

'I have to bring in the planter,' I said. 'The tarp won't do, with the forecast that's in it. It'll rust.'

'Just sit for a minute—'

'I won't sit and drink tea. Not today. Not tomorrow.' I faced my brother, but Dolly lifted a few inches in my purview—her pelvic muscles contracting at the monologue she knew I had in me to deliver. But where was the curtain to be drawn down after, to mark the heroism concluded? How would I straighten up if I bowed? To play the bottle-stoppered countryman was second nature: nature's under-study. I was good at that, line-learning and knowing where to stand. 'There's jobs to be done. Call me when you're ready for it, Cormac.'

21.

The time Father Shaughnessy sent you and Gerry to buy the church Christmas tree before mass and I got to tag along and the three of us towed a twenty-foot Scots pine in Gerry's trailer with barely a score of branches on it. It was the uncommon thing you were capable of, to choose that tree. The unlikely thing stood scrawnily up in its glorified bucket by the altar, draped in tinsel and fairy lights.

That Christmas Day listening to the mixtape I made you called 'Farmtastic'. You using me as a guitar on your lap.

How you'd wipe my face with a kitchen towel.

The time I found you polishing Grandad Black's silver ploughing trophy from 1938 in the garage, your back to me. I was scared you were crying, remembering your two uncles taking off for Tasmania on the boat for eight weeks and your mother weeping for a month knowing she'd never see her brothers again and how you watched her lament, perched up in a tree. I've never seen my mother crying and I have no mind to.

The midnight you came downstairs for a hot whiskey for strep throat and found us red-cheeked from grappling and raiding the cupboards for sugar, fed up with our healthful country diets. We wanted biscuits to suck our tea through like straws. Penguin bars, we wanted. You shook your enormous head, saying Penguins were in short supply, pulling Darina Allen's cookbook (a birthday present from Auntie Bridie to her sister-in-law) from the nook and announcing the ingredients. Me and Cormac knelt staring at them cookies rising in the oven, rising too much for we'd used self-raising flour on top of baking soda and baking powder and eggs but we three ate the whole batch of them anyway—the puffy muffin-biscuits dripping butter and honey—so there was no trace of them in the morning, till Nóra did the laundry and found our trousers with flour handprints on the pockets.

The time you taught me to ride a bike. You on a bike that had been bought with a different currency, in a different century, sporting your Donegal walking hat, your knees knocking your armpits. Me wobbling on Shane's Raleigh with the ball-breaking crossbar and the bottle cage clattering. It was to see if I liked it and wanted a bike for my birthday so I wouldn't have to take the school bus with Cormac and his boyos always handy with wedgies and noogies and slagging. We got to the Qualters' bungalow and the turn-off for the boreen was soon, but even though the Qualters' gate was locked, the wolf-dog mongrels went wild on our approach and I could see two of them haring the length of the field behind the house to get round to us. I did a clean U-turn and raced the road-length home. That was all I needed in the way of lessons, you said.

Those were some of the things I wrote for the Chief to show how he'd be remembered. The measure of love I had for him was not unlike the riz biscuits, in the awkward uncontainable way that made it wise to push the batch of it aside and start over for fear of being poisoned by too much swelling.

22.

Cormac belted my name across the field with such urgency I near capsized the tractor diving out of it. The copybook clutched in my fist, I sprinted across the fields, hurdling stone walls, so my heart was in my throat by the time I skidded to a halt on the drive and found them all packed into the Land Rover—Cormac languishing against the driver's door in his suit and sliotar cufflinks. I doubled over to control my heart and my temper. 'Hop in,' says he, 'and don't be holding us up with your antics.'

The Chief was fine. He was fine. Not in his glory but alive in the passenger seat, slumped as a hessian sack come loose at the seams. Despite the roomy car, he was too big for it, dressed in his Sunday rig-out: a white shirt, woollen overcoat and corduroys. I knew his socks were angling socks pulled up to his knees out of habit because it was cold in the tractor. I knew the white vest he wore beneath the shirt he'd had since he got married. I knew his wedding ring fingernail was long because it was crimped from Gerry Lardner's skewbald mare trodding on it and it couldn't be clipped but could only be filed and the Chief had no time for filing. I knew he'd a dandruff-clogged comb in his coat's breast pocket that he pulled across his scalp for the momentary relief of it. I knew his right premolar tooth needed the roots cut out from the way his tongue had been pushing at it for a month now. I knew that the biggest insult of his sickness was the inability to be totally and utterly silent. The rattlesnake lungs hissed ceaselessly.

Dolly was in the back beside Nóra, who had welded herself to the door for maximum distance from the occultist interloping townie. But I ruined that by coming in on Dolly's side, so she had to slide to the middle seat. She'd be Nóra's worst nightmare, I hoped. Somehow, though, Dolly'd managed to prize my mother's tongue from her copper vault palate. 'Isn't it well for some,' Nóra said.

'And they've the caravan sat there the year long, with not a soul in it?' Dolly asked, her consonants skelping. Cormac had the rear-view mirror angled to her snow white cleavage. Still, I had the whole length of her side pressed against me.

'They do,' Nóra said. (Dolly gave her time to elaborate.) 'They go out to it once in a blue moon, if they don't wait for a purple one. Certainly not enough to keep it free of cobwebs.' (Another coaxing silence.) 'If you don't count the time Mitch absconded for a whole month "to arrange his VAT receipts", the Lord save us. You wouldn't know what would go on.'

'And have they had it a long time?'

'Well! It's a Celtic Tiger curio. Unearned, unnecessary and neglected.' Nóra's voice was a parody of modulation.

'Showy, is it?'

'It has an inbuilt shower and it facing the Atlantic Ocean! On a campsite that has a building set aside for showering. What use is that, may I ask, with the Africans and Australians going thirsty?'

Dolly sucked in air loudly. I had to hope she was honing a character. 'At least they've offered ye the use of it.'

'Oh, they've done that much. Gone *way* out of their way. Mitch especially, with his brother-in-law on his deathbed.' Nóra sourced a tissue in her handbag where the roll of pink lottery tickets nodded. She would wrap the tissue around her eczema'd index finger, rub the end of her nose with it and keep it clutched in her hand for the rest of the day until it moulted. There wasn't a pocket in her funeral frock to put it in, just a hundred buttons up the front and a dozen buttons at the wrists, and folds from the hips down to her shins, which were plastered in baggy skin-coloured tights— hairs thorning through.

'He'd rather spend his energy planning his niece-in-law's wedding in Ashford Castle, cutting up banknotes for confetti to throw after them. That's all.'

'Ashford Castle!' Dolly repeated. 'Is she a stockbroker or what?'

'The daughter works for Yahoo or Macintosh or whatever it is. The American corporates.'

'She doesn't work for Apple, Mam,' Cormac called back. 'She's an app designer.'

'A lot of lives that must save.' She looked out the window as if there was something to see beyond the smear of stone wall and clotted cloud.

'It must *vex* you,' I said, 'that she's loaded and not the cause of our hardship. And a Catholic, too! Not even a heathen.' I tucked my chin to my chest and imitated Nóra's clipped voice into Dolly's ear: 'The brazen, privileged so and so! Working for a *foreign* outfit.' Dolly elbowed me.

'Doharty,' the Chief warned, surprising us all that he wasn't asleep. The eyes stayed closed.

We drove through miles of countryside with compatible smells coming in through the fan. Cormac relayed some crap joke he told at work about euro notes being waterproof and that's what makes them insolvent. Dolly laughed generously and Cormac clapped himself a *bualadh-bos* on the steering wheel and accidentally hit the horn, setting off a round of Jesus-Mary-and-Saint-Josephs from Nóra. Dolly tilted her head so much I thought she was going to rest it on my shoulder, and Cormac did too, going by his crossed eyes in the mirror. Then Dolly came out with: 'I'm afraid I can't give you any *credit* for that one. You're completely a-*loan* in thinking that's any good!'

'Yow!' Cormac heckled, relieved. 'I'm sorry I'm not *stimulus package* enough for you! Doharty might've liked it? He's well used to having to *do more with less*.'

The chin was going like a pokie machine handle, but I blocked them all out, *disturbed* as I was at the whole foreboding atmosphere of the day, *troubled* as I was that Dolly seemed to have held this tie to my brother. What manner of tie, I didn't know. Her sense of fun was unfamiliar. Or maybe she was doing it all for me, to show how easy it was to stage-manage such a small and knowable family— how I needn't make a song and dance of it. We were Russian dolls she was gathering up and fitting together like so many stock characters. Eventually she'd get to the Chief, who'd be the biggest figurine to keep us all safe inside, even if his woodworm would pass on by proximity. How easy us muck savages were to grasp. How basic our motives. It was an old sentimental story that went down like trifle: the struggle for selfhood, exorcising the individual from the mass; the inexpert misunderstood miserable myth-drunk countrymen, versed in obsolete statistics, stuck in de Valera's era, privately yearning for intimacy, reflexology and office jobs with casual Fridays. Also yearning for the story—however tired—to deserve telling.

'Get on with it,' Cormac said into his phone. 'I'm pulling into Mitch's.' He sniggered, hung up the call he'd been on and made circles with the heel of his palm, turning us into the drive of Mitch and Bridie's pseudo-Tudor house.

'I've a tray of eggs for them. Go right up to the door,' Nóra directed. 'We'll be a few minutes. Your father needs to … speak to his sister. Tomorrow's Monday, so. She'll be at work when we bring back the key. That's all.'

Cormac caught eyes with me in the mirror. We all sat unnaturally still for a minute.

'Take your time,' Dolly said, puzzled. 'My shift doesn't start till one, and I can always blame a travelling circus.'

Nóra fussed about in the boot for her salver of eggs. With Cormac supporting him at the elbow, the Chief rose out of the passenger seat with an invisible tambourine.

'Come and shake hands with your uncle,' Nóra told Cormac, reviewing his suit. If her hands weren't beset with eggs, she'd have spat and rubbed his lapel and done up his fly. 'It's months since he's seen you and he doesn't know the businessman you've become.'

'A businessman, as well as a boffin?' Uncle Mitch called, cross-armed from the front door. He wore a grin you might draw on a balloon. 'D'you keep up the hurling still, too?'

My eyes jumped to the tan stripe that darted between Uncle Mitch's ankles. I shoved Dolly aside, dove between the front seats and stretched forward to shut the driver's door. A rapid scuttling on the tarmac. *Fuck*. If I shouted, it'd only race faster. I hyperventilated. I couldn't close the door unless I got into the front seat proper, but he'd be in by then. He'd jump directly onto me. Dolly wouldn't be able to tear his teeth from my neck—they clamp down their jaws hard enough to fang their own gums. 'Cormac! The *door*!' Cormac swung round and cupped his ear, then he reached the same hand out to shake Uncle Mitch's. The Chief did look back before stepping into the house. 'Call the dog in, will you?' I heard him tell Mitch. 'Hart doesn't like dogs.'

'Ah, that fella's harmless!' Uncle Mitch said. 'Sprite! Blind as a bat now. So if he went for your ankle, he'd get your bollocks!' The front door shut, with everyone inside. The dog bounded into the front seat. Some unhuman noise was coming from my throat, but Dolly was taking control. 'Come here, Sprite. Come here to me.'

'Get him *away*. Please don't, please, *please* ...'

Dolly had him by the belly in her hands. He was springing and squirming like a pollock. 'Reach across me, Hart, and open my door.'

All my effort went into tucking my limbs into myself. My stomach was up in my chest and knitting all the organs together.

'Fucksake! Keep your fangs from my coat,' Dolly said, managing to contain the dog with one arm against her chest, opening the door with the other. I couldn't look. My brain was protecting me from anything that could become a memory. I would only survive if the dog allowed me to. Adrenaline served to keep me clenched tight as possible so as not to leave appendages ripe for the plucking. A minute later there was a bang, and then another. A heaving sensation. Pressure on my lap. Frenzied barking. I flinched.

'Relax. He's gone. It was a chihuahua, you realise? Or were you having me on?'

'Do I *look* like I'm having you fucking *on*?' Some of my spittle landed on Dolly's Spanish swept eyebrow. My throat smarted. My heart ached with stress. Pressed against the window, I located the hairy little radioactive rat yelping by the front tyre, as if it had some *right* to me. As if I had done it some injustice. The righteous, ferocious, parasitic cunt. If I'd the nerve to take the switchblade to it, like the lambs—

'There's worse things than the nip of a chihuahua, Hart,' Dolly said. 'If it could open its jaw wide enough to bite more than a peanut.'

'That thing is *evil*! I *hate* that evil fucking thing and I hate anyone who'd own it.'

Dolly shook her head. 'Get some perspective, Hart, before the world forces it on you.'

I closed my fist and walloped the middle car seat by my shoulder as hard and fast as I could. Once, twice, three, four, five times and I caught the top of Dolly's arm on the last two. She cried out and recoiled from me. Grimacing, she shimmied off her red coat to nurse the arm.

'Sorry, Dolly … I, I'm sorry, I didn't—'

She slid sideways and looked out the window at the ridiculous caucus of garden ornaments. *Fuck*. My heart let up now that I was inside and safe. I could drive off if need be. But I didn't like Dolly faced away. What she might have been deciding. I looked to where she looked and let enough time pass for a photograph to develop.

'Bridie's been shopping again,' I said eventually. There was a new plastic St Bernard dog with its hanging tongue painted pumpkin orange as the new centrepiece garden ornament, next to the bearded gnome playing the *bodhrán*, and his harpist brother. A formidable addition, holding its own among the competition. There was a ceramic dwarf with a finger up his nose, sat on a toilet. There were a dozen enchanting hares, some alert on their hind legs, some in running motion around a luminous white birdbath. Faded resin statues of a Mary and one of the bloodshot-eyed saints in sandals stood behind a brace of ducks. St Francis of Assisi. The whole jamboree was contained by a large ring of white pebbles.

Dolly began: 'Is that—'

'A sleeping pig? It is, yeah.'

'—a Friesian cow?'

'Oh, no. That's a Holstein. But may I draw your attention to the bronze fairy on the swing, and the owl who looks to be perched there gently, wisely, on her shoulder, imparting sweet nothings … and behold the three engraved slates and ceramic urns that house the ashes of Sprites departed. Two ash chihuahuas and one ash Shih Ttzu.'

Dolly glanced at me. Her chin was dimpled and she was rubbing her arm. Tears brimmed and ran down her white cheeks.

'I fucken love you,' I said.

She burst out laughing in an earnest, involuntary way. I pulled her towards me by her hurt arm and hove her atop me. I'd fog the car windows with her breath if I was good for anything. I groped the feast of her stomach, back, chest, ran my tongue around her silk mouth. She was a stealthy wave I wanted to dive into head first, no matter if it thrashed and trampled me breathless. Between greedy kisses, she told me not to return to the midlands tomorrow. To stay out west with her in Galway. She pressed into me so my stubble scoured her chin pink. 'What do you have to come back to? There's nothing for you. You could start *living*, in Galway.' I had no notion of staying with her—not until the Chief was long gone and the fields belonged to some other crofter—but I loved that she wanted me waiting in her flat when she came home from work. She wanted me alongside her on the bar stools in Sally Longs, watching Guinnesses cream and the Milky Way materialise in fast-forward out of all that bareness. She wanted my pubic hairs in her bathtub to cringe at and collect. She wanted to make me a reading list and to culture me and to hear me invert the culture. She wanted to lie against me each night, breathing in the smell of my skin she's named barley, the peculiar scalp oil smell that's some way universal but entirely individual and addictive. We'd catch fish on the weekends with two-euro nets on sticks and I'd bake trout fillets in tinfoil with garlic, salt, lemon, pepper, buttered red onions and she'd lick the foil if she wanted to because she doesn't have any metal fillings, only porcelain. It was a sin I had no fillings, she said. She'd be sure I needed fillings before Christmas. We'd make dauphinoise for a side dish and sell it in little cartons in the Saturday morning market outside the pungent cheese shop and Protestant church where the closed-lipped dead are interred under the stone floor beneath the churchgoers' hard-wearing soles. I slipped my hand up her thigh and held her stockinged fanny tight, shuddering her warm. I lifted her—

'Don't, Cormac.'

I pulled back. Scanned the front door. It was locked. *He'll kill me before we get to the Chief* ... The barking had stopped at some point. I couldn't see the dog. The light outside seemed to change from a tolerable after-the-fact ash to the thick white smoke you get from

burning evergreen trees or electing a Pope. I blinked a lot. Waited.
'Have you been seeing us both?'

She sighed heavily, flushed.

'All along?' A metallic tang reached my mouth.

She brushed her dress over her knees. 'The problem with you,
Hart, is you think the whole world's out to get you. Women and
bitches alike.' She shuffled sideways and left the door ajar after her.

What kind of an answer was that? I slammed the door shut
quick, wound down the window and said, 'The problem with you,
Aleanbh … is … it's all a big act …' I worked the window crank
and watched her twist and turn through the garden furniture. I
thought back over what I'd said. Where was the sense? At the urns,
she rose to her tiptoes and lifted the lid off one. She seemed to be
shivering. Her back was to me. Was she all right? I thought about
going out to her and telling her everything: why I was the way I
was and how I wanted to be. My ears were pinned for the dog.
I searched the car for a weapon I could use against him. Maybe I
could call her back. But she wasn't alone now and the dog must
have found something to persecute elsewhere, for it didn't even
skid out to defend its territory when Shane's motorbike tore up
the drive.

One of those Italian racers, it had him leaning forward like a
fly trying to hold onto the roof of a moving truck. Half of it he'd
put together himself from the hardware shop's surplus stock—the
other half was bought from some lad in Tyrone—so there was a
bit of commotion about it. Cormac had come out to slap backs
with Shane and introduce Dolly, squeezing her upper arm where
I'd thwacked it. He looked confused when she flinched and pulled
away. They congregated between the car and the statues: Dolly
doing the po-faced wronged woman; Shane groin forward on his
second-hand saddle; Cormac leaning on the St Bernard, pinstriped,
cufflinks glinting—the three of them recession goodfellas. Shane
caught the set of keys thrown at him with his leather-gloved hand.

When I rolled down the window, I heard Cormac say the tank needed filling but to keep the receipt.

'Spuds!' Shane lifted his chin to me. 'Don't be acting the gom and get out?' He pulled off his full-face helmet and rested it on his handlebars.

'How's the form?' I asked through the window.

'Savage. Slugger has me stalking the jungle like a filthy Black and Tan.'

'Is this the business I only learned of this minute?'

'Did he not tell ya?' Shane raised his brows.

'No need to go into details with him,' Cormac said.

'Acourse there's no *need*,' Shane smirked, 'but I'll give ye the gist of it, Spuds—'

'It's only shits and giggles,' Cormac said sternly.

Shane continued: '—in case ye've a notion of moving up in the world one day and not be always your aul fella's dogsbody. There might be an opening for ye, ye never know.'

Cormac cracked his neck and threw a look Dolly's way. Her arms were crossed in the cold—giving my brother an ample eyeful. I thought of passing her out the coat. Dolly asked, 'What is it? Are ye buying wholesale teabags and selling them off one by one?'

Shane gave her a squint and a smile. He still had the cut turf hair and the wolverine eye that would have him on ADHD pills if he lived in the States. 'One up on that, missus. Horses! We buy them from owners who can't afford feed. Rotten sodden season that's in it. We save the poor craythurs from mincing and slapping ta patties. Don't we, Slugger? Horses worth thousands we buy for yoyos. Shuffle them round a bit, fatten them, and I'll tell ye we sell horses fit for warfare. Gambling, farm work, transport, what have ye? "Colt Horse Cash. We're the answer to your equestian"!'

'Badabing!' Dolly clapped once, thrilled. 'Isn't there a lot of work in keeping horses?'

'Not enough to kill ye,' Shane said. 'It's the trading's deadly.'

'It's the paperwork's deadly,' Cormac corrected him. 'Shane has his teenage sister and her classmates mucking out sheds, so he does. Exercising the ones that won't bite off their fingers. They choose their currency of payment. Buckfast or Magners or Smirnoff Ice.' Bombastic from his own carpetbaggery, he looked like he was on yokes. Dolly watched his gurning jaw with raised brows.

Shane started up his engine. 'Listen, I've two mares in Westmeath need shiftin' lively. Though there's horsepowers enough fer it, I can't hitch them onto this thing. So I'll make like an Irish college graduate, heh?' He did a backwards crab dance to turn and took off.

What did Cormac do for this business? It sounded as if Shane was doing all the work. Dolly must have asked him something similar, for he said, 'Provide the bread.' Looking off into the distance as if surveying his empire, he fingered coins or keys in his trouser pocket. 'The fodder, the dough, the brains, the lot. Inventory management. Shane does toing and froing. Logistics and the like.'

'You've kept your engineering job, I hope?' Dolly awaited his response. 'I mean … you must be paying for feed and stabling … and land lease and petrol and *insurance*—'

'Don't worry yourself.' Cormac sauntered to the car. Nóra was helping the Chief snail towards us. 'Like Rupert Murdoch put it: "We've no intention of failing. The only question is how great a success we'll have".'

I got out of the car and faced my brother across the roof. He met my eye all right, since Dolly was there. The chill air skirred over his close-shaved face, there being no worry lines for it to catch in. 'That's the talk that ruined us,' I said. 'That broke the Chief's back and buried him with his own spade. So keep your rich talk and Rupert fucken Murdoch to yourself, till our father's six feet out of earshot.'

When they were all piled in and Cormac was revving the engine, I could feel Dolly's gaze on my red cheek.

23.

The sun was making an effort behind the glut of autumn cloud. But, much as I'd been told as a schoolboy, the effort alone wasn't enough. It had to be married with a certain natural propensity. What was that line Mr Healey used to wag at me like a ruler? 'You've got to do your own growing, no matter how tall your grandfather was.' My grandfather was burnt to the height of a dust mite. I took that personal. It can be the composition of your mind isn't arable, however you put down seed. I wanted the effort to be enough. For the sun to warm the Chief's hands on his lap. I wanted it out glaring, making an oasis of the N63. This sun-starved bogland was a national heritage site, I thought of telling Dolly … so the Chief could hear I was laying claim to it. A kingdom flat as a witch's chest—imposing in its own way, in its downright green.

It had been a long stretch of dual carriageway when the Chief's chest crescendoed, which could only have been in advance of a speech—the way the fiddler lifts her bow high before delivering a forceful ballad. That's what I imagined when the Chief took that breath: him lifting the bloody lot of us by our major chords. 'Did I ever tell you about the Connemara man and his hare?'

'It blew off with a westerly?' Cormac said.

Fuck's sake. I kneed the back of his seat. A tissuey finger inched forward in the corner of my eye: Nóra pushing down the lock on her door. Dolly lengthened the hare's ears she had for anecdotes. The Chief spoke calmly with long, susurrating pauses. His eyes were closed. His hands were willows on his lap: 'A fact our guest here might not know is that there's predators in the countryside as well as in the city. The foxes.'

'A local clan?' Dolly asked.

'The animals.' The Chief frowned, keeping his eyes closed.

'Oh, sorry,' Dolly said, almost coy.

Cormac tsked. 'You're grand.'

The Chief waited for silence. 'To protect her young from predators, the female hare makes numerous nests in the field. She moves from one nest to the other, nursing the babes.'

'Leverets, they're called,' Cormac enlightened us.

The Chief waited a good half-minute before he took up again. It wasn't that he demanded attention, but he hadn't the energy to be plough-talking and he'd decided to let this tale out so godforbid he be plugged. Meanwhile, Cormac had cracked all the knuckles he owned and some that he didn't.

'There was a Connemara man found a nest containing one tiny leveret in his own back yard. What would he think but that its mother had abandoned it? So he took the creature inside and looked after it, tender as he'd done anything in his life and he a hard-boiled bachelor. For the first hours, Séamus struggled to feed the thing, for it wouldn't touch a bowl of milk or a bit of greenery, no matter how fine he minced it. It was nowhere near solids and needed milk badly. 'Twouldn't fill the palm of your hand, it was that small.' The Chief took a moment to let the raised silt in his chest settle. 'Getting desperate, Séamus took out the old valve of his bicycle tube and used the short length of rubber to fashion a sort of teat. The pump valves of old bicycle tubes differ to the modern ones. 'Twas less than two millimetres wide and, would you believe it, the leveret took to it. So Séamus managed to feed it milk and soon enough it was lepping around, a house pet. Séamus took that creature everywhere, in his sleeve like a newborn. When they'd return from the mart, he wouldn't put it out to feed with the pigs but would sit it opposite at the kitchen table, eating a tidy meal. Before retiring to his bed, he'd work on getting the young hare to do a trick or two. He got it to stand up and roll over until eventually it could perform a sort of standing dance, you see. He got to entertaining his friends in the pub by having the hare perform his little routine to a bit of piano accordion. The whole community came to love the thing. But more than anything, they loved the satisfaction and the smile it drew out of Séamus.'

No one but Cormac was minding the traffic any longer. No one was reading the luminous roadside billboards or paying any heed to the electronics megastores lassoing hire-purchase hopefuls with their cables and covenants. We listened to the Chief wheeze awhile but soon Dolly was agitating. She couldn't cope with the scriptless characters he'd put in her head. Who belonged to whom? The hare to the human? The man to his pet? The Chief to his story? The Connemara bachelor to some inevitable brutality, to some misfortune of isolation, to trope, to deep-seated lack of motivation, to a fox that got in the cat flap after all his efforts with the valve, after all the mother hare's careful spreading of nests? 'What happened to the hare, Mr Black?' *Was he roasted for supper in a twist of fate—two bananas caramelised in his long ears?* was the tacit question.

'One morning,' the Chief said, 'he was gone. He'd left. No amount of vigils or searching the fields could locate him. When a week had passed, Séamus accepted that the fox had finally caught up with him or a tyre had done the same. If that was the way of it, Séamus could accept it as a part of nature, though it saddened him something terrible. But that wasn't the explanation. The hare turned up in the yard one afternoon a week on, out of nowhere, and life got back to normal. They were back down the pub dancing jigs and reels, magnificent. But another blow was in store when the hare disappeared *arís*. This time not for a week only. This time the hare stayed gone and Séamus began to accept that it might never return. Truth be told, he'd become too aware of his own season, no more than myself, and he shut himself up in the cottage for days on end. Then one day he heard a tapping at the front door. A kind of scraping ... I wonder did he know that raven poem, come to think of it. Was that Yeats?'

'Poe,' Dolly said. 'You mean Edgar Allan Poe's "The Raven", Mr Black?'

'I do know that poem. But Séamus mustn't have, for he opened the door freely, and there at his feet was the hare looking up. Speechless, he stooped to pick it up but the hare skipped out to the front gate, looking back as it went. You see, there was another hare at the gate and the pair of them looked back at Séamus. After a moment, the two hopped off together and that was the last Séamus saw of his small companion. 'Twas as if he'd come back one last time to introduce his small hare wife, and to let Séamus know the foxes hadn't et him. *Sin é an scéal.*'

Nóra was peering out the window at the Martian oranges and reds that the birch trees had released in the distance. She must have wanted to get at them with the rake. She lifted the tissue to her face, but all I could see was her bun like a hare's tail, but rained on. I tried to think when she might have last unclipped and uncoiled it at the Chief's side. His weight on the mattress would have tumbled her into him, or maybe she would cling to the outer rim. It was true she used to be very physical with him. Not in the way of patting affection. It was something thirstier. A bygone behaviour anyway. Had it been years or months since he'd last mounted the stairs? Decades or years since she'd rested her head on his pilaster shoulder without fear of collapse? Would she pine after him when he'd gone, kneeling for the Angelus twice daily? A new phase might be in store. The Sisters of Mercy might have her back. She was only sixty-one. Her estranged parents were alive somewhere in County Wicklow. Granny Nugent, who we never saw nor spoke of. If genes were anything to go by, Nóra had epochs in her yet.

'What made you think of that story?' Cormac asked the Chief.

'What put it in my mind?' he asked himself, but turned to his son who had all the answers. 'Was it the hay shed in flames, no? Those were only field mice came scuttling out alight, Mum and Dad and Kitty inside. No. No, not that. Was it Mike and Bridie's, maybe? Oh yis, there's leverets beyond in the yard. That's what it was. 'Tmust be the time of year for them. A little family of them. Tell me: what

month are we in, Hart?' The Chief consulted Cormac, opening his
eyes for the response.

I could see Cormac's brow bent in the mirror. 'It's Cormac, Dad.'
'August?'

'No, it's … it's the first of October, Dad. But I'm Cormac.'

'Autumn?' the Chief asked, incredulous. He struggled to turn
back to us for confirmation, but he couldn't manage it. He focused
on Cormac's suited shoulder. Then he fell back into his doped
position and looked ahead. 'But that can't be right. Would you look
at the glorious daffodils lining the roads?'

Nóra rubbed her nose with the tissue. Cormac said nothing.
I unclipped my seat belt and sat forward to put my hand on the
Chief's shoulder. 'What daffodils, Dad?'

'Daffodils, all along. The length of my arm. If it's autumn, you
say, I'll believe it. They're God's gifts.'

When I sat back, finally, Dolly took my cold hand between hers
to stop it trembling.

24.

The lottery tickets won her ten quid and a jealous little sip of air
from the man behind the counter, who registered that this woman
was spending her winnings in the newsagents and not taking it to
Lidl to make it stretch in the way it should rightly be stretched,
in light of the economic conditions. She bought a pack of playing
cards (as if props would keep me and Cormac from tearing one
another apart), a family pack of Skips crisps (they 'melt on the
tongue' so she hoped the Chief could manage them), breath mints
and six cans of Guinness.

After dropping Dolly off at her call centre job, we had lunch in
the hotel on Eyre Square. A sandwich was no good for Cormac,

the working man. Cream of potato and leek soup with two white rolls, Lucozade, the pulled pork—and what vegetables had they? Garden peas, mash and pureed carrots and parsnips. 'You can leave the peas, so you can. And no parsley on any of it.' Cormac tilted his head until it cracked. After all that, Cormac wasn't done: 'I'm tempted to indulge the child in me and have the jelly and ice cream.' He must have been constructing that barriered sentence for a good minute.

The waiter half-smiled. 'Will I get you that, so?'

'Go on.'

'No bother.' The waiter took the menu with a nod. Cormac was wild annoyed when it came in a Knickerbocker Glory glass with pink wafers for sails. 'Now! Was that the ticket?' the waiter asked. 'Did it take you back to your childhood?' When no laugh was forthcoming, he advanced the ceremony: 'Tea or coffee, folks?'

'Neither one,' Cormac decided for us all and sniffed. I couldn't figure out what frame of mind he was in, or what he was like altogether, other than a cunt.

25.

Lakes were common as potholes on the N59, small fishing boats roped up in each one. Limestone shouldered out of the fields like half-excavated famine villages. The rugged remote majesty of the far west put me in mind of another country.

Nóra had been intoning names of plants as if recalling them from her days of tending the priest's garden—there being no better way to get on side with a clergyman than to ream off Latin vocabulary. There was something calming if not sensual in the whispered exotic names: *Crocosmia*, that's montbretia, yellow wort,

Blackstonia perfoliata, honeysuckle, *Lonicera periclymenum*, purple *Gentianella campes*—

'Arragh raven crock of genital warts on Edgar Allan's fucken toe!' Cormac snapped, wanting done with wistful impractical poetics for the day. He tailgated every car he came upon until he pulled into the long grassy campsite drive his GPS device had located.

The mobile home sat above sand dunes clotted with marram grass. In front, the leaden Atlantic Ocean was unembellished but for a tidal island crowning out. Behind, the weather-smoothed Twelve Bens mountains humped from the horizon like whales. There were only three other caravans, and one large tent with little transparent windows so the owners had at least a plastic veil between themselves and the neighbours. We were as good as alone. When the Chief was settled—wrapped in a rug on a collapsible chair that creaked with his weight, facing seaward—Cormac drove off to pick up a fresh fish supper from the chippie. Once he was gone and Nóra had busied herself sufficiently, I went out to the Chief and put a can of Guinness in the armrest cup holder. I handed him my copybook. As soon as I'd done it, I worried it was the wrong thing to do and would only upset him. But I couldn't take it back. I'd go walking on the beach and be back shortly. Had he his whistle? He took the copybook without a question and said he'd keep an eye on me. If I came across a dog, it would be chasing the waves and not the visitors. They do like the lapping waves. Not to worry.

Sliding down the marram grass, the tears slid likewise. Who'd tell me what I needed to hear tomorrow? Who'd keep an eye on me, or spare me a thought? The softer upper beach was pitted with ownerless footprints. The hard, damp sand by the water was unmarked but for two sets of prints and their return journey. Life itself was caught up in that venture, advance, abort, spin around, retreat, all trace dissolved. I took off my shoes and socks and carried them. It's good to be reminded of gravity and that the state of falling is plain as day. Ironclad. I felt that and the shiver of an early autumn on my skin, the damp earth coming up to meet me. Sand hoppers leapt for a taste from their seaweed tangles. The waves pushed in a lip of scum for a reminder of the great chilling world that's in it, full of razor clams and spiral conches people take home and hold up to their ears to remember their holidays, but all they hear are the hollow qualities of their domestic, logistical lives. I climbed onto an outcrop of volcanic rock and clambered so far I couldn't see any land or fences or houses before me. Nothing but the sea and the rock drawing blood from my unhardened soles. It was a good, focused pain. Dolly would have put it to work. How different my perspective would've been had she her long fingers wrapped in mine, then. She said she'd write letters until I was ready to leave home. She said there was something old-fashioned about me, and postal correspondence felt right. If she'd bother, I didn't know. Listening to the water wrestling granite, I thought of all the ocean stories she'd told me. She was a woman of the coast and was formed by it. I had no ocean stories. Only river ones. The ocean was another thing entirely and I didn't know why the Chief had chosen to go to it.

'Do you know why I gave you that to read, Dad?'

The Chief's hazel eyes were pink-rimmed when I came back. He had the copybook rolled up in the cup holder and the Guinness can clutched in his fist. 'You say here you've never seen your mother crying and you don't want to.' He looked up at me. 'Would you rather it bottled up inside her, forming a cancer of its own?' He waited for me to shake my head. 'You'd best get used to the sight of it, I tell you that.'

Was that a threat? Was it the drugs? 'I only meant—'

'You meant well, Hart. But you'll have to do better than meaning well, d'you hear? We all meant well, and look where it got us.'

I took a few deep breaths and felt an ant climb my bare foot on the grass.

'I've left the instructions for you, and you've a few choices to make.' Then he looked very worried, his thoughts pivoted. 'You'd never know the difference between a brown-tissued spud, plighted in the pith, and one that's perfect but has been stored too cold and the starch turned to simple sugar and browned.'

'What?'

'Have you a pen?' He opened the copybook and scanned it again. After a moment, he slowed down and breathed in short sniffs. His expression softened and he pressed the paper down with his left hand, the crimped fingernail of his ring finger infinitely consoling. He began to laugh. 'I'd forgotten about that mischief with the biscuits.' He looked up, pained. 'And devouring them with my two fit boys, happy as you like.'

I fell to my knees on the grass, and my father took my head onto his rug-covered lap and rested his hand on it with a comforting weight, but hard to bear. 'Thank you for giving me this,' he said. 'I worry you'll remember me too kindly. Doharty. You're a son to be proud of.'

No. No. No. I can't miss you this much. I choked on my own breath. 'I'll miss you so much.'

'I miss you something terrible, but there you go.'

26.

I hadn't heard Cormac pull up, with the Chief's hand on my ear, but I did hear the door shut loudly.

27.

There were wheels on the mobile home for tax purposes. The benefit of Mitch and Bridie having a trained barrister daughter driving a taxi was that she knew about property and vehicle tax both: that denying the thing was on a permanent site (a brown envelope agreement with the landowner), leaving it on its wheels (so it's 'mobilised') and forgoing an electricity supply would keep it economical. It wasn't technically a holiday home. So they felt well and truly gypped when a two-hundred-euro mobile home tax was introduced, regardless of whether or not the contraption was kept in one place or attached to land.

It had a 'master bedroom' and a second room with two single beds for me and Cormac, so no one had to hug their knees on the sofa-bed. The lounge and kitchen had nineties furniture— pine kitchen with ivy trellis wallpaper, a beige velour falcate sofa around a glass-topped coffee table—so you felt as if you were moving around the set of a sitcom, only no canned laughter came from the fancy Bose digital radio, just Connemara Community Radio, '*possibly the most interesting radio station you will ever tune into*', doing a feature on the Clifden writers' group:

'*And now we have Mairéad, who'll read her poem about the grey squirrels she used to see in Hyde Park in London, England, where she did her master's degree in Ecology, qualifying with Distinction. With her meditation on modern overpopulation through the metaphor of the English squirrel now, here goes Mairéad.*'

'I'll turn on the heater,' Nóra said, finding things to be busy with. The Chief was watching me and Cormac play Texas Hold 'Em poker in the lounge, cradling his Guinness can.

'How's there a heater if there's no electricity?'

'Solar panels on the roof,' Cormac said. 'Come on, stop foost-herin'. You're small blind.' He pushed forward two crisps for big blind. Our Skips crisps were stacked up in two little mounds on the coffee table. We'd been playing for the best part of an hour and Cormac was so far ahead he occasionally ate one of his crisps. Our private bet was that the loser would organise the funeral. Cormac had sent me a link the week before to an article from the *Irish Times*: 'Funeral Costs Survive Recession's Deflationary Grip'. The cost of funerals had gone up over three hundred percent in a decade. It might as well have read: 'Despair! But Don't Do Away With Yerselves. 'Tis Dear!'

I looked out the window at the darkening beach. The days were shortening, but just then the sun broke through the cloud, glowing yellow as the tell-tale buttercup held to a schoolgirl's chin. I was glad not to have sisters for what flowers they might pick and hold up to me, what truth might be revealed. Though I suppose brothers have their ways of doing the same.

'Come on ta fuck,' Cormac said.

'Don't annoy me.' I had a jack and a king, off suit. I pushed a Skip forward. 'Call.'

'Check.' Cormac slapped out the flop. A pair of kings and a three, off suit. No flush or straight potential. I looked at Cormac. He gave a little smirk and pushed out four Skips, trying to let on he had a king. But even if he did have one—highly unlikely—I had a high kicker. And he didn't have the king. He was a bluffering, bragging gurrier. So I met his four Skips and raised him another four, leaving me skimpy. Cormac lifted a brow, gauging the cards. He pretended not to be giving the game his full attention, saying: 'Clifden town's become the right job, Dad. Gentrified to the hilt.' The Chief made a noise to say he'd heard. '*Fashionable* town now … so it is. Baler twine used to hold up their trousers, with all the belts in their wardrobes growing mould. Wellington boots turned down at the top. Art galleries.' He pushed forward the extra four Skips to call and burnt a card. He had an intent look on his face I knew too well. I checked the glass tabletop to see he hadn't angled a mirror under the couch. He set down the fourth card, the turn: a ten of spades. His small hazel eyes probed. I noticed a ring of yellow in them, by the pupils. You can pass your whole boyhood without learning the colour of your brother's eyes, it turned out. His lashes were practically transparent, unlike mine and Nóra's, which made his crow's feet all the more pronounced. I could feel my frown line rototilling between my brows. When had we gotten old?

'They're no better off than the rest of us,' Nóra called from the kitchen, where she was taking down the bluebottle-heavy fly-catching strips from the ceiling and replacing them with fresh ones found in a drawer. 'Four hundred empty rooms in the new hotel and a half-built multistorey car park beside it, they were saying on the radio.'

'That's it,' Cormac said. 'They roll up the sleeves of their alpaca cardigans before dipping their sheep.'

'The Bull McCabe is long gone,' I said, half to myself.

Cormac sat up. I pushed in two Skips of my remaining six. I needed him to bite. I gave an explanation of the reference that wasn't asked for: 'That's from John B. Keane's play, the farmer Bull McCabe. Maybe you know the film version, *The Field*, was filmed out this way, with Richard Harris.'

'He died,' Nóra stated. 'Would you close the curtains, Doharty?' She didn't seem to want to leave the kitchen. Or was it the door to the bedroom she was lurking nervously by? She'd be sharing a bed with him for the first time in months.

I frowned at her. 'The day's not done yet.'

'What do you know about plays?' Cormac's chin stiffened.

'Arragh, I know a few.' I stood and closed the curtains anyway. '*The Doll's House*, that's Ibsen. Nordic fella. What else? *Guys and Dolls*. A musical, that. I mostly know the Irish ones. *Philadelphia, Here I Come!* We know that from school. Same Friel fella wrote a thing called *Lovers* ... And *Portia Coughlan* is another ... Can't tell you how I know that one.' I sat back down and tapped my two Skips. 'Are you in?'

Cormac tilted his head. 'All in.' He unnecessarily pushed his pile of prawn-cocktail-flavoured crisps forward, only needing to move four.

I had three kings. The only hands that could beat me were three kings again, with a higher kicker, a full house (fat chance), or if he had pocket aces and he caught another ace on the river. More likely, he was chasing a straight—with a jack and a queen in his hand, say, so he'd need an ace or a nine for the last card. Maybe the all-in indicated that that's what he had. Good. Or maybe he had a ten and a three—two pair—in which case I had him. I decided he was either bluffing or he had pocket aces, and the odds were low he'd get the third. Pocket aces would be the kind of thing Cormac would lose on. But there were no re-buys.

'I'm thinking,' I said. I pictured myself phoning up Auntie Bridie and Uncle Padraig and Gerry Lardner and justifying the cremation. Writing an obituary for the *Roscommon Herald*. Would they want one for the *Connaught Tribune,* or were regional mortalities not high enough on the social ladder to note them falling off it? How long before I should move the bed out of the living room and throw the whistle in the bin? How would I transport the heft of him to the crematorium? There were only the two—one in Cork and one in Dublin—and his personal if not his political affiliations would've been with Cork. Cremation was half the price of a burial, and that's what he'd asked for besides, so it would be done. I looked at Cormac and didn't see those thoughts in him at all. He didn't like me observing him. He turned to the Chief and said:

'While she's thinking, Shane's collecting the cull on Tuesday. I know you won't be … just so you know, it's all arranged for after the grading. We're all set up.'

The Chief nodded slowly. 'Grand.'

'What's that?' I asked.

'Nothing,' Cormac said. 'Are you folding or what? Or will you try to scoop your way out of the grave with your four melting Skips?'

The cull. A new buyer. Right. From the scraps I'd heard in the house and on the phone, I should've pieced it together. The Chief was supplying Cormac's horse-trading business with feed—the reason most of the horse-owners had been forced to sell. The key component of Shane and Cormac's business model: keeping the horses fed while hay was unavailable or unaffordable. The culled tubers that normally go to livestock farmers or manufacturers of processed potato products were going to my brother for a song. For nothing. Because the Chief was trusting Cormac to save us financially. Because Cormac had the brains and ability to make a few cute moves, when all I could do was scrub the shite off the mattress my mother couldn't bring herself to touch. 'You're bluffing. Out with it, Ned, you liar. Call.'

The Chief straightened up a bit to watch and Nóra turned down the dire squirrel poetry on the radio. Cormac's disposition changed so quickly, I couldn't read it at the time, but now I know what had been the machinations of his mind. He burnt a card and lingered before turning the last card: the river. A three of diamonds. He didn't get his ace. His shoulders dropped.

I turned my cards over. 'Three kings, with the pair of threes on the table. Full house!'

'He has you bet,' the Chief announced, looking over Cormac's shoulder at his hand. His breathing loudened as he tongued the tooth that was bothering him, and the sound was like a gale trying to get through a millimetre gap in a window. I didn't even let slip a smile. Deep down, I felt improved, bolstered, but I didn't think it right to gloat the rare triumph over my brother, for what I would have been hailing along with it.

Cormac turned his cards face down on the table, placed his hands on his knees—fingers turned inwards so he made a kind of box of himself—and shook his head. 'You were *that* sure I was bluffing, you wouldn't even bother milking me on the last bet?'

'Not necessarily,' I said. 'You were chancing your arm on the river to make your straight … or you were bluffing all along … or you'd pocket aces and couldn't see past them to accept they were the lesser hand.'

'A chancer, a con artist or a cunt, is it? That's how you see your big brother?'

Nóra intoned 'God forgive us' from the kitchen, staring up at the framed Sacred Heart on the cabinet. She wore yellow rubber gloves.

'Sorry,' Cormac said.

'Don't be sorry,' I said. 'It's normal to get caught up in your own hand and not be mindful of other people's circumstances. That happens in cards as in life.'

'Right you are, Spuds. But sure, no one'd *blame* you for it, living with the auls till you're twenty-five.' He spoke with luxurious compassion, turning the sterling silver Ts of his cufflinks to pull them out. 'Sure, how could you be expected to know how other people play, when your life's been so blinkered the only thing you know—and know too well—is your own hand.'

Beneath the surface of my brother's glassy expression was a smirk like a large trout that might surface fleetingly for a hatch of mayflies. Even if it didn't, you could tell it was there all along: a dark, slithering scorn, full of small bones that somebody, someday, would swallow.

'Amn't I after saying he has you bet, Hart,' the Chief said, putting his Guinness can down on the couch, where it toppled and spilled. I watched it slopping out thickly. The laboured breathing was the only sound for a long moment. Blasé, Cormac set his cufflinks on the tabletop, then turned his cards. A three of clubs. A three of hearts.

He leaned into me. 'Four of a kind, would you call us? Until tomorrow anyways. Then we'll only be three, and the lesser for it.'

I could feel the pH level of my blood rise like soil with too much lime or wood ash or poultry manure that can afflict the whole season's yield with common scab. His hazel-yellow eyes necrotic in the half-light, Cormac added: 'Here, I'll send you a link to a grant you can apply for. They're giving out eight hundred and fifty euro towards funeral costs. There's a truckload of form-filling, but it might be the ticket back into Mam's good books.'

I did not lay into my brother's peninsular jaw. Instead, I lifted the table with a kind of horsepower that can't be earned through chin-ups or bicycle crunches or burpies in front of a mirror, but by succouring the fifteen stone of a dying parent and steering rust-heavy machinery in lines-without-end-amen. I let the table drop to the ground, so the glass top shattered. Nóra let out a banshee's scream at the bust table and her lock-horned sons, which set in gushing motion the Chief's bowels like the spilled Guinness by his lap. She exited the mobile home for the first time since we'd arrived, clad in rubber gloves. God knows what the fresh air might disturb in her, I thought: a gale sent into a catacomb. The Chief's guts went off again. A glugging sound. A film of sweat had formed on his paled skin, so he might have been a glass of milk taken out of a fridge. But it was hot in the caravan. It was stifling. Cormac stood up—shoes crunching on the glass. 'I'll go after her,' he said, hesitating for approval.

'Do that.' The Chief nodded. 'But can someone help me to the toilet first.'

Cormac was in such a rush, he left the door swinging. The cold draught signalled night-time. Relief.

'I might shower, too, if you don't mind,' the Chief said, dragging on my elbow. 'Save us doing it in the morning.'

'Are you sure, Dad?' I said, uncertain I could manage it. 'Isn't it a bit late?'

'Do you think?' He gave me the most fretful look.

I might have managed it with less trouble had Cormac resigned to witnessing it, just once—this one small sacrament of my adult life; if he'd stayed in the adjacent room, even, to hear a brief section of the coda—the primal, clattering finale—rather than stepping in when it was all over for the weepy ovation. But, of course … 'No. No, you're right. We should get you scrubbed up, so you're not mistaken for a pagan tomorrow. Wherever it is you're going.'

28.

The only holidays we'd gone on as a family were Christmases at relatives' homes or bank holidays exploring the surrounding parishes' callows and eskers and boglands. We revelled in the region's quantity of kills: Kilbride, Kilbryan, Kilcolagh, Kilcolman, Kilcooley, Kilcorkey, Kilgefin, Kilglass, Kilkeevin, Killinvoy, Killukin, Killummod, Kilmascumsy, Kilmeane, Kilmore, Kilnamanagh, Kilronan, Kilteevan, Kiltoom, Kiltrustan, Kiltullagh. There was the rare time the three of us would go fishing in the Suck—a tributary of the Shannon. It seemed the Chief was trying to find me a healthy pastime. Maybe he thought the river's unstoppable movement would inspire calmness, in the way you had to be resigned to it. He would sit patient as the moon in his collapsible chair, rising only to pull Cormac's fish hook out of my cheek or to rub night crawlers out of Cormac's hair or to knock our heads together, which was always a kind of relief. It gave us licence to leave one another alone for five minutes.

One Easter, we climbed the 850 feet (Cormac counted) of Slieve Bawn to the tune of the Chief's sermon on the Composition of Connaught, Oliver Cromwell, the penal laws, the land acts and all that developmental malarkey. 'Point out to me MacDermott county,

Cormac.' Shane tagged along with us on that one, so Cormac had carefully calculated the hero-worshipping a clip on the ear would earn him. 'Did they have penal laws in MacDermott county too, Dad, or were the MacDermotts allowed to grow their penises however long they'd go? Ow!' But a bit of elevation from the water meadows' slop was all the Chief needed to feel the buoyancy of our self-governance, seven hundred years in the making. That day was the closest he ever came to the surface of himself. Nóra was with us for that one—climbed the whole thing keenly in her Mary Hick dress and wellies. Us boys were goggle-eyed at her exultant perspiration. We didn't know our mother could climb a hill. We'd rarely seen her beyond the periphery of the farm, never mind the county.

She did come with us to Strokestown regular, where all the shops would be closed for lunch, so we'd visit the Famine Museum again and be made to think about the farmer feeding his entire family for a year on a quarter hectare of potatoes. 'He'd *have* to,' the Chief pulled Cormac up on his scepticism, 'because half the tenant farms in the 1840s were between two and six hectares in size. Minuscule ... No, Cormac. Potatoes were the highest calories per acre could be harvested ... No. The acreage was too small for diversity. Stock farming wasn't viable. The monoculture was a trap, leaving us exposed to the brown leaf spot, late blight fungus, mosaic, southern wilt, common scab, halo blight, the black dot ... Not pirates, Cormac. I think we've had our fill of your cuteness. The pictures aren't altered and the Holocaust isn't a hoax ... The *murdered millions* are the evidence ... My own grandfather ... "Oh" is right.'

You'd never see Nóra glowing like she did then: her sharp son endeavouring to outsmart her experienced husband. She scanned the museum to see who might have heard. 'You might look into lawyering, Cormac, with the cross-examining you're practising on your father. And *you* could give up the farm and go school-mastering, certainly,' she told the Chief.

'Ah, it's only local history I've a grasp of. And maybe a bit of bookkeeping. But I've no head for triggernomethry or geography, or crowd management, as it often comes down to in schools.'

'*Tá an Ghaeilge agat freisin.*'

'Not the way my parents had it. Much good it did them. I wouldn't do the language justice.'

'Stoppit.'

'Doharty hasn't said a word of conspiracy about the famine. Are you examining them well-fed crows?' the Chief asked me.

'They only had ta follow a starved kid along the road till he tripped.' Cormac clicked his fingers. 'Supper!'

'*Don't,*' Nóra said.

'Why have worms when you can have intestines!' Cormac said and gut-punched me.

'I said *don't* make him *cry.*' Nóra pulled Cormac back from me, but I wonder was it only to protect herself from my waterworks. I wonder was she afraid of water altogether.

It was the oil-black plumage of the taxidermied crow that had caught my eye. Like the pelt of the Labrador that was always tied up outside Paddy Power bookies on the weekend, made shiny by the cosseting of passers-by. Like Shane's hair coagulated with Brylcreem. Something in the guise of the crow captured my imagination.

'Do! Do make him cry!' Cormac said.

'He'll not cry,' the Chief said. 'He'll go home with a new appreciation of his health and fortune. Won't you, Hart?' The way the Chief said it made me think that I would.

So we never went far afield in the early years, when we could afford decent holidays. Then we went a very long way downhill. The Chief sickened, the weather burst open its bubbles, the purse strings had to make do as shoelaces, the hysterectomy tied its knot in Nóra's psyche—not that we knew—and Cormac and I became dangerous magnets that needed to be kept at a certain distance. Until the weekend of the mobile home and the signs nailed onto fences that read 'Beaware off Bull' and the tarpaulin of hardy sea that unrolled all the way to America. Cormac photographed that sign with the Hereford bull behind it and the drooping power lines thick with swallows. He photographed it on his phone for evidence of his diametrical opposition to it all. The sea wasn't calculable enough. The infrastructure wasn't wireless. The oxen were ungrammatically signposted. He could manage patricide after breakfast. Crispy sage potatoes with fried eggs, he cooked.

Nóra had been sitting in the car beside the mobile home, all packed up since dawn. I suppose I should've known she wouldn't take the ocean casually. All that about holidays was to say I don't know if she'd ever seen the ocean until that day in Connemara before the Chief died.

I got up in the middle of the night to piss—the poker hangover had me acid-tummied—but I didn't want to use the small plastic toilet the Chief had polluted. I pinned my ears for any animal sounds before braving the beach. My skin froze to my bones for the sky had come cloudless and my sight sharpened to take in as wide an arena of stars as I'd ever seen. Zillions of stars and satellites and asteroids like a load of pebbles cast into a lake to skim. For certain there weren't daffodils along the road, but there was that vast province of stars the Chief could've described intimately as the trees around our house. Maybe I should have swaddled him and let him sleep out under them.

Because the sky was flaunting magnificent as that, it took a minute for my eyes to come down to the level of the beach, to make her out. Nóra. There she was by the tideline, stooped over. The marram grass would have to do for a urinal. I didn't have room for another bitter word or thought or confrontation. But then I saw the bin liner and the yellow rubber of her gloves: she was bent forward, inching along the shore like a beachcomber. Except she wasn't searching for shells or by-the-wind sailors or sheep's wool sponges or driftwood. She was gathering seaweed, wrack by wrack, and throwing the brown, soggy mops into a bin bag. She recoiled from the sand hoppers that plumed from each fresh hulk, but she didn't stop to catch her breath. Up and down she went along the drift line like the Stations of the Cross, genuflecting diligently, tidying up.

Later, though the curtains were drawn, I could see the night was nearly lifted. I wanted sleep so rapaciously, I must have put her off. Hot-eyed, I went out to the grass again to let the cold dew pluck at my calves. The cows must've been sleeping still, all faced in the same direction, as they do, for no lowing countered the sighing, capitulating tide. I pissed under a sign for sea borne activities: *Safe swimming, sea angling, scuba diving, windsurfing, boating, and the famous 'drift dive'*. The latter involved volunteering your snorkel-fitted body to the sea and letting it pull you along an estuary. Those weren't activities for Irish tourists. They were for Greeks and Germans and Norwegians who could look at the sea and see something other than a baptism or a urinal. But maybe I could surprise myself. A dunk in the sea would give me the anaesthesia needed for the day, maybe. So I waded through the marram and climbed over the fence, and there they were: the conspicuous half-dozen bin liners stuffed to their brims, lined up by the rocks. The tide was very far out. Stood at its rim, Nóra clutched her arms across her chest, facing the beach, towards me. I don't think she was looking at me, haunted as she was by the mess of fresh brown gulfweed the night sea had coughed up.

Did she think there was no more where that came from? Did she think she'd got all of it?

29.

'Does it not take a long time … for it to burn?'

'Ah no, we're well used to it. And there's not so much wood

used these days. We've all types. Bamboo, wicker, papier mâché, cardboard—'

'A cardboard coffin?'

''Tis cheap and effective in the crematorium.'

'Well, even if it is, I don't think we could go with cardboard. It wouldn't sit well … My mother, she's—'

'Ah no, she mightn't like that in the slightest. That'd only shift the connishurers' jaws. Tell me this: are ye primarily motivated by cost, would ye say? Or was your father, rest his soul, heedful of environmental factors?'

The mouthpiece crackled. 'The environment, yeah. He care—'

'Good on him. Good man. No doubt, he was.'

'If we went with wicker …'

'Wicker's the stuff! Same as Saint Bridget's crosses. 'Twill cost you in the region of fourteen hundred bob or thereabouts. Cheaper than the traditional oak coffins, like, by a long shot.'

'Is it?'

'Chalk it down, boy.' He had a see-sawing Cork accent. 'Who am I speaking with, at the minute?' A pen clicked.

'I'm still unclear on how this works. Who else do I call? Or do you do it all? Do I pay you for everything? How do we get … the body down to you?'

'Could I ask you at all: is he dead yet?'

'Excuse me?'

'You'll save on transport costs if he dies nearby. If not, we'll organise a hearse and movers.' I couldn't get a sound past the blockage in my throat, but the man kept talking. 'The costs are split 'twixt director's charges—the coffin, embalming, removal, hearse and other transport—and disbursements that cover the grave purchase, its opening, cremation fees, newspaper announcements and flowers. Though there's savings to be had there, if you're doing your own announcements, like, and pulling flowers from the garden. Or the neighbour's garden! If there's ever a time they'll forgive ye … So, besides the plot itself, the coffin and headstone would be the biggest costs, but if you can call into us this week, or you could browse our website online—'

'We have the plot bought.'

'Have ye the stone?'

'No. Just something plain will do.'

'Why wouldn't it. His name's his name, whatever it's writ on. I'll tell you, we've a headstone supplier doing terrific trade at the minute. Lovely plain granite slabs going half price, if you're happy to have the stonecutter's contact details engraved in the corner.'

The sentence went up at the end. All of the sentences went up.

30.

The Chief had wanted to put a few things in writing. It'd been two hours since we'd returned from Connemara. Cormac was doing Sudoku puzzles at the kitchen table. He'd crushed the biro's plastic casing and was chewing on the end of the ink barrel. I didn't mention the blue stain on his lips, half wondering if it'd turn up on Nóra's tight mouth later, the way they coddled each other. I'd spent an hour cramming morphine overdose scenarios and tablet info stickers into my brain, and another hour pretending to read a page of the newspaper the Chief had set aside for me, about the IFA National Potato Committee chairman saying that potato growers are facing wipeout if a viable price isn't achieved. 'Prices to producers are at historical lows, running well below the cost of production on all potatoes sold.' Historical lows for the crop and the cattle. Historical low-low-lowing.

The doorbell rang. Cormac and I stood and eyeballed each other. The only visitor we'd get on a Monday would be Gerry, but he'd be managing contractors for the oats and oilseed rape tillage and busy with cows raring for calving. Or it could be Pat and Frank Lally from down the road, who had a load of tradition about them except the Monday to Friday one. Knowing it wasn't snobbery kept the Chief from the local, they'd want his ear on Dysart parish matters now and then. From Nóra's discomfiture when their grimy faces showed, I wouldn't put it past him to top up their dole if they were in a bad way.

'Mrs Black, how are you?'

Father Shaughnessy! I recognised his voice.

'If it's the man of the house you're after, I'm afraid he's resting.' Nóra was smooth as a Hunky Dory crisp in her small talk.

'Of course he is. Abiding the Sabbath all the way to Monday.'

'Was there something I could do for you, Father?'

'It's what I can do for you that I'm here for.'

Seeing that a cup of tea wasn't forthcoming, he pressed: 'I wanted to offer home visits to Mr Black, so he might make his confession from the comfort of his home. I noticed him struggling in the pew yesterday, and I thought he'd want to know home visits are an option. There's what we call "just cause" in his case. I'd be happy to come on Saturday mornings, after the first service.'

Nóra had stiffened as if all of the potatoes consumed over the years had suddenly exuded their starch. The 'aren't you very good' was markedly absent. Cormac knew it and bounded out before I could wrestle him back. He shut the living room door firmly as he passed in the hallway, cutting off a feeble whistle blow from the study.

'Father Shocks! Well?' He'd've shook hands across the threshold.

'The fighting full back, Cormac Black. I saw you propel the sliotar a hundred miles per hour the length of the pitch against Gort not long ago.'

'You didn't see me hit it the hundred and forty metres to make the goal against Galway?'

'Against Galway, no less! I did not. I missed that. You'll be in the Provincial Championships next month?'

'Eh ... the verdict is a one-man army can't defeat a county.'

'Well, don't be discouraged. Are you keeping busy besides?'

Nóra couldn't help herself: 'Didn't you hear him on Shannonside last week, Father? Talking on the radio.'

'If I'd known, Nóra, not only would I have tuned in, I'd have strapped the radio to the pulpit microphone. Tell me, what proclamation were you making?'

'I was being interviewed, so I was.'

'Fair dues. About the hurling or the engineering?'

'Would you take a cup of tea, Father?' Nóra blurted out finally. The thought of Cormac's interview being broadcast to the congregation had overwhelmed any fear that our plans to assist a suicide before lunchtime would be made known to a representative of God. I scooped the medication off the table and dumped it in the cutlery drawer. There was no legging it. The kitchen door was open, so he'd have seen me escape.

'To hear tell of this interview, I might take the cup of tea, Nóra, thank you.'

'Let me have your coat, so.'

'It was about one of the start-ups I founded,' Cormac said. 'They wanted to hear tell of innovation coming out of the downturn. Creative thinking and all that, making something out of nothing. Sure, you'd know that, with Jesus ... and his loaves and fishes.'

I imagined the owl face the priest sometimes pulled, with the black close-set eyes and the forehead lines making Vs like migrating geese. Nóra spoke quickly so that what Cormac had said wouldn't be dwelt on. 'You must be sick and tired of the recession, Father.' She was putting the coat in the closet under the stairs.

'I am and I amn't! The rainy days are great days for masses.'

'They would be.'

'Sure, once a country's gone belly-up, the next thing is to kneel down,' Cormac said. 'That's how we do church, isn't it?'

'Cormac Ionatán Black!' The Irish version of 'Jonathan' was for the priest's benefit. Meaning 'God's gift'. She sham-admonished her way to the kitchen.

'No, no, he's right. When the petrol runs out on the leased Mercedes-Benz, it's the church pews that get filled up. When half-built shells of holiday homes threaten to fossilise ...' Father Shaughnessy paused in his speech to give me a nod as he followed her into the kitchen, then carried on, '... it's the homily that's sweet music to the ears. When the pyjama suit is turned away at the disco door, the wearer knows that the Lord doesn't distinguish Prada from Penneys from Salvation Army handouts, and they appreciate being welcomed and warmed by the Catholic community.'

'They would,' Nóra said—the *they* resounding.

I kept my hands on the keyboard of the laptop. Father Shaughnessy brushed his gaze over his audience members equally. '"Donor fatigue" is what the charities call it. We've to be very mindful of that. To treat each confession with gravity and to deliver and beseech support with a fervency worthy of the plight, no matter how often that means repeating ourselves.'

'Oh,' Nóra inhaled, humbly absorbing the word 'fervency' and letting it do its work on her, like white vinegar on the unseen grime of a range hood. He accommodated modernity better than most. Her long lashes pressed against her eyebrows, her eyes were that wide.

'Doharty, isn't it?' Father Shaughnessy addressed me, pulling out a chair at the far end of the table. Nóra busied herself with the tea and Cormac reclined against the kitchen sink behind me, arms berthed. I glanced at him to go in and silence the Chief, whose whistling was starting up.

'You've a good memory, Father,' I said.

'Oh, I remember you well. I remember you especially, because of one time in the confessional.'

I could sense Nóra pin her ears back, squeezing the life out of the single teabag firstly in the priest's cup, secondly in Cormac's, thirdly in her own.

'Would you take a bit of sugar, Father?'

'A spoonful only. Is there something whistling, or is it a ringing in my ears from too much proselytisation?'

That was the first time a six-syllabled word had been uttered in the house. I quickly typed it into the keyboard for making sense of later. 'Bedad!' he said. 'There it is again!'

'It'll be the TV inside,' Cormac said. 'I'll get it. But tell me first, what did Doharty say that time in the confessional that was so unforgettable?' He sauntered hallward.

'You'd be looking for one up on your brother to this day, would you, Cormac?' Father Shaughnessy cocked his chin to loosen his collar.

''Twas probably the time Hart threw our cousin out the window and broke his arm just for calling him a girleen? But he did his penance there, a summer spent sorting through vines and clods and waste on the back of the harvester, and was forgiven.' He grinned and left.

I straightened my arm so that it clacked at the elbow, where it had fractured. Cormac had recast the story.

The priest leaned into me: 'You won't mind me saying …'

'Will I not?'

Nóra gasped.

'No, I don't think you will—'

'I might, Father. I might mind.' I gave him a sharp look and did him the favour of leading the conversation elsewhere. 'I can tell you now, on his behalf, that our father won't need weekly confessions. Not that he's ever committed anything you could call a sin, but he certainly isn't committing them from his bedstead.'

Father Shaughnessy blew his tea at length, watching the ripples he set off in the cup. After quite a silence (the whistling from the study had stopped too), he said: 'We all have our bindle sticks of wrongdoing we carry around with us, Doharty.'

I looked up at the clock above the radio: 11.55 a.m. My computer screen said twelve. Once the clock caught up, Nóra would turn on the radio for the Angelus and we'd have to sit through it with Father Shaughnessy's muttered oaths adding credence to our light-weight souls. Nóra's mouth was twitching with unformed wisdoms. Father Shaughnessy looked out the kitchen window at the gruel-dreary day. Then he turned back to me and stared. Nóra hadn't taken a sup of her tea but wrung her hands around the cup so that the sores cracked and bled. Cormac was back at the door, to her rescue: 'Well, I'm glad to see the clergy out and about, offering the old-style "knock on the door" for the locals. For some of them, it's the only knock they'd get, so it is.'

'I'm afraid to say you're right there, Cormac.' Father Shaughnessy dropped his gaze from me.

'Oh yes! Certainly,' Nóra said, with new zeal. 'We need to see more priests, nuns and monks walking among us and bringing Christ to the godless masses again.' She caught her breath and waited for a hum of approval. 'A few habits in sight keeps a community civilised.'

'Right you are, Mrs Black. There's something to be said for the rectoral garb. Collar, cassock and fascia,' Father Shaughnessy said, getting up.

'An S&M kit, if there ever was one.' Cormac slid into his seat.

'What's that?' Father Shaughnessy asked.

'If the costume fits …' Cormac said loudly. He took a slurp of tea.

Father Shaughnessy nodded slowly. 'There was a day you might've wanted it to fit, Cormac. There was a day in Scoil Náisiúnta Naomh Seosamh, after a practice run for the First Confession, you approached me about your brother's arm—not your cousin's—and the accident. He'd be missing from class and would I say a prayer for him. And you had a question for me too: could you be an altar boy.'

I looked at Cormac, who'd gone a bit lobster. Father Shaughnessy continued: 'But I wasn't sure if you were asking for the right reasons. Some boys want to do it for the bit of an audience. The showmanship. Or even to carry out some wily prank on the congregation, innocuous really. I wasn't sure of your reasons, so I left you to follow it up. You never did.'

Cormac took a loud sup of tea and gave the priest a baffled look, with his blue-stained lip. 'You've me mixed up with some culchie.'

'No—'

'Ah yeah, you have. Sure, young boys all look the same to priests.'

Nóra cleared her throat. 'I'm sorry, Father, but I've *just* had a delivery of a dozen day-old chicks and I should have them out of the box after their journey. I've been waylaid with this, that and the other …' She attempted to usher him out timidly, but any words she uttered—no matter how mundane she laboured to make them—he saw as offerings it was his duty to celebrate and multiply.

'Waylaid! Very good. You're a hoot. It's where the boys get their humour. One final thing now, between ourselves, Nóra, before I go …' He popped his head back into the kitchen. '*Beannacht libh*, Cormac and Doharty. I hope to see you soon.'

'Goodbye, Father,' I said.

Cormac said, 'Cheers.'

Father Shaughnessy continued talking to Nóra in the hallway as he put on his coat. 'I wanted to mention that the generous donation Mr Black left yesterday didn't go unnoticed or unappreciated.'

'Just a *token*,' Nóra said. I heard a splash of water from Mary and Joseph's interlocked porcelain arms by the door.

'Tokens like that could buy entrance to Heaven!'

Nóra made a sound like a cat birthing.

'I'm joking, of course. Give my blessings to Mr Black, and to all. Next time it could be I'll catch him awake?'

'Well. He could phone you if he needs you.'

'Next Saturday would be no trouble. Run it past him, will you?'

'*Slán leat.*'

When the door had shut and Father Shaughnessy's Ford Fiesta had eased down the drive, Cormac went to the cutlery drawer where he'd spotted the medicine bag sticking out and brought it to the table. He upended it so the brown plastic pill bottles rolled out. He cracked each one in his palm like the biro casing so the tablets spilled all over the tabletop. Next, he rummaged in the cupboard for a mortar and pestle. I separated the tablets from the plastic shards. The grinding began. Cormac's chin-ups made light work of milling the pills to unadulterated powder, giving off a pall like incense smoke from the spectral thurible the priest had left in his wake.

31.

The Chief soon took up his exasperating whistling again. *Whewwww.* Cormac and Nóra exchanged looks over their mugs of tea.

'You'd make a shite altar boy,' I told him, going to the medicine cabinet. 'You're supposed to *do something* when the bell is ringing.'

'Kneel down, is it? Or turn around?' Cormac said. 'You'd know, sure.' Nóra pretended not to understand.

When I got to the study, the Chief was red in the face. We were cruel not to have bought him a bell. 'Isn't that what the mobile phone is for, if he can't manage the whistle?' Nóra had said in defence. The Chief was holding his cheek where his tooth had been aching. I was bringing him the Aprepitant anti-nausea pill, a 125-milligram capsule Cormac had procured from some poor sod undergoing chemotherapy. The Chief took his hand away from his cheek to take the pill, revealing a shiny pink swelling along the jaw, halfway between his chin and ear.

'Ah, Dad, have you … a … what's it? Abyss?'

'Abscess? I think I might. But what harm can it do me now?' He threw the pill in his mouth and swallowed it with a slug of Guinness, baring his yellow teeth. He panted from the effort. 'Sit yourself down.' One of the kitchen chairs had been brought into the study so that Nóra could sit during the administering. Cormac and I would stand. The Chief had a folder in front of him that suggested closure.

'I've appointed you executor of the will,' he said, looking up. There was a vigilance to his eyes I hadn't seen for months and months, not since he slept in his marriage bed. 'Your mother will be in no state for arranging anything and your brother has work, so I'm asking you.' He handed me a printout from the internet with the receipt for the purchase of an online legal will for €34.95. The sheet was a checklist of the executor's tasks, which I scanned:

- *Notify family, friends, colleagues and associates of death and funeral schedules*
- *Obtain a medical certificate indicating cause of death*
- *Register the death at the local Registry of Births, Deaths and Marriages*
- *Get disposal certificate from the Registrar*
- *Make copies of last original will for banks, Inland Revenue, beneficiaries, etc.*
- *Pay inheritance tax, if applicable*
- *Contact local Probate Registry to obtain your grant of probate*
- *Draw up accounts providing details of estate division. Gather documents relevant to the will and compile a list of assets, debts and liabilities. Debts and liabilities should be paid off, and funeral expenses should be subtracted. The remainder can be distributed accordingly. An income tax form must be completed for the deceased.*

(Beside this point, the Chief had scribbled: *Cormac to arrange. Call Donal for help.*)

- *Make funeral arrangements*
- *Notify all businesses (utilities, banks, building societies, brokerage and mutual fund accounts, social security and tax office)*
- *Distribute the contents of the will, including pecuniary, specific gifts and legacies and the distribution of the residue*

'I thought you'd all this organised already, with Mam.'

'We've the estate and finances largely tied up. We had advice on that long ago. And the paperwork, deeds, title to the house and car is all arranged. I won't go into it now. The facts won't improve for tidying them. 'Tis a far cry from the will I spent my life bedding, but.'

'Don't start that, Dad.'

'Inheritance tax won't be a burden for my children, is all I'll say. That's the small favour I done ye.'

I couldn't sigh away the tightness in my chest. 'Was Cormac involved in this?'

The swivel chair complained less than it once would have under the Chief's weight. Although he was a shadow of his healthy self, sitting opposite him, I felt I was looking up. The stack of papers and folders between us were like a cinema ticket counter—me trying to stand casual at the Cineplex kiosk of a Friday night, playing tired from scholarship and sportsmanship like my brother. I remember jutting out my chin, but the demand was inevitable: 'ID.'

'Doharty, you'll be your own man from this day on. Not your father's helper or your brother's lesser. We've put together a small sum for your college education so you might have a shot at—'

'What? I'm twenty-five, Dad. I'll not go to college. I didn't even—'

'You might.'

'I won't. I want to *do* something with my life.'

'You'll have the choice either way. I'm your father and I'm saying you'll have the choice if it's the last thing I see to.'

The tightness worsened. 'Is that everything, then? I'm executor because Cormac's busy, and you've deprived yourself of proper healthcare and retirement so I can go to college?'

The Chief tongued his sore tooth and his wheezing loudened through the gap in his dry lips. 'That's the talk gives Doharty reason to call you simple.'

'I'm Doharty, Dad!' My throat might have discovered some sudden allergy. I was so angry I could barely breathe.

The Chief shook his large head—the only part of him the recession couldn't shrink. Maybe the skin was finer—more like a crumpled tissue than a cardboard box left out in the rain, as it once was—but the skull was formidable. 'One day you'll realise,' he said, breathing invisible grains, 'that your brother wants the best for you. To see you out and about. Tourism might suit you, he says, with your desire to travel. It's not just women do tourism these days, he says. You'd be your own man.'

A rush of movement drew my attention to the two black rock roosters waging war out the window. One bullied the other across the back garden, the victim cock turning to flap his useless wings in defence. Their green-black feathers blended into golden necks, as if in imitation of the coniferous trees behind them, drying out for the autumn. Their fleshy red combs and wattles like Mohawks and sideburns wobbled as they circled one another, occasionally bumping chests. Nóra must've had that pair four or five years, and they fighting still. Hens clucked noisily from the run, maybe enjoying the show.

'Settling flock dominance,' the Chief commented. I hadn't realised he was watching.

'Settling the pecking order,' I improved his comment. If it was

Cormac that said it, the Chief would've had to acknowledge the joke.

'One of these days, they'll fight to the death,' the Chief said.

'D'you think? After all this time?'

We were watching them pecking and flapping and kicking for a while before Nóra arrived on the scene. 'Oh. Here she comes,' the Chief said. 'They're in for it now.'

Heedless of her audience, she marched to the coop and run, where she put down a metal bucket and took a length of twine from it. Then she fished out a hammer and a large nail, which she drove into the side of the coop, about head height. The sight of her eczema'd hands working the rough twine around the nail and fashioning a clove hitch knot was at once impressive and repulsive. The hands needed cream and care, but they'd get neither. She wore a plastic apron over the funeral frock she had on still from the drive (with all the buttons up the front and wrists and the accordion skirt), and the yellowish skin of her face and neck ruddied in the fresh air. When the twine was knotted to the nail and draped down a foot on either side, Nóra set the bucket directly beneath it, then she looked at the fighting cockerels who had danced to the left, not quite beyond our view.

'That's how they're alive up till now,' the Chief said, 'thanks to herself prying them apart.'

The chest tightened further in anticipation. Somehow I knew that this mindless aggression would not be allowed to play out any longer. With certitude, Nóra seized the bigger of the two cocks, carried him to the coop, hunkered down and wedged his beetle-green body between her skirted knees, straightened his golden neck like a ribbon with one hand and, with the other, drew the kitchen knife from the bucket. She piloted the blade through the bird's neck and out the other side—as if the spine was a flower stem. She strung its twiggy talons together and hung the headless carcass upside down to bleed out before the plucking. She threw the knife into the bucket and pulled up a clump of grass to wipe the gore from her hands. After undoing the tie at her lower back, she lifted the apron over her head—careful not to pull on her tightly-pinned bun—and folded it into a neat square.

The Chief seemed to struggle for air through all the gristle of his lungs and trachea—as though it too had been cut into, if not clean through. 'Hart … Do me a favour, please, and change the bulb in that light once and for all.' He shielded his eyes from the ceiling light. 'It's been flickering like that all morning. 'Twould drive a body up the wall. I don't know how I'll manage to go out to that blinking.' The Chief looked at his knees: not wanting to see any more of the ceiling light, which was off, or the window out to his future, or the stacks of folders on the table, which were as final as they come. Dandruff fell from his ruddy-grey hair. I got up before he could ask was it snowing.

'I'm glad we talked, son. It's a grand auld time we've had, would you say? Like Séamus and the leveret. It's as good a time as any, now, to …' He made a gentle jabbing motion with his finger, as if to press the Enter key, or Return.

I looked out the window again at the strung cock. Nóra was nowhere to be seen. I drew the curtains shut. The tension in my chest reached a point where it could be squeezed no further without snapping. 'Is that what you want, Dad?'

He looked up at me and held out his hands until I gave him one of mine, which he clutched. He shook it and kissed it with his thick, dry lips. 'You'll be your own man before long. Bring them in now and let's get it past us.'

The tightness did snap then, and I fell apart. 'So I can go to college and become a tour guide for the Potato Museum?'

The Chief smiled widely and shook my hand even more surely with both of his fists. 'Precisely that.'

32.

It went as I'd imagined it would go in the dreams and night-mares I'd had in the weeks leading up to it. Strange and clinical, sickening and snagging. Even though he wasn't lying down, it felt like a hospice—like we were standing awkward around his deathbed, talking grapes and air-conditioning. There was the same manoeuvring of conversation to keep the patient distanced enough from the fact of his being the only one in the room to wear a nappy; that if he doesn't eat his supper gladly, it'll be spoon-fed to him.

Nóra was seated at the desk, clinging to her moulting tissue and some script, but she wasn't really present. She'd left her valour beyond at the coast in the bin liners of seaweed. All she had left for that day was the cold ink countersignature. And I suppose I accepted that. It was a horrible thing, the lot of it. I forgave her absence as self-preservation. I even forgave her the savagery with the cock. She wasn't to know of her audience.

Cormac, who had mercifully changed out of his suit into jeans and a casual shirt, stood behind her with his hand on her shoulder. I could tell she didn't want to be touched, not even by him, and that she was battling an urge to shake him off. I remember his frown: the little omega sign at the bridge of his nose, there to stay. But he wasn't red-eyed. He supervised me from a safe distance, demanding I verbalise my actions at every stage.

Several quiet minutes passed after the Chief had swallowed the cup of ground morphine powder mixed into soluble Oramorph. He chose to wash down the chalky paste with a pot of lukewarm tea. I could tell from his screwed lips that it tasted bitter as sloe. He suddenly sat upright and asked with hopeless urgency: 'What did the priest have to say about this?'

'Don't worry about that now,' I said. 'The priest can well understand unreasonable suffering.'

'It's not the priest I mean,' the Chief insisted. 'Cormac said he called this morning with the scriptures. Cormac told me. I forgot to ask … what he'd found.' Tears welled in his eyes, from the lie. I gave him a look as sympathetic as I could manage, until he resigned with a small nod. He seemed childish almost with the lines of his face tented upwards, struggling to keep his eyes open. The bristled skin at his jowls dropped as though he was visibly disassembling before us. He'd shaved his own face to the end. It was a matter of dignity. But, taking in the patchwork of his cheeks, I regretted not offering to do it. His eyes closed, finally, and he seemed to have calmed.

I don't know why Cormac couldn't see that the job was done: that he would go quietly now, if he was let. But Cormac took a slip of paper from the table and began reciting biblical passages that sounded forgiving and loosely to do with illness and the taking of life. The words didn't sound made-up but they weren't on that piece of paper. I knew that sheet to be a farm lease form, signed sorely by the Chief in red biro. The land had been remortgaged, and when the payments weren't met the bank foreclosed on it and auctioned it off, so we had to lease it from its new owner. I hadn't known, until those last weeks. The sheet of paper was a prop. Cormac had learned the few lines for the occasion. He was rewarded by the Chief nodding gently, not opening his eyes.

'Thank you, Cormac.' Nóra glanced back to where he stood, plaque-chested.

'*Mo mhac cliste*,' the Chief croaked. My clever son.

Then his maracas quieted entirely. The ceiling light blinked and I cursed myself for not changing it, but the Chief's eyes stayed closed, thankfully. A few minutes came and went and it seemed that the Chief might have faded out as simply as that, like a song that has no great climax or clean cadence ending. Which suited him, I suppose, the lack of fuss. No sound of a gunshot. Aside from the unspeakable disgust I felt at the Chief's last words, it was undoubtedly the dream ending and not the collective nightmare. That was until a sweat broke out on his forehead and on the tight skin of his cheeks around his nose. Only I saw it at first. Nóra was keening within the bottle of herself and Cormac was, I think, flummoxed. The sweat was followed by a gurgling sound from the Chief's throat, then a small convulsion. I knew what was going to happen. My own stomach threatened to give out, but I turned to see if Nóra had noticed.

It might have been the flickering light, but she looked as pale yellow as buttermilk. 'Is it the tremors?' she asked. 'He gets those from the morphine.'

'No, Mam,' I said.

Her long eyelashes batted against her eyebrows in disbelief and a wail emerged from her chest, so that it was all Cormac could do to get her out of there before she would shatter. With one hand already on her shoulder, he put the other beneath her elbow and hurriedly pulled her up.

'Come on now, Mam. It's done.'

'Cormac!' I cried. *It's not!* I wanted to shout. The Chief's convulsing redoubled and I could feel the grave commotion of his lungs where my hand lay on his back. 'Cormac! Get me—'

As he led Nóra out of the room, fast as he could compel her to move, Cormac turned back and gave me the most warnsome look I'd ever seen, laying plain what it was I had to do, with my own bare hands. He pulled the door after them. I wept uncontrollably, standing behind my father.

'This is the worst bit,' I promised myself.

Later, when I was going upstairs to shower, Nóra passed me in the hallway. Cormac had driven off to buy her a mobile phone of her own. She'd changed from her funeral frock into trousers, a blouse and a buttoned cardigan. Colourful, almost. I watched her. She went to the study for the first time since, and I waited to see if she'd need collecting from the floor. She stood at the study doorway for a long moment, looking in—the way she had stood at the top of the beach the morning before, and it freshly littered with seaweed. She could tend to it, but the shame was all-pervading and unabsolvable. She pulled the study door firmly shut.

The next day, the funeral frock and the sheets from the downstairs bed were hanging on the line. Alongside them were half the contents of the Chief's wardrobe: trousers long gone at the knees, piled jumpers, the elbow-reinforced corduroy jacket Bridie'd bought him for his fiftieth.

Kitted out in gardening gloves, trousers and kneepads, Nóra spent the morning spreading chicken droppings onto the vegetable garden and pulling out rhubarb shoots she didn't like the look of, as if the time had come for small jobs that needed doing. Cormac had taken off after breakfast with an icebox, a *Cooking for Chickens* recipe book and our father's last words. He'd be back to visit at the weekend, if he could manage it at all, so he would.

It's Tuesday morning, I thought. I opened a bottle of spirits with my teeth. Where's that knife and bucket, till I cut off my ... foul ... these foul, disgusting ... hands. That was the last coherent thought I had until the doorbell rang four days later.

33.

It rang three times at one-minute intervals. Nóra answered, rambling about manners. It was the first sound of the outside world I'd heard since Cormac's car had careered out the drive on Tuesday. I hadn't gone downstairs. I'd brought provisions to the bedroom with me the night of, though nothing had any taste or smell or feel, but the hard liquor and harder bread kept my head and stomach from hurting. They did fuck all for the heart. That incessant doorbell stirred some sensation in me though, so I staggered to the window and swung it wide open. My bedroom was almost directly above the front door, and it was a rainless, windless day, so I could hear their exchange clearly.

'We agreed I'd come for the house visit on Saturday,' Father Shaughnessy announced without a hello, 'and today's Saturday, if the reluctant faces of the morning congregation were anything to go by.' He was forcing friendliness.

'There was no agreement, Father,' Nóra said, soberly.

'Oh? Forgive me, I thought we'd it settled.'

A moment passed where a swallow making a nest in the eave drew attention to itself. I remembered the Chief asking me to string up some catgut to stop them making a mess of the front wall. If it was the rear wall, he might have left them at it, for the sake of their music. Remembering that made my eyes hot, and they had only cooled off hours before. This was why leaving the closed room was a problem: there were wells all over the place you could trip into. Bucketing up to consciousness was dangerous.

'Nóra, I don't like to be an imposition, but I owe Manus a Christian look-in.'

'I'm sorry, Father, but you must let him come to you in his own time. It's not good to be stirring him from his sleep, and it hard-won.'

'Tell me, is he very poorly?'

'He's all right.'

'Is he?'

'He'll manage.'

A silence.

'With the help of God,' Nóra added, to balance the atmosphere.

'Oh yes. Is it ...' Father Shaughnessy's voice diminished as he poked his head inside, sniffing. 'Have you something cooking? Or, is it ...'

'I'm cleaning,' Nóra said abruptly. 'I'm sorry, Father, to turn you away, but—'

'And how are the lads? Doharty and—?'

'You couldn't keep up with Cormac.'

'Very smart lad. And Doharty?'

'He does his bit.'

'Has he no woman to keep him honest?'

Nóra let out a whinge and I realised that it was because Father Shaughnessy had stepped inside. 'I'll just take a splash to keep myself honest, in lieu of the women!' I guessed he'd gone for a dip in Mary and Joseph's porcelain arms. It made me giddy, knowing how close that step inside for the holy water came to keeping us all honest.

'The lads might come along to the town hall tonight?' He was on the safe side of the threshold again. He seemed to be trying to pass off the sniffing as a cold.

'Why's that?' Nóra asked tightly.

'I'll have my silver jubilee this week, and they're throwing a little shindig.'

'Congratulations.'

'They want to present me with a trophy! D'you know the way they'd be going over the top?'

'It's deserv-ed. All the best for it now.' The door creaked.

'Right so. I'll leave you to it. You'll tell Mr Black I was after him, and to phone me as soon as it suits?'

34.

That Saturday night, Bridie rang relentlessly until Nóra picked up. (I was half drowned.) Bridie wanted to check was everything fine. They hadn't had any thanks for the loan of the mobile home. They were hoping to hear how it went: had the Chief managed to enjoy himself despite the pain and the loo you couldn't swing a cat in? Could she speak with Manus? Surely he could manage the phone. He seemed very morose the other day. Was it the terrors? The passive figures he mentioned? The passive figures who do lurk along with the morphine and who sometimes become hostile. Herself and Mitch had been very disturbed by that. Could she not speak with her brother?

Nóra disconnected the phone line.

35.

She was still wearing her knee pads and gardening gloves when we were arrested. 'Green-handed,' Cormac would've quipped if he was there, but he wasn't. I heard the patrol car sneaking up the drive, its siren off. It was a Sunday morning so it couldn't be the postman and it surely wasn't Cormac living up to his promise, coming to see how we'd coped with the week. Would he be in for a shock or did he know deep down what we'd done? That we *hadn't* coped. My scarce conscious moments I'd spent googling methods to off yourself. Samurai sword to the gut; lepping out of a hedge onto a motorway; asking Shane for a go of his motorbike. One night, I'd nearly died laughing from the thought of dressing up in a chicken suit and sitting in the coop and awaiting Nóra with her breadknife, bucket and twine.

I'd woken up in a cesspool of my own sick, so I'd showered for the first time since the trip to Connemara with Dolly. How all the fat crows in the sky hadn't descended around our roof was beyond me, we reeked that profoundly. Showering was a mistake. Half-clean, I was out of true with my environment.

It was ten or thereabouts when they arrived: a Lego-headed fella with hooded eyes, enjoying the baton swinging by his hip, and a disconsolate-looking middle-aged ban-garda with a few red highlights poking out under her cap and a large continuous bosom and stomach that was kept at bay by her anti-stab vest. Though it was autumn, clawing ten degrees outside, they were in their short-sleeved pale-blue shirts. Navy neckties. Little caps kept their heads toasty.

Looking out the window, I mistook Nóra for a scarecrow away off to the left: a particularly interesting scarecrow that some romantic agrarian had taken time over, to keep the scavengers away from our blighted potato farm. I watched her with drunken sympathy, half-remembering the story of a Japanese scarecrow deity. He couldn't walk, but he knew everything about the world. I couldn't recall much about him but that his name meant 'the disabled prince'. It was the Samurai sword I'd got for my fourteenth birthday that prompted me to read about things Japanese. When I was that age, I wanted nothing more than to travel to a country that had scarecrow gods. I wanted to live there. How could there be dogs or Tony Morrigans in such a country? It was sobering to see the scarecrow frantically pulling off her garden gloves to draw the new mobile phone from her pocket and dial for help. Her lips weren't made of straw. She didn't march on a peg but on two legs, all the way to the house to barricade our front door—her behaviour already incriminating. The ban-garda's hand hovered over her utility-belt radio as Nóra strode towards them, clutching her phone.

'Mrs Nóra Black?' The guard's voice was high-pitched for the breadth of his chest. 'I'm Inspector Adrian Mooney, this is my colleague Detective Sergeant Cliona McCarthy. We'd like to have a word with Mr Manus Black and yourself. Might we step in out of the cold?'

'That's already several words.'

'I suppose it is.'

'There's no supposing about a fact.'

The guard glanced at his colleague and said: 'Is Mr Black home at all?'

Detective McCarthy stepped forward and pressed the doorbell for several seconds, sending a current between my scalp and skull.

'What is it regarding?' Nóra asked.

'We'd prefer to speak with Mr Black,' Inspector Mooney said, somewhat softly.

'Wouldn't we all?' Nóra said.

Waves of nausea arrived along with each exchange, watching Nóra cling to the filament of hope that the problem of the Chief and her problems with the Lord might gently dissolve like quail's eggs in vinegar.

'What do you mean by that, Mrs Black? Nóra, if I might?'

'You mightn't.'

'Do you mean to say you haven't spoken to Mr Black recently?'

'I've work to be doing.'

'I understand. But if your husband's inside, we'll need to speak with him.' Inspector Mooney moved towards the front door.

'You'll need a warrant to step inside my house!' Nóra enunciated sharply, putting a halt to his movements. I was sweating and shivering. How long would this go on for? How long could we put up with it?

'We've received a call, Mrs Black,' Detective McCarthy took over, 'urging us to check on your husband.'

'You might check on your own husband,' Nóra said, eyeing the glinting gold band on Detective McCarthy's finger and following her gaze through to Inspector Mooney insinuatingly. She was using insolence for adrenaline.

'We're going to ask you one last time if Mr Manus Black is inside this house. If you don't answer, Inspector Mooney will wait here while I obtain a warrant to inspect the property.'

Nóra's hand was blue-white from holding the phone like an oar. If it was possible for a human being to implode, she would be the one to try it.

'He's in the study!' I called out.

The dark moons of the two gardaí caps became crescents suddenly, as they looked up. I knew they couldn't see me. I could barely make out Inspector Mooney's eyes for the brim of bone cloaking them. I could see McCarthy's, though. They were like my mother's eyes in her younger, questioning days.

'Please. Take him,' were the words that came from my mouth.

Nóra gasped when the garda lurched for the door handle. 'Don't open that door!' she shrieked, but it was no use. I learned later that as soon as they crossed the threshold and encountered the smell, instantly identifiable, they radioed for backup, forensics and a paddy wagon.

Lying on the carpet, the wide window finally giving me air, I held my wrists up to Detective McCarthy as she moved into my room, hand on baton. I was like my dribbling father the night I caught him in his dressing gown and boxers in the field, shooting down the scarecrow. I suppose I was crying. If I was, it was those silent outbursts babies have when something is uncommunicably wrong and can't be fixed by sleep or bottle. I'd tried both. She drew out the handcuffs.

'Doharty Aengus Black.'

I nodded.

'I'm arresting you under section four of the Criminal Justice Act of 1984—'

'What time is it?'

'Mr Black, you'll have to come with us now to the station. Do you want to put on trousers and a jumper or will the mat on your chest keep you snug?'

I hadn't put on any clothes after showering. No wonder I hadn't been able to stop shivering. She helped me to my feet. She didn't have much on five foot. I've always been afraid of small dogs, I said, unaware if I was speaking aloud. 'They've more to prove. I don't know enough people … to know … if they're the same.'

'I'll leave the handcuffs for a minute so you can dress yourself. Then we'll take you to the station and get you sobered up.'

'Have I a right to an attorney?'

'No,' she said. 'That's only in America.' I dropped the jumper because there wasn't any feeling in my hands. She picked it up and handed it to me, so a few strands of the red bob stuck to her cheek. 'In Ireland, we only have solicitors. Will that do you?'

'Will everything I say be used against me?'

'Come on now before you waste your story on an audience of one.' The tone of her voice was dismissive, but it was an act. Dolly would've known. Dolly would've stuck her belly out, tucked her chin in and mimicked it perfectly. I stepped onto a pair of old running shoes, flattening the heels.

'I don't want an audience.' I recall being very concerned about my lack of socks.

'By the looks of things downstairs, I'd say you'll get one.'

'It's Cormac likes an audience.'

'Is that so? And who's Cormac, when he's at home?'

'He's not … at home.'

'And who's he to you?'

'My brother.'

She took me by the elbow. 'We'll have a talk to him as well, so. See what we can muster up in the station for an audience. Superintendent Goulding has a soft spot for theatrics, Cormac may be glad to know.'

36.

Most likely they thought I was stunted: living at home at twenty-five, uneducated, feral. I'd been polluted drunk or hung-over to the point of a swollen tongue since I'd been arrested, so that didn't help my making of impressions.

Superintendent Goulding placed on the table a pen alongside two photographs: one of my bathtub still; the other of the bruising on the Chief's neck, zoomed-in enough to look like an abstract colour study. I knew it was the Chief's neck from the twine necklace for his whistle. Goulding's hooded blue eyes were sharp and solemn. He had side-swept silver hair and a thick moustache. Inspector Mooney sat on the seat to the side, his legs door frame-wide to compensate for his voice.

'Doharty Aengus Black. Dunmorris Road, Dysart, County Roscommon. Twenty-seventh of January, 1989.'

'Mr Black—'

'I'm Doharty. The Chief was Mr Black, and it feels … Can you say Hart? Please?'

Goulding broke his gaze for the first time to put pen to paper. 'Doharty Black. Can you confirm that our member in charge has explained to you what section of the Criminal Justice Act you're being detained under, and the reason for your arrest?' We went through the whole rigmarole—everything I told them was a correction.

'So you were planning on taking over the farm while your father was first sick. But plans changed when the bank foreclosed on the mortgage?'

'No, I never said I was *planning* on taking it over. I had the option, was the point.'

'How our young people hold dear their options! And tell me, would you have taken it?'

'No.'

'Why not?'

'Because I don't like physical labour. Because it'd remind me of my father. Because I'd be trying to fill his shoes and my feet'd only blister. Because one day I might want an education like my brother.

I'm scared of dogs. I can't abide my mother. I hate the smell of shite. I'm sick and tired of root vegetables. I'm too good-looking to be a farmer. I don't want to belong to a parish. The fields are full of crows and magpies and I have a thing about them birds. There's better-looking birds fly in from Mayo and Galway. I'd—'

'Take a good long sup of your tea, Doharty. Calm yourself. These are the easy questions. Relish them while the tea lasts.' The tea was Lyon's and not Barry's, which put me in mind of Dolly and her red silk mouth. 'When did you start to work on the farm?'

'I worked on it full-time since I left school.'

'What age were you?'

'Eighteen, nineteen.'

'When's the last time you worked on the farm?'

'Last Saturday. Before we went to Connemara.'

'From the age of eighteen to last Saturday, you've worked full-time on the farm?'

I shrugged.

'Seven years?'

'Not full-time, but yeah.'

'What do you do for money?'

'I'm on the scratch, since I left school.'

Whenever Goulding wrote something down, the dimple in his chin deepened. I could see he'd written down 'NO WAGE'. He rubbed his moustache upwards, seemingly for the feel of it.

'We'll get back to "last Saturday" and "Connemara" later.' He looked to Mooney, who nodded and scribbled. 'First, answer me this: did your father ever broach the subject of his death with you?'

'I already told you.'

'I'm referring to his declining health over the past two years. Did he mention anything about death, dying, or any action or treatment he might take, beyond his usual health difficulties?'

'Yes. He asked me and Cormac to research what the Church had to say about suicide.'

Rapid scribbling ensued. Detective Sergeant McCarthy entered, bosom-belly first. Now that she'd taken the garda cap off, her red hairdo was in its proper tea-cosy shape. She stood by the wall.

'Have you anything in writing to confirm your father's request?'

'He didn't *really* want the research done. He knew there was no way of doing right by God. 'Twas just his way of acknowledging his religion—especially for our mam, who's an ex-nun. It was his way of telling us he wanted to end it. So it wouldn't be a shock for us, I suppose. But we weren't about to let him do it on his own and botch it. I don't know if he was expecting our help or not.'

'Did he or did he not put the request in writing?'

I felt my face flush. 'I don't know.'

'Did Nóra know about the request?'

'I don't know.'

'When did you next speak with your father about the suicide—assisted or otherwise?'

'I … I didn't really.' It was very uncomfortable with the wool jumper on and no T-shirt under it. It was hot and itchy and I knew that my shoes would pong without socks. 'We talked … in metaphors. Around-about. The Chief and I were always that way. Like Gar Public and Screwballs in *Philadelphia! Here I Come …* except the Chief was—'

'Do you read a lot of books? Tall tales?'

'I read the odd book.'

'Is that why Manus asked you to read the Bible on his behalf?'

'Maybe. No. It was a way of letting us know his mind. He wasn't really asking us to research it …'

Goulding sucked air in through his teeth. 'Did your father often say things he didn't mean?'

I boiled up. 'No.'

'Did you often know he meant something other than what he said?'

'No.'

'Did you talk to your father about the method of suicide he planned to employ?'

'No.'

'There was no agreement made or discussion about his suicidal thoughts? Did he speak to a doctor about it?'

'No.'

'But you agree, Doharty Black, that on Monday the second of October, you were present while your father took an overdose of morphine sulphate?'

'Yes.'

'A toxicology report will confirm the quantity. But who procured the morphine for him?'

'He got it himself. He had a prescription from his GP.'

'Whose name is?'

'Dr Kelleher. I took him to the clinic to pick up a new prescription. I think he asked the doctor to switch to liquid morphine and Kelleher prescribed it and didn't request the leftover tablets back, so. That's how we had enough.'

'We?'

'The Chief.'

'Who?'

'Dad.'

'Who told him how much was enough?'

'No one.'

'How did he know how much to take?'

'We researched it but we didn't *tell* him … He didn't ask—'

'Who prepared the morphine dosage for him on the morning of the second of October?'

'Me and Cormac.'

'Who gave the drugs to him to swallow?'

'He took them himself.'

'Who handed them to him?'

Sweat tickled my upper lip and I wiped it, making a crackling sound. 'I did. But he took them himself. He wanted to take them. He called me into the study an hour before and asked for the anti-nausea pill and he told me he'd bought an online will and he made me executor and he said to me, "We've had a grand old time".' Tears arrived in my eyes. 'He said, "It's as good a time as any to …"' I made the jabbing gesture the Chief had made with his finger. The camera blinked. 'I asked was he sure that's what he wanted and he said it was. To … call the others in.'

Of all the people, I think I saw a sheen on Mooney's recessed eyes. McCarthy was unchanged. Goulding was unreadable beneath the frowning brow and the moustache. He asked what happened when everyone convened in the study. I explained it, step by step. About the Chief remembering, finally, to ask what the Bible had said about it. How Cormac's reamed-off lines seemed to appease his conscience as much as we could hope. How he thanked Cormac. How him praising Cormac was his last words. How softly he had retreated into himself, like the moon into the background of the morning, where it couldn't be seen to linger. Where it couldn't …

'Please answer this directly. Did Manus Black die by strangulation?'

'It wasn't strangulation.'

'How did he die?'

'Morphine overdose, cancer, the recession, mortgage arrears, obsolescence, an abscess in his molar tooth.'

'Was he dead when you put your hands around his throat?'

'Nearly.' My head ached from suppressed crying.

'"Nearly" dead means alive. It means Manus Black was alive when you put your hands around his throat. Is this correct?'

'He was *very* nearly dead. He was gone. He wasn't there.'

'Was he dead after you put your hands around his throat?'

'No, it was the morphine. Holding him was only to help him keep it down. The anti-nausea medication he'd took wasn't enough. It would have been horrific … He would've choked on it. My mother would have died on her knees from the horror.'

Inspector Mooney put his head down so I couldn't see his eyes at all. McCarthy's brows were still raised, but she seemed to be biting on the inside of her cheeks.

'Was he breathing after you took your hands from his throat?'

My shoulders danced. I shook my head.

'What did you do then?'

I kept shaking my head, sobbing. 'None of us did anything wrong. We never meant to.'

They'd stopped note-taking. McCarthy stepped forward: 'That you're innocent until proven guilty is the Golden Thread of the Criminal Justice System, Mr Black. It's not the silver lining.'

Goulding let out a groan. Then, after a moment, he placed the fingers of his left hand on the table, the Claddagh ring upside down—heart outwards, crown inwards—and began to chuckle. 'Did you ever hear Niall Tóibín tell the one about the American tourist who bought oranges off a street stand in Dublin?' I glanced at Mooney's rapt expression. Goulding continued, putting on a Morgan Freeman American accent for the tourist and Dublin North-sider for the vendor: '"May I please have a dozen oranges?" the tourist asks the vendor lady, sat at her Moore Street stall. "Dare luvli jewci Spanick aranges!" says she, putting them in the plastic bag for him. "How much is that going to cost me?" the American asks. "Owny fawr euros." The Yank thanks her and walks away, glad of his interaction with a real local. But when he checks the bag down the street, he sees there are only eleven oranges. So he walks back to the stall. "Excuse me, ma'am? I guess that even in Dublin a dozen means twelve?" "It does indee-yad," your wan says, pleased with herself. "But, ma'am," says he, "you only gave me eleven oranges?" And she says, "Yessir. One o' dem was bad. I thrun it away".'

Mooney slapped the table. McCarthy pushed her lips out, as if she was holding on to a mouthful of wine for the tannins. Goulding gave me a thick, moustachioed smile.

'All right, Inspector Mooney, we'll leave Detective McCarthy here to complete the formalities. And we'll try the other two once more. See if we can make the District Court before five.'

'Yes, boss.'

'Tomorrow's set to be a fine day for Cloverhill,' Goulding said, getting up.

'Cloverhill?' Mooney asked.

'For the bail hearing. The District Court has no jurisdiction to set bail for murder charges. We'll have to see if Dubliners still have the same philosophy when it comes to bad oranges.'

37.

Next time I saw Goulding, he came with a mug of coffee, a freshly combed moustache and a charge under the Offence Against the Person Act of 1997. The three of us were driven in separate patrol cars to the District Court to reply to our separate charges. There, we met Cormac's solicitor: our cousin Cáit.

I hadn't seen her since she was in her school uniform with half the length of the skirt rolled up at the waist and her knickers admittedly wet from laughing clannish malice. But she'd mellowed since, Bridie insisted. Oh yes, over the years, Cáit had 'come into herself'. What she'd found inside was sharp, we'd find out, as well as shiny. She had the same pink Connemara marble complexion, grey eyes, the upturned face and whiffy blonde hair high up in a ponytail that swung side to side even when sat still. Her ticklish-girleen clothing—a pastel-blue blazer and fishtail skirt with a silk top and pearl earrings—was by design. Female lawyers often dress in macho charcoal suits with licked-back hair to be taken seriously in a sexist system, she explained later, but she didn't want any 'cold and calculating' associations.

First thing she said to me was: 'Why is it that birds save up all their crap and offload it on your car as soon as you get it washed?' Then she said, 'Don't reply.'

'What?'

'Give no reply. To the charge. I'll sort out legal aid for you and Auntie Nóra. We can share a legal team. But there'll be separate representation. I'll be Cormac's barrister. He won't qualify for aid. He earns too much. And there's only so many days I can wear my pyjamas in a row without them embedding in my skin. This is a career case.'

'He won't pay you?' The acid pooled in my stomach.

'We've an arrangement,' Cáit said. 'If I get you off the charge.'

'Me?'

'All of you. Athos, Porthos, Aramis. We'll need to get you psyche evaluations. Sooner the better. And don't lock eyes with anyone at Cloverhill. Make sure your mam keeps her opinions to herself.'

'Cormac'll look after his mammy.' But Cáit didn't seem to hear. She passed her steel eyes over me, seeking out the offending article.

'Fuck, Hart. It is a crime. You've lost your looks.'

38.

Dear Hart,

I had an audition on the back of a good review I got in the Tribune for Bailegangaire: 'An unflinching performance. Aleanbh Cullinane is a rough diamond.' Diamond's good, but I'm not gone on the rough part. I was in Galway Youth Theatre three quarters of my life, can't they tell? 'Youth' should be taken liberally or not at all. The audition was to play Pegeen Mike in a musical version of Synge's The Playboy of the Western World *and it got me thinking of you. I've been thinking of you non-stop. The audition was diabolical. I felt so sick from the chanting and breathing and yelling our deepest angers at the wall that I just left. I didn't even excuse myself. I can't sing anyway. I threw up my breakfast in someone's flowerpot in the Claddagh. For all that, I had to cancel a shift at the call centre, phoning up the overnight middle class to ask if they think their combined household income is significantly below average, slightly below, about average, slightly above, or 'I can't answer that. I'm just the sous-chef. Mr Ahern is meditating in the panic room.'*

Some good news I definitely shouldn't tell anyone yet. My sister Emer is pregnant. She's only a few weeks in, so it's just a missed period and a lot of googling. She won't go in for ultrasounds or screenings for a month but she's peed on enough sticks to build a boat with. Our brother Kenneth has three kids but they live in Sri Lanka, so it's good for me to be here. Stay close.

You'll come west when whatever's going on in your peculiar life is done with and put in the drawer. I don't mean to say you could put your gracious living statue of a father behind you. But it's not an unreasonable distance for weekend visits, Galway to Roscommon. For when he moves to the hospice, as he must. Just because you don't know what you want to do with your life doesn't mean you should default to unpaid caregiver-potato-farmer. There's less sense in paternal reverence than the culture lets on. Sorry if that's cold. The lament is rarely the last act.

I thought I had you puzzled out, but that car journey taught me otherwise. Maybe we don't know each other at all. Shall we start now?

I'm a compulsive liar.

I'm forty-one, not thirty-three.

I, too, lived on the dole for years, without the excuse of an ailing parent. My folks look after themselves well enough, not that I'd step in. They wouldn't support me after I'd given up the baby, which was a vile thing to do. Sixteen, loose-bellied, empty-armed and kicked out to fend for myself. Told I might earn back their respect after a decade of Responsible Living. Apparently two decades never quite saw me Respectable. Nothing responsible about playing patient at the teaching hospital, they said. They were probably right there. On a good day, I'd be given a script to follow, regale all the medical students with my complaints. On a bad day, I'd take some untested pill or go in for an invasive procedure that was better paid and sorted me for a week, but it could knock me out for a week equally. That was just term time. Summers, I'd take the bus out to Spiddal to be an extra on soap opera extraordinaire, Ros na Rún. You'd get an endless supply of Nescafé and Kimberley's biscuits and you could look at all the paid actors walking up and down their polystyrene street with their faces excessively Irish and you could hold out hope for getting the Special Extra bit once a season that might give you the big break if the director of Fair City *accidentally flicked channels just in time for your one line, milked to high heaven.*

So that's what the stretch marks are from. Catriona, I'd called her, though she'd go by some other name now—Apple, maybe, or River. It wasn't a fat phase during college. I never went to college. Lie number ... Is that enough for today? Three feels somehow absolute. But that could be the convent schooling.

Now your turn. Tell me what your brother ever did to you. Tell me it's not just the national penchant for victimisation.

Yours,

Dolly

P.S. I've enclosed a play.

39.

Grief dried me out something violent. I'd've drunk the ragwort spray if that wouldn't have left us stuck the following season and if I hadn't finally got the distillery dripping out pestilential liquid in the bathtub. Nóra let me have it—the bathroom—so long as I kept the door shut. Well, she hadn't uttered a syllable. I took the go-ahead from her non-complaint. That was something Shane and I had, to keep a friendship going without Cormac. We cobbled together a still from hardware shop bric-a-brac. It wasn't anything posh. Potatoes, sugar, water, yeast. I took some of the cull before Cormac got at it with his trailer. The fussiest step was making the wash: fermenting spuds. Shane got me a steel-top 2,100-watt plug-in hotplate with a heat transfer of up to 360°C and dual heat shields to keep the case cool to the touch. That set me back a few favours, but it was what you'd call critical. Next, a big old pressure cooker with a hole in it and a lid. The modern ones have fancy valves to release the pressure, but with the old-fashioned cooker, all Shane had to do was remove the weight and weld a fixture so the tube would fit the valve. The lid kept it covered enough to stop wild yeasts and mould spores from getting in, but loose enough to let the rank air out. When the wash came to the boil, the alcohol evaporated and sent the lovely inebriating mist through the long copper tube (refrigeration tubing—€2.10 a foot) that twisted down from the pot into the bathwater, which I changed frequently during the two-week refinement, to keep it cool, all the while condensing the vapour into liquid and it dripping into my kitchen crock. Nóra wasn't using the oven any longer. She ate things raw from the garden or dipped eggs briefly in hot water to make sure a downy chick wouldn't emerge. No more ice baths would be needed, so what better use was there for the bath but a wash? Flush out the mind. Relief tap-tap-tapped into the drum like the Raven, as if he'd forgot the Chief had opened the door to him already.

We were due in court on Wednesday, which gave me two days to see if I couldn't blind myself. There'd be disability allowances, surely. And I had my looks to fall back on. Dolly'd probably take me sightless and legless, now that I knew she was forty-one.

40.

Dear Hart,

Not that you wrote to ask me, but the Synge casting man phoned and said I couldn't sing for loose change, so 'regrettably' they couldn't use me for the musical. Here's me about to tell them where to shove their loose change when your man goes: However ... we liked that you walked out. It was the most authentic reaction of the afternoon and we're willing to forgive a bit of amour-propre for the

*sake of authenticity. We think the fire in you would be well suited
to the part of Juno in Sean O'Casey's* Juno and the Paycock,
*he said—a play they're producing for the Arts Festival. The first
run's in January, then there's a rerun for the tourist throng in July.
I had to catch a hold of my jaw. Am I not a bit young to play Juno?
I said. He said no. But isn't there … what's her name, the young
socialist love interest, that'd be closer to me? I asked. Juno is the
bigger part, he said. But if you're not interested? So. The transition
has been made, clearly, and denial's not my style. The wizened
mother character it is. See how one day to the next our roles change.
I can't tell you how fluky this is, two paid acting jobs as good as
in a row. By paid I mean they've strung the figurative Halloween
apple from the ceiling with the euro coins wedged in and I have to
bite the euros free without using my hands. Little do they know I'd
do it for nothing. I'd pay to be overpowered by another life, as long
as it's convincing. I like to think that what they 'saw in me' was
the fire you put inside me. With the Deep Heat, I mean. You quare
hawk. Wouldn't it be great if, in my pained auditioning, they'd
mistaken a fetishist ache for uncontainable talent?*

*In other news, Emer has awful morning sickness. I'm lying. It's
worse. I neglected to say before that she's thinking of terminating
it. It wasn't planned. She's a bit older than me and has always
been a career person in the way I'm a roaming person. We're no
altruists. Choice is everything. But the haranguing Emer's getting
already … People get very involved and concerned once you're
pregnant. They like to put collars on your choices in case they
stray too far from the sanctioned area. And there's the risks, she
keeps being told, of age-related complications. She's not the type to
give up her life for a child. And fair enough. I mean, if it's a sickly
thing, she'd be shaping her life around it. Part of me thinks, well,
that could be an enlightened way of living. But then I think: fuck
enlightenment. That type of forced change could kill somebody's*

spirit if they're not able for it. If they don't really want it or accept it. It's no criticism not to be able for it. It's human. Some people can. Some can't. She's got a very full life. I just think … no. I think life is complicated enough. I think … it's hard to be rational. Cormac would have a way of reasoning it, don't you think? With his self-certainty, the originality that makes room for. What do you think? You'd have feelings on it, having given up your twenties. Maybe I'm more selfish, but I'd have made your folks liquidate the house and the farm and use that for retiring to a small town house with a nurse. Or to a home. But I suppose it's not as simple as that. Is it not??

All this makes me think of Catriona. Makes me hanker for the teenage daughter I could have now, who might come and see me in my plays. Even the ones where I play the granny. A daughter who'd roll her eyes at my exaggerations. Who'd have pulled me up on my lies long ago. But there you have it. Proof I shouldn't be a parent. The first thing I think about is how my child could coach me.

Before the tests, Emer asked me if I wanted to be an 8–4 nanny. I'd be able to give up the teaching hospital gig and the inquisition centre. I'd be able to do plays in the evenings and weekends. I'd have 150 euro cash in hand every week on top of the dole. We drank two bottles of Claret to seal the deal. She vowed it'd be the last drink she'd have, that she'd do pregnancy by the book or not at all. Well, by the pamphlet, anyway. So, I agreed, didn't I? We drank to it. Can either of us go back on it now?

Dolly

41.

Dear Hart,

I never watch the news. That usually keeps me safe from the false child harassment memories taking root in my brain. I'd go around suddenly recalling how I'd been leap-frogged by Mr Púca, the Irish Dancing teacher. Never underestimate a story's scarring potential—a story can be just as wounding as an experience. So, no news. Sometimes I mourn the characters I played long ago and forget it wasn't my own twin that drowned or my own senile mother eating Complan, unable to finish her war story. I delude myself into thinking something might come of my taking on other people's tragedies. As if I can fulfil them. Act the tragedy out of their system.

So I forgo it, for my own health and sanity. Characteristically selfish. But I lapsed. I turned on the news. Only the radio—you'd think I'd be safe. There were no names named. Two brothers, 25 and 27, and their mother. Arrested on suspicion of murder in Roscommon.

Hart. I can see the stone there now, and I don't want to jump to it, but the more I think about it and the more I'm left alone with my thoughts, it's the only stone I can make out. Tell me if I jumped to it, it'd sink and I'd drown for my baseless assumptions. Tell me I'm a fanciful citybitch, sensationalising other people's lives. Give me a piece of your mind. I've enclosed a stamped envelope to make it easier.

But if you don't tell me that, Hart, I still want to hear from you.

Tell me something. Anything you need to say. I know you better than the leeching Dublin journalists. Give me that.

Love,

Dolly

P.S. Emer's keeping the child, she thinks. She made the mistake of letting slip to our parents. So now it's a case of cutting the baby or the mother out. And Emer's softer than I am. Feels our mother has a right to our children somehow. Entitled to our fertility like you farmers to the output of your fields, no matter the incentives to let one go the fuck fallow. So it looks like it's coming into the world, the dote, harmed from the outset. I wish you'd tell me what you think. I wouldn't normally need to know. You have me ruined.

42.

I had *her* ruined? She didn't know the meaning of ruin. A hundred and fifty euros cash in hand weekly over and above the dole for child-minding and play-acting and living sovereign in a dockside flat. She wasn't landlocked. She wasn't usurped or injuncted or out on bail. It wasn't even her babby or her decision to brave. She lived in a fashionable coastal town where a phone call to the estate agent was the answer to all manner of watersheds, and if that didn't do it, there was always the sea and someone would have a dingy or a tyre or an ox-leather Gladstone bag she could drift away in. If I phoned her up and told her the truth, she wouldn't care to know my thoughts any longer. One word of the truth is all it would take to minify her caring.

Just one night remained of free life, before the trial. I twisted the radio dial, giving life to the adenoidal telecaster:

'*Local TD Denis Naughten has condemned the Government for further cuts to the farming sector announced last month: the latest in a series of austerity measures. In oh-eight and oh-nine, an average of seven farmers a month walked out on their farms in County Roscommon. Since then, the cuts have been compounded by lower prices and rising costs, putting a squeeze on the pay packages of farmers who have weathered the worst years of the recession. Naughten said: "Now the minister for agriculture has turned sneak thief and is set to pick their pockets too. Despite all the spin and spoof about fighting for farmers' interests in Europe, the reality is that the minister has sold them out. Instead of cutting jobs in agriculture," Naughten alleged, "the minister should be focused on driving this key export sector."*

'*A four-year-old girl from Boyle is in a critical condition after being savagely mauled by her cousin's dog, a Boxer named Brutus. The girl, who has not yet been named, was playing Cowboys and Indians with a toy gun with her cousin when the dog sensed a threat and attacked, inflicting severe wounds to the girl's face and arms. The dog's owner claims that Brutus was reacting in an instinctive, defensive manner and should not be euthanised as a result of its protective nature. The owner told reporters: "It was a mistake. There isn't a mean bone in that dog's body." The girl's parents have not pressed charges.*

'*In local news, the Glinsk Ladies' Club's twenty-second annual waltzing competition for the Eilish Tiernan Memorial Trophy took place in Glencastle Lounge on—*'

Just one night and one morning remained—the dregs of my freedom and youth. One night and one morning to take a walk along the road and breathe the countryside air, a free man. *Your own man. If you cannot walk this road, you'll find your own road to walk along. Take a stick*, the Chief counselled, among all the echoing horrors in my mind. *No, Dad. I'll not take a stick or a stone or a slingshot. Haven't they already proved my weapon of choice is poison?*

I went out to the garage deep freeze and rifled through the

snowy sacs of vol-au-vents and plastic bags of five-year-old salmon and sliced pan and tinfoiled ham and mushroom quiches and wholesale ALDI prawns like frostbit infant fingers until I found it. At the freezer's deepest remit—where a new-age couple might keep their placentas—there they were still, after all these years: the lambs' livers. I disinterred the plastic container from the ice and brought it into the kitchen. I put the pot in the microwave to defrost and went to the garage for the rat poison, Rodend. I cut the five slick brown livers in half so I'd have enough pieces, made a neat incision into each and spooned in the blue pellets. The livers were piping hot. I counted in swigs of *poitín* how many houses there were between ours and the cemetery. The Lallys. The Mullans. McDermotts. O'Rourkes. Joe Heffernan has only a cat. The Qualters, ohgodtheQualters. Five miles return. That'd do.

It was a bleary-eyed drive to the graveyard and back, but night air slicing through the open window kept me vertical. I drove on the wrong side of the road so I could fling the livers out the driver's window with a fistful of ham. I could hear the scrambling of paws, furious sniffing, the odd yippish bark. I told myself: the morning was forecast to be a fine one for walking.

The long night came, but a curtain never closed on the day's journey into it. I slept barely an hour before a tossed-gut feeling yanked me back to my undreamly surroundings. The drink, no doubt, filling my head with muffled sounds. What noise could the house give out when the doors were locked, his lungs were long set to rest, the dogs had been doped, the combative rooster had no rival or sunrise to augur? Why couldn't I sleep just this once? That *sound* … a kind of mewling … Acid burnt in my stomach when I sat up and groped through the ditch-black for the wall. The wall was an ice block against my cheek. It was feverish. Fraught … the sound was. A kind of smothered howl … Was she crying? Was this her calling out, for help, to me … the lonesomeness too desperate to suffer silently, needing … company … and only me here to hear? But there was no snivelling or staggered inhalations, the gulpy hiccupy breaths of lamentation … No hollow moan, but a *tense* one … the sexed, muscular violence … and then a thin note sung high and quavering.

Tripping away from the wall I bashed my hip into the corner of the dresser and the pain burst through me as a billiards break. *What* in all *hell* … the *fuck could* she? *Where* in the *fuck* was her *head*? Neon lights streaked across my vision. I closed my eyes, pressed my fingers into my sockets until everything went squiggly brown. It didn't bear thinking. The *filth. Rancid rag* for a heart. My own liver needed throwing out the window then. I was too drunk to drive away from this hell and I couldn't walk the road until dawn. Where was she—the moonshine to snuff out?

43.

It could've been a heart attack: the thump on my back that made me tumble forward, sending daggers through my knees. It could have been a stone thrown at me by a bereaved dog-owner or a tazer-happy guard. But it was the thwack of Shane's leather-clad hand as he passed. He swung a U-turn on his racer until he was facing me in the swath of exhausts, and lifted his helmet visor. I was out for my walk. To establish my territory, out of the house, unattended. I was deaf with adrenaline. Dizzy with homebrew.

'Spuds!' He cut off the engine. 'Is it the night before or the morning after?'

Which is it? I doubled over and tried leaning on my aching knees but they wouldn't stay still. I'd dropped the stick I'd been carrying, to save being seen with it. I must've been going at some clip, for my skin was scalding. I felt the heat of my knees through my jeans. The air wasn't cooling me fast enough. The ground floated like a bog mat till I upchucked half a pint of *poitín*, a fistful of sliced pan and a can of baked beans, now refried. I shut my eyes to the mess and I felt instant sweat-drenched relief. Holy fuck.

'No harm done,' Shane said, amused. 'There's more in the bathtub!'

I held the two sides of my head together and opened my eyes to search the fields again and make sure no half-poisoned dog was chasing down from Qualter's yard.

Shane eyed my stick thrown into the roadside. 'If yer runnin' from the dogs, yer goin' the wrong way.' I couldn't speak yet. 'I'll look the other way while you pull up yer knickers.' Shane proceeded to whistle a shrill old Irish tune, 'Geese in the Bog', which was amplified by his helmet so I was sure whatever dogs had a modicum of life left in them would come chasing. 'You're lookin' majestic as al'as, Spuds. Come here to me and have a lean on Pamela.' He slapped the flank of his motorbike. 'Rearin', she is, for two at a time! Front-the-ways, back-the-ways.'

Queasy again at that, I staggered over to him. 'What the hell has you up this hour?' I asked.

'I've to meet some fella in Strokestown afore work. He commutes to Sligo, the gack.' Shane took off his helmet and ran his gloves back through his sleek black hair. He'd grown a kind of Tetris goatee.

'You've a centipede on your face,' I said.

He stroked the facial hedging. 'Fu-Manchu-Soul-Patch combo, thanking you. I was thinking to look shlick like, for the big bijness.'

I grunted.

'Did I tell ya Cormac sent a partnership contract for me to sign for Colt Horse Cash? After twenty-seven months in the bag. Sent it in the post.'

'Hey?' I said, coming back to myself.

'On legal-headed paper. Says I've to contribute an agreed amounta hours on a weekly basis to match his inveshtment of the cull and storage and I can't go selling my own half or "buy out" for the first four years.'

I shook my head and instantly regretted it. 'The Chief said if you need a contract with someone, don't deal with them at all.'

Shane narrowed his eyes. Threw a pack of chewing gum at me. 'It's yer own blood you're warning me against?'

'Watch yourself with him, Shane.'

'I dunno which is the shly dog of the two of ye. But I hear what you're telling me. When are ye headed to the big shmoke? Today at some stage?'

'Cormac's picking us up soon.'

'I'll come up fer it … jusht in case.'

I swallowed the gum. 'Why would you?'

'For the *rí-rá* and *ruaille buaille*!' Shane winked.

'You realise it'll be long and boring as Cormac's ranger. Court'd depress a pothole.'

'Listen to ye! If there's cameras rolling and you take the shtand—the ride that ya are, even not at yer besht at the minute, with the feckin' charm on ya, the tongue—ye'll get a sentence on the *Bowld and the Beautiful*, minimum. Only a head-the-ball would shkip that soap opera.'

'I'm serious, Shane.'

'So am I.' He looked down the road before explaining. 'Cormac told me I shouldn't bother coming. He said ye wanted to keep it private as ye could. Good luck with that! But, yeah. Your dry job of a brother gave me a rake of shite to do, almost as if to keep me too busy to go, if I was wanting to. D'ya get me? I think if I'm right by you, Spuds, I besht come. I can give a character reference, if they need it.'

'The solicitor has all the witnesses settled long ago. We're over a *year* in and out of the District Court, writing the bloody Book of Evidence.'

'Here was I thinkin' you'd spent the year polluten yerself and reading stage plays from yer wan what's been postin' letters. Yer educated Rita. Prima donna, what's-her-tits?'

'Dolly. It wouldn't be any use, Shane, only waste your time.'

'Let me be the judge of that.' Shane pulled a wicked smile. 'See that now! It's catchen on, I'm telling ye. All this wheelen-dealen has me half turned into a slogan.'

'It takes weeks to get going. It'll probably get pushed back, too, you know. We went up to Dublin last week for interviews with our barristers and were told trials collapse every day. They said even the jury selection can take a few days. Be wasted petrol for the lot of us.'

Shane held his gloved hand in front of him to say: *I believe you.* 'We'll mitch the first few days, so.'

That was enough to send my defences to the ditch and my strength along with them. I'd to put all my weight on his bike. Thinking of the days of mitching school, scurrying along fields with plastic bags, hunting magic mushrooms; then, tired of our posturing as older boys, building maze forts from bales of hay ... back when we were dopes enough to want rid of our innocence. But that thought was tainted too by my sobering up. I was never really in it—the minute, the friendship—for I had to sentry the landscape always.

'What're ye at out here, anyways?'

The dire hangover loomed. I thought about telling the truth. 'I came out to be sick,' I said instead. 'Nóra doesn't like a mess in the house. She has a thing about smells.' I gave him the stormy eyes. He took one look at me and laughed wide and soundless as a sinkhole opening up in the Burren. He smacked Pamela. He liked me. He did like me. But liking's no good for evidence. *Hart's a sound job, Yer Honour.* I took the chance of a lift home, though. It would've been tempting fate to carry on down the road to the cemetery, where the stonecutter's phone number is writ larger than an Irishman's lifespan.

44.

Humans eat three times their body weight in dirt during their lifetime, but us Blacks ate twice that with all the muddy spuds and maggot cabbage pigswill. Walking into the enormous glass-fronted new courthouse in Dublin—the 300-million-euro pantheon constructed in heyday-oh-seven—I had the feeling we'd be eating a whole new lifetime's worth of dirt.

Eleven storeys. Four hundred and fifty rooms. Twenty-two courtrooms. Two hundred thousand cases a year. One hundred convicts kept in the basement: held, heard, herded, heralded. Cormac tried holding his chin aloft like the Liam McCarthy Cup, but none of us could've been tall enough, well-dressed enough, tight-buttocked enough, lactose-intolerant, suburb-settled, electric-car-keyed, possum-haired, air-mile-loaded or Latin-tongued enough for the place. Standing in the atrium entrance with its see-through lift shafts and Sistine ceiling, we could only stare at Cáit to keep our heads above the trough, to get past the caped and wig-wearing overachievers trotting along the marble floors, comparing barge lease rates on the Shannon. Cáit saw our dread.

Leading us to our pre-court holding room, the rhythmical swishing of her ponytail and her high-heels clacking were like Morse code. At least *someone* was sending out signals. She wore a cropped lilac blazer and a silk scarf over a black dress that hugged her lithe, sinewy body. Prissy shoes made her calves tense and release like the two halves of a heart. She smelt of cough syrup. Though me and Nóra had our own barristers, the public would see Cáit as our representative: she'd make the family tie known to the jury, and that would make a unified symbol of her. The damaged chain-links of us clicked behind her along the corridor.

'Make sure you hammer home the fucked insurance costs,' Cormac started.

'Judge Gilroy might be a bit of a Leninist,' Cáit said, 'but she's—'

'Commie, is she?' Cormac cut in. His swagger would knock you sideways. His silver suit, red tie and breast pocket hankie were designer buys from TK Maxx. I went without a necktie because there's no beautifying a muck-brown suit, and hair dried to yellow, and a once-chiselled face scoured-like, a too-young-tragic job. Cormac had more pointers for Cáit: 'If you make the insurance the root of the problem—'

'We're at least a fortnight from closing speeches,' Cáit broke in. 'For the love of God, Cormac, spare me the advice till then.'

Nóra wouldn't have that. She cleared her throat shrilly by my shoulder. 'We've had fifteen months to think long and hard about our case, Cáit. Would it occur to you that Cormac's advice might be worth the time of day?'

Cáit kept walking, glancing at the yellow Post-it Note she'd stuck to the front of her zipped leather folio. 'The insurance cost's a sob story,' she said. 'So's the property fiasco. So's Manus's bona fide attempts to dig himself out of a ditch.' Nóra piped up but Cáit carried on talking over the breathy outrage, piloting us along the corridor. 'In eight years of litigation, I've only seen room made for sob stories in losing cases, to soften the sentence. If Cormac has evidence for me—or you, Nóra—I'm all ears. Anything left out. Videotapes? Depositions? The presence of a certified physician? The pretence of lawfulness?' She stopped and twirled back to us, her ponytail and lilac scarf floating in the air for motion lines.

'Well. We'll pray that's not your closing speech,' Nóra said, 'or you'll surely fall into the ditch after us.'

Cáit raised her bleached eyebrows at Nóra, then looked between me and Cormac. 'Isn't she a scream?' She reached out and knocked on the holding room door we were stopped at. We'd passed no one since the great hall, so successful was the circulation system that ensured separation, privacy, security and protection for all manner of court users. When the door was opened by a cow-eyed, fair-haired junior counsel, I looked past him to see my barrister, Alastair Waters—bald and relic-like at the huge varnished table with his legal team fascinated around him. It was a windowless room. Nóra's barrister was there too, Paul Sheehan: an enormous, middle-aged walrus of a man. Imperialist gentry type with a comb-over. I'd seen him before, but he lorded over this environment all the more. He was drinking from a Starbucks paper bucket, guffawing with his senior counsel.

'I have to gown up,' Cáit announced. 'Charlie'll look after you.'

The cow-eyed lad nodded and stepped aside to let us in. Cormac bullied in first, but I stayed at the threshold. My legs wouldn't stop trembling.

'You alright, Hart?' Cáit said.

'What? Yeah.'

'Fuck, it's muggy. Or the perimenopause is staking its claim.' She handed me her briefcase and leather folio so that she could remove her blazer. Then she draped the blazer on her arm and took her things back.

'Giving up?' I eyed the nicotine patch on her bicep.

'Do I seem like a quitter?' She gave me a sarcastic look. 'I patch up for court appearances.'

I hooked my shivering hands beneath my armpits. Then she tilted her head to the side so the ponytail became a pendulum.

'Alright, then?' she asked.

I shrugged.

'You're all ashes no fire, Hart. Stoke yourself. Your fire's your advantage. You care too much. You always have. High EQ. The schoolgirls loved it.'

'You're after saying sob stories don't make the Book of Evidence.'

She nodded, changing her tone. 'Getting a murder conviction's extremely difficult without non-circumstantial evidence. They need a confession.'

'Which I gave them.'

'Which you gave them along with a lot of poetry the jury'll go in for. And the others didn't confess. That makes you look soft, which is good. Then the autopsy, thank fuck, is indeterminate. It's not good, but it could be worse. They need witnesses to the "murder". Cormac and Nóra weren't in the room for the act of interception. For all they knew, the overdose did the job. The cancer did it. A coughing fit did it. The crushed pride. You said yourself. They'll not testify against you. They witnessed suicide. That's what their statements say. That's what the Book says. They're guilty of not taking appropriate action to prevent it, and not reporting it.'

'And what am I guilty of?'

She clicked her tongue. 'Doing what your daddy told you.'

I turned away. Through the gap in the door, I saw Nóra sitting, wringing her hands. She had on the olive trousers, the posh ivory chiffon tunic and the fawn, pearl-buttoned cardigan regalia Cormac bought her when we were arrested: an immaculate costume. I couldn't catch her eye and I didn't know if I wanted to. Cormac stood behind her now, sipping coffee, cufflinks glinting. That was how the pair of them had been positioned in the study on that day that wrapped its hours around my life and tied a knot.

'I forget what you call the judge.'

'Your Worshipful Holiness,' Cáit deadpanned. 'You won't be addressing the judge, Hart. Alastair will. He's world-class. Actually, I'm nervous he'll upstage me. I need referrals from this case. From now on, ixnay on the pro bono.' She sighed. 'Da's always talking about this place being full of criminals. Quangocrats, he calls us. Thinks it's great craic to write us all off as auctioneers. Criminals tried, cash-criminals doing the trying. But I'll tell you one thing, Hart. However Da wants to simplify all this, he couldn't reduce Alastair to anything but salt of the earth. He's honest and loyal. And that's how you should be represented.' She paused. 'Isn't it?'

'Isn't it?' Was she asking me?

'Isn't it just!' She jigged her shoulders. 'Fuck. It's freezing.' She glanced at her watch. 'I'll see you in there. Go to the toilet first. Adjourning for a shite's rude.'

45.

'Ireland is where strange tales begin and happy endings are possible.' Charlie Haughey said that, and mind what a hammer of an end he got. That's the difference 'twixt possible and probable. Whichever way it would go, I hadn't a bad seat for the finale. At the end of the defendant's bench, I was closest the gallery. Nóra was in the middle, gaze glued to the smooth, varnished furniture penning us in. Cormac was closest the judge. We all faced the empty jury box.

Red carpets. Lights like out-of-reach halos. Panelled wood for walls. Three huge TV screens. Carafes of water. A gold harp ornament above the judge's cathedra. Above that again, a big tract of window showing a puny treetop lurching in the south-westerly gusts. A sky unforgivingly white.

Red figures of the digital clock threatened to mete out all time eternal. 09:46:17; 10:52:35; 99:99:99. The gallery was full of note-taking trainee lawyers who came and went, half the Gardaí payroll lined up along the back wall, more than a few complete stranger pikeys mighta been media men, an aul biddy twosome sporting clip-on earrings and cartoon frowns, some other bored retirees, a pair of tourists (judging by the Alcatraz anoraks), an exhibit officer minding the white cardboard boxes of 'evidence', and too many groin-forward court officials. I expected Father Shaughnessy to bend around the door in his garb, shamefaced as if he'd been at the altar wine. Uncle Mitch showed up and, separately, respectfully, Gerry.

Underneath her bobbed forensic wig, the judge wore hooped

metal earrings that carried another hoop inside the hoop, and a third hanging from the second. Whatever Olympic sport she practised, I hoped it wasn't one of the endurance ones. Her face was set with fault lines whose activity you might spend your whole life failing to predict. She looked over half-moon glasses at Alastair, my barrister, Cáit for Cormac and the enormous, puce Paul Sheehan for Nóra. Judge Gilroy addressed them: 'Let's see if we can't do right by the taxpayer and settle on a jury in one day.'

Sheehan, who jerked his head before each statement to reposition his comb-over, replied: 'Quite.'

'I'm calling up thirty jurors instead of twenty since we have three defendants,' the judge explained. 'With seven peremptory challenges each, that's twenty-eight potential challenges without cause shown alone. Let's hope we can find more than two out of thirty representative citizens to empanel before lunch.'

Sheehan nodded, jerked. 'Let's.'

A garda marshalled thirty members of the public into the courtroom from a side door, all clocking us clan of culprits. Why was it that the jury would be selected so carefully to weed out bias when the counsel was picked quick as dock leaves for the nettle sting? I kept looking at Alastair for reassurance, but he was lost to his wig, a black poplin gown with flaps and long sleeves and the coat on under it. A stiff white collar and bands sheathed his neck, which had a raggedy scar by his Adam's apple. Given how much time he'd spent poring over my life—even Dolly, our letters, the still, how well each of my neighbours knew me ... he'd inspected every detail—I knew nothing of his.

Beneath the judge, the stenographer sat in front of a computer monitor and beside him the registrar pulled names from a drum. The first twelve were called and their excuses were humoured before being qualified for the jury. The clerk brought the names of the first eligible twelve to each counsel so that they could strike people off the list. During a toilet break, Cáit told us she'd phoned euthanasia advocacy groups and, despite what you'd think, there wasn't any 'type' of person who tended to be pro or anti, so there was neither a typical supporter that the prosecution could challenge nor a demographic typically opposed to euthanasia that we could veto.

Cáit adjusted the white bands she wore over her blouse—the bands the men wore, in contrast to the starched bibs that covered the necklines of the female prosecution counsel. Uncle Mitch was ogling her, desperate for his progeny's stardom.

Cormac watched her too. 'Are the horsehair wigs on the out,' he asked, 'or is there any trade left in them?'

'Try not to look so cocky, Cormac. The jury's sussing you out.'

'Should I look like Hart, so? Half-cut and brickin' it?'

'Hardchaw cunt,' I said, as an involuntary reflex.

'Don't you *dare* make a holy show of us,' Nóra whispered, without shifting her gaze from two feet in front of her, yet infinitely aware of the goings-on of the courtroom.

Despite no recommendation to do so, it seemed our side was vetoing any sketchy-looking gippos, new parent types and any brew of skin other than milky. Top of that, an auld wan was challenged owing to the cross strung round her neck, the principles she was showily upholding. Off away home with your glinty principles. Contrariwise, the prosecution was culling the too well-educated. College types. Laudy-daws. On and on it went. Purgatorial ceremonies. Two hundred members of the public duty-bound to their inglorious democracy waited backstage in the theatre of law for the day and a half it took for the casting. Finally, when the troupe of twelve were settled, the judge loomed over her glasses: 'Do refrain from reading articles or viewing any of the media coverage this case will attract. Do not do independent research by way of the internet or otherwise. You are required to make your decisions on the evidence only. Article 30 of the

Constitution of Ireland provides that all indictable crimes shall be prosecuted in the name of the People.'

But how heavy are the bindle sticks the People carry, Your Honour?

'The first, the second and the third named accused should now be rearraigned, Mr Registrar.'

Mr Registrar stood up and turned to me: 'Are you Mr Doharty Black?'

Not Mister, no.

'I am.'

'You are charged on the indictment as follows: that you, Doharty Black, of Dysart, County Roscommon, did on the second day of October 2014, with intent, unlawfully kill Mr Manus Black—the deceased person, who is your father—by way of asphyxiation, at his home, situated at Dysart, County Roscommon. How do you plead: guilty or not guilty?'

Kill?

There were no magnets force-fed in the name of the Holy Ghost. Only tablets swallowed in the name of the Human Spirit.

No.

'Not guilty.'

46.

Stopping drinking over the weeks following returned my vision to me. I could see myself in the mirror—the eroded statue of myself. One too many bits had been chipped away over the months: whole muscles from my shoulders and thighs, the meat from my cheeks, the grain from my chest. I could rest Dolly's stack of letters on my collarbone. No amount of her theatre would move me either. I was soft as September weather below. That's what I saw in the mirror. My impotent, hairless, slackened, orphan self. The mirror was the way of my recalibration. It was wojous as an AA shindig or an AA bra tag on the unpinging. Society was soberer than when I'd left it.

Since the easy bits were over, a pair of weeks into the trial—it would've been December 2015—Cáit gave us a talking-to before Judge Gilroy arrived and the prosecution began calling its witnesses:

'When Hurricane Katrina flooded New Orleans hospital, the staff had to carry the patients downstairs. Just being moved was the death of some of them, poor bastards. Doctor Anna Pou was working on the seventh floor with the sickest of the sick. A lot of them on ventilators went out with the electric.' Nóra gasped by my ear. Cormac sniffed and clicked his pen. He was eyeballing a bearded man in one of the front benches who was observing our exchanges, maybe reading lips. Cáit ignored the rest of the room. 'One of the patients wasn't terminal, though. He was young, just getting his bowel scooped out. But he weighed *twenty-seven* stone. The weight of a piano. So—'

'Nowhere close,' Cormac rubbished. 'Twenty-seven stone? Definitely not a grand piano.'

Cáit lifted her robes to put her phone inside her jacket pocket and addressed Nóra: 'He couldn't be carried. Dr Pou gave piano man a lethal dose of morphine. Eleven days later, mortuary workers recovered two dozen bodies with lethal morphine levels in them. Some called it euthanasia. Others called it homicide. The nurses called it harsh conditions. Treatment with the lights out. Nine of the bodies were on the seventh floor. Pou was arrested, charged with multiple counts of second-degree murder. A few months down the line, the grand jury decided *not* to indict Pou or the others. The charges were expunged. The state of Louisiana forked out half a million in Pou's legal fees.'

We all sat there, staring at the metronome of Cáit's ponytail leading us in. Cormac was still fuming at the prosecution's opening the day before—how we'd had to sit back and listen and none of our counsel did a thing. He didn't want to hear Cáit talking hurricane poppycock. He wanted legal citations only.

Cáit turned to me. 'What do you make of that?'

'How is a gang of nurses making a hames of a hurricane equal to this?'

Cáit thrummed her tidy nails on the dock bannister. 'Ha! Hames of a hurricane. Doharty quits *poitín* and takes up poetry. Well, Hart, for your troubles, I'll tell you what makes them equal. The coroner's report. He knew the report would change the case, so he called in a second opinion. Doctor Steven Karch, a specialist in post-mortem toxicology tests. Karch flew to New Orleans, took one look at the evidence and said it was absurd to try to determine cause of death in bodies that sat in hundred-degree heat for ten days. He said the medical cause of death should remain—'

'Missus Roe,' Mr Sheehan interjected, placing his hand on Cáit's lower back and moving her against our bench to let the tipstaff pass behind with the judge's water.

'—undetermined,' Cáit finished.

Everything about Sheehan put him at home on the red carpet, even if his skin tone clashed. He thrust his comb-over leftwise. 'I'd ask that you refrain from addressing my client. While I doubt this eleventh-hour counsel is ill-intended, it's causing Mrs Black undue stress.'

We all looked from Sheehan to Nóra, whose skin had aged like foxed paper. Her long eyelashes were clogged with tears and tissue fibres and her lips were pursed white. She concentrated on clasping her hands.

Cáit shook her silver bangle watch to the end of her wrist and checked it against the red digital clock. 'You're ahead of yourself, Mr Sheehan. It's the tenth hour. Not the eleventh.'

He smiled. 'That remains to be seen.'

'All rise,' the tipstaff called out, leading the judge in with a stick.

Gilroy took her tractor seat above us and let her glasses drop from the chain to heed the jury's foreman, who said that one juror had a training course and the court would have to adjourn next Wednesday. Mr Jonathan Enright, the DPP barrister—a fella with the small eyes, flat nose and whiskery lip of an otter—said that the defence might still be working through the witness list on Wednesday and there were *many* witnesses and *eleven* other jurors taking time off work in the interest of civic duty, so *one* person's training—

'The current unemployment rate in Ireland is 11%,' Judge Gilroy cut in. 'If a member of the jury has a training course, the justice system won't jeopardise that juror's professional development or employment status. The court will adjourn for one day on Wednesday, December sixteenth.'

'Yes, Your Honour,' Mr Enright said. 'I move to have all witnesses excluded from the courtroom.'

'Your motion is granted with the exception of members of the Garda Síochána and clergymen. All other persons who expect to be witnesses in the trial must leave the courtroom.'

Whingeing followed at the prosecution's bench. The rest of us turned to the congregation to see if anyone would leave. Even Nóra looked. I took from their pseudo-sympathy that the two linked-armed biddies were Nóra's friends. I vaguely recognised them from mass. But Nóra wasn't looking at them. Uncle Mitch was there again, and Gerry. Beside Gerry—inexplicably—were Pat and Frank Lally, almost grotesque with clean faces and grins ear to ear. And, I only saw him then, Father Shaughnessy, whose close eyes flickered when they met mine. That exception to the witness segregation rule had been made for him—on whose request, I didn't know—and the prosecution couldn't decide if they were one bit happy about it. Just then, Shane tried to slink in rat-like at the back, but all the faces staring doorward made a hedgehog of him. He sat down on the back bench, beside the police witnesses. He smirked, unpeeling the Velcro of his biking gear.

Mr Enright cleared his throat. 'Your Honour, the prosecution calls Detective Inspector Adrian Mooney as a witness.'

And so it began. The long game I'd told my small cousins about. The shots of laxative the prosecution gave us all to swallow, one after another: interview, memo, statement, deposition, exhibit, all read out excruciatingly by a barrister and backed up by the guard in the witness jacks; you swallow each mouthful and sense no movement at all, even though your motion is granted; swig, swill, slug; something should be happening by now; morning, mid-morning, early afternoon, mid-afternoon; sergeant, inspector, detective.

'Detective McCarthy, please interrupt me if your own notes diverge from what I'm reading aloud for the jury.' Mr Enright shifted his weight from one bony hip to the other while he recited:

(Q) State your full name.

(A) Cormac Jonathan Black.

(Q) Do you realise you aren't obliged to say anything unless you wish to but anything you do say will be taken down in writing and may be given in evidence?

(A) We'll try to make it entertaining, so.

(Q) Is patricide a joke to you, Mr Black?

(A) I'm Irish, sure. Everything's a joke.

(Q) Is a life sentence a joke?

(A) The way I heard it, the minister for justice can grant temporary release to someone doing life. A murder convict on a life sentence, off you trot! What's it one of them academics called it? The temporary release dodge: 'A Damocles sword hanging over the head of the licensee'.

(Q) Do you know a lot about the loopholes in criminal sentencing?

(A) I know a bit about a lot of things. But this case has nothing to do with my mental faculties. It has to do with our father's bodily health, so it does, and his wish to die in a modicum of comfort.

(Q) Do your family members come to you for advice on various matters?

(A) They'd run a thing past me.

(Q) Is that why your mother phoned you when we arrived at the house?

(*No response.*)

Do you generally supervise your family members' actions?

(A) That's going a bit far. Mam has a strong will of her own, needs no advising. Dad would've seen it as pure cheek if you tried directing him. And Hart can take charge of his rare aul mind, so he can. I wouldn't go near it.

(Q) What do you mean by that? 'His rare aul mind'?

(*No response.*)

Are you saying that Doharty has angry, dangerous or aggressive impulses?

(A) All dark thought, no dark action. Hart wouldn't swat a fly. Couldn't if he wanted to. He'd be afraid its tiny ghost would haunt him.

(Q) Is Doharty afraid of a lot of things? Is he afraid of you?

(A) God, you're an awful literal crowd. Do ye find me very scary, is it?

(Q) Was Doharty afraid of Manus?

(A) Our father wasn't threatening. Awesome, maybe. Fearsome in that way. But not someone to be afraid of. Hart was always hankering after his approval, but he wasn't *afraid* if he didn't get it. He just wanted it. Anyway, Hart's afraid of some things and not others and half the time he has it arseways.

(Q) What do you mean by that?

(A) Ah, sure. He's not afraid of women, but he's petrified of dogs! I mean, where in the bog do you find that logic?

(Q) Where do you think he got that logic?

(A) (*Accused laughs.*) Oh, did he tell tales, did he? Did ye have a bit of psychotherapy in here, did ye? Go on so.

Accused holds his hands above his head. Superintendent Fintan Goulding enters the room. Accused nods to the superintendent, lets down his hands. Accused continues his response:

Guilty as ye'll have me, but not guilty as charged. Sorry to let ye down. The charge isn't for having undue influence over my little brother, is it? I'm ... what's her name ... culpable on the dog front. But sure, I'd no clue Doharty heeded every word I said. I'd'a gone soft on him if I knew his mind was easier broke than an egg.

(Q) What did you do to him to make him afraid of dogs?

(A) I didn't do a thing. It takes words only to break his bones.

(Q) What did you say?

(A) I told him if a dog gets a hold of your leg, he'll bite down till he hears the bone snap. And that's why you're always to carry a stick when you go outside. So that when the dog has you, you can snap the stick. The dog will hear that and will let go, so he will. You've only to hope he doesn't nick the popliteal artery. (*Accused laughs.*) Hart loves a bit of vocabulary. Words, sure, they're safe. Easier to look up than a skirt. No word of a lie, it was the 'popliteal' sent him over the edge. And the way it went: the more scared he got, the more Dad would tell him to take a stick with him. The mantra for cycling to school, going out to the storage shed, the shop, going out the front fecken door. 'Take a stick, Hart. Take a stick.'

Cáit objected for the fourth time during this recital. An expert witness would be called to speak to the psychological profiling of all three defendants regarding the defence of trauma as a reason for not reporting the death. This memorandum was irrelevant, leading and opinion-based. She wanted it redacted.

I wasn't sober yet, it turned out. Judge Gilroy's hoop earrings were the only things I could focus on to keep from reaching out and pounding a hoop of my brother's skull. Right from the outset, from his first interview he'd been building his case ... and it wasn't against the People. Maybe he took it for granted I'd do the same: set myself against him. How far back had he contrived my incrimination? He slid his notebook across the bench to me then with a page open where he'd written: *Jury needs a stooge to pity and jeer at. The fool is always guiltless. You're welcome.*

The journey home might have been our last if I'd got in the car, within a body's length of him. The instant the judge and jury had been led out, Shane came to me with the offer of a ride home on Pamela. 'She has a long back on her! And I brung ye a helmet—protection and all!' he said, hoping to take the lid off the boiling rage in me one way or another. Queerly, it helped. 'I'll wait outside for ye, Spuds. You've yer fans to attend to.'

Father Shaughnessy was first, looking more burdened than ever, with all the weight of the souls he conceived to be on his shoulders. He was buckled halfway to the floor, apologising his way up the aisle. He'd brought us leaflets from the Sunday mass. 'The sermon is abridged in it, but it might be of some use. We're sending the prayers up in their droves, I can tell you ... God bless you all.' Cormac wouldn't take the leaflet, so Father Shaughnessy had to place it on the table in front of him. I took one and saw what was highlighted: *'I speak to your shame. Is it so, that there is not a wise man among you? No, not one that shall be able to judge between his brethren? But brother goeth to law with brother, and that before the unbelievers. Now therefore there is utterly a fault among you, because ye go to law one with another. Why do ye not rather take wrong? Why do ye not rather suffer yourselves to be defrauded?' (1 Corinthians 6:5–7)*

Then my barrister finally had something to say, to my shoulder: 'Mr Gerry Lardner would like to have a word with you, Doharty. Would you prefer me present?' Cormac overheard that and frowned. Then he left. Most of the courtroom emptied out. I wasn't sure what Gerry had to say or what Alastair was withholding, but

Alastair's eyes were shut while he collected himself to say, faintly: 'It's a particularly sensitive matter … given that eight of the twelve jurors own pet dogs.' He opened his eyes and allowed a flicker of contact before focusing again on my shoulder. He wore his wig still. It was hard not to stare at his neck scar sagging over the stiff white collar like the leg crease of an uncooked chicken. Then Gerry approached, cap in hand. 'I'll be gathering my papers,' Alastair said.

The exhibit officer was busy loading the boxes of evidence onto a cart.

It had been too many weeks since Gerry's hair was hennaed, so the roots were a ruddy-grey contrast to the mahogany waves behind his ears. He was a strapping man, like the Chief before the illness, and he made me feel small, though he went out of his way to do the opposite.

'How's the farm?' I asked. 'Weathering a skyload?'

'No more than yourselves.'

'Yeah.'

'Bad aul dose of it, to be sure.' Gerry clocked my brown suit through his permanently smiling eyes, though his words weren't smiling. He gauged the shoulder span wider than my own, the safety-pinned ankle hems. 'Them's your dad's clothes?'

I hesitated. Gerry straightened the peak of his own cap. 'She dumped all his clothes in a charity shop,' I said. '*Concern*, my arse. She'd've sold them if she thought they'd've bought a pack of biscuits, or feed for the hens.'

'Be wide, Hart.'

The floor between us was what I saw then, so my eyes must have gone to it. 'I bought his suit back from them for eight euro. Half in flitters. His only suit from his lean youth and he never bought himself another. Maybe if one of us had got married … Given him a day out.'

Gerry took a deep breath. 'I keep saying Manus was the man for forgiving. And for understanding.' His thick cheeks reddened.

'He was the Chief! Kind a man as you are.'

'No!' Gerry shook his head so his cheeks waggled. His voice resounded in the chamber, despite his efforts to be discreet. 'I'm not.'

One of the guards lengthened the route of his back-and-forth pacing and Alastair gestured to him to give us space.

'I'd a thing taken long ago, Hart. A thing I loved. Gone in a blink. And I can't abide seeing others done the same, for no good reason.' Gerry shook his head again. 'You mean well, Hart. But you done a bad thing with them dogs. I know it was you, and I wish I didn't.'

I felt very hot suddenly, the suit hanging on me as if the seams were weighted down with rat poison. 'I only wanted … I wanted to walk the length of my own road before being locked in … for good.'

'I'd have walked the road with you and minded you from the dogs, if it was fresh air you wanted. You know that. That's no job at all.'

'I didn't *want* help. I didn't *have* help. Not for years now. Not from then on. I don't have the Chief. All I have besides a summons is what he left me and that's the road and the stick and the way he'd be proud of me.'

'Manus wouldn't be proud of what you done.'

I swallowed hard. I wished the salt that reached my lips tasted stronger. I wished it strong enough to blind me.

'I'm sorry, Hart, to say that.' Gerry sighed and made himself smaller. 'I didn't come here to sadden you. I came to tell you I called into each house on the road. I'd words with the Qualters. I'd talks with the lot of them and I told them, I said I'm convinced Manus was long planning to end it, and he did that. 'Twas only an err in the end what put ye here. You especially, Hart. You were as dedicated to your father as a son ever was, and I said that. You were shook to the bone, with the trial about to start, out of your wits. I said that. If it's the truth or it isn't, there's truth in it. They under-stood, in honour of Manus. They respect him more than their dogs they'd some of them ten years trained. They listened when I told them, I said if you phone the guards or report deaths to the vet, I said it'd turn the case on its head. You'd be done for. Your lawyer said the same. He said if it came out you as good as kilt nine dogs the day before …'

I'd never in my life heard Gerry say so many words in a row. I remembered Nóra mouthing 'he hasn't a *whole lot* going on upstairs' all those years back. But there was a power of thought going on, as he stood exposed as an uncastled king in front of the red digital clock on the courtroom wall. _ _: _ _: _ _.

'You might think you done me a favour, leaving my Collies,' he said. 'But you put me in a tight corner in the community. And not everyone took it the same.'

I tensed up. 'Morrigan?'

Gerry shook his head and looked to the door.

He hardly meant … 'The *Lallys*?'

'The Lallys. They're waiting. A lift back and forth was part and parcel.'

'Part and parcel of *what*?' Gerry didn't like my riz temper. 'My father was *good* to them,' I said. '"They've an older manner of opportunism we'll never see the like of again", the Chief said once. I never understood it.'

Gerry almost smiled at that. The mole on his cheek angled up. 'Manus had it right. 'Twould'a been opportunism put them in mind to tell me that one-eyed Max was worth a few bob. That it'd be hard to tolerate the loss of him.'

'*What?*'

'Max was a great guard dog, they said to me. Had I a spare Collie to replace him? If I hadn't they'd take the remains of Doharty's bathtub still and a trip to Dublin.'

'For quittance? They can have it!'

Gerry punched shape into his cap and put it on. He looked up at the gold harp above where the judge had sat, then back at me. 'You might be wearing his suit,' he said, 'but it isn't Manus's footsteps you're following.'

The treetop in the window yawed out of sight.

I'm sorry, Gerry. You were right. I *was* out of my mind. I'm still out of my mind. I'm destroyed and I've no one to … not even my barrister. Not even my mother. I don't know how much of that I said aloud. The noises were layered and electric: words seemed indistinct above them. I wanted someone to bind my head with bandages until the soberness settled. Everyone was declaring me out of my mind, so why not own my alleged condition?

'I'm not doing this by the way to protect you,' Gerry said. 'You've the makings of a good man and I hope the law comes out favourable. But if there's one last thing I do for Manus, it's to make sure he isn't likened to a poisoned dog.'

Out he went.

Next thing I knew, Shane had shoved a weighty full-face helmet on my head and the world outside it was the slippery, garbled, uncontained thing that couldn't get at my immunity. I touched the helmet and felt something hard-wearing. It would do for bandages.

47.

It costs an arm and a leg to break a neck in Ireland. In the roughest weather, when people couldn't feed their horses, they sure as debt couldn't fork out three hundred euro for the tidy injection. So they'd take them to the nearest forest and set them loose, let them roam free, *Tír na nÓg* style. But waterlogged woodland's no place for horses. They need constant grazing. That's how the forests came to be littered with dead steeds. Shane thought that a story fit for telling when he dropped me home. That I'm not the only animal killer in the country was the moral. That he's the one to tell scary stories was the secondary moral.

It wasn't Cormac who told me about the dog biting down till the bone breaks and to take a stick. It was Shane. 'And it was a shtory about badgers I told ye one summer fishin' on the Suck river.'

I knew it wasn't Cormac's story. I remembered the glee in young Shane's face as he said: 'Shnap!'

Why Cormac lied about it, I couldn't figure. If he really had known it would be read out in court a year and a half later, what convoluted itinerary had he planned to coxswain in the minds of the jurors? Or was it just that he wanted ownership of my crippled mind—to have been the dominant influence?

'Came close to a forest visit oursels lasht week,' Shane said. 'Overstuffed the horses on the cull spuds. One o' them near Nagasakied, I swear ta feck. Ballooned up so we'd to pierce her under the rib with a knittin' needle to let the gas out. It's not like cows that regurgitate, chomp away on the cud. We've a Bloat Kit bought for it now in case it happens agin. Like Jesus said: "Once punctured, the foal's the fool. Twice punctured … it's twits all round".' Shane smoothed down his Tetris goatee and thumped his helmet back on.

'Well, that's me told,' I said.

The tail end of a laugh escaped as he lifted his visor. 'I can give ya a lift agin in the morning, but I've ta head back twelvish, so you're on yer lonesome then. It might shtave off the murderen, though. Will it do?'

'Thanks, Shane. I don't know what I'd've done—'

'Here. No poisoning yerself tonight, right? Ya need yer head about ya.'

I unstiffened my shoulders and gave it a thought. Could I manage another long night in the emptied house, with its deadlocks and antiseptic smells, abstemious?

My sober thoughts were half-made bridges, arcing out

every-which-way for safe mooring. My drunken thoughts had leapt blindly, had been better at landing on water. A new letter lay on the kitchen table. I would read a few of the old ones first, build myself up to it. I needed to build up to it. I'd dismantle the bathtub still and drop it off to the Lallys. I'd bring them the last of the poison and swap it for a few cans of beer. I'd wash my only good white shirt and sew the hems up on my brother's cast-off suit instead for Gerry's sake and, I suppose, Nóra's … who I could ease up on. I'd put four dinners' worth of food in the oven and roast it in oil. I'd do a hundred push-ups and run up the stairs twenty times. I'd take a blistering shower. I'd shave. Then I'd write back.

48.

Dear Hart,

This letter may be recorded for quality, training and satisfaction measurement purposes. Time to quit the call centre. Someone's complaining about the pyjama index in their neighbourhood. Probably the very same person spent the college fund on a mature olive tree for their garden in 2006. I'm acting appalled-but-unsurprised. My default mode at this stage. Shoot me now. Do I've to tell you not to take me literally?

Sorry.

I'm sorry you've to go through this when you're heartbroken to the nines. I would've come to the funeral if I could've got off work. I read Cormac's firm are keeping him on the whole time! Holiday leave for high court dates and GAA gallivanting! Nuts. It's busy here. On top of work, Emer needs loads of help getting ready. Due date's in four weeks. We're painting her room tonight. It's a girl. I think I'll paint a giant floral vagina in the vein of Georgia O'Keeffe so the little petal gets positive reinforcement.

In other vulva news, I got to stand in for a statue in Antony and Cleopatra. My parents came to see it and I can safely say they'll never enter a theatre again. I did warn them the part was a gilded statue but they must've thought I was being facetious. Their faces at the sight of my gold spray-painted pubes! Are you smiling?

You must be drained. I can't even imagine ... though not for want of trying. Do write back, Hart. Tell me everything. How on earth are you surviving in that house all alone with your mother? Does she ever take off that costume she goes around in? The emblematic Shan-Van-Vocht outfit. Self-sacrificing, loyal, ascetic, moralistic with shoulder pads of indignation. Sorry to say she has nobody convinced. Except maybe you. She wears it so tight, it's as if she wants to cut off the blood supply to her whole lower body, lest it betray her. What service was it she provided the priest again, before she married? Housekeeping? Anyway, sorry, it's just hard to watch women like that vacate themselves.

Easier to watch is your hot blonde cousin, though. The media loves her. Prim as a cucumber sandwich. Is it unusual she was allowed to represent her own clan? Someone her age wouldn't normally get to cover such a high-profile case in the high court. Anyhow, she flatters you both, so that's a good thing. There was a picture of the four of you in the Independent. At least, I think it was you. You minus your father. What's left of you. You've shrunk. I don't like that it's happened. Can't you look after yourself, Hart? And where in Botswana did that brown suit come from? Come on. You're in the limelight. Some people would kill to be in your position.

Sorry. I'll stop that now. I feel giddy for some reason. In that odd way of a kid at a birthday party who's been sniffing sherbet for hours, on the brink of getting a nosebleed and vomiting all over the Tibetan rug. I wonder should I just stick my fingers down my throat to get it over with?

Dolly

P.S. That story about the hares your father told in the car, that was the story of a man readying himself for death. A man who knew the departure timetable off by heart and was standing early on the platform without a suitcase. I've never known real death, only stage death. And Catriona. But she was unformed, so it wasn't a whole death. Only Rhionna or Rían … ~~The whole girl was never~~ I only meant to say it was his own choice and there was no pressure on him from any of you. You were the ones that seemed pressured.

49.

I wrote back.

50.

Nóra was nowhere to be found in the morning. Shane arrived at eight and I locked the house. I wondered was Nóra hiding inside it. I suppose I didn't look very hard, afraid of what I'd find. Despite the ways I felt about her, the image of her in jail—really in jail— was suddenly harrowing. Out of all of us, she was the only one better off in the house, and it folding in all around her.

There she was when we got to the courthouse, bound in her green-black frock buttoned from elbow to wrist, midriff to throat. I asked was she okay as we strode in a nervous clique along the corridor, and she gave a stiff nod but her eyes caught mine for a moment and gainsaid.

'This is part of an interview conducted by Superintendent Fintan Goulding with Nóra Black at Roscommon Garda Station on 21 October 2014 at 4:45 p.m. Detective Inspector Mooney was present. Mrs Black was tearful.' Enright proceeded with his next recitation:

(Q) You and Cormac witnessed Manus swallow the morphine sulphate, fall asleep and appear to pass away. Is that correct?

Defendant nods.

(Q) And what did you do then?

(A) Mourned.

(Q) Is that so? If weeds are anything to go by, it would seem you did the gardening.

Defendant doesn't respond.

(Q) What sort of a woman are you, Mrs Black? Are you a good woman?

(A) Excuse me?

(Q) Are you religious?

(A) I am Roman Catholic.

(Q) Do you attend mass?

(A) Yes.

(Q) How often?

(A) Less often than I would like.

(Q) Why did you leave the Sisters of Mercy Convent in 1975?

Defendant doesn't respond.

(Q) Is it true that you were asked to leave the convent?

(A) I left. That's all.

(Q) What did you do after?

(A) I was housekeeper to Father Jarleth Scanlon.

(Q) How long did you do that for?

(A) Seven years.

(Q) Do you know that the typical reasons for leaving a convent are falling in love with a priest, developing a special relationship with a fellow nun, sustaining an injury or losing your faith?

Defendant shakes her head.

(A) Faith isn't a handkerchief. Either you choose to relinquish it or you discover you never had it in the first place.

(Q) Are you speaking from experience?

(A) Do you mind the boldness of it!

Superintendent Goulding interrupts.

(Q) Did you read the Bible while you were at the convent?

(A) Was I born naked? Do I breathe oxygen? Did I read my Bible at the convent? Have you neither common sense nor decency?

(Q) Have you read the Bible since?

(A) Yes.

(Q) Do you know that, according to your Christian Roman Catholicism, the suicide you say you witnessed and permitted to happen sent Manus Black to Hell?

Defendant doesn't respond.

(Q) Was it your intention to assist in your husband's eternal damnation, Mrs Black?

Defendant doesn't respond.

Defendant makes a request to speak to her son Cormac, which is refused.

Defendant makes a request to speak to her solicitor, which is arranged.

Defendant refuses to sign interview notes.

On the witness stand, Goulding enjoyed the re-enactment of his bull session, even if Mr Enright's delivery hadn't much of the matador about it. He upset the defence counsel by voicing observations that were hearsay only. Though the objections were sustained, the jury heard it as Goulding put it. Mr Sheehan was the only defence counsel to cross-examine Goulding that first time he was called. It was to highlight Nóra's emotional fragility during questioning, to show she'd been suffering. Goulding pronounced it muddy suffering—part way over loss of face, part way over loss of spouse, half over holy injury.

Nóra's back was ironed so flat against the bench that a few in the gallery had to crane their necks to see her. Specially the Amish-looking couple—formal as two pints of tap water without a slice of lemon between them. I supposed they were 'pro life' scouts, but equally they could've been old friends of the Chief's. Could nothing be done to defend a man's magnanimity or his wife's? Was there no resting place for the old Irish in the new Ireland—a patch of land resistant to liquefaction?

On the next bench, Nóra's friends sported life-sized crucifix necklaces and figurine-sized faith. Father Shaughnessy's lips were aflutter. Gerry wasn't in the crowd. He'd have work to do. My shite to clean up. Uncle Mitch, contrarily, took his self-employment lightly and—I could barely believe my sobriety—he'd brought small Thomas and Neil, who I hadn't seen in over two years, since they'd come round for tea that time. Twelve and fourteen, they'd have been, or thereabouts. Neil wore an expression like a whoopee cushion. The innocence was there still in the upturned nose and giraffe freckles. Thomas rested his head on his knuckles and eyeballed the buxomest member of the jury, which could've been the middle-aged man in the V-neck or the curly-haired forewoman. Bridie wasn't there to give Thomas a slap because the defence counsel intended to call her as a witness. The State wasted a technology specialist's day to go through our phone records for circumstantial evidence: that me and Cormac were texting leading up to the Chief's death, which we were:

Cormac gives one to the opposition:

Make sure he won't lump us w 2 year leases 4 them threshers

Hart scores for the home team:
Chief can't drive any more. I've to take them to mass

Hart scores own goal:
Chief near caught pneumonia last night shooting scarecrows.
Not good sign sanity-wise. Got the thing yet?

Ya got anti puke pill. The tumour chick's pure sound.

Chief wants to go away weekend 23/24 You free?
I sent you a link check your email

You there?

Cormac! You getting my messages?
You free or not?

Busy that weekend.

Unbelievable.

Fuck off.

30/1 then?

Ya.

You'd have to stay at home with us Sunday 1st,
then we do it Monday morning

Fine. Make sure Mams changed the sheets

Matchpoint:
*Why bother? If you've to stay in a house with a
dead man you'll wake up itching.*

How farcical the depth and breadth of the pit we'd dug ourselves.
The blatant intent. Cormac's calls with cancer patient Anne Daly,
whose deposition was admitted on account of her incapacitation.
My laptop search history (*Can you dissolve a morphine tablet in water?
Taste of morphine sulphate. Cost of lethal injection for horses. Do suicide
victims get a funeral? Suicide liturgies. Dignitas. Proselytisation meaning.
Bible word search suicide. Old Testament book of Samuel, Saul sends David
on suicide mission. Cheap flights Zurich. Benefit of the doubt meaning*). The
PC's history too (*Buy online will. Agricultural relief to avoid inheritance
tax. Dá fhada an lá, tagann an tráthnóna* ('However long the day is,
the evening comes'))—my activity or the Chief's, it couldn't be
said. Nóra's phone call to Cormac at the precise moment the patrol
car entered our drive. Cormac's arrival thirty minutes later at
Roscommon Garda Station to give himself in for 'failing to report
the death of a person'. He thought that his mother and brother
had reported the death. He'd only discovered that they hadn't.
He thought it his duty to inform the Garda Síochána as soon as
possible and to officially apologise for not ensuring it had been
dealt with. The busy working week that was in it. Would they mark
it down now as 'self-administered overdose'?

'May we take another look at exhibit forty-seven, Detective
McCarthy?' Alastair cross-examined the gazillionth witness. 'The
receipt for the online will.'

'Yes, My Lord.'

'How did you find this particular document, Detective
McCarthy?'

'How?'

'Yes, how.'

'By looking, My Lord,' Detective McCarthy said, to laughter from the back bench and Thomas. Neil snickered loudly for fear of having missed something.

'Objection, Your Honour. The question was ambiguous,' Mr Enright said.

'I mean under what circumstances did you find it?' Alastair added, before Judge Gilroy gave a ruling.

'I found it on the study desk, My Lord. On October the eighth when we recovered the body.'

Alastair breathed more loudly than he spoke. 'Was it in an envelope, in a pile of papers, on its own, or was it specifically affixed to any other document?'

Mr Enright piped up. 'Objection, Your Honour. Mr Waters is leading the witness.'

'Dismissed,' Judge Gilroy said. 'Mr Waters is getting to the point.'

The cross-examining barrister is only supposed to revisit topics raised during the direct examination. Cáit told us that to explain why we were going soft-Mick on the prosecution's witnesses. She promised that we'd pack our punches soon enough. But Alastair had decided to pack them now. He used the cross-examination to prove that the will had been paper-clipped to the list of executor's tasks on which the Chief's handwriting could be identified. Therefore they were the Chief's documents. Not mine. No coercion. He got Detective McCarthy to admit that the handwriting—which read 'Cormac to arrange. Call Donal for help'—was the Chief's by comparing it to other exhibits. Then Alastair turned to the jury and picked a shoulder to fix his gaze on. 'If you can identify the handwriting on the list of executor's tasks—to which the will was paper-clipped—as Manus Black's handwriting, then the implication—'

'Objection, Your Honour. Argumentative!'

'Mr Waters,' Judge Gilroy declared. 'If you were about to

propose that the jury take inference from a proved or assumed fact, you would be in contempt of court. This isn't your closing speech, I hope, so your questions should be intended to elicit information only.'

'—then the implication … is that Manus Black wrote on the document,' Alastair finished.

He sat down slowly as a feather, which doesn't fall as fast as the hammer, it turns out.

As long as that day was, the night came. We were wasted for the drive home.

The following day was off. I've work to do, Cormac muttered when I suggested we go for a pint. 'Ah, come on. Let's see who'll buy us a last round. We *actually* killed our father, unlike the Playboy. We might get a riot going yet. Give the pigs some real fucken muck to roll around in.' The giddiness of Dolly's letters must've caught on. I felt impulsive. But Cormac wasn't in any humour for toasts or talk. He must've been so cocksure of his acquittal that he hadn't planned for an outcome the like was upon us. Maybe he hadn't known that the legal system was a cyclone from which, if even a hair off your head got sucked in, no manner of intelligence or sly manoeuvre would extricate you.

The fridge was empty. The eggs were caked in shit out in the coop, halfway to armadillos. Devoid of herself, Nóra locked herself in one room, then another, sorting the last of the Chief's belongings into bin bags. The post box was empty. I got into the car to drive to Galway to see Dolly. I could stop off in the post office and take out money and my pockets wouldn't be empty and I could buy breakfast and maybe Dolly would be in a play and she would fill the hearts and minds of the west coast and the ripples of her influence would stretch to the West End and the world's idea of us would be substantiated. And maybe the play would be in Irish and I could fill the seat in my mind where the Chief's voice had upped and vanished. (*Mo athair caillte.*) I could listen and be the jury for Dolly's curvilinear story, to-be-continued. I could go easy on her.

The car had no registration or insurance but what fine could be greater than life? My heart didn't skip a beat when I pulled in to the Roscommon police station to sign in. After, I hung south-west on the N63. Though I'd never driven to Galway town and I had neither map nor phone, this was my day and I could take ownership of its direction. Her address was scrawled on my hand. I could hunt down the call centre or wait outside her house, which was a mouldy town house in the Claddagh with pulled velvet curtains and a stench of seaweed and fancy dress—not an apartment on the docks like she'd said. I could knock on the neighbours' doors. I could pass the cathedral for drive-by mercy, cross the merciless Corrib river over to the town hall and search for her in playbills and ask after her and find the pink slip of a parking ticket tucked under my windscreen wiper. I could sit in the pub where we'd had lunch on the way to Connemara and spend half my savings and the last hours of my last free day on three pints and try her house once more in the dark. I could fall asleep against the wheel, blocking her ramshackle gate, dreaming of the pink slip of her, hands on me making good and bearable the fluke of my existence. I could do all that.

51.

The fuss of media umbrellas on the courthouse steps was less intimidating than the anti-euthanasia activists harassing Parkgate Street when we arrived the following morning. There was only a score of them, but they knew how to yowl. 'Not Dead Yet!' 'What do we want? Natural Death! When do we want it? Whenever it happens!!' 'Right to Life.' 'Die the Death Jesus Designed.'

'Dignity is God's to Give!' Their banners took up half the street. The picket sign that was fixed to the back of a teenage girl's wheelchair read: '"The taking of a human life for any reason is wrong. You cannot nudge the moral compass from its true North without losing something vital"—Jessica Fletcher, *Murder She Wrote*.'

Cáit, Mr Sheehan and two police officers hurried out into the pelting rain to take us by the elbows. We'd been stunned by the noise of the hate. The rain stung, pelting down with toy syringes. Cormac stamped on one of the syringe-shaped highlighting pens so the plastic cracked and spattered luminous pink. Cameras flared. A newshound called: 'Mr Cormac Black, are you culpable for tormenting your psychosocially vulnerable brother into committing patricide?'

Cormac pulled away from Nóra and stood bear-like, staring down the crowd. 'Who the fuck is funding this?' he asked.

'Why did you leave your afflicted mother and brother in the house with the body for six days?' someone shouted.

'Mrs Black, why didn't you encourage your husband to seek treatment that would have extended his life and saved his soul?'

Cáit wrestled Cormac inside. Metal detectors looked how Hell's fire would look to a new arrival: better to walk through than to stand in front of, the skin slipping off you. I was waiting for Nóra to whimper that it was insufferable and when would it end. But she didn't. Her eyes were bloodshot, like waxy green leaves veined red by a fast change in season.

52.

Finally, the priest was called for confession.

There we were again: a queer congregation, berserk with piety but hesitant to fall to its knees just yet. Gilroy looked down at Father Shaughnessy with his blue cloth Bible and judged its fit. The People looked up to him—most zealously the Amish couple, his cronies maybe. The jury looked askance: a generation that needed proof. The legal counsels tried to look squarely at him, but there was that sense that his collar was thicker than theirs, that his robes had more function. We three persons acting in concert together tried not to look any-which-way or to hear or speak but Cormac was static electricity. He wasn't wearing his cufflinks to transmit the shock in a handshake or a puck. He took no more notes. He hadn't spoken to me in days. Mr Enright took the reins on our side and let the others examine only the driest of evidence.

'I led the funeral liturgy for Manus's parents and his small sister, Kitty,' Father Shaughnessy attested, 'when they died tragically in a fire. It was my first year out of the seminary. My first year in Dysart parish.'

'When was that?'

'Nineteen sixty-six. Manus was sixteen, I remember it clearly. He was old enough to take over the farm with some help. An aunt went to live with him and his sister Bridie until Manus learned to cook a bit. Then Bridie went to live with the auntie up in Boyle and Manus faced God's good earth alone. Lord have mercy on his soul.'

'Can you describe your contact with the Blacks beyond that— Manus in particular?'

'He was a humble, hard-working Samaritan who attended mass weekly through the years of his solitude, and later with Nóra to whom I married him. He made whatever contribution he could manage. He didn't receive the Eucharist, mind you, but I never pushed him on why. Attendance is what counts.'

'Did his sons attend also?'

'Cormac stopped coming at fourteen, with the excuse of hurling. I administered him the Sacraments of Baptism, Communion and Confirmation, so we'll consider him Christian, though I suspect he wouldn't identify as such. Doharty, conversely, attended most Sundays right up to his father's passing. He was devoted to his father, it should be said. Hart has the makings of a fine God-fearing man and he is one of the most spiritual youngsters I have come across.'

'Objection!'

'Stick to the facts, Mr Shaughnessy,' Judge Gilroy warned. 'You're not here to give character references.'

Mr Sheehan jerked in agreeance.

'Did you know about Manus's health?' Enright asked. 'And if so, how and when did you learn of it?'

'You'd be doing well to get Manus on the topic of himself. It was his sister Bridie who told me. She's in Skrine, so they'd go to the cathedral for mass. But she dropped in one time, in … when would it have been? Two thousand and nine, and asked would I do a mass for him. From what she said, she didn't know he'd decided against treatment altogether. She seemed to think he was on a waiting list.'

'How did you know that Manus had decided against treatment if you never spoke to Manus about his health?'

'I have the priest–penitent privilege to uphold.' The microphone amplified his nose whistle. 'Suffice it to say I knew he was beset. He was very troubled financially, so, that was going on. He kept his morality in check.'

'When did he stop confessing?'

'Objection, Your Honour.'

'Sustained.'

'When did you offer Manus Black home confessions?' Enright's altar boys shifted papers and glances in a flurry of purpose.

The priest could say when, yes. He could say why. Could he say if there had been any indication of suicidal tendencies? 'Among the religious community, there's a conviction that the drop-off in religious practice has played a major part in the increase in suicide rates in this country. However, as I've said, it was never my suspicion that Manus cut back on his practice for any ideological or cynical reason. Merely a biological one.'

'So, Manus was not suicidal?'

'Objection!' Both Cáit and Mr Sheehan stood up. 'Leading, Your Honour,' Sheehan protested.

'A priest is not an expert witness,' Cáit added. 'The jury should be advised. Mr Enright is soliciting opinion evidence.' The white rain lashing the rampart of window above mirrored her agitation.

'Sustained. The stenographer will strike that from the record and Mr Enright will refrain from leading the witness or soliciting opinions.'

'Yes, Your Honour.'

'You may continue your questioning.'

'When did you first visit Manus's household, regarding home visits?'

Father Shaughnessy looked troubled by the ructions. The state of someone's soul wasn't a topic for debate and, if it had to be, it could only be spoken of in analogies. A human being outweighed the sum of its parts, as did the Shepherd's flock. Why couldn't he be asked if he'd found the lost sheep? He could have answered that. But no, they insisted it was a day of the week and not a moment in the time after the death of Christ when Father Shaughnessy first called to the Black household: a particular minute of the hour of the day of the week. The morning we'd returned from Connemara. He didn't mention how long it took Nóra Black to invite him inside.

'What was Mrs Black's response to the offer?'

'She said that she'd pass it along to Manus when he was awake. I said I'd call in again next week.'

'And what was Mrs Black's response?'

'Well, she was gracious. She'd pass on the message, that Manus would phone if he wanted home visits.'

'Did she tell you not to call in again?'

'Well … she said no, Manus would phone me if he wanted me to.'

'Did she or did she not say that you may call in again?'

Father Shaughnessy looked down at us, in the negative. I was the only one to meet his eye: his was driver's eye with lowly human reflexes—unable to change course upon sight of the huge animal.

'You received no phone call from Manus, but you called back anyway?'

'Yes, I did. The following Saturday after morning mass.'

'Why did you flout Mrs Black's wishes?'

'I didn't mean to do that, but I didn't know what Manus himself wanted and I'm long enough in this occupation to know what one person wants isn't necessarily what another is capable of communicating.'

Mr Enright allowed that to sink in. It looked as if Father Shaughnessy's collar had tightened. 'Before we look at that second visit, do you recall what you talked to Cormac and Doharty about? Did you ask why they were both at their family home on a Monday morning?'

'No, only small talk, it would've been. Cormac had been interviewed on the radio, he was telling me.'

'And Doharty?'

'Hart was on his laptop computer at the kitchen table. He seemed very anxious … morose.'

'What did he say for you to infer that? Did he say anything about the whereabouts or well-being of his father?'

'He wanted to know why I was offering confession for a man who was lying sick in bed, unable to commit any sins. Hart would be very philosophical like that, you see. He thought Manus a saint, which is a rare attitude for a child who has been overly relied upon.'

Objections all round. If he voiced opinions again, Judge Gilroy warned him that a large part of his testimony would become inadmissible. Was that clear? The priest would be made to drive on—forbidden philosophy, prayer or the bemoaning of roadkill.

'Did you notice anything unusual on that first visit of October the second, 2014, the day of Manus Black's death?'

I looked for Father Shaughnessy's sympathy, but he didn't turn to me again. Instead, he turned to the Bible on the witness stand and his nose anticipated what he had to say. The whistling. Cormac dismissed it as the television, he explained. When it sounded the second time, Cormac left the room. When Cormac returned, the whistling had stopped. Father Shaughnessy presumed Cormac had turned off the television. No—no presumptions. Only the facts. The fact of the whistling sound. The fact of it being ignored. The fact that Manus Black was caught dead with a whistle around his neck and the seal of his son's hand.

'Were you aware that Manus wore a whistle for calling when he needed help?' Enright asked.

'I wasn't.'

'Was it Manus whistling for help that you heard?'

'I couldn't say.' Father Shaughnessy's long words were cut to stubs, but he tried to make them work. He parted his hands and laid them on the bench. 'That would be speculation, only. The *fact* was that Manus had sent in a large donation at Sunday mass the week prior and I came to express gratitude. It was the type of donation that comes from a person who knows it will be their last. And it was Manus put that envelope in the basket, not anyone else. I saw him do it. That was the fact of it.'

It wasn't enough. The jury could hear whistling still and knew where it came from. It was too shrill to ignore. The rain lashed so fiercely that the window might have broken open like a pen rupturing paper from the pelt of writing. But it was Nóra who broke open. She rose to her feet beside me and drew a slip of paper from her sleeve. She faced the jury, waving the white envelope like a handkerchief. 'I have evidence,' she croaked.

Cáit, Alastair and Paul Sheehan all rose suddenly. I tried to stand too—*what the?*—but Cormac reached across and pressed my shoulder hard. The yellow rings of his eyes mimicked the lights above. His jaw was gritted. Way too calm.

Mr Sheehan pitched his hair leftward so the others knew he would be the one to speak: 'If Your Honour pleases, the defence counsels require a brief adjournment to discuss this matter with our friends.'

Judge Gilroy let her glasses hang from their chain and excused the jury. Only when the clerk called 'All rise' did Cormac take his hand off me. He walked beside me like a bouncer as we were ushered out the side door. But we weren't led along the purgatorial corridor. We stopped right outside the courtroom. Nóra, Sheehan, Cáit, Cormac and Alastair formed a circle of which I was invol-untarily part. I looked at Cáit, but she was busy scanning the long, hand-written document that Sheehan, with a plastic glove on, held out to each counsel to read—ladies last.

'Given the retrogression of the proceedings, my client has been prompted to submit a new piece of evidence, just come upon, which will have a significant impact on the case.'

'What?' I said.

'Your mother is submitting a document to the Book of Evidence,' Sheehan repeated. 'On one condition.'

'What document? What evidence?' I said. Why was everyone swaying?

Sheehan licked the corner of his bulbous mouth. 'The Statement of Wish to Die.'

I became very aware of my knees. *Why are we here? Standing still?*

Sheehan had more to say, directed at Alastair: 'Section two of the Suicide Act of 1993 says that a person who aids, abets, counsels or procures the suicide of another, or an attempt by another to commit suicide, shall be guilty of an offence and shall be liable on conviction of indictment to imprisonment for a term not exceeding fourteen years. Involuntary manslaughter would be closer to five years. A decade in the detail.' He held up his stubby fingers to me, to indicate the years. 'The condition upon which my client will submit this document is this: Doharty pleads guilty to all charges. We three can barter with the DPP: the statement submission and Doharty's guaranteed plea if they'll reduce the charge to manslaughter. My client and yours, Ms Roe, will be *nolle prosequi*. Doharty won't get life, thanks to this evidence, which acquits the intent element of the charge.'

Cáit looked at Cormac, who gave her a quick nod, arms crossed. Then she turned to me. 'Hart. This trumps what Alastair and I had up our sleeves. Alastair's aide took a deposition from Aleanbh Cullinane. To confirm the trip to Connemara and to describe Manus's health. But it might be considered hearsay because her excuse for not being here is that she can't leave her daughter. Not a great excuse. Besides, it might not have won over the jury. This is better. It's the best outcome. A much lighter sentence. If the DPP go in for it.'

'Which they will,' Mr Sheehan said.

'If they go in for it,' Cáit repeated. 'Which they might do. They're nervous about Bridie's testament—how it will reveal Manus's state of mind. And what the priest might reveal when we recall him. This document confirms an unlawful killing, but on the basis of a request. It's the difference between abetting suicide and involuntary manslaughter. It proves there wasn't a mental element.'

I felt Alastair at my elbow. Was he propping me up? Did he know what I'd just found out?

'Why …' I tried to speak, to speak over the word that had stuck. *Her* daughter. But I had to fight for it too. 'Why are you all saying "Doharty"? Wouldn't we *all* get manslaughter?'

'Ah, yes,' Sheehan started. 'While Nóra and Cormac are complicit—'

'I asked *her*.' I tried to point at Cáit but my limbs wouldn't work.

Cáit leaned forward—the lovely androgynous smell of her the only consolation. 'It'd be difficult to get a charge on the others, Hart. Because the death was strangulation secondary to overdose. The DPP know that. I'll still have a battle getting Cormac off the aiding suicide charge, but they only have evidence of him procuring one pill, not even the morphine ... which *you* got. They'll probably drop the charges on the others ... in exchange for the statement and your guilty plea.' She gave me as sympathetic a look as her sharp face could muster.

'Guilty? Of slaughtering my father?' I looked to Nóra, who stood in Mr Sheehan's huge wake. 'Mam?' Her face looked stretched across her bones like cling film, but the air had got in; she had turned. Her eyes were gashes. 'You'd put me in jail?' I said. 'You'd have me take the blame? For what? What did I do?'

She sounded some word, but it was nothing recognisable. A blank bit of wall between Stations of the Cross. She wanted me to quickly pass by her. Sheehan advanced. 'Your mother cannot endure the stress of the trial's continuation. You might think of your widowed parent's well-being when you decide whether or not to wrap this up today.'

Cáit told everyone to give me space. She led them a few metres away, except for Alastair, who held my arm. A full minute of silence passed before I could hear beyond the tinnitus. Alastair's laboured breaths reminded me of the Chief. I couldn't face all the damage of him now, so we stayed side by side, not face to face.

'This is your decision,' he said finally. 'Your change of plea must be voluntary. So listen to your own instincts as well as my recommendation.' Another pulsing silence. 'Some manner of assault charge must be borne, by one if not by all. If you plead guilty, the jury becomes irrelevant. It reverts to Judge Gilroy.'

The ache of grief returned to my throat, a tocht the size of a fist, and my mouth opened for the poison it needed—the fire that would burn me as innocent as the Chief's parents, his small sister who never got to live this strange, fucked life. My knees buckled, but Alastair had me.

'Come, now,' he said. 'She's quite like you.' He spoke softly and breathed at my shoulder like crunching footfalls in hard snow. 'Green-eyed.'

I gasped and searched his face. Alastair's neck scar looked waxy and white as an envelope seal in the corridor light and, from so close, the stitch marks on either side were unmistakable. Ellipses along the jugular vein.

'She's very small, yet,' he added, 'but give her five years. You can look at her and, perhaps, see a fresh start. Aleanbh agrees you might just be ready for a child, then. A thing not to be afraid of.'

I asked, in so many vowels, if I could see her.

Alastair looked at my bowed shoulder. 'Only to say goodbye.'

53.

Our father was no God. He couldn't hold his fields in his hands and make them replete. He couldn't hold his sons in his hands and make them heroic.

That that didn't make his hands smaller took me years to understand. Five dark years cemented around me. Father Shaughnessy guided me through them. He knew a person needed help when left with nothing, no thing not a thing. He knew what a loving son does with the body of his father: how he lifts him over his head and tries to carry on living with that cargo and muscle burn and skeletal compression, all the while hoping his Chief will be raised up in tribal estimation.

On one of his many prison visits, Father Shaughnessy reminded me how sons are small gods too to their fathers, how what's good in them—what's unmarked save for the thumbprint of the Lord—is held up in awe. He told me a story the Chief had shared when he was young and fit and glad of fatherhood:

One hot Sunday, the Chief drove by Pat and Frank Lally traipsing through the fields, the sweat pouring off them. I was a small boy in the back seat. Gerry was in front. The Chief pulled over and called them out of the rude sun. Was it a lift to town they wanted? She'll go wherever there's a good feed, said Frank. He'll swally a bandage for the hunger pains, said Pat. They stuffed in on either side, and me stood up between them, testing out my new-found balance as we drove. Pat held onto one ankle and Frank to the other with the filthiest hands I'd ever seen, brown and hairy as tarantulas. Frank said I had the makings of a jockey if I'd go in for silks. And infertility! Pat added. The smell that came from their laughter overpowered the other smells. My four-year-old face was thistle-grimaced and I blurted out: 'Is tonight the night for the bath, Daddy? Is tonight the night for the washing?' I kept repeating it, plying subtlety for all it was worth. The Chief could have killed me, he told Father Shaughnessy, only for he'd never known a child more honest. He feared it. The standard it would hold him to. Father Shaughnessy agreed that honesty was my biggest strength and my weakness. Too much honesty is incompatible with this world. It is water poured onto droughted soil. It can only spill off. The earth is too rigid in its poverty to absorb what wealth is given.

It's true that the outside world is the wayward thing. The exposed, riotous, pitiless prison. What were the final images then, when I held the word in my mouth: the magnet that had been arranged on my tongue for swallowing? (Not arranged all along by my guileful brother, but by the undying Father who knew that I would come home to Him, given time.) I'll remember now, so that I know the route I took to where I've come, so that I never go back on myself or lose my way for lack of paternal direction.

This is what I saw when I pleaded Guilty to the People and bore the cold lash of their shackles:

Judge Gilroy—gauche in the horsehair wig and weary of her steel jewellery—didn't offer to fast for thirty days on my behalf.

My mother. Passing her keys to Cormac, who was to become her property manager, for she would go to live with her parents, the old couple for whom she'd had me convicted, the generation to whom her sins could never be exposed, to whom the Chief's disgrace could never be bared, who might forgive her one Cain son. We're *human*, she'd beg. 'Now the brother shall betray the brother to death, and the father the son; and children shall rise up against their parents, and shall cause them to be put to death.' She wouldn't do the same. She would be rescued from the cyclic flame. She would carry her parents to the City Gates, if only to see them off. What was it that happened so long ago between them? Her leaving the convent? She might tell me tomorrow, when they come for me, to take me home.

Finally, there was Dolly. Dolly, costumed in a blue dress with fine white stripes crossways, a white linen blazer and flat-soled shoes. A thin gold rope with a nautical anchor marked where her waist was, which had thickened. Her black eyebrows were as the crow flies: undeviating. Why had I waited so long to write back? Could I not read between her lines? The child was outside in Emer's arms, but it was her own child. It might be my child too. Depending. Did I know that Doharty means 'harmful'? Would I live up to my name? The mole on her chest had sprouted a hair. I nearly went to pluck it, but nothing was my own to move or do or say. I was between places that were nothing like a woman's pale, muscled thighs.

I turned to the door as someone exited the courtroom, in the dread hope of glimpsing my child in the gap. Seeking out that crescent of life, I remembered one of Dolly's letters had named her Rían. She'd been born with a congenital heart defect: a small hole in the upper septum. It had closed on its own. Was that irony? Cormac wouldn't care to put me right any longer. Perhaps

I'd been gazing there a long time, for when I turned back, Dolly was handing Cormac his cufflinks. He slipped them into his breast pocket furtively and angled his neck until it cracked. He patted my back and said something unintelligible. Then he went about his business.

'Don't get me wrong,' Dolly said.

Tears tumbled down her cheeks and chin and were captured by her blue naval dress and were captured by my gaze and the gulley of recollection. She was sorry as Faustus, she said, whatever that meant. Be good, Hart. Aren't there things to look forward to? She asked no end of questions, like one of her letters, only I wasn't there to receive them. Nothing needed saying. There were no plots to concoct or guises to perfect. I would have to hold my own, without stick or kin or book of evidence. That much would be asked of me, until I had nothing to answer for. Until I could be my Father's son, at last.

ACKNOWLEDGEMENTS

Thank you Bill Clegg, for all that you do, and for being my ideal reader. To the Clegg Agency's brilliant, thoughtful people: Marion Duvert, Simon Toop, David Kambhu and Lilly Sandberg. Anna Webber, Seren Adams and folks at United Agents, thank you. To my editor and publisher, Juliet Mabey: thank you for believing in this book, and for your extraordinary energy and dedication. Everyone who worked on this book and on *Orchid & the Wasp* at Oneworld: Margot Weale, Paul Nash, Alyson Coombes, Thanhmai Bui-Van, Caitriona Row, Polly Hatfield, Laura McFarlane, Helen Szirtes. Ben Summers: for this perfect cover. Publicity in the US: Richard Nash, Emily Cook, Caitlin O'Neill and Phoebe O'Brien. Publicity at Bloomsbury in Australia – Genevieve Nelsson in particular. In Ireland, Cormac Kinsella and Louise Dobbin: folks who make the book world feel entirely unlike an industry. Thanks too to the booksellers and librarians who do just that, whose generosity changes readers' and authors' lives.

Thanks to the Queen's University of Belfast, Victoria University of Wellington and Maastricht University for support over the years. Thanks to Culture Ireland and Literature Ireland for helping me get out and about, to find and meet readers. The knowledge of a Literature Bursary Award from the Arts Council of Ireland for my next novel helped keep me sane while I edited this one. Thanks to the Ireland Funds Monaco Award, I wrote at least four thousand words of *The Wild Laughter* in the extraordinary location of the Princess Grace Irish Library. Thanks too to the Faber Academy in Olot, where I spent a week working on edits.

Friends who read parts of the work along the way, or whose support I exploited: Judge Petria McDonnell, David Fleming, Jessica Traynor, Jane Clarke, Ronan Ryan, Doireann Ní Ghríofa,

Mary Cregan, James Shapiro, Maria Tivnan, Beverly Burch, Brian Lynch, Paul Lucas, Alicia Hayes, Elizabeth Behrens; the Dutch writer and ex-student Priscilla Kint, whose poem about the Irish phrase *tá brón orm* ('I'm sorry'/'sorrow is on me') inspired a moment in this book; my PhD supervisors Harry Ricketts and Geoff Miles; my siblings Donnla, Evin, Rían and Rowan; my parents. Paul Behrens, for loving this book more than anything else I've written and telling me that whenever I gave him any other work to read.

In 2013, Marie Fleming challenged the Supreme Court to establish a constitutional right to die, hastening a long-overdue conversation.

Winner of the Collyer Bristow Prize 2019

Shortlisted for the Hearst Big Book Awards 2019

Shortlisted for the Butler Literary Award 2018

A *Cosmopolitan*, *Sunday Independent*, *Hot Press*, *Irish Independent*, *RTÉ* & *Sunday Business Post* Book of the Year

Orchids are liars.

They use pheromones to lure wasps in to become unwitting pollinators. In nature, such exploitative systems are rare. In society, they are everywhere.

Gael Foess is a heroine of mythic proportions. Raised in Dublin by single-minded, careerist parents, she learns from an early age how ideals and ambitions can be compromised. When her father walks out during the 2008 crash, her family falls apart. Determined to build a life-raft for her loved ones, Gael sets off for London and New York, proving how little it takes to game the system. But is it really exploitation if the loser isn't aware of what he's losing?

Written in electric, heart-stopping prose, *Orchid & the Wasp* is a dazzlingly original novel about gigantic ambitions and social upheaval, chewing through sexuality, class and politics with joyful, anarchic fury, announcing Caoilinn Hughes as a rising star of literary fiction.

'Highly ambitious… Kick-ass, whip-smart.' ***Sunday Times***
'A gem of a debut about the way we live now.' ***Elle***

Celebrating the best Irish books of the year.

#READERSWANTED

Caoilinn Hughes' latest novel, *The Wild Laughter* (2020) is longlisted for the 2021 Swansea University Dylan Thomas Prize, and was shortlisted for the An Post Irish Novel of the Year 2020 and the RTÉ Radio 1 Listeners' Choice Award. Her first novel, *Orchid & the Wasp* (2018), won the Collyer Bristow Prize 2019, was shortlisted for the Hearst Big Book Awards and the Butler Literary Award, and longlisted for the Authors' Club Best First Novel Award and the International DUBLIN Literary Award 2020. Her poetry collection, *Gathering Evidence* (Carcanet, 2014), won the *Irish Times* Strong/Shine Award. Her short fiction won *The Moth* Short Story Prize 2018, an O. Henry Prize in 2019, and the Irish Book Awards' Story of the Year 2020. She holds a PhD from Victoria University of Wellington, New Zealand, and is currently the Oscar Wilde Centre Writer Fellow at Trinity College Dublin.

Contents

Introduction

Mathematics is widely regarded as the language of physics. Fluency and accuracy in mathematics is therefore a requirement for success in pre-university physics courses and will enable students to progress to higher level studies in physics and engineering.

This book is written as a course companion for post-16 students in pre-university physics courses in England and Wales. These courses are:

- the A-Level Physics examinations of AQA, Edexcel, OCR and WJEC
- the International Baccalaureate
- the Cambridge International Examinations Pre-U
- the Oxford University Physics Aptitude Test.

The mathematical requirements of all the courses are very similar – indeed the A levels have a common nationally prescribed mathematical content – so there is no need to distinguish between them when working through the text. In this text, 'A-Level Physics' refers to all these courses.

Physics students develop their mathematical skills over the two years of their A-Level courses. Many study A-Level Mathematics alongside Physics; many do not. All students need to negotiate the high step change in mathematical demands from their pre-A-Level courses. Mathematical concepts are often needed by physics students before their introduction in maths courses, where taken. Students benefit from working through maths problems that relate to physics. Non-maths students will benefit from working through the chapters under guidance from their physics teachers – maths students can concentrate on working through the exercises – both the **Quickfire** questions and the **Test Yourself** sets of questions in each chapter. It should be noted that the questions in the Test Yourself exercises are of graded difficulty – many of those towards the end of the exercises, especially in the later chapters, are included to stretch the more able student.

The mathematics that students need to tackle examination papers is a subset of that required in A-Level Physics courses. Many of the equations that students use are derived from basic relationships. The mathematical techniques applied in their derivation, from the straightforward application of simultaneous equations to the solution of differential equations, are often not tested in pre-university physics examinations. This book aims to cover the mathematics behind the results presented at A-Level Physics. The main results which are used in A level Physics are given in Chapters 1–9; in Chapters 10–12 we introduce the advanced techniques of calculus and complex numbers; Chapter 13 is devoted to deriving a set of mathematical and physics relationships for which the derivations are often omitted in physics text books. By covering this material the authors aim to demonstrate to students the uses of mathematics to the physics they are familiar with and to prepare the ground for the mathematical demands of physics and engineering courses in higher education.

Notes on the second edition

In preparing this second edition, the authors have added the following material:

- Section 6.7 on graph sketching. This arises from the experience of the authors in preparing students for Oxbridge entrance in physics and engineering.
- Chapter 12 on complex numbers. This chapter introduces an elegant and powerful tool for the analysis of vibrations and AC electricity. It prepares students for the use of this technique in higher education.
- Two new sections have been added to the renumbered Chapter 13, Miscellaneous proofs.

The oportunity has also been taken to correct the mistakes and omissions which had been spotted by eagle-eyed users of the first edition. The authors are very grateful to the teachers and students who drew them to our attention.

January 2016

Maths for A Level Physics

A Course Companion

Updated Edition

Gareth Kelly and Nigel Wood

Supports A Level Physics courses from AQA, Edexcel, OCR, WJEC, CCEA, the International Baccalaureate and the Cambridge Pre-U

Illuminate Publishing

Published in 2016 by Illuminate Publishing Ltd, P.O Box 1160,
Cheltenham, Gloucestershire GL50 9RW

First edition published by Illuminate Publishing in 2014

Orders: Please visit www.illuminatepublishing.com
or email sales@illuminatepublishing.com

British Library Cataloguing in Publication Data

A catalogue record for this book is available from the British Library

ISBN 978 1 908682 18 5

Printed by Cambrian Printers
01.16

The publisher's policy is to use papers that are natural, renewable and recyclable
products made from wood grown in sustainable forests. The logging and manufacturing
processes are expected to conform
to the environmental regulations of the country of origin.

Editor: Geoff Tuttle
Cover and text design: Nigel Harriss
Text and layout: GreenGate Publishing Services, Tonbridge, Kent

Acknowledgements

We are very grateful to the team at Illuminate Publishing for their professionalism,
support and guidance throughout this project. It has been a pleasure to work so closely
with them.

The author and publisher wish to thank:

Dr John Richards for his encouragement and advice.

Margaret Shepherd for her meticulous attention to detail.

Maths: Physics Content Map

The grid gives an idea of the chapters in the book which provide support for the different topics of A level Physics. This will depend on the details of the Physics specification you are following.

Topic	Chapter/Section														
AS	1	2	3.1 –3.3	3.4*	4.1 –4.2	4.3 –4.4	5	6	7.1 –7.4	7.5	7.6	8.1 –8.3	8.4 –8.5	9.1 –9.4	9.5
Quantities	✓	✓			✓										
Force & equilibrium	✓	✓			✓		✓		✓						
Force & motion	✓	✓	✓		✓		✓	✓	✓						
Energy	✓	✓	✓		✓			✓							
dc electrical circuits	✓	✓			✓			✓							
Waves	✓	✓		✓	✓			✓							
Refraction/optics	✓	✓					✓	✓							
Wave/particle duality	✓	✓			✓										
AS Practical	✓	✓	✓	✓	✓		✓	✓	✓						
A2															
Vibrations/shm	✓	✓	✓	✓	✓	✓	✓	✓	✓				✓		
Circular motion	✓	✓			✓		✓	✓	✓						
Force and momentum	✓	✓	✓		✓		✓		✓	✓	✓				
Electric fields	✓	✓			✓		✓	✓	✓				✓	✓	
Gravitational fields	✓	✓			✓		✓	✓	✓				✓	✓	
Radioactivity	✓	✓	✓		✓	✓		✓							
Thermal physics	✓	✓			✓			✓							
Capacitance	✓	✓	✓		✓	✓									
Magnetic fields	✓	✓	✓		✓		✓	✓	✓				✓		✓
e-m induction	✓	✓			✓		✓	✓	✓				✓		✓
r/a; nuclear energy	✓	✓	✓		✓	✓		✓							
ac theory	✓	✓	✓	✓	✓	✓	✓	✓	✓				✓		
Medical physics	✓	✓	✓		✓	✓		✓							
Materials	✓	✓	✓		✓	✓	✓	✓							
A2 Practical	✓	✓	✓	✓	✓	✓	✓	✓	✓			✓	✓		

* Section 3.4 covers the binomial series and the binomial approximation. It will not be examined in physics papers but it is necessary for an understanding of the AS topic of the Young slits as well as e^x, logs, trigonometry, simple harmonic motion and calculus.

Chapters 10, 11, 12 and 13 contain material which is unlikely to be examined directly in A level Physics papers. They provide the mathematical underpinning for much of A level Physics; familiarity with the content of these chapters will be of great benefit to people intending to study physics, engineering or mathematics at university level.

How to use this book

Mathematics for A-Level Physics is not arranged as a learning sequence. Indeed, given the interconnected nature of mathematics, it would be impossible to do this. For example, the addition of vectors requires basic trigonometry; more advanced trig relies on graphs, vectors and calculus.

That being said, the early chapters on units, algebra, indices, geometry and graphs, revisit pre-A-Level Maths concepts and develop them to allow students to make the difficult transition to A-Level Physics, with its increased mathematical formalism. These will be of particular use to AS candidates.

The text in each chapter is subdivided numerically, e.g.in Chapter 5:

5   Geometry and Trigonometry

　　　5.5 Right-angled triangles

　　　　　5.5.1   Trig ratios

　　　　　5.5.2   Reciprocal trig ratios

　　　　　5.5.3   Calculators and trig ratios

In addition to the main text, each chapter contains the following:

- **Quickfire** questions, which enable students to test their developing understanding; it should be noted that some of these questions are not very quick to answer! Answers are provided at the end of the book.

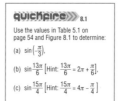

- **Examples** – worked problems which clarify the text.

Example G: Evaluate $\frac{3}{7} + \frac{2}{10}$

$\frac{3}{7}$ is the same as $\frac{3 \times 10}{7 \times 10} = \frac{30}{70}$. Also $+\frac{2}{10}$ is the same as $\frac{2 \times 7}{10 \times 7} = \frac{14}{70}$.

So
$$\frac{3}{7} + \frac{2}{10} = \frac{30}{70} + \frac{14}{70} = \frac{30+14}{70} = \frac{44}{70}$$

Of course, if it's a straight numerical example, it is probably easier to use the calculator, like this

$\frac{3}{7} + \frac{2}{10} = 0.4286 + 0.2 = 0.6286$, which you can check is equal to $\frac{44}{70}$.

- **Test Yourself** exercises – graded questions which test students' understanding; answers are provided on the Illuminate Publishing website.

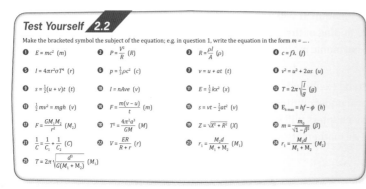

Test Yourself 2.2

Make the bracketed symbol the subject of the equation; e.g. in question 1, write the equation in the form $m = ...$.

1. $E = mc^2$ (m)　2. $P = \frac{V^2}{R}$ (R)　3. $R = \frac{\rho l}{A}$ (ρ)　4. $c = f\lambda$ (f)

5. $I = 4\pi r^2 \sigma T^4$ (r)　6. $p = \frac{1}{3}\rho c^2$ (c)　7. $v = u + at$ (t)　8. $v^2 = u^2 + 2as$ (u)

9. $s = \frac{1}{2}(u + v)t$ (t)　10. $I = nAve$ (v)　11. $E = \frac{1}{2}kx^2$ (x)　12. $T = 2\pi\sqrt{\frac{l}{g}}$ (g)

13. $\frac{1}{2}mv^2 = mgh$ (v)　14. $F = \frac{m(v-u)}{t}$ (m)　15. $s = vt - \frac{1}{2}at^2$ (v)　16. $E_{k\,max} = hf - \phi$ (h)

17. $F = \frac{GM_1M_2}{r^2}$ (M_2)　18. $T^2 = \frac{4\pi^2 a^3}{GM}$ (M)　19. $Z = \sqrt{X^2 + R^2}$ (X)　20. $m = \frac{m_0}{\sqrt{1-\beta^2}}$ (β)

21. $\frac{1}{C} = \frac{1}{C_1} + \frac{1}{C_2}$ (C)　22. $V = \frac{ER}{R+r}$ (r)　23. $r_1 = \frac{M_2 d}{M_1 + M_2}$ (M_1)　24. $r_1 = \frac{M_2 d}{M_1 + M_2}$ (M_2)

25. $T = 2\pi\sqrt{\frac{d^3}{G(M_1 + M_2)}}$ (M_1)

- **Data Exercises** (in some chapters); students are encouraged to use a spreadsheet to investigate some of the mathematical techniques, especially those associated with graphs. In most cases, answers are not provided to these exercises but the link to the text is clear.

Data Exercise 4.1

Use your calculator or a spreadsheet to plot a graph of y against p for the function $y = (1 + p)^{\frac{1}{2}}$ for $-\frac{1}{2} \le p \le 1$, in other words, for p between $-\frac{1}{2}$ and $+1$. Suggested initial values of p are: $-\frac{1}{2}, -\frac{1}{4}, \frac{1}{4}, \frac{1}{2}$ and 1. Don't try $p = 0$; well you can try!

- **Pointers** – which give additional information.

Pointer

Other dimensionless quantities are e, the base of natural logarithms and the golden ratio.

Chapter 13, Miscellaneous Proofs and Derivations, is the exception to this structure. Its aim is to give mathematical justification to the various techniques and mathematical formulae used in A-Level Physics.

Answers to all Test yourself questions are available as a download from the Illuminate Publishing website.

Chapter 1
Quantities, Units and Dimensions

1.1 Introduction

Physics deals with measurable quantities such as speed, pressure, power and luminous intensity. These are expressed as the product of a basic unit and a number. For example, a power of 100 W indicates that the power is 100 × 1 W. In order to express all the quantities we encounter, we need a basic set of units with defined values. The definition of the units can change with developments in the technology of measurement. The metre has been defined variously over the centuries as:

- the length of a pendulum with a half-period of 1 s [proposed in 1668 but never adopted]
- one 10 millionth of the distance from the equator to the north pole along the meridian through Paris [1791]
- the length of a prototype metal bar [1793, revised in 1889]
- 1 650 763.73 wavelengths of a Kr-86 emission line in a vacuum [the orange–red line] [1960]
- the distance travelled by light in a vacuum in $\frac{1}{299\,792\,458}$ s [1983]

Interestingly, the current definition echoes the 1668 one in defining the metre in terms of the second.

Pointer

If you are not familiar with negative indices, e.g. L^{-1} or T^{-2}, see Chapter 4 on indices and logs.

quickfire 1.1

Use the equation
Work = force × distance,
to find the dimensions of work.

Pointer

Energy = the ability to do work, so the dimensions of the two are the same.

quickfire 1.2

Find the dimensions of power.

quickfire 1.3

Find the dimensions of electrical charge.
[Hint: charge = current × time]

1.2 The dimensions of physical quantities

The quantities in A-level physics can be expressed in terms of a set of *base dimensions*. The set that the scientific community has decided upon is:

$$\text{length (L), mass (M), time (T), electrical current (I), temperature } (\Theta)$$

The symbols in the brackets are the standard symbols. The dimensions of other quantities can be expressed in terms of these,

e.g. speed $= \dfrac{\text{distance}}{\text{time}}$, so the dimensions of speed $= \dfrac{L}{T} = L\,T^{-1}$

It is rather tiresome to write 'the dimensions of' so we use square brackets and write:

$[speed] = L\,T^{-1}$.

Similarly: $[acceleration] = L\,T^{-2}$ and $[force] = [mass] \times [acceleration] = M\,L\,T^{-2}$.

To work out the dimensions of a quantity we need to know the equation which relates it to the base dimensions.

Example A:

What are the dimensions of pressure?

Equation first: pressure $= \dfrac{\text{force}}{\text{area}}$, $\therefore [pressure] = \dfrac{[force]}{[area]} = \dfrac{M\,L\,T^{-2}}{L^2} = M\,L^{-1}\,T^{-2}$.

We'll see in Section 1.7 how useful this can be.

1.3 Le Système International d'Unités (SI)

You should have covered most of this section in your pre-A-level course. It is presented here for completeness and for quick reference.

1.3.1 Base units

The scientific community uses a system based upon the following quantities with their units. The units of the base quantities are:

Quantity	Symbols	SI unit	Abbreviation
length	l, x, s ...	metre	m
time	t	second	s
mass	m, M	kilogram	kg
electric current	I	ampere / amp*	A
temperature	T, θ	kelvin	K
quantity of matter	n	mole	mol

* Ampere is usually shortened to amp, especially in speech.

A seventh base quantity is luminous intensity [symbol, I; unit, candela; abbreviation, cd] but this is not currently used in A-level physics.

Notice that, in printed material, symbols of quantities are written in *italic* characters but that units are written in Roman (upright) characters. In handwriting, no distinction is made.

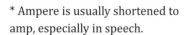

Pointer

The symbol T is usually reserved for kelvin temperatures; θ is usually used for celsius temperatures.

Pointer

Celsius temperatures are defined by:
$\theta / ^\circ C = T/K - 273.15$.

1.3.2 SI multipliers

The following multipliers are used with SI units:

Multiplier	Factor	Symbol
yotta	10^{24}	Y
zetta	10^{21}	Z
exa	10^{18}	E
peta	10^{15}	P
tera	10^{12}	T
giga	10^{9}	G
mega	10^{6}	M
kilo	10^{3}	k
hecto*	10^{2}	h
deca*	10^{1}	da

Multiplier	Factor	Symbol
deci*	10^{-1}	d
centi*	10^{-2}	c
milli	10^{-3}	m
micro	10^{-6}	μ
nano	10^{-9}	n
pico	10^{-12}	p
femto	10^{-15}	f
atto	10^{-18}	a
zepto	10^{-21}	z
yokto	10^{-24}	y

* hecto is only used in hectare [1 are = 10 m × 10 m = 100 m²], deca is not generally used, deci is used by chemists in dm³, centi is used only in cm.

The basic unit of mass, the kilogram, includes a multiplier. Perhaps for this reason multipliers greater than 1 are not generally used for mass. A mass of 2×10^6 kg **could** be written as 2 Gg but this is rarely seen. The tonne, 1000 kg, can be used instead as the unit for large masses. So 2×10^6 kg can be written as 2×10^3 tonne or 2 kilotonne. On the other hand 2×10^{-6} kg would be written as 2 mg [2 milligram].

1.3.3 Using your calculator

Take care when entering a quantity with a multiplier into your calculator. Use the EXP key followed by the appropriate number and use the ⁺/₋ button if necessary. Do **not** enter 10 or use the 10^x button.

---

❶ The Greek letter, μ [pronounced mew in classical Greek but mi in modern Greek]. Confusingly, '250 μ' on a Greek road sign means 250 m!

Example B:

Enter 2.5 MN into your calculator.

[Ignore the N]. Keystrokes: 2 . 5 EXP 6 [because M = mega = 10^6]

Example C:

Enter 7.2 mA into your calculator.

[Ignore the A]. Keystrokes 7 . 2 EXP $^+/_-$ 3

[On the author's calculator, you could use the $^+/_-$ button *after* 3]

1.3.4 Compound units

Most quantities have **compound units**, comprising two or more of the base units. These are derived in the same way as the dimensions of non-base quantities,

e.g. density $= \dfrac{\text{mass}}{\text{volume}}$, so the unit of density $= \dfrac{\text{kg}}{\text{m}^3} = \text{kg m}^{-3}$

Notice that a small gap is left between the kg and m in kg m^{-3}. This becomes important when multipliers are used.

Many compound units have their own names, usually that of a scientist who is associated with the quantity. Examples:

Quantity	Unit	Symbol
pressure	pascal	Pa
electric charge	coulomb	C
force	newton	N
self-inductance	henry	H
activity	becquerel	Bq
electrical resistance	ohm	Ω

Example D:

Write the unit C in terms of the base SI units.

Equation: Charge = current × time. ∴ Unit of charge = unit of current × unit of time = A s

How to write units

The following rules apply:

1 Always leave a small gap between the number and the unit.

2 In compound units leave a small gap between the different parts, e.g. kg m^{-3}.

3 There is no gap between a multiplier and the unit it multiplies.

4 Generally multipliers greater than 1 have a capital letter, but note that k [for kilo] is small.

5 Abbreviations of units that are named after people start with a capital letter, e.g. N, Pa. However, when writing name units in full a lower case [small] letter is used, e.g. 1 newton, unless the unit comes at the beginning of a sentence, e.g. 1.013×10^5 pascal but: 'Pascal' is the unit of pressure.

Pointer

SI multipliers greater than k are rarely used for distance: 150 000 000 000 m could be written as 1.5×10^{11} m, 150 million km, 1.5×10^8 km, 150×10^6 km but never 150 Gm.

Pointer

It helps always to write dimensions and base units in the same order, e.g. M, L, T, I, Θ and kg, m, s, A, K.

quickfire 1.4

To check you are entering multiplier data correctly on your calculator work out the following:
(a) 3 mA × 1.5 kΩ
(b) 25 km s^{-1} × 2 ms.

quickfire 1.5

Write the following using the most appropriate SI multiplier:
(a) 5000 N
(b) 0.0015 A
(c) 2×10^{11} Pa
(d) 1.6×10^{-19} C.

quickfire 1.6

Write the following in abbreviated form:
(a) 10 milligram
(b) 3.5 meganewton
(c) 15 kilamp [= kilo-ampere]
(d) 9.6 microcoulomb

6   Units are only used in the singular, 10 cm **not** 10 cms. This also applies when writing the unit out in full, e.g. 10 newton **not** 10 newtons [but this is frequently ignored in speech].

These rules look daunting but they are not difficult to apply. Some are more significant than others. For example, look at 2, 3 and 6, then consider the following: ms^{-1} and m s^{-1}. The first one means 'per millisecond' and the second means 'metre per second'.

 **1.7**

Write these quantities using numbers between 1 and 999:
(a) 0.4 MPa
(b) 1500 kN
(c) 0.015 mA
(d) 4000 MPa

 **1.8**

Write these in engineering notation:
(a) 200 kN
(b) 0.076 A
(c) 75 000 V
(d) 0.9 µg

1.3.5 Style – multipliers and powers of 10

It is usual practice, when using SI multipliers, to use numbers between 1 and 999, e.g. 50 µA, 870 kV. This is because most multipliers involve factors of 1000. There is, however, nothing incorrect about writing 50 µA as 0.05 mA. It is a matter of ease of communication. For example, in an experiment in which most currents are in the milliamp range but there are a couple which are lower, it might be sensible to express them all in mA – in fact it might be misleading to use different units for some.

Similarly, a stress of 4×10^9 Pa could be written as 4×10^3 MPa or 4000 MPa if that were sensible for comparison purposes.

In **Engineering Notation**, SI multipliers are not used but the powers of 10 are restricted to multiples of 3. So 15 000 amp would be written as 15×10^3 A. Again the number multiplying 10^x should lie between 1 and 999.

To stress, once again, these are matters of style only. The authors cannot guarantee that an examination candidate would escape penalty for writing 5 kg as 5×10^9 µg but, although it might be considered perverse, there is nothing actually incorrect about doing so.

1.4 Areas and volumes

Calculations involving areas and volumes often cause difficulties for A-level students when SI multipliers are used. The unit of area is m^2 [metre squared]. It is important to understand what is meant by cm^2.

1 cm^2 ['1 centimetre squared'] is the area of a square of side 1 cm, **not** a hundredth of 1 m^2.

So 1 cm^2 = 1 cm $\times$ 1 cm = 1×10^{-2} m $\times$ 1×10^{-2} m = 1×10^{-4} m^2.

And 1 km^2 = 1 km $\times$ 1 km = 1×10^3 m $\times$ 1×10^3 m = 1×10^6 m^2.

Fig 1.1

Example E:

Express 8.5 mm^2 in m^2.

1 mm^2 = 1×10^{-3} m $\times$ 1×10^{-3} m = 1×10^{-6} m.

So 8.5 mm^2 = 8.5×10^{-6} m^2.

 **1.9**

Convert the following:
(a) 27 cm^2 to m^2
(b) 0.057 m^2 to mm^2
(c) 9 mm^3 to m^3
(d) 25 km^2 to m^2.

Similarly, 1 cm^3 ['1 centimetre cubed'] is the volume of a cube of side 1 cm.

Hence 1 cm^3 = 1×10^{-2} m $\times$ 1×10^{-2} m $\times$ 1×10^{-2} m = 1×10^{-6} m^3.

Example F:

A sample of rock with a volume of 40 cm³ has a mass of 0.112 kg. Calculate its density in base SI units.

Volume = 40 cm³ = 40 × 10⁻⁶ m³.

$$\text{density} = \frac{\text{mass}}{\text{volume}} = \frac{0.112 \text{ kg}}{40 \times 10^{-6} \text{ m}^3} = 2800 \text{ kg m}^{-3}.$$

In many calculations in practical work you measure diameters and lengths in mm or cm and have to calculate areas in m² (or volumes in m³). The easiest way to avoid mistakes is to convert to m before calculating an area or volume. E.g. to calculate the volume of a 1 mm radius steel sphere, express this as 1.0 × 10⁻³ m and then perform the calculation $V = \frac{4}{3}\pi(1.0 \times 10^{-3})^3$. In this way, the calculator takes care of the conversion from mm³ to m³.

 1.10

Calculate the cross-sectional area of a wire with a **diameter** of 0.32 mm and express your answer in m².

Using the data in Example F, the density can be written as 2.8 g cm⁻³. So 1 g cm⁻³ = 1000 kg m⁻³.

1.5 Doing calculations with units

1.5.1 Multiplying and dividing

If two quantities are multiplied, so are their units. If one quantity is divided by another, so are their units. We can treat the unit as part of the calculation. To give a couple of familiar examples:

1   $\text{speed} = \frac{\text{distance}}{\text{time}}$, so if a car travels 500 m in 25 s its speed is $\frac{500 \text{ m}}{25 \text{ s}} = 20$ m/s i.e. 20 m s⁻¹.

2   $\text{density} = \frac{\text{mass}}{\text{volume}}$, so if an object has a mass of 90 g and a volume of 18 cm³

$\text{density} = \frac{90 \text{ g}}{18 \text{ cm}^3} = 5$ g cm⁻³. Or in base units: $\text{density} = \frac{0.090 \text{ kg}}{18 \times 10^{-6} \text{ m}^3} = 5000$ kg m⁻³.

Example G:

The resistance, R, of a wire is given by $R = \frac{\rho l}{A}$, where ρ is the resistivity, l the length and A the cross-sectional area. If $\rho = 4.7 \times 10^{-7}\,\Omega$ m, $l = 5$ m and $A = 0.25$ mm², find R.

Converting the mm² to m²: $R = \frac{4.7 \times 10^{-7}\,\Omega \text{ m} \times 5 \text{ m}}{0.25 \times 10^{-6} \text{ m}^2} = 9.4\,\frac{\Omega \text{ m}^2}{\text{m}^2} = 9.4\,\Omega$. [The m² cancels].

If a quantity is **raised to a power**, e.g. squared or cubed, so is the unit. We have already used this idea for areas and volumes. What is the unit of v^2, where v is a speed?
Answer : $(\text{m s}^{-1})^2 = \text{m}^2 \text{ s}^{-2}$.

The square root of a quantity has the square root of its unit.

1.5.2 Adding and subtracting

'What do we get if we add 5 apples to 3 oranges?' We can only express the answer as a single number if we redesignate the produce as 'items of fruit' in which case the answer is, '8 items of fruit'.

In a similar way, we can only add and subtract quantities if they are of the same kind. We can add two velocities or subtract one mass from another but we cannot add a mass to a velocity. More generally, we can only add or subtract two quantities if they have the same dimensions.

Can we add 5 m and 3 m? Of course. 5 m + 3 m = 8 m. Notice that the units do not add!

Can we do 5.00 m + 2 cm? These are both distances, so the sum makes sense, but we can only get a single number if the distances are expressed in the same units.

$\therefore$ 5.00 m + 2 cm = 5.00 m + 0.02 m = 5.02 m [or ... = 500 cm + 2 cm = 502 cm]

1.5.3 Dimensionless quantities

Pointer

Other dimensionless quantities are e, the base of natural logarithms and the golden ratio.

A consequence of the dividing rule is that some quantities have no units. They are referred to as *dimensionless quantities*. An example is π. It is defined as the ratio of the circumference of a circle to the diameter. A 10 cm diameter circle has a circumference of 31.4159 cm [to 6 sf].

So
$$\pi = \frac{31.4159}{10.0000 \text{ cm}} = 3.14159 \text{ [to 6 sf]}$$

Expressing these distances in inches [using the conversion 1″ = 2.54 cm]

$$\pi = \frac{12.3685''}{3.93701''}, \text{ which gives the same answer}$$

[all right, there's a rounding error $\rightarrow$ 3.14160 [6 sf]]

What this means is that π has the same value, whatever the system of units. It has no unit of its own and is a pure number, like 6.

The rules for combining dimensionless quantities with other quantities are the same as in Sections 1.5.1 and 1.5.2. The following examples make it clear:

- 3 + 4 m s^{-1} ✗ This doesn't make sense.
- 3 × 4 m s^{-1} = 12 m s^{-1} ✓ The unit of m s^{-1} is unaltered.
- $\frac{4 \text{ m s}^{-1}}{3}$ = 1.33 m s^{-1} [3 s.f.] ✓ the unit of m s^{-1} is unaltered

quickfire 1.11

Calculate:
(a) $\frac{30 \text{ m}}{12 \text{ s}}$,
(b) 15 N × 7 s,
(c) 2.5 m s^{-2} × 8 s,
(d) 0.573 kg – 25 g,
(e) $\sqrt{100 \text{ m} \times 1.44 \text{ m s}^{-2}}$

1.6 Expressing units in base units

We saw in Section 1.2 how to find the dimensions of physical quantities, i.e. how a measurement of a quantity is related to measurements of the base quantities of mass, length, time, current, etc. Similarly, we can express the unit of a quantity in terms of the base units, kg, m, s, A, etc.

Using the same example as in 1.2, we shall express the newton, the unit of force, in terms of the base units:

Starting from the equation: $F = ma$, and using square brackets to denote 'the unit of ....' [See footnote [2]]

$[m]$ = kg; $[a]$ = m s^{-2}.

$[F] = [m] \times [a]$, so N = kg m s^{-2}.

Compare this to the dimensions of force: [force] = M L T^{-2}. You'll see they correspond; each SI dimension has its corresponding base unit.

Pointer

When deriving the unit of a quantity or expressing its unit in the SI base units, always start with a defining equation.

Example H:

The drag force, F, on a sphere of radius a moving at velocity v through a fluid is given by $F = 6\pi\eta av$, where η is the viscosity of the liquid. This is called Stokes' Law.

(a) Express the unit of η in the base SI units.

Equation first: $\eta = \dfrac{F}{6\pi av}$. 6 and π are both dimensionless,

$$\therefore [\eta] = \frac{[F]}{[a][v]} = \frac{\text{kg m s}^{-2}}{\text{m} \times \text{m s}^{-1}} = \text{kg m}^{-1}\text{s}^{-1}$$

quickfire 1.12

Express the joule, the unit of work, in base SI units
[Hint: Work = force × distance]

quickfire 1.13

Use your answer to QF 1.12 to express the watt in base SI units.
[Hint: Watt is the unit of power]

---

[2] The use of [..] to denote 'the dimensions of...' is standard. Its second use as 'the unit of ...' is not as widespread but it has the advantage of brevity and examiners will recognise it.

(b) A textbook gives the unit of η as N s m^{-2}. Show that this is equivalent to the answer to (a).

From Section 1.6, N = kg m s^{-2}. $\therefore$ N s m^{-2} = kg m s^{-2} × s × m^{-2} = kg m^{-1} s^{-1}. QED

quickfire >> 1.14

Express the coulomb, the unit of charge, in base SI units.
[Hint: charge = current × time].

Example I:

(a) Suggest a suitable unit for the Planck constant, h.

(b) Express the unit of h in terms of the base SI units.

(a) Start from the equation: $E = hf$, so $h = \dfrac{E}{f}$.

$[h] = \dfrac{[E]}{[f]} = \dfrac{J}{Hz}$. But Hz = s^{-1}, so $[h]$ = J s.

NB. There are other possible units, e.g. W s^2, but J s is the obvious one.

(b) $[h]$ = J s = (kg m^2 s^{-2}) × s = kg m^2 s^{-1}.

Note that the dimensions of the Planck constant are M L^2 T^{-1}.

⟫ Grade boost

Learn the following base unit equivalents:
N = kg m s^{-2}
J = kg m^2 s^{-2}
W = kg m^2 s^{-3}

⟫ Grade boost

Learn the dimensionality of:
[Force] = M L T^{-1}
[Work] or [Energy] = M L^2 T^{-2}
[Power] = M L^2 T^{-3}

1.7 Investigating relationships using units or dimensions

1.7.1 Checking an equation

We have seen that we can only add or subtract quantities if they have the same dimensions [units] and that if we multiply or divide quantities, the dimensions [units] are combined in the same way. In addition to these statements it is clear that for two quantities to be equal, they must have the same dimensions: a velocity cannot be equal to an electric current because they have different units.

We can apply these ideas to investigating equations. Consider the following: a student has misremembered one of the kinematic equations as $s = u + \frac{1}{2}at^2$, with the usual symbols.

Let us look at the dimensions of the different terms, starting on the right-hand side:

$[u]$ = L T^{-1} $\left[\frac{1}{2}at^2\right]$ = L T^{-2} × T^2 = L

Conclusion: The right-hand side of the equation cannot be correct: u cannot be added to $\frac{1}{2}at^2$.

The correct equation is $s = ut + \frac{1}{2}at^2$. Now the dimensions of the right-hand side are:

$[ut]$ = L T^{-1} × T = L $\left[\frac{1}{2}at^2\right]$ = L T^{-2} × T^2 = L

These terms have the same dimensions and so can be added together to give something with dimension L. This is the same as the left-hand side and the equation is said to be *homogeneous*.

We can perform the same analysis using units rather than dimensions – see Example J.

Example J:

Use units to show that the equation $s = ut + \frac{1}{2}at^2$ is homogeneous.

Take the terms on the right-hand side:

$[ut]$ = m s^{-1} × s = m $\left[\frac{1}{2}at^2\right]$ = m s^{-2} × s^2 = m

The unit of both terms is m [metre] so these can be added to give an answer in m. The unit of the left-hand side, s, is also m, so the equation is homogeneous.

Show that the equation $v^2 = u^2 + 2as$ is homogeneous. Use either units or dimensions.

Note that showing an equation to be homogeneous doesn't necessarily make it correct. For example, the equation $v = u + \frac{1}{2}at$ is homogeneous [check this] but incorrect. We can, however, weed out equations which couldn't possibly be correct. When checking an equation, should we use units or dimensions? In an exam, read the question – most exam boards allow either approach.

1.7.2 Suggesting relationships

Sometimes we may suspect that a certain quantity is related to other quantities but we do not know the form of the relationship. We can use the fact that any equation which relates the quantities must be homogenous. This is most easily introduced by way of an example. For the work that follows, you will need to be familiar with indices, x^2, y^k, etc. If necessary, postpone this section until you have worked through Section 4.2.

Consider a simple pendulum. It is suspected that the period, T, of the pendulum is related to the length, l, the acceleration due to gravity, g, and the mass, m, of the pendulum bob.

Suppose the relationship is of the form $T = kl^a g^b m^c$, where k is a dimensionless constant.[3]

In terms of dimensions: $[T] = T$; $[l] = L$; $[g] = L\,T^{-2}$ and $[m] = M$

If the relationship is of the proposed form, $\qquad\qquad T = L^a\,(L\,T^{-2})^b\,M^c$ $\qquad$ (1)

$\qquad \therefore$ using the rules for combining indices $\qquad T = M^c\,L^{a+b}\,T^{-2b}$

Notice that M and L do not appear on the left-hand side. We'll put them in as M^0 and L^0:

$\qquad \therefore \qquad\qquad\qquad\qquad\qquad\qquad M^0\,L^0\,T^1 = M^c\,L^{a+b}\,T^{-2b}$

If the two sides of this equation are to be identical, the same powers of M, L and T must be present.

Write equation (1) from section 1.7.2 in terms of the base units, s, m and kg rather than dimensions.

So we can write: $\qquad$ Equating powers of M $\qquad 0 = c$ $\qquad\qquad$ (2)

$\qquad\qquad\qquad\qquad$ Equating powers of L $\qquad 0 = a + b$ $\qquad\qquad$ (3)

$\qquad\qquad\qquad\qquad$ Equating powers of T $\qquad 1 = -2b$ $\qquad\qquad$ (4)

From equation (2) we see that $c = 0$, so T does not depend upon the mass, m, of the pendulum. You may already have known this!

Equation (4) tells us that $b = -\frac{1}{2}$ and substituting this value in equation (3) gives $a = \frac{1}{2}$.

So the only homogeneous relationship between these quantities is:

$$T = kl^{\frac{1}{2}}g^{-\frac{1}{2}} = k\sqrt{\frac{l}{g}}.$$

If you are familiar with the simple pendulum already, you will know that the equation is $T = 2\pi\sqrt{\frac{l}{g}}$. The full derivation of this requires calculus.

Example K:

The period, T, of a mass, m suspended from a spring with a spring constant, k, is thought to be given by an equation of the form:

$$T = ck^x m^y g^z$$

where g is the acceleration due to gravity and c is a dimensionless constant.

The constant k is defined by the equation $F = k\Delta l$, where F is the tension in the spring and Δl is its increase in length.

(a) Find the unit of k in terms of the base SI units.

(b) Use unit analysis to find values of x, y and z.

(a) $k = \dfrac{F}{\Delta l}$, so $[k] = \dfrac{N}{m} = \dfrac{kg\,m\,s^{-2}}{m} = kg\,s^{-2}$

[3] Note that not all constants are dimensionless, e.g. c the speed of light, ε_0 the permittivity of free space.

(b) Because c is dimensionless, $[T] = [k]^x[m]^y[g]^z$, $\therefore$ s $= (\text{kg s}^{-2})^x \text{kg}^y (\text{m s}^{-2})^z$.

$\therefore$ s $= \text{kg}^{x+y}\, \text{m}^z\, \text{s}^{-2(x+z)}$

Equating powers of kg, m and s: kg $\qquad 0 = x + y$ (1)

$\qquad\qquad$ m $\qquad 0 = z$ (2)

$\qquad\qquad$ s $\qquad 1 = -2x - 2z$ (3)

Equation (2) tells us that $z = 0$. Putting $z = 0$ into equation (3) gives $x = -\frac{1}{2}$. Substituting this into equation (1) gives $y = \frac{1}{2}$.

So the relationship is $T = c\sqrt{\dfrac{m}{k}}$.

Test Yourself 1.1

1. Potential difference, V, may be defined by the equation $P = VI$, where P is the power transferred when a current I passes. Express the volt in terms of the base SI units.

2. The force, F, between two objects of mass m_1 and m_2 separated by a distance d is given by $F = \dfrac{Gm_1m_2}{d^2}$, where G is the Universal gravitational constant. Express the unit of G in terms of the base SI units.

3. The force, F, between two charges, Q_1 and Q_2, separated by r, is given by $F = \dfrac{1}{4\pi\varepsilon_0}\dfrac{Q_1Q_2}{r^2}$, where ε_0 is the *permittivity of free space*.

   (a) Show that a suitable unit for ε_0 is $\text{C}^2\,\text{N}^{-1}\,\text{m}^{-2}$.

   (b) Express the unit of ε_0 in terms of the base SI units.

4. The energy, E, of a photon of frequency, f is given by $E = hf$, where h is the Planck constant.

   (a) Give a suitable unit for h.

   (b) Express h in terms of the base SI units.

5. The force between two wires of length l, each carrying a current I, separated by a distance r is given by $F = \dfrac{\mu_0 I^2 l}{2\pi r}$, where μ_0 is the *permeability of free space*. The unit of μ_0 is henry per metre $[\text{H m}^{-1}]$. Express the henry in terms of the base SI units.

6. The charge, Q, stored on a capacitor with a pd of V is given by $Q = CV$, where C is the *capacitance* of the capacitor. The unit of capacitance is the farad, F.

   Express the farad in terms of the base SI units.

7. A pd of 5.0 kV is applied across a high resistance component which passes a current of 2 mA. What is the resistance of the component?

8. James Clerk Maxwell showed that $c^2 = \dfrac{1}{\varepsilon_0\mu_0}$ where c is the speed of electromagnetic radiation. Use the answers to questions 3 and 5 to show that this equation is homogeneous.

9. The power, P, radiated by a black body of surface area A and temperature, T is given by: $P = \sigma AT^4$.

   (a) Give a suitable unit for σ.

   (b) Express dimensions of σ in terms of M, L, T and Θ.

10. The wavelength, λ_{max}, of the maximum emitted power of a black body of temperature T is given by $\lambda_{max} = WT^{-1}$, where W is the Wien constant. Find the dimensions of W.

11. Use the equation $P = I^2R$ to express the ohm (Ω) in terms of the base SI units.

12. The specific heat capacity, c, of a substance is defined by $Q = mc\Delta\theta$, where Q is the heat input into a substance, m is the mass and $\Delta\theta$ is the temperature rise.

    (a) Give a suitable unit for c.

    (b) Express the unit of c in the base SI units, kg, m, s and K.

⑬ The momentum p of a non-relativistic particle is given by $p = mv$ where m is the mass and v the velocity. The unit of momentum is either N s or kg m s^{-1}. Show that these are equivalent.

⑭ The work done, W, by an expanding gas is given by $W = p\Delta V$, where p is the pressure and ΔV the increase in volume. Show that the equation is homogeneous.

⑮ The relationship between energy, E, and momentum, p, is $E = p^2c^2 + m^2c^4$ for a relativistic particle. Show that the equation is homogeneous.

⑯ The current, I, in a wire is given by $I = nAev$ where n is the number of electrons per unit volume, A is the cross-sectional area of the wire, e is the charge on an electron and v is the drift velocity of the electrons. Show that the equation is homogeneous.

⑰ A current of 5 mA is in a wire of diameter 0.27 mm, which has 8.5×10^{28} conduction electrons per m^3. Calculate the drift velocity of the electrons and express you answer in μm s^{-1}. The electronic charge is 0.16 aC. Use the equation in question 16.

⑱ The maximum kinetic energy $E_{k\,max}$ of photoelectrons from a metal surface is given by $E_{k\,max} = hf - \phi$, where f is the frequency of the em radiation, h is the Planck constant and ϕ is the work function of the metal. Giving your reasoning, state the unit of ϕ.

⑲ The pressure p of a gas is given by $p = \frac{1}{3}\rho c^2_{rms}$, where ρ is the density of the gas and c_{rms} is the rms speed of the gas molecules. Show that this equation is homogeneous.

⑳ The *de Broglie* relationship between the momentum, p, and the wavelength, λ, of a photon is $p = \frac{h}{\lambda}$, where h is the Planck constant [see Qs 4 & 13]. Show that this equation is homogeneous.

㉑ The speed, c, of sound waves in a gas is gas is given by $c = \sqrt{\frac{\gamma p}{\rho}}$, where γ is a dimensionless constant, p is the pressure and ρ the density. Show that the equation is homogeneous.

㉒ The gravitational potential energy of two objects of mass M_1 and M_2 separated by a distance r is given by $E_p = -\frac{GM_1M_2}{r}$. Show that this equation is homogeneous. [Hint: Use the answer to Q2]

㉓ If the pressure on a sample of a substance increases by Δp the volume will decrease by ΔV. The *bulk modulus*, K, of a substance is defined by $K = V\frac{\Delta p}{\Delta V}$. The speed, v, of seismic waves [P-waves] through the material of the mantle is given by $v = cK^a\rho^b$, where c is a dimensionless constant. Use dimensional analysis, or units, to find a and b.

[Hint: First find the dimensions or a suitable unit for K].

㉔ The period of T of a satellite orbiting a planet of mass M at a distance r is thought to be given by an expression: $T = kG^aM^br^c$, where k is a dimensionless constant and G is the universal constant of gravitation. By using dimensions or units, find values for a, b and c. [G is defined in Q2].

㉕ The speed, c, of transverse waves on a wire is thought to be related to the tension T in the wire, its mass, m, and length l by an equation of the form $c = kT^xm^yl^z$. Use dimensional analysis, or units, to find values for x, y and z.

Chapter 2

Basic Algebra

2.1 Introduction

Most calculations in A-level Physics rely on algebra. This is the way in which we manipulate numbers, whether we know their value [in which case, it is called *arithmetic*] or they are unknown. In A-level Physics, you will almost only use *Real Numbers*. These are the numbers of everyday life, such as 75, 5.3, 0, -1.6×10^{-19}, $\frac{8}{3}$ and π. We will start with a summary of the rules for the manipulation of such numbers and then go on to look at a range of applications of algebra.

2.2 The rules of algebra

If you were happy with the algebra in GCSE Mathematics, you probably won't need this section. It is worth reading it through to check, however, because it underpins everything that comes later in this chapter.

1   **Addition**. This is indicated by the + sign.

Examples: $5.0 + 7.5$, $x + y$, $-6.3 + \pi$, $a + (-10)$.

2   **Multiplication**. This is indicated by the × sign. When dealing with unknown numbers indicated by letters, e.g. a and b, multiplication can be indicated by ab; similarly $3a$ is $3 \times a$.

Examples: 5×6, $153.7 \times (-2)$, $3a$, $2\pi r$.

3   **Subtraction**. This is indicated by the − sign.

Examples: $3 - 5$, $a - \pi$.

Subtraction is the *inverse operation* to addition. In other words, if we add a number and then subtract the same number, we get the original number: $a + b - b = a$. This is an important concept in equation manipulation.

4   **Division**. The sign on the calculator for this is ÷, but in algebra the fraction sign is used to indicate division:

a divided by b is indicated by $\frac{a}{b}$.

Division is the inverse operation to multiplication, i.e. $\frac{3 \times 5}{5} = 3$ and $\frac{ab}{a} = b$.

5   **Distributive law**. Multiplication and division are *distributive* over addition and subtraction. This means: $a(b + c) = ab + ac$ and $\frac{x + y}{z} = \frac{x}{z} + \frac{y}{z}$. This is useful in algebra.

6   **Powers / Indices** (see Chapter 4)

$a \times a$ is abbreviated as a^2 – this is referred to as 'a squared' or 'a to the power of 2'.

$a \times a \times \ldots \times a$ [n-times] $= a^n$ ['a to the n']. About indices:

- $a^1 = a$
- $a^0 = 1$ for any value of a [apart from 0]
- multiplication $a^m \times a^n = a^{m+n}$
- division $\frac{a^m}{a^n} = a^{m-n}$

See Chapter 4 for more details on indices.

Pointer

Addition and multiplication are *commutative*: $3 + a = a + 3$ and $25x = x25$ [but we normally write $25x$].

Pointer

The × sign is optional when multiplying a bracket, e.g. $15(2 - 7)$ is unambiguously $15 \times (2 - 7)$.

Pointer

Subtracting a number is the same as *adding minus the number*. e.g. $b - 25 = b + (-25)$.

Pointer

Division by a number, x, is the same thing as multiplication by $\frac{1}{x}$, e.g. $\frac{10}{8} = 10 \times \frac{1}{8}$.

Pointer

$-(a - b) = (b - a)$.

Pointer

$\dfrac{1}{\left(\frac{a}{b}\right)} = \dfrac{b}{a}$.

Work out 150 (5.3 + 2.8) in two ways:

- Use the distributive law.
- Add the numbers in the bracket and then multiply by 150.

You should get the same answer.

quickfire 2.2

Evaluate $\dfrac{1}{\left(\frac{3}{5}\right)}$

quickfire 2.3

Evaluate $3 \times \dfrac{1}{4}$

quickfire 2.4

Evaluate $\dfrac{4^5}{4^3}$

2.3 The evaluation of algebraic expressions

Pointer

In $2 \times \sqrt{(12^2 + 52)}$, the bracket is unnecessary: the top of the square root sign does the same job: In $\sqrt{12^2 + 52}$, you must evaluate $12^2 + 52$ first and then take the square root.

Pointer

The brackets are not needed in these expressions: $\dfrac{(3 + 4)}{5}$ and $\dfrac{3}{(4 + 5)}$.

quickfire 2.5

Evaluate:
(a) $3 \times 4 + 5$
(b) $3 \times (4 + 5)$

quickfire 2.6

Express as simple fractions:

(a) $\dfrac{(3 + 4)}{5}$

(b) $\dfrac{3}{(4 + 5)}$

Whatever the physics problem, you are almost certain to have to evaluate an arithmetic expression. Look at this expression: $5 \times (3^2 + 6) - 2 \times 7$.

Where does one start? Mathematicians have developed a standard way of interpreting such expressions. It is summarised in the mnemonic BODMAS – Brackets, Orders[1], Division, Multiplication, Addition, and Subtraction. What it means is: Start with expressions in brackets, sort out powers / roots, do any division or multiplication, finally add or subtract.

Example A: $5 \times (3^2 + 6) - 2 \times 7$

$5 \times (3^2 + 6) - 2 \times 7$	$= 5 \times (9 + 6) - 2 \times 7$	Sort out the bracket first – within the bracket $3^2 = 9$.
	$= 5 \times 15 - 2 \times 7$	That's the bracket finished with
	$= 75 - 14$	Multiply before subtracting
	$= 61$	

Example B: $17 \times 3 - 2 \times \sqrt{(12^2 + 52)} + 42$

$17 \times 3 - 2 \times \sqrt{(12^2 + 52)} + 42 = 17 \times 3 - 2 \times \sqrt{196} + 42$

That's sorted out the bracket; remember to do the squaring before the addition.

$= 17 \times 3 - 2 \times 14 + 42$	Square root
$= 51 - 28 + 42$	Multiplication
$= 65$	Add and subtract

Example C: $\dfrac{15 + 6}{3} = \dfrac{21}{3} = 7.$ The division line acts as brackets for the 15 + 6.

Example D: $\dfrac{12}{4 + 3} = \dfrac{12}{7} = 1.71$ (to 3 s.f.) The division line acts as brackets for the 4 + 3.

Example E: $\dfrac{1}{5} + \dfrac{23}{8} = 0.2 + 2.875 = 3.075$ Divisions first then add.

---

[1] *Orders* means powers / indices

Test Yourself 2.1

This is a set of questions of graded difficulty. Suggestion: Do the odd number questions first and check your answers. If several of your answers are incorrect, ask your teacher for help and then do the even questions.

Evaluate the following expressions

❶ $2 + 3 \times 7$ ❷ $25 - 2 \times 18$ ❸ $30 \times 3.2 - 40 \times 2$ ❹ $17 \times 5 - 22 \times 1.5$

❺ $153 \times (17 - 15)$ ❻ $1050 \times (2 + 18)$ ❼ $(17 - 2) \times 40$ ❽ $(-5 + 8) \times 14$

⑨ $2 \times 10 + 5 \times 10^2$

⑩ $3.2 \times 20 + 0.5 \times 20^2$

⑪ $\left(\dfrac{10 + 20}{2}\right) \times 5$

⑫ $\left(\dfrac{10 - 6}{2}\right) \times 20$

⑬ $\dfrac{25 - 40}{5}$

⑭ $\dfrac{37 + 18}{11}$

⑮ $\dfrac{10 \times 5}{10 + 5}$

⑯ $\dfrac{12 \times 12}{12 + 12}$

⑰ $0.5 + \dfrac{3}{4} - 1.05$

⑱ $1.7 + \dfrac{8}{10} - 3.0$

⑲ $\sqrt{10^2 + 2 \times 0.22 \times 100}$

⑳ $\sqrt{48 - 2 \times 1.5 \times 4}$

㉑ $\dfrac{-5 + \sqrt{5^2 + 4 \times 2 \times 18}}{2 \times 2}$

㉒ $\dfrac{-8 - \sqrt{8^2 + 4 \times 4 \times 1.5}}{2 \times 4}$

㉓ $\sqrt{2 \times 9.81 \times 100}$

㉔ $\dfrac{1.5 \times 6}{6 + 1.2}$

㉕ $\dfrac{12 \times 50}{50 + 25}$

2.4 Manipulating equations

2.4.1 General rules

Physics A-level specifications require students to be able to handle lots of equations. How many? Estimates vary, but typically about 120. Here are a few [you may not have met all of them yet!]:

$$s = ut + \tfrac{1}{2}at^2 \qquad P = \dfrac{V^2}{R} \qquad T = 2\pi\sqrt{\dfrac{l}{g}} \qquad F = \dfrac{GM_1 M_2}{r^2} \qquad E^2 = p^2 c^2 + m^2 c^4$$

This section is about changing the appearance of an equation whilst keeping its validity. We need to do this:

- to change the subject of an equation, e.g. to write $u = $ <an expression> instead of $s = ut + \tfrac{1}{2}at^2$ so we can evaluate u
- to put the equation into a form that will produce a linear graph – see Chapter 6
- to combine two or more equations to produce new relationships.

What is an *equation*? What does it mean? The important symbol to understand is the *equals* [or *equality*] *sign*, =. This sign, which was invented in 1557 by the Welsh mathematician, Robert Record[2], indicates that the expressions on either side of it are stated to have the same value.

If the left-hand side has a value of 25.7 N, so does the right-hand side. It is the mathematical equivalent of an old-fashioned balance. For balance, the quantity in the left-hand pan must equal the quantity in the right-hand pan[3]. In the first equation, in the set above, how can we change it to read $u = $ <an expression>?

We can:

- add or subtract the same quantity to or from both sides of the equation; if $a = b + c$, $a - c = b$
- multiply or divide both sides of the equation by the same quantity; if $a = bc$, $\dfrac{a}{c} = b$
- square both sides, or, if we are careful, we can also take the square root[4]; if $a = \sqrt{b + c}$, $a^2 = b + c$
- take the reciprocal of both sides of the equation – if $a = b$, $1/a = 1/b$ [unless $a = b = 0$]. WARNING: We have to take the reciprocal of the whole of both sides of the equation together, not the individual terms:

  e.g. If $\dfrac{1}{a} = b + c$, then $a = \dfrac{1}{b + c}$ is CORRECT but $a = \dfrac{1}{b} + \dfrac{1}{c}$ is INCORRECT.

- add or subtract another equation; if $a = b$ and $c = d$, then $a + c = b + d$ [see Section 3.3].
- [For A2: take a function of both sides, e.g. if $a = b + c$, $\sin a = \sin (b + c)$ and $e^a = e^{(b + c)}$.]

quickfire 2.7

Add 2 to both sides of the equation $x - 2 = 4y$

quickfire 2.8

Divide both sides of this equation by 3: $3x = 12y - 15$

quickfire 2.9

Square both sides of this equation: $\sqrt{x - 6} = 2y$ and then add 6 to both sides.

---

[2] He also invented the *plus* sign, +.
[3] We use the word *balance* in relation to chemical and nuclear equations.
[4] The need for care arises because, e.g. both $(-3)^2 = 9$ and $3^2 = 9$.

The strategy

The equation $E^2 = p^2c^2 + m^2c^4$ arises in particle physics. E is the total energy of a particle, p is its relativistic momentum, m is its mass and c the speed of light. Particle detectors will measure E and p. We can find m if we can rearrange the equation into the form $m = $ <an expression>.

What is the strategy? We need to see how other quantities are combined with the m and somehow undo the combination. Remember:

- Addition and subtraction are inverse operations – one undoes the other.
- Multiplication and division are inverse operations.
- Squaring and taking the square root are inverse operations.

It is usually easiest to start by picking off additions and subtractions first, then undoing any multiplications and division and finally sorting out powers – reverse BODMAS:

Example F: Finding m from $E^2 = p^2c^2 + m^2c^4$

Subtract p^2c^2 **from both sides**: $\qquad E^2 - p^2c^2 = m^2c^4$

Now get rid of that c^4 by dividing **both sides** by c^4 $\qquad \dfrac{E^2 - p^2c^2}{c^4} = m^2$

Now take the square root because $\sqrt{m^2} = m$ $\qquad \sqrt{\dfrac{E^2 - p^2c^2}{c^4}} = m$

Note – it doesn't matter that the m is on the right; we can always write it $m = \sqrt{\dfrac{E^2 - p^2c^2}{c^4}}$ if we feel strongly about it! So now, it's just a matter of plugging in the values of E, p and c.

See Quickfire 2.10

quickfire 2.10

A negatively charged particle has an energy of 3.200×10^{-10} J and a momentum of 9.414×10^{-19} N s. Find the mass of the particle. Can you identify it?

[$c = 2.997 \times 10^8$ m s^{-1}]

2.4.2 Handling fractions

This is not difficult; it just needs a bit of care, especially adding and subtracting fractions.

Multiplying and dividing are straightforward we just need to remember a few basic ideas:

$$\frac{a}{b} \times \frac{c}{d} = \frac{ac}{bd} \qquad \frac{xy}{xz} = \frac{y}{z} \text{ [unless } x = 0] \qquad \div x \text{ is the same as } \times \frac{1}{x}$$

Adding and subtracting: we can only do this easily for fractions with the same denominator[5]:

e.g. 3 sevenths + 2 sevenths = 5 sevenths.

In general: $\dfrac{a}{x} + \dfrac{b}{x} = \dfrac{a + b}{x}$

But if we have, say, 3 sevenths and 2 tenths, how do we add? Let's look at it in algebra.

Can we make $\dfrac{a}{x} + \dfrac{b}{y}$ into a single fraction? We have to give the two fractions a common denominator, i.e the bottom lines must be the same.

Look at these: $\dfrac{a}{x} = \dfrac{ay}{xy}$ and $\dfrac{b}{y} = \dfrac{bx}{xy}$, so $\dfrac{a}{x} + \dfrac{b}{y} = \dfrac{ay + bx}{xy}$ – the common denominator is xy.

Similarly: $\dfrac{a}{x} - \dfrac{b}{y} = \dfrac{ay - bx}{xy}$

quickfire 2.11

Express $\dfrac{3}{5}$ as a fraction with a denominator of 20.

[5] In a fraction, $\dfrac{x}{y}$, x is called the *numerator* and y the *denominator*.

Example G: Evaluate $\dfrac{3}{7} + \dfrac{2}{10}$

$\dfrac{3}{7}$ is the same as $\dfrac{3 \times 10}{7 \times 10} = \dfrac{30}{70}$. Also $+ \dfrac{2}{10}$ is the same as $\dfrac{2 \times 7}{10 \times 7} = \dfrac{14}{70}$.

So $\qquad\qquad\qquad\qquad \dfrac{3}{7} + \dfrac{2}{10} = \dfrac{30}{70} + \dfrac{14}{70} = \dfrac{30 + 14}{70} = \dfrac{44}{70}$

Of course, if it's a straight numerical example, it is probably easier to use the calculator, like this

$\dfrac{3}{7} + \dfrac{2}{10} = 0.4286 + 0.2 = 0.6286$, which you can check is equal to $\dfrac{44}{70}$.

quickfire 2.12

Evaluate $\dfrac{3}{5} + \dfrac{7}{20}$.

2.4.3 Equations with brackets

Consider the equation $y = a(bx + c) - d$. How can we make x the subject?

Remember the last advice to use a reverse BODMAS? This advice works here, too.

Start with the undoing the subtraction, i.e. add d to both sides: $\quad y + d = a(bx + c)$

Next, undo the multiply by a, i.e. divide both sides by a: $\qquad \dfrac{y + d}{a} = (bx + c)$

We don't need the brackets any more: $\qquad\qquad\qquad \dfrac{y + d}{a} = bx + c$

Now subtract c from both sides: $\qquad\qquad\qquad\quad \dfrac{y + d}{a} - c = bx$

Finally divide both sides by b: $\dfrac{y + d}{ab} - \dfrac{c}{b} = x$ or [because it looks nicer!]: $x = \dfrac{y + d}{ab} - \dfrac{c}{b}$.

Note: We could also write this as $x = \dfrac{y + d - ac}{ab}$, or even $x = \dfrac{\dfrac{y + d}{a} - c}{b}$ but that looks dire!

Test Yourself 2.2

Make the bracketed symbol the subject of the equation; e.g. in question 1, write the equation in the form $m = \ldots$.

① $E = mc^2$ (m)

② $P = \dfrac{V^2}{R}$ (R)

③ $R = \dfrac{\rho l}{A}$ (ρ)

④ $c = f\lambda$ (f)

⑤ $I = 4\pi r^2 \sigma T^4$ (r)

⑥ $p = \frac{1}{3}\rho c^2$ (c)

⑦ $v = u + at$ (t)

⑧ $v^2 = u^2 + 2as$ (u)

⑨ $s = \frac{1}{2}(u + v)t$ (t)

⑩ $I = nAve$ (v)

⑪ $E = \frac{1}{2}kx^2$ (x)

⑫ $T = 2\pi\sqrt{\dfrac{l}{g}}$ (g)

⑬ $\frac{1}{2}mv^2 = mgh$ (v)

⑭ $F = \dfrac{m(v - u)}{t}$ (m)

⑮ $s = vt - \frac{1}{2}at^2$ (v)

⑯ $E_{k\,max} = hf - \phi$ (h)

⑰ $F = \dfrac{GM_1 M_2}{r^2}$ (M_2)

⑱ $T^2 = \dfrac{4\pi^2 a^3}{GM}$ (M)

⑲ $Z = \sqrt{X^2 + R^2}$ (X)

⑳ $m = \dfrac{m_0}{\sqrt{1 - \beta^2}}$ (β)

㉑ $\dfrac{1}{C} = \dfrac{1}{C_1} + \dfrac{1}{C_2}$ (C)

㉒ $V = \dfrac{ER}{R + r}$ (r)

㉓ $r_1 = \dfrac{M_2 d}{M_1 + M_2}$ (M_1)

㉔ $r_1 = \dfrac{M_2 d}{M_1 + M_2}$ (M_2)

㉕ $T = 2\pi\sqrt{\dfrac{d^3}{G(M_1 + M_2)}}$ (M_1)

2.5 Multiplying brackets

We have seen that $a(b + c) = ab + ac$. Notice that a multiplies b and c separately.

Similarly $(x - y)z = xz - yz$: z is multiplied by x and y separately. Remember the minus sign.

Example H: $3 \times (2.5 + 7)$: There are two ways of handling this:

1   $3 \times (2.5 + 7) = 3 \times 9.5$ [i.e. work out the bracket first] $= 28.5$

2   $3 \times (2.5 + 7) = 3 \times 2.5 + 3 \times 7$ [multiply out the bracket first] $= 7.5 + 21 = 28.5$

Of course they give the same answers. That's the point – the brackets rule works.

Consider the expression $(a + b)(c + d)$: These brackets multiply out as follows:
$(a + b)(c + d) = ac + ad + bc + bd$. Notice that **both** a and b multiply **both** c and d. Of course the order of the terms doesn't matter but it is sensible to multiply out in a systematic way. We can extend this to any number of terms in either bracket;

e.g. $(a + b)(c + d + e) = ac + ad + ae + bc + bd + be$

If we have minus signs, the usual rules hold: e.g. minus × minus = plus.

e.g. $(a - b)(c + d - e) = ac + ad - ae - bc - bd + be$

Pointer

Multiplying brackets:

all terms in the 1st bracket multiply all terms in the 2nd:

$(a + b)(c + d)$

A couple of cases to note

1   $(a + b)^2 = (a + b)(a + b) = aa + ab + ab + bb$

But $aa = a^2$ and $bb = b^2$

So $(a + b)^2 = a^2 + 2ab + b^2$

Similarly $(a - b)^2 = a^2 - 2ab + b^2$. Note that it is $+b^2$ not $-b^2$!

2   $(a + b)(a - b) = a^2 + ab - ab - b^2 = a^2 - b^2$

Both these two rules give you quick ways of doing some calculations in your head without using your calculator.

quickfire》》 2.13

Without using a calculator, calculate:

(a) $101^2 - 99^2$

(b) 101^2 [i.e. $(100 + 1)^2$] ,

(c) 99^2,

(d) 950^2,

(e) $42^2 - 39^2$

Example I: Calculate 23^2 in your head:

$23^2 = (20 + 3)^2 = 20^2 + 2 \times 20 \times 3 + 3^2 = 400 + 120 + 9 = 529$

Example J: Calculate $100^2 - 99^2$:

$100^2 - 99^2 = (100 + 99)(100 - 99) = 199 \times 1 = 199$

Test Yourself 2.3

Multiply out the following expressions and reduce to the simplest form:

① $3(x + 2)$ **②** $4(5x + 6)$ **③** $\frac{1}{2}(2a - 6)$ **④** $(4 + 2a + 3b) \times 5$

⑤ $(x + 3)(y - 2)$ **⑥** $(x + 2y)(x - 2y)$ **⑦** $(x + 5)^2$ **⑧** $(2 - y)^2$

⑨ $(2p + 3q)(p - q)$ **⑩** $(5a - 6b)^2$ **⑪** $(3 - x)(x - 3)$ **⑫** $a(x - b)$

⑬ $(x - a)(x + a)$ **⑭** $(x - 2a)^2$ **⑮** $(z + b)^2 - 2zb$ **⑯** $(z - b)^2 + 2zb$

⑰ $(z + b)^2 - (z - b)^2$ **⑱** $(t^2 + 1)^2$ **⑲** $(t^2 - 1)(t^2 + 1)$ **⑳** $(t^2 + 1)(t - 2)$ **㉑** $(a^2 - b^2)(a + b)$

Simplify the following expressions:

㉒ $\dfrac{a^2 - b^2}{a + b}$ **㉓** $\dfrac{a^2 - b^2}{a - b}$ **㉔** $\dfrac{(x - a)^2 + 2xa}{x^2 + a^2}$ **㉕** $\dfrac{(x + c)^2 - 2xc - 2c^2}{x + c}$

2.6 Solving equations

Solving an equation means finding the value of an unknown number which makes the equation correct. If the unknown quantity is the subject of the equation then all we need to do is to evaluate the expression on the other side of the equation. To do this we use the techniques discussed above.

Example K:

A spring with constant, k, 25 N m^{-1} is extended by 40 cm. Calculate the energy stored:

Equation: $E = \frac{1}{2}kx^2$. $k = 25$ N m^{-1}, $x = 0.4$ m

Substituting: $E = \frac{1}{2} \times 25 \times 0.4^2 = 2.0$ J

If the unknown quantity is not the subject of the equation, then we need to manipulate the equation. There are two ways of approaching this:

1   Put the numbers in and then manipulate.

2   Manipulate the equation, to change the subject and then put the numbers in.

Example L:

A spring with a spring constant, k, of 50 N m^{-1} is stretched. The energy, E, stored is 6.0 J, calculate the extension, x, of the spring. $E = \frac{1}{2}kx^2$.

The two approaches are compared:

Numbers first		Manipulate first	
Equation:	$E = \frac{1}{2}kx^2$	Equation:	$E = \frac{1}{2}kx^2$
Insert the numbers:	$6.0 = \frac{1}{2} \times 50 \times x^2$	$\times 2 \div k$ (both sides)	$x^2 = \dfrac{2E}{k}$
Simplify:	$6.0 = 25 \times x^2$		
$\div$ both sides by 25:	$x^2 = \dfrac{6.0}{25} = 0.24$	Insert the numbers	$x^2 = \dfrac{2 \times 6.0}{50} = 0.24$
Square root	$x = \sqrt{0.24} = 0.49$ m	Square root	$x = \sqrt{0.24} = 0.49$ m

The technique to use is up to you. Physicists will generally do the algebraic manipulation first but examiners will often give the first mark for a correct substitution into a correct equation. With some equations it is slightly perverse to do the manipulation first,

e.g finding v_2 from $m_1u_1 + m_2u_2 = m_1v_1 + m_2v_2$.

Not many people would write $v_2 = \dfrac{m_1u_1 + m_2u_2 - m_1v_1}{m_2}$ first.

In the following two examples, the numbers are substituted first.

Example M: A car accelerates at $a = 3.0$ m s^{-2} for time , $t = 4.0$ s. If it travels 64 m (s) in this time, what was its initial velocity, u?

Equation	$s = ut + \frac{1}{2}at^2$
Insert the numbers	$64 = 4.0u + 0.5 \times 3.0 \times 4.0^2$
Simplify (BODMAS)	$64 = 4.0u + 24$
Subtract 24	$64 - 24 = 4.0u$
Simplify	$40 = 4.0u$
Divide by 4.0	$\dfrac{40}{4.0} = u$ i.e. $u = 10$ m s^{-1}

Many people, including the authors, like putting the units of the quantities into the calculation. It provides a check. Using this approach the above working would be [after step 2]

Insert the quantities	64 m $= (4.0$ s$) \times u + 0.5 \times (3.0$ m s$^{-2}) \times (4.0$ s$)^2$
Simplify	64 m $= (4.0$ s$) \times u + 24$ m [m s$^{-2} \times$ s$^2 =$ m]
Subtract 24 m	64 m $- 24$ m $= (4.0$ s$)u$

[Note the dimensions check: 64 m – 24 m ✓]

Simplify	40 m $= (4.0$ s$)u$
Divide by 4.0 s	$\dfrac{40 \text{ m}}{4.0 \text{ s}} = u$ i.e. $u = 10$ m s^{-1}

Example N: If the equation involves fractions, it is almost always easier to put the numbers in first:

e.g. Use $\dfrac{1}{R} = \dfrac{1}{R_1} + \dfrac{1}{R_2}$ to find the combined resistance of a 12 kΩ and a 33 kΩ resistor in parallel.

Insert the quantities $\dfrac{1}{R} = \dfrac{1}{12} + \dfrac{1}{33}$

[Note: we can keep the resistances in kΩ for this calculation – the answer will come out in kΩ]

Calculate the fractions and add $\dfrac{1}{R} = 0.0833 + 0.0303 = 0.1136$

Take the reciprocal of both sides $R = \dfrac{1}{0.1136} = 8.80$ kΩ

 2.14

Solve $x - 2 = 10$

 2.15

Solve $3x = 15$

 2.16

Solve $10x + 5 = 75$

Pointer

If the equation involves fractions, remember the WARNING on page 19.

In example N,

$R \neq 12 + 33$!

Test Yourself 2.4

Find the unknown quantity in these equations:

1 $10.0 = 12.0 - 0.37r$

2 $0.36 = \dfrac{4.5}{R}$

3 $60 = \dfrac{240^2}{R}$

4 $53 = 41 + 2.7t$

5 $20^2 = 10^2 + 2a \times 15$

6 $150 = 10 \times 3 + \frac{1}{2}a \times 3^2$

7 $0.2 \times 15 - 0.1 \times 20 = 0.3v_2$

8 $25 = \dfrac{10 + v}{2} \times 3$

9 $\dfrac{1}{f} = (1.5 - 1)\left(\dfrac{1}{60} + \dfrac{1}{20}\right)$

10 $1.01 \times 10^5 = \frac{1}{3} \times 1.28 \times c^2$

11 $\dfrac{1}{4} = \dfrac{1}{3} - \dfrac{1}{R}$

12 $9.81 = \dfrac{6.67 \times 10^{-11}\,M}{(6.37 \times 10^6)^2}$

13 $590 \times 10^{-9} = \dfrac{0.5 \times 10^{-3}\,y}{1.5}$

14 $20 = \dfrac{\rho \times 0.80}{\pi \times (0.5 \times 10^{-3})^2}$

15 $12 = \frac{1}{2} \times 5 \times v^2$

16 $83 = \dfrac{P_{OUT}}{1500} \times 100$

17 $125 = \left(\dfrac{\omega}{2\pi}\right)^2 \times 0.05$

18 $3.5 \times 10^{-27} = \dfrac{6.63 \times 10^{-34}}{\lambda}$

19 $0.6 = n \times 4\pi \times 0.0005^2 \times 1.2 \times 10^{-3} \times 1.6 \times 10^{-19}$

20 $36 = \sqrt{25^2 + F^2}$

21 $4.7 \times 10^{-7} = \dfrac{1.0 \times 10^{-6}R}{5.3}$

22 $8.6 = \dfrac{9.5 \times 10}{10 + r}$

23 $\dfrac{1}{30} = \dfrac{1}{60} + \dfrac{1}{C + 40}$

24 $\dfrac{1}{24} + \dfrac{1}{v} = \dfrac{1}{12}$

25 $80 = \dfrac{60}{\sqrt{1 - \dfrac{v^2}{9.00 \times 10^{16}}}}$

Further Algebra

3.1 Introduction Chapter 2 covered basic linear algebra. In this chapter we are going to look at equations with squared terms, i.e. quadratic equations, situations in which we need to solve equations with more than one variable, and we introduce the binomial theorem.

3.2 Quadratic equations

In quadratic equations the unknown quantity, e.g. x, is present as x^2 and often as x as well. The general form of this equation can be written:

$$ax^2 + bx + c = 0,$$

where a, b and c are known constants and x is the unknown quantity [often the unknown is t, time].

Before we look at the difficult cases, we'll look at some special cases.

Pointer

Quadratic equations must be homogeneous.
So, in $ax^2 + bx + c = 0$,
$[ax^2] = [bx] = [c]$.

3.2.1 Quadratic equations with $b = 0$

An example of this is: Calculate the velocity, v, of an object of mass 8 kg with a kinetic energy of 144 J.

Substituting into the equation: $E_k = \frac{1}{2}mv^2 \rightarrow 144 = 4 \times v^2$

$$\therefore \qquad v^2 = 36$$
$$\therefore \qquad v = \sqrt{36} = \pm 6 \text{ m s}^{-1}$$

Why ± 6 not just 6? Because $(-6)^2 = 36$ and $6^2 = 36$, so we don't know which solution is correct – it could be either. Another way of saying this is the kinetic energy of an object depends on its mass and speed but not its direction of motion. We'll see that **quadratic equations usually have two solutions**.

quickfire 3.1

If $v^2 = 64$, what are the two possible values of v?

quickfire 3.2

If $R^2 - 12 = 0$, what is R? [i.e. solve the equation for R]

3.2.2 Quadratic equations with $c = 0$

We'll do this algebraically this time:

If $c = 0$, $\qquad\qquad ax^2 + bx = 0$

which can be written $\qquad (ax + b)x = 0$

So we have two expressions, $(ax + b)$ and x, multiplied together to give 0. This can only be true if either $\qquad\qquad ax + b = 0$

or $\qquad\qquad\qquad\qquad x = 0$

So the two solutions are: $x = 0$ and $x = -\dfrac{b}{a}$.

Example A:

If a stone is thrown upwards from the ground at time $t = 0$ with an initial velocity, u, of 25 m s^{-1}, calculate the time, t, at which the stone hits the ground. Take g to be 9.8 m s^{-2}.

Substituting into $s = ut + \frac{1}{2}at^2$, $\qquad 0 = 25t - 4.9t^2$ $\qquad$ [– sign because g is downwards]

Factorising $\qquad\qquad\qquad\qquad\qquad 0 = (25 - 4.9t)t$

So, either $t = 0$ or $25 - 4.9t = 0 \rightarrow t = \dfrac{25}{4.9} = 5.1$ s.

So which solution is the one we want, $t = 0$ or $t = 5.1$ s? Clearly $t = 0$ refers to the starting time so the answer we want is 5.1 s.

3.2.3 Quadratic equations of the form $(x + p)^2 = 0$

Actually, you'll hardly ever see one but it is going to be important – so stick with it.

If $(x + p)^2 = 0$ then, taking the square root, $x + p = 0$, so the solution is $x = -p$.

Now, if $(x + p)^2 = 0$ then $\qquad (x + p)(x + p) = 0$

Multiplying the brackets out: $\qquad x^2 + 2px + p^2 = 0$

We're going to leave it there – why? If we have a quadratic equation that has the form, $x^2 + 2px + p^2 = 0$ we can write it $(x + p)^2 = 0$, so we'll be able to solve it.

3.2.4 The general solution of $ax^2 + bx + c = 0$

We're going to derive a general solution to $ax^2 + bx + c = 0$ using the result of 3.2.3.

Step 1: Divide by a: $\qquad x^2 + \dfrac{b}{a}x + \dfrac{c}{a} = 0$

Step 2: Subtract $\dfrac{c}{a}$ $\qquad x^2 + \dfrac{b}{a}x = -\dfrac{c}{a}$

Step 3: Add $\dfrac{b^2}{4a^2}$ $\qquad x^2 + \dfrac{b}{a}x + \dfrac{b^2}{4a^2} = \dfrac{b^2}{4a^2} - \dfrac{c}{a}$

Look at $x^2 + 2px + p^2 = 0$ in 3.2.3: If $p = \dfrac{b}{2a}$, $2p = \dfrac{b}{a}$ and $p^2 = \dfrac{b^2}{4a^2}$, so …

Step 4: Factorise the LHS and put the RHS over a common denominator of $4a^2$

$$\left(x + \dfrac{b}{2a}\right)^2 = \dfrac{b^2 - 4ac}{4a^2}$$

Step 5: Take the square root: $\qquad x + \dfrac{b}{2a} = \pm\dfrac{\sqrt{b^2 - 4ac}}{2a}$

Step 6: Subtract $\dfrac{b}{2a}$ $\qquad x = \dfrac{-b \pm \sqrt{b^2 - 4ac}}{2a}$. This is the general solution.

The solutions to the general quadratic are sometimes needed in projectiles questions.

Example B:

A stone is thrown down a 100 m deep mine shaft, with initial velocity 10 m s^{-1}. How long does it take to reach the bottom? [Take $g = 9.8$ m s^{-2}]

Step 1: Equation $\qquad\qquad s = ut + \frac{1}{2}at^2$

Step 2: Substitution $\qquad\qquad 100 = 10t + 4.9t^2$

Step 3: Rearrange $\quad 4.9t^2 + 10t - 100 = 0 \qquad$ This is of the form: $ax^2 + bx + c = 0$

Step 4: Identify a, b, c: $\qquad a = 4.9$ m s^{-2}, $b = 10$ m s^{-1}, $c = -100$ m

Step 5: Solve $\qquad t = \pm\dfrac{-10 \pm \sqrt{10^2 - 4 \times 4.9 \times (-100)}}{9.8} = \dfrac{-10 \pm 45.4}{9.8}$

Step 6: Solutions $\qquad t = -5.7$ s or $t = 3.6$ s

Step 7: Identify the correct solution: The time of impact cannot be before we throw it, so we can ignore the $t = -5.7$ s solution. $\therefore$ Time taken is 3.6 s.

We'll see that quadratic equations also crop up when solving some simultaneous equations.

quickfire 3.3.

Solve $(l - 0.5)^2 = 4$.

quickfire 3.4

What is the physical significance of the −5.7 s solution in Example B?

quickfire 3.5

$t = \dfrac{-10 \pm \sqrt{10^2 - 4 \times 4.9 \times (-100)}}{9.8}$

is the solution to Example B. Put units into this equation and show that it is homogeneous. Hint: the 10 is the velocity, u, so its unit is m s^{-1}.

Test Yourself / 3.1

In questions 1–16, find the values of the unknown:

1. $24 = \frac{1}{2} \times 3x^2$
2. $100 = \frac{1}{2} \times 5000x^2$
3. $12t^2 - 84t = 0$
4. $25t^2 - 750t = 0$
5. $100t - 9.8t^2 = 0$
6. $600 = \frac{1}{2} \times 0.2v^2$
7. $3 \times 10^6 = \frac{1}{2} \times 0.5v^2$
8. $5x^2 + 2 = 247$
9. $72 = \frac{1}{2} \times 5 \times (l - 0.24)^2$ [Hint: treat $(l - 0.24)$ as the variable)]
10. $500 = \frac{1}{2} \times 0.2(v + 50)^2$
11. $80 = \frac{1}{2} \times 0.25 (v - 5)^2$
12. $x^2 + x - 2 = 0$
13. $3x^2 + 10x + 6 = 0$
14. $\frac{1}{2}t^2 - 7t + 5 = 0$
15. $25 = 60t - 4.9t^2$
16. $-100 = +0.8t^2 - 20t$

17. The work done, W, in extending a spring, with a spring constant k, is given by $W = \frac{1}{2}kx^2$.
    Find the extension, x, if $W = 50$ J and $k = 25$ N m^{-1}.

18. Find the velocity, v, of a body of mass 2 kg, with a kinetic energy of 1 MJ.
    $E_k = \frac{1}{2}mv^2$.

19. A stone is thrown upwards with a velocity, u, of 10 m s^{-1}. If $g = 9.8$ m s^{-2}, calculate the time, t, at which the stone returns to the ground. $s = ut + \frac{1}{2}at^2$, where s is the height above the ground.
    [The acceleration is downwards, so $a = -9.8$ m s^{-2}].

20. A small asteroid of radius, $r = 5$ m and density, $\rho = 2500$ kg m^{-3} impacts the Earth with an energy equivalent of 0.5 megatonnes of TNT. Estimate its speed of impact.
    Data: 1 tonne of TNT $\equiv 4.2$ GJ energy; $\rho = \frac{M}{V}$; for a sphere, $V = \frac{4}{3}\pi r^3$; $E_k = \frac{1}{2}mv^2$

21. An astronaut on the Moon dropped a hammer and a piece of paper from a height of 1.5 m. How long did they take to reach the Moon's surface? $g = 1.62$ m s^{-2}. $s = ut + \frac{1}{2}at^2$.

22. The range, R, of an artillery gun which fires a shell with a velocity u, at an angle θ to the horizontal can be found from the equation
    $R^2 - \left(\frac{u^2}{g}\sin 2\theta\right)R = 0$. Find the range for $u = 200$ m s^{-1} and $\theta = 30°$.

23. Find the height, h, above the Earth's surface at which the acceleration due to gravity is 3.0 m s^{-2}.
    The radius of the Earth is 6380 km. g at the Earth's surface = 9.8 m s^{-2}.
    $g = \frac{k}{r^2}$, where r is the distance from the centre of the Earth.

24. A car brakes to a halt with a deceleration, $-a$, of 2.0 m s^{-2} over a distance, s, of 100 m. What was its initial velocity, u? $v^2 = u^2 + 2as$, where v = the final velocity = 0.

25. A ball is dropped onto a hard surface from a height of 10 m. It rebounds to a height of 8 m. Calculate the time it takes to reach the rebound height. [Ignore the duration of the collision with the ground.] $g = 9.8$ m s^{-1}. $s = ut + \frac{1}{2}at^2$

3.3 Simultaneous equations

Pointer

An example of a situation with two unknowns is measuring the current and pd provided by a cell.
$V = E - Ir$
E and r are unknown.

In many physical situations a single equation will not do. We have two or more unknowns, at the same time. As long as we have the same number of equations as the number of unknowns an answer can be found. The skills involved will be also be useful in the sections where we will derive some equations.

3.3.1 Linear simultaneous equations

The box with the pulley on page 29 gives a physics example with two unknown quantities, T and a. There are two equations, but neither is enough on its own to find either of the forces. Before we solve it look at the following equations:

$$a + b = 0 \tag{1}$$
$$2a - b = 6 \tag{2}$$

Let's add the two equations together! Are we allowed to? Sure – the left and right sides of an equation are the same size [that's what an equation means] and we can add the same thing to both sides of an equation.

What do we get?

(1) + (2) gives $\qquad a + 2a + b - b = 6$

Simplifying gives $\qquad 3a = 6 \qquad \therefore a = 2.$

So now we know that $a = 2$. How do we find b?

Just substitute the value $a = 2$ in **either** of the two equations: e.g. putting $a = 2$ into equation (1). This gives $2 + b = 0$. $\therefore \underline{b = -2}.$

Now have a look at the problem with the pulley in the box.

First the physics: $\qquad\qquad \Sigma F = ma$

For the 3 kg mass: $\qquad 3 \times 9.81 - T = 3a$

Rearranging: $\qquad\qquad T + 3a = 29.43 \qquad$ (3)

For the 2 kg mass: $\qquad T - 2 \times 9.81 = 2a$

Rearranging: $\qquad\qquad T - 2a = 19.62 \qquad$ (4)

We could eliminate T from the equations by subtracting (4) from (3). Let's do it another way:

Notice that (3) has $3a$ and (4) has $2a$. We'll multiply (3) by 2 and multiply (4) by 3:

$$(3) \times 2 \rightarrow 2T + 6a = 58.86$$

$$(4) \times 3 \rightarrow 3T - 6a = 58.86$$

Adding these two eliminates the a and gives $5T = 117.72$, so $T = \dfrac{117.72}{5} = 23.44\,\text{N}$

[Remember to put the units in. T is a force $\therefore$ N]

Now all we need to do to find a, is to put T into either (3) or (4) to find a.

3.3.2 Non-linear simultaneous equations

Consider the following problem: Two unknown resistors of value R_1 and R_2 are connected together. In series their combined resistance is $25\,\Omega$; in parallel it is $6\,\Omega$. Determine R_1 and R_2.

Looking at the relevant equations: $\qquad R_1 + R_2 = 25 \qquad$ (1) $\quad$ Resistors in series

$$\frac{1}{R_1} + \frac{1}{R_2} = \frac{1}{6} \qquad (2) \quad \text{Resistors in parallel}$$

The presence of the reciprocals means that the technique used in 3.3.1 will not work. Instead we will use substitution. This problem will illustrate this technique.

From equation (1), $R_2 = 25 - R_1$. We will write $25 - R_1$ instead of R_2 in equation (2). This gives:

$$\frac{1}{R_1} + \frac{1}{25 - R_1} = \frac{1}{6}.$$

Following substitution, we have an equation with one unknown. It is just a matter of solving it.

If we multiply by $6R_1(25 - R_1)$ we will get rid of the fractions:

$$6[(25 - R_1) + R_1] = R_1(25 - R_1)$$

Multiplying the bracket and re-arranging gives $R_1{}^2 - 25R_1 + 150 = 0$, which we can solve to give $R_1 = 10\,\Omega$ or $15\,\Omega$. Equation (1) tells us that if $R_1 = 10\,\Omega$ then $R_2 = 15\,\Omega$ and *vice versa*. The question doesn't specify which resistor is which!

quickfire 3.6

Multiply the equation, $3x + y = 2$, by 2

quickfire 3.7

Multiply $5a - 3b = 6$ by -2

Practice

Instead of substituting $a = 2$ into (1), try putting $a = 2$ into equation (2). You should find you get the same answer for b.

Two objects of mass 2 kg and 3 kg are connected by a thread over a pulley. Calculate the tension, T, in the thread and the acceleration, a, of the objects. Ignore friction and the mass of the thread and pulley.

Note: The two masses have the same acceleration, but if the 3 kg is accelerating downwards, the 2 kg accelerates upwards.

Diagram labels: T, a, T, $3\,\text{kg}$, $2\,\text{kg}$, $3 \times 9.81\,\text{N}$, $2 \times 9.81\,\text{N}$

Practice

(a) By substituting $T = 23.44\,\text{N}$ into equation (3), show that $a = 2.0\,\text{m s}^{-2}$.

(b) Repeat this for equation (4).

(c) Solve the whole problem from the beginning by subtracting (4) from (3) to start with.

quickfire 3.8

Add the equations:

$5a - 3b = 7$

$3a + 3b = 5$

quickfire 3.9

Find a and b in Quickfire 3.8.

quickfire 3.10

$a + b = 10$; $a - b = 5$.

Find a and b.

Test Yourself 3.2

In questions 1–8, solve the equations for the given unknowns. For the remaining questions, substitute pairs of values into the given algebraic equation and solve the resulting equations:

1 $24 = u + 4a$

$45 = u + 10a$

2 $1.5 = E - 1.0r$

$1.0 = E - 2.0r$

3 $11 = 2u + 2a$

$51 = 6u + 18a$

4 $27 - 4.5r = 6E$

$36 - 3.0r = 12E$

5 $70 = 5v - 12.5a$

$64 = 8v - 32a$

6 $\frac{1}{2}mv^2 = 1125$

$mv = 150$

7 $5 = 0.4k - kl_0$

$15 = 0.8k - kl_0$

[Hint: write kl_0 as x, find k and x then find l_0]

8 $8^2 = u^2 + 2 \times a \times 7$

$12^2 = u^2 + 2 \times a \times 27$

[Hint: Simplify to start with, solve for u^2 and a, then find the square root of u^2]

9   A car with initial velocity u, undergoing uniform acceleration, a, has a velocity, v, of $10\ \mathrm{m\ s^{-1}}$ after a time, t, of $10\ \mathrm{s}$. Substitute these values into $v = u + at$.

After $16\ \mathrm{s}$ its velocity is $14.5\ \mathrm{m\ s^{-1}}$. Substitute these values into $v = u + at$.

Solve the two equations to find the initial velocity and acceleration.

10   An accelerating car has an initial velocity u and acceleration a. Use the equation $v^2 = u^2 + 2as$ to find u and a given the following values of v and s:

when the displacement $s = 20\ \mathrm{m}$, the velocity $v = 8\ \mathrm{m\ s^{-1}}$

when the displacement $s = 60\ \mathrm{m}$, the velocity $v = 10\ \mathrm{m\ s^{-1}}$

11   A power supply has an emf, E, and internal resistance, r. When the battery delivers a current (I) of $0.8\ \mathrm{A}$, the terminal pd (V) is $4.8\ \mathrm{V}$. When $I = 1.4\ \mathrm{A}$, $V = 3.9\ \mathrm{V}$.

Use the equation $V = E - Ir$ to find the emf and internal resistance.

12   An accelerating car travels a distance, $s = 102\ \mathrm{m}$ after a time, $t = 6.0\ \mathrm{s}$. After $10\ \mathrm{s}$ it has travelled $230\ \mathrm{m}$. Use the equation $s = ut + \frac{1}{2}at^2$ to find the initial velocity, u, and the acceleration, a.

13   The currents in the circuit can be found by applying Kirchhoff's laws.

Applying K2 to the left loop gives:

$$2.0 - 1.5 = 1.0I_1 + 5I_1 - 2.0I_2 \qquad (1)$$

Applying K2 to the right loop gives:

$$1.5 = 10(I_1 + I_2) + 2.0I_2 \qquad (2)$$

(a)   Simplify and solve these equations for I_1 and I_2.

(b)   Use the equation $V = E - Ir$ to find the pd across each power supply.

(c)   Use $V = IR$ to find the pd across the $10\ \Omega$ resistor; comment on your answer.

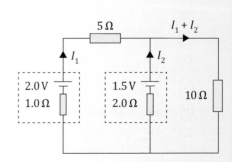

⑭ A power supply has emf, E, and internal resistance, r. When a resistor of resistance $R = 12\,\Omega$ is connected across it, the terminal pd , $V = 6.0$ V. When $R = 24\,\Omega$, $V = 8.0$ V.

Use the equation, $V = \dfrac{ER}{R + r}$ with the above values, to find E and r.

⑮ Two bodies of mass 2 kg and 1 kg travel along the same straight line with velocities v_1 and v_2 respectively. The total momentum and kinetic energy of the pair are 18 N s and 57 J respectively. Find values for v_1 and v_2.

Momentum = mv and kinetic energy = $\frac{1}{2}mv^2$.

[There are two sets of possible values.]

⑯ A body of mass 3 kg, travelling at 4 m s^{-1}, collides elastically* head on with a stationary body of mass 6 kg. Find the velocities of the two bodies after the collision.

Hint: Find the total momentum and kinetic energy before the collision first, then apply the principles of conservation of momentum and energy.

* Elastically = the total kinetic energy is unchanged in the collision.

⑰ A voltmeter and ammeter are used to measure the resistance, R, of a resistor. Their readings are V and I. Unfortunately the voltmeter has a zero error, ε, of unknown size, so that $V = IR + \varepsilon$. When $I = 0.450$ A, $V = 3.058$ V; when $I = 0.750$ A, $V = 5.112$ V. Find R and ε.

⑱ As in Q17, but this time the ammeter has a zero error, so that the relevant equation is $V = (I + \varepsilon)R$. When $I = 0.273$ A, $V = 1.353$ V; when $I = 0.482$ A, $V = 2.341$ V. Find R and ε.

⑲ In an experiment to find the spring constant, k, two different masses, m, are suspended from the spring and the period, T, measured. The masses are attached to a hanger of unknown mass, μ, so that the period is given by:

$T = 2\pi\sqrt{\dfrac{m + \mu}{k}}$. Results: 0.100 kg, 0.490 s; 0.300 kg, 0.744 s. Find k and μ.

⑳ In an experiment to determine g, a pendulum bob is suspended from the ceiling of height h above the floor of a laboratory. When the height, x, of the bob above the floor was 0.253 m, the period, T, was 3.025 s. With $x = 1.279$ m, $T = 2.243$ s.

Given that $T = 2\pi\sqrt{\dfrac{h - x}{g}}$, find values for g and h.

㉑ Two sets of students make measurement on an accelerating car. The first set notes that after 15 s its velocity is 40 m s^{-1}. The other records the distance travelled after 10 s to be 200 m. Assuming constant acceleration, find its initial velocity, u, and acceleration, a.

Use the equations $v = u + at$ and $s = ut + \frac{1}{2}at^2$.

㉒ Another two groups of equally disorganised students repeat the task in Q21. The first group notes that after 4 s the car has a displacement of 100 m; the second notes that the car reaches a velocity of 25 m s^{-1} after a displacement of 40 m. Find the initial velocity and acceleration.

Use the equations $s = ut + \frac{1}{2}at^2$ and $v^2 = u^2 + 2as$.

NB. There are two valid solutions to this question. Describe the motion in each.

㉓ A student records that the pd, V, across a power supply with an external resistance, R, of $22\,\Omega$ is 22 V. The power, P, supplied to an external resistance of $10\,\Omega$ is 40 W. Find the emf, E, and internal resistance, r, of the power supply.

Use the equations $V = \dfrac{ER}{R + r}$ and $P = \dfrac{E^2 R}{(R + r)^2}$.

NB. There are two algebraic solutions to this problem, only one of which is valid. Give the valid solution.

㉔ The period of oscillations, T, of an object on a spring is given by $T = 2\pi\sqrt{\dfrac{m}{k}}$, where m is the mass and k the spring constant. The period, T_1, of an unknown mass, M_1, is measured. An additional mass, M_2, is added and the period T_2, measured.

(a) Show that $T_2{}^2 - T_1{}^2 = 4\pi^2\dfrac{M_2}{k}$.

(b) Given that $T_1 = 0.662$ s, $T_2 = 1.047$ s and $M_2 = 0.300$ kg, determine values for k and M_1.

㉕ The period, T, of a simple pendulum of length l is given by $T = 2\pi\sqrt{\dfrac{l}{g}}$.

An extraterrestrial on its own planet determines the period of oscillation of a pendulum to be 3.376 s. It shortens the length by 0.500 m and finds the new period to be 3.020 s. Find the value of g and the original length of the pendulum.

3.4 The binomial series

The following expression arises quite frequently in maths and physics: $(1 + x)^n$. This section investigates this expression for the case when n is a positive integer, i.e. we're going to look at $(1 + x)^2$, $(1 + x)^3$, ... $(1 + x)^{10}$... .

Let's look at the expansion of $(1 + x)^n$ for a few low values of n. You should be able to show that the following are correct:

```
            1
          1   1
        1   2   1
      1   3   3   1
    1   4   6   4   1
  1   5  10  10   5   1
1   6  15  20  15   6   1
           etc.
```

Fig 3.1

$(1 + x)^0$:	1
$(1 + x)^1$	$1 + x$
$(1 + x)^2 = (1 + x)(1 + x)$	$1 + 2x + x^2$
$(1 + x)^3 = (1 + x)^2(1 + x)$	$1 + 3x + 3x^2 + x^3$
$(1 + x)^4 = (1 + x)^3(1 + x)$	$1 + 4x + 6x^2 + 4x^3 + x^4$

Figure 3.1 is the familiar Pascal's triangle: the numbers are the same as the coefficients[1] in the expansions of $(1 + x)^n$. Each row is obtained by adding two neighbouring numbers in the row above, including 0 on the ends of each row.

Because this pattern is so simple there must be a general formula. It turns out to be:

$$(1 + x)^n = 1 + nx + \frac{n(n - 1)}{2!}x^2 + \frac{n(n - 1)(n - 2)}{3!}x^3 + \dots \frac{n(n - 1)(n - 2) \dots (n - k + 1)}{k!}x^k + \dots$$

up to x^n.

Try it for $n = 4$ and you should obtain the values, 1, 4, 6, 4 and 1

The expression on the right of the equation is called a *series*. The usefulness of this particular series to physics arises from Newton's realisation that it is also valid for values of n other than positive integers, in particular for **negative and fractional values of n.** Two potential problems need stressing for negative and fractional values of n:

- the series becomes an **infinite** series, i.e. it doesn't have a final term, because none of the $n - 1$, $n - 2$, etc., is zero;

- the series only converges[2] for values of x between -1 and 1, i.e. $|x| < 1$.

Neither of these is a real problem for physics.

Example C:

What results does the binomial series give for $\sqrt{1.5}$ i.e. $(1 + 0.5)^{\frac{1}{2}}$?

Let's see. The binomial series for $(1 + x)^{\frac{1}{2}}$ is:

$$(1 + x)^{\frac{1}{2}} = 1 + \frac{1}{2}x + \frac{\frac{1}{2}\left(\frac{1}{2} - 1\right)}{2!}x^2 + \frac{\frac{1}{2}\left(\frac{1}{2} - 1\right)\left(\frac{1}{2} - 2\right)}{3!}x^3 + \frac{\frac{1}{2}\left(\frac{1}{2} - 1\right)\left(\frac{1}{2} - 2\right)\left(\frac{1}{2} - 3\right)}{4!}x^4 \dots$$

$$= 1 + \frac{1}{2}x - \frac{1}{8}x^2 + \frac{1}{16}x^3 - \frac{5}{128}x^4 \dots$$

Putting $x = 0.5$ into this equation: $(1 + 0.5)^{\frac{1}{2}} = 1 + \frac{1}{2} \times 0.5 - \frac{1}{8} \times 0.5^2 + \frac{1}{16} \times 0.5^3 - \frac{5}{128} \times 0.5^4 \dots$

$$= 1 + 0.25 - 0.03125 + 0.0078125 - 0.0024414 + \dots$$

If we just take the 1st term (1), we get the so-called *zero order approximation* = 1.

If we add the 2nd term (0.25) we get the first-order approximation = 1.25

---

[1] Here the word *coefficient* means the number in front of the x^n terms.

[2] An infinite series *converges* if it gets closer and closer to a final value as more and more terms are added together. NB this is not a proper mathematical definition of convergence.

Carrying on: the 2nd order approx. = 1.21875

3rd order approx. = 1.22656

4th order approx. = 1.22412

This sequence of approximations appears to be approaching the calculator value of 1.22474…

Now do Quickfire 3.11

The important result:

Notice how 'good' the 1st order approximations are in Example C and Quickfires 3.11 and 3.12. And they get better, the smaller x is. Why is this?

Look again at the first few terms of binomial series;

$$(1 + x)^n = 1 + nx + \frac{n(n-1)}{2!}x^2 + \frac{n(n-1)(n-2)}{3!}x^3 + \dots$$

If $|x|$ is a lot less than 1 [$|x| \ll 1$], then x^2 will be tiny and x^3 miniscule, so as long as n isn't very big we can write:

$$(1 + x)^n \approx 1 + nx$$

So, for small x, $\sqrt{1 + x} \approx 1 + \frac{1}{2}x$ and $\frac{1}{1 + x} \approx 1 - x$ are good approximations, and get better as x gets smaller. For an example of how useful it is, look at the derivation of the Young Slits formula in Chapter 13. It will also turn up again when we look at calculus. Questions 18–22 in Test Yourself 3.3 prepare the way for the Young Slits result.

quickfire 3.11

What are the 1st, 2nd and 3rd order binomial approximations to $\sqrt{1.21}$? [If you don't know the true answer, check it on your calculator and then kick yourself!]

quickfire 3.12

Show that $\frac{1}{1 - x} = 1 + x + x^2 + x^3 + \dots$ and compare the 1st, 2nd, 3rd order approximations for $\frac{1}{0.9}$ with the correct answer of 1.1111 … .

Test Yourself 3.3

The first few questions involve the series for $\sqrt{(1 + x)^3}$, i.e. $(1 + x)^{\frac{3}{2}}$.

1 Show that the first few terms [up to the 4th order] of the binomial series for $\sqrt{(1 + x)^3}$ are:

$$\sqrt{(1 + x)^3} = 1 + \frac{3}{2}x + \frac{3}{8}x^2 - \frac{1}{16}x^3 + \frac{3}{128}x^4$$

2 Use your calculator to find the value of $1.5^{1.5}$ [i.e. $(1+0.5)^{\frac{3}{2}}$]

3 Use the series in question 1, with $x = 0.5$, to find the value of each term, up to the 4th order, of the binomial series for $\sqrt{1.5^3}$.

4 Hence find the 1st, 2nd, 3rd and 4th order approximations to $\sqrt{1.5^3}$. What would be the % error in just using (a) the 1st order approximation and (b) the 2nd order approximation?

5 Repeat Questions 2–4 using $x = 0.1$, i.e. investigating $\sqrt{1.1^3}$

In Questions 6–10, use the equation, $(1 + x)^n \approx 1 + nx$ to find the 1st order binomial approximations for the given numbers, **without using a calculator!**

6 1.01^3

7 0.99^{-3}

8 1.02^{-3}

9 $1.1^{1.5}$

10 $0.8^{-0.5}$

11 Find the 1st and 2nd order binomial approximations to $\sqrt{4.5}$.

Hint: Write 4.5 as $4 \times (1.125)$.

12 Using the 1st order binomial approximations only, find $\sqrt[3]{1100}$. [Hint: see Q11]

⑬ Work out the binomial series for $\dfrac{1}{\sqrt{1+x}}$ up to the 4th order.

⑭ Use your answer to Q13 to work out the 1st, 2nd, 3rd and 4th order approximations to $0.8^{-0.5}$ and compare your results with the calculator value.

⑮ Show that, to 1st order, $(1+x)^n - (1-x)^n = 2nx$.

⑯ Find the 1st order approximation to $\sqrt{1+x} - \sqrt{1-x}$.

⑰ Find the 1st order approximation to $(1+x)^n - \dfrac{1}{(1+x)^n}$.

⑱ Show that, if $a \ll x$, $(x+a)^n = x^n + nax^{n-1}$ to a good approximation.

   Hint: Write $(x+a)$ as $x\left(1 + \dfrac{a}{x}\right)$.

⑲ From Q18, write the 1st order approximation of the expression: $(x+a)^n - x^n$.

⑳ Find the length AC in the right-angled triangle shown,

   (a) using a 1st order binomial approximation

   (b) using the square root function on a calculator.

   [Hint: Pythagoras' Theorem]

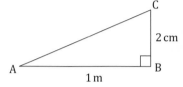

㉑ Find the value of $S_1P - S_2P$

   (a) using a 1st order binomial approximation;

   (b) to 3 s.f. using a calculator square root function.

㉒ Using the diagram from Q21, find the value of $S_1P - S_2P$ using a 1st order binomial approximation with the distances as follows:

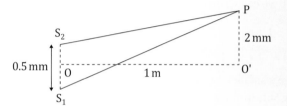

   $S_1S_2 = d$; $OO' = D$; $O'P = x$.

㉓ Show that to **2nd order** $\sqrt{1+x} + \dfrac{1}{\sqrt{1+x}} = 2 + \frac{1}{4}x^2$ and find the % error in using this approximation when $x = 0.1$

㉔ Find the **2nd order** approximation to $(1+x)^n + (1+x)^{-n}$ and use this to estimate $1.1^4 + \dfrac{1}{1.1^4}$, **without using a calculator!**

㉕ In the triangle opposite, find the **3rd order** approximations to $\sin\theta$, $\cos\theta$, and $\tan\theta$ in terms of x.

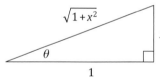

Chapter 4

Indices and Logarithms

4.1 Introduction

This comparatively short chapter covers two important areas of maths which are used frequently in A-level Physics. AS candidates may need the content of Section 4.2 only – this will depend upon the specification. Questions 1–10 of Test Yourself 4.1 relate to Section 4.2.

4.2 Indices

a^4 is a compact abbreviation for $a \times a \times a \times a$ in which a can be any number. We pronounce a^4 as 'a to the *power* 4', or just 'a to the 4'. The number 4 is called the *exponent* or the *index*. In this context, the plural of index is *indices*.

The number a is the same as a^1 – the index tells you how many a's are multiplied together: in this case there is only one a.

Indices have a vital role in Physics, for example in expressing very large or very small quantities in standard SI units. Thus, to three figures, the mass of the deuterium (heavy hydrogen) nucleus can be written as 2.38×10^{-27} kg, the gravitational constant $G = 6.67 \times 10^{-11}$ kg^{-1} m^3 s^{-2} and the solar mass as 1.99×10^{30} kg (try writing that out in non-indexed form!). It is therefore crucial to be able to perform calculations involving quantities expressed in this way using the laws which follow.

4.2.1 The laws of indices

1. What is the result if we multiply a^4 by a^3?

   $a^4 \times a^3 = (a \times a \times a \times a) \times (a \times a \times a) = a \times a \times a \times a \times a \times a \times a = a^7$

   So, in general, $a^m \times a^n = a^{(m+n)}$ Law 1

   Thus, in order to **multiply** two numbers, we **add** the indices.

2. What if we divide a^4 by a^3? $\dfrac{a \times a \times a \times a}{a \times a \times a} = a = a^1$

   So, in general, $\dfrac{a^m}{a^n} = a^{(m-n)}$ Law 2

3. Finally, what is the third power of a^4?

   $(a^4)^3 = (a \times a \times a \times a) \times (a \times a \times a \times a) \times (a \times a \times a \times a) = a^{12}$

   So, in general, $(a^m)^n = a^{mn}$.   Law 3

Pointer

a^{3^2} means a to the power of 3^2 i.e. a^9.

quickfire 4.1

Calculate $5^2 \times 2^5$

quickfire 4.2

Calculate: (a) $(3^4)^2$ and (b) 3^{4^2}.

Example A: Calculate $(1.5^3)^2$.

$(1.5^3)^2 = 1.5^{3 \times 2} = 1.5^6 = 11.39$ (4 s.f.)

Pointer

When using laws of indices remember that x can be written as x^1.

4.2.2 Negative and zero indices

We know that $\dfrac{a^m}{a^n} = a^{(m-n)}$ but we can also write $\dfrac{a^m}{a^n}$ as the product $a^m \times \dfrac{1}{a^n}$. To get the right answer using the *first* law of indices, we need to write $\dfrac{1}{a^n} = a^{-n}$.

Pointer

The expression $a^x b^y$ cannot be simplified. We calculate a^x and b^y separately and multiply them together.

quickfire 4.3

Express 4^{-2} as a decimal.

quickfire 4.4

Calculate $2^{-4} \times 3^2$ and express the answer as a decimal.

Pointer

Remember these cube roots:

$\sqrt[3]{8} = 8^{\frac{1}{3}} = 2$

$\sqrt[3]{27} = 27^{\frac{1}{3}} = 3$

$\sqrt[3]{64} = 64^{\frac{1}{3}} = 4$

$\sqrt[3]{125} = 125^{\frac{1}{3}} = 5$

quickfire 4.5

Without using a calculator, express (a) $64^{\frac{2}{3}}$ and (b) $64^{\frac{3}{2}}$ as numbers.

quickfire 4.6

Without using a calculator, express $4^{-\frac{3}{2}}$ as a number.

quickfire 4.7

(a) Express 72 as $a^m b^n$, in which a and b are prime numbers.
(b) Use the third law of indices to express $(72)^4$ in the same way.

quickfire 4.8

Express $\dfrac{125}{\sqrt{5}}$ as 5^P.

quickfire 4.9

Express $27^{-\frac{4}{3}}$ more simply without using a calculator.

For example, $\frac{1}{2} = 2^{-1}$, so $\frac{1}{2} \times 8 = 2^{-1} \times 2^3 = 2^{(-1+3)} = 2^2 = 4$, which is good! In other words, our new understanding of what a^{-n} means gives us what we know to be the right answer.

What we're now doing is letting the formal laws of indices guide us to assign meanings to a^m and a^n, even when m and n are not positive whole numbers – for which the laws were first written. We continue this assignment of meaning by putting $n = 0$ in the first two laws, giving

$$a^m \times a^0 = a^{(m+0)} = a^m$$

and

$$\frac{a^m}{a^0} = a^{(m-0)} = a^m$$

So multiplying or dividing by a^0 has no effect on a^m. We conclude that, for any a, $a^0 = 1$.

4.2.3 Fractional indices

Put $m = n = \frac{1}{2}$ into the first law. Then: $\qquad a^{\frac{1}{2}} \times a^{\frac{1}{2}} = a^1 = a$

But $\sqrt{a}$ is defined by $\qquad\qquad\qquad \sqrt{a} \times \sqrt{a} = a$

We conclude that: $a^{\frac{1}{2}} = \sqrt{a}$. And, in general, $\quad a^{\frac{1}{n}} = \sqrt[n]{a}$

What about $a^{\frac{m}{n}}$? Now $\left(a^{\frac{m}{n}}\right)^n = a^{\frac{m}{n} \times n} = a^m$, so $\quad a^{\frac{m}{n}} = \sqrt[n]{a^m}$.

You should be able to show that this can be written $\left(\sqrt[n]{a}\right)^m$. This is left as an exercise.

We can now interpret numbers with decimal indices, for example $2^{0.4}$.

$2^{0.4} = 2^{\frac{4}{10}} = \sqrt[10]{2^4}$. We could equally well write this as $\sqrt[5]{2^2}$.

Example B:

Express $\dfrac{1}{4\sqrt{2}}$ as 2^x.

$$\frac{1}{4\sqrt{2}} = \frac{1}{2^2 \times 2^{\frac{1}{2}}} = \frac{1}{2^{\left(2+\frac{1}{2}\right)}} = \frac{1}{2^{\frac{5}{2}}} = 2^{-\frac{5}{2}}$$

This could equally well be written $2^{-2.5}$.

It is sensible to consider the order of the calculation when simplifying numbers with fractional indices. For example, what is $27^{\frac{4}{3}}$?

We could write this as $(27^4)^{\frac{1}{3}}$: $27^4 = 27 \times 27 \times 27 \times 27 = 531441$

Then $531441^{\frac{1}{3}} = \sqrt[3]{531441} = 81$. That is definitely a calculator job.

But we could write $27^{\frac{4}{3}}$ as $\left(27^{\frac{1}{3}}\right)^4 = \left(\sqrt[3]{27}\right)^4 = 3^4 = 81$, which can be done in your head!

4.3 The 'natural number' e

This section looks like a digression, but it is very important for the logarithms section that follows. It starts by looking at a number called e, which is sometimes known as Euler's constant. Sections 4.3.1 and 4.3.2 could be omitted at an initial reading but will repay study at a later date.

4.3.1 What is e?

We begin with an innocent-looking data exercise on indices. Look at Data Exercise 4.1.

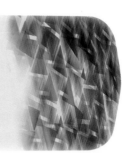

Data Exercise 4.1

Use your calculator or a spreadsheet to plot a graph of y against p for the function $y = (1 + p)^{\frac{1}{p}}$ for $-\frac{1}{2} \le p \le 1$, in other words, for p between $-\frac{1}{2}$ and $+1$. Suggested initial values of p are: $-\frac{1}{2}, -\frac{1}{4}, \frac{1}{4}, \frac{1}{2}$ and 1. Don't try $p = 0$; well you can try!

In Data Exercise 4.1, you should have found the values given in Table 4.1. Most of the values of $(1 + p)^{\frac{1}{p}}$ in the table were found using a calculator, and *you should check them!*❶

The graph of $(1 + p)^{\frac{1}{p}}$ against p is Figure 4.1. It appears to cross the vertical axis ($p = 0$) at just over 2.7. The exact value is the important 'natural number', known as e. Why didn't we evaluate e directly, by including $p = 0$ in the table above? You may have found out when doing Data Exercise 4.1! Instead we have to sneak up on $p = 0$.

Table 4.2 shows the results when we use smaller and smaller positive values for p.

Table 4.1

p	$(1 + p)^{\frac{1}{p}}$
−0.50	4.00
−0.25	3.16
0.25	2.44
0.50	2.25
1.00	2.00

Table 4.2

p	0.001	0.0001	0.00001	0.000001
$(1 + p)^{\frac{1}{p}}$	2.71692	2.71814	2.71827	2.71828

Note the smaller and smaller changes in $(1 + p)^{\frac{1}{p}}$ as we decrease p. We say that is homing in on a *limiting value* or *limit*, which is the natural number e. We write:

$$\lim_{p \to 0} (1 + p)^{\frac{1}{p}} = e$$

Like π, the number e is irrational: it can't be expressed as a ratio of two whole numbers. Its value is 2.718 to four significant figures, but more will be given by your calculator, using the function e^x (with $x = 1$). Another way of calculating e is to use the series:

$$1 + 1 + \frac{1}{2!} + \frac{1}{3!} + \frac{1}{4!} + \dots$$

It converges on, i.e. it homes in on, e. Try it. 7 terms gives 2.718. But how do we know that this series will converge to e? We'll use the binomial expansion from Chapter 3.

$(1 + x)^n = 1 + nx + \frac{n(n - 1)}{2!}x^2 + \dots$, which converges as long as $|x| < 1$. Putting $x = p$ and $n = \frac{1}{p}$:

$$(1 + p)^{\frac{1}{p}} = 1 + \frac{1}{p}p + \frac{\frac{1}{p}(\frac{1}{p} - 1)}{2!}p^2 + \frac{\frac{1}{p}(\frac{1}{p} - 1)(\frac{1}{p} - 2)}{3!}p^3 + \dots .$$

The first two terms are $1 + 1$. The 3rd term is, multiplying it out: $\frac{1 - p}{2!}$, which tends to $\frac{1}{2!}$ as $p \to 0$. Similarly, the 4th term tends to $\frac{1}{3!}$, etc.

So we can write

$$e = 1 + 1 + \frac{1}{2!} + \frac{1}{3!} + \frac{1}{4!} + \dots .$$

We've made a lot of fuss about e, because you will meet it again – often.

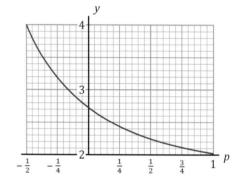

Fig 4.1

Pointer

To find e using your calculator use the e^x button [on the author's calculator this is accessed using SHIFT + ln] with $x = 1$.

quickfire 4.10

Use a calculator to find (a) $(1 + 0.1)^{10}$ and (b) $(1 + 0.01)^{100}$.

❶   Some of the values in Table 4.1 don't need a calculator, e.g. when $p = \frac{1}{2}$, a bit of manipulation gives $y = 4$.

quickfire ❯❯ 4.11

Use your calculator to determine
(a) e^2, (b) e^{-2} and (c) $\sqrt{e}$.

quickfire ❯❯ 4.12

Write the numbers in QF 4.11 in the style exp(x).

4.3.2 The exponential function, exp(x)

The function exp(x) is defined by: $\exp(x) = \lim_{p\to 0} (1 + xp)^{\frac{1}{p}}$. This looks very familiar. Using the same process as in 4.3.1 you should be able to show that

$$\exp(x) = 1 + x + \frac{x^2}{2!} + \frac{x^3}{3!} + \frac{x^4}{4!} + \dots \tag{1}$$

This is the same as e with the addition of the powers of x. How does it relate to e? Clearly $e = \exp(1)$, but what about exp(2), exp(2.5), etc.? How do they relate to e?

We get a big clue if we consider the product exp(a) × exp(b).

Using equation (1):

$$\exp(a) \times \exp(b) = \left(1 + a + \frac{a^2}{2!} + \frac{a^3}{3!} + \dots\right)\left(1 + b + \frac{b^2}{2!} + \frac{b^3}{3!} + \dots\right)$$

There are a lot of terms to multiply out here (an infinite number!) but let's make a start and gather together all the terms of order 1, all the terms of order 2, etc.

$$\exp(a) \times \exp(b) = 1 + (a + b) + \left(\frac{a^2}{2!} + ab + \frac{b^2}{2!}\right) + \left(\frac{a^3}{3!} + \frac{a^2 b}{2!} + \frac{ab^2}{2!} + \frac{b^3}{3!}\right) + \dots$$

$$= 1 + (a + b) + \frac{1}{2!}\left(a^2 + 2ab + b^2\right) + \frac{1}{3!}\left(a^3 + 3a^2 b + 3ab^2 + b^3\right) + \dots$$

$$= 1 + (a + b) + \frac{(a + b)^2}{2!} + \frac{(a + b)^3}{3!} + \dots$$

$$= \exp(a + b)$$

So we see that $\exp(1) = e^1$ and $\exp(a) \times \exp(b) = \exp(a + b)$, which means that $\exp(a) = e^a$.

Calculator warning:

The **EXP** button on your calculator does not give the exp(x) function. The **EXP** button is short for "×10^x", so the key strokes 5 **EXP** 3 enter the number 5×10^3. The reason is that the **EXP** here is short for *exponent*, which is the power (in this case) of 10.

4.3.3 e^x – the growth function

Figure 4.2 shows graphs of the functions 1.5^x, 2^x, e^x and 4^x. Their common characteristics, as with all other functions a^x, with $a > 1$, are:

- they all pass through (0, 1)
- they all tend to 0 as $x \to -\infty$
- their gradients all increase with x.
- their gradients are all proportional to the value of the function.

The last bullet point is not obvious. We need to do some work on it. It is proved in a formal way in Chapter 13, but an example will illustrate it. In fact the gradient of the function e^x at a point is **equal** to the value of e^x at that point. Because of this, e^x [aka exp(x)] is often referred to as the *growth function*. See Example C.

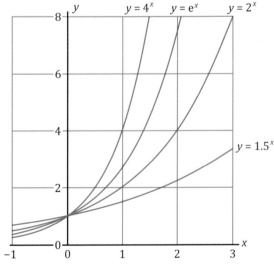

Fig 4.2

Example C:

Justify, by calculation, the assertion that the gradient of e^x is equal to the value of e^x.

Consider the two points, $x = 1$ and $x = 2$. We'll calculate the mean gradients within ± 0.1 of these values of x. The table shows the significant values of e^x.

x	0.9	1.0	1.1	1.9	2.0	2.1
e^x	2.460	**2.718**	3.004	6.686	**7.389**	8.166

Consider $x = 1$: $e^x = 2.718$. Mean gradient around this point $= \dfrac{3.004 - 2.460}{0.2} = 2.72$

Consider $x = 2$: $e^x = 7.389$. Mean gradient around this point $= \dfrac{8.166 - 6.686}{0.2} = 7.40$

In both cases the values of gradient are within 0.15% of the value of e^x which is a reasonable justification. It is suggested that the reader repeat these calculations for other values of x and for smaller ranges, e.g. ± 0.01.

4.4 Logarithms

4.4.1 What are logarithms?

We start with two uncontroversial statements: $64 = 2^6$ and $64 = 4^3$.

What relationship do the 6 and the 3 have to 64? They are, of course, the *powers* to which we have to raise 2 and 4, in order to get 64.

In this context, the 2 and the 4 are called **bases**. The 6 is called *the **logarithm** of* 64 *to the base* 2. We write $6 = \log_2 64$. The 3 is called *the logarithm of* 64 *to the base* 4: $3 = \log_4 64$

Thus, if $X = b^p$ then, by definition, $p = \log_b X$.

quickfire 4.13

Find:
(a) $\log_3 81$
(b) $\log_{81} 3$

Example D:

$243 = 3^5$ and $64 = 3^{3.7856}$ (approx.). Express these relationships in terms of logarithms.

(a) $243 = 3^5 \therefore 5 = \log_3 243$.

(b) $64 = 3^{3.7856} \therefore 3.7856 = \log_3 64$.

quickfire 4.14

Evaluate
(a) $\log_3 \sqrt{3}$ (b) $\log_3 9\sqrt{3}$
(c) $\log_3 \dfrac{1}{3}$ (d) $\log_3 \dfrac{1}{\sqrt{3}}$

In what follows, we shall assume that the base is greater than 1.

Note these two fairly obvious identities. Whatever the value of b:

$\log_b 1 = 0$ (because $b^0 = 1$) and $\log_b b = 1$ (because $b^1 = b$).

Also $\log_b 0$ does not exist, because we'd have to find a number x such that $b^x = 0$. Similarly we cannot have $\log_b (-1)$ or any other negative number.

quickfire 4.15

$81 = 27^{\frac{4}{3}}$. What is $\log_{27} 81$?

4.4.2 Popular bases for logarithms

There are only two popular bases: 10 and e (the natural number 2.71828...). Other bases are seldom used in Physics – except in books like this, to help you to understand what logarithms are all about!

$\log_{10} X$ is often written simply as $\log X$. 'log' is probably what you'll find on your calculator button. Base 10 logarithms have the nice feature that $\log_{10} 0.1 = -1$, $\log_{10} 1 = 0$, $\log_{10} 10 = 1$, etc. Sound levels in *decibels* (dB) and star 'brightnesses' in *magnitudes* are both defined in terms of the base 10 logarithms of certain ratios of measurable quantities.

$\log_e X$ is usually written as $\ln X$. 'ln' signifies *natural logarithm*. Natural logarithms are used a great deal in Physics. You'll see why later on.

Pointer

There's no such thing (in the realm of real numbers) as the logarithm of a negative number, e.g. what is $\log_2 (-8)$? [If tempted by -3, remember that $2^{-3} = \frac{1}{8}$.]

4.4.3 The laws of logarithms

These are just the laws of indices written in a different way. All the same, they're worth learning in the new form...

(a) $\log_b XY = \log_b X + \log_b Y$ Law 1

This is equivalent to the 'add indices' rule for multiplication and we can derive it from this rule:

Suppose $X = b^p$ and $Y = b^q$: then by definition $\log_b X = p$ and $\log_b Y = q$.

But $XY = b^{p+q}$, $\therefore \log_b XY = p + q = \log_b X + \log_b Y$ QED

Example E:

Given that $\log 2 = 0.3010$, without using your calculator calculate $\log 20$ [Remember $\log 2$ is short for $\log_{10} 2$, etc.]

$\log 20 = \log (2 \times 10) = \log 2 + \log 10 = 0.3010 + 1.0000 = 1.3010$

Now use your calculator to check this.

(b) $\log_b \dfrac{X}{Y} = \log_b X - \log_b Y$ Law 2

This is equivalent to the 'subtract indices' rule for division and can be derived in a similar way to the first law.

(c) $\log_b X^n = n \log_b X$ Law 3

Suppose $X = b^m$ then, by definition, $\log_b X = m$.

And $X^n = b^{mn}$, so $\log_b X^n = mn = n \log_b X$ QED

Example F:

$\ln 100 = 4.605$ [4 s.f.]. Without using the $\ln$ button, calculate $\ln 10$.

$\ln 10 = \ln 100^{\frac{1}{2}} = \frac{1}{2} \ln 100 = \frac{1}{2} \times 4.605 = 2.303$

Check: Calculator gives $\ln 10 = 2.303$ [4 s.f.]

If we put $n = -1$ into Law 3, we see that $\log_b \dfrac{1}{X} = -\log_b X$. We can also derive this result from Law 2 by putting $X = 1$ and remembering that $\log_b 1 = 0$.

The following two laws are presented for completeness but you will rarely come across them in A-level Physics.

(d) $\log_a X = \log_a b \times \log_b X$ Law 4

The derivation is left as an exercise. Hint: start by putting $X = b^p$ and $b = a^q$.

As an example: $\ln X = \ln 10 \times \log X = 2.303 \log X$

To make this clearer: $\log_e X = \log_e 10 \times \log_{10} X = 2.303 \log_{10} X$

The 2.303 is, then, the conversion factor between logarithms to base 10 and natural logarithms.

(e) $\log_a b = \dfrac{1}{\log_b a}$ Law 5

Hint: to derive this, put $X = a$ into Law 4.

4.4.4 Comparison log and exponential functions

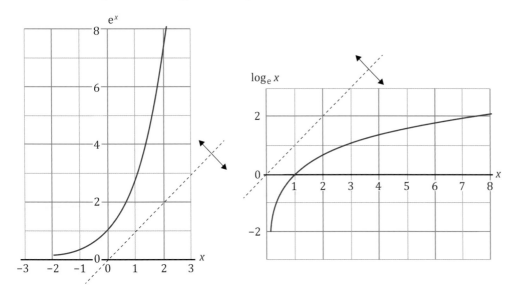

Fig 4.3

Figure 4.3 shows the functions e^x and $\ln x$. Each function maps into the other by reflection in the line $y = x$. This is because each of these functions is the *inverse function* of the other. This means that if we find e^x for any value of x and then find $\log_e$ of the result, the result is x.

This is because: $\ln e^x = x \ln e$ [Law 3 of logs].

But $\ln e = 1$, $\therefore$ $\ln e^x = x$.

Similarly $e^{\ln x} = x$.

This is why e^x is on the same calculator button as $\ln x$ but requires the SHIFT or INV button.

4.4.5 Using log graphs for data display.

If we examine a $\log_b x$ against x graph, e.g the $\log_e$ graph in Figure 4.3, we see that the numbers between 1 and b on the x scale map into numbers 0 and 1 and the $\log_b x$ scale; numbers between b and b^2 map into numbers between 1 and 2 on the $\log_b x$ scale; $b^2 - b^3$ map onto 2 – 3. Thus, taking logarithms has a 'compressing' effect on a range of numbers, the more so the larger the numbers.

This is useful when we need to plot a large range of data on a graph; we may choose to plot logarithms of the numbers rather than to use an ordinary 'linear' scale. We often use $\log_{10}$ when displaying data in this way.[2]

Example G:

The graph in Figure 4.4 displays the atmospheric opacity for electromagnetic radiation. This is the fraction of the radiation which is absorbed by the atmosphere.

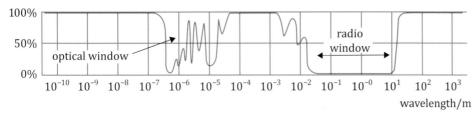

Fig 4.4

---

[2] It also seems to be the way our senses handle 'inputs'; for example, if a sound wave is increased in *intensity* by (say) a factor of 10, we judge the increase in loudness to be roughly the same whether the first sound is loud or soft. The (logarithmic) *decibel* scale reflects this feature of our perception.

The horizontal axis is a logarithmic scale: every step is a factor of 10. This way of presenting the scale is equivalent to:

−10	−9	−8	−7	−6	−5	−4	−3	−2	−1	0	1	2	3

$\log_{10}$(wavelength / m)

This method of presenting data is essential if we want to make sense of differences over a large range of sizes. If the above scale were linear, with a maximum of 10^3 m, all the data below 10^0 m would be compressed into the vertical axis. As it is, we can see that important things happen in the range 10^{-7} to 10^{-4} m which covers the lower ultraviolet, the visible and the near infra-red and again between 10^{-3} and 10^1 m which covers the microwave and VHF radio.

Data Exercise 4.3

The diagram shows a *low-pass filter*, an electronic circuit which is designed to allow low frequency signals through but block high frequencies. V_{OUT} is given by:

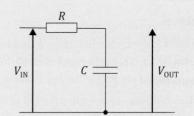

$$V_{OUT} = V_{IN} \times \frac{1}{\sqrt{4\pi^2 f^2 C^2 R^2 + 1}}$$

where f is the frequency, and C and R the values of the capacitor and resistor respectively.

Use a spreadsheet to investigate this relationship, i.e. how V_{OUT} varies with f. Use log scales for both axes.

Suggested initial values: $V_{IN} = 10\,V$; $R = 100\,\Omega$; $C = 1\,\mu F$; frequency range (in Hz) 10, 30, 100, 300, 1000.....3×10^6, 1×10^7.

Supplementary exercises:

(a) investigate a *high-pass filter*.

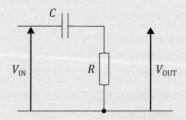

$$V_{OUT} = V_{IN} \times \frac{1}{\sqrt{1 + \frac{1}{4\pi^2 f^2 C^2 R^2}}}$$

(b) investigate a *band-pass filter*, which is a filter designed to allow a range of frequencies through. The output from a low-pass filter is connected to the input of a high-pass filter. The two filters will have different values of R and C so that there is a range of frequencies which are allowed through by both.

4.4.6 Using logs to test power law relationships

Suppose a pair of variables, x and y, are related by an equation of the form $y = Ax^n$, where A and n are constants. This is referred to as a *power law relationship*. Using logs we can cast this equation into the form $y = mx + c$.

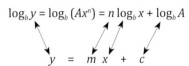

Taking logs of both sides of the relationship $y = Ax^n$, to any base b, we get:

$$\log_b y = \log_b (Ax^n) = n \log_b x + \log_b A$$

This equation is of the form $\qquad\qquad y \;=\; m\,x \;+\; c$

with the variables $\log_b y$ and $\log_b x$ replacing y and x; the constants n replaces m and $\log_b A$ replaces c. So, if we have a series of pairs of experimental values for variables x and y and plot a graph of $\log y$ against $\log x$, a straight-line graph will confirm that the relationship is of the form $y = Ax^n$. The value of n will be the gradient and the intercept on the vertical axis will be $\log A$. See Example H.

Example H:

Use the graph of $\log P$ against $\log T$ to find the relationship between P and T.

If $P = aT^b$, $\log P = b \log T + \log a$

Gradient $= \dfrac{8.1 - 6.2}{3.2 - 2.7} = 3.8 = b$

To find the intercept apply $y = mx + c$ with the calculated value of $m = 3.8$ and the point $(2.9, 7.0)$.

$7.0 = 3.8 \times 2.9 + c$

$\therefore$ intercept $= -4.02$.

$\therefore \log a = -4.02 \therefore a = 10^{-4.02} = 9.5 \times 10^{-5}$.

$\therefore$ The relationship is $P = 9.5 \times 10^{-5} T^{3.8}$.

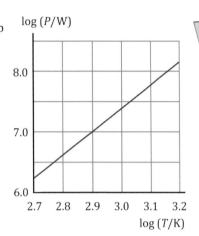

Pointer

We can't take the logarithm of a quantity with *units*, as there's no power to which we can raise a base to get, say, 3.0 m or 1.5 A. We *can* take the logarithm of just the numerical part (3.0 or 1.5).

This is why, where it matters, such as labelling graph axes, we write, for example, ln (T/s), if T is a time. The '/s' means *divide by* s, so T/s is a pure number. If $T = 1.1$ s, then T/s $= 1.1$.

4.4.7 Using logs to test exponential relationships

Relationships of the form $x = x_0 e^{kt}$ in which x_0 and k are constants, are known as exponential relationships. If the relationship is of the form $x = x_0 e^{-kt}$, where k is a positive constant, the value of x decreases with time and the relationship is called an *exponential decay*. Examples of exponential decays are radioactive decay, capacitor discharge and damped oscillations. Most of these relationships are variations with time but the penetration of gamma rays into a material, for example, is described by the equation $I = I_0 e^{-\mu x}$, where I is the intensity and x the penetration distance.

Exponential decay relationships have a characteristic constant *half-life*, $t_{\frac{1}{2}}$, which is the time over which the decaying quantity halves. Taking radioactive decay as an example, the activity A is given by $A = A_0 e^{-\lambda t}$, where λ is the *decay constant*.

Similarly the number, N, of radioactive nuclei remaining is given by $N = N_0 e^{-\lambda t}$, where λ is the same constant.

We can relate the half-life to the decay constant by substituting $A = \frac{1}{2} A_0$ into $A = A_0 e^{-\lambda t}$.

This gives $2e^{-\lambda t} = 1$; so, taking natural logs, $\ln 2 - \lambda t = 0$.

$\therefore \qquad\qquad\qquad t_{\frac{1}{2}} = \dfrac{\ln 2}{\lambda}.$ $\qquad\qquad$ (1)

We can use logs to linearise the exponential decay equation and turn it into a straight line relationship.

Taking logs of the equation $A = A_0 e^{-\lambda t}$, we get: $\qquad \ln A = \ln A_0 - \lambda t$ $\qquad$ (2)

Compare with the linear equation: $\qquad\qquad\qquad y \;=\; m\,x \;+\; c$

quickfire》》 4.16

λ for a radioactive decay is given by $\lambda = 0.11\,\text{s}^{-1}$. Calculate the half life.

quickfire》》 4.17

Determine $2^{-2.5}$.

quickfire》》 4.18

What fraction of the nuclei of a radioactive material remains after 4.7 half-lives?

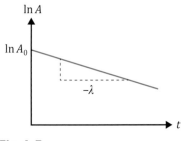

Fig 4.5

The variables in this relationship are A and t. Comparing the two equations, if we plot $\ln A$ against t, we should get a straight line graph of gradient $-\lambda$ and an intercept of $\ln A_0$ on the $\ln A$-axis (see Figure 4.5). This type of graph is called a *semi-log* or a *log-linear* graph.

An equivalent, and very useful, way of writing the decay equation is $A = A_0 2^{-n}$, where n is the number of half-lives: see Example I.

Example I:

Show that the radioactive decay equation can also be written as $A = A_0 2^{-n}$.

n is the number of half-lives. $\therefore t = nt_{\frac{1}{2}}$

$\therefore$ From equation (1) in 4.4.7, $t = \dfrac{n \ln 2}{\lambda}$

Substitute into equation (2) in 4.4.7: $\ln A = \ln A_0 - n \ln 2$

$\therefore \ln A = \ln (A_0 2^{-n})$ using laws 1 and 3 of logs (see Section 4.4.3)

$\therefore A = A_0 2^{-n}$ QED

Test Yourself 4.1

Questions 1–10 relate to indices only.

1. Express as a number or fraction, (a) $125^{\frac{1}{3}}$, (b) $125^{\frac{2}{3}}$, (c) $125^{-\frac{1}{3}}$, (d) $125^{-\frac{2}{3}}$, (e) $125^{\frac{4}{3}}$

2. Express as a number or fraction, (a) $16^{\frac{1}{2}}$, (b) $16^{-\frac{1}{2}}$, (c) $16^{\frac{3}{4}}$, (d) $16^{\frac{7}{4}}$, (e) $16^{-\frac{3}{4}}$

3. Express in the form a^p, (a) $\sqrt[4]{a}$,, (b) $\dfrac{1}{\sqrt[4]{a}}$, (c) $\dfrac{a}{\sqrt[3]{a}}$, (d) $\sqrt[5]{a^2}$, (e) $\left(\dfrac{1}{\sqrt[4]{a^3}}\right)^2$

4. Evaluate, (a) $\left(\dfrac{900}{4}\right)^{\frac{1}{2}}$, (b) $\dfrac{\sqrt{900}}{\sqrt{4}}$, (c) $\left(\dfrac{16}{625}\right)^{\frac{1}{2}}$, (d) $\dfrac{\sqrt[4]{625}}{\sqrt[4]{16}}$, without using a calculator.

5. The intensity, I, of radiation at distance r from a star is given by $I = Kr^p$. I falls by a factor of 4 when r doubles. What is p?

6. The square of the period, T, of revolution of a planet around the Sun is proportional to the cube of its mean orbital radius, a. This can be expressed in the form $T = ka^p$. State the value of p.

7. The volume, V of a sphere can be expressed in terms of the sphere's surface area by $V = KA^p$. Determine the constant, k, and the index p. [Hint: Start with the usual formulae for volume and area of a sphere, and eliminate the radius r.]

8. The resistance, R, of a wire is given by $R = \dfrac{\rho l}{A}$, where ρ is the resistivity, l the length and A the cross-sectional area. A volume, V, of metal is to be made into a wire but the diameter, d, of the wire can be any value. Write the relationship between R and d in the form $R = kd^n$, determining the values of k and n.

9. The luminosity, L, of a star, that is its total emitted power depends upon its temperature and surface area according to Stefan's law: $L = \sigma AT^4$, where σ is a constant. The luminosity of the Sun, $L_\odot = 4 \times 10^{26}$ W. Calculate the luminosity of, (a) a red giant star with a temperature $\frac{2}{3}$ times and a radius 100 times those of the Sun and (b) a white dwarf star with a temperature 3 and a radius $\frac{1}{100}$ times those of the Sun.

10. The current, I, through a non-ohmic resistor varies with pd, V, according to $I = kV^3$, in which $k = 8.0 \times 10^{-3}$ A V^{-3}. Express the resistance, R, of the device $\left[\text{defined by } R = \dfrac{V}{I}\right]$ in terms of the current. Hint: Start with $R = cI^n$ and determine the values of c and n.

11. Given that log 2 = 0.3010 use the laws of logarithms to determine:

    (a) log 4, (b) log 0.04, (c) log 8, (d) log 200, (e) log 2.5.

    [Hint: $\log_b b^n = n$]

⑫ Given that $\log_2 3 = 1.585$, use the laws of logarithms to find:

(a) $\log_2 9$, (b) $\log_2 \frac{1}{3}$, (c) $\log_2 6$, (d) $\log_2 1.5$, (e) $\log_3 4$

⑬ Calculate: (a) $\log_3 9$, (b) $\log_3 \frac{1}{3}$, (c) $\log_3 \sqrt{3}$, (d) $\log_3 \sqrt{27}$, (e) $\log_3 \frac{1}{\sqrt[4]{243}}$

⑭ Calculate: (a) $\log_4 2$, (b) $\log_4 32$, (c) $\log_4 \frac{1}{64}$, (d) $\log_4 \sqrt{2}$, (e) $\log_4 20$ [given $\log 2 = 0.3010$]

⑮ Express as a multiple of $\log 2$:

(a) $\log 4 + \log 8$, (b) $\log 4 - \log 8$, (c) $\log 2 + \log \frac{1}{2}$, (d) $\log 2 + \log \frac{1}{4}$

⑯. Express in terms of $\ln 2$:

(a) $\ln 4 + \ln e$, (b) $\ln 8e$, (c) $\ln 32 - \ln e$, (d) $\ln \frac{16}{e}$, (e) $\ln \frac{\sqrt{2}}{e^2}$

⑰ Use a calculator to solve the following equations for x:

(a) $e^{2x} = 6$, (b) $e^{2x} = \frac{1}{6}$, (c) $0.1 = 10e^{-x}$, (d) $20 = 5 \times 10^3 \times 2^{-x}$, (e) $\ln \sqrt{x} = 3$

⑱ (a) Show that $a^x = e^{x \ln a}$. [Note this is how we define a^x, for $a > 0$ and irrational x.]

(b) Use the above result to calculate 2^π, without using the x^y button on your calculator.

⑲ Solve the following:

(a) $\log_2 x = 4$, (b) $\log_2 x^2 = 6$, (c) $\log_4 \sqrt[3]{x} = 6$, (d) $\log_4 x^2 = -1$, (e) $\log_6 \frac{1}{x} = -2$

⑳ The sound intensity level, in 'dB SIL' is defined by

$$L_1 = 10 \log \frac{\text{sound intensity}}{10^{-11}\,\text{W m}^{-2}}\,\text{dB SIL}$$

[10^{-12} W m^{-2} is roughly the threshold of human hearing.]

(a) Calculate the sound intensity level in dB SIL of a sound of intensity 1 W m^{-2} (dangerous to hearing).

(b) Show that an increase of 3 dB SIL represents an increase in sound intensity by a *factor* of 2.

㉑ The activity, A, in becquerel, of a radioactive nuclide varies with time according to $A = A_0 e^{-\lambda t}$, where $A_0 = 6$ MBq and $\lambda = 3.5 \times 10^{-7}$ s^{-1}. Calculate:

(a) the half-life of the decay,

(b) the activity after 1 year and

(c) the time taken for the activity to drop to 100 kBq.

㉒ The frequency, f, of oscillation of a loaded cantilever depends upon its projection length, l, according to the equation $f = kl^n$. In an experiment to investigate this relationship a student timed 20 oscillations for two different lengths and obtained the following results:

For $l = 35$ cm, time = 12.9 s.

For $l = 45$ cm, time = 18.9 s.

(a) Use the results to calculate values of f.

(b) Show that n is approximately -1.5 and k is approximately 0.3 [with l in m].

(c) If the student had obtained a series of values for l and f what graph should she plot to test the relationship? State how values k and n would be obtained from the graph.

㉓ A gamma source is shielded by a 0.50 cm thick sheet of lead. A G-M tube outside the shielding registers radiation. A medical physicist adds additional lead layers and obtains the following results, which are corrected for background:

Total thickness / cm	0.5	1.0	1.5	2.0	2.5	3.0	3.5	4.0
Count rate / min^{-1}	415	350	250	195	165	115	100	77

(a) Assuming that the count rate, C, is related to the thickness x by an equation of the form $C = C_0 e^{-\left(\frac{x}{L}\right)}$, where L is called the characteristic length of the relationship, plot a suitable graph and use it to find values for C_0 and L.

(b) If the safe level of radiation outside the box emanating from the source within is deemed to be 25 min^{-1}, calculate the thickness of lead shielding required.

24 The pd, V, across a filament lamp and the current, I, obey the relationship $I = kV^n$.

A student obtains the following results:

V / V	2.0	4.0	6.0	8.0	10.0	12.0	14.0	16.0
I / A	0.70	1.05	1.30	1.45	1.70	1.90	2.05	2.20

(a) Plot a suitable graph and use it to obtain values for k and n.

(b) The relationship between the resistance, R, and V is $R = cV^m$. State the values of c and m.

25 The half-life of a radioactive source is 8 days. The initial activity, A_0, is 800 kBq.

(a) Use the equation $A = A_0 2^{-n}$, where n is the number of half-lives, to calculate the activity after 60 days. Show your working.

(b) Use the equation $A = A_0 e^{-\lambda t}$, where λ is the decay constant $\left[t_{\frac{1}{2}} = \dfrac{\ln 2}{\lambda} \right]$ to calculate the activity after 100 days. Show your working.

(c) Compare the appearance of the two graphs (i) $\ln A$ against n and (ii) $\ln A$ against t.

Chapter 5

Geometry and Trigonometry

5.1 Introduction[note] This chapter deals with shapes. It deals with the length of sides of plane figures, the angles between the sides, the areas and volumes and the relationships between these quantities. Together with algebra, indices and logarithms, these concepts form the basis most of the calculations in physics.

5.2 Similar figures

Similar figures are those which have the same shape but (usually) have a different size. Having the same shape means, among other things that there are the same number of edges (and faces, if the objects are 3 dimensional) and that the angles between corresponding edges (and faces) are the same.

5.2.1 Ratios of sides of similar plane (flat) figures

Consider the following pairs of similar figures:

- two similar right-angled triangles
- two similar sectors

Having the same shape implies that:

1. angles (such as θ and ϕ in Figure 5.1) between corresponding sides are the same
2. corresponding lengths (sides, arc lengths, etc.) are in the same <u>ratio</u>

   e.g. for the similar sectors: if $\dfrac{r_1}{r_2} = \lambda$ then $\dfrac{s_1}{s_2} = \lambda$,

   so $\dfrac{r_1}{r_2} = \dfrac{s_1}{s_2}$ or alternatively, rearranging, $\dfrac{s_1}{r_1} = \dfrac{s_2}{r_2}$.

These relationships hold for figures with any number of sides of any shape.

Consider these two similar right-angled triangles: Now do Quickfires 5.1, 5.2 and 5.3

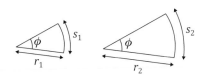

Fig 5.1

quickfire» 5.1

Calculate x in Figure 5.2
[Hint: use Pythagoras' theorem – see Section 5.2.2]

quickfire» 5.2

Calculate y using similarity.

quickfire» 5.3

Calculate z.

Fig 5.2

5.2.2 Pythagoras' theorem

Pythagoras' theorem has been known for thousands of years and was used by the ancient Egyptians to help lay out their fields following the annual flooding of the River Nile. Consider the triangle ABC in Figure 5.3.

Pythagoras' theorem can be expressed as: $a^2 + b^2 = c^2$

It can be proved using similar triangles.

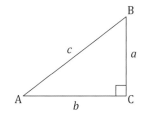

Fig 5.3

[note] Trigonometry is usually abbreviated to 'trig'.

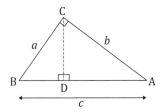

Fig 5.4

 **5.4**

The hypotenuse of a right-angled triangle is 20 cm long and another side is 10 cm long. What is the length of the third side?

To do this we'll rotate the triangle and draw a perpendicular line from the apex, C, to the hypotenuse at D (Figure 5.4).

The three triangles, ABC, BCD and CAD are similar – their angles are all the same. This means that the ratios of corresponding sides are equal.

So: $\dfrac{BD}{a} = \dfrac{a}{c}$ ∴ $BD = \dfrac{a^2}{c}$. Also $\dfrac{DA}{b} = \dfrac{b}{c}$ ∴ $DA = \dfrac{b^2}{c}$

But $c = BD + DA$, so $c = \dfrac{a^2}{c} + \dfrac{b^2}{c}$. Multiplying this equation by c gives $c^2 = a^2 + b^2$.   QED.

5.2.3 Ratios of areas of similar figures

If the ratio of the corresponding lengths is λ, the ratio of areas of the similar figures is λ^2. We shall demonstrate this for the pairs of similar figures in Figure 5.1.

- For the similar triangles, since Area $= \frac{1}{2} \times$ base $\times$ height

$$\frac{\text{Area of right-hand triangle}}{\text{Area of left-hand triangle}} = \frac{\frac{1}{2}b_2 h_2}{\frac{1}{2}b_1 h_1} = \frac{(\lambda b_1)(\lambda h_1)}{b_1 h_1} = \lambda^2$$

- For the similar sectors, each has the same angle ϕ, so is the same fraction, f, of the circle from which it is cut.

So $$\frac{\text{Area of right-hand sector}}{\text{Area of left-hand sector}} = \frac{f\pi r_1^2}{f\pi r_2^2} = \frac{r_1^2}{r_2^2} = \left(\frac{r_1}{r_2}\right)^2 = \lambda^2$$

Example A:

Triangles 1 and 2 are similar. Show that the area of triangle 2 is 2.25 times that of triangle 1.

(1)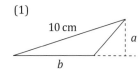

(2)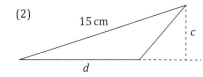

$c = 1.5a$ and $d = 1.5b$

$$\frac{\text{Area of } \Delta 2}{\text{Area of } \Delta 1} = \frac{\frac{1}{2}dc}{\frac{1}{2}ba} = \frac{(1.5b)(1.5a)}{ba} = 1.5 \times 1.5 = 2.25. \therefore \text{Area of } \Delta 2 = 2.25 \times \text{Area of } \Delta 1.$$ QED

It is reasonable to suppose that this rule holds for any arbitrary shape. We can show this is the case as follows. Consider the two similar shapes in Figure 5.5. The length and breadth of the lower shape is λ times as big as those of the upper shape.

Divide up the figures into the same large number of thin strips. These strips are composed of a rectangle with a small triangle at each end – see inset. Both the height and width of each strip will be increased by a factor of λ as we go from the small figure to the larger one. This is true of the rectangle and the end triangles, so the areas of the corresponding strips will be λ^2 times that of the smaller figure.

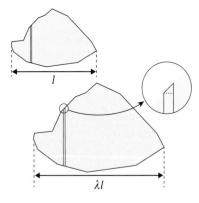

Fig 5.5

 5.5

A cone has a base diameter of 12 cm and surface area of 360 cm². What is the surface area of a **similar** cone with a base diameter of 4 cm?

5.6

A cone has a base diameter of 12 cm. and a volume of 405 cm³. What is the volume of a **similar** cone with a base diameter of 4 cm?

5.2.4 Ratios of volumes of similar figures

If the sides of two similar 3-dimensional figures are in the ratio $\lambda:1$, the ratio of the volumes of the two figures is $\lambda^3:1$.

This is most easily demonstrated with cubes. Consider a 2-cube (see Figure 5.6):

The number of 1-cubes $= 2 \times 2 \times 2 = 8$.

With a 3-cube, the number of 1-cubes $= 3 \times 3 \times 3 = 27$

Ratio of the volumes $= \dfrac{27}{8} = 3.375 = 1.5^3 = $ (ratio of sides)³.

Fig 5.6

5.3 Miscellaneous facts about angles

Look carefully at the following diagrams (Figure 5.7). They all contain facts about angles that should be familiar. You should make sure that you understand the facts and can apply them.

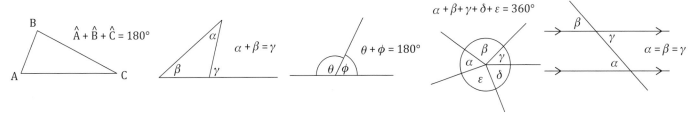

Fig 5.7

5.4 Angles in radians

We're used to expressing angles in degrees, knowing that there are 360 degrees (360°) in one revolution. But 360, though a lovely number with lots of factors (2, 3, 4, 5, 6, 8, 9, 10, 12, 15, 18, 20, 24, 30, 36, 40, 45, 60, 72, 90, 120 and 180), is an arbitrary choice.

By contrast, the *radian*, is a 'natural' unit. If we draw an arc of a circle, centred on θ, where the 'arms' of the angle meet, then the angle θ in radians is defined by:

$$\theta = \frac{\text{arc length}}{\text{radius}}, \text{ i.e. } \theta = \frac{s}{r} \text{ (see Figure 5.9)}$$

A larger radius will give a proportionately larger arc length (see Section 5.2.1) so we'll get the same value for θ.

What is 360° in radians?

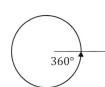

Fig 5.8

For one complete revolution, $\theta = \dfrac{s}{r} = \dfrac{2\pi r}{r} = 2\pi$ (see Figure 5.10).

So $360° = 2\pi$ rad; $180° = \pi$ rad; $90° = \dfrac{\pi}{2}$ rad, etc.

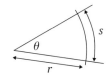

Fig 5.9

Example B:

How do we convert between degrees and radians?

$180° = \pi$ rad, so $\theta / \text{rad} = (\theta / °) \times \dfrac{\pi}{180}$

Read this as: θ in radians = θ in degrees × π over 180

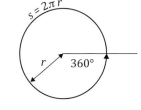

Fig 5.10

In cases like π rad, we can omit the 'rad'; the distinctive 'π' shows the angle to be in radians. So we can write $\frac{3\pi}{2}$ rad simply as $\frac{3\pi}{2}$, but if we choose to evaluate $\frac{3\pi}{2}$ (= 4.71), we must write 4.71 rad, to avoid confusion with 4.71°. In AS Physics we normally express angles in degrees; radians become important when dealing with rotations and vibrations in A2. Sections 5.5–5.7 will use degrees exclusively and we'll pick up radians again in Chapter 8.

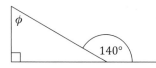 **5.7**

Calculate ϕ.

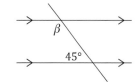 **5.8**

Calculate β.

quickfire **5.9**

Find the values of all the angles in the figure below. Assume that the dotted lines are either horizontal or vertical as appropriate.

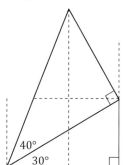

quickfire **5.10**

Express 1 radian in degrees.

quickfire **5.11**

Express 1° in radians: (a) as a multiple of π, (b) as a number.

quickfire **5.12**

What do the angles in a triangle add up to, expressed in radians?

5.5 Right-angled triangles

Right-angled triangles – ones in which one of the angles is 90° – are fundamental to trigonometry. Any triangle can be considered to be formed from two right-angled triangles (look back at Figure 5.4).

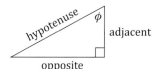

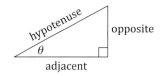

Abbreviations:
hyp; opp; adj

Fig 5.11

The longest side of a right-angled triangle (the side opposite the largest angle – that is the right angle) is called the *hypotenuse*. If we now choose one of the other angles – θ or ϕ in the diagrams – we label the other two sides *opposite* and *adjacent* accordingly.

5.5.1 Trig ratios

If we pick a value of θ, e.g. 40° / 0.70 rad, then all right-angled triangles with this as one of the angles are similar: the ratio of corresponding sides is the same for all these triangles, whatever their size. This means that in a right-angled triangle, the ratios of the sides depend upon only one angle (θ, say), since the other angles are fixed as 90° and (90° – θ).

The names for these ratios are (relating to the left-hand diagram in Figure 5.11):

$$\text{sine}\,(\theta) = \frac{\text{opp}}{\text{hyp}} \qquad \text{usually written} \qquad \sin\theta = \frac{\text{opp}}{\text{hyp}}$$

$$\text{cosine}\,(\theta) = \frac{\text{adj}}{\text{hyp}} \qquad \text{usually written} \qquad \cos\theta = \frac{\text{adj}}{\text{hyp}}$$

$$\text{tangent}\,(\theta) = \frac{\text{opp}}{\text{adj}} \qquad \text{usually written} \qquad \tan\theta = \frac{\text{opp}}{\text{adj}}$$

The notation sine(θ) pronounced 'sine of θ' or more usually just 'sine θ' emphasises the dependency of the ratio $\frac{\text{opp}}{\text{hyp}}$ on the angle θ. We are, in fact using the function notation, $f(\theta)$, with the name 'sine' given to the function f. Similarly with cosine (θ) and tangent (θ).

 Pointer

By remembering that $\phi = 90° - \theta$, we see that
$\sin\theta = \cos(90° - \theta)$;
$\cos\theta = \sin(90° - \theta)$;
$\tan\theta = \cot(90° - \theta)$

quickfire **5.13**

Write the above pointer in radians.

quickfire **5.14**

Show – and commit to memory! – that $\tan\theta = \frac{\sin\theta}{\cos\theta}$.

Example C:

Use the equilateral triangle to calculate sin 60°.

Consider the right-angled triangle with sides 2, 1 and x:

Using Pythagoras' theorem, $x = \sqrt{2^2 - 1^2} = \sqrt{3}$

So $\sin 60° = \dfrac{\text{opp}}{\text{hyp}} = \dfrac{\sqrt{3}}{2} = 0.8660$.

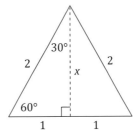

 5.15

Use the diagram in Example C to work out sin 30°, cos 30°, tan 30°, cos 60° and tan 60°.

Pointer

Working from the hypotenuse, $x = a\cos\theta$ and $y = a\sin\theta$.

Use cos if you move through the angle to get from the hypotenuse to the side you want.

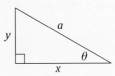

5.5.2 Reciprocal trig ratios

The names 'cosecant', 'secant' and 'cotangent' are given to the reciprocals of sine, cosine and tangent respectively:

$$\operatorname{cosec}\theta = \frac{1}{\sin\theta} = \frac{\text{hyp}}{\text{opp}}; \qquad \sec\theta = \frac{1}{\cos\theta} = \frac{\text{hyp}}{\text{adj}}; \qquad \cot\theta = \frac{1}{\tan\theta} = \frac{\text{adj}}{\text{opp}}$$

You are unlikely to find these on your calculator; to calculate $\cot\theta$, for example, find $\tan\theta$ and take the reciprocal.

Pointer

Trig ratios whose names begin with *co* decrease as θ goes from 0 to 90°; if their names don't start with *co* they *increase* as θ goes from 0 to 90°.

Example D:

Use a calculator to find cot 60°.

Using a calculator, $\tan 60° = 1.732$. ∴ $\cot 60° = \dfrac{1}{1.732} = 0.5774$

5.5.3 Calculators and trig ratios

If you want your calculator to handle trig ratios correctly, you need to tell it whether your angles are expressed in degrees or radians[2]. Before doing a calculation you should check angle mode. One way of doing this is to put in an angle of known sine. We have seen that sin 30° = 0.5 [Quickfire 5.15] but sin 30 rad = −0.99 [don't worry about negative values of sin θ, we'll deal with them later]. So entering sin 30 will confirm which mode you are in.

Pointer

Another calculator check: $\sin\dfrac{\pi}{2} = 1$ but sin 1.57° = 0.027.

 5.16

What are (a) tan 45°, (b) tan 45 rad?

5.5.4 Pythagoras relationships

In the right-angled triangle in Figure 5.12, Pythagoras' theorem tells us that

$$a^2 + b^2 = c^2$$

So $(c\sin\theta)^2 + (c\cos\theta)^2 = c^2$

∴ Dividing by c^2 $(\sin\theta)^2 + (\cos\theta)^2 = 1$

This is normally written as: $\sin^2\theta + \cos^2\theta = 1$. (1)

This equation is equivalent to Pythagoras' theorem. It is another equation to remember!

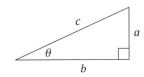

Fig 5.12

---

[2] Many calculators can also handle angles expressed in *grad*: 1 right angle = 100 grad.

Pointer

$\sin^2\theta$ means $(\sin\theta)^2$.

quickfire 5.17

$\cos\phi = 0.4$. Using only the $\sqrt{\ }$ and x^2 function buttons, calculate (a) $\cos^2\phi$, (b) $\sin\phi$ and (c) $\tan\phi$.

Example E:

If $\sin x = 0.6$, what is $\cos x$?

$$\sin^2 x + \cos^2 x = 1. \therefore 0.6^2 + \cos^2 x = 1. \therefore \cos x = \sqrt{1 - 0.6^2} = \sqrt{0.64} = 0.8$$

NB. Actually this is not the only possibility: $\cos x = -0.8$ is also possible. We'll deal with negative values of $\cos x$ later.

There are other ways of writing the trig form of Pythagoras' theorem:

$$\sin^2\theta + \cos^2\theta = 1 \tag{1}$$

Dividing both sides by $\cos^2\theta$ gives

$$\frac{\sin^2\theta}{\cos^2\theta} + 1 = \frac{1}{\cos^2\theta}$$

But $\dfrac{\sin\theta}{\cos\theta} = \tan\theta$ and $\sec\theta = \dfrac{1}{\cos\theta} \therefore \qquad \tan^2\theta + 1 = \sec^2\theta \tag{2}$

Dividing (1) by $\sin^2\theta$ gives $\qquad 1 + \cot^2\theta = \mathrm{cosec}^2\theta \tag{3}$

Equations (2) and (3) are also forms of Pythagoras' theorem. You are advised either to remember them or to know how to derive them.

5.5.5 Finding the angle from the trig ratio

Consider the triangle in Figure 5.13. What is the value of the angle δ?

Clearly $\qquad\qquad \sin\delta = \dfrac{\mathrm{opp}}{\mathrm{hyp}} = \dfrac{40}{100} = 0.4$

So δ is the angle whose sine is 0.4. We write this as $\delta = \sin^{-1}(0.4)$, or we usually leave out the brackets and write $\delta = \sin^{-1} 0.4$, and pronounce this '*delta equals sine to the minus one 0.4*'.[3] To work this out on the calculator we use the **SHIFT** button to access the $\sin^{-1}$ function. Try this. Your answer should be 23.6°, if your calculator is set to degrees mode (if you get 0.412 it is set to radians). As an exercise, work out the base of the triangle using Pythagoras' theorem and check that you get the same answer using the $\cos^{-1}$ and the $\tan^{-1}$ functions.

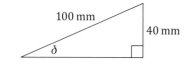

Fig 5.13

Example F:

A hiker walks 10 km N, then 10 km E, then 10 km 40° South of East. What are her distance and bearing from the starting point?

The starting and end points are A and E.

We first calculate AB and BE:

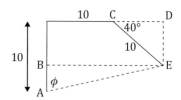

$$AB = 10 - DE = 10 - 10\sin 40° = 3.57 \text{ km}$$

$$BE = 10 + CD = 10 + 10\cos 40° = 17.66 \text{ km}.$$

$\therefore$ Using Pythagoras' theorem $\quad AE = \sqrt{AB^2 + BE^2} = \sqrt{3.57^2 + 17.66^2} = 18.0$ km.

$$\phi = \tan^{-1}\left(\frac{BE}{AB}\right) = \tan^{-1}\left(\frac{17.66}{3.57}\right) = 78.6°. \text{ So the end point is 18.0 km on a bearing } 78.6° \text{ E of N.}$$

quickfire 5.18

Find θ if

(a) $\theta = \sin^{-1} 0.80$
(b) $\theta = \cos^{-1} 0.80$
(c) $\theta = \tan^{-1} 0.80$.

---

[3]  There are two other ways of writing this, (i) $\delta = \arcsin 0.4$, or (ii) $\delta = \mathrm{invsin}\, 0.4$ but most calculators use the $\sin^{-1}$ symbol.

Warning

The standard notation $\sin^{-1}$ does not mean $\frac{1}{\sin}$. Do not be confused by this. To write $\frac{1}{\sin\theta}$ using index notation, you would have to write $(\sin\theta)^{-1}$. However $\sin^2\theta$ **does** mean the same as $(\sin\theta)^2$! Sorry, but that's the way it is!

5.5.6 Snell's law

Figure 5.14 shows a light ray being refracted as it crosses a boundary from material 1, in which its speed is c_1, into material 2 with speed c_2. The normal is a line perpendicular to the boundary.

The Law of Refraction, usually called Snell's law❹ can be written, for a given pair of materials the ratio $\frac{\sin\theta_1}{\sin\theta_2}$ is a constant.

We show in Chapter 13 that this ratio is the ratio of the velocities of light in the two materials, i.e.

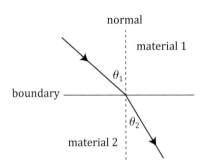

Fig 5.14

$$\frac{\sin\theta_1}{\sin\theta_2} = \frac{c_1}{c_2} \tag{1}$$

The *refractive index*, n, of a material is defined as the ratio of the speed of light in a vacuum, c, to the speed of light in the material.

$\therefore$ for material 1, $n_1 = \frac{c}{c_1}$ and for material 2, $n_2 = \frac{c}{c_2}$.

Substituting in equation (1) for c_1 and c_2 gives the usual refraction formula:
$n_1 \sin\theta_1 = n_2 \sin\theta_2$. This equation can also be written in the form $n\sin\theta = $ constant, which can be applied to situations in which the refractive index varies continuously with position.

5.6 General definitions of trig ratios

Angles, other than the right angle, within a right-angled triangle are always within the range $0 < \theta < 90°$ $[0 < \theta < \frac{\pi}{2}]$ Trig ratios are also defined for angles outside this range. This is done in a manner which is consistent with the definitions above using the co-ordinates of a point on a circle.

Point **P** has co-ordinates (x, y). It is a distance r from the origin. The angle θ is the angle between the radius r and the positive x axis, measured anticlockwise (see diagram).

We define: $\sin\theta = \frac{y}{r}$, $\cos\theta = \frac{x}{r}$ and $\tan\theta = \frac{y}{x}$.

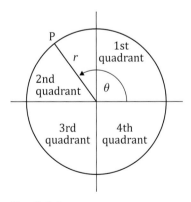

Fig 5.15

Fig 5.16

These definitions are the same as we have used before, using the right-angled triangle including θ. **P** can move around the circle, into any of the other 4 quadrants of the circle.

---

❹   This is after the 17th century Dutch astronomer Willebrord Snellius, but it was discovered over 600 years earlier by the Persian physicist and astronomer Ibn Sahl.

53

Figure 5.16 shows **P** in the *second quadrant*. In this position, θ is between 90° and 180° [$\frac{\pi}{2}$ and π rad]. In this quadrant, the x co-ordinate of **P** is negative and y is positive, so, using the same definitions:

$$\sin\theta > 0, \quad \cos\theta < 0 \quad \text{and} \quad \tan\theta < 0.$$

Note that r is a length and is always positive.

Example G:

Show whether sin, cos and tan are positive or negative for angles between 270° and 360°.

Between these angles, **P** is in the 4th quadrant so $x > 0$ and $y < 0$.

So: $\quad \sin\theta = \frac{y}{r} < 0 \qquad \cos\theta = \frac{x}{r} > 0 \qquad \tan\theta = \frac{y}{x} < 0 \left[\text{Alternatively: } \tan\theta = \frac{\sin\theta}{\cos\theta} < 0\right]$

quickfire 5.19

Show whether sin, cos and tan are positive or negative for angles between 180° and 270°.

5.6.1 Finding the angle from the trig ratio (a 2nd look)

If the angle can have any value, i.e it is not restricted to between 0° and 90°, then how do we find the value of the angle from the trig ratio?

For example, if $\cos\theta = 0.5$, what is θ? Referring to Figures 5.15 and 5.16, $x > 0$, so there are two possibilities for the position of **P**. The points **P**$_1$ and **P**$_2$ in Figure 5.17 have the same values of x and r, so $\cos\theta_1$ and $\cos\theta_2$ are both 0.5.

The calculator, set to degrees, returns a value for θ of 60°. From the diagram 360° − 60° = 300° is also a possibility. In order to solve the equation $\cos\theta = 0.5$ we need more information. θ could also be outside the range 0–360°. We shall return to this.

Table 5.1 gives values of sin, cos and tan θ for some significant values of θ.

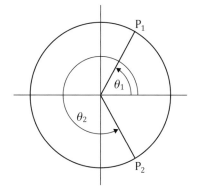

Fig 5.17

quickfire 5.20

$\sin\alpha = 0.7$. Find two values of α between 0 and 360° which are solutions to this equation.

Table 5.1

θ / °	θ / rad	$\sin\theta$	$\cos\theta$	$\tan\theta$
0	0	0	1	0
30	$\frac{\pi}{6}$	0.5	$\frac{\sqrt{3}}{2} = 0.866$	$\frac{1}{\sqrt{3}} = 0.577$
45	$\frac{\pi}{4}$	$\frac{1}{\sqrt{2}} = 0.707$	$\frac{1}{\sqrt{2}} = 0.707$	1
60	$\frac{\pi}{3}$	$\frac{\sqrt{3}}{2} = 0.866$	0.5	$\sqrt{3} = 1.732$
90	$\frac{\pi}{2}$	1	0	∞
120	$\frac{2\pi}{3}$	$\frac{\sqrt{3}}{2} = 0.866$	−0.5	$-\sqrt{3} = -1.732$
135	$\frac{3\pi}{4}$	$\frac{1}{\sqrt{2}} = 0.707$	$-\frac{1}{\sqrt{2}} = -0.707$	−1
150	$\frac{5\pi}{6}$	0.5	$-\frac{\sqrt{3}}{2} = -0.866$	$-\frac{1}{\sqrt{3}} = -0.577$
180	π	0	−1	0

5.7 General triangles

Sometimes we need to work with triangles which are not right-angled. We consider two rules which help us in this. We work from this triangle ABC, its angles, $\hat{A}$, $\hat{B}$ and $\hat{C}$ and sides a, b and c. The dotted line is a perpendicular from C to the side AB. See Figure 5.18.

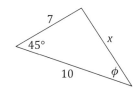

Fig 5.18

5.7.1 The cosine rule

Applying Pythagoras' theorem to the two right-angled triangles in Figure 5.18:

$$b^2 = x^2 + y^2 \tag{1}$$
$$a^2 = x^2 + (c - y)^2 \tag{2}$$

Expanding equation (2) and substituting for $x^2 + y^2$ from (1) gives:

$$a^2 = b^2 + c^2 - 2cy \tag{3}$$

But $y = b \cos \hat{A}$. Substituting for y in (3) gives:

$$a^2 = b^2 + c^2 - 2bc \cos \hat{A} \qquad \text{This is the \textbf{cosine rule}.}$$

5.7.2 The sine rule

Using the 2 right-angled triangles containing the dotted side, $x : x = b \sin \hat{A}$ and $x = a \sin \hat{B}$.

From these two equations: $\qquad b \sin \hat{A} = a \sin \hat{B}$

$$\therefore \qquad \frac{\sin \hat{A}}{a} = \frac{\sin \hat{B}}{b}$$

By choosing a perpendicular from B to side AC and repeating this we get: $\dfrac{\sin \hat{A}}{a} = \dfrac{\sin \hat{C}}{c}$.

So we can write: $\dfrac{\sin \hat{A}}{a} = \dfrac{\sin \hat{B}}{b} = \dfrac{\sin \hat{C}}{c}$ $\qquad$ This is the **sine rule.**

quickfire》》 5.21

Find ϕ and x.
Show your working.

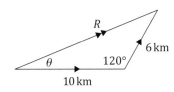

5.7.3 Applying the sine and cosine rules

In A-level Physics, we most often apply these rules in the context of adding or subtracting vectors, which is dealt with in Chapter 7. We usually have to apply both rules. See Example H.

Example H:

Calculate R and the angle θ.

Apply the cosine rule: $\qquad\qquad R^2 = 10^2 + 6^2 - 2 \times 10 \times 6 \cos 120°$

$$R^2 = 196, \qquad \therefore \underline{R = 14\,\text{km}}.$$

Apply the sine rule with $R = 14$ km: $\qquad \dfrac{\sin 120°}{14} = \dfrac{\sin \theta}{6} \qquad \therefore \sin \theta = 0.371$

$\therefore \theta = \sin^{-1} 0.371 = 21.8°$. Note: $\sin 158.2°$ [$= \sin (180° - 21.8°)$] $= 0.371$ as well, but θ is clearly an acute angle.

5.8 Compound angle formulae

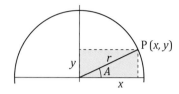

Fig 5.19

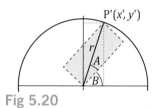

Fig 5.20

Pointer

These compound angle formulae will be very useful when we derive the equations for oscillatory motion in Chapter 11.

Pointer

$\sin 2\theta = \sin(\theta + \theta)$
$= \sin\theta\cos\theta + \cos\theta\sin\theta$
$= 2\sin\theta\cos\theta$

quickfire >>> 5.22

Show that $\cos 2\theta = \cos^2\theta - \sin^2\theta$

quickfire >>> 5.23

Use $\sin^2\theta + \cos^2\theta = 1$ to show that $\cos^2\theta$ can also be written as
$2\cos^2\theta - 1$ and
$1 - 2\sin^2\theta$.

If we combine two angles, A and B, it is often useful to be able to express $\sin(A + B)$ and $\cos(A + B)$ in terms of A and B separately.

Consider the point **P** as before on the circle of radius r (figure 5.19)

Then $\qquad\qquad\qquad\qquad x = r\cos A \qquad\qquad\qquad\qquad$ (1)

and $\qquad\qquad\qquad\qquad y = r\sin A \qquad\qquad\qquad\qquad$ (2)

Now we'll rotate **P** through a further angle, B, anti-clockwise. In fact we'll rotate the whole rectangle through angle B (Figure 5.20).

For angle $(A + B)$ we consider the co-ordinates of P'.

So: $\qquad\qquad\qquad\qquad x' = r\cos(A + B) \qquad\qquad\qquad$ (3)

and $\qquad\qquad\qquad\qquad y' = r\sin(A + B) \qquad\qquad\qquad$ (4)

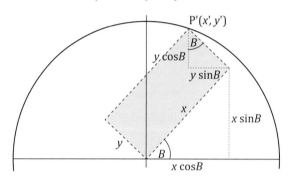

Fig 5.21

Figure 5.21 is an enlarged version of 5.20 with some detail removed. Now check the displacements marked on the third diagram and how they add in pairs to give x' and y' in equations (5) and (6)

$$x' = x\cos B - y\sin B \qquad\qquad (5)$$

and $\qquad\qquad\qquad\qquad y' = x\sin B + y\cos B \qquad\qquad\qquad$ (6)

If we substitute the expressions for x and y from equations (1) and (2) and expressions for x' and y' from equations (3) and (4) we get:

$$r\cos(A + B) = r\cos A\cos B - r\sin A\sin B$$

and

$$r\sin(A + B) = r\sin A\cos B + r\cos A\sin B$$

∴ Dividing by r $\qquad\quad \cos(A + B) = \cos A\cos B - \sin A\sin B$

and $\qquad\qquad\qquad\quad \sin(A + B) = \sin A\cos B + \cos A\sin B$

Note the minus sign in the $\cos(A + B)$ formula: this should not be surprising in view of the fact that the value of $\cos\theta$ decreases with θ between 0 and 90°.

Similarly $\qquad\qquad\quad \cos(A - B) = \cos A\cos B + \sin A\sin B$

and $\qquad\qquad\qquad\quad \sin(A - B) = \sin A\cos B - \cos A\sin B$

These can be derived in a similar way to the addition formulae or can be derived from them using the relationships $\cos(-B) = \cos B$ and $\sin(-B) = -\sin B$ [see Sections 8.2.1 and 8.2.2]

Example I:

Use the formulae for $\sin(\theta + \phi)$ and $\cos(\theta + \phi)$ to show that $\tan 2\theta = \dfrac{2\tan\theta}{1 - \tan^2\theta}$ and use the result to evaluate $\tan 22.5°$ given that $\tan 45° = 1$.

$$\tan 2\theta = \frac{\sin 2\theta}{\cos 2\theta} = \frac{\sin(\theta + \theta)}{\cos(\theta + \theta)} = \frac{2\sin\theta\cos\theta}{\cos^2\theta - \sin^2\theta}$$

Dividing top and bottom by $\cos^2\theta$ and using $\dfrac{\sin\theta}{\cos\theta} = \tan\theta$ gives $\tan 2\theta = \dfrac{2\tan\theta}{1 - \tan^2\theta}$. QED

Putting $2\theta = 45°$, $\qquad \tan 45° = \dfrac{2\tan 22.5°}{1 - \tan^2 22.5°}$.

Rearranging and putting $\tan 45° = 1$, gives $\tan^2 22.5° + 2\tan 22.5° - 1 = 0$.

This is a quadratic equation in $\tan 22.5°$, we we can solve using the quadratic formula (see Section 3.2.4):

$\tan 22.5° = \dfrac{-2 \pm \sqrt{4 + 4}}{2} = -1 \pm \sqrt{2}$. We can ignore the negative root as we know that $\tan 22.5 > 0$, so $\tan 22.5° = -1 + \sqrt{2} = 0.4142$ (4 s.f.)

quickfire 5.24

$\tan 225° = 1$. Use the working of Example I to write down the value of $\tan 112.5°$.

5.9 Adding two sinusoidal functions

A common problem, especially in oscillation analysis, is to express the sum of two sinusoidal oscillations of the same frequency as a single oscillation. We can use the results of Section 5.8 to enable us to do this. To start with, we'll ignore the oscillatory aspect.

Consider the sum of sinusoids: $\qquad A\sin\theta + B\cos\theta$

We'll seek to express this in the form $\qquad R\sin(\theta + \delta)$

The problem is to find values of R and δ such that $R\sin(\theta + \delta)$ has the same value as $A\sin\theta + B\cos\theta$ for all values of θ.

Using the result of Section 5.8 $\qquad R\sin(\theta + \delta) = R\sin\theta\cos\delta + R\cos\theta\sin\delta$

So we can write $\qquad A\sin\theta + B\cos\theta \equiv R\sin\theta\cos\delta + R\cos\theta\sin\delta$

In order for the identity to hold for all values of θ, the coefficients of $\sin\theta$ and $\cos\theta$, i.e. the quantities which multiply these quantities on the two sides, must be equal. So

Equating coefficients of $\sin\theta$: $\qquad A = R\cos\delta$ $\qquad$ [1]

Equating coefficients of $\cos\theta$: $\qquad B = R\sin\delta$ $\qquad$ [2]

We can find R by squaring and adding: $\quad R^2(\cos^2\delta + \sin^2\delta) = A^2 + B^2$

But $\cos^2\delta + \sin^2\delta = 1$ $\quad\therefore$ $\qquad\qquad R = \sqrt{A^2 + B^2}$

Also $\dfrac{\sin\delta}{\cos\delta} = \tan\delta$, $\qquad\therefore$ dividing [2] by [1] $\rightarrow \quad \tan\delta = \dfrac{B}{A}$

So, summarising: $\qquad A\sin\theta + B\sin\theta \equiv \sqrt{A^2 + B^2}\sin\left(\theta + \tan^{-1}\dfrac{B}{A}\right)$

There is little point in memorising that last result; it is much more important to know how to reproduce it. There is one loose end in this result: the value of δ is not uniquely given by the ratio B/A. If both A and B are both positive, there is no problem because we know that $0 < \delta < \frac{\pi}{2}$ and the $\tan^{-1}$ function on the calculator will give the appropriate result. If $A > 0$ and $B < 0$, then δ is in the second quadrant $\left(\frac{\pi}{2} < \delta < \pi\right)$; the calculator value for δ will be in the fourth quadrant and π will need to be added.

Pointer

The initial expression could equally well be

$\pm A\sin\theta \pm B\cos\theta$

and we could seek to express it in the form

$R\cos(\theta \pm \delta)$

The technique is the same; it is picked up in Example J.

Pointer

Note that the identity symbol, $\equiv$, is used rather than $=$. It means that the expressions on the left and right are not just equal for some value of the variable (θ) but for all values of θ.

Pointer

We ignore the negative square root of $A^2 + B^2$. The value of δ can be selected to allow for this.

Pointer

The technique of equating coefficients is very useful across mathematical analysis, e.g. when solving differential equations.

Example J:

Express $12\sin\theta - 5\cos\theta$ in the form $R\cos(\theta - \delta)$

$R\cos(\theta - \delta) = R\cos\theta\cos\delta + R\sin\theta\sin\delta$

∴ We require $R\cos\theta\cos\delta + R\sin\theta\sin\delta \equiv 12\sin\theta - 5\cos\theta$

Equating coefficients: $\cos\theta$ $R\cos\delta = -5$

                              $\sin\theta$ $R\sin\delta = 12$

Squaring and adding: $R^2 = 5^2 + 12^2 = 169$, ∴ $R = 13$.

∴ $\dfrac{R\sin\theta}{R\cos\theta} = \tan\theta = \dfrac{12}{-5}$

This returns a value of -1.176 rad. But δ must be in the 2nd quadrant because $\cos\delta < 0$ and $\sin\delta > 0$. ∴ $\delta = \pi - 1.176 = 1.97$ rad (3.s.f.)

∴ $12\sin\theta - 5\cos\theta \equiv 13\cos(\theta - 1.97)$

Test Yourself 5.1

In Questions 1–5 find the values of all the angles.

[Assume that a line that appears horizontal or vertical is so.]

① 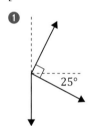 ② 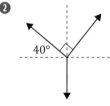 ③ 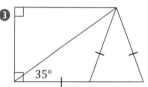 ④ 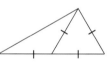 ⑤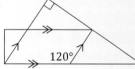

Questions 6–10 refer to the diagram:

⑥   If $c = 200$ mm and $\theta = 30°$, calculate (a) a, (b) b.

⑦   If $b = 40$ m and $\theta = 40°$ calculate (a) a, (b) c.

⑧   If $a = 30$ cm and $\theta = 50°$ calculate (a) b, (b) c.

⑨   If $b = 150$ mm and $a = 100$ mm, calculate (a) c, (b) θ.

⑩   If $a = 20$ m and $c = 30$ m, calculate (a) θ, (b) b.

⑪   A student walks x m due East, then y m due North. She ends up 300 m at 30° East of North from her starting point. Find x and y.

⑫   (a)   A man measures the angle of elevation (i.e. to the horizontal) of a cliff-top as 35° from a point 200 m from the foot of the cliff on horizontal ground extending to the foot of the cliff. Calculate the height of the cliff.

      (b)   How far would he have to be from the foot of the cliff for the angle of elevation to be 25°?

⑬   Light travels though a 1000 m long optical fibre by the zigzag path shown. Calculate the distance travelled by the light.

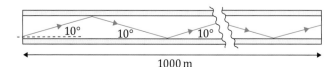

⑭ A light ray passes from medium 1 to medium 2 as shown. The refractive indices are: $n_1 = 1.52$ and $n_2 = 1.33$. Calculate:

(a) θ_2 when $\theta_1 = 30°$; [$n_1 \sin\theta_1 = n_2 \sin\theta_2$ or $n \sin\theta = $ const]

(b) θ_1 when $\theta_2 = 60°$

(c) θ_1 when $\theta_2 = 90°$

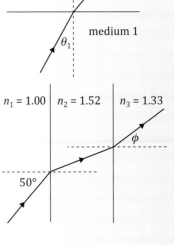

⑮ The diagram shows a light ray passing from air, through a parallel sides glass sheet into water in a fish tank.

(a) Calculate ϕ.

(b) Which piece of information in the diagram is irrelevant and why?

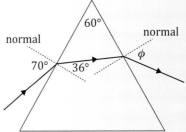

⑯ The diagram shows a light ray passing through a glass prism. Using the information in the diagram, calculate

(a) the refractive index of the glass;

(b) the angle ϕ.

$n_{air} = 1.00$

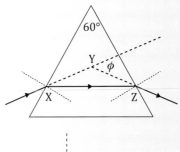

⑰ A light ray passes symmetrically through a triangular glass prism as shown. Its direction changes by angle $\phi = 44.4°$.

Determine the refractive index of the glass of the prism.

[Hint: Use the isosceles triangle XYZ to help find the angle of incidence at X]

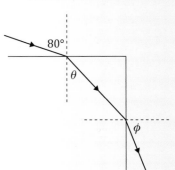

Questions 18–20 concern a light ray which passed though the corner of a transparent plastic block surrounded by air of refractive index 1.00.

⑱ If $\theta = 45°$ calculate the refractive index of the plastic.

⑲ If $\phi = 85°$ calculate the refractive index of the plastic.

⑳ Calculate the maximum refractive index of the plastic for a light ray to be able to pass through the corner.

Use the equations, $\sin(\theta + \phi) = \sin\theta\cos\phi + \cos\theta\sin\phi$,
$\cos(\theta + \phi) = \cos\theta\cos\phi - \sin\theta\sin\phi$ and $\sin^2\theta + \cos^2\theta = 1$ to answer Questions 21–23. Show your working.

㉑ If $\sin\alpha = 0.8$ calculate (a) $\cos\alpha$, (b) $\tan\alpha$.

㉒ Show that $\cos 2\beta = 2\cos^2\beta - 1$

㉓ If $\sin\chi = x$, write the following in terms of x:

(a) $\cos\chi$, (b) $\cos(180° + \chi)$ (c) $\tan(360° - \chi)$

㉔ Determine x and y.

Show your working.

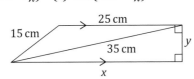

㉕ Triangle ABC has the following sides: AB = 10 cm, BC = 14 cm. Angle $\hat{C}$ = 45°. Find the two possible lengths of side CA.
Show your working.

㉖ Solve the equation $8 \sin^2 \theta - 2 \sin \theta - 1 = 0$

㉗ Solve the following equations for angles between $\pm \pi$

(a) $\sin \theta = 2 \cos \theta$ (b) $\sin \theta \cos \theta = 0.25$ (c) $\dfrac{1}{\tan \theta} = 3 \tan \theta$

(d) $\cos 2\theta - \cos \theta = 0$ (e) $2 \sin 2\theta = \cos \theta$

㉘ Express $2 \sin\left(\alpha + \frac{\pi}{4}\right)$ in the form $A \sin \alpha + B \cos \alpha$

㉙ Express $7 \sin \omega t - 24 \cos \omega t$ as

(a) $R \sin (\omega t + \alpha)$ and   (b) $R \cos (\omega t + \beta)$, where α and β are in the range $\pm \pi$.

㉚ Solve the equation $\sin \phi + 2 \cos \phi = 1$, for ϕ in the range $\pm \pi$.

Chapter 6

Graphs

6.1 Introduction

Many fields of study use charts and graphs to display data. They are useful to us because we often find it easier to see patterns in visual rather than in numerically presented results. The graphs that we meet in Physics are of a special kind: physicists often propose theories in which there is an algebraic relationship between variables. Because of this we can use graphs to make predictions and to test the theories themselves.

In this chapter we are going to examine the construction of graphs and compare the graphical and algebraic ways of analysing relationships between variables. We will look at both theoretical graphs and those drawn from experimental data.

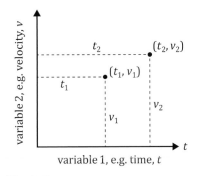

Fig 6.1

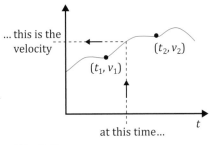

Fig 6.2

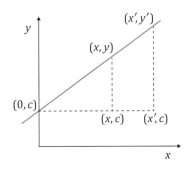

Fig 6.3

6.2 Axes, points and graphs

We use graphs to represent how one variable depends upon another. Here are two examples:

- how the velocity of a vehicle depends upon the time
- how the pd across the terminals of a power supply depends upon the current.

Notice the phrase *depends upon* in the above examples. We could substitute the phrase *is determined by*.

We plot the values of the variables as distances along one axis or up another one – see Figure 6.1. Two points are plotted, labelled (t_1, v_1) and (t_2, v_2). (t_1, v_1) and (t_2, v_2) are referred to as the *co-ordinates* of the points. The horizontal axis is often called the *x-axis* and the vertical axis is the *y-axis*.[1]

If we know how the velocity varies with time, we represent this as a line on the two axes. We call this line the *graph of velocity against time*. Note the order of this: 'graph of [y variable] against [x variable]'. The advantage of a graph over a series of readings of velocity and time is that we can use the graph to infer the velocity at times other than those given in the data. See Figure 6.2.

6.3 Axis scales and graphs of linear functions

A *linear* function is one of the form: $y = ax + b$, where y and x are the variables and a and b are constants. Two examples are:

- $v = u + at$, where t and v are the variables
- $V = E - Ir$, where I and V are the variables.

A *linear* graph is a straight-line graph. We'll now show that a linear function is represented by a linear graph.

Figure 6.3 shows a straight line that passes through the point $(0, c)$, i.e. its intercept on the y-axis is c. (x, y) is one point on the line and (x', y') is another.

---

[1] The correct names are *abscissa* (for the *x-axis*) and *ordinate* (for the *y-axis*).

The **slope** or **gradient** of a graph, m, is defined by:

$$m = \frac{\text{increase in } y \text{ value}}{\text{increase in } x \text{ value}} = \frac{y - c}{x}.$$

Rearranging the algebra:

$$y = mx + c$$

Because it is a straight line, the gradient of the graph is always the same, so we can also write

$m = \dfrac{\text{increase in } y \text{ value}}{\text{increase in } x \text{ value}} = \dfrac{y' - c}{x'}$. So $y' = mx' + c$ [2] and, for **any** (x, y) on the graph: $y = mx + c$.

In other words, the equation $y = mx + c$ represents the straight line, where

- it is an equation which is correct for any pair of values (x, y)
- m is the gradient, which is a constant
- c is the intercept on the y-axis.

 Pointer

If $y = ax + b$, in a graph of y against x, the gradient is a and the intercept on the y-axis is b.

Pointer

In $y = mx + c$, if m is negative the graph slopes downwards.

Pointer

In $y = mx + c$, if c is negative, the graph intersects the y-axis below the x-axis.

Definitions

If the graph of y against x is a straight line, y is **linearly related** to x.

If the graph also passes through the origin $(0, 0)$, y is **directly proportional** to x.

Example A: The velocity–time graph is for a car travelling with a constant acceleration. Find:

(a) the velocity after 6.4 s

(b) the initial velocity

(c) the acceleration

(d) the equation of motion.

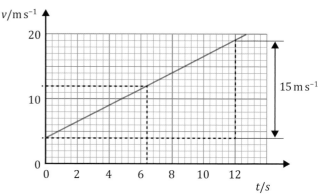

Answers: (a) See the dotted line: 12.0 m s^{-1} at $t = 6.4$ s.

(b) Initial velocity is the intercept on the v axis, i.e. 4.0 m s^{-1}.

(c) The acceleration = the gradient: see the dotted triangle.

Vertical side = $19.0 - 4.0 = 15 \text{ m s}^{-1}$

Horizontal side = 12.0 s

$\therefore$ Acceleration $= \dfrac{19.0 - 4.0}{12.0} = \dfrac{15.0}{12.0} = 1.25 \text{ m s}^{-2}$

(d) The equation of motion is $v = 1.25t + 4.0$.
 [We could write: $v = 4.0 + 1.25t$ to fit in with $v = u + at$]

Note

The equation in Example A (d) is incomplete as it doesn't tell us the units in which v and t are expressed. One way to resolve this is to write '$v = 1.25t + 4.0$, with v in m s^{-1} and t in s'. Another way is to write the equation as $(v/\text{m s}^{-1}) = 1.25(t/\text{s}) + 4.0$. You are unlikely to be penalised in A-Level Physics for leaving the units out of the equation but you **will** lose marks for leaving the units out of the velocity or acceleration in your final answer.

---

[2] The two triangles, $(0, c)$–(x, y)–(x, c) and $(0, c)$–(x', y')–(x', c), are *similar triangles* [can you see why?] so the ratio of the vertical side to the horizontal side for the 1st Δ is the same as for the 2nd.

quickfire》》 6.1

In a graph of $y = 3x + 2$, what are:
(a) the gradient
(b) the y-intercept?

quickfire》》 6.2

In a graph of $v = 45 - 1.5t$, what are:
(a) the gradient
(b) the t-intercept?

quickfire》》 6.3

In Quickfire 6.2, what are (a) the acceleration and (b) the initial velocity?
[Assume basic SI units.]

Units in graphs – a note for purists

Most mathematicians and physicists regard graphs and algebraic equations as relationships between numbers and not quantities, i.e. numbers with units. This is shown on the labelling of graphical axes. Look again at the v and t axes of the graph in Example A: the vertical axis is labelled '$v/\text{m s}^{-1}$' and the horizontal axis is labelled 't/s'. These labels indicate that for example the velocities are **divided by m s^{-1}**, so that it is pure numbers that are plotted, e.g. the intercept is 4.0. We then have to think as follows:

- the initial velocity, $u/\text{m s}^{-1} = 4.0$
- $\therefore u = 4.0 \times \text{m s}^{-1} = 4.0 \text{ m s}^{-1}$.

Similarly in the calculation of acceleration the thought process is:

- acceleration, $a / \text{m s}^{-2} =$ the gradient $= \dfrac{15}{12} = 1.25$
- $\therefore a = 1.25 \times \text{m s}^{-2} = 1.25 \text{ m s}^{-2}$.

For the purposes of A-Level Physics, you will not be penalised if you write:

- the initial velocity = the intercept = 4.0 m s^{-1} and
- the acceleration = the gradient = 1.25 m s^{-2},

so you can forget this digression if you like! Just remember that, in an answer, you must give quantities, such as acceleration and velocity, their correct units.

6.4 Finding the equation from a section of a graph

Sometimes a graph has only a small range of known values of x, well away from 0. In these cases we may not be able to find the value of c by looking at where the graph crosses the y-axis. See Figure 6.4 (the values on the x-axis are only for illustration). This situation often arises in practical work, especially when using log functions in A2.

We shall examine two cases:

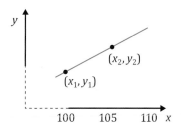

Fig 6.4

6.4.1 Finding the equation from the gradient and one point

Suppose we know the gradient, m, of the graph; we can use one point on the graph to find its equation.

We'll start with the general equation:

$$y = mx + c$$

It is convenient to rearrange this as $y - mx = c$. We'll see why in a moment!

Look at the triangle $(0, c)$, (x_1, y_1), (x_1, c): The gradient, m, is given by

$$m = \frac{y_1 - c}{x_1}$$

Rearranging this gives: $c = y_1 - mx_1$. Substituting this into $y - mx = c$ gives the straight line equation:

$$y - mx = y_1 - mx_1$$

The reason for the rearrangement above is now clear – the resulting equation is more memorable in form!

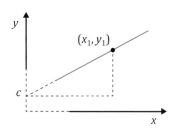

Fig 6.5

Pointer

Finding the unknowns in $y = mx + c$ from two points is essentially the same as solving two simultaneous equations.

Pointer

The expression $\dfrac{y_2 - y_1}{x_2 - x_1}$ is the gradient, m.

So $y - \dfrac{y_2 - y_1}{x_2 - x_1}x = y_1 - \dfrac{y_2 - y_1}{x_2 - x_1}x_1$
is the same as $y - mx = y_1 - mx_1$

Example B:

A straight-line graph has gradient 0.6 and passes through the (112, –85). What is its equation?

If we substitute 0.6 and (112, –85) into $y - mx = y_1 - mx_1$, we get $y - 0.6x = -85 - 0.6 \times 112$.

Rearranging: $y = 0.6x - 152.2$

Pointer

If $\dfrac{y_1}{x_1} = \dfrac{y_2}{x_2}$, $c = 0$.

6.4.2 Finding the equation from two points

In practice this is more useful than the gradient and point method. Suppose we know two points, (x_1, y_1) and (x_2, y_2).

From the definition of gradient: $m = \dfrac{y_2 - y_1}{x_2 - x_1}$

Using the result for c in 6.4.1: $c = y_1 - \dfrac{y_2 - y_1}{x_2 - x_1}x_1$

Substituting these expressions into $y - mx = c$,

the equation is $y - \dfrac{y_2 - y_1}{x_2 - x_1}x = y_1 - \dfrac{y_2 - y_1}{x_2 - x_1}x_1$.

Again, this has a memorable form.

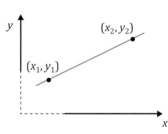

Fig 6.6

quickfire 6.4

With variables x and y, find the gradient, and then the equation if the line passes through:

(a) (2, 4) and (3, 5),

(b) (2, 10) and (4, 6).

Example C: A straight-line graph passes through the points (24, 9) and (36, –15).

Its equation is: $y - \dfrac{-15 - 9}{36 - 24}x = 9 - \dfrac{-15 - 9}{36 - 24} \times 24$

You should be able to show that this leads to $y + 2x = 57$.

We can write this as $y = -2x + 57$, which is the conventional form of the equation.

Test Yourself 6.1

For questions 1–10, prepare a pair of y, x axes with y from –4 to +16 and x from –6 to +12. On these axes, draw the following graphs paying close attention to the points where they cross the axes.

① $y = 2x + 4$ **②** $y = -3x + 12$ **③** $y = \frac{1}{2}x + 2$ **④** $y = -x + 10$ **⑤** $y = \frac{1}{3}x - 2$

⑥ $y = x$ **⑦** $2y = x + 8$ **⑧** $y = -x$ **⑨** $y = -\frac{1}{2}x + 2$ **⑩** $y = -\frac{1}{3}x + 8$

In Questions 11–20, find the equation relating the variables:

⑪ y against x: gradient = 1.5, $y = 3$ when $x = 6$.

⑫ y against x: gradient = –0.4, $y = 10$ when $x = 50$.

⑬ V against I: gradient = –0.2, $V = 5.2$ when $I = 4$ A.

⑭ V against f: gradient = 4.14×10^{-15}, $V = 0$ when $f = 1.69 \times 10^{14}$.

⑮ v against t: gradient = 0.8, $v = 24$ when $t = 10$.

⑯ F against l: gradient = 25, $F = 10$ when $l = 0.6$.

⑰ V against I: $V = 2.4$ when $I = 0.5$; $V = 2.0$ when $I = 0.8$.

⑱ v against t: $v = 20$ when $t = 12$; $v = 18$ when $t = 22$.

⑲ F against l: $F = 2$ when $l = 10$; $F = 6$ when $l = 18$.

⑳ V against f: $V = 3.0$ when $f = 1.0 \times 10^{15}$; $V = 1.0$ V when $f = 5.0 \times 10^{14}$.

㉑ A battery has a terminal pd, V, of 8.0 V when it passes a current, I, of 0.40 A. When the current is 0.60 A, the terminal pd is 7.2 V. Sketch a graph of V against I and determine the emf, E, and internal resistance, r. [$V = E - Ir$].

㉒ When a load, F, of 4.0 N is suspended from a spring, its length, l, is 8.2 cm. With a load of 7.5 N the length is 11.5 cm. Sketch a graph of F against l and determine the spring constant, k, and unstretched length, l_0. [$F = k(l - l_0)$] Hint: Rewrite the equation as $F = kl - c$.

㉓ A space capsule has a velocity, v, of 12.0 km s^{-1} at a time, t of 50 s. At 150 s, the velocity is 12.8 km s^{-1}. Sketch a graph of v against t and determine the initial velocity, u, and acceleration, a. [$v = u + at$].

㉔ The stopping voltage, V_s, for a photo-cell is 0.45 V when the frequency, f, of the incident radiation is 2.5×10^{14} Hz. When the frequency is 3.5×10^{14} Hz, the stopping voltage is 0.87 V. Sketch a graph of V_s against f and determine a value for the Planck constant, h and the work function, ϕ. $\left[V_s = \dfrac{h}{e}f - \dfrac{\phi}{e}\right]$ NB. e = charge on the electron = 1.60×10^{-19} C.

6.4.3 Linear graphs from experimental data

Most graphs in Physics arise from experimental data, i.e. each data point is the result of a measurement or combination of measurements. This section of the book will deal with handling experimental plots involving some degree of scatter but without a discussion of error bars and uncertainty.

Consider the experimental plot in Figure 6.7. The first question which needs to be asked is, 'Are these points consistent with a linear relationship?' In order to answer this question we need to consider:

- whether the points are considered accurate, i.e. is the uncertainty in each point low, and
- whether there are theoretical reasons for expecting a linear relationship
- whether it is possible to obtain further readings at different values of x

Fig 6.7

Look at these possible graphs (Figure 6.8), which all have the same original data points.

There are mathematical procedures for establishing a 'best fit' straight line, e.g. applying a simple linear regression. Usually in A-Level Physics, the number of data points and repeat readings is quite low so such a procedure is not justified and it is not required by A-Level specifications. We just use a transparent ruler and move it so that:

- it matches the gradient suggested by the data points and
- the points are scattered equally above and below the line.

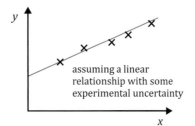

assuming a linear relationship with some experimental uncertainty

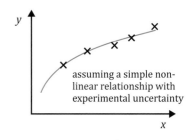

assuming a simple non-linear relationship with experimental uncertainty

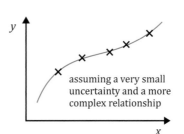

assuming a very small uncertainty and a more complex relationship

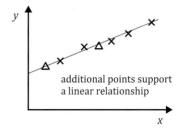

additional points support a linear relationship

Fig 6.8

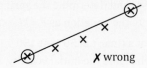
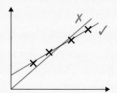
quickpire》 6.5

(a) Calculate the centre of mass, $(\bar{x}, \bar{y})$, of these points: (1.0, 0.26), (2.0, 0.38), (3.0, 0.45), (4.0, 0.58), (5.0, 0.66).

(b) Find the equation of the graph.

Use of the 'centre of mass' point

Many people recommend plotting the centre of mass point and drawing the line through it which reflects the gradient of the scattered points:

If we have N points, $(x_1, y_1), (x_2, y_2), \ldots (x_N, y_N)$, **which are all equally weighted**, the co-ordinates of the centre of mass point $(\bar{x}, \bar{y})$ are defined by:

$$(\bar{x}, \bar{y}) = \left(\frac{x_1 + x_2 + \ldots x_N}{N}, \frac{y_1 + y_2 + \ldots y_N}{N} \right),$$ i.e. it is (mean of x-values, mean of y-values).

The caveat, 'if they are all equally weighted', is important. In this case it means that the uncertainties in position of the points are all the same.

6.5 Graphs of non-linear functions

Many relationships in physics involve non-linear equations. Some involve powers and roots, e.g.

$$P = I^2R, \quad v^2 = u^2 + 2as, \quad P = A\sigma T^4, \quad \lambda_{max} = WT^{-1} \quad \text{or} \quad T = 2\pi\sqrt{\frac{l}{g}}$$

A-Level Physics students need to be familiar with the graphs of these relationships and to use them to make measurements and draw conclusions. If these relationships are plotted simply, using one variable plotted against the other, the graphs are curves. A major requirement of A-Level Physics is to linearise these graphs in order to make them easier to analyse.

Other relationships involve so-called *transcendental functions*, e.g. $I = I_0 e^{-t/RC}, x = A \sin (\omega t + \varepsilon)$. These relationships are dealt with in Section 4.4.7 and Chapter 8 respectively.

6.5.1 Graphs of equations involving powers and roots

(a) $y \propto x^n$, for $n > 1$

These graphs curve upwards from the origin. The gradient at the origin is zero. For $x > 0$, all the graphs look similar – the greater the value of n, the more rapidly the graph takes off after $x = 1$. The graphs in Figure 6.9 compare $y = x^n$ for $n = 1.5, 2, 3$ and 4. Negative values of x are not often required in A-Level Physics. Examples:

- $P = I^2R$

- $T = \frac{2\pi}{\sqrt{GM}} a^{1.5}$ [Kepler's 3rd law]

(b) $y \propto x^n$, for $0 < n < 1$

The graph for $y \propto x^{\frac{1}{2}}$, i.e. $y = \sqrt{x}$ is shown in Figure 6.10. Note the following:

- there are two values of y for every positive value of x: $\sqrt{4} = \pm 2$ [i.e.+ 2 or − 2].

- there are no values of y for $x < 0$.

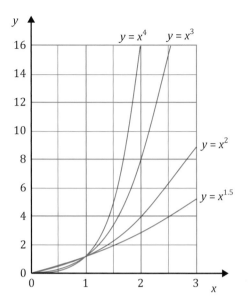

Fig 6.9

Fig 6.10

Other values of n give similar shapes in the positive quadrant, i.e. $x > 0$ and $y > 0$. The closer n is to zero, the tighter the curve. Example:

- $T = 2\pi\sqrt{\dfrac{l}{g}}$ – simple pendulum

- $T = 2\pi\sqrt{\dfrac{m}{k}}$ – oscillating mass on spring

(c) $y \propto x^{-n}$ for $n > 0$, i.e. $y \propto \dfrac{1}{x^n}$

These graphs all have a negative gradient which decreases with increasing x. These relationships occur quite frequently in A2 Physics, e.g.

- $F = \dfrac{GMm}{r^2}$ – Newton's law of gravity

- $v = \sqrt{\dfrac{2GM}{r}}$ – escape velocity

The potential energy, E_p, of two atoms bound by a van der Waals bond at a separation, r, obeys the following equation approximately:

$E_p = \dfrac{A}{r^{12}} - \dfrac{B}{r^6}$ – the so-called '6–12 potential'.

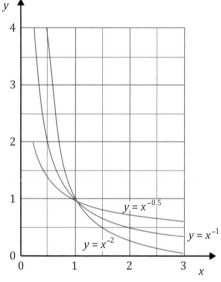

Fig 6.11

Data Exercise 6.1

Use a spreadsheet to plot the value of E_p for the 6–12 potential, with the values of A and B taken to be 1. Estimate the equilibrium separation of the atoms [i.e. where E_p is a minimum]. Suggested range of values of x: 0.96–2.00 but you will need to play around with the size of the steps between the values of x. What is the minimum value of E_p?

6.5.2 Linearising equations

It is very useful to find a way of plotting data which are suspected of satisfying non-linear equations so that the graph is linear. This is for two reasons:

1   The eye is good at detecting departures from linearity and hence we can judge whether data are consistent with the putative relationship.

2   The values of the gradient and intercept of a linear graph can be used to reveal useful values of constants.

(a) Equations of the form $y^m = kx^n$, in which m and n are known [or suspected]

A graph of y^m against x^n is a straight line of gradient k. There are other possibilities but you should do Data Exercise 6.2 first.

Data Exercise 6.2

A car accelerates from rest (at time, $t = 0$) with constant acceleration. The time it takes to reach 10 m distance posts is measured using a stopwatch with a discrimination of 0.05 s.

The results are as follows:

Distance / m	10	20	30	40	50	60	70
Time / s	2.75	4.00	4.70	5.55	6.15	6.70	7.35

Plot a graph of distance, s, against time^2, t^2, verify that it satisfies the relationship $s = kt^2$ and hence determine the acceleration. [Hint: $s = ut + \frac{1}{2}at^2$ and $u = 0$]

quickfire 6.6

You are investigating $P = I^2R$ and have readings of P, for a series of nicely spaced values of I ranging from 0.1 A to 2 A. What graph should you plot and why?

quickfire 6.7

What graphs would give a straight line if you are investigating

$T = 2\pi\sqrt{\dfrac{m}{k}}$ for constant k? Which one would you use if your readings were for m = 100, 200, 300, 400 and 500 g?

quickfire 6.8

How would your answer to QF6.7 be different if you suspected that the times T were subject to a systematic error?

If $y^m \propto x^n$, then all these are relationships are true:

- $y^{m/n} \propto x$, so a graph of $y^{m/n}$ against x will be a straight line.
- $y \propto x^{n/m}$, so a graph of y against $x^{n/m}$ will be a straight line.
- $y^{1/n} \propto x^{1/m}$, so a graph of $y^{1/n}$ against $x^{1/m}$ will be a straight line.

Why should we consider these alternatives?

Reason 1: If you have completed Data Exercise 6.2, you will have noticed that the data points were equally spaced. Approximate equal spacing is usually desirable. Consider the data in Q6 of Test Yourself 6.2, which is of the same situation but with the data taken with approximate equal spacing in time. You will notice that the fifth distance is greater than the spread over the first four distances, so the points in a graph of s against t^2 will be very bunched at the lower end.

How do we overcome this? If $s \propto t^2$, then $\sqrt{s} \propto t$, so a graph of $\sqrt{s}$ against t should be a straight line, with roughly equally spaced points.

Reason 2: If one of the variables, e.g. x, has a systematic error, ε, of unknown size, then plotting that as the linear variable should still give a straight line and the intercept on the x-axis will be $-\varepsilon$.

For example, simple theory suggests that the resonance frequency, f, of a pipe with one open end is related its the length, l, by the equation

$$f = \frac{c}{4l}$$

so a graph of f against $1/l$ should be a straight line. More complete theory suggests there is an end correction, ε, to be applied to the length. This gives

$$f = \frac{c}{4(l + \varepsilon)}.$$

If we rearrange the equation: $l = \frac{c}{4f} - \varepsilon$, so a graph of l against $1/f$ should be a straight line whereas a graph of f against $1/l$ is not. [See Test Yourself 6.2 Q9.]

(b) Equations of the form $y^m = kx^n + c$

A graph of y^m against x^n will be a straight line of gradient k and intercept c on the y^m axis. [See Test Yourself 6.2 Q7.]

(c) More complicated relationships

It is not possible here to deal with all the possible relationships but looking at a few will reveal some useful rules. So we'll consider two particular equations.

(i) $s = ut + \frac{1}{2}at^2$, where the variables are s and t.

The problem is that t appears twice on the right-hand side – once as t and once as t^2.

If we divide both sides by t we get: $\frac{s}{t} = u + \frac{1}{2}at$

Comparing this to $y = mx + c$, if we plot $\frac{s}{t}$ on the vertical [y] axis and t on the horizontal

axis, we should get a straight line with a gradient $\frac{1}{2}a$ and an intercept of u on the $\frac{s}{t}$-axis.

Let's just look at that again:

$$\left(\frac{s}{t}\right) = \frac{1}{2}a\left(t\right) + u$$
$$y = m\,x + c$$

The ovals show how the variables are related in the two equations and the arrows show the gradient and intercept.

(ii) $V = \frac{ER}{R + r}$, where the variables are V and R.

Again the problem is that R appears twice on the right-hand side, once in the top line and once in the bottom.

If we take the reciprocal of both sides we get $\frac{1}{V} = \frac{R + r}{ER}$

Splitting the fraction on the right $\frac{1}{V} = \frac{R}{ER} + \frac{r}{ER}$

Rearranging slightly $\frac{1}{V} = \frac{r}{E} \times \frac{1}{R} + \frac{1}{E}$

So a graph of $\frac{1}{V}$ against $\frac{1}{R}$ should be a straight with a gradient $\frac{r}{E}$ and an intercept of $\frac{1}{E}$ on the $\frac{1}{V}$-axis. From the gradient and intercept, we can find E and r.

Conclusion: If you can re-arrange the equation so that there is only one variable [or cluster of variables] on each side and that variable appears only once on each side, it will then be in a form which can be plotted to give a linear graph.

(iii) A one-off case.

When a light ray passes between two materials, 1 and 2, the angle, θ, to the normal changes and obeys the relationship $n_1 \sin \theta_1 = n_2 \sin \theta_2$, where n is the *refractive index* of a material and is defined by:

$$n = \frac{\text{speed of light in the material}}{\text{speed of light in a vacuum}}.$$

Hence a graph of $\sin \theta_2$ against $\sin \theta_1$ is a straight line through the origin, with a gradient of $\frac{n_1}{n_2}$ [See Test Yourself 6.2 Q16.]

quickfire 6.9

If $y^2 = \frac{ax^2 + b}{x}$, where a and b are constants, what plot should be a straight line?

quickfire 6.10

If $x = \frac{a\sqrt{x^2 + y^2}}{y}$, where a is a constant, what should a graph of $x^2 y^2$ against $x^2 + y^2$ be like?

Mathematics for Physics

Test Yourself 6.2

1 The table shows the measured pd, V, across a power supply for various values of the current, I.

I and V are related by the equation: $V = E - Ir$, where E is the emf of the supply and r is its internal resistance.

Plot a graph of V against I. Determine the gradient and intercept, and hence find the values of E and r.

I / A	V / V
0.10	6.10
0.25	5.87
0.35	5.79
0.50	5.60
0.70	5.41
0.80	5.31

2 The table shows the measured velocity, v, at various values of time, t, of a body undergoing uniform acceleration, a, from an initial velocity, u.

v and t are related by the equation: $v = u + at$, where a and u are constants.

Plot a graph of v against t. Determine the gradient and intercept, and hence find the values of a and u.

t / s	v / m s^{-1}
1.5	4.00
4.0	4.39
6.0	4.90
7.5	5.30
9.0	5.54
10.0	5.75

3 The table shows the measured values of the length, l, of a spring for various values of a suspended load, F.

The variables are related by the equation $F = k(l - l_0)$, where l_0 is the unloaded length of the spring and k is the spring constant. Plot a graph of F against l and determine the values of k and l_0.

F / N	l / cm
0.98	9.6
1.96	13.0
2.94	18.2
3.92	21.4
4.91	27.3
5.89	30.3

4 The table shows the measured values of the pressure, p, in a flask of air at various values of the Celsius temperature, θ.

The variables are related by: $p = p_0 + \alpha\theta$. Plot a graph of p against θ, determine p_0 and a value in °C for absolute zero – this is the temperature at which the pressure would be zero.

NB. Find absolute zero by calculation not by drawing.

θ / °C	p / atm
20	1.025
35	1.062
50	1.115
65	1.176
80	1.238
98	1.291

5 As question 1 but:

- the current is in mA
- the range of currents is small.

Taking the current axis from 50 mA to 75 mA and the voltage axis from 7.0 to 8.2 V, find the gradient and calculate the intercept on the V-axis as in 6.4.1. or 6.4.2.

I / mA	V / V
50	8.18
53	8.01
57	7.80
60	7.63
65	7.49
69	7.23
72	7.14

6 A car accelerates from rest with constant acceleration. Its position, s, varies with t as follows:

Time, t / s	2	3	5	7	10	12
Displacement, s / m	4.6	12.5	36.0	68.0	120	195

Plot a graph of $\sqrt{s}$ against t and use it to determine the acceleration. $\left[s = \frac{1}{2}at^2\right]$

7 A train accelerates at a constant acceleration. Its velocity, v, varies with displacement, s, as follows:

Displacement, s / m	500	1000	1500	2000	2500	3000
Velocity, v / m s^{-2}	26.5	30.3	35.8	39.4	41.8	46.0

Given the equation $v^2 = u^2 + 2as$, where a is the acceleration and u the initial velocity, draw a suitable graph and determine a and u.

8 The frequency, f, of standing waves on a stretched wire is inversely proportional to the length, l of the wire. A student investigates this using a sonometer and obtains the following results:

Frequency, f / Hz	512	480	426	384	341.3	320	288	256
Length, l / m	0.204	0.215	0.251	0.275	0.309	0.324	0.358	0.410

The relationship between f and l is: $f = \frac{c}{2l}$, where c is the speed of transverse waves on the wire. Plot a suitable graph to verify the relationship. Comment upon whether the results are consistent with f and l being inversely proportional and determine a value for c.

NB. Consider whether you should take the axes back to 0 or to use the results of Sections 6.4.1 and 6.4.2.

9 A student (possibly the same one as in Q8) uses a resonance tube to determine, c, the speed of sound in air. He determines the resonance length, l, for a range of frequencies, f, produced by a set of tuning forks. The results are:

Frequency / Hz	512	480	426	384	341.3	320	288	256
Length / cm	15.4	16.0	19.2	21.0	24.5	25.4	28.5	31.9

The relationship between f and l is $f = \frac{c}{4(l + \varepsilon)}$. By plotting a suitable graph [see Section 6.5.2], determine values for c and ε.

10 A student uses a simple pendulum to measure the acceleration dues to gravity, g, by measuring the period, T, over a range of values of length, l. The suspension point of the pendulum is not accessible so the true pendulum length is $l + \varepsilon$ where ε is unknown. The results are:

Measured length, l/m	0.200	0.400	0.600	0.800	1.000	1.200
Period, T / s	0.92	1.35	1.58	1.82	2.08	2.22

With the uncertainty in length, the expected relationship is $T = 2\pi\sqrt{\dfrac{l + \varepsilon}{g}}$. Plot a suitable graph to determine values for g and ε.

11 A student in North Wales investigates the inverse square law for gamma radiation. She measures the background radiation as 35.5 counts per minute (cpm).

She measures the count rate, r, with a gamma source at various values of measured distance, d. Her results are as follows:

Distance, d / cm	10	15	20	25	30	50	70
Count rate, r / cpm	460	240	155	115	89	54	47

The true rate, R, corrected for background relates to d by: $R = \dfrac{k}{(d + \varepsilon)^2}$, where ε is a correction to the length: ε arises because neither the position of the source within its holder nor the effective sensitive position in the Geiger–Müller tube is known. Plot a suitable graph to verify the inverse square law and determine values for k and ε, giving suitable units.

⑫ A torsional pendulum consists of a wooden bar with addition equal loads, m, positioned at equal distances l from the centre of mass. The bar is suspended from a wire and allowed to oscillate in a horizontal plane – see diagram.

The period, T, of oscillation depends upon l according to the equation: $T = \sqrt{\dfrac{I + 2ml^2}{k}}$, where I is a constant called the *moment of inertia* of the bar and k depends upon the torsional stiffness of the wire. A student investigates this, with masses $m = 0.100$ kg and obtains the following results.

Distance, l/ m	0.100	0.140	0.180	0.200	0.220	0.240
Period, T / s	9.2	11.9	14.3	15.8	17.5	18.7

Plot a suitable graph to verify the relationship and find values for k and I, giving suitable units.

⑬ A *compound pendulum* consists of a wooden bar pivoted as shown. By drilling a set of holes, the distance y can be varied. The period of oscillation, T, varies with y as:

$$\frac{T}{2\pi} = \sqrt{\frac{k^2 + y^2}{gy}}$$

where k is a constant called the *radius of gyration* of the bar [note: $mk^2 = I$, the moment of inertia] and g the acceleration due to gravity.

The following results are taken:

y / m	0.200	0.300	0.400	0.500	0.600	0.700
T / s	2.15	1.93	1.87	1.90	1.89	1.98

Plot a suitable graph to verify the relationship and find values for k and g.

⑭ Various values of resistor, R are connected across a battery and the terminal pd, V, measured.

The relationship between V and R is $V = \dfrac{ER}{R + r}$, where E is the emf and r the internal resistance. The following results are obtained:

R / Ω	1.0	2.2	3.3	4.7	6.8	8.2
V / V	3.15	4.95	5.82	6.50	7.50	7.85

Plot a suitable graph and find values for E and r.

⑮ The object distance, u, image distance, v, and the focal length, f, of a lens are related by the equation

$$\frac{1}{u} + \frac{1}{v} = \frac{1}{f}$$

A student obtained the following data for a lens:

u / cm	100	50	25	20	16	12	10
v / cm	17.0	21.5	36.0	53.5	147	−60.0	−32.0

Plot a suitable graph to confirm the relationship and find a value for f.

[You can work either in cm or m.]

⑯ A student measures the angle to the normal of a light ray passing from water into a sample of glass. She varies the angle of incidence and obtains the following results.

θ_1 /°	10	20	30	45	60	75	85
θ_2 /°	8	16	24	35	43	52	53

Plot a graph of $\sin\theta_2$ against $\sin\theta_1$, verify that the relationship is proportional and find a value for the speed of light in the glass.

Data: speed of light in a vacuum = 3.00×10^8 m s^{-1}; refractive index of water = 1.33

6.6 Proportionality

The idea of proportion is very useful in physics and mathematics. If an increase in one quantity by a factor, e.g. × 2, produces an increase by the same factor in another quantity, the two quantities are said to be [*directly*] *proportional*. The word 'directly' is often omitted.

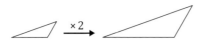

The second triangle is just a scaled-up version of the first, by a factor of 2. In scaling up, the sides expand in proportion to one another. The horizontal side increases by a factor of 2 and so do the other two sides.

A physics example: If a car is travelling at a constant speed, the distance it travels is proportional to the time: if it travels 80 km in 2 hours, it will travel 120 km in 3 hours [both × 1.5]. Another way of looking at this is that the ratio of the two quantities is the same:

In this case: $\dfrac{80\,\text{km}}{2\,\text{h}} = \dfrac{120\,\text{km}}{3\,\text{h}} = 40$ km/h [in this case, the ratio is the speed].

Similarly, the mass of a substance is proportional to its volume – the ratio is the density. The symbol '∝' is used to denote proportionality: $m \propto V$ reads 'm is [directly] proportional to V.'

Inverse proportion also occurs. This is where an increase in one quantity by a factor, produces a **decrease** by the same factor in another quantity.

Example: Wavelength and frequency of electromagnetic waves – if the frequency is doubled, the wavelength is halved, i.e. $f \times 2 \rightarrow \lambda \div 2$.

Another way of describing this is to say the frequency is directly proportional to '1 / the wavelength'.

Proportionality and graphs

If x and y are directly proportional, a graph of y against x [or x against y!] is a straight line **through the origin**, i.e. direct proportionality is a special case of a linear relationship.

If x and y are inversely proportional, i.e. $y \propto \dfrac{1}{x}$, a graph of y against x is just the $y = kx^{-1}$ graph that we met in 6.5.1(c). One thing to notice is that all rectangles drawn underneath the graph as shown have the same area because $xy = k$.

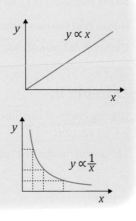

Pointer

If $y = kx^2$, then $y \propto x^2$. If we multiply x by 2, y is multiplied by $2^2 = 4$.

Pointer

If $y \propto \dfrac{1}{x^2}$, multiplying x by 2 will divide y by 4.

quickfire 6.11

Write $y = kx^3$ as a proportionality. What happens to y if x is **halved**?

quickfire 6.12

$y \propto \dfrac{1}{x^4}$. What happens to y if x is divided by 4?

quickfire 6.13

If $y \propto x$ and if $y = 2.5$ when $x = 1.5$, what is the value of y when $x = 6$?

quickfire 6.14

If $y \propto x^{-1}$ and if $y = 10$ when $x = 0.3$, what is the value of y when $x = 0.1$?

6.7 Graph sketching

Physical laws are expressed in terms of equations. It is useful to turn these equations into graphs because that is often an easier way of understanding the relationship. If the equations are linear, the graphs will be are straight lines, which were the focus of Sections 6.1–6.4. Section 6.5 dealt with a few functions which often occur in mathematical physics. This section deals with a few techniques for handling some more complicated graphs.

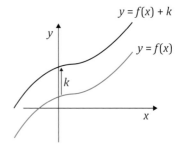

Fig 6.12

6.7.1

We'll start off by considering the function $f(x)$ which is shown in the red graph, $y = f(x)$ in Figure 6.12. We don't know anything about the function, except that it is defined at all points in some domain of x. We'll then ask what happens to the graph if we transform the function in various simple ways.

(a) Adding a constant – Figure 6.12

This is the easiest transformation. The black graph is $y = f(x) + k$. This is the graph of $y = f(x) + k$ moved up by k.

(b) Multiplying by a constant – Figure 6.13

The black graph is $y = kf(x)$, where $k \sim 1.5$. The values of y are everywhere $\sim 1.5\times$ those of the red $y = f(x)$ graph. Notice that the two graphs cross the x-axis at the same point (if $f(x) = 0$, then $kf(x) = 0$) and the gradient of the black graph is k times that of the red graph. If k is negative, the graph is flipped vertically: the pecked black graph has $k \sim -1.0$.

(c) Adding a constant to x – Figure 6.14

This is slightly less expected. We start with the same function, $y = f(x)$ and add a constant, k, to each value of x before we calculate $f(x)$, i.e. we are calculating $y = f(x + k)$. The pointer might help here. The effect on the graph is to move it by $-k$, i.e. k **to the left**. Why? Because if $x = 4$ (say) in $f(x)$, then the value $x = 1$ will give the same value of y in $y = f(x + 3)$.

(d) Multiplying x by a constant

Having come to terms with $f(x + k)$, then $f(kx)$ shouldn't be a surprise. Figure 6.15 compares the graphs $y = f(x)$ and $y = f(kx)$, where $k \sim 2$. The effect of multiplying by the constant is to squash the graph horizontally by a factor of k. Why? Let's take any value of x, say $x = 3.8$, and work out $f(x)$.

Clearly $f\left(k\dfrac{3.8}{k}\right) = f(3.8)$.

So the function $f(kx)$, has the same value as $f(x)$ but with $\dfrac{1}{k} \times$ the value of x.

Notice that the two functions have the same value when $x = 0$, because $f(k0) = f(0)$.

Question to think about: What if $k < 0$?

Example D:

Use the graph of the function $y = \sin \pi t$ (the black curve in Figure 6.16) to sketch $y = 1.1 \sin\left(2\pi t + \frac{\pi}{3}\right)$.

The answer is the red curve. It is derived is below

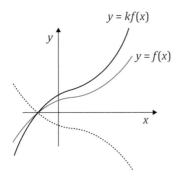

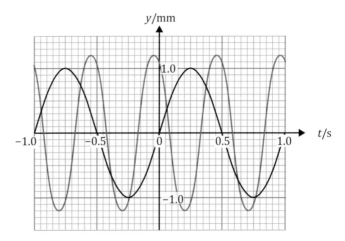

Fig 6.16

Fig 6.13

Pointer

Suppose $f(x) = 2x^2 - x$. Then, $f(x + 3) = 2(x + 3)^2 - (x + 3)$, i.e. x is replaced by $(x + 3)$, wherever it appears.

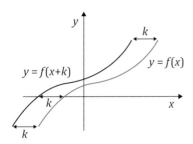

Fig 6.14

quickfire》》 6.15

Sketch and compare the functions from $x = -2$ to $+2$: $y = x^3$, $y = (x - 1)^3$, $y = (-2x)^3$

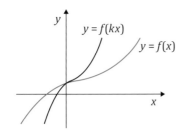

Fig 6.15

Taking it in parts:

1   Multiply the πt by 2: the graph is compressed by a factor of 2.

2   Move the graph to the left. By how much? We'll re-write $2\pi t + \frac{\pi}{3}$ as $2\pi\left(t + \frac{1}{6}\right)$, so the graph moves to the left by $\frac{1}{6}$ s, i.e. 0.167 s.

3   Multiply the function by 1.1: The graph expands vertically.

This process is shown sequentially in Figure 6.17 (though without axes and scales). Does the order of operations matter? Sliding the graph (to the left) must come after the $\pi t \rightarrow 2\pi t$ transformation; the others can come in any order.

$$y = \sin \pi t \qquad\qquad y = \sin 2\pi t$$

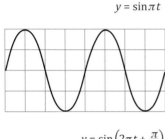 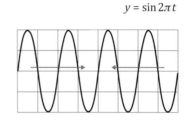

$$y = \sin\left(2\pi t + \frac{\pi}{3}\right) \qquad\qquad y = 1.1\sin\left(2\pi t + \frac{\pi}{3}\right)$$

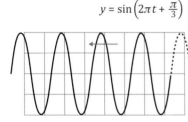 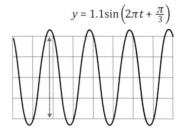

Fig 6.17

quickfire ⟫ **6.16**

Sketch the graph of the function
$$y = 2\sin\left(\frac{4}{3}\pi t - \frac{2\pi}{3}\right) + 1.$$
In what order must you add 1 and multiply by 2?

6.7.2 Systematic function sketching

(a) The Domain

This is the first thing to be established. The pointer explains the mathematical meaning of the **domain** of a function. The actual domain in its physics application may be restricted. For example, the gravitational field strength, g, outside a spherically symmetric body of mass M is given by:

$$g(r) = -\frac{GM}{r^2}.$$

Mathematically, the domain of g is all the real numbers except zero but physically it is only valid for positive values of $r > a$, where a is the radius of the body.

Pointer

The **domain** of a function, $f(x)$ is the set of values, x, for which the function is defined.

For example, $g(x) = 2x + 3$ is defined for all values of x.

However, $h(x) = \frac{1}{x - 1}$ is undefined when $x = 1$ because we cannot divide by 0. So its domain is: *all the real numbers apart from 1*.

(b) Zeroes

Does the function have the value zero anywhere? If so, find them.

- $f(x) = x^2 + 4$, which has a minimum value of 4, has no zeros
- $g(x) = x^2 - 4$ is zero when $x = \pm 2$
- $h(t) = 2\cos \pi t + 2$ is zero when $t = \dots -3, -1, 1, 3, 5 \dots$

A fraction, e.g. $\frac{x^2 - 4}{x^2 + 4}$, is zero when the numerator is zero, ie. $x = \pm 2$ (but not necessarily if the denominator is also zero at that point).

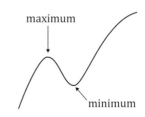

maximum

minimum

Fig 6.18

6.17

Find and identify the turning points of the function:

$$f(x) = x^3 + 6x^2 - 15x$$

quickfire 6.18

The function in QF 6.17 has one point of inflexion. Find its co-ordinates.

Pointer

Often it is unnecessary to find $f''(x)$ as the nature of the turning point is obvious, e.g. in a cubic function.

(c) Turning points

The function in Figure 6.18 has two turning points: a maximum and a minimum. If we can find their locations, it will help in understanding the shape of the graph. Note that 'maximum' doesn't mean that the value of the function is the greatest possible, just that the graph climbs to a peak and then drops at that point: it is a local maximum.

The way to pin down any turning points is to differentiate. The variation of the gradient of $f(x)$, i.e. $f'(x)$, around a maximum is shown in Figure 6.19.

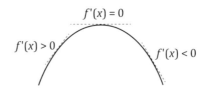

Fig 6.19

The gradient is zero at the turning point, so differentiating, putting $f'(x) = 0$, and solving the resulting equation will pin it down. But $f'(x) = 0$ at a minimum as well as a maximum, so we'll need to look at the way that $f'(x)$ changes on either side of the turning point.

The value of $f'(x)$ decreases through the maximum in Figure 6.19, so $f''(x) < 0$. You should be able to show that, at a minimum, $f''(x) > 0$.

Summary:

- For a maximum, $f'(x) = 0$ and $f''(x) < 0$
- For a minimum, $f'(x) = 0$ and $f''(x) > 0$

(d) Points of inflexion

At point I, in Figure 6.20, the gradient changes from decreasing to increasing, i.e. it changes its curvature from downwards to upwards. This point (or one with an opposite change) is called a point of inflexion (or inflection) and is often a significant point in a function at which $f''(x) = 0$.

Fig 6.20

(e) Value of f at large distances or times

This is significant if the domain of the function extends to ∞. Very frequently in physics a function tends to zero at large distances or times. The following functions are typical:

- $f(r) = \dfrac{k}{r}$ or $f(r) = \dfrac{k}{r^2}$, e.g. in electric and gravitational field theory
- $f(t) = Ae^{-\lambda t}$, e.g in capacitor discharge or radioactive decay

However, consider the following function: $V(t) = V_0(1 - e^{-\lambda t})$, which gives the variation of pd with t for a charging capacitor. The $e^{-\lambda t} \to 0$, so the term in the brackets $\to 1$, so $V \to V_0$ as $t \to \infty$.

Example:

Consider $f(x) = \dfrac{x + 1}{x - 1}$.

As $x \to \infty$, we can forget about the ± 1 terms in the fraction, as they will be overwhelmed by x.

So as $x \to \infty, f(x) \to \dfrac{x}{x} = 1$.

Alternatively, if we divide the top and bottom by x we can write:

$f(x) = \dfrac{1 + \frac{1}{x}}{1 - \frac{1}{x}}$, and the $\frac{1}{x}$ terms disappear as x gets very large, leading to the same conclusion.

Example E:

The van der Waal's potential energy function, $E(r)$ for a pair of neutral atoms can be approximated by the so called 6–12 function:

$$E(r) = 4\varepsilon\left[\left(\frac{\sigma}{r}\right)^{12} - \left(\frac{\sigma}{r}\right)^{6}\right],$$

where ε and σ are positive constants. Sketch this function.

The **domain** is all positive values of r but is undefined for $r = 0$.

Zero: $E = 0$ when $\left(\frac{\sigma}{r}\right)^{12} = \left(\frac{\sigma}{r}\right)^{6}$, $\therefore r^6 = \sigma^6$, i.e. $r = \sigma$.

Note that $r = -\sigma$ is not a solution because E is only defined for $x > 0$, there is only 1 zero.

Turning point: $\dfrac{dE}{dr} = -4\varepsilon\left[\dfrac{12\sigma^{12}}{r^{13}} - \dfrac{6\sigma^6}{r^7}\right]$

∴ Turning point when $\left[\dfrac{12\sigma^{12}}{r^{13}} - \dfrac{6\sigma^6}{r^7}\right] = 0$ which gives $r = \sqrt[6]{2}\,\sigma \approx 1.12\sigma$.

Substituting this value $\rightarrow E = -\varepsilon$.

Point of inflexion: $\dfrac{d^2E}{dr^2} = 4\varepsilon\left[\dfrac{12 \times 13\sigma^{12}}{r^{14}} - \dfrac{6 \times 7\sigma^6}{r^8}\right]$, which is 0 when $r = \sqrt[6]{\dfrac{26}{7}}\,\sigma$ so $r \approx 1.24\sigma$

General shape: $E < 0$ for $r > \sigma$, and $E \rightarrow 0$ as $r \rightarrow \infty$. $E \rightarrow \infty$ and $r \rightarrow 0$. See Figure 6.21 for the graph.

The graph shows that σ is the closest distance of approach for a pair of atoms colliding with a low kinetic energy. The distance 1.12σ is the equilibrium distance for a pair of van-der-Waal's bonded atoms. The bond energy is ε.

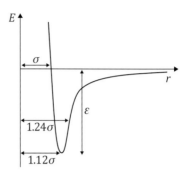

Fig 6.21 The 6–12 potential

quickfire》》 6.19

The interatomic force, F, is given by
$$F = -\dfrac{dE}{dr}$$
Sketch $F(r)$ for the 6–12 potential using the working in Example D as the method.

🔖 **Terms & definitions**

A function **converges** to a line if it gets closer and closer to the line; and for any distance of separation, ε, we specify, we can find a point beyond which the separation is always less than ε.

6.7.3 Asymptotes

Sometimes the graph of a function converges on a defined line. We touched on this in Section 6.7.2(e): the graphs converged on the horizontal axis or the horizontal line $V = V_0$. This defined line is called an asymptote; the function is said to **converge** asymptotically to the line. Many asymptotes are straight lines and we shall concentrate on these.

(a) Horizontal asymptotes

The examples in Section 6.7.2(e) are horizontal asymptotes. We'll come back to functions containing an exponential decay ($e^{-\lambda t}$ or $e^{-\lambda x}$) term later.

We'll develop a few **rational** functions [see Terms & definitions] based upon the second order polynomial $Q(x) = x^2 + x + 1$.

- $f(x) = \dfrac{1}{Q(x)}$. The function is defined for all real values of x because Q is never zero (it is always > 0). As x becomes very large, either positive or negative, Q becomes larger and larger without limit. Hence $f(x) \rightarrow 0$ as $x \rightarrow \pm\infty$ and the graph converges asymptotically on the x-axis. This is clearly also true if the numerator is replaced by any positive constant.

- $g(x) = \dfrac{x}{Q(x)}$. Clearly $g(0) = 0$ and $g < 0$ when for negative values of x. As $x \rightarrow \infty$, the x and 1 terms in Q become very small compared to the x^2 term, so as $x \rightarrow \infty$, $g \rightarrow \dfrac{x}{x^2} = \dfrac{1}{x} \rightarrow 0$. So g also converges to the x axis – from below for negative x and from above for positive x.

- $h(x) = \dfrac{x^2}{Q(x)}$. As with f, $h > 0$, $\forall x$ and like g, $h(0) = 0$.
  Using the same technique as for $g(x)$, as $x \rightarrow \infty$, $h \rightarrow \dfrac{x^2}{x^2} = 1$, i.e. the asymptote is $y = 1$.

Finding the turning points and points of inflection is left for Test Yourself 6.3. Example F sketches one of these functions.

🔖 **Terms & definitions**

Rational functions are those of the form $\dfrac{P(x)}{Q(x)}$, where P and Q are polynomials.

quickfire》》 6.20

$F(z) = \dfrac{1}{z^2 + z + 1}$ is not defined for all complex numbers. Find two complex numbers, z, which make the denominator zero.

quickfire》》 6.21

(a) Show that $f(x)$, $g(x)$ and $h(x)$ all pass through the point $(1, \frac{1}{3})$.
(b) Find another point of intersection for $f(x)$ and $h(x)$.

quickfire》》 6.22

For the function $f(x)$:
(a) Find and identify the turning point.
(b) Find the points of inflexion.

Example F:

Sketch the function $g(x)$

First we note, from above that $g(0) = 0$, that $g < 0 \,\forall x < 0$ and that it converges asymptotically to the x-axis as x tends to ∞.

We next differentiate to find the turning points:
$$f'(x) = \dfrac{d}{dx}\left[\dfrac{x}{x^2 + x + 1}\right] = \dfrac{(x^2 + x + 1) - x(2x + 1)}{(x^2 + x + 1)^2} = \dfrac{1 - x^2}{(x^2 + x + 1)^2}$$
The denominator is never zero, so $f'(x) = 0$ when $1 - x^2 = 0$, i.e. when $x = \pm 1$.

Calculating the values of f for $x = \pm 1$: $f(1) = \frac{1}{3}$ and $f(-1) = -1$.

∴ The only turning points are at $(-1, -1)$ and $\left(1, \frac{1}{3}\right)$.

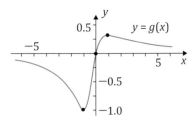

Fig 6.22

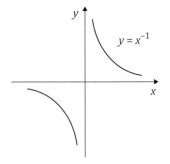

Fig 6.23

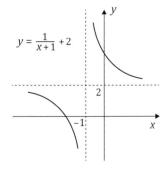

Fig 6.24

Pointer

Unless $a = b$ we can write any function $\dfrac{1}{(x + a)(x + b)}$

in the form $\dfrac{A}{(x + a)} + \dfrac{B}{(x + b)}$
This is often useful, especially in integration.

quickfire 6.23

Show that

$$\frac{3}{(x + 1)(x - 2)} = \frac{1}{(x - 2)} - \frac{1}{(x + 1)}$$

We could differentiate again to distinguish which of these is a maximum and which a minimum, but (see Figure 6. 22) given that the function passes through the 3 points indicated, that $(-1, -1)$ is a minimum and $\left(1, \frac{1}{3}\right)$ a maximum and that it converges to the x-axis, the graph must be as shown.

Using the analysis of functions f, g and h as a guide, the following are general results for rational functions

$$\frac{a_n x^n + a_{n-1} x^{n-1} + \dots}{b_m x^m + b_{m-1} x^{m-1} + \dots}$$

1   If $n < m$, the function converges asymptotically to the x-axis as $x \to \infty$

2   If $n = m$, the function converges to $\dfrac{a_n}{b_m}$ as $x \to \pm\infty$.

(b) Vertical asymptotes

The familiar function $f(x) = \dfrac{1}{x}$ is sketched in Figure 6.23. It has both a horizontal asymptote (the x-axis) and a vertical asymptote (the y-axis). The latter arises because $x^{-1} \to \infty$ as $x \to 0$. If a rational function has a denominator which can become zero for some value of x, will be undefined and have a vertical asymptote at that value of x.

If we apply a transformation to f, say by $x \to x + 1$ and adding 2, so we plot $f(x + 1) + 2$, we preserve the form of the graph and just move vertical asymptote by -1 and the horizontal asymptote by $+ 2$ as in Figure 6.24.

Functions of this form often arise in physics in the context of electric and gravitational fields due to spherically symmetric charges and masses:

Electric potential, $V = \dfrac{Q}{4\pi\varepsilon_0 r}$; gravitational potential, $V_g = -\dfrac{GM}{r}$

We'll come back to these functions in Section 6.7.3 but first we'll have a look at the basic principles. Considering a specific example will illustrate the general procedure.

Consider the function $f(x) = \dfrac{3}{x^2 - x - 2}$.

The denominator factorises to $(x + 1)(x - 2)$, $\therefore f(x) = \dfrac{3}{(x + 1)(x - 2)}$.

We can immediately see the following:

- The denominator has zeros at $x = 2$ and -1, so f will be undefined here and these will be the asymptotes.

- For the interval $-1 < x < 2$, the denominator is negative, so $f(x) < 0$. Outside this interval $f(x) > 0$.

- As $x \to \pm\infty$, $f(x) \to 0$.

We conclude that the shape of the graph is as shown in Figure 6.25.

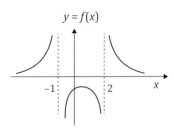

$y = f(x)$

Fig 6.25

It remains to find the turning point. This is easier to do if we write $f(x)$ as:

$$f(x) = \frac{1}{x - 2} - \frac{1}{x + 1}$$

(see Pointer and Quickfire 6.21)

Differentiating: $f'(x) = -\dfrac{1}{(x-2)^2} + \dfrac{1}{(x+1)^2}$, which we can express as:

$f'(x) = \dfrac{-(x+1)^2 + (x-2)^2}{(x-2)^2(x+1)^2}$. This is zero when $-(x+1)^2 + (x-2)^2 = 0$.

Expanding the brackets, $-x^2 - 2x - 1 + x^2 - 4x + 4 = 0$, $\therefore -6x + 3 = 0$

$\therefore$ There is only one turning point which is when $x = \frac{1}{2}$: half way between the asymptotes. The value of f can be easily calculated as $-\frac{4}{3}$, i.e. the turning point is $\left(\frac{1}{2}, -\frac{4}{3}\right)$. As $f(x) < 0$ between the asymptotes, this must be a maximum.

6.7.4 Electric and gravitational fields

Consider a pair of point charges, Q and $-2Q$, placed at $x = 0$ and d as shown:

$$\dashrightarrow \quad \underset{0}{\overset{Q}{\bullet}} \qquad \underset{d}{\overset{-2Q}{\bullet}} \qquad \xrightarrow{\quad} x$$

We'll examine the electric potential $V(x)$ at points on the x axis. The potential due to a point charge depends only on the (scalar) distance from the charge and not the direction, so the formula for V is:

$$V(x) = \frac{Q}{4\pi\varepsilon_0|x|} + \frac{(-2Q)}{4\pi\varepsilon_0|x-d|} \qquad \text{(see Pointer)},$$

To ease the algebra, we'll define the variable $v = \dfrac{4\pi\varepsilon_0 V}{Q}$, so

$$v(x) = \frac{1}{|x|} - \frac{2}{|x-d|}$$

There are clearly vertical asymptotes at $x = 0$ and $x = d$, v is negative for large values of $|x|$ and $v \to 0$ as $x \to \pm\infty$

Because x and $x - d$ change signs at $x = 0$ and $x = d$ respectively, we need to consider three separate domains of x:

So, for $x > d$ $\qquad v(x) = \dfrac{1}{x} - \dfrac{2}{x-d}$

for $0 < x < d$ $\qquad v(x) = \dfrac{1}{x} - \dfrac{2}{-(x-d)} = \dfrac{1}{x} + \dfrac{2}{x-d}$

for $x < 0$ $\qquad v(x) = \dfrac{1}{-x} - \dfrac{2}{-(x-d)} = -\dfrac{1}{x} + \dfrac{2}{x-d}$

Note that the formula for $x < 0$ is the same as for $x > d$ but with a change of sign.

For $x < 0$: $\quad v = 0$ when $\dfrac{1}{x} = \dfrac{2}{x-d}$. $\therefore x - d = 2x$, $\therefore x = -d$

$\dfrac{dv}{dx} = \dfrac{1}{x^2} - \dfrac{2}{(x-d)^2}$, so $\dfrac{dv}{dx} = 0$ when $(x-d)^2 = 2x^2$ which simplifies to $x - d = \sqrt{2}x$,

$\therefore x = \dfrac{-d}{\sqrt{2}-1}$ $\qquad$ (see Pointer).

So, in this region: v is large and positive for very small values of x, there is a zero at $x = -d$ a turning point and $v \to 0$ as $x \to -\infty$. The value of v at the turning point is left for Test Yourself 6.3.

$0 < x < d$: $\quad v = 0$ when $x - d = -2x$, $\therefore x = \dfrac{d}{3}$, $\dfrac{dv}{dx} = -\dfrac{1}{x^2} - \dfrac{2}{(x-d)^2}$ which is always < 0, so there are no turning points between $x = 0$ and $x = d$.

Is there a point of inflexion?

$\dfrac{d^2v}{dx^2} = \dfrac{2}{x^3} + \dfrac{2}{(x-d)^3}$, $\therefore \dfrac{d^2v}{dx^2} = 0$ when $2x^3 = -(x-d)^3$

$\therefore \sqrt[3]{2}x = -x + d$ leading to $x = \dfrac{d}{1+\sqrt[3]{2}} \sim 0.44d$

Pointer

The rational function $\dfrac{P(x)}{Q(x)}$ is zero when $P(x) = 0$ unless $Q(x) = 0$ for the same value of x.

Pointer

The symbol $|x|$ is the **modulus** of x. It means the absolute value, so:
$$|-3| = |3| = 3.$$
If $x > 0$ $\qquad |x| = x$
If $x < 0$ $\qquad |x| = -x$

quickfire ≫ 6.24

For $x = -3, -1, 1$ and 3, write down the values of:
(a) $|x - 2|$
(b) $|x + 2|$

quickfire ≫ 6.25

Suggest a unit for v.

Pointer

When we take the square root of $(x - d)^2 = 2x^2$, we can ignore the solution $x - d = -\sqrt{2}x$, because this leads to $x = \dfrac{d}{\sqrt{2}+1}$.
But we are considering $x < 0$, so this is not a valid solution.

quickfire ≫ 6.26

Differentiate the equations for $v(x)$ in the three regions to give $e(x)$ which is proportional to the electric intensity.

Pointer

The solution $x = \dfrac{-d}{\sqrt{2}-1}$ is invalid because this requires $x < 0$.

The solution $x = \dfrac{d}{\sqrt{2}+1}$ is invalid because this requires $x < d$.

$x > d$: As for $x < 0$, the formula gives $v = 0$ when $x = -d$ which is invalid for $x > d$.

Similarly we find that $\dfrac{dv}{dx} \neq 0$, for any values of $x > d$ (see Pointer).

The graph of v against x is given in Figure 6.26 superimposed upon a sketch of the electric field pattern.

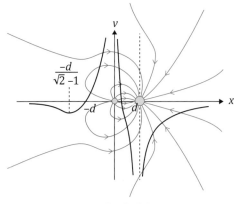

Fig 6.26

In interpreting the diagram, note that the graph:

- is of the electric potential and not the field intensity and
- relates to the potential along the axis only.

The following features are of interest:

1 The graph of v against t is steepest where the lines are most concentrated, around $x = 0$ and d.

2 The minimum of v is where the field is locally weakest.

3 The value of v increases as we move against the direction of the electric field lines.

All these are expected because, by definition, $E = -\dfrac{dV}{dx}$.

quickfire 6.27

Use your answers to QF 6.26 to sketch a graph of the variation of E with position along the x axis.

quickfire 6.28

The masses of the bodies in a double planet system are $2M$ and M.

Sketch a graph of the variation of gravitational potential with position along the axis joining the bodies.

Use $V_g = \dfrac{GM}{|x|}$

6.7.5 Exponential functions

We met the exponential function, e^x, in Chapter 4. It usually arises in physics in the context of decay rather than a growth and occurs whenever the rate of change of a function is directly proportional to its value and negative (see Section 11.2) e.g. in capacitor discharge or radioactive decay. So a typical function is $f(t) = Ae^{-\lambda t}$, where λ is a positive constant, with dimensions of T^{-1}, called the decay constant.

The characteristic features of the exponential function are:

1 It is always positive.

2 It has no turning points or points of inflexion.

3 The time taken to drop by a specific fraction is always the same, e.g. there is a characteristic half-life (see Figure 6.27).

Pointer

The exponential function can be written either $\exp(x)$ or e^x. As pointed out in Chapter 4, these are identical.

Pointer

The independent variable in exponential decay is usually time, e.g. $y = Ae^{-\lambda t}$. It can also be distance as in $I = I_0 e^{-\mu x}$ in gamma ray attenuation.

quickfire 6.29

The half-life of a radioactive nuclide is 2.0×10^6 years. What is its 'tenth-life', i.e. the time taken for the activity to drop to one tenth?

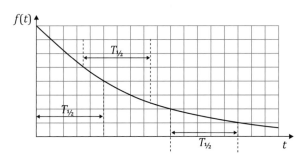

Fig 6.27

The function is modified if the decaying quantity is subject to a driving function (see Section 11.2). Example B in Section 11.2 derives the result for the variation in the number of a radioactive nuclide, which is itself produced by a decaying nuclide (see Pointer). An interesting case arises if the decay constant of the second nuclide has the same decay constant, λ, as the first. In this case, $N_2 = \lambda N_0 t e^{-\lambda t}$ (this is derived in Section 13.5) and we'll examine this function in Example G.

Example G:

Sketch the function $N(t) = \lambda N_0 t e^{-\lambda t}$.

Applying the usual steps:

1    $N(0) = \lambda N_0 \times 0 e^{-0} = 0$

2    $N(t) \to 0$ as $t \to \infty$. The exponential decay wins over the linear function.

3   Differentiating: $N'(t) = \lambda N_0(e^{-\lambda t} - \lambda t e^{-\lambda t}) = \lambda N_0(1 - \lambda t)e^{-\lambda t}$

   $\therefore N'(0) = \lambda N_0$ – this is reassuring as it is the initial rate of production of N.

4   Turning points when $N'(t) = 0$, i.e. $\lambda N_0(1 - \lambda t)e^{-\lambda t} = 0$.

   $e^{-\lambda t}$ is never 0, $\therefore 1 - \lambda t = 0$, i.e. $t = \dfrac{1}{\lambda}$. So there is only one turning point, which must be a maximum as $N(0) = 0$, $N > 0 \,\forall t$ and $N \to 0$ as $t \to \infty$.

5   The value of N at the turning point, i.e. $\lambda t = 1$, is $N_0 e^{-1}$.

6   The point of inflexion is at $t = \dfrac{2}{\lambda}$ (see Quickfire 6.30).

Thus the graph of N against t is of the form given in Figure 6.28.

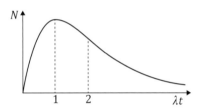

Fig 6.28

6.7.6 Lightly damped oscillations

In Chapters 11 and 12 we note that lightly damped systems undergo oscillations in which the displacement x varies with time as $x(t) = Ae^{-\lambda t}\cos(\omega t + \varepsilon)$, for t between 0 and ∞, where λ is a positive constant. In this domain, $Ae^{-\lambda t}$ is never zero, so the zeros of x are identical to those of $\cos \omega t$, i.e. at $t = \dfrac{\left(n + \frac{1}{2}\right)\pi - \varepsilon}{\omega}$, for $n = 0, 1, 2 \ldots$

So, if $\omega = 0.2\pi$ rad s^{-1} and $\varepsilon = 0$ the zeros are 2.5 s, 7.5 s, 12.5 s … .

The red graph in Figure 6.29 shows the effect of this oscillation for $\lambda = 0.05$ s^{-1}.

An examination of the position of the turning points is left for Test Yourself 6.3.

Pointer

Radioactive decay series:

1st nuclide: decay constant λ

$$N_1(t) = N_0 e^{-\lambda t}$$

where N_0 = initial number of nuclei.

2nd nuclide: decay constant μ

$$N_2(t) = \frac{N_0 \lambda}{\mu - \lambda}[e^{-\lambda t} - e^{-\mu t}]$$

Pointer

For a decay series with of three radio-nuclides all with the same decay constant, the variation of the 3rd daughter nuclide with time is proportional to $t^2 e^{-\lambda t}$. This is analysed in Test yourself 6.3

quickfire 6.30

For Example F:
(a) Differentiate N' to find $N''(t)$.
(b) Use N'' to confirm that the turning point is a maximum.
(c) Locate the point of inflexion.

Pointer

The horizontal axis in Figure 6.28 is λt rather than t. With this axis the form of the graph is independent of the value of λ.

Pointer

The lightly damped oscillation is a sinusoid, the amplitude of which decreases exponentially. When sketching this function it needs to be remembered that the period of the oscillations, e.g. the time between successive peaks, remains constant. In Figure 6.29 this period is 10 s.

quickfire 6.31

A damped oscillation decays with a half-life of 6 seconds. The period of the **damped** oscillation is 4 seconds. Sketch the oscillation over a time of 12 seconds.

Pointer

In damped oscillations, the zeros are at the same time as in undamped oscillations. The peaks, however, are slightly earlier than in the undamped case: they are still separated by the same time, the period.

See Test Yourself 6.3 for a calculation of this time shift.

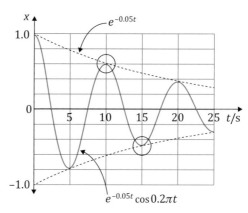

Fig 6.29

Test Yourself 6.3

❶ The x, y grid shows a function $y = f(x)$ which is defined upon the domain $-\infty, +\infty$. $f(x) = 0$ outside the domain $0 < x < 7$.

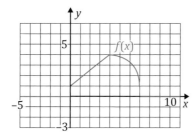

Consider the part of $f(x)$ between $x = 0$ and $x = 7$. Using a suitable graph grid, sketch the following functions for this domain of $f(x)$.

(a) $f(-x)$ (b) $-f(-x)$ (c) $f(2x)$

(d) $1.5f\left(\dfrac{x}{2}\right)$ (e) $-2f(x) + 6$ (f) $f(2x + 8)$

❷ For the function $f(x)$ in question 1, over what domain is the function f^{-1} defined?

❸ Using the same set of axes, sketch the graphs

(a) $y = x^2$ (b) $y = (x + 2)^2$ (c) $y = x^2 + (x + 2)^2$.

❹ A function $g(x)$ is defined by $g(x) = x^2 + 0.2$ for all real values of x.

(a) Describe qualitatively the how g varies with x.

(b) Find the position and nature of the turning point.

❺ A scientist models a *potential well*, which is a description of the potential energy of a confined particle, using the function $V(x) = \dfrac{1}{g(x)}$, where $g(x)$ is as defined in question 4.

(a) (i) Use your answers to 4(b) to find the turning point and determine its nature.

(ii) Find the positions of the points of inflexion of the potential function, V, and any asymptotes.

(iii) Sketch a graph of V.

(b) A more complicated potential well, $W(x)$ with two centres of attraction, is modelled by $W(x) = V(x) + V(x - 2)$. On the same axes, sketch $V(x)$, $V(x - 2)$ and $W(x)$.

❻ Use $F = -\dfrac{dW}{dx}$ to sketch a graph of force, F, against position for a particle in the potential well, W.

7 Sketch a graph of the function $y = \dfrac{1}{x-5} + \dfrac{1}{x+1}$, identifying features of interest.

8 Write the function $\dfrac{3x}{x^2 - x - 2}$ in the form $\dfrac{A}{x-2} + \dfrac{B}{x+1}$ and sketch the function.

9 A particle of charge $-Q$ is placed at $(-d, 0)$. A second particle of charge $+Q$ is placed at $(d, 0)$. How does a graph of the electric potential, V, against position, x, compare to those of the functions in questions 7 and 8?

10 A radioactive nuclide has decay constant λ. It is produced as part of a radioactive decay series at the rate $2kte^{-\lambda t}$. The number of nuclei of this nuclide, N, satisfies the differential equation

$$\frac{\mathrm{d}N}{\mathrm{d}t} + \lambda N = 2kte^{-\lambda t}, \text{ with } N(0) = 0$$

    (a) Assuming a particular integral of the form $N = (a + bt + ct^2)e^{-\lambda t}$ find the values of a, b and c (Hint, see Section 13.5) and solve the differential equation.

    (b) Sketch a graph of the function $N(t)$.

11 A body undergoes damped oscillatory motion along the x-axis. The variation of position with time is given by $x(t) = Ae^{-\lambda t}\sin\omega t$

    (a) State the time interval between successive zeros of x

    (b) Find the amplitude of the oscillation at time $t = \dfrac{5}{\lambda}$

    (c) By differentiating the equation for x, find an expression for the velocity of the body as a function of time.

    (d) Express $v(t)$ in the form $v(t) = v_0 e^{-\lambda t}\cos(\omega t + \varepsilon)$ [Hint: see Section 5.9]

    (e) Find the fractional energy loss per cycle of oscillation.

12 The red graph is of the function $x = Ae^{-\lambda t}\cos\omega t$. The pecked lines are $x = \pm Ae^{-\lambda t}$.

Using the same scales, sketch graphs of the following functions:

    (a) $x = Ae^{-\lambda t}\cos 2\omega t$

    (b) $x = Ae^{-2\lambda t}\cos\omega t$

    (c) $x = Ae^{-\lambda t}\sin\omega t$

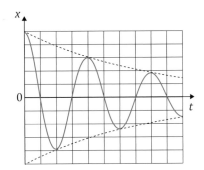

13 Find the time shift of the maxima and minima in Fig 6.29.

14 For the function $h(x)$ in Section 6.7.3:

    (a) locate and identify the nature of the turning points

    (b) given that the function has a point of inflexion at $x = 1$, find the x values of the other points of inflexion.

15 For the function $v(x)$ in Section 6.7.4 find the value of v at the turning point.

Chapter 7

Vectors

7.1 Introduction

Many physical quantities, such as force and motion, are directional. We refer to them as *vector quantities*, or just vectors. Quantities with no direction, such as mass or volume are *scalars*. The rules for handling vectors are different from those that apply to scalars: a force of 3 N and a force of 4 N might combine to give a force of 7 N, or 1 N or anything in between, depending on the directions of the forces. A vector quantity has a magnitude [i.e. a number × a unit] and a direction, e.g.

- a force of 55 N vertically upwards

- an acceleration of 3 m s^{-2} northwards.

We distinguish between vectors and scalars by writing vectors in **bold** letters, e.g. **F**, **v**, unlike scalars, which will be non-bold *italic* as before, e.g. *m*, *V*. In handwriting you can use a wavy line under a letter, e.g. F̰ or v̰. This wavy line is just a printer's mark for a bold letter. The magnitude of a vector quantity is the non-bold italic letter, *F* or *v*.

In diagrams we show vectors as arrows. Sometimes vector diagrams are drawn to scale, in which case the length of the arrow is used to represent the magnitude of the vector. Vectors can have any orientation in 3-dimensional space, though many examples in A-level Physics make use of only one or two spatial dimensions, which makes diagrammatic representation useful.

Before we have a look at the mathematics of combining vector quantities, we need to establish a basic rule for multiplying vectors by scalars:

For any vector, **a**, the vector 2**a** has twice the magnitude and is **in the same direction**. Similarly the vector $\frac{1}{5}$**a** is one fifth as big and in the same direction.

The vector −2**a** is twice as big as **a** and **in the opposite direction**.

e.g. **F** = *m***a**. The equation has two aspects:

1. *F* = *ma*, i.e. the magnitude of **F** = *m* × the magnitude of **a**.

2. The direction of **F** is the same as that of **a**.

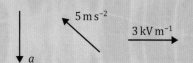

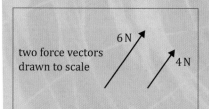

two force vectors drawn to scale

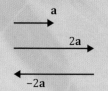

7.2 Adding vectors

7.2.1 Triangles and parallelograms

The diagram shows two vectors, **u** and **v**. The grid is drawn to enable you to follow the addition process and copy it using graph paper. Assuming that the two vectors are of the same type, e.g. two velocities or two forces, we ask what is their combined effect. We call this the *resultant* and write the process as:

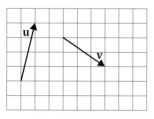

$$R = u + v.$$

The next two diagrams show two ways of finding the resultant vector.

Notice that in both methods, the positions of the two vectors, **u** and **v**, are changed in order to add them up. The vectors' positions on the diagrams don't necessarily correspond to their

quickfire》》 7.1

v = 35 m s⁻¹ northeast. What is −10**v**?

position in the physical problem – the same goes for the resultant, **R.** The two methods give the same answer and which you use is a matter of taste.

Example A illustrates the two approaches for a simple case.

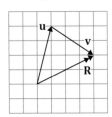 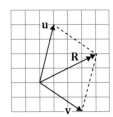

Example A:

Two forces are applied at 90° to each other as shown. What is their resultant?

The two approaches give these diagrams:

From the right-angled triangle:

$R = \sqrt{100^2 + 80^2} = 128$ N

and $\phi = \tan^{-1}\left(\dfrac{80}{100}\right) = 38.7°$

 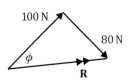 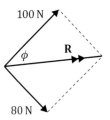

So the resultant is 128 N at an angle of 38.7° below the 100 N force [or 6.3° above the horizontal].

Clearly, R, the magnitude of **R,** can never be greater than $u + v$.

Some special cases:

(a) The two vectors are in **the same direction**:

The magnitudes of the vectors add up, i.e.

$R = u + v$.

The direction is unchanged.

(b) The vectors are in **opposite directions**:

$R = |u - v|$, i.e. the positive difference

The direction of **R** is that of the larger of **u** and **v**.

(c) The vectors are at **right angles**:

The magnitude, R, of the resultant of **u** and **v** (using Pythagoras' theorem) is:

$R = \sqrt{u^2 + v^2}$

The angle θ is given by $\tan\theta = \dfrac{v}{u}$, so we can express the resultant vector, **R** by:

R $= \sqrt{u^2 + v^2}$ at $\tan^{-1}\dfrac{v}{u}$ to the vector **u.**

(d) Two vectors of equal magnitude at 120°.

Because of the angle and the fact that u and v are equal, the two triangles are equilateral. So

$R = u = v$

The direction of R is 60° to **u.**

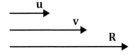
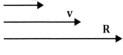

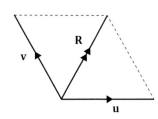

> **Pointer**
>
> Energy is a scalar but potential energy can be either + or −.

> **quickpire** 7.2
>
> Identify the vectors and scalars from: velocity, density, length, momentum, pressure

> **Pointer**
>
> Velocity is a vector – its magnitude is speed.

> **Pointer**
>
> Distance is the magnitude of displacement.

> **quickpire** 7.3
>
> $u = 10\,\text{m s}^{-1}$ due North; $v = 4\,\text{m s}^{-1}$ due South. What is **u** + **v**?

To find the resultant of two vectors at an arbitrary angle to each other, we need to apply the cosine and sine rules [see Sections 5.7.1 and 5.7.2]. Example B shows the method using a specific example. There is no point in learning a general formula.

quickfire 7.4

Find the resultant of 5 N and 12 N if

(a) the forces are in the same direction,

(b) the forces are in opposite directions,

(c) the forces are at right angles.

quickfire 7.5

Find the resultant force.

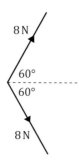

quickfire 7.6

Repeat QF 7.5 if the angles are both 30°.

quickfire 7.7

The forces are in equilibrium. Use the triangle of forces to find *T* and *F*.

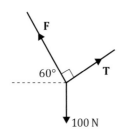

quickfire 7.8

The forces are in equilibrium. Find **F** and **R**.

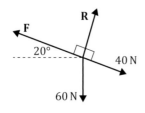

Example B:

Find the resultant, **R**, of the vectors shown.

Working: consider the triangle △ABC:

Side BC = 15 N

Angle $\hat{C}$ = 120°

Applying the cosine rule:

$$R^2 = 10^2 + 15^2 - (2 \times 10 \times 15 \cos 120°)$$

∴ R = 21.8 N to 3 s.f.

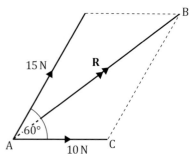

Apply the sine rule to find $\hat{A}$: $\dfrac{\sin \hat{A}}{15} = \dfrac{\sin 120°}{21.8}$, ∴ $\hat{A} = \sin^{-1}\left(\dfrac{15 \times \sin 120°}{21.8}\right) = 36.6°$

Answer: The resultant is 21.8 N at an angle of 36.6° to the 10 N force.

7.2.2 Statics – forces in equilibrium

In many practical situations the forces on an object combine to give a zero resultant, so the object is either stationary or moving at a constant velocity, e.g. a stationary building or a skydiver at terminal velocity. The object, and the forces, are said to be *in equilibrium*.

Consider the system of three forces acting on a particle O. Under what conditions would they be in equilibrium?

In equilibrium:

$$\mathbf{F}_1 + \mathbf{F}_2 + \mathbf{F}_3 = 0 \qquad (1)$$

If we use the head-to-tail method of vector addition, this means that the three forces must combine to give a closed triangle. This is known as the *triangle of forces*.

Another way of looking at the problem is to re-arrange equation (1) to give:

$$\mathbf{F}_3 = - (\mathbf{F}_1 + \mathbf{F}_2) \qquad (2)$$

i.e. **F**₃ is minus the resultant of **F**₁ and **F**₂.
Alternatively $\mathbf{F}_2 = - (\mathbf{F}_1 + \mathbf{F}_3)$ etc.

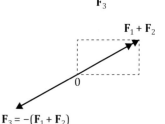

Example C:

A ball of mass 10 kg is suspended from a wire. What horizontal force will pull the ball to one side so the wire makes an angle of 30° to the vertical?

On the diagram, **W** is the weight of the ball (98.1 N) and **T** is the tension in the wire.

Drawing a triangle of forces: $\tan 30° = \dfrac{F}{98.1}$

∴ $F = 56.6$ N

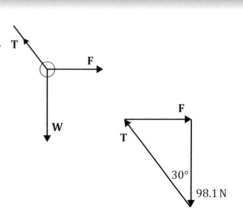

The two diagrams in Example C are referred to as the *space diagram*, which shows the physical arrangement of the forces, and the *force diagram*, which is for calculating the equilibrium conditions. In this case, it is much easier to solve the problem using the triangle of forces than applying the parallelogram rule.

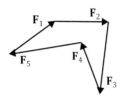

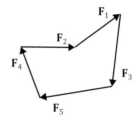

quickfire»» 7.9

The forces are in equilibrium. Find *T* and θ.

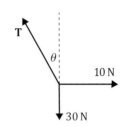

We can use the same idea for the case when a particle is in equilibrium under the action of more than three forces, in which case, the figure is called the *polygon of forces*. The diagrams above illustrate a system of five forces in equilibrium. Note that the order of the forces in the polygon is not significant but it is more convenient to drawn them so the arrows do not cross.

This method of combination is rather cumbersome when more than three forces are involved, (see Example D). In such cases, the powerful tool of resolving the forces into components is a more straightforward approach, as illustrated in Section 7.3.

Example D:

A hiker walks 10 km N followed by 10 km E and 10 km SE. What displacement will take the hiker back to the starting point? [Equivalent to a forces-in-equilibrium problem]

The diagram shows the displacements; **s** is the return vector.

DB = 10 + 10 sin 45° = 17.07 km [4 s.f.]

DE = 10 – 10 cos 45° = 2.93 km [3 s.f.]

$\therefore$ $s = \sqrt{17.07^2 + 2.93^2} = 17.3$ km [3 s.f.]. $\tan\phi = \dfrac{2.93}{17.07}$, $\therefore \phi = 9.74°$ [3 s.f.].

So the return displacement is 17.3 km 9.74° S of W.

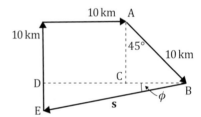

7.2.3 Combining vectors in 3 dimensions

The techniques in 7.2.1 for adding vectors can be extended to three dimensions. A relatively simple example of three vectors at right angles is shown in the diagram.

We can build up the answer in two stages. First we find **u + v** as before. This is shown in the second diagram.

We then add **w** to **u + v** using the same process. In this diagram, the fine dotted lines have been drawn in to show that the resultant vector is the diagonal of the 3D box [rectangular parallelepiped] defined by the vectors.

With the three vectors at right angles, the magnitude of the resultant, *R*, is given by:

$$R^2 = u^2 + v^2 + w^2$$

In fact there are easier ways of combining 3D vectors which also handle any number of vectors. These are developed in Section 7.3.

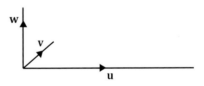

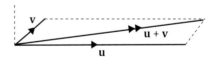

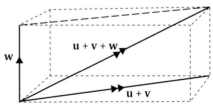

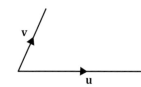

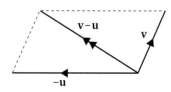

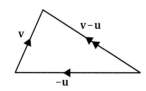

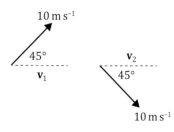

7.2.4 Subtracting vectors

If the volume of a gas changes from V_1 to V_2 then the change in volume is $V_2 - V_1$.

Similarly, if the velocity of an object changes from **u** to **v**, the change in velocity is **v** − **u**.

As in scalar algebra, subtracting is the same thing as adding the negative quantity, i.e. **v** − **u** = **v** + (−**u**).

The vector −**u** has the same magnitude as **u** and is in the opposite direction. The diagonal of the parallelogram in the second diagram is thus **v** − **u**.

You will see that the diagonal in the second diagram has the same length and direction as the diagonal in the third diagram, i.e. the vectors are the same. The second and third diagrams give alternative ways of subtracting **u** from **v**.

Example E involves subtracting two vectors and using the result in a subsequent calculation.

Example E:

The velocity of a microlight plane changes from 30 m s^{-1} due North to 40 m s^{-1} due East over a period of 10 s. If the mass of the plane is 300 kg, calculate the mean resultant force on the plane over this period.

The diagram shows the velocities and Δ**v**, the change in velocity.

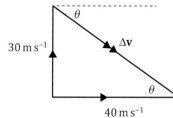

Using Pythagoras' theorem: $(\Delta v)^2 = 30^2 + 40^2$

$\therefore$ $\Delta v = 50$ m s^{-1}.

The direction of Δ**v** is given by $\theta = \tan^{-1}\left(\dfrac{30}{40}\right) = 36.9°$

The mean acceleration **a** = $\dfrac{\Delta v}{t}$ = 5 m s^{-2}. The mean resultant force **F** = m**a** = 300 × 5 = 1500 N. The direction of the resultant force is the same as the direction of Δ**v**, i.e. 36.9° S of E.

7.2.5 Centripetal acceleration and force

Consider a particle moving with a steady speed, v, in a circle of radius r. The velocity, **v**, is not constant because its direction is constantly changing. In other words the particle is accelerating. We shall show that the magnitude of the acceleration is given by $a = \dfrac{v^2}{r}$ and that the direction of **a** is towards the centre of the circle.

The circumference of the circle is $2\pi r$, so the period $T = \dfrac{2\pi r}{v}$ and the angular speed $\omega = \dfrac{2\pi}{T} = \dfrac{v}{r}$. Note that we are expressing angles in radians.

Consider the change in velocity Δ**v** between **P** and **Q**, at angle θ before and after the vertical position, **O**, in the diagram.

Δ**v** = $2v \sin \theta$ vertically downwards. [①]

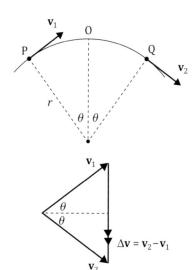

The time, t, between **P** and **Q**, $t = \dfrac{2\theta}{\omega} = \dfrac{2\theta r}{v}$.

$\therefore$ the mean acceleration $\langle \mathbf{a} \rangle = \dfrac{\Delta \mathbf{v}}{t} = 2v \sin \theta \times \dfrac{v}{2\theta r} = \dfrac{v^2}{r} \dfrac{\sin \theta}{\theta}$ vertically downwards.

The ratio $\dfrac{\sin \theta}{\theta} \to 1$ as $\theta \to 0$ [see Section 8.2.4] so the acceleration at **O** itself is given by $a = \dfrac{v^2}{r}$,

---

[①] Note that this is a vector equation – the direction of the vector is vertically downwards.

vertically downwards, i.e. towards the centre of the circle. We call this acceleration *centripetal acceleration*, meaning *acceleration towards the centre*. We conclude that the resultant force, **F**, on an object of mass m moving in a circle of radius r with a constant speed v is given by:

$$\mathbf{F} = \frac{mv^2}{r}$$ towards the centre of the circle – the *centripetal force*.

Example F:

A pendulum bob is suspended from a string of length l and is swung around in a horizontal circle so that the string makes an angle, θ, to the vertical. Show that the period, P, of the motion is given by:

$$P = 2\pi\sqrt{\frac{l\cos\theta}{g}}.$$

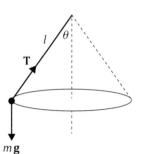

Let the bob have mass m and the radius of the circle be r.

The bob is in equilibrium in a vertical direction. $\therefore\ T\cos\theta = mg$ (1)

Using the centripetal force formula: $T\sin\theta = mr\omega^2 = m(l\sin\theta)\omega^2$ $\therefore\ T = ml\omega^2$ (2)

Divide (1) by (2): $\cos\theta = \dfrac{mg}{ml\omega^2}$,   so $\omega = \sqrt{\dfrac{g}{l\cos\theta}}$.

$\therefore$ $P = \dfrac{2\pi}{\omega} = 2\pi\sqrt{\dfrac{l\cos\theta}{g}}$ QED.

7.3 Analysing vectors

This section introduces graphical methods of handling vectors. These methods are very useful in simplifying many physics problems.

7.3.1 Unit vectors

A unit vector is a vector with a magnitude of 1. When analysing vectors in three dimensions, it is useful to define unit vectors along the x, y and z directions.[2] These are identified as **i**, **j** and **k** (some maths books call them $\mathbf{e}_x$, $\mathbf{e}_y$ and $\mathbf{e}_z$ or $\mathbf{e}_1$, $\mathbf{e}_2$ and $\mathbf{e}_3$). For 2D work, we shall just use **i** and **j**.

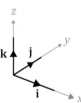

7.3.2 Horizontal and vertical components of vectors

Two vectors at right angles can be added to produce an equivalent single vector, the resultant vector. This was covered in Section 7.2. The opposite process, known as resolution, is also useful.

The first diagram shows a vector **a**, which acts at an angle θ to the horizontal. This vector can be considered to be the sum of two vectors, $\mathbf{a}_x$ and $\mathbf{a}_y$ as shown in the second diagram.

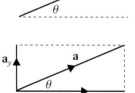

$\mathbf{a} = \mathbf{a}_x + \mathbf{a}_y$

Vector $\mathbf{a}_x$ is called the *horizontal* or x component of **a**.

Similarly $\mathbf{a}_y$ is called the *vertical* or y component of **a**.

Applying trigonometry to the right angled triangles we get $a_x = a\cos\theta$ and $a_y = a\sin\theta$. The values a_x and a_y are called the *scalar components* of **a**; $\mathbf{a}_x$ and $\mathbf{a}_y$ are the *vector components*.

---

[2]   Note that the system is called the *right-hand Cartesian system*. 'Cartesian' after René Descartes and 'right-handed' because a rotation from x to y makes an imaginary right-handed screw advance along z.

Using the unit vectors we have already introduced: $\mathbf{a} = a_x\mathbf{i} + a_y\mathbf{j}$.

Example G shows how resolving into components can be used to simplify a problem. There are four forces at a variety of angles; finding their components allows them to be added easily. Check that you understand each stage of the calculation.

Example G:

Find the resultant of these forces:

Take the x direction to be horizontal to the right and the y direction vertically upwards.

Sum of the x components $= 12 \cos 30° + 9 \cos 60° - 8 = 6.89$ N [3 s.f.]

[Note that the 10 N force has an x component of 0; the 8 N force has an x component of -8 N]

Sum of the y components $= 10 + 12 \cos 60° - 9 \cos 30° = 8.21$ N [3.s.f.]

So the resultant $\mathbf{R} = 6.89\mathbf{i} + 8.21\mathbf{j}$ and, using Pythagoras' theorem:

$$R = \sqrt{6.89^2 + 8.21^2} = 10.7 \text{ N}$$

and the angle to the horizontal is $\tan^{-1}\left(\dfrac{8.21}{6.89}\right) = 50.0°$.

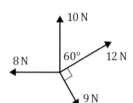

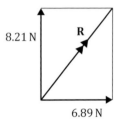

Components can also be used to find the *equilibrant*, the additional force which will produce a system in equilibrium. As in Section 7.2.2, the system is in equilibrium when the resultant is zero. In terms of components that can be restated as, '**a system is in equilibrium when the sum of the components in any direction is zero**'. In Example G, the equilibrant, **F**, must be $-6.89\mathbf{i} - 8.21\mathbf{j}$, i.e. a force of 10.7 N to the left at 50.0° below the horizontal.

7.3.3 Components in other directions

Depending on the physical problem it is often useful to resolve in directions other than horizontal and vertical to define components. For motion entirely in a horizontal plane, for example, it could be appropriate to define East as the x direction and North as the y direction.

Many questions involve motion and/or forces on an inclined plane, in which case it often simplifies the problem to resolve parallel and perpendicular to the plane. The diagram shows forces on an object which is resting on an inclined plane.

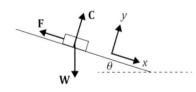

W is the weight, **F** the frictional force which is acting up the plane (which means that the object is either at rest or sliding down the slope) and **C** is the contact force acting at right angles to the plane.[3]

What are the components of the forces?

- **C** is in the y direction so $C_y = C$ and $C_x = 0$.
- **F** is in the $-x$ direction so $F_y = 0$ and $F_x = -F$
- **W** is vertical – its angle to the x direction is $90° - \theta$ and its angle to the $-y$ direction is θ, so $W_x = W \sin\theta$ and $W_y = -W \cos\theta$

From this analysis the resultant force, $\mathbf{R} = (-F + W \sin\theta)\mathbf{i} + (C - W \cos\theta)\mathbf{j}$.

This doesn't look particularly simple but Example H shows that is can make a problem very straightforward to solve.

quickfire 7.11

Calculate the North and East components of the velocity.

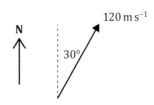

quickfire 7.12

Split the velocity in QF 7.11 into South and East components.

---

[3] The force **C** is often labelled **R** and referred to as the *normal reaction*. The author prefers **C** because of the possible confusion with the Newton 3rd law reaction.

Example H:

Calculate the acceleration down the slope of a sledge of mass 200 kg, which is on a snow slope of 20°, if the frictional force is 360 N [$g = 9.81$ m s^{-2}].

Resolve parallel to the slope:

Resultant force down the slope = $W \sin 20° - 360 = 200 \times 9.81 \sin 20° - 360 = 311$ N [3 s.f.]

$$\text{Acceleration} = \frac{\text{resultant force}}{\text{mass}} = \frac{311}{200} = 1.56 \text{ m s}^{-2}$$

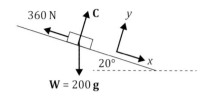

It is worth looking at the physics of Example H. Because the sledge cannot move at right angles to the slope, the components in the y direction must sum to zero (see Quickfire 7.13). It is only the components, which are parallel to the slope, that influence the acceleration; hence we can ignore **C** entirely: resolving in this way allows us to do just that.

7.4 Vector equations

7.4.1 Principles of vector equations

Many equations in physics are vector equations, i.e. they relate vector quantities, though often we only consider one-dimensional applications and so their vector nature is restricted to + and –.

Example: **F** = m**a**

We can write this equation in terms of the x, y and z components, as follows:

$$F_x\mathbf{i} + F_y\mathbf{j} + F_z\mathbf{k} = m(a_x\mathbf{i} + a_y\mathbf{j} + a_z\mathbf{k})$$

This equation can only be correct if it is so for each of the x, y and z components separately, i.e.

$$F_x = ma_x \quad \text{and} \quad F_y = ma_y \quad \text{and} \quad F_z = ma_z$$

In other words, by writing the equation in terms of the components, we are back in the familiar territory of our one-dimensional equations.

The equations of motion for constant acceleration are also vector equations.[●] We'll write the displacement vector **s** as $x\mathbf{i} + y\mathbf{j} + z\mathbf{k}$. Two of the equations of motion become:

$$x\mathbf{i} + y\mathbf{j} + z\mathbf{k} = (u_x\mathbf{i} + u_y\mathbf{j} + u_z\mathbf{k})t + \tfrac{1}{2}(a_x\mathbf{i} + a_y\mathbf{j} + a_z\mathbf{k})t^2 \text{ and}$$

$$v_x\mathbf{i} + v_y\mathbf{j} + v_z\mathbf{k} = (u_x\mathbf{i} + u_y\mathbf{j} + u_z\mathbf{k}) + (a_x\mathbf{i} + a_y\mathbf{j} + a_z\mathbf{k})t$$

We'll apply these to the motion of projectiles but first we'll consider a three-dimensional case in Example I. This is just to illustrate the principles involved – you are unlikely to meet this sort of example in an A-level Physics paper.

Example I:

A rocket with a low-thrust ion drive is travelling in the gravitational field of a planet.

The velocity, **u** in m s^{-1}, at time $t = 0$ is **u** = $500\mathbf{i} + 400\mathbf{j} + 200\mathbf{k}$.

The drive produces a constant acceleration in m s^{-2} of **a** = $0.1\mathbf{i} + 0.1\mathbf{j} + 0.1\mathbf{k}$.

The gravitational field of the planet produces an acceleration **g** = $-0.5\mathbf{k}$.

$g_z = -0.5$ m s^{-2}

Find (a) the velocity, **v** and (b) the position **s** after 1000 s.

(a) **v** = **u** + **a**t, so **v** = $(500 + 0.1\times1000)\mathbf{i} + (400 + 0.1\times1000)\mathbf{j} + (200 +(0.1-0.5)\times1000)\mathbf{k}$

$$= 600\mathbf{i} + 500\mathbf{j} - 200\mathbf{k}$$

(b) Applying **s** = **u**$t + \tfrac{1}{2}$**a**t^2 gives (in km) **s** = $550\mathbf{i} + 450\mathbf{j}$, i.e. $s_z = 0$ at $t = 1000$ s.

quickfire»» 7.13

By resolving at 90° to the slope, find the force **C** in Example H.

quickfire»» 7.14

A stone is thrown at 15 m s^{-1} at an angle of 35° to the horizontal. What are the horizontal and vertical components of this velocity?

quickfire»» 7.15

Write the velocity in QF7.14 in the form **v** = $v_x\mathbf{i} + v_y\mathbf{j}$, where **i** is the horizontal unit vector and **j** the vertical.

quickfire»» 7.16

$\mathbf{F}_1 = 5\mathbf{i} + 8\mathbf{j}$ and $\mathbf{F}_2 = 7\mathbf{i} + 8\mathbf{j}$. **F** = $\mathbf{F}_1 + \mathbf{F}_2$. Find **F**.

quickfire»» 7.17

For the force **F** in QF7.16, find F and the angle between **F** and **i**.

[●] Apart from $v^2 = u^2 + 2as$. This is a scalar equation. It involves the scalar product (see Section 7.6.2) and can be written $v^2 = u^2 + 2\mathbf{a.s}$.

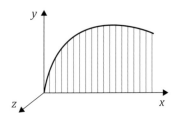

7.4.2 Projectiles

We'll apply the above principles to the standard A-level topic of projectiles, which are objects moving freely under gravity. For dense objects moving relatively slowly air resistance can be ignored.[5]

We choose a co-ordinate system, x, y and z as shown, with the initial velocity in the x,y plane. Because there are no sideways forces, the motion takes places entirely within this plane and the z co-ordinate can be ignored.

If the projectile is thrown with velocity **u** at θ to the horizontal, then

$\mathbf{u} = u_x\mathbf{i} + u_y\mathbf{j}$, where $u_x = u\cos\theta$ and $u_y = u\sin\theta$.

The acceleration vector, $\mathbf{a} = -g\mathbf{j}$.

To find the velocity, **v**, at a later time, we apply $\mathbf{v} = \mathbf{u} + \mathbf{a}t$.

This gives $\mathbf{v} = u_x\mathbf{i} + (u_y - gt)\mathbf{j}$.

It is worth separating out the components:

i (horizontal) component: $v_x = u_x$, i.e. constant horizontal velocity

j (vertical) component: $v_y = u_y - gt$, i.e. uniformly accelerated (downwards acceleration)

Example J:

A stone is catapulted with a velocity of 25 m s^{-1} at an angle of 40° to the horizontal. What is its velocity after 2 s?

Initial velocity: $u_x = 25\cos 40° = 19.15$ m s^{-1} [4 s.f.];
$u_y = 25\sin 40° = 16.07$ m s^{-1} [4 s.f.]

$v_x = u_x = 19.15$ m s^{-1}; $v_y = u_y - gt = 16.07 - 9.81 \times 2 = -3.55$ m s^{-1}
[i.e. downwards 3.55 m s^{-1}]

$$v = \sqrt{v_x^2 + v_y^2} = \sqrt{19.15^2 + (-3.55)^2} = 19.5 \text{ m s}^{-1} \text{ [3 s.f.]}$$

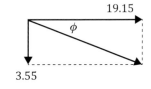

The direction angle $\phi = \tan^{-1}\left(\dfrac{3.55}{19.15}\right) = 10.5°$

Answer: The velocity is 19.5 m s^{-1} at an angle of 10.5° below the horizontal.

quickfire》7.18

A stone is projected (in m s^{-1}) at $\mathbf{u} = 15\mathbf{i} + 30\mathbf{j}$. Find **v** the velocity at $t = 2$ s. [Take $g = 10$ m s^{-1}]

Moving on to the displacement vector, applying $\mathbf{s} = \mathbf{u}t + \frac{1}{2}\mathbf{a}t^2$, we have:

$$x\mathbf{i} + y\mathbf{j} = (u_x\mathbf{i} + u_y\mathbf{j})t + \tfrac{1}{2}(-g\mathbf{j})t^2.$$

i (horizontal) component: $x = u_x t$, i.e. the projectile moves with constant horizontal velocity.

j (vertical) component: $y = u_y t - \frac{1}{2}gt^2$

Advice: It is not worth learning equations such as $y = u_y t - \frac{1}{2}gt^2$. It is more sensible to understand the process of deriving them. Example J is extended in the next example.

Grade boost

The positive y-direction can be defined as downwards, in which case $y = u_y t + \frac{1}{2}gt^2$.
If $y > 0$, the projectile is then **below** the starting point.
If $y < 0$ the projectile is **above** the starting point.

Example K:

(a) When and (b) where does the projectile in Example J reach its highest point?

(a) The projectile is at its highest point when it is travelling horizontally, i.e. when $v_y = 0$.

$v_y = u_y - gt$, with $u_y = 25\sin 40° = 16.07$ m s^{-1}.

$$\therefore t = \frac{0 - 16.07}{-9.81} = 1.638 \text{ s [4 s.f.]}$$

---

[5]   Other simplifying assumptions are that the range and maximum altitude of the projectile are small enough that the curvature of the Earth can be neglected; the gravitation field considered uniform and the rotation of the Earth neglected.

(b) At the highest point, $x = u_x t$, where $u_x = 25 \cos 40° = 19.15$ m s^{-1}.

$\therefore x = 19.15 \times 1.638 = 31.4$ m [3 s.f.]

$y = u_y t - \frac{1}{2} g t^2 = 16.07 \times 1.638 - \frac{1}{2} 9.81 \times 1.638^2 = 13.2$ m [3.s.f]

So the projectile reaches its highest point at 1.64 s, when its height is 13.2 m and the horizontal distance is 31.4 m from the starting point.

7.4.3 Trajectory and range of projectiles

From the previous section: $\quad\quad\quad\quad\quad x = u_x t$ (1)

and $\quad\quad\quad\quad\quad\quad\quad\quad y = u_y t - \frac{1}{2} g t^2$ (2)

Using equation (1), substitute for t in (2), giving $y = u_y \dfrac{x}{u_x} - \frac{1}{2} g \left(\dfrac{x}{u_x}\right)^2$.

Substituting $u_x = u \cos \theta$ and $u_y = u \sin \theta$ we have $y = x \dfrac{\sin \theta}{\cos \theta} - \dfrac{1}{2} \dfrac{g}{u^2 \cos^2 \theta} x^2$ (3)

But $\dfrac{\sin \theta}{\cos \theta} = \tan \theta$, so we can write equation (3) as $y = x \tan \theta - \dfrac{1}{2} \dfrac{g}{u^2 \cos^2 \theta} x^2$ (4)

Equation (4) is a quadratic equation in x so it represents a parabola. The dotted graph is the path that the same projectile would take in the absence of gravity.

The range, R, of the projectile is the distance from the point of projection to the point of impact. We can calculate this from equation (3) by putting $y = 0$:

$$0 = R \dfrac{\sin \theta}{\cos \theta} - \dfrac{1}{2} \dfrac{g}{u^2 \cos^2 \theta} R^2$$

Multiplying by $\cos \theta$ and factorising: $R \left(\sin \theta - \dfrac{1}{2} \dfrac{g}{u^2 \cos \theta} R \right) = 0$

The solutions to this equation are $R = 0$ or $\sin \theta - \dfrac{1}{2} \dfrac{g}{u^2 \cos \theta} R = 0$.

The $R = 0$ solution represents the distance to the point of projection which is zero.

So the range is given by: $R = \dfrac{u^2 \, 2 \sin \theta \cos \theta}{g} = \dfrac{u^2 \sin 2\theta}{g}$.

quickfire ≫ 7.19

Show that the equation

$y = x \tan \theta - \dfrac{1}{2} \dfrac{g}{u^2 \cos^2 \theta} x^2$

is homogeneous.

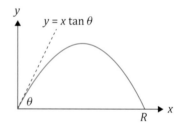

quickfire ≫ 7.20

Show that the formula for the range of a projectile, $R = \dfrac{u^2 \sin 2\theta}{g}$, is homogeneous.

Example L:

What angle of projection gives the maximum range?

Answer: The maximum value of $\sin 2\theta$ is 1 when $2\theta = 90°$, i.e. $\theta = 45°$. $R_{max} = \dfrac{u^2}{g}$.

7.5 Frames of reference

In these days of very smooth train travel and plane flight we know that, if we close our eyes, we cannot tell whether we are moving or not – as long as the motion is uniform. This means that if we carry out an experiment, such as measuring the time it takes for a ball to fall 1 m, we'll get the same answer if we are at rest, on a train, or on a plane – as long as these are moving with a constant velocity.[6] This means that it might be possible to simplify problems by changing how we are moving when we look at them.

---

[6] This is not quite correct because the acceleration due to gravity decreases very slowly with height [by about 0.03% per km near the surface of the Earth].

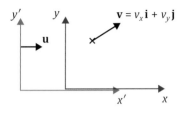

First some theory: we'll stick to two dimensions. Suppose a stationary observer sees an object moving with velocity **v** as shown. We call the x, y co-ordinate system the *frame of reference* of this observer. The velocity, **v′**, of the object as seen by a second observer who is moving at velocity **u** along the x-direction is given by:

$$\mathbf{v'} = (v_x - u)\mathbf{i} + v_y\mathbf{j}$$

If we can find a second observer who is moving steadily in such a way as to simplify a problem, we can now apply the above relationship. Here is a simple example.

Example M:

A perfectly elastic ball travels at 10 m s^{-1} towards a heavy flat object moving in the opposite direction at 20 m s^{-1} as shown.

Calculate the velocity of rebound of the ball.

Consider the event, as observed by someone sitting on the wall:

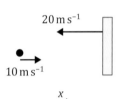

In the observer's frame of reference, the initial velocity of the ball = 10 − (−20) = 30 m s^{-1}.

The ball is elastic so the rebound velocity, as seen from the wall = − 30 m s^{-1}.

Change back to the laboratory frame of reference: Rebound velocity = −30 − 20 = −50 m s^{-1}.

Example M concerned a system in which one of the objects, the wall, was considered to be effectively infinitely massive. A useful frame of reference, where this is not the case, is the *centre of mass* frame.

Consider a system of N particles. The masses of the particles are m_1, m_2 ..., their positions are $\mathbf{r}_1$, $\mathbf{r}_2$ ... and their velocities are $\mathbf{v}_1$, $\mathbf{v}_2$ etc.

The position, **r**, of the centre of mass is given by: $\mathbf{r} = \dfrac{m_1\mathbf{r}_1 + m_2\mathbf{r}_2 + ... m_N\mathbf{r}_N}{m_1 + m_2 + ... m_N}$

Because $\mathbf{v} = \dfrac{\Delta\mathbf{r}}{t}$, the velocity of the centre of mass is $\mathbf{v} = \dfrac{m_1\mathbf{v}_1 + m_2\mathbf{v}_2 + ... m_N\mathbf{v}_N}{m_1 + m_2 + ... m_N}$, i.e. the total momentum divided by the total mass. In the frame of reference which moves with the centre of mass, the total momentum of the particles is zero. Example N shows how this can be used to simplify a problem.

Example N:

A 2 kg object travelling at 10 m s^{-1} and a 5 kg object travelling at 11 m s^{-1} collide elastically head on. Calculate their velocities after colliding.

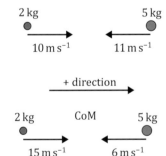

The velocity of the centre of mass = $\dfrac{(2 \times 10) - (5 \times 11)}{7}$ = − 5 m s^{-1}.

Subtracting −5 m s^{-1} to change to the CoM frame: $u_{2\,kg}$ = 15 m s^{-1}; $u_{5\,kg}$ = −6 m s^{-1}.

In this frame, let the velocities after collision be **v** and **w** respectively.

Applying conservation of momentum: $\qquad 2v + 5w = 0 \qquad\qquad$ (1)

Considering the kinetic energy: $\qquad \frac{1}{2}2v^2 + \frac{1}{2}5w^2 = \frac{1}{2}(2 \times 15^2) + \frac{1}{2}(5 \times 6^2)$ = 315 J,

$$\therefore 2v^2 + 5w^2 = 630 \qquad\qquad (2)$$

Substitute $v = -\frac{5}{2}w$ from (1) into (2) gives: $2(-\frac{5}{2}w)^2 + 5w^2 = 630$, i.e. $17.5w^2 = 630$

$$\therefore w = \pm 6 \text{ m s}^{-1} \text{ in the CoM frame.}$$

Reject the −6 m s^{-1} solution because that is a 'no collision' solution.

$\therefore w$ = 6 m s^{-1} and substitution into (1) gives v = − 15 ms^{-1}.

Finally, converting back to the laboratory frame [adding −5 m s^{-1} to each velocity] gives:

The 2 kg mass has a velocity of −20 m s^{-1} and the 5 kg mass has a velocity of +1 m s^{-1}.

 **7.21**

A ship is moving at **v** = 15**i** + 18**j**. What is the velocity in a frame of reference which moves with velocity −20**i** + 10**j** ?

Note that, in the centre of mass frame, the total kinetic energy is not the same as in the laboratory frame. In Example N, the total kinetic energy in the laboratory frame is 402.5 J; in the CoM frame it is 315 J. However the **change** of kinetic energy is the same whether we look at it in the 'laboratory frame', the centre of mass frame, or indeed in any other uniformly moving frame[7]. This is investigated in Chapter 13.

Pointer

In an elastic collision between two objects, the velocity of each object is reversed in the centre of mass frame.

7.6 Multiplication of vectors

We have already seen that the product $k\mathbf{v}$ is a vector of magnitude kv and in the same direction as $\mathbf{v}$. We shall briefly investigate two ways in which two vectors can be multiplied together.

7.6.1 Scalar product

The scalar product, $\mathbf{a.b}$ of two vectors, also called the *dot product*, is a scalar quantity defined by

$$\mathbf{a.b} = ab\cos\theta,$$

where θ is the angle between the vectors.

Because $a\cos\theta$ is the component of $\mathbf{a}$ in the direction of $\mathbf{b}$, we can think of this as:

$\mathbf{a.b}$ = (the component of $\mathbf{a}$ in the direction of $\mathbf{b}$) × the magnitude of $\mathbf{b}$.

Of course this is equally (the component of $\mathbf{b}$ in the direction of $\mathbf{a}$) × the magnitude of $\mathbf{a}$.

Example O:

If $\mathbf{i}$ and $\mathbf{j}$ are the unit vectors in the x- and y-directions respectively, calculate

(a) $\mathbf{i.i}$ (b) $\mathbf{i.j}$.

(a) The magnitude of $\mathbf{i}$ = 1 and the angle between $\mathbf{i}$ and $\mathbf{i}$ = 0°. ∴ $\mathbf{i.i}$ = 1 × 1 × cos 0° = 1
(b) The angle between $\mathbf{i}$ and $\mathbf{j}$ = 90°, cos 90° = 0. ∴ $\mathbf{i.j}$ = 0

If we write the vectors $\mathbf{a}$ and $\mathbf{b}$ in terms of their components:

$$\mathbf{a} = a_x\mathbf{i} + a_y\mathbf{j} + a_z\mathbf{k} \quad \text{and} \quad \mathbf{b} = b_x\mathbf{i} + b_y\mathbf{j} + b_z\mathbf{k}$$

Then $$\mathbf{a.b} = (a_x\mathbf{i} + a_y\mathbf{j} + a_z\mathbf{k}).(b_x\mathbf{i} + b_y\mathbf{j} + b_z\mathbf{k}).$$

We can multiply this out and remember that $\mathbf{i.i}$ = 1 etc. and $\mathbf{i.j}$ = 0 etc:

∴ $$\mathbf{a.b} = a_xb_x + a_yb_y + a_zb_z$$

If a force, $\mathbf{F}$, moves its point of application by a displacement $\mathbf{d}$, it does work. The work, W, done by the force is given by: $W = \mathbf{F.d}$ and similarly the power, P, developed by the force moving with velocity $\mathbf{v}$ is given by $P = \mathbf{F.v}$.

Example P:

A force, in newton, $\mathbf{F} = 30\mathbf{i} + 40\mathbf{j}$ pulls a sledge a displacement, in metre, $\mathbf{d} = 400\mathbf{i} + 300\mathbf{j}$.

(a) Use the components to calculate the work done by $\mathbf{F}$.
(b) Show that the formula $W = Fd\cos\theta$ gives the same answer, where θ is the angle between the vectors.

(a) W = 30×400 + 40×300 = 24 000 J.

(b) $\mathbf{F} = \sqrt{30^2 + 40^2}$ = 50 N at an angle of $\alpha = \tan^{-1}\left(\dfrac{40}{30}\right)$ = 53.13° to the x-axis.*

---

[7]   In Example N, the change in kinetic energy is zero in both frames of reference.

$$d = \sqrt{400^2 + 300^2} = 500 \text{ m at an angle of } \beta = \tan^{-1}\left(\frac{300}{400}\right) = 36.87° \text{ to the } x\text{-axis.}$$

$$\therefore W = 50 \times 500 \cos(53.13° - 36.87°) = 24\,000 \text{ J}$$

* Note: A more elegant way of calculating $\cos\theta$ is:

$$\cos\theta = \cos(\alpha - \beta) = \cos\alpha\cos\beta + \sin\alpha\sin\beta \; ; \text{ here } \sin\alpha = \cos\beta = 0.8 \text{ and } \cos\alpha = \sin\beta = 0.6$$

$$\therefore \cos\theta = 0.6 \times 0.8 + 0.8 \times 0.6 = 0.96. \therefore W = 50 \times 500 \times 0.96 = 24\,000 \text{ J}$$

Further examples of the use of the scalar product are given in Chapter 9.

7.6.2 Vector product

The vector product $\mathbf{a} \times \mathbf{b}$ of two vectors, also called the *cross product* is a vector quantity defined by $\mathbf{a} \times \mathbf{b} = ab\sin\theta$ in a direction at right angles to $\mathbf{a}$ and $\mathbf{b}$ such that a rotation from $\mathbf{a}$ to $\mathbf{b}$ would cause a right-handed screw to advance along the direction $\mathbf{a} \times \mathbf{b}$.

Because $\sin 0 = 0$, $\mathbf{r} \times \mathbf{r} = 0$ for any vector, $\mathbf{r}$. The major use of the cross product in A-level Physics is in the production and detection of magnetic fields, and can be particularly helpful, for example, in understanding and treating torque and the motion of charged particles in magnetic fields. Also it has a crucial role in more advanced physics.

Note that, whilst the dot product is defined for vectors in 1, 2 or 3 dimensions, the cross product only has a 3D definition. If we work with components, it is important to define the directions of the axes carefully. We normally work in *right-handed Cartesian co-ordinates*. If we rotate a right-handed screw from x to y the screw advances along the z-direction. With this co-ordinate system, $\mathbf{i} \times \mathbf{j} = \mathbf{k}$ and $\mathbf{j} \times \mathbf{i} = -\mathbf{k}$.

The moment, $\boldsymbol{\tau}$, of a force about a point is also a vector quantity, defined by $\boldsymbol{\tau} = \mathbf{r} \times \mathbf{F}$, where $\mathbf{r}$ is the position vector of the place where the force is applied. For example:

$\mathbf{F} = 5\mathbf{i} - 3\mathbf{j}$ applied at the point $\mathbf{r} = 2\mathbf{i} + 4\mathbf{j}$

$\boldsymbol{\tau} = (2\mathbf{i} + 4\mathbf{j}) \times (5\mathbf{i} - 3\mathbf{j}) = -(6\mathbf{i} \times \mathbf{j}) + (20\mathbf{j} \times \mathbf{i}) = -6\mathbf{k} + 20(-\mathbf{k}) = -26\mathbf{k}$

There are two conditions for a set of forces to be in equilibrium:

1 The resultant force is zero, and

2 The resultant moment **about any point** is zero.

We can use vectors to show that we can take moments about any point, as follows: Consider three forces, $\mathbf{F}_1$, $\mathbf{F}_2$ and $\mathbf{F}_3$ acting at $\mathbf{r}_1$, $\mathbf{r}_2$ and $\mathbf{r}_3$ in equilibrium on a body.

Condition 1 gives us $\qquad\qquad\qquad \mathbf{F}_1 + \mathbf{F}_2 + \mathbf{F}_3 = 0 \qquad\qquad\qquad (1)$

Condition 2 gives us $\qquad \mathbf{r}_1 \times \mathbf{F}_1 + \mathbf{r}_2 \times \mathbf{F}_2 + \mathbf{r}_3 \times \mathbf{F}_3 = 0 \qquad\qquad (2)$

Take moments about the point $\mathbf{x}$.

The total moment $\qquad\qquad \boldsymbol{\tau} = (\mathbf{r}_1 - \mathbf{x}) \times \mathbf{F}_1 + (\mathbf{r}_2 - \mathbf{x}) \times \mathbf{F}_2 + (\mathbf{r}_3 - \mathbf{x}) \times \mathbf{F}_3 = 0$

Multiplying out the brackets: $\qquad \boldsymbol{\tau} = (\mathbf{r}_1 \times \mathbf{F}_1 + \mathbf{r}_2 \times \mathbf{F}_2 + \mathbf{r}_3 \times \mathbf{F}_3) -\mathbf{x} \times (\mathbf{F}_1 + \mathbf{F}_2 + \mathbf{F}_3)$

Both terms in brackets are zero from equations (1) and (2) so the total torque is zero about any point.

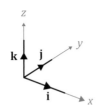

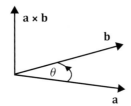

 **7.22**

Evaluate $\mathbf{j} \times \mathbf{k}$.

 **7.23**

Evaluate $(3\mathbf{i} - 2\mathbf{j}) \times (2\mathbf{i} + 3\mathbf{j})$.

Test Yourself 7.1

Questions 1–15 relate to Sections 7.1–7.3

① Find the resultant vector.

(a)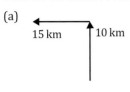

(b)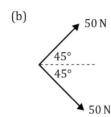

(c)

(d)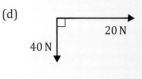

(e)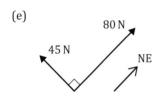

(f)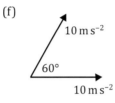

(g)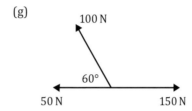

(h)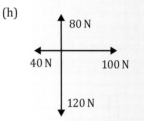

② Find the resultant of the two forces at time t = 2.0 s

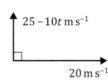

③ Find the components of the vectors in the directions of the dotted lines (which are at right angles).

(a)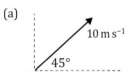

(b)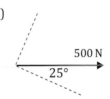

(c)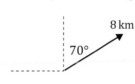

④ In each of these two cases, the forces are in equilibrium. Find the magnitudes of **F** and **G**.

(a)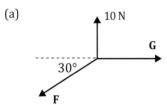

(b)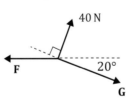

⑤ Find the magnitude and direction of force **F** which is the equilibrant of the other two forces.

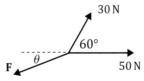

⑥ Find the equilibrant of these forces:

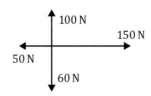

7 Two forces, in newton, are: $\mathbf{F}_1 = 6\mathbf{i} + 3\mathbf{j}$; $\mathbf{F}_2 = -4\mathbf{i} + 10\mathbf{j}$. Find the equilibrant, $\mathbf{F}$, expressed

(a) in terms of components and (b) in magnitude and direction.

8 The velocity of a plane, in $\mathrm{m\,s^{-1}}$, changes from $60\mathbf{i} + 80\mathbf{j}$ to $-80\mathbf{i} + 60\mathbf{j}$ in 5 seconds. Calculate the mean acceleration (a) in terms of components and (b) in magnitude and direction.

9 The displacement, $\mathbf{s}$, of an object is given by $\mathbf{s} = 10t\mathbf{i} + (40t - 2t^2)\mathbf{j}$. Calculate the following after a time, t, of 2 seconds:

(a) the displacement in terms of components

(b) the velocity in terms of components

(c) the magnitude and direction of the velocity.

10 A particle travels at constant speed of $25\ \mathrm{m\,s^{-1}}$ in a circle of radius 5 m.

(a) Calculate the mean acceleration of the particle over a time interval (i) of 0.2 s and (ii) of 0.02 s.

(b) Compare these values to the value of instantaneous acceleration given by $a = \dfrac{v^2}{r}$.

11 A sled of mass 150 kg is held on a $15°$ slope by a rope which is parallel to the slope. If the frictional force, $\mathbf{F}$, up the slope is 200 N calculate the tension, $\mathbf{T}$, in the rope. [$g = 9.8\ \mathrm{m\,s^{-2}}$]

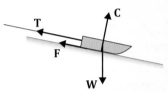

12 A cycle and cyclist of mass 100 kg freewheel up a slope of gradient $5°$. Their initial velocity is $10\ \mathrm{m\,s^{-1}}$. If friction and air resistance can be ignored, calculate:

(a) the resultant force down the slope and

(b) the distance travelled up the slope before coming to rest.

13 A box of mass m rests on a plank which is at an angle, θ, to the horizontal.

(a) Calculate $\mathbf{F}$ and $\mathbf{C}$ in terms of m and θ.

(b) The magnitude of the maximum frictional force $F_{max} = 0.2C$. Calculate the greatest value of θ to which the plank can be tipped before the box starts to slip.

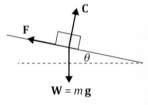

14 For the box in Q13, calculate the acceleration down the slope when $\theta = 20°$. [Assume that $F = 0.2C$ is still valid.]

15 A ball of mass 10 kg is suspended on a string. The ball is pulled to one side by a horizontal force $\mathbf{F}$. The breaking tension in the string is 250 N. Calculate (a) the angle θ between the string and the vertical and (b) the magnitude of force $\mathbf{F}$ just before there string breaks.

16 A ship whose position at time $t = 0$ is the origin $(0,0)$, steams with a velocity, in knots*, $\mathbf{v}_1 = 20\mathbf{i} + 5\mathbf{j}$ for 2 hours and then $\mathbf{v}_2 = 10\mathbf{i} - 18\mathbf{j}$ for 3 hours. Calculate:

(a) the ship's displacement, $\mathbf{s}(2)$, after 2 hours using components, [i.e. $a\mathbf{i} + b\mathbf{j}$]

(b) the displacement , $\mathbf{s}(5)$, after 5 hours;

(c) the speed in each of the legs of the journey

(d) the mean velocity in terms of components

(e) the mean velocity in magnitude and direction.

* Note 1 knot = 1 nautical mile per hour.

17 The initial velocity, $\mathbf{u}$, of a rocket, in $\mathrm{m\,s^{-1}}$, is given by, $\mathbf{u} = 5000\mathbf{i} + 12\,000\mathbf{j}$. It accelerates with a constant acceleration, in $\mathrm{m\,s^{-2}}$, of $\mathbf{a} = -0.1\mathbf{j} + 0.2\mathbf{k}$ for 10 hours. Its initial position was $(0, 0, 0)$. Calculate:

(a) the magnitude of the initial velocity

(b) the velocity after 10 hours

(c) the magnitude of the velocity after 10 hours

(d) the displacement after 10 hours [use $\mathbf{s} = \mathbf{u}t + \tfrac{1}{2}\mathbf{a}t^2$]

(e) the distance from the starting point after 10 hours.

⑱ A stone is thrown from ground level on Mars with a velocity **u** = 30**i** + 40**j**, where **i** and **j** are the horizontal and vertical unit vectors respectively. The acceleration due to gravity is 3.7 m s^{-2}. Calculate:

(a) the acceleration, velocity and displacement vectors after 10 seconds

(b) the magnitude and direction of the velocity of the stone after 10 s

(c) speed and direction of the stone when it hits the ground

(d) the velocity vector after 10 s as seen in a frame of reference which moves with a velocity 30**i**.

⑲ A projectile is catapulted at a speed of 40 m s^{-1} at 30° to the horizontal from the top of a 50 m high sea cliff. Calculate:

(a) its position and velocity at the highest point

(b) its point and velocity of impact with the sea.

⑳ Two bodies of mass 3 kg and 5 kg have velocities, in m s^{-1}, of 5**i** + 4**j** and −3**i** + 7**j** respectively. Calculate:

(a) the total momentum,

(b) the velocity of the centre of mass

(c) the total kinetic energy.

㉑ Repeat the calculations in Q20 as seen from a frame of reference with velocity −3**i** + 7**j**.

㉒ A body of mass 2 kg has a momentum, in N s, of 3**i** + 5**j**. A force in N of 2**i** +2**j** acts on the body for a period of 10 s. Calculate:

(a) the momentum after 10 s

(b) the change of kinetic energy between 0 and 10 s.

㉓ For the body in Q22, calculate:

(a) the initial velocity and the acceleration vectors

(b) the displacement vector after 10 s

(c) the scalar product of the force and displacement vectors – comment on your answer.

㉔ A body is free to move. It has an initial kinetic energy of 400 J. A force, in N, **F** = 8**i** + 12**j** acts on the body as it moves from position, in m, **s**$_1$ = −50**i** + 30**j** to **s**$_2$ = 10**i** + 40**j** . Calculate the final kinetic energy of the body.

㉕ The moment, τ, of a force, **F**, acting at a **r** about a point is given by **r** × **F**.

(a) Calculate the moment about the origin of each of the following two forces: **F**$_1$ = 10**j** acting at **r**$_1$ = 3**i** + 2**j** and **F**$_2$ = 4**i** − 6**j** acting at **r**$_2$ = 2**i** + **j**.

(b) According to the Principle of Moments, the resultant moment must be zero for equilibrium. State the moment of a third force, **F**$_3$, which is necessary to produce rotational equilibrium.

(c) For equilibrium the resultant force must also be zero. State **F**$_3$.

(d) If **F**$_3$ acts at x**i** + y**j**, show that $x − y = 3.5$. [Hint: form the vector product $(x$**i** + y**j**$) × $**F**$_3$]

Oscillations

8.1 Introduction

This chapter builds upon the work of Chapters 5, 6 and 7 and applies it to oscillations. Topics involving oscillations are mainly to be found in the second year of an A level course. Angles are expressed in radians throughout this chapter.

8.2 Graphs of trignometric functions

8.2.1 Graph of sin θ against θ

The graph can be sketched by considering the y co-ordinate of the point **P** as it rotates anticlockwise about the origin. **P** is unit distance from the origin. See Figure 8.1.

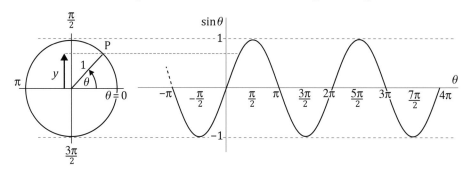

Fig 8.1

Use the values in Table 5.1 on page 54 and Figure 8.1 to determine:

quickfire 8.1

(a) $\sin\left(-\dfrac{\pi}{3}\right)$,

(b) $\sin\dfrac{13\pi}{6}$ [Hint: $\dfrac{13\pi}{6} = 2\pi + \dfrac{\pi}{6}$],

(c) $\sin\dfrac{15\pi}{4}$ [Hint: $\dfrac{15\pi}{4} = 4\pi - \dfrac{\pi}{4}$]

Note the following properties of the sin θ function:

- The maximum value of sin θ is +1 and minimum value is −1.
- We can go on rotating indefinitely, e.g. the lowest point of the circle could equally well be marked $\dfrac{7\pi}{2}, \dfrac{11\pi}{2}$ ....
- Negative values of θ correspond to clockwise rotations from the x axis, so we could also mark the lowest point $-\dfrac{\pi}{2}, -\dfrac{5\pi}{2}$ ....
- sin $(-\theta) = -\sin\theta$: we say that sin θ is an *odd function* of θ. [Another example of an odd function is x^3, because $(-x)^3 = -x^3$.]
- $\sin(\theta + 2n\pi) = \sin\theta$, where n is an integer: ...−2, −1, 0, 1, 2, 3, ...

8.2.2 Graph of cos θ against θ

This is slightly less easy to visualise. We consider the x co-ordinate of the point **P** as it rotates. The form of the graph is the same, but the value of cos θ is 1 when $\theta = 0$. See Figure 8.2.

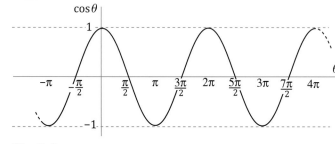

Fig 8.2

The properties of the $\cos\theta$ function are the same as those of the $\sin\theta$ function apart from:

- The cosine graph is the sine graph shifted by $\frac{\pi}{2}$ in the $-\theta$ direction, so $\cos\theta = \sin\left(\frac{\pi}{2} + \theta\right)$
- $\cos(-\theta) = \cos\theta$: $\cos\theta$ is called an *even function*.

The sine and cosine graphs are both referred to as *sinusoids*.

quickfire》》 8.2

Use values in Table 5.1 on page 54 and Figure 8.2 to determine

(a) $\cos\left(-\frac{\pi}{3}\right)$, (b) $\cos\frac{7\pi}{3}$, (c) $\cos\frac{5\pi}{3}$

Example A: Show that $\sin(\pi - \alpha) = \sin\alpha$

From Section 5.8: $\sin(\theta + \phi) = \sin\theta\cos\phi + \cos\theta\sin\phi$

$\therefore \sin(\pi - \alpha) = \sin\pi\cos(-\alpha) + \cos\pi\sin(-\alpha)$. But, $\sin\pi = 0$; $\cos\pi = -1$ and $\sin(-\alpha) = -\sin\alpha$

So $\sin(\pi - \alpha) = 0 \times \cos(-\alpha) + (-1) \times (-\sin\alpha) = \sin\alpha$.   QED.

NB. Look at the $\sin\theta$ graph, Figure 8.1, and convince yourself that it agrees with this result.

8.2.3 Graph of $\tan\theta$ against θ

This is the most difficult of the three graphs to visualise. Remember that $\tan\theta = \frac{\sin\theta}{\cos\theta}$.

This leads to:

- $\tan\theta$ becomes infinite where $\cos\theta = 0$. This is when $\theta = (n + \frac{1}{2})\pi$, where n is an integer, ... $-2, -1, 0, 1, 2$ ... .
- $\tan\theta = 0$ when $\sin\theta = 0$. This is when $\theta = ... -\pi, 0, \pi, 2\pi$ ... .
- $\tan(-\theta) = -\tan\theta$, i.e $\tan\theta$ is an odd function.
- $\tan(\pi + \theta) = \tan\theta$.

You are less likely to need to use the graph of $\tan\theta$ in A-level Physics, than the sin or cos graphs. Knowledge of $\tan\theta$, for values of θ between $-\pi$ and π, arises in the solution of differential equations.

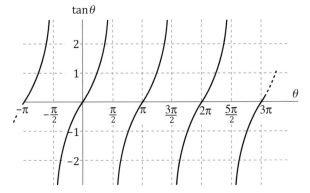

Fig 8.3

quickfire》》 8.3

Use values in Table 5.1 and Figure 8.3 to determine

(a) $\tan\left(-\frac{\pi}{4}\right)$, (b) $\tan\frac{5\pi}{4}$, (c) $\tan\frac{5\pi}{3}$.

8.2.4 Values of the $\sin\theta$ and $\tan\theta$ for small values of θ

Consider Figure 8.4. The distance y is the curved length of the arc centred on **O**, and z is the distance along the tangent to the arc at **P**.

From their definitions:

$$\sin\theta = \frac{x}{r}; \quad \theta = \frac{y}{r}\text{ [radians!]}; \quad \tan\theta = \frac{z}{r}$$

From the geometry, $x < y < z$, so we can write:

$$\sin\theta < \theta < \tan\theta.$$

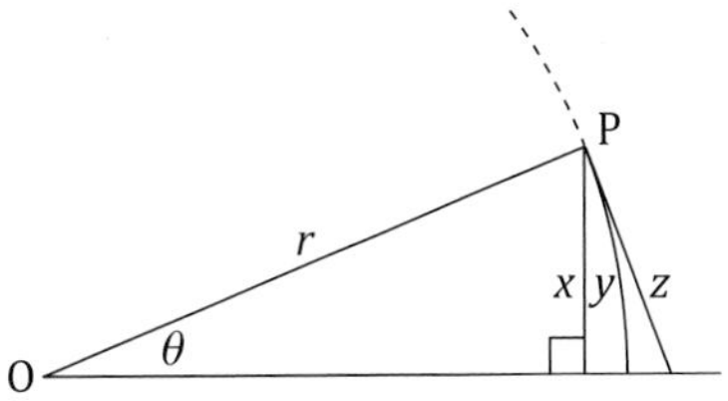

Fig 8.4

If we make θ smaller and smaller, the three lengths will be increasingly indistinguishable so the values of $\sin\theta$, θ and $\tan\theta$ become closer and closer, until, when $\theta = 0$, they are indeed the same. So for small angles we can write: $\sin\theta \approx \theta \approx \tan\theta$, where the symbol $\approx$ means 'is approximately equal to'.

How good is the approximation?

Table 8.1 gives values of $\sin\theta$, θ and $\tan\theta$ as well as their ratios. Even for $\theta = 0.5$ rad [approx 30°], the values of $\sin\theta$ and θ are less than 5% apart; at 0.2 rad, the difference is less than 1% ; at 0.1 rad it is less than 0.2%. For most purposes, for angles less than 0.2 radians [about 10°], we can consider the three to be the same and the ratios of $\frac{\sin\theta}{\theta}$ and $\frac{\tan\theta}{\theta} \approx 1$.

A 50 m high church spire subtends an angle of 1° to the eye. By converting 1° to radians, estimate the distance of the church.

quickfire 8.5

An asteroid at a distance of 10 million km has an apparent size of 2×10^{-5} rad. What is its diameter?

Table 8.1

θ / rad	$\sin \theta$	$\tan \theta$	$\dfrac{\sin \theta}{\theta}$	$\dfrac{\tan \theta}{\theta}$
0.50	0.47943	0.54630	0.95885	1.09260
0.20	0.19867	0.20271	0.99335	1.01355
0.10	0.09983	0.10033	0.99833	1.00335
0.05	0.04998	0.05004	0.99958	1.00083
0.02	0.02000	0.02000	0.99993	1.00013
0.01	0.01000	0.01000	0.99998	1.00003

8.3 Oscillations

The equations $x = A \sin (\omega t + \varepsilon)$ or $y = A \cos (\omega t + \phi)$, for some variables x and y, often arise in the solution of physical problems. A few examples:

- Simple harmonic motion (shm), e.g. small angle oscillations of a pendulum. The variables will be x, v and a [position, velocity and acceleration].

- ac electrical circuits, in which the variables are V or I.

- Waves, in which the variables could be the x (position), p (pressure), E or B (electric or magnetic fields).

Not all of these are likely to occur in the physics specification you are following. We shall restrict ourselves here to shm and ac circuits.

8.3.1 The relationship between rotations and oscillations

Figure 8.5 shows a vector of magnitude A rotating about the origin. Such vectors are called *phasors*. In the position shown, the horizontal component of the phasor, x, is given by

$$x = A \cos \theta. \tag{1}$$

The angular velocity, ω, is defined as the change of angle per unit time. With this definition, the value of θ at time t is given by

$$\theta = \omega t + \varepsilon, \tag{2}$$

where ε is the value of θ when $t = 0$. NB. ε is always given in radians.

Substituting for θ in equation (1) gives $x = A \cos (\omega t + \varepsilon)$

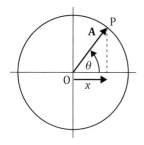

Fig 8.5

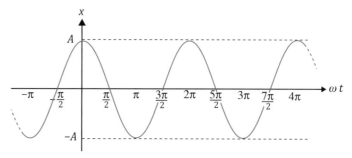

Fig 8.6a

If $\varepsilon = 0$ the graph of this function is the same as Figure 8.2 with ωt for θ on the horizontal axis and x as the vertical axis.

The period, T, is the time interval over which the oscillation repeats itself, i.e. when ωt increases by 2π.

Table 8.2

$$\omega = \frac{2\pi}{T}, \quad f = \frac{1}{T}, \quad \omega = 2\pi f$$

Hence $\omega T = 2\pi$ and so $\omega = \dfrac{2\pi}{T}$. ω is often called the *angular frequency* or the *pulsatance*. Table 8.2 summarises the relationships between the frequency, f, the period and angular frequency.

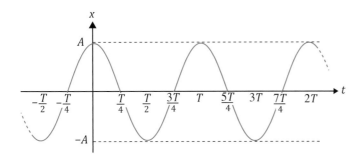

Fig 8.6b

Figure 8.6b shows the same function as in Figure 8.6a but plotted more conventionally against time, t rather than ωt. You should note the relationships between the scales.

The quantity A is referred to as the *amplitude* of the oscillation. It is the maximum deviation from the mean position.

The equation of the oscillation could equally well be written $x = A \sin(\omega t + \phi)$, with a different value of the *phase angle*. As an exercise, after looking at Example B, show that the equation in that case can be written $x = 0.085 \sin(224t + 0.45)$.

Example B:

Find the frequency, period and amplitude of the oscillation shown and write the equation of the oscillation in the form

$$x = A \cos(\omega t + \varepsilon).$$

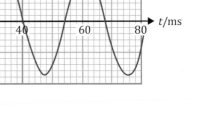

The graph crosses the axis in the same direction at 12 ms and 40 ms, so the period, $T = 28$ ms.

$$f = \frac{1}{T} = \frac{1}{0.028} = 35.7 \text{ Hz}. \quad \omega = 2\pi f = 224 \text{ s}^{-1}.$$

The extreme values of x are ± 8.5 cm, $\therefore A = 0.085$ m.

If ε were 0, the peak of the graph would be at $t = 0$. It is 5 ms late, which is $\frac{5}{28}$ of a period. One whole period corresponds to an angle of 2π, so $\varepsilon = -\frac{5}{28} \times 2\pi = -1.12$.

$\therefore$ The equation is $x = 0.085 \cos(224t - 1.12)$ [t in s and x in m].

Given a particular value for x we can solve the equation for t, i.e. we can ask at what times x has a certain value. Taking the equation $x = 0.085 \cos(224t - 1.12)$ as an example, we observe from the graph that the value of x when $t = 0$ is approximately 3.0 cm [0.030 m] and we ask when else it has this value.

The equation to be solved is $\qquad 0.030 = 0.085 \cos(224t - 1.12)$

Dividing by 0.085 we obtain: $\quad \cos(224t - 1.12) = 0.353$

$\therefore \qquad\qquad\qquad\qquad 224t - 1.12 = \cos^{-1} 0.353$

Making sure that the calculator is in radian mode, we obtain $\cos^{-1} 0.353 = 1.210$. We know that $\cos(-\theta) = \cos\theta$, so the solution to the equation is $224t - 1.12 = \pm 1.210$.

$\therefore \qquad\qquad\qquad t = \dfrac{1.12 \pm 1.210}{224} = -0.4 \text{ ms or } 10.4 \text{ ms}.$

[The estimated value of $t = 0$ for $x = 3.0$ cm was not quite right but we can really only read the graph to the nearest ms.] Because the cycle repeats every 28 ms we obtain as the general solution: $t = (-0.4 \text{ or } 10.4) + 28n$ ms [$n = \dots -1, 0, 1, 2 \dots$], to the nearest ms.

quickfire ⟫ **8.6**

Find the pulsatance, frequency, period and amplitude of the following oscillation:

$V = 339 \cos(314t + 1.0)$ [V in V, t in s]

quickfire ⟫ **8.7**

What is the value of V in QF 8.6 at $t = 50$ ms?

quickfire ⟫ **8.8**

When is the first time after $t = 0$ when $V = 0$ in QF 8.6?

Pointer

If you notice, after doing a $\sin^{-1}$ or a $\cos^{-1}$ calculation, that you are in **degree** mode, multiply your answer by $\dfrac{\pi}{180}$ to convert to radians

8.3.2 Simple harmonic motion

In Chapter 11 we show that, if the resultant force, F, on a particle of mass m is related to its displacement, x, from a point by an equation of the form: $F = -kx$ the equation of motion is:

$$x = A \cos (\omega t + \varepsilon), \tag{1}$$

where $\omega = \sqrt{\dfrac{k}{m}}$ and A and ε are constants. This motion is referred to as *simple harmonic motion*. By differentiating this equation (see Chapter 10) we obtain the following relationships for velocity, v, and acceleration, a:

$$v = -A\omega \sin (\omega t + \varepsilon) \tag{2}$$

$$a = -A\omega^2 \cos (\omega t + \varepsilon) \tag{3}$$

Comparing equations (1) and (3) we see that $a = -\omega^2 x$, which is in agreement with $F = -kx$.

Remembering that the maximum value of a sine or cosine function is 1, the maximum values of v and a, from equations (1), (2) and (3) are:

$$v_{max} = A\omega \tag{4}$$

$$a_{max} = A\omega^2 \tag{5}$$

Equations (1)–(5) are summarised in the graphs in Figure 8.7 for $\varepsilon = 0$.

With this value of ε, equations (1)–(3) could be written:

$$x = A \cos \omega t \; ; \quad v = -A\omega \sin \omega t \; ; \quad a = -A\omega^2 \cos \omega t$$

Notice that each graph is out of step by $\frac{1}{4}$ of a cycle from the one above.

Another useful equation gives the velocity at any displacement. From equation (2) and using the relationship $\sin^2 \theta + \cos^2 \theta = 1$, we get:

$$v = \pm A\omega \sqrt{1 - \cos^2(\omega t + \varepsilon)}$$

$$= \pm \omega \sqrt{A^2 - A^2 \cos^2(\omega t + \varepsilon)}$$

i.e. $\qquad v = \pm \omega \sqrt{A^2 - x^2} \tag{6}$

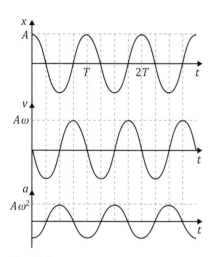

Fig 8.7

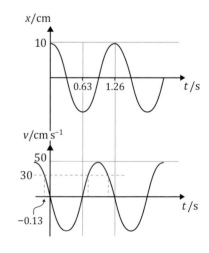

Pointer

v is the gradient of the x–t graph, so when x is maximum or minimum, $v = 0$. When the gradient of $x < 0$, so is v.

Pointer

Acceleration is the gradient of the v–t graph.

Example C:

A particle oscillates with displacement x (in m) given by the equation $x = 0.10 \cos 5t$, with t in s.

Calculate (a) the maximum values of the velocity and acceleration and (b) the first two times, $t > 0$, at which the velocity $v = 30$ cm s^{-1}.

(a) $v_{max} = A\omega = 0.10 \times 5 = 0.5$ m s^{-1};
$a_{max} = A\omega^2 = 0.1 \times 5^2 = 2.5$ m s^{-2}.

(b) $v = -A\omega \sin \omega t$, $\therefore 0.3 = -0.5 \sin 5t$
$\therefore 5t = \sin^{-1} (-0.6)$, for which the calculator gives -0.644 rad,
i.e. $t = -0.13$ s.
The period $T = \dfrac{2\pi}{\omega} = \dfrac{2\pi}{5} = 1.26$ s.

If we look at the sketch v–t graph we see that the first two positive times are:

- 0.63 s + 0.13 s = 0.76 s, and

- 1.26 s − 0.13 s = 1.13 s.

Hint: It often pays to draw a sketch graph to make sure that you have the correct times.

8.4 Alternating currents

Currents, I, and potential differences, V, in ac circuits vary in a sinusoidal way, i.e. $I = I_0 \cos (\omega t + \varepsilon)$ and $V = V_0 \cos (\omega t + \phi)$.

The frequency of mains circuits in Europe, including the UK, is tightly controlled at 50 Hz, making $\omega = 2\pi \times 50 = 314$ Hz. In the USA the frequency is 60 Hz. The values of ε and ϕ in these expressions are not necessarily the same. Circuits containing motors have a significant phase difference between I and V. We look first at the power dissipated in circuits with purely resistive loads.

8.4.1 RMS and peak values – power in resistive circuits

Figure 8.8 shows a resistor of value R with a pd V across it which results in a current I. Note that the arrow representing the current does not imply a direct current – we are considering alternating currents. The initial phase angle is not significant here.

In a purely resistive circuit the current responds practically instantaneously to changes in voltage. The equation $V = IR$ relates the instantaneous values of I and V. Figure 8.9 illustrates this for a 5 Ω resistor connected across a sinusoidal pd supply with a *peak voltage* of 10 V. The peak current is 2 A and occurs at the same instant, t_2, as the peak voltage. Similarly, at t_1, $V = 5$ V and $I = 1$ A and at t_3, $V = -5$ V and $I = -1$ A.

The power dissipated at any instant is given by $P = VI$ and, at $t = 0$, t_1, t_2 and t_3, has the values 0, 5 W, 20 W, and 5 W respectively. What is the mean power dissipation, $\langle P \rangle$? We'll take the general case.

Consider a pd $V = V_0 \cos \omega t$ applied across a resistor, R.

Then
$$I = I_0 \cos \omega t, \text{ where } I_0 = \frac{V_0}{R}.$$

$\therefore$
$$P = V_0 I_0 \cos^2 \omega t.$$

V_0 and I_0 are constants, so $\langle P \rangle = V_0 I_0 \langle \cos^2 \omega t \rangle$. What is the mean value of $\cos^2 \omega t$ over a cycle? The function oscillates between 0 and 1, so it is tempting to write $\cos^2 \omega t = \frac{1}{2}$. This can be proved as follows:

From Test Yourself 5.1, Q22 we know that $\cos 2\omega t = 2\cos^2 \omega t - 1$.

$\therefore$
$$\cos^2 \omega t = \frac{1 + \cos 2\omega t}{2}.$$

$\cos 2\omega t$ varies between -1 and $+1$; $\langle \cos 2\omega t \rangle = 0$

$\therefore$
$$\langle \cos^2 \omega t \rangle = \frac{1 + 0}{2} = \frac{1}{2}.$$

$\therefore$
$$\langle P \rangle = \tfrac{1}{2} V_0 I_0$$

The graphs in Figure 8.10 show how V, I and P vary with time and the value of $\langle P \rangle$. The values on the time axis are only illustrative and are correct for a 50 Hz supply. Note that P is always positive: if V and I are both positive, VI is also positive; if V and I are both negative, VI is positive; because the two are in phase, they are either both positive or both negative at any time.

To avoid the inconvenient factor of $\frac{1}{2}$ the *root mean-squared*, or rms, values of V and I are introduced. V_{rms} is defined in a similar way to molecular rms speeds:

i.e. $V_{rms} = \sqrt{\langle V^2 \rangle}$. I_{rms} is defined similarly.

If $V = V_0 \cos \omega t$ then $V^2 = V_0^2 \cos^2 \omega t$.

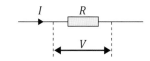

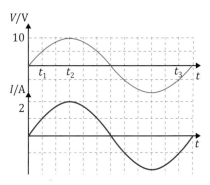

Fig 8.8

Fig 8.9

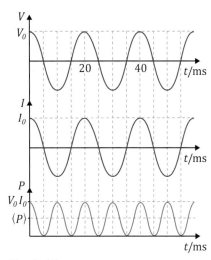

Fig 8.10

quickfire 8.9

A square-wave voltage alternates between -5 V and $+5$ V with equal times at each value. What is the value of (a) the mean voltage, $\langle V \rangle$, (b) V_{rms}?

quickfire 8.10

Describe the current drawn by a 20 Ω resistor from the power supply in QF 8.9.

quickfire 8.11

Calculate the mean power dissipated by the resistor in QF 8.10.

quickfire 8.12

The rms mains voltage in the US is 120 V. What is the peak voltage?

Table 8.3

$$\langle P \rangle = \frac{1}{2}\frac{V_0^{\ 2}}{R} = \frac{1}{2}I_0^{\ 2}R = \frac{1}{2}V_0 I_0$$

$$\langle P \rangle = \frac{V_{rms}^{\ 2}}{R} = I_{rms}^{\ 2}R = V_{rms}I_{rms}$$

$$V_{rms} = \frac{V_0}{\sqrt{2}}; \ I_{rms} = \frac{I_0}{\sqrt{2}}$$

 **8.13**

A heater with a resistance $30\,\Omega$ is connected to the US mains. Calculate:
(a) the rms current, (b) the peak current, (c) the mean power, (d) the peak power.

quickfire **8.14**

The frequency of the US mains is 60 Hz. With what frequency does the instantaneous power fluctuate?

$$\therefore \quad V_{rms} = V_0\sqrt{\langle \cos^2\omega t \rangle} = \frac{V_0}{\sqrt{2}}. \ \text{Similarly } I_{rms} = \frac{I_0}{\sqrt{2}}$$

Hence $\langle P \rangle = V_{rms}I_{rms} = \frac{V_{rms}^{\ 2}}{R} = I_{rms}^{\ 2}R$, which have the same form as the equivalent equation for dc circuits. We can use I_{rms} similarly. Table 8.3 summarises these relationships for sinusoidal currents and voltages.

In fact rms values are used universally and if a label reads 10 V ac it is understood that it is the rms value that is meant.

The equations $\langle P \rangle = \frac{V_{rms}^{\ 2}}{R} = I_{rms}^{\ 2}R = V_{rms}I_{rms}$ are still valid even if the pd and current vary in a non-sinusoidal manner. The figure of $\frac{1}{\sqrt{2}}$ is specific to sinusoidal variations.

See Example D for the calculation of power in a non-sinusoidally varying case.

Example D:

A square wave voltage which oscillates between 0 and 10 V, with a mark-space ratio of 1 [i.e. equal times at 0 and 10 V] is applied across a $20\,\Omega$ resistor.

(a) Calculate the rms pd, V_{rms}.

(b) Show that the mean power dissipated is given by $\langle P \rangle = \frac{V_{rms}^{\ 2}}{R}$ and calculate its value in this case.

(a) The value of V^2 oscillates between 0 and 100 V^2 with equal times at each value.
$\therefore$ The mean square voltage, $\langle V \rangle^2 = 50\ V^2$. $\therefore V_{rms} = \sqrt{50} = 7.071$ V

(b) The instantaneous power dissipated $= \frac{V^2}{R}$. $\therefore$ The power dissipated oscillated between 0 and $\frac{10^2}{20} = 5$ W with equal times at each value. $\therefore \langle P \rangle = 2.5$ W $= \frac{7.071^2}{20}$.

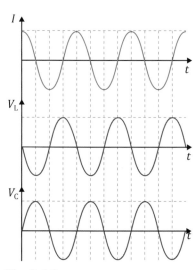

Fig 8.11

quickfire **8.15**

A $1\,k\Omega$ resistor, a $1\,\mu F$ capacitor and a 1 H inductor are connected separately to a power supply with a frequency of 100 Hz. Produce a table similar to Table 8.4 for these components.

8.4.2 Current and power in capacitors and inductors

We show in Chapter 13.9 that, if a current $I = I_0\cos\omega t$ is taken by an inductor, L, and a capacitor, C, the pd's across the components are given by:

$$V_L = I_0\omega L\cos\left(\omega t + \frac{\pi}{2}\right) = -I_0\omega L\sin\omega t$$

$$V_C = \frac{I_0}{\omega C}\cos\left(\omega t - \frac{\pi}{2}\right) = \frac{I_0}{\omega C}\sin\omega t$$

The graphs in Figure 8.11 illustrate the relative phases of I, V_L and V_C.

In both cases we observe two things:

1 The peak current is proportional to the peak voltage.

2 The voltages are $\frac{\pi}{2}$ out of phase with the current but in opposite directions. A useful mnemonic is CIVIL – 'in a capacitor, the current leads the voltage; the voltage leads the current in an inductor'.

The ratio $\frac{V}{I}$ for a component, where V and I are the peak or rms values, is generally called its *impedance*, Z.[1] If the current and voltage are in phase, this ratio is called the *resistance*. If they are $\frac{\pi}{2}$ out of phase, the ratio is called the *reactance*, X. Table 8.4 summarises the values for resistors, inductors and capacitors.

The instantaneous power dissipated, P, is given by $P = VI$.

For an inductor this gives: $P = -I_0^{\ 2}\omega L\cos\omega t\sin\omega t$.

Table 8.4

	R	X	Z
Resistor	R	0	R
Inductor	0	ωL	ωL
Capacitor	0	$\frac{1}{\omega C}$	$\frac{1}{\omega C}$

[1] The rms voltage is directly proportional to the peak voltage. The rms and peak currents are also proportional so the ratios, $\frac{V_0}{I_0}$ and $\frac{V_{rms}}{I_{rms}}$ are the same.

In Section 5.8 we saw that $\sin(\theta + \phi) = \sin\theta\cos\phi + \cos\theta\sin\phi$.

Putting both θ and ϕ as ωt we get $\sin 2\omega t = 2\sin\omega t\cos\omega t$

$\therefore$ For the inductor: $P = -\dfrac{I_0^2\omega L}{2}\sin 2\omega t$, so $\langle P\rangle = -\dfrac{I_0^2\omega L}{2}\langle\sin 2\omega t\rangle = 0$.

The mean power taken by a pure inductor is zero because of the $\frac{\pi}{2}$ phase difference between the current and voltage. This is also true of a capacitor for the same mathematical reason. A physics reason: the components store energy in their magnetic or electric fields respectively; because of the alternating nature of the current, this energy is returned to the circuit twice each cycle. Pure inductors and capacitors do not dissipate energy.

8.5 Phasor analysis of ac circuits

As was stated in 8.3.1, the projection on to the x-axis of a phasor of magnitude A, which rotates with angular speed, ω, is given by $A\cos(\omega t + \varepsilon)$.

Thus an oscillation, e.g. of an electric current, a voltage or the displacement of a wave at a point, can be **regarded** as the rotation of such a vector, in which any instantaneous measurement of the current, voltage or displacement will always be the x-projection of the rotating vector.

Figure 8.12 shows the voltage and current in a purely resistive circuit at two times $\frac{1}{4}$ of a cycle apart. The phasors are coincident because they have the same phase – they rotate together. Both V and I are positive in the first diagram and negative in the second.

If all oscillations were in phase, there would be little point in phasors. We shall examine aspects of ac theory in which they are very useful.

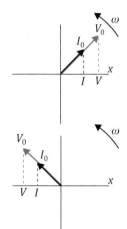

Fig 8.12

8.5.1 RC circuits

Figure 8.13 shows the current and voltage phasors for a capacitor – remember that the current in a capacitor is $\frac{\pi}{2}$ ahead of the voltage.

The instantaneous values I and V are shown on the x-axis. At the instant of the diagram, I is **decreasing** and V **increasing** because the phasors are rotating anticlockwise.

The usefulness of phasors becomes apparent if we consider a resistor and capacitor in series. Consider Figure 8.14.

The **instantaneous** voltages are related by

$$V = V_R + V_C$$

but because the voltages are not in phase, this equation does not apply to peak or rms voltages.

As for all components in series, the currents are the same. Consider the instant when the current phasor is along the x-axis.

The voltage phasor, V_C for the capacitor is $\frac{\pi}{2}$ behind, ie down the negative y-axis; V_R is along the x-axis. Figure 8.15 shows the three phasors at this instant. All future diagrams will have the current phasor in this direction and we'll separate it from the voltage phasors for clarity.

To find the total voltage V we find resultant of the V_C and V_R phasors. Using Pythagoras' theorem in Figure 8.16:

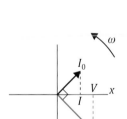

Fig 8.13

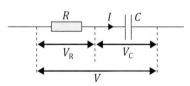

Fig 8.14

quickfire 8.16

Calculate (a) the reactance of a $50\,\mu$F capacitor at $50\,$Hz, (b) the current if a $50\,$Hz pd of $10\,$V is applied across it?

quickfire 8.17

A current of rms value $2\,$A is taken by a $20\,\Omega$ resistor and a $1000\,\mu$F capacitor in series. What is the mean power dissipated? Explain your reasoning.

quickfire 8.18

Draw the phasors diagram for the oscillations in Figure 8.12:
(a) $\frac{1}{8}$ cycle and (b) $\frac{5}{8}$ cycle after the 2nd diagram.

quickfire 8.19

Redraw Figure 8.13 $\frac{1}{4}$ cycle later. What can you say about the voltage and current at this instant?

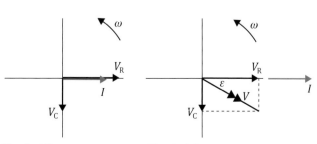

Fig 8.15   Fig 8.16

A capacitor of reactance 1 kΩ is in series with a 1 kΩ resistor. What is the total impedance?

If the frequency in QF 8.20 were doubled, what would be (a) the reactance, (b) the resistance and (c) the impedance of the combination?

$$V = \sqrt{V_R^2 + V_C^2}$$

Substituting $V_R = IR$ and $V_L = I\omega L$ gives

$$V = \sqrt{(IR)^2 + \left(\frac{I}{\omega C}\right)^2} = I\sqrt{R^2 + \frac{1}{\omega^2 C^2}}$$

The impedance Z_{RC}, which is defined as the ratio of the peak (or rms) voltage to the peak (rms) current, is given by:

$$Z_{RC} = \sqrt{R^2 + \frac{1}{\omega^2 C^2}} = \sqrt{R^2 + X_C^2}.$$

The phase angle, ε, by which the voltage lags the current is given by:

$$\varepsilon = \tan^{-1}\left(\frac{V_C}{V_R}\right) = \tan^{-1}\left(\frac{1}{R\omega C}\right) = \tan^{-1}\left(\frac{X_C}{R}\right).$$

Attention is drawn to Example F in Chapter 11. There the current and phase angle are derived using calculus techniques. The only difference between the two solutions is the minus sign in the solution for ε: here we just state that the voltage **lags** the current by ε (CIVIL – in a capacitor the current leads ...).

Example E:

A 390 Ω resistor and an 820 nF capacitor are connected in series across a 12 V (rms), 1 kHz power supply. Calculate (a) the current and (b) the phase angle between the voltage and the current (c) the mean power dissipated in the circuit.

(a) $X_C = \dfrac{1}{2\pi f C} = \dfrac{1}{2\pi \times 1000 \times 820 \times 10^{-9}} = 194\,\Omega. \therefore Z = \sqrt{R^2 + X^2} = \sqrt{390^2 + 194^2} = 436\,\Omega$

$$I = \frac{V}{Z} = \frac{12}{436} = 0.0275 \text{ A (rms)}$$

(b) The voltage lags by $\varepsilon = \tan^{-1}\left(\dfrac{X_C}{R}\right) = \tan^{-1}\left(\dfrac{194}{390}\right) = 0.46$ rad.

(c) The capacitor doesn't dissipate power. $\therefore \langle P \rangle = I_{rms}^2 R = 0.028^2 \times 390 = 0.29$ W

8.5.2 RL circuits

The current in an RL circuit can be found in the same way as that in an RC circuit. The only difference is that V_L leads the current, and hence is $\frac{\pi}{2}$ **ahead** of V_R.

Drawing the phasor diagram is left as an exercise. As for capacitors, the voltage phasors are at $\frac{\pi}{2}$, so:

$$V = \sqrt{V_R^2 + V_L^2}, \text{ which gives:}$$

$$\therefore \quad V = \sqrt{(IR)^2 + (I\omega L)^2} = I\sqrt{R^2 + \omega^2 L^2} \text{ and the phase angle } \varepsilon = \tan^{-1}\left(\frac{V_L}{V_R}\right) = \tan^{-1}\left(\frac{\omega L}{R}\right)$$

Generally, for both RC and RL circuits, $Z = \sqrt{R^2 + X^2}$ and $\varepsilon = \tan^{-1}\left(\dfrac{X}{R}\right)$.

The **sign** of the phase angle, i.e. ±, needs careful consideration. A safe way is to consider ε to be positive and to insert the sign using CIVIL. For example, in an inductive circuit the voltage leads.

$\therefore$ If $I = I_0 \cos \omega t$, the voltage will be given by $V = V_0 \cos(\omega t + \varepsilon)$

In a capacitive circuit with the same current it would be $V = V_0 \cos(\omega t - \varepsilon)$ because the voltage lags behind the current.

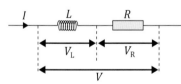

Fig 8.17

A 100 Ω resistor is in series with an inductor of reactance 100 Ω. What is the total impedance?

If the frequency in QF 8.22 were doubled, what would be (a) the resistance, (b) the reactance and (c) the impedance of the combination?

8.5.3 RCL circuits

Figure 8.18 shows a series combination of a resistor, a capacitor and an inductor.

The phasor diagram is more complicated because there are three vectors to add, two of which, V_C and V_L, are in opposition.

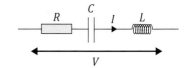

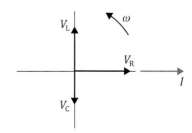

Fig 8.18

Figure 8.19 shows the phasor diagram – as usual the I phasor is drawn along the x-axis. The V_L phasor is drawn longer than the V_C phasor: as we shall see, their relative lengths depend upon the frequency.

To find the resultant voltage phasor, we'll redraw Figure 8.19 slightly larger and without axes and I phasor, for clarity. Figure 8.20 shows that V is the resultant of phasors V_R and $V_L - V_C$ at right angles to phasor V_R.

So, using Pythagoras' theorem: $V = \sqrt{V_R{}^2 + (V_L - V_C)^2}$.

Applying the same substitutions and manipulation as in 8.5.1 and 8.5.2 we get

$$V = I\sqrt{R^2 + \left(\omega L - \frac{1}{\omega C}\right)^2},$$

which could also be written $V = I\sqrt{R^2 + (X_L - X_C)^2}$. So once again we see that the total impedance $Z = \sqrt{R^2 + X^2}$ where $X = X_L - X_C$. The resultant reactance is the difference of the reactances of the inductor and capacitor: this is because the voltages across the inductor and capacitor are in opposition.

The phase angle, ε, by which the voltage leads the current is given by: $\varepsilon = \tan^{-1}\left(\dfrac{X_L - X_C}{R}\right)$.

Once again we could always treat ε as positive and insert the sign into $V = V_0 \cos(\omega t \pm \varepsilon)$ by inspection. Alternatively, if $X_C > X_L$ the value of $X_L - X_C$ will be negative, so ε will also be negative.

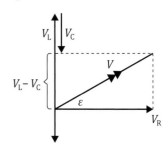

Fig 8.19

Fig 8.20

8.5.4 Resonance in series RCL circuits

We saw in 8.5.3 that the current in an RCL circuit varies with voltage according to:

$$I = \frac{V}{\sqrt{R^2 + \left(\omega L - \frac{1}{\omega C}\right)^2}}$$

The term $\left(\omega L - \dfrac{1}{\omega C}\right)^2$ has a minimum value of 0 when $\omega L = \dfrac{1}{\omega C}$, i.e. when $\omega = \dfrac{1}{\sqrt{LC}}$.

For a voltage supply with a constant rms [or peak] voltage, the rms [or peak] current will have a **maximum** value at this value of pulsatance. The circuit is said to exhibit resonance; the graph of current against frequency is similar to those in mechanical resonance.

Figure 8.21 shows the resonance curve for a circuit with a 2.0 V supply containing a 1 kΩ resistor, a 1.1 H inductor and a 1.0 μF capacitor.

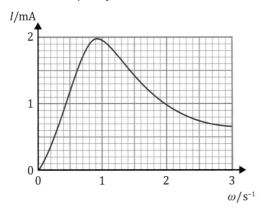

Fig 8.21

quickfire 8.24

A capacitor of reactance 1 kΩ is in series with a 1 kΩ resistor and an inductor of reactance 500 Ω. What is (a) the total reactance and (b) the total impedance?

quickfire 8.25

If the frequency in QF 8.24 were doubled, why would the answers stay the same?

quickfire 8.26

Show that the phase angle, ε, between the voltage and the current in QF 8.24 is 0.463 rad (26.6°) and state whether the voltage or the current leads.

8.5.5 Three last words on phasor diagrams

1 In a series circuit, the current is the same in each component. The impedance of each component is the ratio of pd to current, so if we draw a voltage phasor diagram and then redraw dividing each voltage phasor by the current, the diagrams will look exactly the same – they will be similar figures.

We illustrate this by an example: Consider a series RCL circuit with a 0.2 A current, consisting of a 200 Ω resistor, a capacitor with a reactance of 150 Ω and an inductor with a reactance of 100 Ω.

The pds across the components are: 40 V, 30 V and 20 V respectively. Figure 8.22 shows the two phasor diagrams: (a) of the voltages and (b) of the impedances.

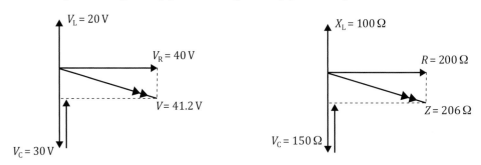

Fig 8.22

Adding the reactances and resistances in this way enables one to solve problems where the total pd is known and the current needs to be found.

2 When drawing a phasor diagram, it doesn't matter whether the phasor magnitudes are the rms values of voltage or the peak value of voltage [or indeed the resistance or reactances] as long as we do not mix up different sorts of value.

3 We haven't given any examples, but phasor diagrams can be used for components in parallel. In this case the voltage is the same for all the components – its phasor is normally drawn in the x direction. The current phasors add up to give the total current. CIVIL still applies: I_C will be in the $+y$ direction and I_L in the $-y$ direction with the rotation taken to be anticlockwise.

Test Yourself 8.1

❶ Find the value of the following functions when $\theta = 1.5$ rad
    (a) $\sin(\theta + 0.5)$ (b) $25\cos(2\theta + 0.5)$ (c) $5\tan\left(\frac{1}{2}\theta + 0.5\right)$

❷ Find the values of θ between -2π and $+2\pi$ for which
    (a) $\cos\theta = 0.7$ (b) $10\sin\theta = -8$ (c) $3\cos\left(\frac{1}{2}\theta + 0.5\right) = 1.5$

❸ The diameter of Mars is 6794 km. What angle does it subtend at the eye from a distance of 100 million km?

❹ The *parsec* is the distance from which the radius of the Earth's orbit, 149 500 000 km subtends an angle of 1″ of arc [$= \frac{1}{3600}°$]. Express the parsec in (a) km, (b) light years.

❺ To 2 s.f. what is the percentage difference between $\sin\theta$ and θ for $\theta = 0.03$ rad?

❻ A particle oscillates with an amplitude of 10 cm and a frequency of 1 Hz. Write down the relationship between x and t if:
    (a) its displacement is 10 cm when t = 0,
    (b) its displacement is −10 cm when t = 0
    (c) its displacement is 10 cm when t = 0.25 s
    (d) its speed is maximum and positive when $t = 0.9$ s.

7 For the particle in Q6, calculate:

   (a) the maximum velocity and acceleration

   (b) the times at which the maximum velocity and acceleration occur for each of parts (a)–(d).

Questions 8–13 relate to the following: An object of mass, $m = 0.5$ kg is suspended from a spring with a spring constant, $k = 25$ N m^{-1}. It is raised by from its equilibrium position by 12 cm and released at $t = 0$ after which its displacement, x, is given by $x = A\cos(\omega t + \varepsilon)$.

8 Calculate the pulsatance, frequency, period and amplitude of the oscillation.

9 Sketch the displacement–time, velocity–time and acceleration–time graphs between 0 and 2 s; label significant values. [Advice: 9 and 10 should be answered together.]

10 Write the equations for x, v and a with t, with the appropriate numbers.

11 Calculate the values of x, v and a when $t = 0.7$ s.

12 Find the values of t between 0 and 2 s for which $v = 60$ cm s^{-1}.

13 Find the kinetic energy and the energy stored in the spring at $t = 0.2$ s.

14 A particle of mass 2 kg oscillates with the displacement x, in metres, given by $x = 2.0\sin 10t$.

   (a) Find the velocity and kinetic energy of the particle at t = 0.

   (b) Taking the potential energy of the particle to be zero in the equilibrium position, sketch the variation of the particle's kinetic energy, potential energy and total energy with time over two cycles of its oscillation.

   $$\left[\text{Hint: } \cos^2\theta = \frac{1 - \cos 2\theta}{2}\right]$$

15 A particle executes shm with its displacement, in m, given by $x = 0.2\cos(10\pi t + 0.785)$. Find the times between $t = -0.2$ s and $t = +0.2$ s for which

   (a) $x = 0.1$ m

   (b) $v = -5$ m s^{-1}.

Questions 16–19 relate to a power supply with terminal pd, V, given by $V = 12\cos 200\pi t$.

16 The power supply is connected across a 100 Ω resistor. The current varies as $I = I_0\cos(\omega t + \varepsilon)$.

   (a) Rewrite this equation inserting the appropriate values of I_0, ω, and ε.

   (b) At time $t = 0.002$ s, calculate the value of (i) the pd, (ii) the current and (iii) the power dissipated.

   (c) Calculate: (i) the rms pd, (ii) the rms current and (iii) the mean power dissipated.

17 The power supply is connected across a 10 μF capacitor.

   (a) Calculate: (i) the reactance of the capacitor and (ii) the peak value of the current.

   (b) Write an equation for the current in the form $I = I_0\cos(\omega t + \varepsilon)$.

   (c) Find the current at 0.002 s.

18 The power supply is connected across a 0.1 H inductor.

   (a) Write an equation for the current in the form $I = I_0\cos(\omega t + \varepsilon)$.

   (b) Find the current at 0.002 s.

19 The power supply is connected across a 10 μF capacitor and a 100 Ω resistor in series.

   (a) Calculate: (i) the impedance of the combination, (ii) the peak current, (iii) the peak pd across each component, V_R and V_C.

   (b) Draw a phasor diagram for the voltages V_R, V_C and the applied voltage (i.e. the resultant voltage).

   (c) Calculate the phase angle between the current and applied voltage.

Questions 20–22 refer to the voltage phasor diagram, which relates to a series combination of two components, X and Y. The pulsatance and the current phasor are also shown. Show your working.

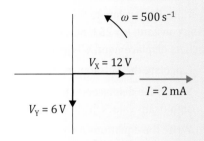

20 (a) Identify the components X and Y.

    (b) Determine the value of components X and Y.

    (c) Determine the applied voltage and the angle between the voltage and current phasors.

21 The frequency of the power supply doubles and the value of I remains the same.

    (a) Redraw the phasor diagram and insert appropriate values.

    (b) Determine the applied voltage and the angle between the voltage and current phasors.

22 The pulsatance of the power supply is changed to 250 s^{-1} and the applied voltage is the same as in Q20. Redraw the voltage phasor diagram, inserting appropriate values.

Questions 23–25 relate to the series RCL circuit shown.

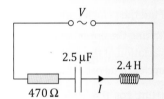

23 The pulsatance of the supply is 500 s^{-1} and the rms current is 0.1 A.

    (a) Draw a phasor diagram of the rms pd's across each component.

    (b) Determine rms magnitude of the applied voltage.

    (c) Determine the mean power dissipated.

24 The frequency of the supply is 100 Hz and the rms voltage $V = 40$ V. By drawing a phasor diagram of the impedances, determine the total impedance and hence the current.

25 The frequency of the supply is adjusted so that the circuit is at resonance. The rms pd of the supply is 50 V. Showing your working, calculate:

    (a) the frequency, (b) the current, (c) the pd across each component and (d) the mean power dissipated.

Chapter 9 — Fields

9.1 Introduction

A *field* in physics is a region of space in which each point has a quantity associated with it. Atmospheric pressure and atmospheric temperature are examples of *scalar fields* – the values of the pressure and temperature at any instant vary from place to place and influence the wind velocity, which is a *vector field*. These two fields are of interest to meteorologists.

The vector fields met in A-level Physics are gravitational, electric and magnetic fields. The vectors in these fields are defined in magnitude and direction by the effect of the field on particular objects. Gravitational and electric fields are mathematically very similar; magnetic fields are also vector fields but their properties are different and they are dealt with separately in Section 9.5

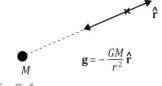

$$\mathbf{g} = -\frac{GM}{r^2}\,\hat{\mathbf{r}}$$

Fig 9.1

quickfire》》 9.1

Show that the units for g, N kg^{-1} and m s^{-2}, are equivalent.

9.2 Gravitational and electric fields

9.2.1 Gravitational fields

The effect of a gravitational field is to exert a force, **F**, on a test body, which is proportional to its mass, m. The *gravitational field strength*, **g**, is defined by $\mathbf{g} = \dfrac{\mathbf{F}}{m}$.

From Newton's law of gravitation, the field strength produced by a point object of mass M at a point with position vector, **r**, from the object is given by:

$$\mathbf{g} = -\frac{GM}{r^2}\,\hat{\mathbf{r}},$$

where $\hat{\mathbf{r}}$ is the unit vector in the direction of **r**, and G is the universal constant of gravitation, $6.67 \times 10^{-11}\ \text{N m}^2\ \text{kg}^{-2}$. The field strength at a point produced by two or more bodies is the [vector] sum of the field strengths produced by each body separately. The field strength produced by a macroscopic body, e.g. the Earth, is the sum of the fields of all the individual particles of which the Earth is composed.

Example A:

A point, **P**, is in the gravitational field of the Earth and Moon. Find the direction of the gravitational field at the point **P** (see diagram).

The field strength, **g**, is the resultant of the field due to the Earth, $\mathbf{g}_E$, and that due to the Moon, $\mathbf{g}_M$.

The distance EP = 4.00×10^8 by Pythagoras' theorem.

$$\mathbf{g}_E = \frac{6.67 \times 10^{-11} \times 6 \times 10^{24}}{(4 \times 10^8)^2} = 2.50 \times 10^{-3}\ \text{N kg}^{-1}\ \text{in the direction } \overrightarrow{PE}$$

$$\mathbf{g}_M = \frac{6.67 \times 10^{-11} \times 7.5 \times 10^{22}}{(2 \times 10^7)^2} = 1.25 \times 10^{-2}\ \text{N kg}^{-1}\ \text{downwards.}$$

Horizontal component of $\mathbf{g}_E = 2.50 \times 10^{-3} \cos\theta = 2.50 \times 10^{-3}\ \text{N kg}^{-1}$.

Vertical component of $\mathbf{g}_E = 2.50 \times 10^{-3} \sin\theta = 1.25 \times 10^{-4}\ \text{N kg}^{-1}$. This is negligible compared to g_M.

From the vector diagram: $\phi = \tan^{-1}\left(\dfrac{2.5 \times 10^{-3}}{0.0125}\right) = 11.3°$. This gives the direction of **g**.

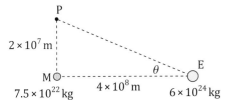

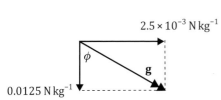

quickfire》》 9.2

Express the unit of G in terms of the base SI units.

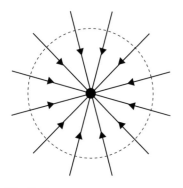

Fig 9.2

gravitational field lines near the surface of the Earth

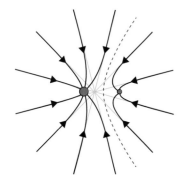

Fig 9.3

Fig 9.4

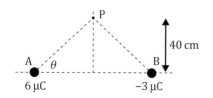

Express the unit of ε_0 in terms of the base SI units, m, kg, s and A.

Vector fields can be represented by *field lines*, often called *lines of force*. They indicate the direction of the field vector at different points in the field. With care they can be used to give a semi-quantitative indication of the variation of the strength of the field. For a single point mass, the gravitational field lines are radial lines pointing inwards. The actual number of lines is unimportant.

Figure 9.2 is a 2D slice through a symmetrical 3D field. The dotted line represents a sphere. If the radius of the sphere halves, the number of field lines crossing it per unit area goes up by a factor of 4, in line with the inverse square nature of the field.

Because of the definition of **g**, the gravitational field lines always start at ∞ and end on the object whose mass produces the field. Field lines can never cross: if they did, the field would have two different directions at the point of intersection. The field from two bodies is the resultant of the individual fields and so will have a direction between the two.

For small displacements near the surface of the Earth, the field is almost uniform and downwards, so the field is as shown in Figure 9.3.

To see how field lines can be used in a quantitative way, look at Figure 9.4, a hand-drawn sketch of the gravitational field lines due to two masses, 2*m* (the larger one) and *m*. The number of field lines you draw is arbitrary but it is very useful to make the number of lines proportional to the mass – this makes the relative contributions of the two fields easier to picture. The body of mass *m* has 4 field lines, which are radial at points close to it; 2*m* has 8; the combination has 12 lines which are radial at large distances, lining up with the centre of mass of the two bodies. The faint lines show the field lines of a body of mass 3*m*. The dotted lines show the separation between the effective regions of influence of each body.

9.2.2 Electric fields

The effect of an electric field is to exert a force, **F**, on any test charge, which is proportional to its charge, q. The *electric field strength*, **E**, is defined by $\mathbf{E} = \dfrac{\mathbf{F}}{q}$.

From Coulomb's law, the field strength produced by a point object of mass Q at a point with position vector, **r**, from the object is given by $\mathbf{E} = \dfrac{1}{4\pi\varepsilon_0}\dfrac{Q}{r^2}\hat{\mathbf{r}}$, where ε_0 is the *permittivity of free space*, 8.854×10^{-12} F m^{-1}.

$$\mathbf{E} = \frac{1}{4\pi\varepsilon_0}\frac{Q}{r^2}\hat{\mathbf{r}}$$

Fig 9.5

The mathematics of the electric field is the same as that of the gravitational field apart from:

1 the sign of the of the force law is + instead of –,

2 there are positive and negative charges, and

3 the constant of proportionality is $\dfrac{1}{4\pi\varepsilon_0}$. ❶

Other practical differences are that, with electric fields, the distances tend to be small, possibly as small as nm and the charges tend to be small, either nC or µC.

Example B:

Find the resultant electric field, *E*, at P, which is on the line of symmetry between the two charges, which are separated by 60 cm. $\dfrac{1}{4\pi\varepsilon_0} = 9 \times 10^9$ F^{-1} m.

Using Pythagoras' theorem, AP = BP = 50 cm; $\sin\theta = 0.8$; $\cos\theta = 0.6$.

At P:
$$E_A = 9 \times 10^9\frac{6 \times 10^{-6}}{0.5^2} = 216 \text{ kV m}^{-1};$$

Components: Horizontal = 216 × 0.6 = 129.6 kV m^{-1}; Vertical = 216 × 0.8 = 172.8 kV m^{-1}

P

40 cm

A
θ
6 µC

B
−3 µC

❶ Examiners often use the very good approximation $\dfrac{1}{4\pi\varepsilon_0} = 9 \times 10^9$ F^{-1} m

$$E_{\text{B}} = 9 \times 10^9 \frac{3 \times 10^{-6}}{0.5^2} = 108 \text{ kV m}^{-1};$$

Components: Horizontal = $108 \times 0.6 = 64.8$ kV m^{-1}; Vertical = $-108 \times 0.8 = -86.4$ kV m^{-1}

Resultant horizontal component = $129.6 + 64.8 = 194.4$ kV m^{-1}.

Resultant vertical component = $172.8 - 86.4 = 86.4$ kV m^{-1}.

$$\therefore \qquad E = \sqrt{194.4^2 + 86.4^2} = 214 \text{ kV m}^{-1}.$$

Direction, $\phi = \tan^{-1}\left(\dfrac{86.4}{194.4}\right) = 23.1°$ below the horizontal to the right.

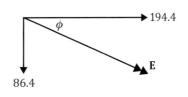

Because of the existence of + and − charges, the field lines begin on a + charge and end on a − charge. If there are unbalanced charges in a distribution, some field lines will extend to ∞. The sketch diagram shows the electric field due to two charges: $+2Q$ and $-Q$. The field lines are radial close to each charge and twice as many lines come from the $+2Q$ as end on the $-Q$. As with gravitational fields, the lines cannot cross and at a large distance there are eight lines radiating outwards as from a single $+Q$ charge.

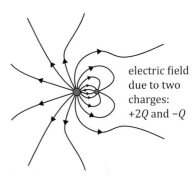

electric field due to two charges: $+2Q$ and $-Q$

Fig 9.7

9.2.3 Field due to a sphere

Newton's and Coulomb's laws refer to point masses and charges respectively, that is objects whose size is insignificant compared with the distance between them. We frequently need to work out the fields due to macroscopic bodies. The simplest shape is that of a sphere. We'll work in terms of an electric field but the maths of gravitational fields is the same.

We consider first a spherical shell and ask what the field strength is: (a) inside and (b) outside.

Inside a uniformly charged spherical shell

Consider a point **P** inside a spherical shell (Figure 9.8). Consider two very small areas A_1 and A_2 on the shell surface as shown. The two areas have the same shape and, from geometrical considerations:

$$\frac{A_1}{A_2} = \frac{r_1^2}{r_2^2}.$$

The charges on A_1 and A_2 are proportional to their areas so $\dfrac{Q_1}{Q_2} = \dfrac{r_1^2}{r_2^2}$, so $\dfrac{Q_1}{r_1^2} = \dfrac{Q_2}{r_2^2}$.

Because of the inverse square law the field strength at **P** due to Q_1 and Q_2 are equal and opposite, so the resultant field from these two areas is zero. We can repeat this process for the same point **P** covering the entire sphere with opposing areas, so the total field inside the shell is zero.

An alternative reasoning is based upon field lines: there can be no field lines inside the shell because the field line would have to end on a charge. If there are no charges inside the shell, no field lines can end there. Could a field line cross the void and emerge from the other side? No; from symmetry there would be an equally strong field line in the other direction and the two fields would cancel out.

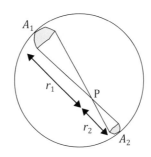

Fig 9.8

quickfire 9.4

Find a value for $\dfrac{1}{4\pi\varepsilon_0}$ to 3 s.f. given that $\varepsilon_0 = 8.854 \times 10^{-12}$ F m^{-1}.

quickfire 9.5

Show that the units of electric field strength, V m^{-1} and N C^{-1}, are equivalent.

quickfire 9.6

Find the resultant of two electric fields, 100 V cm^{-1} and 160 V cm^{-1} if they act: (a) in the same direction, (b) in opposite directions and (c) at right angles.

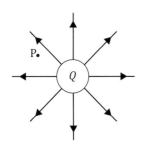

Fig 9.9

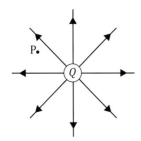

Fig 9.10

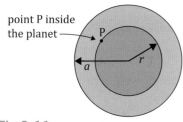

point P inside
the planet

Fig 9.11

Outside a uniform spherical shell

Consider a point **P** outside a uniformly charged spherical shell. From above, all the field lines point outwards. Each starts on a + charge. Imagine shrinking the shell to, say, half the size. The only change to the diagram is that the field lines start closer to the centre – in other words, the field at **P** is unchanged.

We conclude that the field at **P** is independent of the radius of the sphere – even if we let the sphere shrink towards a 0 radius. So the field at **P**, outside the sphere, is the same as if all the charge were concentrated at a point in the centre.

Note that this interpretation of the field lines as an indication of the strength of the field is only possible in an inverse square field – see the text following Example A.

The gravitational field of a planet

Assuming that a planet is spherically symmetric, which is true to a good approximation, it can be considered to be made up of a large number of nested spherical shells. Thus the field **outside** the planet is given by:

$$\mathbf{g} = -\frac{GM}{r^2}\hat{\mathbf{r}},$$

as if all the mass were concentrated at the centre.

Figure 9.11 shows a point P at a distance r from the centre of a planet of radius a, with $r < a$. The field **inside** the planet depends upon the way the density varies with depth. The field at **P** is given by

$$\mathbf{g} = -\frac{Gm}{r^2}\hat{\mathbf{r}},$$

where m is the mass of the sphere of radius r. The mass at greater radii is not relevant because P is within the hollow shells for this mass (as shown above).

For a planet of **uniform density,** ρ, and radius, a

$$M = \tfrac{4}{3}\pi a^3 \rho \quad \text{and} \quad m = \tfrac{4}{3}\pi r^3 \rho = M\frac{r^3}{a^3}$$

$\therefore$ at P, $\mathbf{g} = -\dfrac{GMr}{a^3}\hat{\mathbf{r}}$ i.e. g is proportional to r and the graph of g against r rises from 0 at the

centre to $\dfrac{GM}{a^2}$ at the surface and then drops off as $\dfrac{GM}{r^2}$ for $r > a$. See Figure 9.12.

Of course planets are not of uniform density: the Earth's mean density is ~ 5500 kg m⁻³, whereas the silicate rocks of the crust are about 2500 kg m⁻³, which produces a maximum g below the surface. This is shown in by the dotted graph.

Because of the similar mathematics, the same would be true of a charged sphere: there is no electric field inside an empty spherical shell of charge and the field outside is as if the charge were concentrated at the centre. This latter would also be true of a sphere which was uniformly charged throughout its volume.

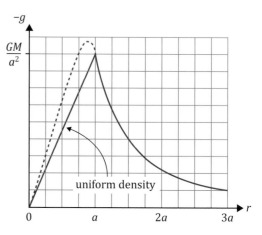

Fig 9.12

quickfire 9.7

If g at the Earth's surface is ~10 N kg⁻¹, what is its value at double this distance from the centre of the Earth.

quickfire 9.8

Assuming uniform density, what value of g would there be halfway to the Earth's core.

9.3 Electric and gravitational potential – scalar fields

If we move an object between two points in a gravitational field, the work we do against the field is independent of the route we take between the two points.[?] The same is true if we move a charge between two points in an electric field. This work we do is recoverable so it represents a change in potential energy.

We define the *potential* at a point in an electric field as 'the work done per unit charge against the field in moving a small charge from a place of zero potential'. For inverse square fields, it is normal to define ∞ as the place of zero potential, so the definition of potential can be stated as, 'the work done per unit charge against the field in moving a small charge from infinity to that point'.

We can relate the potential, V, to the electric field strength. Consider moving a small charge, q, from the point with potential V_1 to the point with potential V_2 against a uniform electric field of strength $\mathbf{E}$ as shown in Figure 9.14.

The force, $\mathbf{F}$, exerted by the field $= q\mathbf{E}$

So the work done against the field, $W = -q\mathbf{E}.\mathbf{x}$. $\therefore \Delta V = V_2 - V_1 = \dfrac{W}{q} = -\mathbf{E}.\mathbf{x}$

If $\mathbf{x}$ is at 90° to $\mathbf{E}$ then $W = 0$, therefore $\Delta V = 0$ and the two points are at the same potential. All points on a surface at right angles to an electric field are at the same potential and we call such surfaces *equipotentials*. The dotted line in Figure 9.14 is an equipotential.

In Test Yourself 10.2, Questions 13–17, we demonstrate that the electric potential, V_E, due to a point charge, Q, and the gravitational potential, V_G, due to a point mass, M, are, at a distance r:

$$V_E = \frac{Q}{4\pi\varepsilon_0 r} \quad \text{and} \quad V_G = -\frac{GM}{r}.$$

The results of Section 9.2.3 show that the same formulae are valid for a point outside spherical charges or masses.

Combining potentials

The electric field strength in a region of space due to two charges is the sum of the fields due to each charge seperately. The same holds for potentials: the potential at any point in the fields is the sum of the potentials due to each charge separately. However, electric field strength is a vector and potential is a scalar – electric **potential does not have a direction**, though it may be + or −. This makes it much easier to deal with. It is exactly the same with gravitational potential – it is a scalar.

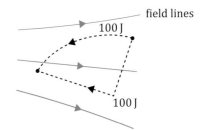

Fig 9.13

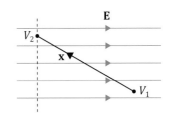

Fig 9.14

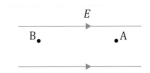

Example C:

Calculate (a) the potential at point **P** in the diagram and
(b) the work done in moving a charge of −5 µC from **P** to **R**.

(a) V_P = potential due to −10 µC + potential due to −20 µC

$$= \frac{1}{4\pi\varepsilon_0}\frac{(-10 \times 10^{-6})}{0.3} + \frac{1}{4\pi\varepsilon_0}\frac{(-20 \times 10^{-6})}{0.5}$$

$$= -660\,\text{kV} \left[\text{using } \frac{1}{4\pi\varepsilon_0 r} = 9 \times 10^9 \,\text{F}^{-1}\,\text{m}\right].$$

(b) $V_R = \dfrac{1}{4\pi\varepsilon_0}\dfrac{(-10 \times 10^{-6})}{0.5} + \dfrac{1}{4\pi\varepsilon_0}\dfrac{(-20 \times 10^{-6})}{0.3}$

$$= -780\,\text{kV}. \therefore \Delta V = -120\,\text{kV}.$$

$\therefore$ From the definition of potential, Work done $= Q\Delta V = -5\,\mu\text{C} \times (-120\,\text{kV}) = 0.6\,\text{J}.$

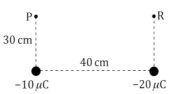

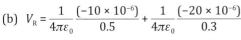

[?]   The proof of this is beyond the scope of this book.

quickfire »» 9.11

A and B are 10 cm apart. Their potentials are as in QF 9.9.

The field is at 30° to BA.

(a) Calculate E

(b) Add the equipotentials as in QF 9.10

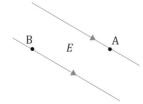

9.4 The flux of a field

The *flux, Φ,* of an electric field, **E**, through a surface of area, A, is defined by

$$\Phi = \mathbf{E}.\mathbf{A}$$

where **A** is a vector of magnitude A at right angles to the surface.

If the field is not uniform and/or the surface is not flat, then Φ is calculated by dividing up the surface into very small areas, working out the flux through each and then adding the fluxes together:[3]

$$\Phi = \mathbf{E}_1.\Delta\mathbf{A}_1 + \mathbf{E}_2.\Delta\mathbf{A}_2 + \mathbf{E}_3.\Delta\mathbf{A}_3 + \dots$$

Pictorially, we can think of the flux as being the number of field lines which cross the surface. A large field crossing a small surface can have the same flux as a weak field crossing a large surface. A consequence of Coulomb's law is that, for any closed surface, e.g. the surface of a sphere, $\Phi = \dfrac{Q}{\varepsilon_0}$, where Q is the total charge enclosed by the surface. This is called **Gauss's law**.

This puts into mathematics the idea that the number of field lines emerging from a closed surface is proportional to the charge enclosed.

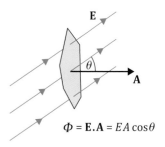

$$\Phi = \mathbf{E}.\mathbf{A} = EA\cos\theta$$

Fig 9.15

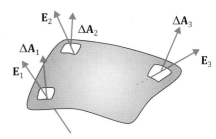

Fig 9.16

Example D:

Show that Gauss's law gives the correct answer for the electric field at the surface of a charged sphere.

Let the sphere have a charge Q and radius a. The field is radial so it is at right angles to the surface and it is also the same magnitude at all points on the surface.

$$\therefore \quad \Phi = E \times 4\pi a^2. \quad \text{Gauss's law: } \Phi = \frac{Q}{\varepsilon_0}.$$

Eliminating Φ gives: $\quad E \times 4\pi a^2 = \dfrac{Q}{\varepsilon_0}.$

$$\therefore E = \frac{Q}{4\pi\varepsilon_0 a^2}, \text{ which is the correct answer from Coulomb's law.}$$

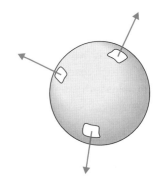

We can define the flux of any vector field in the same way. The change in flux of a magnetic field is important for electromagnetic induction – see Section 9.5.3.

The electric field inside a capacitor

Consider a parallel plate capacitor with an air gap. Assume that the gap, d, is small and the area, A, comparatively large so that edge effects can be ignored; hence the charges $+Q$ and $-Q$ will be spread uniformly over the inner surfaces of the plates.

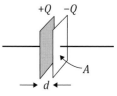

Fig 9.16

---

[3] We then reduce the size of the areas and take the limit of the sum as each of the Δ**A**s tend to zero – this process is called a surface integral. Surface integrals with non-uniform fields are beyond the scope of this book.

To calculate the field, **E**, between the plates we apply Gauss's law. Surround the positive plate with a closed surface as shown in Figure 9.17.

E is at right angles to the top face of the surface, so Φ, the flux through this area is $EA \cos 0° = EA$. Below the plate the field is 0. The flux through the sides surfaces is 0 because the field is parallel to these surfaces (above the plate) or 0 (below the plate).

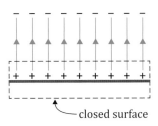

$\therefore$ The total flux through the closed surface, $\Phi = EA$.

closed surface

From Gauss's law: $\Phi = \dfrac{Q}{\varepsilon_0}. \therefore E = \dfrac{Q}{\varepsilon_0 A}$.[see note ④]

Fig 9.17

From this result, we can calculate the **capacitance of a parallel plate capacitor with an air gap**:

The electric field strength in between the plates, $E = \dfrac{Q}{\varepsilon_0 A}$.

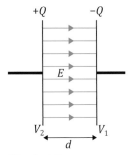

$\therefore$ The potential difference⑤ between the plates, $V = V_2 - V_1 = \dfrac{Q}{\varepsilon_0 A}d$

Capacitance is defined by $Q = CV$, so the last equation becomes

$$C = \frac{\varepsilon_0 A}{d}.$$

Fig 9.18

Example E:

A plane insulating sheet is charged with a surface charge density of -5 nC m⁻². Calculate the electric field, E, in the vicinity of the sheet.

Consider a cylinder at right angles to the sheet, with end area A. The total charge enclosed is $-\sigma A$.

$\therefore$ The flux emerging from the cylinder, $\Phi = \dfrac{-\sigma A}{\varepsilon_0}$.

Pointer

The field **E** is at right angles to the sheet surfaces, of total area $2A$, and parallel to the side surfaces,

The surface density, σ, is the charge per unit area. Its unit is C m⁻².

$\therefore$ $\Phi = 2AE$.

$\therefore 2AE = \dfrac{-\sigma A}{\varepsilon_0}$ $\qquad \therefore E = -\dfrac{\sigma}{2\varepsilon_0} = -\dfrac{5 \times 10^{-9}}{2 \times 8.854 \times 10^{-12}} = -282 \text{ V m}^{-1}$.

9.5 Magnetic fields

These are more complicated than electric or gravitational fields.

1. They are produced and detected by moving charged particles. Velocity is a vector quantity, so the production and detection of magnetic fields involve vectors in a way which electric and gravitational fields do not.

2. Magnetic field lines are closed; they do not begin and end.

---

④ The quantity $\dfrac{Q}{A}$ is called the surface charge density, σ.
⑤ In electric fields, we normally write the potential difference as ΔV; in electric circuits it is usually written as V.

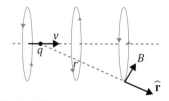

$F = qvB \sin\theta$
into the paper

Fig 9.19

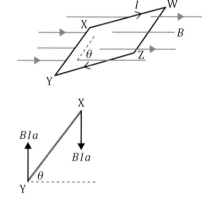

Fig 9.20

9.5.1 Definitions and basic formulae

The strength of a magnetic field is called the *magnetic flux density*, **B**. **B** is defined by the force, **F**, on a charge, q, moving with velocity, **v**. The force is the vector product of $q\mathbf{v}$ with **B**:

$$\mathbf{F} = q\mathbf{v} \times \mathbf{B}$$

i.e. $F = qvB \sin\theta$ at right angles to both **v** and **B**. The unit of **B** is the tesla, T.

From this equation we can derive the force on a length ℓ of wire, carrying a current, I, placed in a magnetic field.

The current, I, is given by $I = nAqv$ where A is the cross sectional area of the wire and n the number of charge carriers per unit volume.

The total number of charge carriers is $nA\ell$, so $F = nA\ell qvB \sin\theta = BI\ell \sin\theta$.

The direction of the force is the direction of $q\mathbf{v} \times \mathbf{B}$.

The flux density produced at a point **P**, with position vector **r** measured from q, by a charge q, moving with velocity $\mathbf{v}$ is also given by a vector product:

$$\mathbf{B} = \frac{\mu_0}{4\pi} \frac{q}{r^2} \mathbf{v} \times \hat{\mathbf{r}}, \text{ where } \hat{\mathbf{r}} \text{ is the unit vector from } q \text{ to } \mathbf{P}.$$

i.e. $\mathbf{B} = \dfrac{\mu_0}{4\pi} \dfrac{qv \sin\theta}{r^2}$ with the field lines being circles of direction clockwise around the direction of movement of the charge.[6] The constant μ_0 is the *permeability of free space*, $4\pi \times 10^{-7}$ H m^{-1}.

Example F:

Show that the torque, τ, on a rectangular coil, of area A, with N turns, whose axis of rotation is at right angles to a magnetic field, **B**, is given by

$$\tau = BANI \cos\theta.$$

Let WX = YZ = a and XY = ZW = b

The force on side WX, $F_{WX} = BIa$ vertically downwards; $F_{YZ} = BIa$ vertically upwards.

The forces on XY and ZW are equal and opposite in the plane of the coil and cancel out.

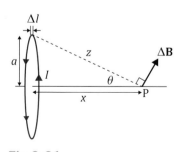

The diagram shows the edge view of the coil:

$$\tau = BIa \times XY \cos\theta = BabNI \cos\theta = BANI \cos\theta.$$

Note: This result is also true for coils other than rectangular.

quickfire 9.12

Express the tesla in terms of the base SI units, m, kg, s and A.
[Hint: use the equation $\mathbf{F} = q\mathbf{v} \times \mathbf{B}$]

9.5.2 Magnetic field on the axis of a plane coil

Consider a point **P** on the axis of a plane coil, with a single turn, of radius a, carrying a current, I, at a distance x from the centre of the coil.

Using the usual symbols: $I = nAvq$.

Consider the contribution, $\Delta\mathbf{B}$, from the section of the coil, $\Delta\ell$, at the top. The dotted line is at right angles to the coil. The number of charge carriers in $\Delta\ell = nA\Delta\ell$,

Fig 9.21

---

[6] Direction of the field lines – note that q can be either + or –. If q is negative the field line direction will be opposite.

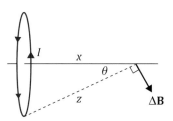

∴ $\quad \Delta B = \dfrac{\mu_0}{4\pi}\dfrac{nAqv\Delta\ell}{z^2} = \dfrac{\mu_0}{4\pi}\dfrac{I\Delta\ell}{z^2}$ in the direction shown.

Consider next, the contribution from the opposite section. The horizontal component of Δ**B** is the same as for the top section – the vertical components are equal and opposite so they cancel out.

In fact, for all segments of the coil, the components of the Δ**B** vectors at right angle to the axis cancel in pairs, whilst the components along the axis add. These are all $\Delta B \sin\theta$. If we add up all the $\Delta\ell$ to give $2\pi a$ and using $z^2 = a^2 + x^2$ we get

Fig 9.22

∴ $\quad$ **B** $= \dfrac{\mu_0}{4\pi}\dfrac{I2\pi a\sin\theta}{(a^2+x^2)},\quad$ i.e **B** $= \dfrac{\mu_0 Ia\sin\theta}{2(a^2+x^2)}$ along the axis to the right.

$\sin\theta = \dfrac{a}{z} = \dfrac{a}{\sqrt{(a^2+x^2)}},\quad$ so we can rewrite this: $B = \dfrac{\mu_0 Ia^2}{2(a^2+x^2)^{\frac{3}{2}}}$

At the centre of the coil, $x = 0$ so we obtain the familiar formula $B = \dfrac{\mu_0 I}{2a}$.

With N turns on the coil these formulae become $\quad B = \dfrac{\mu_0 NIa^2}{2(a^2+x^2)^{\frac{3}{2}}}\quad$ and $\quad B = \dfrac{\mu_0 NI}{2a}$

Using the techniques of integral calculus, we can also derive the following formulae for flux density:

- at a distance r from a long straight wire: $B = \dfrac{\mu_0 I}{2\pi r}$, with field lines clockwise around the wire

- inside a long solenoid: $B = \mu_0 nI$, the direction given by the right-hand grip rule.

See Chapter 13 for the derivation of these formulae.

Example G:

Two long, straight, parallel wires, X and Y, 1 cm apart, carry a current of 10 A in the same direction. A third wire, Z, of length 1 m, carrying a current of 5 A is placed parallel to the others, as shown in the diagram. $\quad$ XZ = YZ = 1 cm

Calculate the magnetic force on wire **Z**.

$\otimes$ Z

X $\otimes$ $\qquad$ $\otimes$ Y

The field **B**$_X$ due to X at Z $= \dfrac{4\pi \times 10^{-7} \times 10}{2\pi \times 0.01} = 2.0 \times 10^{-4}$ T: Direction, to the right at 30° below the horizontal.

The field due to Y at Z $= 2.0 \times 10^{-4}$ T to the right at 30° above the horizontal.

The resultant field **B** $= 2 \times (2.0 \times 10^{-4})\cos 30° = 3.46 \times 10^{-4}$ T, horizontal to the right.

The force, **F** on Z is given by: **F** $= BI\ell$ downwards

$\qquad F = 3.46 \times 10^{-4} \times 5 \times 1 = 1.73$ mN.

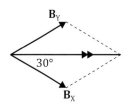

9.5.3 Magnetic flux – electromagnetic induction

The flux of a magnetic field through an area is defined in the same way as the flux of an electric field:

$\qquad \Phi = $ **B.A**

The unit of Φ is the weber, Wb.

Another useful quantity is *flux linkage*: if the magnetic field passes through a coil with N turns, the magnetic flux linkage is defined as $N\Phi$. Its unit is weber-turn, Wb-turn. Oddly, there is no symbol for flux linkage – it is always $N\Phi$!

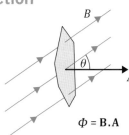

$\Phi = $ **B.A**

Fig 9.23

Faraday's law of electromagnetic induction states that an emf is induced if the flux linkage in a circuit changes. The induced emf, $\mathcal{E}_{in}$, is equal to the rate of change of flux linkage:

$$\mathcal{E}_{in} = \frac{\Delta(N\Phi)}{t} = \frac{d}{dt}(N\Phi) \quad \text{in the language of calculus.}$$

Whether the emf produces a current – the *induced current* – depends upon the nature of the circuit. We'll deal with a few examples. The direction of the induced emf is the subject of **Lenz's law** [pronounced *lentses*]: 'The direction of the induced emf is such as to tend to oppose the change producing it.' This rather opaque wording can be interpreted in several equivalent ways, which will be dealt with in the examples that follow.

Example H is a scenario beloved of examiners!

Example H:

A conducting bar slides over a pair of rails. A magnetic field of flux density 5 mT links the circuit at right angles as shown. If the circuit has a resistance of 0.2 Ω, calculate the induced current and state its direction.

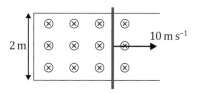

Φ = **B.A** and **A** is increasing at 2 m × 10 m s⁻¹ = 20 m² s⁻¹.

So from Faraday's law $\mathcal{E}_{in} = \frac{\Delta(N\Phi)}{t} = 5 \times 10^{-3} \times 20 = 0.1$ V.

$$\therefore \qquad I_{in} = \frac{\mathcal{E}_{in}}{R} = \frac{0.1}{0.2} = 0.5 \text{ A.}$$

Direction of I_{in}: **One** way of applying Lenz's law is to say that, because there is a current in the bar, it will experience a force which opposes the motion. Applying **F** = qv × **B**, with **F** to the left → $q\boldsymbol{v}$,i.e. I, is **upwards** in the bar.

Simple generator

Consider a coil, WXYZ, of area A rotating with angular speed ω in a magnetic field of flux density **B**. Figure 9.25 shows the coil edge on, when it is at an angle θ to **B**.

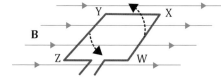

Fig 9.24

In this position: $N\Phi = BAN \sin\theta$ [see footnote^⑦]

If the coil rotates at ω, $\theta = \omega t + \varepsilon$

$$\therefore \qquad N\Phi = BAN \sin(\omega t + \varepsilon)$$

$\mathcal{E}_{in}$ is the rate of change of $N\Phi = \frac{d}{dt}(N\Phi) = BAN\omega \cos(\omega t + \varepsilon)$

If the resistance of the circuit is R, $I_{in} = \frac{BAN\omega}{R} \cos(\omega t + \varepsilon)$

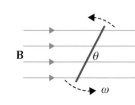

Fig 9.25

To work out the direction of the induced emf (and current) we could use the same technique as in Example F. An alternative is to consider the change of flux in the coil. In the diagrams the flux is *increasing*, so the induced current will *oppose* the change, i.e. it will produce a field in the opposite direction, which requires the current direction to be $\overrightarrow{WXYZ}$ at that time.

coil horizontal,
WX moving up

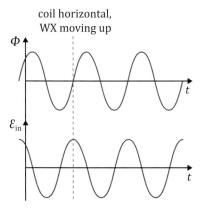

Fig 9.26

---

⑦ The angle between the normal to the plane coil and **B** is 90°– θ ; cos(90°– θ) = sin θ

Self-inductance – the inductance of a coil

Consider a conducting coil with a current, I, in it. The current produces a magnetic field which links the coil. If a voltage, V, is applied, the current increases, causing an increase in the flux linage producing an opposing emf – the *back emf*, $\mathcal{E}_{back}$.

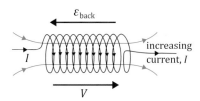

Fig 9.27

This emf is proportional to the rate of change of flux linkage and hence to the rate of change of current.

Assuming that the coil has negligible resistance, the electric field within the wire will be zero, so the back emf is equal and opposite to the applied voltage. [A practical coil with a non-negligible resistance can be treated as a zero-resistance coil in series with a non-inductive resistor – see Section 8.5.2 and below.]

Hence the equation $V = L\dfrac{dI}{dt}$ applies, where L is a constant called the *self-inductance* of the coil. The unit of L is the henry, H.

The flux density, **B**, inside a long solenoid with n turns per metre, is given by $B = \mu_0 nI$. If the solenoid has length ℓ and cross-sectional area A, the flux linkage is given by $N\Phi = \mu_0 n^2 \ell A I$, ignoring the short region at each end in which B is less.

$$\therefore \qquad V = \mathcal{E}_{back} = \mu_0 n^2 \ell A \times \text{rate of change of current.}$$

$$\therefore \qquad L = \mu_0 n^2 \ell A$$

Example I:

A coil has a length of 50 cm, a cross-sectional area 5 cm^2 and 10 000 turns per metre.

Calculate (a) the self-inductance of the coil and (b) the rate of growth of current if a pd of 10 V is applied to the coil.

(a) $L = 4\pi \times 10^{-7} \times 10\,000^2 \times 0.5 \times 5 \times 10^{-4} = 31\ \text{mH}$

(b) $\dfrac{dI}{dt} = \dfrac{V}{L} = \dfrac{10}{2.5 \times 10^{-3}} = 318\ \text{A s}^{-1}$.

Unless it is superconducting, a solenoid possesses resistance as well as self-inductance. We can treat such a coil as a series combination of a pure inductor [i.e. a coil with no resistance] and a resistor; see Figure 9.28. What happens if we apply a potential difference, V, across it?

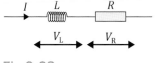

Fig 9.28

The total pd, $\quad V = V_L + V_R$

$$\therefore \qquad V = L\dfrac{dI}{dt} + IR$$

The solution is: $I = \dfrac{V}{R}(1 - e^{-kt})$, where $k = \dfrac{R}{L}$. [See footnote ❾]. The final current is $\dfrac{V}{R}$, as expected.

Transformers

The details of the physics of transformers, e.g. the purpose of the soft-iron core and the laminations, are beyond the scope of this book.

If a pd, V_P is applied to the primary coil it causes a current I, in the primary which in turn produces a flux, Φ, which links both coils.

The flux linkage in the secondary = $N_S \Phi$.

— primary coil, N_P

— secondary coil, N_S

— soft-iron core

Fig 9.29

The pd across the secondary, V_S = the emf induced in the secondary = $N_S \dfrac{d\Phi}{dt}$.

The back-emf generated in the primary = $N_P \dfrac{d\Phi}{dt}$.

---

❾ See Chapter 11 for the treatment of differential equations of this type.

The primary coil has some resistance but in practice the back-emf is almost the same size, and opposite to the applied pd V_P. Using this approximation, this essentially means a 100% efficient transformer:

$$V_P = N_P \frac{d\Phi}{dt} \text{ and } V_S = N_S \frac{d\Phi}{dt} \text{ lead to the transformer equation: } \frac{V_S}{V_P} = \frac{N_S}{N_P}.$$

Test Yourself 9.1

Where appropriate, the following data should be used:

Mass of Earth = 6×10^{24} kg; Mass of Sun = 2×10^{30} kg; Mass of Moon = 7.5×10^{22} kg.

Radius of Earth's orbit = 150×10^6 km; Radius of Moon's orbit = 400×10^3 km

$G = 6.67 \times 10^{-11}$ N m² kg⁻²; $\varepsilon_0 = 8.854 \times 10^{12}$ F m⁻¹; $\frac{1}{4\pi\varepsilon_0} = 9 \times 10^9$ F⁻¹ m

$e = 1.60 \times 10^{-19}$ C; $m_e = 9.11 \times 10^{-31}$ kg; $m_p = 1.67 \times 10^{-27}$ kg

1. A $-1\,\mu$C charge experiences an upward force of 3 mN due to an electric field, **E**. Calculate **E**.

2. A body of mass 1 g carries a charge of $+10\,\mu$C. What strength and direction of electric field will support it against the Earth's gravity?

3. A freely-falling object has an acceleration of 6 m s⁻² at a distance of 10 000 km from the centre of a planet. Calculate the mass of the planet.

4. The Earth and Moon are separated by 400 000 km. At what point do their gravitational fields balance?

5. Calculate the gravitational potential at a point 400 000 km from the centre of the Earth and 40 000 km from the centre of the moon.

6. Compare the accelerations of the moon due to the gravitational fields of the Earth and the Sun.

7. An electron, travelling at 1.0×10^6 m s⁻¹ enters a uniform electric field of strength 100 V m⁻¹ at right angles. Calculate its velocity 10 ns later.

8. Calculate the electric field, E, at the surface of a metal sphere of radius 10 cm which carries a charge of $5\,\mu$C.

9. Calculate the electric potential, V, at the surface of a metal sphere of radius 10 cm which carries a charge of $5\,\mu$C.

10. Use the answer to Q9 to calculate the capacitance of a 10 cm radius sphere.

11. Show that the capacitance of a conducting sphere, of radius a, is $4\pi\varepsilon_0 a$

12. A long metal wire lies along the axis of a long hollow metal cylinder. The wire carries a charge of $+ 3\,\mu$C per m of its length. Use Gauss's law to calculate the field strength 10 cm from the axis of the cylinder [internal radius of cylinder > 10 cm]. Show your working.

13. If the radius of the cylinder in Q12 is 20 cm, calculate the surface charge density on the inner surface of the cylinder.

Questions 14–19 relate to Figure 9.30. Two small insulating spheres, each of mass 0.1 g, are suspended from light threads as shown. They carry equal charges, Q, and repel each other so that their equilibrium separation is 10 cm.

14. Calculate Q.

15. Calculate (a) the electric field, E, due to each at point O and (b) the resultant field at O.

16. Calculate the electric potential at O.

17. Show that the electrical potential energy of the two charges is approximately 25 μJ.

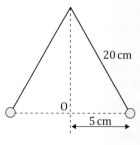

Fig 9.30

⑱ The charges are moved so that they are 5 cm apart and released. In the absence of frictional losses, calculate their speed when they pass through their equilibrium position. Show your working.

⑲ The charge on one of the spheres is changed to $-Q$. They are now separately suspended on 20 cm threads but their separation is still 10 cm. Calculate:

    (a) the resultant field at O, the midpoint of the line joining them, and

    (b) the electric potential at O.

The structure of the Earth can be approximated as a series of concentric spheres of uniform density as follows:

    Inner core – radius 1000 km; density 13 000 kg m^{-3}

    Outer core – outer radius 3500 km; density 11 000 kg m^{-3}

    Mantle / Crust – outer radius 6370 km; density 4400 kg m^{-3}

Use these data to answer questions 20 and 21.

⑳ Calculate: (a) the total mass of the Earth and (b) the gravitational field strength at the surface and compare your answers with the accepted values for the Earth.

㉑ Calculate the gravitational field strength at the surface of the outer core and compare it to the figure for a uniform density planet.

㉒ An electron travels with a velocity of 1×10^5 m s^{-1} at right angles to a magnetic field of flux density 5×10^{-4} T. As a result it travels in a circle. Calculate:

    (a) the acceleration of the electron, (b) the radius of the circle and (c) the gyrofrequency [i.e. the number of circulations per second].

㉓ Show that the gyrofrequency of a charged particle in a magnetic field is independent of the speed of the (non-relativistic) particle and calculate the proton gyrofrequency in a region of the Earth's magnetic field in with flux density 30 µT.

㉔ The rms current in an overhead conductor is 20 A. The frequency is 50 Hz. The wire is at 60° to the Earth's magnetic field. How does the force, F, on a 1 m length of wire vary with time? $B = 50$ µT

㉕ In Example G, the wire experiences a force due to the motor effect. Show that the work done per unit time against this force is equal to the electrical power dissipated in the circuit.

Chapter 10

Calculus

10.1 Introduction

Physics ideas are often expressed in terms of rates of change.

- Newton's second law of motion – the rate of change of momentum is directly proportional to the resultant force.
- Faraday's law – the induced emf is equal to the rate of change of flux linkage.
- the stiffness of an object is the change of tensile force per unit increase in length.

Note that 'rate' does not always mean 'per unit time' as the third example shows. As long as the rates of change are constant, little more than GCSE mathematics is required, such as the equations of motion for constant acceleration, $v = u + at$ etc. Varying rates of change are tackled by the branch of maths called **differential calculus**.

Other physics ideas involve the product of quantities; e.g. the work done is the product of the displacement and the component of the force in the direction of the displacement. Again, if the force is constant we can write this as $Fx \cos \theta$ but we often need to consider situations where the force varies with the distance; e.g. the increasing tension in a spring with increasing stretch. The calculation of such products in which the quantities vary is called **integral calculus**.

This chapter will explore both differential and integral calculus and find that they are closely related. In most A-level Physics specifications candidates are expected to be familiar with the results of calculus analysis, though the examinations themselves usually do not involve the application of calculus.

10.2 Differential calculus – the analysis of rates of change

10.2.1 An illustrative example

We'll illustrate the technique with a slightly contrived example. The momentum of an object varies with time according to the graph (Figure 10 1). We'll ask the simple question, 'What is the resultant force on the object at time $t = 1.0$ s?'

From the graph, the mean rate of change of momentum between 1 s and 2 s is obtained from the gradient of the chord between 1 s and 2 s.

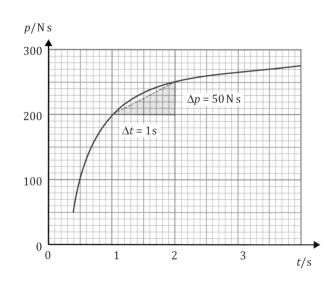

$$\text{Force} = \frac{\Delta p}{\Delta t} = \frac{50\,\text{N s}}{1\,\text{s}} = 50\,\text{N}$$

Fig 10.1

Δp? This is pronounced *delta p* and means the change in the value of p.

$\Delta p = p_2 - p_1 = 250 - 200 = 50$ N s. Similarly $\Delta t = 2 - 1 = 1$ s.

So, we can find the mean force between any two instants, but what about the force *at* an instant? Clearly we can't use the above method because our triangle would have sides of zero length and we'd have:

Force $= \dfrac{\Delta p}{\Delta t} = \dfrac{0}{0}$ – which we can't evaluate!

The answer is to sneak up on the point. We start with a large triangle, find the gradient, then repeat with smaller and smaller triangles, but never quite getting to 0, and see what the gradient tends to.

To follow this, you need a calculator or a spreadsheet to hand. You also need to know that the equation of the graph above is $p = 300 - \dfrac{100}{t}$. In Table 10.1 t_1 is 1.0 s and p_1 is 200 N s.

Table 10.1

t_2 /s	p_2 / Ns	Δt / s	Δp / N s	$\dfrac{\Delta p}{\Delta t}$ / N
2.0	250	1.0	50.0	50.0
1.5	233.333	0.5	33.333	66.7
1.1	209.091	0.1	9.091	90.9
1.05	204.762	0.05	4.726	94.5
1.01	200.9901	0.01	0.990	99.0
1.005	200.4975	0.005	0.4975	99.5

It looks as though the gradient is homing in on a value of 100 N. Can we be sure? If we look at a couple of negative values of Δt this confirms it. Check for yourself that

- With $t_2 = 0.99$ s, $\dfrac{\Delta p}{\Delta t} = 101.0$ N

- With $t_2 = 0.995$ s, $\dfrac{\Delta p}{\Delta t} = 100.5$ N

That seems to nail it.

In the next sections, we'll develop the technique to allow us to find the gradient of any graph at any point without going through the same laborious process every time.

Data Exercise 10.1

Use the above technique to show that the gradient of the graph of $y = 3x^2 + 2$ is 12 at the point $x = 2$, $y = 14$.

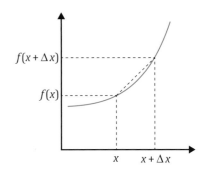

10.2.2 Differentiating any function and the result for x^n

In the work that follows it will be useful to write functions in the form $f(x)$. This is pronounced '*f of x*' and emphasises that the value of f depends upon the value of x. The following symbols are often used for functions f, g, u, v, w, y. [i] The (x) part of the function notation is omitted if there is no confusion. The independent variable, x, could equally well be t, I or any other familiar variable in physics, e.g. with this way of writing, the pd across a power supply equation could be written $V(I) = E - Ir$.

Look at the graph of the function $f(x)$ opposite (Figure 10.2). The gradient of the chord is given by

$$\text{Gradient} = \frac{f(x + \Delta x) - f(x)}{\Delta x}$$

If we make Δx smaller and smaller, the gradient of the chord will approach a limit which is the gradient of the tangent to the curve at $f(x)$.

Fig 10.2

---

[i] When we are dealing with functions of time, x is also used, i.e. $x(t)$.

$\frac{dy}{dx}$ is often written y', $\frac{df}{dx}$ is written f'.

$\frac{dx}{dt}$ is often written as $\dot{x}$

Pointer

Velocity, v, is the rate of change of displacement, x, i.e. $v = \frac{ds}{dt} = \dot{s}$.

Pointer

Acceleration, a, is the rate of change of velocity, v, i.e. $a = \frac{dv}{dt} = \dot{v}$.

quickfire 10.1

If $y = x^4$, what is $\frac{dy}{dx}$?

quickfire 10.2

If $y = \frac{1}{x}$, what is $\frac{dy}{dx}$? $\left[\text{Hint: } \frac{1}{x} = x^{-1}\right]$.

quickfire 10.3

If $y = \sqrt{x}$, what is the gradient when $x = 4$? $\left[\text{Hint: } \sqrt{x} = x^{\frac{1}{2}}\right]$

We write this gradient $\frac{df(x)}{dx}$ or we can leave out the bracket and write it $\frac{df}{dx}$, and we call it the *derivative of f with respect to x*. The process of finding the derivative is called *differentiating*.

So, by definition, $\frac{df(x)}{dx} = \lim_{\Delta x \to 0} \frac{f(x + \Delta x) - f(x)}{\Delta x}$. [*df by dx= the limit as Δx tends to 0 of ...*]

Let's see how this works for the function $y(x) = x^n$.

From the definition, $\frac{dy}{dx} = \lim_{\Delta x \to 0} \frac{(x + \Delta x)^n - x^n}{\Delta x}$

We'll rewrite $(x + \Delta x)^n$ as $x^n\left(1 + \frac{\Delta x}{x}\right)^n$ and use the binomial expansion [see Section 3.4]:

$x^n\left(1 + \frac{\Delta x}{x}\right)^n = x^n\left(1 + n\frac{\Delta x}{x}\right) = x^n + nx^{n-1}\Delta x$, where we are ignoring $(\Delta x)^2$ and higher terms.

So $(x + \Delta x)^n - x^n = nx^{n-1}\Delta x + $ terms of order $(\Delta x)^2$ and higher

Dividing by Δx; $\frac{dy}{dx} = \lim_{\Delta x \to 0} nx^{n-1} + $ terms of order Δx and higher.

But as $\Delta x \to 0$, all terms except the first one become 0 and we are left with the following result:

If $y(x) = x^n$, $\frac{dy}{dx} = nx^{n-1}$.

You will often see this written as $\frac{d}{dx}(x^n) = nx^{n-1}$.

Example A: If $y = x^5$, what is the gradient when $x = 1.75$?

$\frac{dy}{dx} = 5x^4 = 5 \times 1.75^4 = 46.9$ [3 s.f.]

Example B: If $x = t^2$, what is the rate of change of x when $t = 10$?

$\frac{dx}{dt} = 2t^1 = 2t$, so the rate of change of $x = 20$ when $t = 10$.

Two special cases to remember

- If $y = x$, $\frac{dy}{dx} = 1$ [Remember that $x = x^1$]

- If $y = a$ [a constant], $\frac{dy}{dx} = 0$ [Remember that $1 = x^0$]

10.2.3 Differentiating transcendental functions

The functions $\sin x$, $\cos x$, e^x and $\ln x$ are among the most important in mathematical physics. This section gives the results of differentiating them. These results are obtained in a similar manner to that for x^n, the derivations being given in Chapter 13. It is worth working through the derivations to check that you understand the ideas.

The results are in Table 10.2:

Table 10.2

$\frac{d}{dx}(\sin x) = \cos x$	$\frac{d}{dx}(\cos x) = -\sin x$	$\frac{d}{dx}(e^x) = e^x$	$\frac{d}{dx}(\ln x) = \frac{1}{x}$

10.2.4 Differentiating combinations of functions

Most function in physics are combinations of functions, e.g.

- $s(t) = ut + \frac{1}{2}at^2$, which has a linear and a square term, both multiplied by a constant
- $\sin(\omega t + \varepsilon)$, sine is a function and so is $\omega t + \varepsilon$.

We need some rules for handling this sort of thing. Table 10.3 gives useful rules. As with the results in 10.2.3, the proofs are given in Chapter 13. For the work that follows, u and v are functions of x; u' and v' are shorthand for $\dfrac{du}{dx}$ and $\dfrac{dv}{dx}$ respectively.

Table 10.3

Function $f(x) =$	Notes	$\dfrac{df}{dx}$ [or f']
$f = \alpha u$	α is a constant	$\dfrac{df}{dx} = \alpha \dfrac{du}{dx}$ [or $\alpha u'$]
$f = \alpha u + \beta v$	α and β are constants	$\dfrac{df}{dx} = \alpha \dfrac{du}{dx} + \beta \dfrac{dv}{dx}$ [or $\alpha u' + \beta v'$]
$f = uv$	product of functions	$\dfrac{df}{dx} = u \dfrac{dv}{dx} + v \dfrac{du}{dx}$ [or $uv' + vu'$]
$f = \dfrac{u}{v}$	ratio of functions	$\dfrac{df}{dx} = \dfrac{1}{v^2}\left[v \dfrac{du}{dx} - u \dfrac{dv}{dx} \right]$ $\left[\text{or } \dfrac{vu' - uv'}{v^2} \right]$
$f = f(g(x))$	'function of a function'	$\dfrac{df}{dx} = \dfrac{df}{dg}\dfrac{dg}{dx}$ – the chain rule

The chain rule is probably the most difficult to understand. The most common examples in A-level Physics are in radioactive or capacitor decay and in simple harmonic motion.

- Decay equations: If $f(t) = f_0 e^{-kt}$, we can write this $f(t) = f_0 e^{g(t)}$, where $g(t) = -kt$.

$$\frac{dg}{dt} = -k \text{ and } \frac{df}{dg} = f_0 e^g$$

So $\qquad \dfrac{df}{dt} = -kf_0 e^{-kt}$

- SHM: If $f(t) = A\sin(\omega t + \varepsilon)$, we can write this $f(t) = A\sin(g(t))$, where $g = \omega t + \varepsilon$.

$$\frac{dg}{dt} = \omega \text{ and } \frac{df}{dg} = A\cos g$$

So $\qquad \dfrac{df}{dt} = A\omega \cos(\omega t + \varepsilon)$

Similarly, if $f(t) = A\cos(\omega t + \varepsilon)$, $\dfrac{df}{dt} = -A\omega \sin(\omega t + \varepsilon)$

10.2.5 Multiple differentiation – 2nd derivatives

As we have seen, if we differentiate y with respect to x, we write this $\dfrac{dy}{dx}$. Differentiating this again gives: $\dfrac{d}{dx}\left(\dfrac{dy}{dx}\right)$ which we write as $\dfrac{d^2y}{dx^2}$, pronounced *dee two y by dee x squared*.

Similarly: $\dfrac{d}{dt}\left(\dfrac{dx}{dt}\right) = \dfrac{d^2x}{dt^2}$.

Example C:

If $x = 5t^2 + 3t + 7$, $\dfrac{dx}{dt} = 10t + 3$ and $\dfrac{d^2y}{dx^2} = 10$

This will be important in Section 11.5.

Pointer

As before $\dfrac{d^2y}{dx^2}$ can be written y'' and $\dfrac{d^2}{dx^2}(f(x)) = f''$

quickfire 10.4

Find f'' $\left[\text{i.e. } \dfrac{d^2f}{dx^2}\right]$, if $f(x) = 10e^{-5x}$.

quickfire 10.5

Find $\ddot{y}$, i.e. $\dfrac{d^2y}{dt^2}$, if $y = 10\ln 5t$.

Test Yourself 10.1

Use the result for $f = \alpha u$ in Table 10.3 to differentiate the functions in Questions 1–4 and calculate the gradient of the graph at the value given.

1 $y = 25x^3$, when $x = 1.5$ **2** $x = 15 \sin t$, when $t = 3.142$

3 $N = 600e^t$, when $t = 0.5$ **4** $y = 6.0 \ln x$, when $x = 6.0$

Use the result for $f = \alpha u + \beta v$, in Table 10.3 to differentiate the functions in Questions 5–8 and calculate the gradient of the graph at the value given.

5 $y = 8t + 3t^2$ when $t = 2.5$,   **6** $x = 3 \cos t + 8 \sin t$ when $t = 1.571$

7 $y = 2x^3 + 3e^x$ when $x = 1.5$ **8** $x = 10 \ln t - 3\sqrt{t}$, when $t = 4.0$

Use the result for $f = uv$ in Table 10.3 to differentiate the functions in Questions 9–12.

9 $y = 2x^3(x^2 - 5)$: [Hint: put $u = 2x^3$ and $v = x^2 - 5$]   **10** $y = (x + 3)(x^2 - 5)$ **11** $y = x^2 e^x$ **12** $x = 3t^2 \sin t$

Use the result for $f = \dfrac{u}{v}$ in Table 10.3 to differentiate the functions in Questions 13–16.

13 $y = \dfrac{x + 1}{x - 1}$ [Hint: $u = x + 1$, $v = x - 1$]   **14** $y = \dfrac{x^2 + 3x + 1}{x - 2}$

15 $x = \dfrac{2t^4}{\cos t}$ **16** $y = \dfrac{\ln x}{x^2}$ [Check the result by using $f = uv$ and putting $v = x^{-2}$]

Use the chain rule to differentiate the functions in Questions 17–21.

17 $f = (x^2 + 2)^3$. Use the following steps:

     (a)   Identify the functions: $g = x^2 + 2$ and $f = g^3$.

     (b)   Differentiate f and g [i.e. find $\dfrac{df}{dg}$ and $\dfrac{dg}{dx}$]

     (c)   Apply the chain rule: $\dfrac{df}{dx} = \dfrac{df}{dg} \dfrac{dg}{dx}$

[Check your answer by multiplying out $(x^2 + 2)^3$ and differentiating the resulting expression]

18 $x = 25 \sin 3t$ [Hint: $g = 3t$ and $x = 25 \sin g$]   **19** $v = 100 \cos\left(314t - \frac{\pi}{4}\right)$

20 $N = (1.0 \times 10^{12})e^{-0.1t}$ [Hint $g = -0.1t$ and $A = (1.0 \times 10^{12})e^g$]   **21** $Q = 5e^{-t/25}$

22   The pd, V, across a power supply of emf E and internal resistance r, depends upon the value, R, of resistor connected across it according to the equation

$$V = \frac{ER}{R + r}.$$

     Differentiate this equation with respect to R and hence find the gradient of the V, R graph when $R = 0$.

23   The charge, Q, on a capacitor of capacitance C decays through a resistor of resistance R, according to the equation: $Q = Q_0 e^{-t/RC}$, where Q_0 is the initial charge stored.

     (a)   Differentiate this equation.

     (b)   Determine the value of $\dfrac{dQ}{dt}$ at $t = 10$ s, if $Q_0 = 0.25$ C, $R = 1$ kΩ and $C = 10$ mF.

     (c)   What would be the reading on an ammeter in series with the resistor when $t = 10$ s?

24   The flux linkage, $N\Phi$, in a coil is given by $N\Phi = BAN \sin \omega t$. By differentiating this expression and using Faraday's law for the induced emf, $\mathcal{E}_{in} = \dfrac{d}{dt}(N\Phi)$, sketch a graph of the induced emf against time if $B = 0.05$ T, $A = 4 \times 10^{-3}$ m^2, $N = 1000$ turns and $\omega = 100\pi$ s^{-1}.

25   A particle undergoes simple harmonic motion. Its position, x, varies with time according to the equation $x = A \sin\left(\omega t + \frac{\pi}{4}\right)$.

     (a)   By differentiating this equation, find the relationship between v and t $\left[\text{Hint: } v = \dfrac{dx}{dt}\right]$

     (b)   By differentiating again, find the relationship between a and t $\left[\text{Hint: } a = \dfrac{dv}{dx}\right]$

     (c)   Sketch graphs of x, v and a against t if $A = 10$ cm and $\omega = 6$ s^{-1}.

     (d)   If the mass of the particle is 100 g, find the maximum resultant force upon it.

10.3 Integral calculus

10.3.1 Approximate integration

Suppose we have a sample of gas which expands and does work against a piston. The variation of p with V is shown in Figure 10.3. How much work does the gas do in expanding from $1.0 \times 10^{-3}\,\text{m}^3$ to $5.0 \times 10^{-3}\,\text{m}^3$? It is the 'area' between the graph and the V axis. How to estimate this:

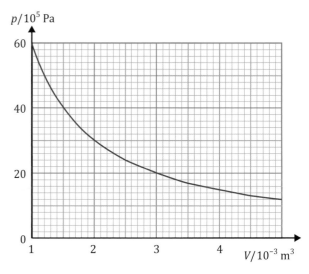

Method 1: Square counting

Identify the number of '1 cm' squares underneath the graph – the rule is $> \frac{1}{2}$ square = 1 square, $< \frac{1}{2}$ square = 0 squares. Tally = 19 squares.

The 'area' of each square = $0.5 \times 10^{-3} \times 10 \times 10^5$ i.e. $500\,\text{J}$

∴ Total 'area' = $19 \times 500 = 9500\,\text{J}$

Fig 10.3

Method 2: Divide up into trapeziums

We approximate the graph by a series of straight lines, e.g. 4 lines : 1–2 , 2–3, 3–4, 4–5 $\times 10^{-3}\,\text{m}^3$. The pressures at the ends of these lines are 60, 30, 20, 15 and 12 $\times 10^5\,\text{Pa}$, so the areas of the trapeziums are:

$\frac{1}{2} \times 1 \times 10^{-3}[(60 + 30) + (30 + 20) + (20 + 15) + (15 + 12)] \times 10^5 = 10\,100\,\text{J}$.

The approximation will be better if we use more sections: with $0.5 \times 10^{-3}\,\text{m}^3$ sections the result is $9770\,\text{J}$. This is a hint about the way to get an exact solution [see next section].

Practice ⟫⟫⟫⟫⟫⟫⟫⟫⟫⟫

Show that dividing the graph into 8 trapeziums gives an 'area' of $9770\,\text{J}$.

10.3.2 Working towards an exact answer – by approximating!

Consider the function $y = \sqrt{x}$ up to $x = 4$ [see graph]. What is the area, A, below the graph?

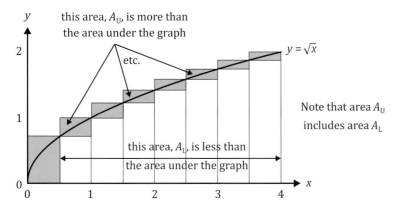

Fig 10.4

Look at the white rectangles. The area, A, underneath the graph lies between the lower area, A_L and the upper area A_U: i.e.

$$A_L < A < A_U$$

Using a spreadsheet $A_L = 0 + 0.35355 + 0.50000 + 0.61237 + \dots$ $= 4.7650$ [to 5.s.f.]

Similarly $A_U = 0.35355 + 0.50000 + 0.61237 + 0.70711 + \dots = 5.7650$ [to 5 s.f.]

Now we'll creep up on it! It's time for you to do some work:

131

Data Exercise 10.2

For the function $y = \sqrt{x}$, divide up the x range between $x = 0$ and $x = 4$ into 40 strips of width 0.1 and use a spreadsheet to show that the values of A_L and A_U are as shown in the table to 4 s.f., then repeat this for 400 strips of width 0.01.

No. of strips	Lower area (A_L)	Upper area (A_U)
40	5.227	5.427
400	5.323	5.343

With 1000 strips of width 0.004, the values of A_L and A_U are 5.329, 5.337 respectively.

Data Exercise 10.3

Using the same process as in this section, integrate the function $y = 3x^2$ up to a value of $x = 2$. Check that the areas tend towards 8.000 which is the value of 2^3. Why should this be the case?

quickfire 》》 **10.6**

Find c if $y = 2x^3 + x + c$ and $y(0) = 5$.

quickfire 》》 **10.7**

Find c if $y = \ln 2t + c$ and $y(10) = 0$.

As the number of strips gets larger, the upper and lower values of A get closer and closer to a limiting value which in this case is 5.3333...

Now for the payoff: Calculate the value of $y = \frac{2}{3}x^{\frac{3}{2}}$, when $x = 4$. Answer= 5.3333

If we differentiate the function $y = \frac{2}{3}x^{\frac{3}{2}}$, we get $\frac{dy}{dx} = x^{\frac{1}{2}}$, i.e. $\sqrt{x}$. From this it seems that this process, called **integrating is the inverse process to differentiating**. This is not the whole story. We'll explore a refinement in the next section.

10.3.3 Definite and indefinite integration

(a) Definite integration

The process in 10.3.2 can be summed up as follows:

1 Divide up the x axis into equal width strips. Width $= \Delta x$

2 Find the minimum [or maximum] value of y in each strip

3 Calculate the 'area' of each strip, $\Delta A = y\Delta x$

4 Add up all the areas between $x = 0$ and $x = 4$: $A = \sum_{x=0}^{4} y\Delta x$ [see footnote ❷]

5 Find the limiting value of A as the width of the strips approaches 0.

We indicate this limiting value by $A = \int_0^4 \sqrt{x}\, dx$ and read this out as 'A is the integral of root x, dx, between $x = 0$ and $x = 4$'.

We have seen that $A = \int_0^4 \sqrt{x}\, dx =$ the value of $\frac{2}{3}x^{\frac{3}{2}}$, when $x = 4$ which is 5.333...

Clearly the area up to $x = 2$ is $\int_0^2 \sqrt{x}\, dx =$ the value of $\frac{2}{3}x^{\frac{3}{2}}$, when $x = 2$ which is 1.8856...

If we want to find the area between $x = 2$ and $x = 4$:

$$A = \int_2^4 \sqrt{x}\, dx = \int_0^4 \sqrt{x}\, dx - \int_0^2 \sqrt{x}\, dx$$

This is written as follows:

$$\int_2^4 \sqrt{x}\, dx = \left[\frac{2}{3}x^{\frac{3}{2}}\right]_{x=2}^{x=4}$$

The symbol $\left[\frac{2}{3}x^{\frac{3}{2}}\right]_{x=2}^{x=4}$ means 'the value of $\frac{2}{3}x^{\frac{3}{2}}$ when $x = 4$, **minus** the value when $x = 2$.

This process is called **definite integration**.

---

❷ The Σ symbol indicates 'sum', i.e. add the $y\Delta x$ values. The figures above and below the Σ indicate that we are doing this between $x = 0$ and $x = 4$.

Example D:

The p, V graph in 10.3.1 has the equation $p = \dfrac{6.00 \times 10^3}{V}$, so the work done is given by

$W = \displaystyle\int_{V_1}^{V_2} p\, \mathrm{d}V$, where V_1 and V_2 are the beginning and end volumes.

Putting in the numbers:

$$W = \int_{1 \times 10^{-3}}^{5 \times 10^{-3}} \frac{6.00 \times 10^3}{V}\, \mathrm{d}V$$

To solve this we need to know what function differentiates to give $\dfrac{1}{V}$. In 10.2.3 we saw that:

$$\frac{\mathrm{d}}{\mathrm{d}V}(\ln V) = \frac{1}{V}$$

So
$$W = \int_{1 \times 10^{-3}}^{5 \times 10^{-3}} \frac{6.00 \times 10^3}{V}\, \mathrm{d}V = \left[6.00 \times 10^3 \ln V\right]_{V = 1 \times 10^{-3}}^{V = 5 \times 10^{-3}}$$

So
$$= 6 \times 10^3 \ln\left(5 \times 10^{-3}\right) - 6 \times 10^3 \ln\left(1 \times 10^{-3}\right)$$

$$= 9657\,\mathrm{J}$$

(b) Indefinite integration

Integration is the inverse process to differentiation. Now x^4 differentiates to give $4x^3$, but so do $x^4 - 10$, $x^4 + 10$, $x^4 - 10^6$.... This means that, if we don't know what values of x we are integrating between [aka the limits of integration], we cannot say definitely what the answer is.

So, $\dfrac{\mathrm{d}y}{\mathrm{d}x} = 4x^3$, then all we can say is $y(x) = \displaystyle\int 4x^3 \mathrm{d}x = x^4 + c$ where c is an unknown constant.

How do we find c? We need to know the value of y for a particular value of x. For example, if we know that $y = 25$ when $x = 2$, then we can substitute these values in to find c:

In that case $25 = 2^4 + c$, so $c = 9$.

Example E:

Suppose $y(t) = 10e^{-0.1t} + c$ and $y(\infty) = 10$. Remember that $e^{-\infty} = 0$. Substituting we get: $10 = 0 + c$.

$\therefore y(t) = 10e^{-0.1t} + 10 = 10\left(e^{-0.1t} + 1\right)$

quickfire 10.8

Find c if $y = 10\cos\omega t + c$ and $y(0) = 5$.

(c) Standard integrals

Table 10.4 gives integrals that you should know. The constant of integration [i.e. '+ c'] needs to be added in cases of indefinite integration.

Table 10.4

$f(x)$	$\int f(x)\mathrm{d}x$
x^n	$\dfrac{1}{n+1}x^{n+1}$ [Unless $n = -1$]
x^{-1}	$\ln x$
e^{kx}	$\dfrac{1}{k}e^{kx}$

$f(x)$	$\int f(x)\mathrm{d}x$
$\sin kx$	$-\dfrac{1}{k}\cos kx$
$\cos kx$	$\dfrac{1}{k}\sin kx$

quickfire 10.9

By differentiating $\dfrac{1}{n+1}x^{n+1}$, show that the integral of x^n in Table 10.4 is correct.

As with differentiation, $\displaystyle\int (\alpha f(x) + \beta g(x))\mathrm{d}x = \alpha\int f(x)\, \mathrm{d}x + \beta\int g(x)\, \mathrm{d}x$

10.4 Calculus relationships in A-level Physics

The following is a summary of the different quantities you are likely to meet which are related by differentiation and integration:

- Velocity, v and displacement, s: $\qquad\qquad v = \dfrac{ds}{dt} \qquad \Delta s = \int v \, dt$

- Acceleration, a and velocity, v: $\qquad\qquad a = \dfrac{dv}{dt} \qquad \Delta v = \int a \, dt$

- Force. F, and momentum, p: $\qquad\qquad F = \dfrac{dp}{dt} \qquad \Delta p = \int F \, dt$

- Charge on a capacitor, Q, and discharge current, I: $\quad I = -\dfrac{dQ}{dt} \qquad \Delta Q = -\int I \, dt$

- Pd and current in an inductor: $\qquad\qquad V = L\dfrac{dI}{dt} \qquad \Delta I = \int \dfrac{V}{L} \, dt$

- Induced emf $\mathcal{E}_{in}$ and flux linkage, $N\Phi$: $\qquad E_{in} = -\dfrac{d}{dt}(N\Phi)$

- Power, P and work / energy transfer, W: $\qquad P = \dfrac{dW}{dt}$

- Work, W, force, F and displacement, s: $\qquad W = \int F \, ds$

- Work, W, pressure, p and volume, V: $\qquad W = \int p \, dV$

- Activity, A, and number of radioactive nuclei, N: $\quad A = -\dfrac{dN}{dt}$

Test Yourself 10.2

Find the function f in Questions 1–5:

1 $f(x) = \int 25x^5 \, dx; f(0) = 0.$

2 $f(x) = \int \dfrac{12}{x^3} \, dx; f(1) = 2$

3 $f(t) = \int (4t + 1) \, dt; f(-1) = 5$

4 $f(t) = \int 2.5e^{-0.005t} \, dt; f(\infty) = 0$

5 $f(t) = \int (5.0 \sin 2.5t + 10 \cos 1.25t) \, dt; f(0) = -2$

Evaluate the definite integrals in Questions 6–10:

6 $\int_2^4 6x^2 \, dx$

7 $\int_0^{0.5} 5e^{-2t} \, dt$

8 $\int_1^5 \dfrac{10}{x} \, dx$

9 $\int_0^2 (2 \cos \pi t + 2) \, dt$

10 $\int_1^\infty \dfrac{3}{x^4} \, dx$

11 A sample of gas has a pressure of 500 kPa and a volume of 10×10^{-3} m³. It expands at constant temperature to a volume of 30×10^{-3} m. Calculate the work done by the gas.

[Hint: pV = constant. Calculate the value of the constant then proceed as in Example D]

12 The sample of gas in Q11 is allowed to expand rapidly from its initial state. The relationship between p and V is $PV^{1.4} = k$, where k is a different constant from the one in Q11. Calculate the work it does in expanding.

Questions 14–17 derive the formulae for the potential in a gravitational field and an electric field. Q13 prepares the way!

13 A satellite weighs 5000 N on the surface of the Earth. How much work is needed to lift it from the surface of the Earth [radius 6400 km] to a height of 12000 km? The relationship between the weight [i.e. the gravitational force] and the radius from the Earth's centre, r, is:

$$F = \frac{k}{r^2}$$

[Ignore kinetic energy] Hint: first find k.

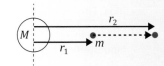

⑭ The gravitational force, F_G, between the two bodies is given by $F_G = -\dfrac{GMm}{x^2}$. The force,

F, needed to move the body of mass m away from M is thus given by $F = +\dfrac{GMm}{x^2}$.

The work done, W, in moving m is given by $W = \int F\,dx$. Determine the work done in moving m from $x = r_1$ to $x = r_2$.

⑮ Use the result of Q14 to deduce the work done by F in moving m from an infinite distance away to a point a distance a from the centre of M.

⑯ The potential at a point P in a gravitational field is defined as the work done, *per unit mass*, in moving a small test mass from infinity to P. Use the result of Q15 to deduce the formula of the gravitational potential at a distance a from the centre of a spherical object of mass M.

⑰ The electrostatic potential at a point in an electric field is defined as the work done, *per unit charge*, in moving a small test charge from infinity to P. The electric force exerted by a charge Q on another charge

q at a distance x is given by: $F_E = \dfrac{1}{4\pi\varepsilon_0}\dfrac{Qq}{x^2}$.

Deduce the formula for the electric potential at a distance a from the centre of a spherical charge Q.

⑱ The diagram shows a fixed electric dipole [equal and opposite charges, ±Q separated by a distance d] and a small particle, of charge q and mass m, which is free to move. The F on q is given by :

$$F = -\frac{2Qqd}{4\pi\varepsilon_0 x^3} \quad \text{if } x \gg d.$$

Use the concepts from Questions 13–17 and the formula for kinetic energy, $E_k = \frac{1}{2}mv^2$, to calculate the speed the particle acquires in falling from a large distance [∞] to $x = a$.

⑲ The activity, A, of a radioactive sample, i.e. the number of decays per unit time is given by $A = A_0 e^{-\lambda t}$. A_0 is the initial activity and λ the decay constant.

(a) By integrating A between 0 and ∞, find an expression for the initial number of radioactive nuclei, N_0.

(b) Evaluate N_0 if $A_0 = 3.5 \times 10^{10}$ Bq and $\lambda = 2 \times 10^{-6}$ s^{-1}.

⑳ A capacitor of capacitance, C, decays through a resistor of resistance, R, with a current, I, given by $I = I_0 e^{-t/RC}$.

(a) By integrating I find an expression for the charge, Q, remaining on the capacitor after time, t, given that Q = 0 when t = ∞.

(b) Find and expression for Q_0 in terms of I_0, R and C.

(c) If $I_0 = 5$ mA and RC = 100 s, find the charge on the capacitor at t = 200 s.

㉑ The force-time variation for a golf-club striking a golf ball can be approximated to by the function $F = a - bt^2$. This is the graph of the function.

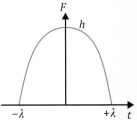

(a) By substituting the points $(\lambda, 0)$ and $(0, h)$ into $F = a - bt^2$, show that this can be rewritten:

$$F = h\left(1 - \frac{t^2}{\lambda^2}\right).$$

(b) By integrating this function between $t = -\lambda$ and $+\lambda$, find an expression for the total impulse [i.e. the change in momentum] of the golf ball.

(c) Estimate the maximum force, h given that $\lambda = 0.5$ ms, the mass of the golf ball is 4.5×10^{-2} kg and the speed of the golf ball after being struck is 85 m s^{-1}.

22. The velocity of an object moving through water is given, in $m\,s^{-1}$, by $v = v_0 e^{-0.02t}$, where t is the time in seconds. The initial velocity, $v_0 = 25\ m\,s^{-1}$.

    (a) By integrating v with respect to time, find the distance travelled by the object in time t. [Hint: indefinite integration with $x(0) = 0$.]

    (b) Use your answer to (a) to find the total distance D travelled by the object before coming to rest.

    (c) Write v as a function of x for $x < D$.

The rotational kinetic energy of an object can be written as $E = \frac{1}{2} I \omega^2$, where ω is the angular speed of the object and I is called the moment of inertia – it plays the same role in rotational as m does in translational motion. Questions 23–25 concern these concepts.

23. Calculate the rotational kinetic energy and hence the moment of inertia of a uniform rod of length l and mass M which is rotating about one end with angular speed ω. See diagram.

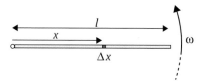

Method: Consider the small section of the rod of position, x and width Δx.

    (a) Write its mass in terms of M, l and Δx.

    (b) Show that the kinetic energy, ΔE of this section is: $\Delta E = \frac{1}{2} \frac{M \omega^2}{l} x^2 \Delta x$

    (c) By integrating this expression between $x = 0$ and l, show that the total kinetic energy, E, is:

$$\Delta E = \frac{1}{2} \left(\frac{1}{3} M l^2 \right) \omega^2 \qquad \left[\text{Hint: } E = \int_{x=0}^{x=l} \frac{1}{2} \frac{M \omega^2}{l} x^2 \, dx - \text{the } \Delta x \text{ has become the } dx\right]$$

    (d) Hence write down an expression for I for the rod.

24. Derive an expression for the moment of inertia of the same rod as in Q23, when it is pivoted at its centre. [Hint: integrate from $x = -l/2$ to $+l/2$]

25. The diagram shows a uniform disc of mass M and radius a.

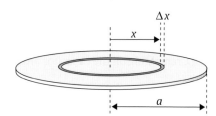

    (a) Show that the mass of the thin ring of radius, x, and width Δx is $\dfrac{2x\Delta x}{a^2} M$.
    [Hint: area of circle = πr^2, circumference = $2\pi r$]

    (b) If the angular speed of the disc is ω, write down the kinetic energy of the thin ring.

    (c) By integrating the answer to (b) from $x = 0$ to a find the kinetic energy of the disc and hence derive an expression for the moment of inertia of the disc.

[NB In fact you can forget about the $\frac{1}{2}\omega^2$ term and jump straight from (a) to (c)]

Chapter 11

Differential Equations

11.1 Introduction

Pointer

The independent variable could also be x, e.g. $\dfrac{dy}{dx} + \lambda y = 0$.

quickfire 11.1

What is $\dfrac{d}{dx}(5e^{-3x})$?

quickfire 11.2

What is $\dfrac{d^2}{dt^2}(-5\cos(3t + \pi))$?

As we have seen, many physics relationships are written in terms of differentiated functions. Chapter 10 dealt with how to handle these equations if they are of the following kind:

$$\frac{df}{dt} = g(t).$$

In this case we know that $f(t) = \int g(t)\,dt$ and as long as we also know the value of f at one particular time we can find an answer, **always assuming we can integrate g!**

Consider the following equations:

$$\frac{dx}{dt} + \lambda t = 0 \qquad \frac{dv}{dt} + \lambda v = F(t) \qquad \text{First order equations}$$

$$\frac{d^2x}{dt^2} + \omega^2 x = 0 \qquad \frac{d^2x}{dt^2} + k\frac{dx}{dt} + \omega^2 x = F(t) \qquad \text{Second order equations}$$

These are called *differential equations*. These particular differential equations arise in A-level Physics [1] and we shall now investigate their solutions. To prepare the ground we'll remind ourselves of two results:

1. If $x = Ae^{-kt}$, differentiating gives $\dfrac{dx}{dt} = -kAe^{-kt} = -kx$

2. If $x = A\cos(\omega t + \phi)$, differentiating gives $\dfrac{dx}{dt} = -A\omega \sin(\omega t + \phi)$

   Differentiating again gives $\dfrac{d^2x}{dt^2} = -A\omega^2 \cos(\omega t + \phi) = -\omega^2 x$. If you try $x = B\sin(\omega t + \phi)$ and $x = C\sin\omega t + D\cos\omega t$, you'll find that these functions also give $\dfrac{d^2x}{dt^2} + \omega^2 x = 0$.

We'll come back to these results.

---

[1] They are called *linear differential equations with constant coefficients*. The function $F(t)$ is called the *forcing function*.

11.2 Decay [or growth] equations

Consider a pure sample of a radioactive nuclide. The probability of any given nucleus decaying in unit time is constant so, with a very large number of nuclei, the number of decays per second, i.e. the **rate of decrease** in the number of radioactive nuclei, is directly proportional to the number of nuclei in the sample. In mathematical terms, if N is the number of radioactive nuclei present:

$$\frac{dN}{dt} = -\lambda N,$$

where λ is a positive constant, called the *decay constant*. Thus, as N decreases, the rate of decay also decreases, so we obtain the familiar half-life decay curve. There are many similar examples in physics, e.g. if a capacitor is discharging through a resistor, the rate of decrease in the charge, Q, on the capacitor is proportional to the voltage across the capacitor and resistor, which is proportional to the charge Q.

There are other situations in which a function **grows** at a rate that is proportional to its size, at least for a short period of time. A physics example is a runaway nuclear explosion – in biology, the unconstrained growth of bacterial colonies obeys the same mathematics.

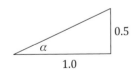
11.2.1 The homogeneous equation

If $\frac{dx}{dt} = -kx$, then we can rewrite this as $\frac{dx}{dt} + kx = 0$. This kind of differential equation, with a 0 on the right hand side, is referred to as a *homogeneous* equation and it turns out that we know the solution already! The equation says, if we differentiate the function $x(t)$, we get the same function as before but multiplied by $-k$. Looking back to Section 11.1 we see that the answer is Ae^{-kt}. A is called an *arbitrary constant*, because without extra information, it can take any value. If we know the *initial value* of x, i.e. its value at $t = 0$, we can find a value for A.

Let $x(0) = x_0$. Substituting into $x = Ae^{-kt}$ we get: $x_0 = Ae^0$.

But $e^0 = 1$, so $A = x_0$, ie the solution of $\frac{dx}{dt} + kx = 0$ is $x = x_0e^{-kt}$.

We can also find A given the value of x at some other time – see Quickfire 11.4.

11.2.2 The inhomogeneous equation

The equation $\frac{dx}{dt} + \lambda x = F(t)$ is called an inhomogeneous equation. It arises when the quantity x is not allowed to decay on its own but is subject to outside influence. Examples:

- Radioactive decay in which the radioactive nucleus is part of a decay chain so the nuclei are constantly being replenished by the decay of other nuclei.

- A capacitor connected to an electrical supply (dc or ac).

The procedure for the solution of the equation builds on the result for the homogenous equation. The solution is two parts added together:

1 The function, called the *complementary function* (CF), which satisfies the homogeneous equation – this provides the arbitrary constant needed to match the solution to the initial conditions.

2 Any other function, called the *particular integral* (PI), which fits the inhomogeneous equation.

The procedure is:

Stage 1: Find the CF – but leave the arbitrary constant as unknown for the moment.

Stage 2: Find any PI which satisfies the inhomogeneous equation.

Stage 3: Add the CF and PI and apply the initial conditions to find the arbitrary constant.

In the inhomogeneous equation, F is called the *forcing function*. The forcing functions which commonly arise in A-level Physics are:

- F is a constant, e.g. a constant voltage power supply connected across a capacitor.

- F is a sinusoid, such as $F = P\cos\Omega t$, e.g. an ac power supply across a capacitor.

- F is an exponential decay, $F = Pe^{-mt}$, e.g. a radioactive nucleus in a decay chain.

Example A deals with an example where F = constant.

Example A:

Solve the equation $\frac{dx}{dt} + 0.1x = 1.2$ with the initial condition $x(0) = 0$.

Step 1: The CF, i.e. the solution of $\frac{dx}{dt} + 0.1x = 0$, is $x = Ae^{-0.1t}$.

Step 2: The constant function $x = 12$ obviously satisfies the equation, so choose $x = 12$ as the PI.

Step 3: Add the two solutions CF + PI $\rightarrow x = Ae^{-0.1t} + 12$ and apply the initial condition:

If $x(0) = 0$, then $0 = Ae^0 + 12$, so $A = -12$ and the full solution is $x = 12(1 - e^{-0.1t})$.

The voltage across a capacitor, being charged by a dc power supply, would satisfy this form of equation.

Example B illustrates the method of finding the particular integral if the forcing function is an exponential decay.

Example B:

A radioactive nuclide has a decay constant λ. It is part of a decay series and new nuclei of this nuclide are being produced at a rate of $ke^{-\beta t}$. If the number of nuclei, N, is initially 0, find N as a function of time.

$$\frac{dN}{dt} + \lambda N = ke^{-\beta t}$$

Step 1: The CF is: $N = Ae^{-\lambda t}$.

Step 2: For the PI, look for a function of the form $N = Be^{-\beta t}$. We need to find the value of B.

Substitute $N = Be^{-\beta t}$ into the differential equation: $\frac{d}{dt}\left(Be^{-\beta t}\right) + \lambda Be^{-\beta t} = ke^{-\beta t}$.

Differentiating and cancelling by the common term of $e^{-\beta t}$ gives $-B\beta + \lambda B = k$

So $B = \frac{k}{\lambda - \beta}$ and the full solution, CF + PI, is $N = Ae^{-\lambda t} + \frac{k}{\lambda - \beta}e^{-\beta t}$

Step 3: Applying the initial condition, $N(0) = 0$, gives $0 = A + \frac{k}{\lambda - \beta}$, so $A = -\frac{k}{\lambda - \beta}$ and so the full solution is $N = \frac{k}{\lambda - \beta}\left(e^{-\beta t} - e^{-\lambda t}\right)$

We'll look at the PI for a sinusoidal forcing function in conjunction with the second order equations.

11.3 Simple harmonic motion – unforced oscillations with no damping

Consider the equation $\frac{d^2x}{dt^2} = -\omega^2 x$. This is the defining equation for simple harmonic motion: the acceleration, $\frac{d^2x}{dt^2}$, is proportional to the distance, x, from a fixed point and directed towards the point [the minus sign].

If we rearrange the equation, we get $\frac{d^2x}{dt^2} + \omega^2 x = 0$.

Referring back to Section 11.1, we see that any of the sinusoids, $x = A\cos(\omega t + \phi)$, $x = B\sin(\omega t + \varepsilon)$ and $x = C\sin\omega t + D\cos\omega t$ satisfy this equation, where A, ϕ, B, ε, C and D are arbitrary constants. All these solutions are interchangeable: they are just different ways of writing the same solution, e.g. $\sin\omega t + \cos\omega t = \sqrt{2}\sin\left(\omega t + \frac{\pi}{4}\right) = \sqrt{2}\cos\left(\omega t - \frac{\pi}{4}\right)$.

Notice that there are two arbitrary constants in these solutions. This is true of all second order equations and we therefore need two pieces of information, e.g. x_0 and v_0 (the displacement and velocity at $t = 0$), to solve the equations completely.

Example C:

An object of mass 250 g is attached to a spring which exerts a force of $F = -16x$ on it, where x is the displacement from the equilibrium position. If $x_0 = 0$ and $v_0 = 2$ m s^{-1} find the displacement as a function of time. [F is expressed in N and x in m]

Newton's 2nd law: $0.25\frac{d^2x}{dt^2} + 16x = 0$.

Dividing by 0.25: $\frac{d^2x}{dt^2} + 64x = 0$, which is of the form $\frac{d^2x}{dt^2} + \omega^2 x = 0$, with $\omega = 8$.

The form of the solution to choose is a matter of convenience. We'll explore all the forms!

quickfire 11.9

$A = A_0 e^{-0.002t}$. $A(0) = 1 \times 10^{12}$. What is A_0?

quickfire 11.10

In QF 11.9, If $A(1000) = 1 \times 10^{12}$, what is A_0?

- If $x = C \sin 8t + D \cos 8t$, applying $x_0 = 0$ at $t = 0$ we get: $0 = 0 + D$ $\therefore$ $D = 0$

  Differentiating $x = C \sin 8t$, gives $v = 8C \cos 8t$ and applying $v_0 = 2$ m s^{-1} gives: $2 = 8C$

  $\therefore C = 0.25$ m, i.e. the solution is $x = 0.25 \sin 8t$

- If $x = A \sin(8t + \varepsilon)$, applying $x_0 = 0$ gives: $0 = A \sin \varepsilon$. Assuming $A \neq 0$, then $\sin \varepsilon = 0$, so $\varepsilon = 0$. Then proceed as above, giving the same solution.

- If $x = A \cos(8t + \phi)$, applying $x_0 = 0$, $0 = A \cos \phi$.

  Assuming $A \neq 0$, $\cos \phi = 0$, so $\phi = \pm \frac{\pi}{2}$.

  Differentiating $x = A \cos\left(8t \pm \frac{\pi}{2}\right)$ gives $v = -8A \sin\left(8t \pm \frac{\pi}{2}\right)$.

  Applying $v_0 = 2$, at $t = 0$ we get: $2 = -8A \sin\left(\pm \frac{\pi}{2}\right)$

  We'll choose the − sign so that $\sin\left(\pm \frac{\pi}{2}\right)$ is < 0 and so $A > 0$. In that case applying $v_0 = 2$ m s^{-1}

  gives $2 = -8A \times (-1)$, so A is 0.25 and the solution is $x = 0.25 \cos\left(8t - \frac{\pi}{2}\right)$, which is the same as $x = 0.25 \sin 8t$.

NB. You only need to apply one of these solutions – recognising the easiest one requires insight!

11.4 Unforced oscillations with damping

Oscillatory systems normally experience some sort of resistive force. If the resistance to motion is proportional to the speed, i.e. the rate of change of position [or rate of flow of charge in the case of an electrical circuit], the equation becomes

$$\frac{d^2x}{dt^2} + k\frac{dx}{dt} + \omega^2 x = 0.$$

The $k\dfrac{dx}{dt}$ term is reminiscent of the first order decay equation and the $\dfrac{d^2x}{dt^2} + \omega^2 x = 0$ part reminds us of the oscillatory motion in Section 8.3. The solution of this equation really calls for higher mathematics in the form of complex numbers. However if we restrict ourselves to a lightly damped system, defined by $\frac{1}{2}k < \omega$ [k and ω both > 0], the solution is a combination of the decay and oscillatory equations already met:

$$x = Ae^{-\frac{1}{2}kt}\cos(pt + \alpha)$$

where $p = \sqrt{\omega^2 - \frac{1}{4}k^2}$, and A and α are arbitrary constants. We shall now proceed to verify that this is indeed a solution. **You should work through all the steps – it's pencil and paper time.**

Starting with $\qquad\qquad x = Ae^{-\frac{1}{2}kt}\cos(pt + \alpha)$

Differentiating: $\qquad \dfrac{dx}{dt} = Ae^{-\frac{1}{2}kt}\left[-\frac{1}{2}k\cos(pt + \alpha) - p\sin(pt + \alpha)\right]$

Again: $\qquad\qquad \dfrac{d^2x}{dt^2} = Ae^{-\frac{1}{2}kt}\left[\frac{1}{4}k^2\cos(pt + \alpha) + kp\sin(pt + \alpha) - p^2\cos(pt + \alpha)\right]$

So $\qquad \dfrac{d^2x}{dt^2} + k\dfrac{dx}{dt} + \omega^2 x = Ae^{-\frac{1}{2}kt}\left[-\frac{1}{4}k^2\cos(pt + \alpha) - p^2\cos(pt + \alpha) + \omega^2\cos(pt + \alpha)\right]$

You need to work quite hard to check that step!

$$= Ae^{-\frac{1}{2}kt}\left[-\frac{1}{4}k^2 - p^2 + \omega^2\right]\cos(pt + \alpha)$$

$$= 0 \text{ if } p^2 = \omega^2 - \frac{1}{4}k^2.$$

So the given function $x = Ae^{-\frac{1}{2}kt}\cos(pt + \alpha)$ is a solution of the differential equation and it contains two arbitrary constants to allow it to meet the initial conditions.

11.11

Calculate $25e^{-0.5}\cos 0.6$.

Example D:

Solve the differential equation $\dfrac{d^2x}{dt^2} + 14\dfrac{dx}{dt} + 625x = 0$ with initial conditions, $x_0 = 0.5$ m and $v_0 = 0$.

$k = 14$ and $\omega = 25$, $\therefore p = \sqrt{625 - \frac{1}{4} \times 196} = 24$ and the solution is: $x = Ae^{-7t}\cos(24t + \alpha)$.

Because $v_0 = 0$, the oscillation is clearly a maximum at $t = 0$, so $\alpha = 0$ and $A = 0.5$ m.

So the complete solution is $x = 0.5e^{-7t}\cos 24t$.

From the solution of Example D we see that the oscillation angular frequency is slightly lower than that of undamped oscillations [$24\ \text{s}^{-1}$ rather than $25\ \text{s}^{-1}$] and that there is an exponential decrease in amplitude. The degree of damping in the example is quite large – in one oscillation, ~ 0.26 s, the amplitude drops by 84%!

11.5 Forced oscillations – resonance

We'll now look at the equation $\dfrac{d^2x}{dt^2} + k\dfrac{dx}{dt} + \omega^2 x = F(t)$. In most cases of interest, the forcing function, F, is a sinusoid. As with the unforced equation we'll restrict our area of interest. The complete solution consists of a complementary function and a particular integral as with the forced decay equation. In this case the CF represents a temporary part of the answer and its contribution decays according to $e^{-\frac{1}{2}kt}$ which will tend to zero and we'll be left with the particular integral, a steady state solution which we'll examine.

If the forcing function is $B\cos\psi t$, we will look for a PI of the form $x = P\cos(\psi t - \varepsilon)$.

Substituting this into the differential equation:

$$-P\psi^2\cos(\psi t - \varepsilon) - Pk\psi\sin(\psi t - \varepsilon) + \omega^2 P\cos(\psi t - \varepsilon) = B\cos\psi t$$

Rearranging slightly: $\dfrac{B}{P}\cos\psi t = -k\psi\sin(\psi t - \varepsilon) + (\omega^2 - \psi^2)\cos(\psi t - \varepsilon)$

This equation has to be true at all values of time. We'll put in $\psi t = 0$ and $\psi t = \frac{\pi}{2}$:

$\psi t = 0$: $\quad\dfrac{B}{P} = k\psi\sin\varepsilon + (\omega^2 - \psi^2)\cos\varepsilon$ (1) See footnote [2]

$\psi t = \frac{\pi}{2}$: $\quad 0 = -k\psi\cos\varepsilon + (\omega^2 - \psi^2)\sin\varepsilon$ (2) See footnote [3]

From (2) and using $\dfrac{\sin\varepsilon}{\cos\varepsilon} = \tan\varepsilon$, we have $\tan\varepsilon = \dfrac{k\psi}{\omega^2 - \psi^2}$

From the triangle in Figure 11.1, we see that, using Pythagoras' theorem

$$\sin\varepsilon = \frac{k\psi}{\sqrt{(\omega^2 - \psi^2)^2 + k^2\psi^2}} \text{ and } \cos\varepsilon = \frac{(\omega^2 - \psi^2)}{\sqrt{(\omega^2 - \psi^2)^2 + k^2\psi^2}}$$

Substituting these in (1) gives: $\dfrac{B}{P} = \dfrac{k^2\psi^2}{\sqrt{(\omega^2 - \psi^2)^2 + k^2\psi^2}} + \dfrac{(\omega^2 - \psi^2)^2}{\sqrt{(\omega^2 - \psi^2)^2 + k^2\psi^2}}$,

which on simplification and rearranging gives $P = \dfrac{B}{\sqrt{(\psi^2 - \omega^2)^2 + k^2\psi^2}}$

The solution is thus: $x = \dfrac{B}{\sqrt{(\omega^2 - \psi^2)^2 + k^2\psi^2}}\cos(\psi t - \varepsilon)$, where $\varepsilon = \cos^{-1}\left[\dfrac{(\omega^2 - \psi^2)}{\sqrt{(\omega^2 - \psi^2)^2 + k^2\psi^2}}\right]$

Remember that this is the steady state solution, i.e. after the initial oscillations represented by the CF have died away.

---

[2] Here we have used the fact that $\sin(-\varepsilon) = -\sin\varepsilon$ and $\cos(-\varepsilon) = \cos\varepsilon$
[3] Because $\sin(\pi/2 - \varepsilon) = \cos\varepsilon$ and $\cos(\pi/2 - \varepsilon) = \sin\varepsilon$

quickfire 11.12

$x = Ae^{-0.4t}\cos 2t$.
If $x(1) = -6.0$, calculate A.

quickfire 11.13

$\cos\alpha = 3\sin\alpha$.
Calculate α given that $0 < \alpha < \frac{\pi}{2}$
[Hint: $\cos\alpha = \sqrt{1 - \sin^2\alpha}$]

Data Exercise 11.1

Use a spreadsheet to plot the function $x = 2.5e^{-0.2t}\cos 3t$ for the period 0–8 s. You will need to experiment with different time steps.

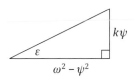

Fig 11.1

With forced oscillations, it is usually the amplitude of the oscillations that is of interest. The graphs in Figure 11.2 show how the amplitude varies with frequency for various levels of damping. The resonance peak is clearly to be seen.

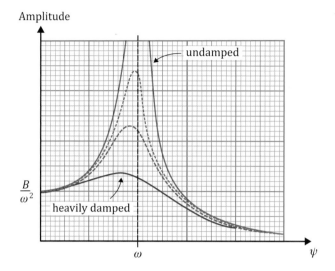

Fig 11.2

Note that, as the degree of damping increases, the peak frequency decreases slightly.

The phase angle, ε, also varies with frequency as shown in Figure 11.3. For all degrees of damping, ε is $\pi/2$ when $\psi = \omega$; ε tends to 0 as $\psi \to 0$ and tends to π as $\psi \to \infty$.

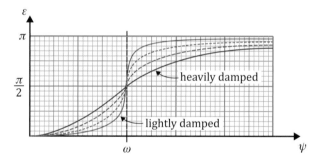

Fig 11.3

Data Exercise 11.2

Use a spreadsheet to investigate the variation of amplitude, P, with frequency, ψ. It is suggested that the numerical values of B and ω are set at 1 and the damping coefficient, k, allowed to take values between 0 and 1. [The values of k used in Figure 11.2 were: 0, 0.3, 0.5 and 0.8.]

Data Exercise 11.3

Use a spreadsheet to investigate the variation of ε with frequency.

Example E:

A body of mass 2 kg is mounted on a spring system which exerts a force of $-32x$ when it is displaced by x. It is subject to a damping force of $6v$ and an oscillating force of $50 \cos 5t$. The forces are in newton and the displacement in m.

(a) Write down the differential equation which covers this situation.

(b) Find the steady state equation of motion of the body.

(c) Calculate the maximum velocity and acceleration of the body.

(a) From Newton's 2nd law: $2a = -32x - 6v + 50 \cos 5t$

$$\therefore \frac{d^2x}{dt^2} + 3\frac{dx}{dt} + 16x = 25 \cos 5t$$

(b) For the complementary function try $x = A \cos(5t - \varepsilon)$

Differentiating and substituting in the differential equation:

$$-25A \cos(5t - \varepsilon) - 15A \sin(5t - \varepsilon) + 16A \cos(5t - \varepsilon) = 25 \cos 5t$$

$$\therefore -9A \cos(5t - \varepsilon) - 15A \sin(5t - \varepsilon) = 25 \cos 5t$$

This identity must be correct at all instants.

At $t = 0$: $-9A \cos \varepsilon + 15A \sin \varepsilon = 25$ (1)   Because $\cos(-\varepsilon) = \cos \varepsilon$ and $\sin(-\varepsilon) = -\sin \varepsilon$

At $5t = \frac{\pi}{2}$: $-9A \cos\left(\frac{\pi}{2} - \varepsilon\right) - 15A \sin\left(\frac{\pi}{2} - \varepsilon\right) = 25 \cos \frac{\pi}{2}$

$\therefore$ $-9A \sin \varepsilon - 15A \cos \varepsilon = 0$ (2)   Because $\cos\left(\frac{\pi}{2} - \varepsilon\right) = \sin \varepsilon$, etc.

Rearranging (2), $\tan \varepsilon = \frac{15}{-9}$. $\therefore \varepsilon = 2.11$ rad.

And, using the diagram, $\cos \varepsilon = -0.5145$ and $\sin \varepsilon = 0.8575$

Substituting these values into equation (1)
and solving gives $A = 1.43$.

So the solution is $x = 1.43 \cos(5t - 2.11)$

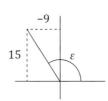

(c) $v_{max} = A\omega = 1.43 \times 5 = 7.15$ m s^{-1}; $a_{max} = A\omega^2 = 35.75$ m s^{-2}.

NB. Not all systems with forced oscillations exhibit resonance. Second order equations with light damping do. Example F is of an electrical circuit with forced oscillations. The differential equation is a first order one. The problem can also be solved using phasors – see Chapter 8.

Example F:

Find how the steady current, I, varies with time in the circuit shown.

V_C the pd across the capacitor $= \frac{Q}{C}$

V_R the pd across the resistor $= IR$.

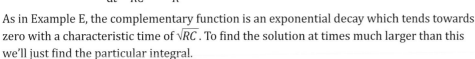

$\therefore IR + \frac{Q}{C} = V_0 \cos \omega t$. Differentiating and applying $I = \frac{dQ}{dt}$: $R\frac{dI}{dt} + \frac{I}{C} = -V_0 \omega \sin \omega t$

Dividing by R gives: $\frac{dI}{dt} + \frac{I}{RC} = -\frac{V_0 \omega}{R} \cos \omega t$

As in Example E, the complementary function is an exponential decay which tends towards zero with a characteristic time of $\sqrt{RC}$. To find the solution at times much larger than this we'll just find the particular integral.

Look for a solution of the form $I = I_0 \cos(\omega t - \varepsilon)$

Differentiating and substituting gives: $-I_0 \omega \sin(\omega t - \varepsilon) + \frac{I_0}{RC} \cos(\omega t - \varepsilon) = -\frac{V_0 \omega}{R} \sin \omega t$

The identity must be valid at $t = 0$ and $\omega t = \frac{\pi}{2}$. Multiplying by RC we get:

At $t = 0$: $I_0 \omega RC \sin \varepsilon + I_0 \cos \varepsilon = 0$ (1)

At $\omega t = \frac{\pi}{2}$: $-I_0 \omega RC \cos \varepsilon + I_0 \sin \varepsilon = -V_0 \omega C$ (2)

From (1) $\tan \varepsilon = -\frac{1}{\omega RC}$

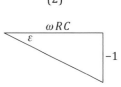

Using the triangle opposite, $\cos \varepsilon = \frac{\omega RC}{\sqrt{1 + (\omega RC)^2}}$ and $\sin \varepsilon = -\frac{1}{\sqrt{1 + (\omega RC)^2}}$.

Substituting these in equation (2) gives: $-I_0 \frac{(\omega RC)^2}{\sqrt{1 + (\omega RC)^2}} - I_0 \frac{1}{\sqrt{1 + (\omega RC)^2}} = -V_0 \omega C$

Rearranging and simplifying gives: $I_0 = \dfrac{V_0}{\sqrt{\dfrac{1}{\omega^2 C^2} + R^2}}$

So $I = I_0 \cos(\omega t - \varepsilon)$, where $I_0 = \dfrac{V_0}{\sqrt{\dfrac{1}{\omega^2 C^2} + R^2}}$ and $\varepsilon = -\tan^{-1}\left[\dfrac{1}{\omega RC}\right]$

Test Yourself 11.1

In Questions 1–10, solve the homogeneous differential equation with the given initial conditions. Initial conditions: x_0 indicates the value of x when $t = 0$, etc.

1 $\dfrac{dv}{dt} + 5v = 0; v_0 = 10$

2 $\dfrac{dN}{dt} = -0.001N; N_0 = 1 \times 10^6$

3 $\dfrac{dI}{dt} + \dfrac{1}{RC}I = 0; I_0 = 6\,\mu A; RC = 5\,s$

4 $\dfrac{d^2x}{dt^2} + 64x = 0; x_0 = 0, v_0 = 40$, where $v = \dfrac{dx}{dt}$.

5 $0.2\dfrac{d^2x}{dt^2} + 5x = 0; x_0 = 0.1; v_0 = 0$

6 $\dfrac{dh}{dt} + 0.02h = 0; \dot{h}_0 = -1 \left[\text{Remember } \dot{h} = \dfrac{dh}{dt}\right]$

7 $\dfrac{dV}{dt} + \dfrac{V}{RC} = 0; R = 4.7 \times 10^3\,\Omega; C = 2.2 \times 10^{-3}\,F; V_0 = 9.0\,V$

8 $\dfrac{d^2y}{dt^2} + 100y = 0; y_0 = 0.1$ and $\dot{y}_0 = 2.$ $\left[\text{Hint: } \dfrac{\sin\theta}{\cos\theta} = \tan\theta\right]$

9 $\dfrac{d^2Q}{dt^2} + 2.5 \times 10^5 Q = 0; Q_0 = 0, I_0 = 0.1\,mA$

10 $L\dfrac{d^2Q}{dt^2} + \dfrac{Q}{C} = 0; I_0 = 0; Q_0 = 47\,mC.$ If $C = 1000\,\mu F$ and $L = 100\,mH$, find also the period of oscillation.

In Questions 11–18, solve the inhomogeneous differential equation with the given initial conditions.

11 $\dfrac{dv}{dt} + 0.1v = 5; v_0 = 20$

12 $\dfrac{dN}{dt} + \lambda N = R; N_0 = 0$

13 $\dfrac{dV}{dt} + 0.3V = 7.2; V_0 = 40$

14 $\dfrac{d^2I}{dt^2} + 169I = 30\sin 12t; I_0 = 0; \dot{I}_0 = 7.94$

15 $\dfrac{d^2x}{dt^2} + 100x = 20; x_0 = 0; v_0 = 0$

16 $\dfrac{dv}{dt} + 0.4v = 2t; v_0 = 0$

17 $\dfrac{dv}{dt} + 12v = 6\sin 2\pi t; v_0 = 0$

18 $\dfrac{dN}{dt} + 0.1N = Pe^{-0.2t}; P = 2 \times 10^6; N(0) = 0$

19 A pure radioactive sample, A, initially has 3×10^{15} nuclei. It decays with a decay constant of 0.125 day^{-1} into a second radioactive nuclide, B, which has a decay constant of 0.05 day^{-1}. If the initial number of nuclei of B [N_B] is zero, what is the value of N_B after 20 days?

[Hint – find N_A as a function of time, then set up the differential equation for N_B – it should look rather like the equation in Q18.]

20 A cylindrical buoy of mass 1600 kg floats upright as shown. A force of 1000 N is applied causing the buoy to rise $x = 10$ cm out of the water. The buoy is released. Find the equation of the subsequent oscillations.

[Assume that the force is proportional to the displacement and also that damping is negligible.]

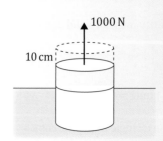

21 A particle undergoes damped harmonic motion with the equation: $\dfrac{d^2x}{dt^2} + 4\dfrac{dx}{dt} + 100x = 0.$

Find the solution of this equation with the initial conditions, $x_0 = 2.0, v_0 = 0$ [i.e. the particle is released at time $t = 0$, from $x = 2$ and zero velocity].

22 A flat load of mass 200 g is suspended from a spring with a spring constant, i.e. the force per unit extension, of 1.8 N m^{-1}. It is pulled down a distance of 15 cm [i.e. $x = -0.15$ m] and released. The air resistance on the load is $-0.8v$, where v is the velocity of the particle.

(a) Use the data to derive the differential equation, and

(b) find the solution.

㉓ A particle is observed to undergo damped harmonic motion and the following measurements are made: successive maximum positive values of x occur at 0.5 s, 2.5 s, 4.5 s etc; $x(0.5) = 0.6$ m and $x(20.5) = 0.221$ m [i.e. $0.6 \times e^{-1}$].

   (a) Use the data to find the values of k, p and ω [see Section 11.4] and hence write the differential equation.

   (b) Give the solution of the differential equation.

   (c) Find change in the period of the oscillations caused by the damping.

㉔ A series combination of a resistor, R, and inductor, L, are connected across a power supply with voltage $V = V_0 \cos \omega t$. The pd, V_L, across an inductor is given by $V_L = L\dfrac{dI}{dt}$.

   (a) Write a first order differential equation relating V, I, L, R and t.

   (b) Find the phase difference between the voltage and current.

   (c) Find the relationship between the peak voltage and current.

[Hint see Example F]

㉕ The current, I, in an LCR circuit with a pd, $V = V_0 \cos \psi t$ is given by the differential equation

$$L\frac{dI}{dt} + IR + \frac{Q}{C} = V_0 \cos \psi t$$

   (a) By differentiating, form a second order equation and solve it to show that the peak steady state current is given by: $V_0 = I_0 \sqrt{R^2 + \left(\psi L - \dfrac{1}{\psi C}\right)^2}$.

   (b) Show that the frequency of resonance, f_R, of the circuit is given by $f_R = \dfrac{1}{2\pi\sqrt{LC}}$.

Chapter 12

Complex numbers

12.1 Introduction

Don't be put off by the name: it signifies only that *two* real numbers are needed to specify each complex number. This will soon be explained. Though seldom absolutely essential in Physics (except in Quantum mechanics), complex numbers are the physicist's friends, often saving laborious calculations with sines and cosines. They are especially useful in circuit calculations with alternating currents.

The natural entry into the subject follows the historical path, by revisiting *square roots* ....

12.2 The algebra of complex numbers

12.2.1 Imaginary numbers

Any real positive number, p has two square roots. One is a positive real number, written as $\sqrt{p}$; the other is $-\sqrt{p}$.

Thus $\quad \sqrt{p} \times \sqrt{p} = p \quad$ and $\quad \left(-\sqrt{p}\right) \times \left(-\sqrt{p}\right) = p$

By contrast there is no real number that, multiplied by itself, gives a negative real number. We now boldly define a new category of numbers, called ***imaginary numbers***, consisting of the square roots of the negative real numbers (see first Pointer). In particular, we define the imaginary number, i, sometimes written j, so that

$$i \times i = -1 \quad \text{so} \quad i^2 = -1 \quad \text{and} \quad i = \sqrt{-1}$$

Algebraically, we treat i just as if it were a real number symbol like x, but with the extra rule that $i^2 = -1$. Here are some examples that are important in their own right.

- $(-i)^2 = (-1i)^2 = (-1)^2 i^2 = i^2 = -1$

  So not only do we have $i^2 = -1$ but also $(-i)^2 = -1$

  Thus -1 has two square roots, $\pm i$. See second Pointer.

- The square roots of any negative real number, $-p$, are $\pm\sqrt{p}\,i$, as you should check by squaring. For example, $\sqrt{-4} = 2i$, and the other square root is $-\sqrt{-4} = -2i$.

- By definition, $i^0 = 1$. We therefore have (do check!)...

  $i^0 = 1, \quad i^1 = i, \quad i^2 = -1, \quad i^3 = -i, \quad i^4 = 1, \quad i^5 = i, \quad i^6 = -1 \ldots$

Note how $i^{(n+4)} = i^n$, so we have an endlessly repeating cycle. Impress (or lose) your friends by evaluating i^{2003}. Simply note that $i^{2003} = i^{2000} i^3 = 1 \times (-i) = -i$.

- What about negative powers of i? We start with i^{-1}

  $$i^{-1} = \frac{1}{i} = \frac{1 \times i}{i \times i} = \frac{i}{-1} = -i, \text{ so } i^{-2} = (-i)^2 = -1 \text{ and so on.}$$

Pointer

'Imaginary number' is now considered a poor name. Imaginary numbers are no more imaginary, in the sense of made up, than the 'real numbers' we use in Physics, and which include zero, negative numbers and irrational numbers, like $\sqrt{2}$ and π, which can't be expressed as ratios of whole numbers. For much of their history, *these* were not regarded as proper numbers. As their usefulness became more apparent, they became accepted as numbers. The same has happened with imaginary numbers.

Pointer

Resist any urge to write $\sqrt{-1} = \pm i$. We reserve $\sqrt{-1}$ for just one of the square roots of -1, the one we call i. So $\sqrt{-1} = i$ and $-\sqrt{-1} = -i$. [Compare notation for square roots of positive real numbers: start of 12.2.1.]

$\left[\text{This has the consequence (check!) that } \sqrt{(-p_1)(-p_2)} \neq \sqrt{(-p_1)}\sqrt{(-p_2)}.\right.$

But if we include both roots in each case, and consider all four possibilities on the right hand side, all is well:

$\left. \pm\sqrt{(-p_1)(-p_2)} = \pm\sqrt{(-p_1)}\left(\pm\sqrt{(-p_2)}\right)\right].$

quickfire 12.1

Express $\sqrt{-9} + \sqrt{-16}$ in terms of i. [Note the distributive law, that for real numbers, r and s: $ri + si = (r + s)i$.]

quickfire 12.2

Evaluate i^7 in terms of i by repeated multiplication of i by i, simplifying at each stage. Check using the rule $i^{(n+4)} = i^n$.

quickfire 12.3

Check that the rule $i^{(n+4)} = i^n$ works for a negative n by evaluating i^{-3} by repeated multiplication of i^0 by i^{-1} and comparing the result with $i^{(-3+4)}$.

12.2.2 The general form of a complex number

(a) Cartesian form

The general form of a complex number (see Pointer) is $a + bi$ in which a and b are real numbers.

Examples are $3 + 4i$, $\frac{\sqrt{3}}{2} - \frac{i}{2}$.

This implies that a real number is a special case ($a + bi$ with $b = 0$) of a complex number, and so also is an imaginary number ($a + bi$ with $a = 0$). The set of complex numbers includes, then, the sets of real numbers and of imaginary numbers, as well as of all combinations by addition!

A complex number can be denoted by a single symbol. 'z' is a favourite. So we may write

$$z = a + bi$$

a is known as the *real part* of z, sometimes written as Re(z), and b is known as the *imaginary part*, Im(z) – even though b is a real number! [This might seem less silly if we used the less common 'ordered pair' notation (a, b) instead of $a + ib$.]

If a quadratic equation has no *real* roots, we can now express its roots in terms of i.

Example A:

Solve the quadratic equation $x^2 - 2x + 5 = 0$

As derived in 3.2.4, the solution of $ax^2 + bx + c = 0$ is $x = \frac{-b \pm \sqrt{b^2 - 4ac}}{2a}$.

In the present case, $a = 1$, $b = -2$, $c = 5$.

So the solutions are: $x = \frac{2 \pm \sqrt{4 - 20}}{2} = \frac{2 \pm \sqrt{-16}}{2} = \frac{2 \pm 4i}{2} = 1 \pm 2i$.

For a quadratic equation with real coefficients, if the roots are non-real they are always **complex conjugates**: complex numbers with the same real part, but one number's imaginary part the negative of the other's. If one of the numbers is z, the other is usually denoted by z^*.

So if $z = a + bi$ then $z^* = a - bi$

(b) The Argand diagram

We gain surprising insights – these will emerge in stages – by representing a complex number by a point on a plane: 'the complex plane'. If we provide axes and scales we have a so-called Argand diagram. The horizontal displacement from the origin gives the real part of the number, and the vertical displacement, the imaginary part. That's why we're calling $a + bi$ the 'Cartesian' form for a complex number: a and b are Cartesian co-ordinates.

Figure 12.1 uses an Argand diagram to show the solutions to the equation in Example A.

If we draw a directed line (or vector) from the origin to the point, z, on the Argand diagram we can also think of the number, z, as **being** the directed line (or vector) rather than the point. Figure 12.2 shows how the two roots of the quadratic equation in example A are represented in this way of thinking. This form of display will turn out to be very useful when we come to using complex numbers to so solve problems involving vibrations and alternating currents. This representation leads on to yet another way of representing a complex number, the *polar form*, which is introduced in Section 12.3.2.

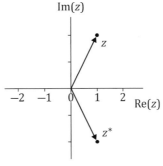

Fig 12.2 Complex numbers as vectors

Pointer

In fact complex numbers don't always appear in the form $a + bi$, but they can always be coaxed into it. $a + bi$ is called **Cartesian form**, for reasons to be explained…

quickfire 12.4

For the complex number Z = 5 – 7i, write down:
Re(Z), Im(Z), Z*, Z + Z*, Z – Z*.

Pointer

Another way of writing complex numbers is as ordered pairs of real numbers, e.g. 10 + 6i can be written as (10, 6).
The real part, Re(10, 6) = 10;
The imaginary part, Im(10, 6) = 6.

quickfire 12.5

Solve the equation $x^2 + 2x + 3 = 0$.

quickfire 12.6

One root of a quadratic equation (with real coefficients) is 3 – 2i. What is its other root?

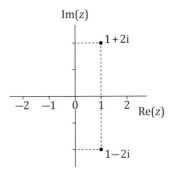

Fig 12.1 The Argand diagram

quickfire 12.7

Sketch an Argand diagram showing the roots of the equation in Quickfire 12.6.

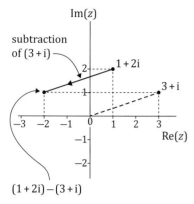

Fig 12.3 Subtraction on an Argand diagram

 12.8

Calculate $(1 + 2i) - (3 + i)$

Pointer

Memorising $(ac - bd) + (ad + bc)i$ isn't recommended! You should get quick at doing multiplications 'on the spot' when needed.

 12.9

Multiply $3 + 2i$ by $4 + 6i$.

Pointer

Example B shows that the square roots of i itself are nothing more exotic than complex numbers; we don't need yet *another* type of number. Mathematicians say that the set of complex numbers is 'closed' under square rooting (as well as under the other defined operations): all that the operations produce is other complex numbers!

quickfire **12.10**

Adapt example B to find the square roots of $-i$.

12.2.3 Arithmetic with complex numbers

(a) Addition, subtraction and equality

Complex numbers are added by adding their real parts and, separately, adding their imaginary parts. So the **sum** of two complex numbers is defined by

$$(a + bi) + (c + di) = (a + c) + (b + d)i$$

and the **difference** by

$$(a + bi) - (c + di) = (a - c) + (b - d)i$$

Do Quickfire 12.8 now, to see how trivially easy this is.

Complex numbers are said to be **equal** if and only if their real parts are equal and their imaginary parts are equal.

$$(a + bi) = (c + di) \qquad \text{if and only if} \qquad a = c \quad \text{and} \quad b = d.$$

Addition, subtraction and imposition of equality are essentially *vector* operations. This is brought out in Figure 12.3, which treats Quickfire 12.8 graphically.

(b) Multiplication

We **multiply** complex numbers together by 'multiplying out the brackets', remembering that $i^2 = -1$. So the product of two complex numbers is:

$$(a + bi)(c + di) = ac + adi + bci + bdi^2,$$

that is $\quad (a + bi)(c + di) = (ac - bd) + (ad + bc)i.$

Multiplication of a complex number, $c + di$, by a real number a is just a special case ...

$$a(c + di) = ac + adi.$$

Example B:

Show that there are complex numbers that are the square roots of i and find them.

Assume that there is one such complex number, $a + bi$.

Then $\quad (a + bi)^2 = i \quad$ that is: $\quad a^2 - b^2 + 2abi = i \qquad$ [1]

Using the definition of equality of complex numbers, we equate the real and the imaginary parts of either side of equation [1]:

Real parts: $\quad a^2 - b^2 = 0, \quad$ that is $\quad (a - b)(a + b) = 0, \quad$ so $\quad a = \pm b \qquad$ [2]

Imaginary parts: $\quad 2ab = 1.$ [3]

Eliminating b from equations [2] and [3]: $\quad \pm 2a^2 = 1.$

But a and b are real numbers, so we can't have $-2a^2 = 1$, $\therefore 2a^2 = 1.$ [4]

Therefore $a = \pm \dfrac{1}{\sqrt{2}}$, and, from [3], $b = \pm 1$ as well.

So it emerges that $\left(\dfrac{1}{\sqrt{2}} + \dfrac{i}{\sqrt{2}}\right)^2 = i$ and $\left(-\dfrac{1}{\sqrt{2}} - \dfrac{i}{\sqrt{2}}\right)^2 = i.$ You should check these by squaring out the left-hand sides. The Pointer shows the significance of this example.

(c) Multiplying by the complex conjugate

Consider the (complex) number, $z = a + bi$. Then $z^* = a - bi$.

So $z z^* = (a + bi)(a - bi) = a^2 - abi + bai - b^2 i^2 = a^2 + b^2.$

So multiplying the complex number $a + bi$ by its complex conjugate gives the positive (or zero) real number, $a^2 + b^2$.

The quantity $\sqrt{a^2 + b^2}$ is called the **modulus**, $|z|$, of $z = a + bi$.

so $\qquad |a + bi| = \sqrt{a^2 + b^2}$,

and, as we have just shown, $\quad |z|^2 = zz^*$.

On the Argand diagram, $|z|$ is the length of the 'radius' joining the origin to the point representing z (Figure 12.4). We shall return to this in Section 12.3, but in the meantime we shall see how $|z|^2 = zz^*$ enables us to perform a neat trick.

12.2.4 Reciprocals and division

As the set of complex numbers is closed under algebraic manipulation, the reciprocal of the number, $z = a + bi$ is itself a complex number, say $p + qi$. We use the complex conjugate to find p and q. We multiply $\dfrac{1}{z}$ by $\dfrac{z^*}{z^*}$.

$$\frac{1}{a + bi} = \frac{a - bi}{(a + bi)(a - bi)} = \frac{a - bi}{a^2 + b^2} = \frac{a}{a^2 + b^2} - \frac{b}{a^2 + b^2}i$$

What we did is known as '**rationalising the denominator**', making the bottom line a real number. It is an important technique (trick). We can summarise the result as

$$\frac{1}{z} = \frac{z^*}{|z|^2}$$

We use this technique in the process of **dividing** one complex number by another. We demonstrate with an example.

Example C:

Express $\dfrac{4 - 7i}{5 - 5i}$ in standard (Cartesian) complex number form.

Start by multiplying top and bottom by the complex conjugate of the bottom line. This time, there's work to be done on the top line as well as the bottom.

$$\frac{4 - 7i}{5 - 5i} = \frac{(4 - 7i)(5 + 5i)}{(5 - 5i)(5 + 5i)} = \frac{(20 + 35) + (20 - 35)i}{5^2 + 5^2} = \frac{55}{50} - \frac{15}{50}i = \frac{11}{10} - \frac{3}{10}i$$

12.3 The Geometry of complex numbers

12.3.1 Multiplying and dividing by i

Observe in Figure 12.5 what happens on the Argand diagram when we multiply each of 1, i, –1 and –i by i. In all cases the 'old' point is rotated anticlockwise through $\frac{\pi}{2}$ (see inner ring on diagram). The same thing happens with 2, 2i, –2 and –2i (outer ring) and obviously with *any* purely real or purely imaginary number.

Since $i^n = i \times i^{(n-1)}$ and $i^0 = 1$, it should be clear that, starting at 1 and going anticlockwise, we could label the points shown on the inner ring: $i^0, i^1, i^2, i^3, i^4, i^5, i^6, \ldots$. This gives a simple geometrical interpretation of the rule noted in Section 12.2.1 that $i^{(n+4)} = i^n$.

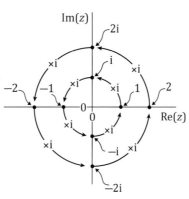

Fig 12.5 Multiplying by i

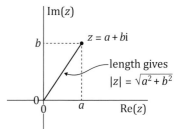

Fig 12.4 Modulus of a complex number

quickfire 12.11

If $z = 3 - 4i$,

(a) show from first principles that

$$\frac{1}{z} = \frac{3}{25} + \frac{4}{25}i$$

(b) Find $|z|$ and $\left|\dfrac{1}{z}\right|$.

quickfire 12.12

Put $\dfrac{1}{2 - 3i}$ into Cartesian form.

Pointer

You should be able to show that

$$\frac{1}{i} = -i$$

and hence that dividing by i is the same as multiplying by –i.

quickfire 12.13

The 'complex amplitude', A, of forced oscillations of a mass–spring system can be shown to be

$$A = \frac{F}{k - m\omega^2 - c\omega i}$$

where F, m, k, ω and c are real quantities.

Express A in standard Cartesian form.

quickfire 12.14

Express $\dfrac{a + bi}{c + di}$ in standard (Cartesian) complex number form.

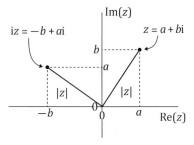

Fig 12.6 Multiplying $a + bi$ by i

12.15

Show on an Argand diagram the change in modulus and the angular displacement when $x + yi$ is multiplied by $(2 + i)$.

Hint: First show the effects of multiplying $x + yi$ separately by 2 and by i. Then use vector addition.

Pointer

We tend to use $x + yi$ rather than $a + bi$ when thinking of z as a variable. But there is no hard and fast rule.

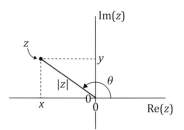

Fig 12.7 Polar form of z

Pointer

For convenience, we have introduced the function 'cis', defined by $\text{cis}(\theta) = \cos\theta + i\sin\theta$. We shall use cis as a support until we finally throw away this crutch in Section 12.3.5.

Pointer

It's not a terrible crime to write a complex number with an argument that isn't the principal one, for example, $3\,\text{cis}\left(\frac{5\pi}{3}\right)$ instead of $3\,\text{cis}\left(-\frac{\pi}{3}\right)$.

Suppose we now multiply the general complex number, $a + bi$, by i.

Then $(a + bi)i = -b + ai$.

Again we have rotation anticlockwise through $\frac{\pi}{2}$. See Figure 12.6. This *must* be the case, because $a + bi$ is the vector sum of a and bi, and we have just shown both pure real numbers and pure imaginary numbers to be so rotated. Division by i (that is multiplication by $-i$) rotates a point *clockwise* through $\frac{\pi}{2}$.

Multiplication of $a + bi$ by -1 produces $-a - bi$, that is rotation through π, which is hardly surprising, as $-1 = i^2$.

Multiplication of $a + bi$ by $\pm p$ or $\pm pi$, in which p is a positive real number, changes the modulus from $\sqrt{a^2 + b^2}$ to $p \times \sqrt{a^2 + b^2}$, in addition to any rotations brought about by i or the '$-$' sign.

The question now arises: what happens on the Argand diagram when we multiply $z = x + yi$ by a complex number $a + bi$ with a real part as well as an imaginary part? In any individual case it's quite possible to find out by sticking with the methods we've developed up to now, and you should certainly now do Quickfire 12.15. However, in the next section we start to develop a more powerful and general approach.

12.3.2   The polar form of a complex number

Recall from Section 12.2.3 that the modulus, $|z|$ of the complex number $z = x + yi$ is defined as $\sqrt{x^2 + y^2}$, and is therefore the length of the 'radius' from the origin to the point representing z on the Argand diagram.

We recall (see Section 5.6) that, *by definition*,

$$\cos\theta = \frac{x}{|z|} \quad \text{and} \quad \sin\theta = \frac{y}{|z|}.$$

See Figure 12.7. So z can be written in the so-called **polar form**:

$$z = |z|\,(\cos\theta + i\sin\theta), \quad \text{or, snappily:} \quad z = |z|\,\text{cis}\,\theta.$$

θ is called the **argument** or **phase** of z and we write $\theta = \arg(z)$

If we start with a given z and increase or decrease θ, keeping $|z|$ constant, we will not return to the same z until we have gone through a whole revolution, and then through another and so on. So, regarding z as a function of $|z|$ and θ, and using function notation (Section 10.2.2),

$$z(|z|, \theta) = z(|z|, \theta + 2n\pi) \qquad (n = 0, \pm1, \pm2 \ldots)$$

since $$\text{cis}\,\theta = \text{cis}\,(\theta + 2n\pi) \qquad (n = 0, \pm1, \pm2 \ldots)$$

To specify a complex number in polar form, the convention is to choose the θ in the range $-\pi < \theta \le \pi$. It is called the **principal argument** of z, Arg (z). See second Pointer.

Example D:

Express $z = 4\,\text{cis}\left(-\frac{\pi}{3}\right)$ in Cartesian form.

$z = 4\left[\cos\left(-\frac{\pi}{3}\right) + i\sin\left(-\frac{\pi}{3}\right)\right]$, so $z = 4\left[\cos\left(\frac{\pi}{3}\right) - i\sin\left(\frac{\pi}{3}\right)\right]$

[You can show this equivalence using a quadrant diagram (Section 5.6.1) or graphs of sin and cos (Sections 8.2.1, 8.2.2).]

So (See Section 5.5.1 Example C) $z = 4\left[\frac{1}{2} - \frac{\sqrt{3}}{2}i\right] = 2 - 2\sqrt{3}i$.

How do we find Arg (z) if we have z in the form $x + yi$, but want it in polar form? Use an Argand diagram and this:

$$\text{Arg}\,(z) = \pm\cos^{-1}\left(\frac{x}{|z|}\right)$$

in which the '$+$' applies if $y \ge 0$, but the '$-$' if $y < 0$.

We need the '$-$' sign for $y < 0$ because the $\cos^{-1}$ function returns values of θ only in the range $0 \le \theta < \pi$.

Note: Sometimes the real part of a complex number, z, is known to be positive. This is always the case for impedances in AC theory (see Section 12.4.3). In this case a useful alternative equation for finding Arg (z) is

$$\text{Arg}\,(z) = \tan^{-1}\left(\frac{y}{x}\right).$$

This is also the case for Arg (z^{-1}), see Section 12.3.4.

Example E:

Express $-1 - \sqrt{3}i$ in polar form.

$$|z| = \sqrt{(-1)^2 + (-\sqrt{3})^2} = 2$$

So $\quad \text{Arg}\,(z) = -\cos^{-1}\left(\frac{-1}{2}\right) = -\frac{2\pi}{3}$

So $\quad z = 2\,\text{cis}\left(-\frac{2\pi}{3}\right)$

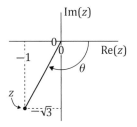

quickfire 12.16

Express the following numbers in Cartesian form:

$z = 2\,\text{cis}\,\frac{\pi}{6}$; $z = \text{cis}\,\frac{\pi}{2}$; $z = 2\,\text{cis}\,\frac{5\pi}{6}$

quickfire 12.17

Express in polar form
(i) $z = 2 + 2\sqrt{3}i$
(ii) $z = -i$
(iii) $z = -2 - \sqrt{2}i$

quickfire 12.18

(a) Leaving the argument in terms of π, calculate
$\left(3\,\text{cis}\,\frac{\pi}{2}\right)\left(2\,\text{cis}\,\frac{\pi}{2}\right)$
(b) Put it in Cartesian form.

12.3.3 Multiplying complex numbers in polar form

We do this by the same basic method as in Section 12.2.3, but the result will have an obvious geometrical significance ...

$$z_1 z_2 = (|z_1|\,\text{cis}\,\theta_1)(|z_1|\,\text{cis}\,\theta_2) = |z_1||z_2|(\cos\theta_1 + i\sin\theta_1)(\cos\theta_2 + i\sin\theta_2)$$

When the brackets are multiplied out, this leads to

$$z_1 z_2 = |z_1||z_2|\{\cos(\theta_1 + \theta_2) + i\sin(\theta_1 + \theta_2)\}$$

In the last step we used the compound angle formulae from Section 5.8 (see first Pointer)

To sum up the result:

If $\quad z_1 = |z_1|\,\text{cis}\,\theta_1 \quad$ and $\quad z_2 = |z_2|\,\text{cis}\,\theta_2$

Then $\quad z_1 z_2 = |z_1||z_2|\,\text{cis}\,(\theta_1 + \theta_2).$

But $|z_1||z_2|\{\text{cis}\,(\theta_1 + \theta_2)$ is of the form $|z|\text{cis}\,\theta$, and represents a complex number of modulus $|z| = |z_1||z_2|$ and argument $\theta = \theta_1 + \theta_2$. This gives us the simple rule:

To multiply complex numbers, multiply the moduli but add the arguments. (See second Pointer.) If you examine Figure 12.8, you will see how this works for two particular complex numbers: $z_1 = 2\,\text{cis}\left(\frac{\pi}{6}\right)$ and $z_2 = 1.5\,\text{cis}\left(\frac{\pi}{2}\right)$

$$|z_1 z_2| = |z_1||z_2| = 2 \times 1.5 = 3$$
$$\text{Arg}(z_1 z_2) = \text{Arg}(z_1) + \text{Arg}(z_2) = \frac{\pi}{6} + \frac{\pi}{2} = \frac{2\pi}{3}$$
$$z_1 z_2 = 3\,\text{cis}\left(\frac{2\pi}{3}\right)$$

Pointer

$\cos(\theta + \phi) = \cos\theta\cos\phi - \sin\theta\sin\phi$
$\sin(\theta + \phi) = \sin\theta\cos\phi + \cos\theta\sin\phi$

Pointer

If θ_1 and θ_2 are the principal arguments, Arg (z_1) and Arg (z_2), then $\pm 2\pi$ may need to be added to $\theta_1 + \theta_2$ in order to get the *principal* argument, Arg $(z_1 z_2)$.

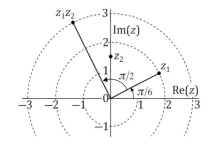

Fig 12.8 Combining moduli and arguments

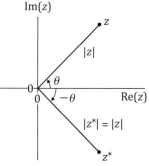

Fig12.9 Modulus and argument of z and z*

QUICKFIRE 12.19

Use the results of Sections 12.3.3 and 12.3.4 to show that:

$$\left|\frac{z_1}{z_2}\right| = \frac{|z_1|}{|z_2|}$$

and

$$\text{Arg}\left(\frac{z_1}{z_2}\right) = \text{Arg}(z_1) - \text{Arg}(z_2).$$

QUICKFIRE 12.20

Express $|z|\,\text{cis}\,\theta \times (1 + i)^6$ as a complex number in polar form.

Pointer

Wouldn't a still more general equation be $a^{c\theta_1}.a^{c\theta_2} = a^{c(\theta_1 + \theta_2)}$, in which a could be *any* base? No, because $a^{c\theta}$ is expressible as $e^{(\ln a)\,c\theta}$ and $(c\ln a)$ is simply a different constant.

QUICKFIRE 12.21

Express in Cartesian form:
$\sqrt{2}e^{i\frac{\pi}{4}};\ e^{i\frac{\pi}{2}};\ e^{i\pi};\ e^{i\frac{3\pi}{2}};$

QUICKFIRE 12.22

Use the exponential forms for sine and cosine to confirm that
(i) $\sin 2\theta = 2\sin\theta\cos\theta$
(ii) $\cos 2\theta = 1 - 2\sin^2\theta$

QUICKFIRE 12.23

Use the exponential forms of z and z^* to show that:
(i) $(z_1 z_2)^* = z_1^* z_2^*$
(ii) $|z_1 z_2| = |z_1||z_2|$

(iii) $\left(\frac{z_1}{z_2}\right)^* = \frac{z_1^*}{z_2^*}$

(iv) $\left|\frac{z_1}{z_2}\right| = \frac{|z_1|}{|z_2|}$

12.3.4 The polar form of z^{-1}

Using the result of 12.2.4: $z^{-1} = \dfrac{z^*}{|z|^2}$

Now $|z^*| = |z|$ (see Figure 12.9) so $|z^{-1}| = \dfrac{|z|}{|z|^2} = \dfrac{1}{|z|}$

Also, from Figure 12.9, $\text{Arg}(z^*) = -\text{Arg}(z)$, so $\text{Arg}\left(\dfrac{1}{z}\right) = -\text{Arg}(z)$

This gives us our second rule: *The modulus of the reciprocal of a complex number is the reciprocal of the modulus of the complex number; the argument is minus the argument of the complex number.*

12.3.5 Dividing numbers in polar form

We can write $\dfrac{z_1}{z_2}$ as $z_1 \times \dfrac{1}{z_2}$. We can therefore use the results of Sections 12.3.3 and 12.3.4 to give the following rule:

To divide z_1 by z_2 divide the modulus of z_1 by the modulus of z_2 but subtract the argument of z_2 from that of z_1.

The proof of this is left as an exercise to the reader – see Quickfire 12.19.

12.3.6 Cis as an exponential function

Putting $|z_1| = |z_2| = 1$ in the polar multiplication equation gives us

$$\text{cis}\,\theta_1\,.\,\text{cis}\,\theta_2 = \text{cis}(\theta_1 + \theta_2)$$

This strongly reminds us of multiplying exponents: the arguments add.

e.g. $\qquad\qquad e^{c\theta_1}.e^{c\theta_2} = e^{c(\theta_1 + \theta_2)}$

We've included the constant c to make the equation as general as possible. (See Pointer.) This structural similarity strongly suggests the identity

$$\text{cis}\,\theta \equiv e^{c\theta}$$

To find the value of c, we differentiate, treating i as a constant and using the chain rule on the right-hand side.

$$\frac{d}{d\theta}(\cos\theta + i\sin\theta) = \frac{d}{d\theta}e^{c\theta}$$

So $\qquad\qquad -\sin\theta + i\cos\theta = ce^{c\theta}$

This agrees with our proposed identity ($\text{cis}\,\theta = e^{c\theta}$), provided that $c = i$.

So we conclude that:

$$\text{cis}\,\theta \equiv e^{i\theta} \qquad \text{that is} \qquad e^{i\theta} = \cos\theta + i\sin\theta$$

This last equation is known as Euler's formula.

This opens up a new, powerful means of handling complex numbers: $\text{cis}\,\theta$ now goes the way of milk teeth; it served its purpose well, but we shall not use the notation again.

Example F:

Show that Euler's formula is consistent with the formulae for $\sin(A + B)$ and $\cos(A + B)$

$$e^{i(A + B)} = e^{iA}.e^{iB}$$

∴ Using Euler's formula:

$$\cos(A + B) + i\sin(A + B) = [\cos A + i\sin A][\cos B + i\sin B]$$
$$= \cos A\cos B - \sin A\sin B + i(\sin A\cos B + \cos A\sin B)$$

Equating real and imaginary parts, gives

Real parts: $\quad\quad\quad\quad\quad \cos(A + B) = \cos A \cos B - \sin A \sin B \quad\quad$ and

Imaginary parts: $\quad\quad\quad \sin(A + B) = \sin A \cos B + \cos A \sin B \quad\quad$ QED

Pointer

There's a simple geometric interpretation of $2\cos\theta = (e^{i\theta} + e^{-i\theta})$. Figure 12.10 shows the vector addition of $e^{i\theta}$ and $e^{-i\theta}$.

Clearly, a similar treatment is possible for $2i\sin\theta = (e^{i\theta} - e^{-i\theta})$.

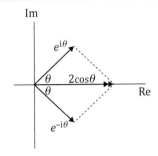

Fig 12.10 $e^{i\theta} + e^{-i\theta}$

12.3.7 Summary of relationships in exponential form

A complex number can be written: $\quad z = |z|[\cos\theta + i\sin\theta] = |z|e^{i\theta}$

Its complex conjugate is: $\quad\quad\quad z^* = |z|[\cos\theta - i\sin\theta)]$

Since cosine is an even function, but sine is an odd function (Sections 8.2.2, 8.2.1), this can be written:

$$z^* = |z|[\cos(-\theta) + i\sin(-\theta)] = |z|e^{-i\theta}$$

Note that since $e^{i\theta}e^{-i\theta} = 1$ we immediately get $zz^* = |z|^2$.

Adding the expressions for $\dfrac{z}{|z|}$ and $\dfrac{z^*}{|z|}$ we obtain $2\cos\theta = (e^{i\theta} + e^{-i\theta})$

and subtracting gives $2i\sin\theta = (e^{i\theta} - e^{-i\theta})$, giving us:

$$\cos\theta = \tfrac{1}{2}(e^{i\theta} + e^{-i\theta}) \quad\quad \text{and} \quad\quad \sin\theta = \tfrac{1}{2i}(e^{i\theta} - e^{-i\theta})$$

12.3.8 de Moivre's theorem

Simply stated, this is: $\cos n\theta + i\sin n\theta = (\cos\theta + i\sin\theta)^n$

With the approach we have taken, we can see that this result is a consequence of Euler's formula (Section 12.3.6) and applying the third law of indices (Section 4.2.1) to $e^{i\theta}$.

$$(e^{i\theta})^n = e^{in\theta}$$

Using Euler's formula: $(e^{i\theta})^n = (\cos\theta + i\sin\theta)^n$ and $e^{in\theta} = \cos n\theta + i\sin n\theta$.

Hence the result.

Example G:

Use de Moivre's theorem to write $\cos 3\theta$ in terms of $\cos\theta$.

$$\cos 3\theta + i\sin 3\theta = (\cos\theta + i\sin\theta)^3$$
$$= \cos^3\theta + 3i\sin\theta\cos^2\theta + 3i^2\sin^2\theta\cos\theta + i^3\sin^3\theta$$
$$= \cos^3\theta - 3\sin^2\theta\cos\theta + i(3\sin\theta\cos^2\theta - \sin^3\theta)$$

Equating the real parts gives

$$\cos 3\theta = \cos^3\theta - 3\sin^2\theta\cos\theta.$$

We can simplify this using the identity $\sin^2\theta + \cos^2\theta = 1$ to give:

$$\cos 3\theta = 4\cos^3\theta - 3\cos\theta.$$

Notice that the principle of 'buy one, get one free' applies here – the expansion of $\sin 3\theta$ follows in short order.

quickfire >> 12.24

Use the working of example G to write $\sin 3\theta$ in terms of $\sin\theta$.

quickfire >> 12.25

Use de Moivre's theorem to write $\cos 4\theta$ and $\sin 4\theta$ in terms of $\cos\theta$ and $\sin\theta$, respectively.

We'll finish this section by using de Moivre's theorem to find all the cube roots of 1, i.e. to find all the values of z for which $z^3 = 1$.

Putting $z = |z|e^{i\theta}$ and writing 1 as e^{i0} then, if $z^3 = 1$:

$$(|z|e^{i\theta})^3 = e^{i0} \quad\quad \text{so} \quad\quad |z|^3 e^{3i\theta} = e^{i0}$$

This implies that $|z| = 1$ and $3\theta = 0, \pm 2\pi, \pm 4\pi, \pm 6\pi \ldots$

So $\theta = 0, \pm\tfrac{2}{3}\pi, \pm\tfrac{4}{3}\pi, \pm 2\pi \ldots$.

quickfire >> 12.26

Express the cube roots of 1 in Cartesian form.

quickfire 12.27

Confirm your answers to Quickfire 12.26 by a wholly algebraic method, starting by writing the equation as $z^3 - 1 = 0$ and factorising the left-hand side to give:
$(z - 1)(z^2 + z + 1) = 0$

These represent only three distinct values of z, those with principal arguments $0, \pm\frac{2}{3}\pi$. All the others are 'repeats'. The three cube roots of 1 are therefore, 1, $e^{\frac{2\pi}{3}i}$ and $e^{-\frac{2\pi}{3}i}$.

Test Yourself 12.1

1 Express in the simplest form, using i where appropriate:
  (a) the square roots of –9,
  (b) $\sqrt{-25} - \sqrt{16}$
  (c) for $n = 0, 1, 2 ...$ (i) i^{4n} (ii) i^{4n+1} (iii) i^{4n+2} (iv) i^{4n+3}
  (d) (i) i^4 (ii) i^{402} (iii) i^{-1} (iv) i^{-3} (v) i^{-7}
  (e) (i) $i^3 + i^5$ (ii) $i^3 \times i^5$ (iii) $\dfrac{i^3}{i^5}$

2 For $z = 4 + 3i$, determine
  (a) $\mathrm{Re}\,(z^*)$ (b) $\mathrm{Im}\,(z^*)$ (c) $\mathrm{Re}\,(iz)$ (d) $\mathrm{Im}\,(iz)$

3 (a) Solve the equation $x^2 - 6x + 13 = 0$ expressing the roots in terms of i.
  (b) Write down the complex numbers represented by the reflections of these points in the vertical (Im) axis.
  (c) Determine the quadratic equation whose roots are the answers to (b).

4 Three complex numbers, when represented by points on the Argand diagram, form an equilateral triangle with its centre at the origin ($z = 0$). Two of the numbers are $-\sqrt{3} - i$ and $\sqrt{3} - i$. Determine the third.

5 Perform the multiplications
  (a) $(3 + 2i)(2 + 3i)$ (b) $\left(\dfrac{1}{\sqrt{2}} + \dfrac{i}{\sqrt{2}}\right)^2$ (c) $\left(\dfrac{1}{2} + \dfrac{\sqrt{3}}{2}i\right)^2$ (d) $(a + bi)^2$

6 For the complex number $z = 4 + 3i$, calculate
  (a) $|z|$ (b) $\dfrac{1}{z}$ expressed as $a + bi$ (c) $\left|\dfrac{1}{z}\right|$ directly from (b)   (d) $\dfrac{1}{|z|}$ from (a)

  You may now care to show that for *any* z (except zero) $\left|\dfrac{1}{z}\right| = \dfrac{1}{|z|}$. Hint: $|z| = |z^*|$.

7 Expressing the quotient in the form $a + ib$, perform the divisions
  (a) $\dfrac{1 + i}{1 - i}$ (b) $\dfrac{\sqrt{3} - i}{1 - i}$

8 (a) Express in Cartesian form
     (i) $2e^{i\frac{\pi}{6}}$ (ii) $4e^{i\frac{\pi}{3}}$ (iii) $4e^{i\frac{2\pi}{3}}$ (iii) $8e^{-i\frac{2\pi}{3}}$
  (b) Express in polar form with $-\pi < \theta \le \pi$, leaving in π as a factor in the argument
     (i) $1 + i$ (ii) $-1 + i$ (iii) $-1 - i$
     (iv) $1 - i$ (v) $\sqrt{3} - i$ (vi) $-\sqrt{3} - i$

9 Working in polar form, carry out these multiplications and divisions.
  (a) $2e^{i\frac{\pi}{6}} \times 4e^{i\frac{\pi}{3}}$ (b) $\dfrac{2e^{i\frac{\pi}{6}}}{4e^{i\frac{\pi}{3}}}$ (c) $(1 + i)(\sqrt{3} - i)$ (d) $\dfrac{1 + i}{1 - i}$

10 Use the relationships $\cos\theta = \frac{1}{2}\left(e^{i\theta} + e^{-i\theta}\right)$, $\sin\theta = -\frac{i}{2}\left(e^{i\theta} - e^{-i\theta}\right)$ to express $2\sin A \cos B$ as the sum of two sines.

11 Use de Moivre's theorem to express $\cos 5\theta$ in terms of $\cos\theta$.

12 Determine the three cube roots of –8 (a) in polar form (b) in Cartesian form.

12.4 Using complex numbers to study oscillations

12.4.1 Introduction

In Section 8.3.1 we explained how the projection, x, of a phasor (rotating vector) on to a fixed axis varies sinusoidally with time. We can neatly use a point $z = z(t)$, rotating in a circle about the origin on the Argand diagram (or the radius joining it to the origin) as a 'complex phasor'. If the argument of z at time $t = 0$ is ϕ, (that is $z(0) = |z|\,e^{i\phi}$) and the angular velocity of the point is ω (See 8.3.1), then $z = z(t) = |z|\,e^{i(\omega t + \phi)}$

It's easier to work with complex phasors of this form than with sines and cosines, for at least two reasons ...

- They factorise nicely.

  Thus $z = z(t) = |z|\,e^{i\phi}\,e^{i\omega t}$

  In the context of oscillations, $|z|$ is the *amplitude* and $|z|\,e^{i\phi}$ is called the *complex amplitude*.

- They differentiate nicely. Using the chain rule:

$$\frac{dz}{dt} = i\omega|z|\,e^{i(\omega t + \phi)} = \omega|z|\,e^{i\left(\omega t + \phi + \frac{\pi}{2}\right)} \text{ because } e^{i\frac{\pi}{2}} = i$$

and $\dfrac{d^2z}{dt^2} = -\omega^2|z|\,e^{i(\omega t + \phi)} = \omega^2|z|\,e^{i(\omega t + \phi + \pi)}$

The sinusoidal oscillation itself (see Figure 12.11 and Pointer) is

$$x = x(t) = \text{Re}\{z(t)\} = |z|\cos(\omega t + \phi)$$

To recap: ω is called the *angular frequency* or *pulsatance*. As shown in 8.3.1, it is related to the period, T, and the frequency, f, by $\omega = \dfrac{2\pi}{T} = 2\pi f$.

If x represents displacement, then the velocity, v, would be

$$v = \frac{dx}{dt} = \frac{d}{dt}\text{Re}\{z\} = \text{Re}\left\{\frac{dz}{dt}\right\} = \omega|z|\cos\left(\omega t + \phi + \frac{\pi}{2}\right)$$

Convince yourself (by putting $z = x + iy$) that Re (the operation of taking the real part) and the differentiation really can be done in either order, legitimising what we've just done.

You should now do Quickfire 12.28

Example H:

The alternating current through a circuit component is given by the real part of the complex phasor $\mathbf{I}(t) = I_0\,e^{i\omega t}$. See the second Pointer. Determine the rate of change of current as a function of time (i) by first differentiating the phasor and (ii) by differentiating the real part.

(i) $\dfrac{dI}{dt} = \dfrac{d\,\text{Re}\{\mathbf{I}\}}{dt} = \text{Re}\left\{\dfrac{d\mathbf{I}}{dt}\right\} = \text{Re}\{i\omega I_0\,e^{i\omega t}\} = -\omega I_0\sin\omega t$

(ii) $\dfrac{dI}{dt} = \dfrac{d\,\text{Re}\{\mathbf{I}\}}{dt} = \dfrac{d(I_0\cos\omega t)}{dt} = -\omega I_0\sin\omega t$

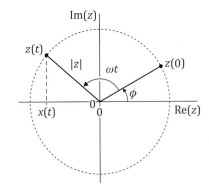

Fig 12.11

Pointer

We could equally well choose the imaginary part:

$y = y(t) = \text{Im}\{z(t)\}$

$z = z(t) = |z|\,e^{i(\omega t + \phi)}$

quickfire ≫ 12.28

Derive the acceleration in cosine form by using

$$\frac{d^2x}{dt^2} = \text{Re}\left\{\frac{d^2z}{dt^2}\right\}$$

quickfire ≫ 12.29

The oscillation shown is to be represented by

$$x = \text{Re}\{|z|e^{i(\omega t + \phi)}\}$$

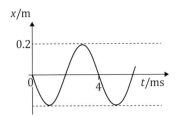

Determine the values of $|z|$, ω and ϕ.

Pointer

As usual we are using italic letters such as I to represent (real) variables and, for clarity, we are using the bold letter, $\mathbf{I}$, to represent the corresponding complex variable.

12.4.2 Unforced mechanical oscillations

We are now equipped to do justice to the (homogeneous) differential equation briefly considered in Section 11.4 ...

$$\frac{d^2x}{dt^2} + k\frac{dx}{dt} + \omega_0^2 x = 0$$

It applies to a body of mass m, subjected to a *restoring* force, $-m\omega_0^2 x$, i.e. one that is proportional to its displacement from a fixed point ($x = 0$) and directed towards there, and to a *damping* force, $-mk\dfrac{dx}{dt}$, proportional to its velocity, but in the opposite direction.

These forces are viewed as part of the *oscillatory system*.

There is no *driving force* from outside the system: the system is left to its own devices (once the mass has been displaced from $x = 0$, and released, or has been given an impulse).

We saw in Chapter 11 that the function $x = e^{\lambda t}$ is a solution of this equation for some (constant) value of λ. When we substitute $x = e^{\lambda t}$ and derivatives into the differential equation we find that $e^{\lambda t}$ can be taken out as a common factor ...

$$\frac{d^2(e^{\lambda t})}{dt^2} + k\frac{d(e^{\lambda t})}{dt} + \omega_0^2(e^{\lambda t}) = 0 \longrightarrow \lambda^2 e^{\lambda t} + k\lambda\, e^{\lambda t} + \omega_0^2 e^{\lambda t} = 0$$

Because $e^{\lambda t} \neq 0$ we can divide by $e^{\lambda t}$, which gives us

$$\lambda^2 + k\lambda + \omega_0^2 = 0$$

Using the usual formula for the solution of a quadratic equation, we see that

$$\lambda = \frac{-k \pm \sqrt{k^2 - 4\omega_0^2}}{2}, \qquad \text{that is} \qquad \lambda = -\frac{k}{2} \pm \sqrt{\frac{k^2}{4} - \omega_0^2}.$$

So there are two distinct values of λ. If we call them $\lambda_{(+)}$ and $\lambda_{(-)}$ the general solution is, as we saw in Chapter 11, a linear combination of $e^{\lambda_{(+)}t}$ and $e^{\lambda_{(-)}t}$, i.e.

$$x = Ae^{\lambda_{(+)}t} + Be^{\lambda_{(-)}t},$$

where A and B are both constants (possibly complex).

We'll now look at three distinct cases: $\dfrac{k}{2} < \omega_0$, $\dfrac{k}{2} > \omega_0$ and $\dfrac{k}{2} = \omega_0$

(a) The underdamped case: $\dfrac{k}{2} < \omega_0$

As its name suggests, the damping is light and the oscillations decay away gradually. In this case we can define the real positive quantity, ω_1, by

$$\omega_1 = \sqrt{\omega_0^2 - \frac{k^2}{4}} \qquad \text{so} \qquad \omega_1^2 = \omega_0^2 - \frac{k^2}{4}$$

The quantity ω_1 is, as we'll see, the pulsatance (angular frequency) of the damped oscillations.

This gives the solutions for λ as:

$$\lambda = -\frac{k}{2} \pm \sqrt{-\omega_1^2}, \qquad \text{i.e.} \qquad \lambda = -\frac{k}{2} \pm i\omega_1$$

Therefore both $x = e^{-\frac{k}{2}t}e^{i\omega_1 t}$ and $e^{-\frac{k}{2}t}e^{-i\omega_1 t}$ will fit the differential equation. So the general solution of the equation can be written

$$x = e^{-\frac{k}{2}t}(Ce^{i\omega_1 t} + De^{-i\omega_1 t}) \text{ in which } C \text{ and } D \text{ are arbitrary complex constants.}$$

There is no point in representing displacement by anything but a real number, and for real x we need $D = C^*$ (which you should check).

We put $C = \dfrac{A}{2}e^{i\phi}$ and $D = \dfrac{A}{2}e^{-i\phi}$, where A and ϕ are real constants – the factors of $\frac{1}{2}$ are inserted in anticipation of a neater final result!

Pointer

$\lambda^2 + k\lambda + \omega_0^2$ is called the 'indicial' or 'characteristic' equation.

Pointer

These three cases are called the underdamped, overdamped (with apologies to the Wombles) and critically damped cases respectively.

Pointer

Another way of imposing $D = C^*$ is to express C and D in Cartesian form as

$C = \dfrac{E}{2} - i\dfrac{F}{2}$ and, $D = \dfrac{E}{2} + i\dfrac{F}{2}$

where E and F are real.

As you should check, this leads to

$x = Ae^{-\frac{k}{2}t}\{E\cos\omega_1 t + F\sin\omega_1 t\}$

This equation is completely equivalent (see Quickfire 12.30) to

$x = Ae^{-\frac{k}{2}t}\cos(\omega_1 t + \phi)$

We use whichever suits our purposes.

quickfire »» 12.30

By expanding $\cos(\omega_1 t + \phi)$ using a compound angle formula (see Section 5.8), express E and F (see Pointer) in terms of A and ϕ in

$x = Ae^{-\frac{k}{2}t}\cos(\omega_1 t + \phi)$.

Express A and in terms of E and F.

This gives

$$x = \frac{A}{2}e^{-\frac{k}{2}t}\left(e^{i(\omega_1 t + \phi)} + e^{-i(\omega_1 t + \phi)}\right)$$

So

$$x = Ae^{-\frac{k}{2}t}\cos(\omega_1 t + \phi) \qquad \text{(see Section 12.3.7)}$$

This represents an oscillation of frequency $\frac{\omega_1}{2\pi}$ but the exponential factor makes the amplitude drop (exponentially!), and slightly distorts the sinusoidal waveform. This is illustrated in Figure 12.12 – see Pointer.

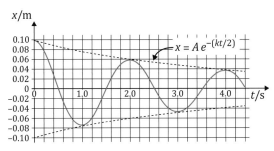

Fig 12.12 Damped oscillation

A and ϕ, (or C and D) are arbitrary constants: the *system* allows them to have any values. But the *initial conditions* pin them down to specific values...

Example I:

The mass in a damped mass–spring system is released from rest at time $t = 0$ with a displacement of x_0. Determine A and ϕ in $x = Ae^{-\frac{k}{2}t}\cos(\omega_1 t + \phi)$

Differentiating x and taking out $Ae^{-\frac{k}{2}t}$ as a factor (see Pointer):

$$\frac{dx}{dt} = Ae^{-\frac{k}{2}t}\left\{-\frac{k}{2}\cos(\omega_1 t + \phi) - \omega_1 \sin(\omega_1 t + \phi)\right\}. \quad \text{Applying the initial conditions:}$$

- $\frac{dx}{dt}(0) = 0, \rightarrow 0 = A\left\{-\frac{k}{2}\cos\phi - \omega_1\sin\phi\right\} \rightarrow \phi = \tan^{-1}\left(-\frac{k}{2\omega_1}\right)$

- $x(0) = x_0 \rightarrow x_0 = A \times 1 \times \cos\phi \rightarrow A = x_0 \sec\phi$

But $\sec\phi = \sqrt{1 + \tan^2\phi}$ so $A = x_0\sqrt{1 + \frac{k^2}{4\omega_1^2}}$

Having waded through Example I, you may be annoyed to realise that for light damping, when $k << \omega_1$ (not unusual), A is only very slightly more than x_0, and ϕ is only a degree or two. See Quickfire 12.33.

(b) The overdamped case: $\frac{k}{2} > \omega_0$

For this very heavy damping, $\left(\frac{k^2}{4} - \omega_0^2\right) > 0$, so the roots of $\lambda^2 + k\lambda + \omega_0^2 = 0$ are *real*.

Also $\sqrt{\frac{k^2}{4} - \omega_0^2} < \frac{k}{2}$. This means that both values of λ are real and negative.

Writing them as $-\mu_{(+)}$ and $-\mu_{(-)}$ the general solution of the differential equation is

$$x = Ge^{-\mu_{(+)}t} + He^{-\mu_{(-)}t}$$

G and H are arbitrary constants, determined by initial conditions. If the mass is displaced and released it returns towards $x = 0$ at smaller and smaller speed, never over-shooting $x = 0$. The motion is not oscillatory! Figure 12.13

quickfire 12.31

If $k = \frac{\omega_0}{5}$, calculate the percentage by which the frequency of the forced oscillations is less than if there were no damping ($k = 0$).

Pointer

The curves in Figure 12.12 are drawn for:

$k = 0.500\,\text{s}^{-1}$

$\omega_0 = \pi\,\text{s}^{-1}$ [or rad s^{-1}]

This value of pulsatance is not that of the curve, which has a pulsatance of ω_1, which is given by

$$\omega_1 = \sqrt{\omega_0^2 - \frac{k^2}{4}}$$

You should check by calculation that the period of the oscillations in Figure 12.12 agree with this.

These values of k and ω_0 represent quite a high level of 'underdamping'!

Pointer

You should check, that the differentiation in Example I is done correctly.

quickfire 12.32

For the initial conditions of Example I, determine E and F in the equation

$$x = e^{-\frac{k}{2}t}\{E\cos\omega_1 t + F\sin\omega_1 t\}.$$

Use the same general method as in example I. This case is rather easier.

quickfire 12.33

A system with $k = \frac{\omega_0}{5}$ (not the lightest of damping!) is released from rest at time $t = 0$ with a displacement of x_0. Calculate ϕ and the ratio $\frac{A}{x_0}$

Pointer

In the overdamped case

$$\mu_+ = \frac{k}{2} + \sqrt{\frac{k^2}{4} - \omega_0^2} \quad \text{and}$$

$$\mu_- = \frac{k}{2} - \sqrt{\frac{k^2}{4} - \omega_0^2}$$

Pointer

The general solution of a second order differential equation must have two arbitrary constants. Hence the solution of the homogenous equation (see Section 11.2) must contain two independent functions. The functions $e^{\lambda_1 t}$ and $e^{\lambda_2 t}$ are independent as long as $\lambda_1 \neq \lambda_2$, and we can choose the linear combination $Ae^{\lambda_1 t} + Be^{\lambda_2 t}$ as the general solution. If $\lambda_1 = \lambda_2 = \lambda$ the function $Ae^{\lambda t} + Be^{\lambda t}$ cannot be the general solution because that is the same as $(A + B)e^{\lambda t}$ so there is just one constant written as $A + B$.

Pointer

See Section 13.5 for a treatment of equal roots, leading to $x = te^{-\omega_0 t}$, in the case where the forcing function has the same time dependency as the root of the homogenous equation.

Pointer

In Figure 12.13
(a) Overdamping:
     $k = 4\pi \, \mathrm{s}^{-1}$ and $\omega_0 = \pi \, \mathrm{s}^{-1}$
(b) Critical damping:
     $k/2 = \omega_0 = \pi \, \mathrm{s}^{-1}$

Pointer

k and ω_0 are constants of the system and ω is the angular frequency (pulsatance) of the driving force.

RECAP
from 11.2 & 11.5

The CF is the general solution of
$$\frac{\mathrm{d}^2 x}{\mathrm{d}t^2} + k\frac{\mathrm{d}x}{\mathrm{d}t} + \omega_0^2 x = 0$$
and contains two arbitrary constants to allow us to fit the initial conditions. The PI is any function that fits equation 1. The general solution of equation 1,
$x(t) = \mathrm{CF} + \mathrm{PI}$

(c) The critically damped case: $\frac{k}{2} = \omega_0$

In this case, the characteristic equation becomes $\lambda^2 + 2\lambda + \omega_0^2 = 0$, which has only one solution: $\lambda = -\omega_0$, leading to $x = e^{-\omega_0 t}$ for the solution of the differential equation (see Pointer). A second independent solution is $x = te^{-\omega_0 t}$. You should check this by substituting into

$$\frac{\mathrm{d}^2 x}{\mathrm{d}t^2} + 2\omega_0 \frac{\mathrm{d}x}{\mathrm{d}t} + \omega_0^2 x = 0.$$

So the general solution can be formed, as usual, by a linear combination of the form:

$$x = (K + Lt)e^{-\omega_0 t}$$

If the body is released from rest with displacement x_0 at $t = 0$, then (more checking!), $K = x_0$ and $L = \omega_0 x_0$.

x returns to (say) $0.05x_0$ in a shorter time than if the system (with same ω_0) were overdamped. x never overshoots zero.

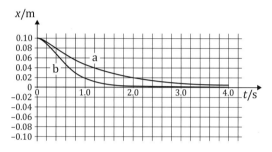

Fig 12.13 (a) overdamped and (b) critically damped oscillations

12.4.3 Forced mechanical oscillations

What happens when the oscillatory system of Section 12.4.2 is subjected to a 'driving' force $F = m B \cos(\omega t)$? This gives us

$$\frac{\mathrm{d}^2 x}{\mathrm{d}t^2} + k\frac{\mathrm{d}x}{\mathrm{d}t} + \omega_0^2 x = B \cos(\omega t) \qquad [1]$$

Note that equation 1 involves only real quantities.

As explained in 11.2 and 11.5, the solution to equation [1], i.e. the function $x(t)$ that fits it, is the sum of a particular integral (PI) and a complementary function (CF). But we know that the CF dies away to zero because all the cases have an $e^{-\alpha t}$ term (with real $\alpha > 0$), leaving just the 'steady state' PI, which we'll now find – using complex numbers.

We first boldly replace $B \cos \omega t$ and x by $Be^{i\omega t}$ and z respectively:

Equation 1 becomes: $\qquad \dfrac{\mathrm{d}^2 z}{\mathrm{d}t^2} + k\dfrac{\mathrm{d}z}{\mathrm{d}t} + \omega_0^2 z = Be^{i\omega t} \qquad [2]$

We now look for solutions to equation 2 of the form $z = Ae^{i\omega t}$ representing steady state oscillations of the driving force frequency.

If $z = Ae^{i\omega t}$, $\qquad$ then $\qquad \dfrac{\mathrm{d}z}{\mathrm{d}t} = i\omega Ae^{i\omega t} \qquad$ and $\qquad \dfrac{\mathrm{d}^2 z}{\mathrm{d}t^2} = -\omega^2 Ae^{i\omega t}$

Substituting into equation 2 and gently factorising:

$$A(-\omega^2 + i\omega k + \omega_0^2)e^{i\omega t} = Be^{i\omega t} \qquad [3]$$

Because $e^{i\omega t}$ is a common factor, equation 3 must hold for all values of t, provided that

$$A(-\omega^2 + i\omega k + \omega_0^2) = B \qquad \text{so} \qquad A = \frac{B}{(\omega_0^2 - \omega^2) + i\omega k} \qquad [4]$$

So we now have the complex amplitude, A. Its modulus, $|A|$, is given by

$$|A| = \frac{B}{|(\omega_0^2 - \omega^2) + i\omega k|} = \frac{B}{\sqrt{(\omega_0^2 - \omega^2)^2 + (\omega k)^2}}$$

To find the **phase** of the oscillations, relative to the driving force we write

$$A = |A|e^{-i\varepsilon},$$

so that, in equation 4,

$$|A|e^{-i\varepsilon} = \frac{B}{(\omega_0^2 - \omega^2) + i\omega k}$$

that is

$$e^{i\varepsilon} = \frac{|A|}{B}\{(\omega_0^2 - \omega^2) + i\omega k\}.$$

So, calling on the Section 12.3.2 and noting that $(\omega_0^2 - \omega^2) + i\omega k$ is always in the first or second quadrant of the Argand diagram:

$$\varepsilon = \cos^{-1}\frac{\omega_0^2 - \omega^2}{\sqrt{(\omega_0^2 - \omega^2)^2 + (\omega k)^2}}.$$

Because of the minus sign (−) in our definition of ε, in $A = |A|e^{-i\varepsilon}$, it is the angle (between 0 and π) by which the oscillations **lag behind** the driving force.

So $A = |A|e^{i(\omega t - \varepsilon)}$ in which we can calculate both $|A|$ and ε. The original equation involved the displacement, x which is the real part of z, and what we really want.
Thus $x = |A|\cos(\omega t - \varepsilon)$.

Pointer

In $z = Ae^{i\omega t}$, the constant A is non-real and is called the complex amplitude. See Section 12.4.1

 quickfire ⟩⟩⟩ 12.34

Consider an oscillatory system for which $k = \dfrac{\omega_0}{4}$ Calculate the angle of lag, ε, for

(i) $\omega = \dfrac{\omega_0}{\sqrt{2}}$

(ii) $\omega = \omega_0$

(iii) $\omega = \sqrt{2}\omega_0$

Do the results make sense?

12.4.4 Sinusoidal alternating currents

Complex numbers are ideally suited to calculating relationships between currents and voltages in ac circuits containing inductance, L, capacitance, C and resistance, R. We shall assume that there will be a pd $V(t) = V_0 \cos(\omega t + \varepsilon)$ across a device with inductance, L, capacitance, C, or resistance, R, or consisting of any L, C, R arrangement, when it carries a sinusoidal current, $I(t) = I_0 \cos\omega t$. See first Pointer and Figure 12.14.

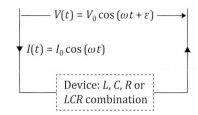

Fig 12.14

It is easier to work with the complex phasor $\boldsymbol{I}(t) = I_0 e^{i\omega t}$ than the cosine, and we shall, for now, consider $\boldsymbol{I}(t)$ rather than $I(t)$. Similarly we shall consider $\boldsymbol{V}(t) = V_0 e^{i(\omega t + \varepsilon)}$ rather than $V(t)$.

We now define the **complex impedance**, $\boldsymbol{Z}$, of the device as $\boldsymbol{Z}(t) = \dfrac{\boldsymbol{V}(t)}{\boldsymbol{I}(t)}$

So

$$\boldsymbol{Z} = \frac{V_0 e^{i(\omega t + \varepsilon)}}{I_0 e^{i\omega t}} = \frac{V_0}{I_0}e^{i\varepsilon} = Ze^{i\varepsilon}$$

$Z = |\boldsymbol{Z}|$ is the **impedance** of the device: the ratio of peak pd to peak current. It is a real number. $\boldsymbol{Z}$, however, is the ratio of complex pd to complex current *at any time t*. $\boldsymbol{Z}$ itself is a constant (usually non-real).

(a) pd and current in individual components

We now consider the complex pds across L, C, and R individually, for a given complex current $\boldsymbol{I}(t) = I_0 e^{i\omega t}$, and hence find $\boldsymbol{Z}$ for each.

- The complex pd across an **inductor** will be

$$\boldsymbol{V}_L(t) = L\frac{d\boldsymbol{I}(t)}{dt} = L\frac{d}{dt}(I_0 e^{i\omega t}) = i\omega L I_0 e^{i\omega t} = i\omega L\boldsymbol{I}(t) = iX_L\boldsymbol{I}(t)$$

The last equation here introduces X_L, the **reactance** of the inductor, where $X_L = \omega L$ (see 13.9.1).

 Pointer

We shall soon justify the claim that a sinusoidal current is associated with a sinusoidal pd of the same frequency by dealing with L, C, and R.

Note that we could include a phase constant, ϕ, so $I(t) = I_0\cos(\omega t + \phi)$ and $V(t) = V_0\cos(\omega t + \phi + \varepsilon)$. You should check for yourself that it would make no difference to the results we establish (the complex impedances).

Pointer

We indicate complex variables by **bold italic** symbols, such as $\boldsymbol{V}$, $\boldsymbol{I}$ and $\boldsymbol{Z}$. The corresponding real variables are indicated, as usual, by non-bold *italic* symbols, V, I and Z.

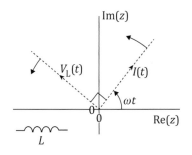

Fig 12.15

Pointer

Figure 12.15 doesn't attempt to show the lengths (moduli) of $V_L(t)$ or $I(t)$. It certainly couldn't meaningfully show *both*, as the units are different!

quickfire 12.35

Express, in terms of ω,
(i) $|Z_L|$, (ii) $|Z_C|$.
How else are
(i) $|Z_L|$, (ii) $|Z_C|$ denoted?

Pointer

In example J, because $V(t)$ was the real part of the voltage phasor, V, the current $I(t)$ is the real part I. If we'd started with $V(t) = V_0\sin\omega t$ then we'd have $I(t) = I_0\sin\left(\omega t + \frac{\pi}{2}\right)$, i.e. both I and V are the imaginary parts of their phasors.

quickfire 12.36

(a) Calculate the reactance, X_C, of the capacitor in example J at the given value of ω.
(b) State the value of Z_C.
(c) State the values of X_C and Z_C for $\omega = 10\pi$ s^{-1}.

quickfire 12.37

A 0.40 H inductor replaces the capacitor in example J.
(a) Determine the current as a function of time.
(b) Determine the values of X_L and Z_L for $\omega = 100\pi$ s^{-1}.

The complex impedance of L is by defined by $Z_L = \dfrac{V_L}{I}$, so we see that $Z_L = i\omega L = iX_L$.

Z_L contains the information that the peak pd is X_L times the peak current, and $\left(\text{since } i = e^{i\frac{\pi}{2}}\right)$ that the pd across an inductor leads the current by $\frac{\pi}{2}$ $\left(\text{that is } \varepsilon = \frac{\pi}{2}\right)$. See Figure 12.15.

- For a **capacitor**, $Q = CV_C$, so $I = \dfrac{dQ}{dt} = C\dfrac{dV_C}{dt}$.

In this case $I(t) = I_0 e^{i\omega t}$, so $\dfrac{dV_C}{dt} = \dfrac{I_0}{C}e^{i\omega t}$

Thus $V_C(t) = \displaystyle\int\dfrac{I_0}{C}e^{i\omega t}\,dt = \dfrac{I_0}{i\omega C}e^{i\omega t} = -\dfrac{i}{\omega C}I(t) = -iX_C I(t)$

We have set the arbitrary constant of integration to zero, though it would be possible to have a superimposed steady 'dc' voltage. See 13.9.2.

X_C is the **reactance** of the capacitor with $X_C = \dfrac{1}{\omega C}$.

The complex impedance of C is $Z_C = \dfrac{V_C(t)}{I(t)} = -iX_C$.

The value of Z_C tells us that the peak pd is X_C times the peak current and, since $-i = e^{-i\frac{\pi}{2}}$, that the pd across a capacitor lags the current by $\frac{\pi}{2}$ $\left(\text{that is } \varepsilon = -\frac{\pi}{2}\right)$.

- For a **resistor**, the $V_R = IR$, so $V_R(t) = I(t)R$. So Z_R is simply R, making the symbol Z_R redundant!

Example J:

A pd given by $V(t) = V_0\cos\omega t$, in which $V_0 = 12$ V and $\omega = 100\pi$ s^{-1}, is applied across a 0.50 μF capacitor. Determine the current as a function of time.

Working with complex phasors:

$$I = \dfrac{V_C}{Z_C} = \dfrac{V_0 e^{i\omega t}}{-iX_C} = V_0\omega C\,i e^{i\omega t} = V_0\omega C e^{i\left(\omega t + \frac{\pi}{2}\right)}$$

So the peak current $I_0 = V_0\omega C = 12 \times 100\pi \times 0.50 \times 10^{-6}$ A $= 1.9$ mA

The I phasor leads V by $\frac{\pi}{2}$ so $I(t) = I_0\cos\left(\omega t + \frac{\pi}{2}\right)$, i.e. $I(t) = -I_0\sin\omega t$.

Putting in the figures:

$$\left(I/\text{mA}\right) = -1.9\sin\left(100\pi(t/s)\right)$$

(b) pd and current in *LCR* combination

We now consider ***LCR* combinations** – and begin to see the power and elegance of using complex numbers method.

The key point is that complex impedance, like resistance, relates the complex pd to the complex current *at any time*, *t*. So the complex quantities obey the same rules as does resistance for real quantities, i.e. if there is capacitance or inductance we can use the normal DC rules with complex impedance in place of resistance. For example, the equations for resistances in series and parallel and for the potential divider simply go over to those shown in Figure 12.16.

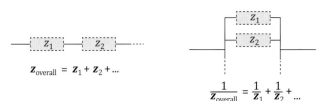

Complex impedances in series   Complex impedances in parallel   Potential divider

Fig 12.16

If there are only two impedances in parallel

$$\frac{1}{Z_{\text{overall}}} = \frac{1}{Z_1} + \frac{1}{Z_2} = \frac{Z_1 + Z_2}{Z_1 Z_2}$$

So

$$\frac{1}{Z_{\text{overall}}} = \frac{Z_1 Z_2}{Z_1 + Z_2}$$

(c) The series resonance circuit

Let us use these rules to determine the current when an alternating pd given by $V(t) = V_0 \cos \omega t$ is applied across the **series resonance circuit** in Figure 12.17.

$$\mathbf{Z} = \mathbf{Z_L} + \mathbf{Z_C} + \mathbf{Z_R} = iX_L + (-iX_C) + R = R + i(X_L - X_C)$$

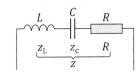

Fig 12.17

Putting this into polar form: $\mathbf{Z} = Z e^{i\varepsilon}$,

in which $\quad Z = \sqrt{R^2 + (X_L - X_C)^2} = \sqrt{R^2 + \left(\omega L - \dfrac{1}{\omega C}\right)^2}$

and $\quad \varepsilon = \tan^{-1}\left(\dfrac{X_L - X_C}{R}\right) = \tan^{-1}\left(\dfrac{\omega L - \dfrac{1}{\omega C}}{R}\right)$

We can safely use the $\tan^{-1}$ formula for ε because the real part of $\mathbf{Z}$ is positive, so the value of ε is between $\pm\frac{\pi}{2}$. We could equally well use the $\sin^{-1}$ formula.

So $\quad \mathbf{I} = \dfrac{\mathbf{V}}{\mathbf{Z}} = \dfrac{V}{\sqrt{R^2 + \left(\omega L - \dfrac{1}{\omega C}\right)^2}} e^{-i\varepsilon}$

$\mathbf{I}$ is ε *behind* $\mathbf{V}$ and the real current $I(t)$ is given by:

$$I(t) = \dfrac{1}{\sqrt{R^2 + \left(\omega L - \dfrac{1}{\omega C}\right)^2}} V_0 \cos(\omega t - \varepsilon)$$

From this, we see that if $X_L > X_C$ then $\varepsilon > 0$ and therefore the voltage leads the current. This condition is satisfied when $\omega > \dfrac{1}{\sqrt{LC}}$, i.e. $f > \dfrac{1}{2\pi\sqrt{LC}}$. What about when $\omega < \dfrac{1}{\sqrt{LC}}$? These results are the same as we derived using phasors in Section 8.5.

(d) The parallel resonance circuit

Encouraged by our success in recovering the phasor result for the series resonance circuit, we move on to consider the parallel resonance circuit in Figure 12.18. This circuit is at the heart of the tuning circuit in radios, in which a variable capacitor is used to select the resonant frequency.

We shall (i) calculate the impedance, Z and (ii) discuss the value of Z when $\omega = \dfrac{1}{\sqrt{LC}}$ (resonance).

(i) The complex impedance of the LR combination, $\mathbf{Z_{LR}} = R + iX_L$

Then, using the equation for two impedances in parallel: $\mathbf{Z} = \dfrac{\mathbf{Z_{LR}} \mathbf{Z_C}}{\mathbf{Z_{LR}} + \mathbf{Z_C}}$

$$\therefore \mathbf{Z} = \dfrac{(R + iX_L)(-iX_C)}{R + iX_L - iX_C} = \dfrac{X_C(X_L - iR)}{R + i(X_L - iX_C)}$$

Pointer

Why can we use the DC resistance rules for impedances in AC?

E.g. For two (real) voltages V_1 and V_2 in series, the total pd, at any instant, $V = V_1 + V_2$. The real part of the sum of the complex voltages is always the same as the sum of the real parts of the complex voltages: i.e. $\mathrm{Re}(\mathbf{V_1} + \mathbf{V_2}) = \mathrm{Re}(\mathbf{V_1}) + \mathrm{Re}(\mathbf{V_2})$.

The same is true for the imaginary parts, hence $\mathbf{V} = \mathbf{V_1} + \mathbf{V_2}$ and then $\mathbf{Z} = \mathbf{Z_1} + \mathbf{Z_2}$ follows.

quickfire ≫ 12.38

A capacitor of 0.22 μF is connected in series with a 4.7 kΩ resistor, and a 1000 Hz sinusoidal alternating voltage of 12 V$_{\text{rms}}$ is placed across the combination. Use complex impedances to find the rms current and the angle of lag of current behind pd.

Pointer

You might wonder why we don't consider the three components in parallel. A real inductor has a DC resistance. The R in Figure 12.18 is the resistance of the inductor.

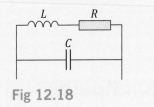

Fig 12.18

Pointer

Old-fashioned radios (wirelesses!) had a variable tuning capacitor consisting of a two sets of interleaving plates. The variable capacitors in modern radios are voltage controlled 'varicaps'.

quickfire ≫ 12.39

For the parallel resonance circuit (Figure 12.18) derive an expression for the phase angle, ε, when $\omega = \dfrac{1}{\sqrt{LC}}$

Using the result you established in Quickfire 12.23(iv)

$$Z = |\mathbf{Z}| = \frac{X_C|X_L - iR|}{|R + i(X_L - X_C)|} = \frac{X_C\sqrt{X_L^2 + R^2}}{\sqrt{R^2 + (X_L - X_C)^2}}, \quad \text{where } X_L = \omega L \text{ and } X_C = \frac{1}{\omega C}$$

(ii) When $\omega = \dfrac{1}{\sqrt{LC}}$ we have $X_L = X_C$, so $Z = \dfrac{X_C\sqrt{X_L^2 + R^2}}{R}$.

This is close to the maximum value of Z as ω is varied (provided R is not too big).

When we also have $R \ll X_L$ then $Z \approx \dfrac{X_C X_L}{R} = \dfrac{L}{CR}$, which is unbounded as R approaches zero, because the currents in the two 'branches' become equal and opposite.

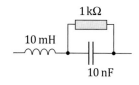

quickfire 12.40

1 kΩ
10 mH
10 nF

The RCL combination is connected across a power supply with $\omega = 10^5 \text{ s}^{-1}$.
Calculate the complex impedances
(a) $\mathbf{Z}_{RC}$ and (b) $\mathbf{Z}_{RCL}$.

Pointer

Consider the expressions for $\dfrac{V_{out}}{V_{in}}$ for the high and low pass filters for very low and very high frequencies and hence explain why they are called that.

quickfire 12.41

Repeat Example K, finding expressions for $\dfrac{V_{out}}{V_{in}}$ and ε, but with V_{out} taken across C rather than R (Figure 12.15). This is the low-pass filter circuit on p42.

Example K:

Data exercise 4.3 gave the following formula for the ratio of V_{out} to V_{in} for the high-pass filter in Figure 12.19:

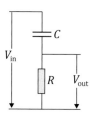

V_{in}

R V_{out}

C

Fig 12.19

$$\frac{V_{out}}{V_{in}} = \frac{1}{\sqrt{1 + \dfrac{1}{4\pi^2 f^2 C^2 R^2}}}.$$

Show that this expression is correct and find the angle, ε, of lead of V_{out} over V_{in}.

$$\frac{\mathbf{V}_{out}}{\mathbf{V}_{in}} = \frac{\mathbf{Z}_R}{\mathbf{Z}_R + \mathbf{Z}_C} = \frac{R}{R - iX_C}$$

So
$$\frac{V_{out}}{V_{in}} = \left|\frac{\mathbf{V}_{out}}{\mathbf{V}_{in}}\right| = \left|\frac{R}{R - iX_C}\right| = \frac{R}{\sqrt{R^2 + X_C^2}} = \frac{R}{\sqrt{R^2 + \dfrac{1}{\omega^2 C^2}}}$$

Dividing the top and bottom of this expression by R and writing $\omega = 2\pi f$ gives the required expression.

The angle, ε, of lead of V_{out} over V_{in} can be found by putting $\dfrac{\mathbf{V}_{out}}{\mathbf{V}_{in}}$ into polar form ...

$$\frac{\mathbf{V}_{out}}{\mathbf{V}_{in}} = \frac{R}{R - iX_C} = \frac{R}{R^2 + X_C^2}(R + iX_C) = \frac{R}{\sqrt{R^2 + X_C^2}}e^{i\varepsilon}$$

As the real part of this ratio is greater than one, the $\tan^{-1}$ route gives an unambiguous result:

$$\therefore \qquad \varepsilon = \tan^{-1}\left(\frac{X_C}{R}\right) = \tan^{-1}\left(\frac{1}{\omega RC}\right)$$

Test yourself 12.2

1 Add the oscillations $x_1 = A \cos\left(\omega t + \frac{\pi}{2}\right)$, $x_2 = 3A \cos\left(\omega t + \pi\right)$, by the following procedure.

(a) Write down the complex phasors, z_1 and z_2 of which x_1 and x_2 are the real parts.

(b) Taking out $e^{i\omega t}$ from z_1 and z_2 as a common factor, add the complex amplitudes, reinstate $e^{i\omega t}$ and express $(z_1 + z_2)$ as a single complex number in polar form.

(c) Hence write $(x_1 + x_2)$ in the form $B \cos\left(\omega t + \phi\right)$ in which B and ϕ are real constants whose values you should give.

2 A sphere of mass 1.50 kg is attached to one end of a spring whose other end is fixed. The spring constant is 96 N m^{-1}. The sphere is released from rest with a displacement from equilibrium of 0.050 m, and experiences a damping force per unit velocity of magnitude 3.6 N m^{-1} s.

(a) Show that in the standard form of the differential equation for displacement, x, of an unforced oscillator: $\omega_0 = 8.0$ (rad) s^{-1}, $k = 2.4$ s^{-1}.

(b) Solve the indicial equation, giving your values for Re (λ), Im (λ).

(c) Calculate the periodic time of the oscillations.

(d) Calculate how many complete cycles of oscillation occur before the amplitude has dropped below 5% of its original value.

3 (a) Express in Cartesian form (for pulsatance ω) the complex impedances of

   (i) A capacitance C in series with a resistance R. [Complex impedance $\mathbf{Z}_S$]

   (ii) A capacitance C in parallel with a resistance R. [Complex impedance $\mathbf{Z}_P$]

(b) For the case when the frequency is such that $\frac{1}{\omega C} = R$, determine (i) $\mathbf{Z}_S$ and

   (ii) $\mathbf{Z}_P$ in both Cartesian *and* polar form, expressing them in terms of R.

(c) A pd of this special frequency, is placed across both these combinations. Compare the peak value and phase of the current in the series circuit with those of the total current in the parallel circuit.

4 (a) Write expressions for

   (i) the complex impedance, $\mathbf{Z}$, of a series resonance (LCR) circuit, and hence

   (ii) its impedance, Z.

(b) Hence explain why the resonance frequency, $\omega_0/2\pi$, is given by $\omega_0{}^2 = \frac{1}{LC}$, and the impedance of the circuit at resonance is R.

(c) Show that at resonance the ratio $\dfrac{\text{peak pd across } L}{\text{peak pd across } R}$ is equal to $\dfrac{\omega_0 L}{R}$ (known as Q).

(d) Show that the impedance is $\sqrt{2}R$ at two frequencies, $\dfrac{\omega_1}{2\pi}$ and $\dfrac{\omega_2}{2\pi}$, such that

$$\omega_1 L - \frac{1}{\omega_1 C} = -R \text{ and } \omega_2 L - \frac{1}{\omega_2 C} = R$$

(e) Show that (i) $\omega_1 \omega_2 = \omega_0{}^2$ and (ii) $\dfrac{\omega_1 - \omega_2}{\omega_0} = \dfrac{1}{Q}$

(f) Use (e)(ii) to explain how the value of Q governs the sharpness of resonance.

Chapter 13

Miscellaneous Proofs and Derivations

13.1 Introduction

The aim of this chapter is to present two types of mathematical derivations:

1 Certain reasonably formal demonstrations of calculus relationships that would have been out of place in the main body of the book; these are within the scope of A-level Mathematics courses and underpin the mathematical working of A-level Physics courses;

2 Certain physics derivations which are often omitted from A-level Physics textbooks and teaching because they are considered to be overly mathematical, e.g. the derivation of the pressure in an ideal gas.

There are no Quickfires, Pointers or Test Yourself exercises in this chapter but some examples are included to clarify the subject matter.

13.2 Differentiating transcendental functions

13.2.1 sin x

$$\frac{d}{dx}(\sin x) = \lim_{\Delta x \to 0} \frac{\sin(x + \Delta x) - \sin x}{\Delta x}$$

We recall that $\quad \sin(A + B) = \sin A \cos B + \cos A \sin B$ and $\lim_{\theta \to 0} \frac{\sin \theta}{\theta} = 1$

Applying these: $\quad \dfrac{d}{dx}(\sin x) = \lim_{\Delta x \to 0} \dfrac{\sin x \cos \Delta x + \cos x \sin \Delta x - \sin x}{\Delta x}$

Looking at the numerator of the fraction: $\lim_{\Delta x \to 0} \cos \Delta x = 1 \therefore \lim_{\Delta x \to 0} \sin x \cos \Delta x = \sin x$

$\therefore \qquad \dfrac{d}{dx}(\sin x) = \lim_{\Delta x \to 0} \dfrac{\cos x \sin \Delta x}{\Delta x} = \cos x \lim_{\Delta x \to 0} \dfrac{\sin \Delta x}{\Delta x} = \cos x$

Corollary: We demonstrate in 13.4 that integration is the inverse process of differentiation.

$\therefore$ we can write $\int \cos x \, dx = \sin x$, not forgetting the constant of integration for an indefinite integral.

13.2.2 cos x

$$\frac{d}{dx}(\cos x) = \lim_{\Delta x \to 0} \frac{\cos(x + \Delta x) - \cos x}{\Delta x}$$

Applying $\qquad \cos(A + B) = \cos A \cos B - \sin A \sin B$

$$\frac{d}{dx}(\cos x) = \lim_{\Delta x \to 0} \frac{\cos x \cos \Delta x - \sin x \sin \Delta x - \cos x}{\Delta x}$$

$\lim_{\Delta x \to 0} \cos \Delta x = 1 \quad \therefore \lim_{\Delta x \to 0} \cos x \cos \Delta x = \cos x$

$\therefore \qquad \dfrac{d}{dx}(\cos x) = \lim_{\Delta x \to 0} \dfrac{-\sin x \sin \Delta x}{\Delta x} = -\sin x \lim_{\Delta x \to 0} \dfrac{\sin \Delta x}{x} = -\sin x$

Corollary: $\int \sin x \, dx = -\cos x$, not forgetting the constant of integration.

13.2.3 The exponential function

We start by defining $\exp(x)$ by requiring that:

- $\dfrac{d}{dx}\exp(x) = \exp(x)$, and

- $\exp(0) = 1$

We look for a power series definition of $\exp(x)$ of the form

$$\exp(x) = a_0 + a_1 x + a_2 x^2 + \ldots + a_n x^n + \ldots$$

$$\exp(0) = 1, \quad \therefore a_0 = 1$$

Because $\dfrac{d}{dx}\exp(x) = \exp(x)$, then $\dfrac{d}{dx}\exp(x), \dfrac{d^2}{dx^2}\exp(x), \ldots \dfrac{d^n}{dx^n}\exp(x) \ldots$ will all have the value

1 when $x = 0$.

Differentiating: $\qquad \dfrac{d}{dx}\exp(x) = a_1 + 2a_2 x + 3a_3 x^2 + \ldots + na_n x^{n-1} + \ldots$

Putting $x = 0$ gives $a_1 = 1$

Differentiating a 2nd time: $\dfrac{d^2}{dx^2}\exp(x) = 2a_2 + (3 \times 2)a_3 x + \ldots + n(n-1)a_n x^{n-2} + \ldots$

Putting $x = 0$ gives $2a_2 = 1 \therefore a_2 = \dfrac{1}{2}$

Repeated differentiation gives $\qquad a_3 = \dfrac{1}{3 \times 2} = \dfrac{1}{3!}, \ldots a_n = \dfrac{1}{n(n-1) \ldots (2)} = \dfrac{1}{n!}$

$\therefore \qquad\qquad\qquad\qquad \exp(x) = 1 + x + \dfrac{x^2}{2!} + \dfrac{x^3}{3!} + \ldots$

In Chapter 4 we showed that e^x and $\exp(x)$ are the same functions. $\therefore \dfrac{d}{dx}e^x = e^x$.

Corollary: $\int e^x \, dx = e^x$, not forgetting the constant of integration.

13.2.4 ln x

If $y = \ln x$, then $x = e^y$ because the ln function is the inverse function of e^x.

Differentiating $x = e^y$ with respect to y:

$$\frac{dx}{dy} = e^y, \quad \text{i.e } \frac{dx}{dy} = x$$

But $\qquad\qquad\qquad \dfrac{dy}{dx} = \dfrac{1}{\dfrac{dx}{dy}} \quad \therefore \dfrac{dy}{dx} = \dfrac{1}{x}, \quad \text{i.e. } \dfrac{d}{dx}(\ln x) = \dfrac{1}{x}.$

Corollary: $\int \dfrac{1}{x} dx = \ln x$, not forgetting the constant of integration.

13.3 Differentiating combinations of functions

13.3.1 Linear combinations of functions

Let $y(x) = \alpha f(x) + \beta g(x)$, where α and β are constants.

Using the y' notation for $\dfrac{dy}{dx}$:

$$y' = \lim_{\Delta x \to 0} \frac{y(x + \Delta x) - y(x)}{\Delta x} = \lim_{\Delta x \to 0} \frac{(\alpha f(x + \Delta x) + \beta g(x + \Delta x)) - (\alpha f(x) + \beta g(x))}{\Delta x}$$

$$= \lim_{\Delta x \to 0} \frac{\alpha(f(x + \Delta x) - f(x)) + \beta(g(x + \Delta x) - g(x))}{\Delta x}$$

$$= \alpha \lim_{\Delta x \to 0} \frac{f(x + \Delta x) - f(x)}{\Delta x} + \beta \lim_{\Delta x \to 0} \frac{g(x + \Delta x) - g(x)}{\Delta x}$$

$$= \alpha f'(x) + \beta g'(x)$$

13.3.2 Function of a function – the chain rule

Let $y(x) = f(g(x))$.

Then $y' = \lim_{\Delta x \to 0} \frac{f(g(x + \Delta x)) - f(g(x))}{\Delta x}$

What is $f(g(x + \Delta x))$?

Recall that $g'(x) = \lim_{\Delta x \to 0} \frac{g(x + \Delta x) - g(x)}{\Delta x}$

$\therefore$ as $\Delta x \to 0$, $g(x + \Delta x) \to g(x) + g'(x)\Delta x$. As we are going to let $\Delta x \to 0$, we shall write:

$$g(x + \Delta x) = g(x) + g'(x)\Delta x$$

$\therefore \quad f(g(x + \Delta x)) = f(g(x) + g'(x)\Delta x),$

So, by the same reasoning, we can write

$$f(g(x + \Delta x)) = f(g(x)) + \frac{df}{dg}\frac{dg}{dx}\Delta x$$

Note, we have dropped the g' notation because of the possible confusion with differentiating with respect to two different variables.

$$\therefore \quad \frac{dy}{dx} = \lim_{\Delta x \to 0} \frac{f(g(x)) + \frac{df}{dg}\frac{dg}{dx}\Delta x - f(g(x))}{\Delta x}$$

$$= \frac{df}{dg}\frac{dg}{dx}$$

13.3.3 Product of functions

Let $f(x) = u(x)v(x)$

Then $\frac{df}{dx} = \lim_{\Delta x \to 0} \frac{u(x + \Delta x)v(x + \Delta x) - u(x)v(x)}{\Delta x}$

As we showed in 13.3.2: $u(x + \Delta x) = u(x) + u'\Delta x$ and $v(x + \Delta x) = v(x) + v'\Delta x$.

$$\therefore \quad \frac{df}{dx} = \lim_{\Delta x \to 0} \frac{(u + u'\Delta x)(v + v'\Delta x) - uv}{\Delta x} = \lim_{\Delta x \to 0} \frac{uv'\Delta x + vu'\Delta x + u'v'(\Delta x)^2}{\Delta x}$$

$$\therefore \quad \frac{d}{dx}(uv) = u\frac{dv}{dx} + v\frac{du}{dx}$$

13.3.4 Quotient of functions

Let $f(x) = \frac{u(x)}{v(x)}$. We can write f as $f = uv^{-1}$

Applying the product rule from 13.3.3: $\quad \frac{df}{dx} = u\frac{d}{dx}(v^{-1}) + v^{-1}\frac{du}{dx}$

Applying the chain rule from 13.3.2: $\quad \frac{d}{dx}(v^{-1}) = -v^{-2}\frac{dv}{dx}$

$$\therefore \quad \frac{df}{dx} = -uv^{-2}\frac{dv}{dx} + v^{-1}\frac{du}{dx}$$

Taking out a factor of $\frac{1}{v^2}$ and re-arranging slightly we get: $\frac{d}{dx}\left(\frac{u}{v}\right) = \frac{1}{v^2}\left(v\frac{du}{dx} - u\frac{dv}{dx}\right)$.

Example A:

The power output, P, of a power supply of emf E and internal resistance r, into a variable external resistance R is given by $P = \dfrac{E^2 R}{(R + r)^2}$. Show that the maximum power output occurs when $R = r$.

The function $P(R)$ is always positive, is zero when $R = 0$, tends to 0 as $R \to \infty$ and has a single maximum. The maximum occurs when $\dfrac{dP}{dR} = 0$, because the graph must be horizontal at a maximum.

This example illustrates the results of Sections 13.3.1, 13.3.2 and 13.3.4.

$\dfrac{dP}{dR} = \dfrac{d}{dR}\left(\dfrac{E^2 R}{(R + r)^2}\right)$, which is of the form $\dfrac{d}{dR}\left(\dfrac{u}{v}\right)$, where $u(R) = E^2 R$ and $v(R) = (R + r)^2$.

From 13.3.1, $\dfrac{du}{dR} = E^2 \dfrac{dR}{dR} = E^2$. From 13.3.2: $v(R) = f(g(R))$, where $f = g^2$ and $g = R + r$.

$$\therefore \qquad \dfrac{dv}{dR} = \dfrac{df}{dg} \times \dfrac{dg}{dR} = 2g \times 1 = 2(R + r)$$

Applying the result of 13.3.4: $\qquad \dfrac{dP}{dR} = \dfrac{(R + r)^2 E^2 - E^2 R \times 2(R + r)}{(R + r)^4}.$

Now $\dfrac{dP}{dR} = 0$ when the top line of the fraction is zero, i.e. when $(R + r)^2 E^2 - E^2 R \times 2(R + r) = 0$

Dividing by $E^2(R + r)$ gives $R + r - 2R = 0$, which leads to $R = r$.

NB. This result is called the **maximum power theorem**. It is of great applicability in the design of electronic systems, e.g. maximum power is gained from speakers the impedance of which matches the internal impedance of the output stage of the amplifier.

13.4 Relationship between differentiation and integration

In Chapter 10 we noted that integration and differentiation are inverse processes. We shall now demonstrate this more formally.

Let $\qquad\qquad g(x) = \displaystyle\int_a^x f(y)\,dy$

The first thing to note is that the expression on the right is a function of x and not y. The variable y is referred to as a *dummy variable*. The function $f(y)$ is integrated between $y = a$ and $y = x$. If x varies, so will the outcome of the integration, $g(x)$. In principle, g is also a function of a but we shall treat a as a constant. We shall now differentiate g.

By definition, $\qquad\qquad g' = \displaystyle\lim_{\Delta x \to 0} \dfrac{g(x + \Delta x) - g(x)}{\Delta x}.$

$\therefore$ in this case $\qquad g' = \displaystyle\lim_{\Delta x \to 0} \dfrac{\displaystyle\int_a^{x + \Delta x} f(y)\,dy - \int_a^x f(y)\,dy}{\Delta x}$

But $\qquad\qquad \displaystyle\int_a^{x + \Delta x} f(y)\,dy = \int_a^x f(y)\,dy + \int_x^{x + \Delta x} f(y)\,dy$

$\therefore \qquad\qquad g' = \displaystyle\lim_{\Delta x \to 0} \dfrac{\displaystyle\int_x^{x + \Delta x} f(y)\,dy}{\Delta x}$

Remembering that we are considering the limit as $\Delta x \to 0$ and looking back at the definition of integration in 10.3.2 and 10.3.3, as Δx approaches 0, the integral approaches the value $f(x)\,\Delta x$.

$$\therefore \qquad g' = \lim_{\Delta x \to 0} \frac{f(x)\Delta x}{\Delta x}, \text{ i.e. } g'(x) = f(x)$$

So, to be absolutely clear, $\quad \dfrac{d}{dx}\left(\int_a^x f(y)dy\right) = f(x).$

In the language of **indefinite integration** we would write this $\dfrac{d}{dx}\left(\int f(x)dx\right) = f(x)$ and clearly the corollary is $\int \dfrac{d}{dx} f(x)dx = f(x) + c$, where c is the constant of integration.

13.5 Problems with particular integrals

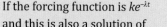

CONCLUSION

If the forcing function is $ke^{-\lambda t}$ and this is also a solution of the homogenous equation, the function $kte^{-\lambda t}$ is an independent particular integral.

A problem arises with finding a PI if the forcing function is identical to the usual PI. For example, consider the following inhomogeneous first order equation:

$$\frac{dx}{dt} + \beta x = ke^{-\lambda t} \quad \text{with } x(0) = 0.$$

Example B in Section 11.2.2 derives the solution $x = \dfrac{k}{\beta - \lambda}(e^{-\lambda t} - e^{-\beta t})$. This solution cannot be correct for the special case where $\lambda = \beta$.

This will lead to $x = \dfrac{0}{0}$, which is indeterminable. We use two methods to find a solution.

Method 1

We are trying to find a solution to the equation

$$\frac{dx}{dt} + \lambda x = ke^{-\lambda t} \quad \text{with } x(0) = 0.$$

The complementary function (CF): $x = Ae^{-\lambda t}$

The CF is the solution of the homogenous equation: $\dfrac{dx}{dt} + \lambda x = 0$, so $Ae^{-\lambda t}$ cannot also be an independent solution to the inhomogeneous equation.

In a fit of guesswork we'll try $x = (a + bt)e^{-\lambda t}$ as the PI and find values of a and b which make it fit. In fact, we could drop the a from the PI because the CF is of the form $Ae^{-\lambda t}$, but we'll persevere for now (see Pointer):

Given $x = (a + bt)e^{-\lambda t}$ as the PI:

$$\frac{dx}{dt} + \lambda x = (-\lambda a + b - \lambda bt)e^{-\lambda t} + (\lambda a + \lambda bt)e^{-\lambda t}$$

$$= be^{-\lambda t} \qquad \text{because all the other terms cancel}$$

Pointer

Notice that the terms with a have cancelled out, in agreement with the earlier comment.

But $\dfrac{dx}{dt} + \lambda x = ke^{-\lambda t}$, so the function $x = kte^{-\lambda t}$ satisfies the requirements for the PI.

So the full solution is $x = \text{CF} + \text{PI} = Ae^{-\lambda t} + kte^{-\lambda t}$

To find A we apply the initial condition: $x(0) = 0$, $\therefore A = 0$ and the full solution for this initial condition is:

$$x = kte^{-\lambda t}$$

Method 2

In fact it's possible to arrive at this solution without this piece of inspired guesswork by working from

$$x = \frac{k}{\beta - \lambda}(e^{-\lambda t} - e^{-\beta t})$$

which is the solution for $\beta \neq \lambda$ with the initial condition $x(0) = 0$.

We'll first set set $\beta = \lambda + \delta$ and then explore this solution as $\delta \to 0$.

Rewriting the above solution in terms of λ and δ:

$$x = \frac{k}{\delta}(e^{-\lambda t} - e^{-(\lambda + \delta)t})$$

$$= \frac{k}{\delta}e^{-\lambda t}(1 - e^{-\delta t})$$

$$= \frac{k}{\delta}e^{-\lambda t}\left[1 - \left(1 - \delta t + \frac{1}{2!}\delta^2 t^2 - \frac{1}{3!}\delta^3 t^3 + \ldots\right)\right] \quad \text{[see pointer]}$$

$$= ke^{-\lambda}\left[t - \frac{1}{2!}\delta t^2 + \frac{1}{3!}\delta^2 t^3 + \ldots\right]$$

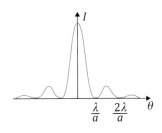

Pointer

We have used the expansion for e^x:

$$e^x = 1 + x + \frac{x^2}{2!} + \frac{x^3}{3!} + \ldots$$

See Section 4.3.2

Let $\beta \to \lambda$, i.e. we consider $\delta \to 0$. All the terms in the brackets $\to 0$ except t

∴ As $\beta \to \lambda$ the solution $x(t) \to kte^{-\lambda t}$

13.6 Waves

13.6.1 Diffraction at a single slit

If monochromatic light of wavelength λ passes through a parallel-sided slit of width a, the light spreads out with most being concentrated within an angle $\sin^{-1}\frac{\lambda}{a}$ of the forward direction and increasingly small amounts in fringes with successive zeros at $\sin^{-1}\frac{2\lambda}{a}$, $\sin^{-1}\frac{3\lambda}{a}$, etc.

Usually, $a \gg \lambda$, so the angles can be written $\frac{\lambda}{a}$, $\frac{2\lambda}{a}$, $\frac{3\lambda}{a}$, etc.

The full treatment is beyond this book but the general shape of the diffraction curve and the position of its zeros can be demonstrated using Huygens's method. This treatment considers each point in a wavefront to be a source of secondary wavelets, with the resultant wave being the superposition of all the secondary wavelets.

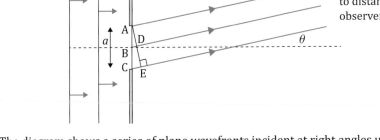

The diagram shows a series of plane wavefronts incident at right angles upon a slit of width a, where $a \gg \lambda$. The arrows emerging from the slit are to be understood as directions of propagation of the secondary wavelets from points A, B and C on the wavefront in the slit❶. These wavefront combine at the observer, who is so distant that these arrows are effectively parallel.

Consider first $\theta = 0$. In this case all the paths to the observer are the same length so the wavelets add up in phase and a large amplitude resultant is formed.

Consider next $\theta = \frac{\lambda}{a}$.

In the triangle ABD, BD = AB $\sin\theta$.

But, for $a \gg \lambda$, $\sin\theta = \theta = \frac{\lambda}{a}$. Also AB $= \frac{a}{2}$

∴ $$BD = \frac{a}{2} \times \frac{\lambda}{a} = \frac{\lambda}{2}.$$

In this direction, the wavelets from A and B will arrive at the observer with a path difference of $\frac{\lambda}{2}$ and will therefore negatively superpose, with zero resultant. The same will be true for any pair of points the same distance below A and B. The whole slit is entirely composed of such pairs of points, so there will be zero resultant in this direction.

Consider next $\theta = \frac{3\lambda}{2a}$.

---

❶ These secondary wavelets are spherical wavelets. They radiate in all directions. In the diagram the wavelets are not shown and we just concentrate on a few special directions. This idea was developed by Huygens.

In this case the wavelet from A will exactly cancel a wavelet from a point $\frac{1}{3}$ down. In the same way wavelets from all pairs of points covering the top $\frac{2}{3}$ of the slit will cancel – leaving the bottom third for which no complete cancellation can occur. This means that weak light will be observed in this direction.

If $\theta = \frac{2\lambda}{a}, \frac{3\lambda}{a} \dots$, you should be able to show that complete cancellation will occur; at the intervening directions, some light will emerge.

13.6.2 Young slits

S_1 and S_2 are two coherent monochromatic light sources, e.g. two slits illuminated by the same small light source. Assume that S_1 and S_2 are in phase.❷

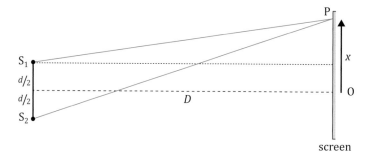

Fig 13.1

O is a point on the screen which is on the perpendicular bisector of the line S_1S_2, a distance D from the midpoint of S_1S_2. The point P is a distance x from O as shown.

Let the wavelength of the light sources be λ. Typically, $D \sim 1\text{–}2$ m; $d \sim 0.5$ mm, $x \sim 0\text{–}5$ mm.

Using Pythagoras' theorem, $S_1P = \sqrt{D^2 + \left(x - \frac{d}{2}\right)^2}$. We'll write this as $D\left(1 + \frac{\left(x - \frac{d}{2}\right)^2}{D^2}\right)^{\frac{1}{2}}$.

Similarly $\qquad\qquad\qquad\qquad S_2P = D\left(1 + \frac{\left(x + \frac{d}{2}\right)^2}{D^2}\right)^{\frac{1}{2}}$ [Note the + sign]

For small δ, $(1 + \delta)^n = 1 + n\delta$. D is at least $100x$, so $D^2 \sim 10^4 x^2$ or more

So $\qquad\qquad\qquad \left(1 + \frac{\left(x \pm \frac{d}{2}\right)^2}{D^2}\right)^{\frac{1}{2}} = 1 + \frac{1}{2}\frac{\left(x \pm \frac{d}{2}\right)^2}{D^2}$ very accurately.

Light from S_1 and S_2 reinforces at P if $S_2P - S_1P = n\lambda$, where n is an integer, $\dots -2, -1, 0, 1, 2, 3 \dots$

$\therefore \quad S_2P - S_1P = D\left[\left(1 + \frac{1}{2}\frac{\left(x + \frac{d}{2}\right)^2}{D^2}\right) - \left(1 + \frac{1}{2}\frac{\left(x - \frac{d}{2}\right)^2}{D^2}\right)\right]$. Cancel the 1s and multiply in by the D.

Simplifying: $\therefore \qquad S_2P - S_1P = \frac{\left(x + \frac{d}{2}\right)^2 - \left(x - \frac{d}{2}\right)^2}{2D} = \frac{\left(x^2 + xd + \frac{d^2}{4}\right) - \left(x^2 - xd + \frac{d^2}{4}\right)}{2D}$

The x^2 and $d^2/4$ terms disappear, leaving $S_2P - S_1P = \frac{2xd}{2D} = \frac{xd}{D}$.

The point P is a bright fringe if $S_2P - S_1P = n\lambda$, ie. for a bright fringe: $n\lambda = \frac{xd}{D}$.

[After so much algebra, we'd better pause for a dimensions check:

The left-hand side of $n\lambda = \frac{xd}{D}$ has dimension L; the right-hand side has dimension $\frac{L \times L}{L} = L$ ✓]

So $x = \frac{n\lambda D}{d}$ and the separation of adjacent fringes is $\frac{\lambda D}{d}$.

---

❷ If S_1 and S_2 are not exactly in phase but have a constant phase difference, the positions of the fringes will be different but their separation will be unchanged.

13.6.3 Diffraction grating

A transmission diffraction grating consists of a plane opaque plate crossed by a very large number of narrow parallel regularly spaced regions, known as slits, which are transparent.[❸] A typical grating for school use has a width of 2 or 3 cm and has several thousand slits.

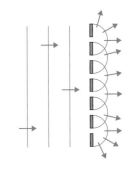

Figure 13.2 shows a series of plane wavefronts approaching a small region of such a grating. The waves diffract as they pass through the narrow slits. The width, w, of the slits is such that the angle to the first minimum of the diffracted waves is large, typically $> \frac{\pi}{3}$ rad [see Section 13.6.1]. The diagram shows some of the diffracted wavefronts.

We observe the transmitted light at a large distance from the diffraction grating. The diffracted waves add by superposition; we calculate the angles at which significant reinforcement occurs. Figure 13.3 shows thee adjacent slits, A, B and C and light propagation at an angle θ to the forward direction.

Fig 13.2

Let λ = wavelength of the waves

   d = the separation of adjacent slits

The line AE is perpendicular to the considered direction.

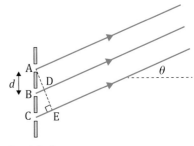

Fig 13.3

The diffracted waves at A, B and C are in phase. When they arrive at an observer, O, who is a long way off to the right, the path difference BO – AO = BD.

Let BD = $n\lambda$. $\qquad$ BD = AB sin$\hat{\text{B}}$AD = $d \sin \theta$

$\therefore$ $\qquad\qquad\qquad n\lambda = d \sin \theta$

If n is an integer, i.e. –2, –1, 0, 1, 2, 3….., the path difference is a whole number of wavelengths so the waves from A and B will reinforce at ∞. The waves from C will also be a whole number of wavelengths out of step so they will also reinforce…. and so on across the whole grating.

What if θ is slightly different from $\sin^{-1}\left(\dfrac{n\lambda}{d}\right)$, where n is an integer? Let us suppose that BD is not $n\lambda$ but $(n + 0.1)\lambda$. The waves from A and B will arrive just one tenth of a cycle out of step so will reinforce quite well. However, the waves from five slits below A will have a path difference of $(n + 0.5)\lambda$ so will cancel the waves from A. The waves from B will be similarly cancelled by those from five slits below it. The result is no light in this direction. Similarly, if $(n + 0.01)\lambda$, the waves from any two slits a distance $50d$ apart will cancel. And if we have several thousand slits, even a path difference of $(n + 0.01)\lambda$, between adjacent slits will produce almost complete cancellation. We conclude that, from a monochromatic source, we observe a series of single sharp lines at angles θ such that:

$$\theta_0 = 0, \theta_1 = \pm \sin^{-1}\frac{\lambda}{d}, \theta_2 = \pm \sin^{-1}\frac{2\lambda}{d} \dots .$$

If the light source is polychromatic we observe the so-called zero-, first-, second-, …. order spectra

Example B shows how sharp a typical line is and gives a clue as to how the width of the line depends upon the total number of lines in the diffraction grating.

Example B:

A diffraction grating has 1000 lines. From a particular monochromatic (or 'line') source, a first order spectral line is at 0.5 rad [∼30°] to the forward direction. Estimate the width of this spectral line.

$$\sin \theta = \frac{n\lambda}{d} \text{ for } \theta = 0.5 \text{ rad and } n = 1.$$

If the diffraction grating has 1000 lines, almost complete cancellation will occur for an additional path difference from neighbouring slits of 0.001λ. We calculate the additional value, $\Delta\theta$ which will produce this path difference.

$$\Delta(\sin \theta) = \Delta\theta \times \frac{\text{d}}{\text{d}\theta}(\sin \theta) = \Delta\theta \cos \theta$$

[❸] In practice, the opaque plate is not 100% absorbent and the slits are not 100% transparent.

Also
$$\Delta(\sin\theta) = \frac{(1+0.001)\lambda}{d} - \frac{\lambda}{d} = \frac{0.001\lambda}{d} = 0.001\sin\theta$$

$\therefore$
$$\Delta\theta\cos\theta = 0.001\sin\theta$$

$\therefore$
$$\Delta\theta = 0.001\tan\theta = 0.001\tan(0.5\ \text{rad}) = 5.5\times10^{-4}\ \text{rad}\ [\sim0.03°]$$

13.6.4 Snell's law

Figure 13.4 shows a series of snapshots of a plane wavefront crossing a boundary from material 1, in which its speed is c_1, into material 2 with speed c_2. The wavefront is, as always, perpendicular to the direction of propagation of the waves. Consider the interval, τ, between the times when the wavefront is at AB and CD.

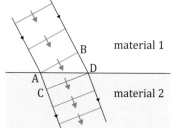

Fig 13.4

Figure 13.5 is a magnification of this region.

Then $\tau = \dfrac{BD}{c_1}$ and $\tau = \dfrac{AC}{c_2}$, so $\quad \dfrac{BD}{c_1} = \dfrac{AC}{c_2}$ (1)

The angle of incidence $= \theta_1$.

$$B\hat{D}A = 90° - \theta_1, \qquad \therefore\ B\hat{A}D = \theta_1 \qquad \therefore\ BD = AD\sin\theta_1 \qquad (2)$$

Similarly $\qquad\qquad\qquad\qquad AC = AD\sin\theta_2 \qquad\qquad\qquad\qquad\qquad (3)$

Substituting for BD and AC in equation (1) from (2) and (3) gives:

$$\frac{AD\sin\theta_1}{c_1} = \frac{AD\sin\theta_2}{c_2},\ \text{so, dividing by AD we get: } \frac{\sin\theta_1}{c_1} = \frac{\sin\theta_2}{c_2}. \qquad (4)$$

$\therefore \qquad\qquad\qquad\qquad \dfrac{\sin\theta_1}{\sin\theta_2} = \dfrac{c_1}{c_2} = \text{constant, which is Snell's law.}$

The *refractive index*, n, of a material is defined as the ratio of the speed of light in a vacuum to the speed of light in the material.

$\therefore$ for material 1, $n_1 = \dfrac{c}{c_1}$ and for material 2, $n_2 = \dfrac{c}{c_2}$.

Substituting in (4) for c_1 and c_2 gives the usual refraction formula: $n_1\sin\theta_1 = n_2\sin\theta_2$. This equation can also be written in the form $n\sin\theta = \text{constant}$, which can be applied to situations in which the refractive index varies continuously with position.

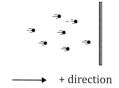

Fig 13.5

13.7 Momentum concepts

13.7.1 Pressure exerted by a light beam

Individual photons possess a momentum $p = \dfrac{h}{\lambda}$.

Using $c = \lambda f$ and $E = hf$, we can rewrite this as $p = \dfrac{hf}{c} = \dfrac{E}{c}$.

It is one of the peculiarities of wave-particle duality, that we can use a wave description of light, i.e. wavelength or frequency, to calculate the momentum of a particle.

Consider a beam of (monochromatic) radiation incident upon a non-reflecting surface at right angles, as shown. If N photons hit the surface per unit time:

The momentum change of the photons in time $\Delta t : \Delta p_{ph} = -N\dfrac{E}{c}\Delta t$

The minus sign is because the incident photons have a positive momentum which is destroyed as they are absorbed.

+ direction

$\therefore$ The momentum change of the photons per unit time $= -\dfrac{NE}{c}$

By Newton's second law of motion, the force, F_w, exerted on the photons by the wall as it stops them is equal to their rate of change of momentum;

i.e. $F_w = -\dfrac{NE}{c}$. $\therefore$ By Newton's third law of motion, the force, F_{ph}, exerted by the photons on the wall is given by $F_{ph} = \dfrac{NE}{c}$.

NE is the total energy delivered to the wall per unit time, i.e the power, P, of the beam, so the force exerted on the wall by the beam is given by $F_{ph} = \dfrac{P}{c}$.

If the beam of photons is incident over an area, A, the pressure exerted $= \dfrac{P}{Ac}$. The fraction $\dfrac{P}{A}$ is the power per unit area of the beam, i.e. its intensity, I.

$\therefore$ The pressure, p, exerted by the light beam is given by $p = \dfrac{I}{c}$.

Notes:

1   It is unfortunate that the symbols for momentum and pressure are both p. We just have to live with it. This problem also arises in the kinetic theory of gases.

2   The pressure exerted by a beam of intensity I is independent of the wavelength of the photons in the beam. $\therefore$ The equation $p = \dfrac{I}{c}$ is valid for a non-monochromatic beam also.

3   If the surface is a 100% reflective surface, the momentum change of the photons is doubled; the pressure is also doubled to $p = \dfrac{2I}{c}$. For a reflective surface at a different angle to the incident beam, the vector change in momentum of the photons will need to be found to calculate the pressure.

Example C:

The intensity of solar radiation is approximately $1.36\,\text{kW m}^{-2}$ at the Earth. What pressure would it exert on a non-reflecting surface?

$$p = \frac{I}{c} = \frac{1.36 \times 10^3\,\text{W}}{3 \times 10^8\,\text{m s}^{-1}} = 4.5\,\mu\text{Pa}$$

13.7.2   Energy transfer on collision – fission reactor moderators

The role of the moderator in a nuclear reactor is to reduce the kinetic energy of the fission neutrons so that they can induce further fissions and also to extract the energy in order to generate electricity. How much energy is transferred on collision?

Consider a particle of mass m and velocity u in an elastic collision with a stationary particle of mass M. We consider the simple case of a head on collision.

before   after

Applying conservation of momentum and energy we can show that:

$$v = \frac{m - M}{m + M}u \quad \text{and} \quad V = \frac{2m}{m + M}u.$$

This is left as an exercise for the reader. [Hint: change to the centre-of-mass frame of reference – see Chapter 7]. Note that if $M > m$ then $v < 0$, i.e. the motion of m is reversed.

The initial kinetic energy is $\frac{1}{2}mu^2$. The E_k acquired by M is

$$\frac{1}{2}M\left(\frac{2m}{m+M}u\right)^2 = \frac{2m^2M}{(m+M)^2}u^2.$$

What value of M will give the maximum energy transfer? If we look at the expression we see that it is of the same form as the power output of an electrical supply, $P = \frac{E^2R}{(R+r)^2}$, in that the variable parts are $\frac{M}{(m+M)^2}$ and $\frac{R}{(R+r)^2}$ [see Example A] so the answer is the same: the maximum transfer occurs when $M = m$. In this case you should be able to show that the E_k acquired by M becomes $\frac{1}{2}mu^2$, i.e. it gets the lot! For oblique collisions, the result is similar, i.e most energy transfer occurs when M and m are the same.

What does this mean for moderators? They work most effectively if the target nucleus is not too much heavier than the neutron. Water has been used [hydrogen nuclei have almost same mass as neutrons] as has heavy water [deuterium nuclei have ~2 × neutron mass]. Carbon is also used with a mass 12 × that of the neutron. This is quite light and in the solid state, which is also a consideration.

13.7.3 Energy partition in α-decay

Consider a radioactive nucleus which decays into a daughter nucleus with mass M and an α-particle, with mass m_α. What fraction of the decay energy does each particle acquire?

Assuming the parent nucleus is stationary before decay, the initial momentum is zero, so the total momentum after decay is also zero [we are already in the centre of mass frame of reference!].

Let the momentum of the two particles be $+p$ and $-p$.

The kinetic energy acquired by the nucleus is $\frac{p^2}{2M}$.

[This can be derived by eliminating v from KE $= \frac{1}{2}Mv^2$ and $p = Mv$].

The kinetic energy acquired by the α-particle is $\frac{p^2}{2m_\alpha}$.

So the energy is divided in the ratio: $\dfrac{\text{Energy of }\alpha\text{-particle}}{\text{Energy of nucleus}} = \dfrac{\text{Mass of nucleus}}{\text{Mass of }\alpha\text{-particle}}$;
the energy ratio is the inverse of the mass ratio – the α-particle gets most.

And the fraction of the total decay energy carried away by the α-particle $= \dfrac{M}{m_\alpha + M}$.

Thus for a decay with a well-defined energy release, the alpha particles are mono-energetic – they all have the same energy. This is not the case in β-decay because a neutrino is released alongside the β-particle and shares the available energy: the energy spectrum of the β-particles was the initial evidence for the existence of the neutrino.

13.7.4 Conservation of momentum in different inertial frames of reference

An inertial frame of reference is one which is not accelerated. We show that, if the momentum of a system of particles is conserved in one inertial frame of reference, it is conserved in all inertial frames of reference.

Consider a system of N particles with masses, m_i and velocities $\mathbf{u}_i$ in a certain frame of reference, where i = 1, 2, ... N. At some later time let their velocities be $\mathbf{v}_i$ in the same reference frame.

In the absence of externally applied forces, momentum is conserved, i.e $\sum_{i=1}^{N} m_i\mathbf{u}_i = \sum_{i=1}^{N} m_i\mathbf{v}_i$.

If the particles were observed from a frame of reference moving with velocity $\mathbf{w}$ with respect to the first frame, the velocities would be $\mathbf{u}_i - \mathbf{w}$ and $\mathbf{v}_i - \mathbf{w}$ respectively.

Then the final momentum $= \sum_{i=1}^{N} m_i(\mathbf{v}_i - \mathbf{w}) = \sum_{i=1}^{N} m_i\mathbf{v}_i - \sum_{i=1}^{N} m_i\mathbf{w}$

$$= \sum_{i=1}^{N} m_i\mathbf{u}_i - \sum_{i=1}^{N} m_i\mathbf{w} = \sum_{i=1}^{N} m_i(\mathbf{u}_i - \mathbf{w}) = \text{the initial momentum.}$$

13.7.5 Kinetic energy change in different inertial frames of reference

We show that, if the momentum of a system of particles is conserved, the change of the total kinetic energy is the same in all inertial fames of reference.

Consider the same system of particles and frames of reference as above in 13.7.4. In the first frame of reference, the initial and final kinetic energies, E_1 and E_2 are given by:

$$E_1 = \sum_{i=1}^{N} \tfrac{1}{2} m_i u_i^2 \quad \text{and} \quad E_2 = \sum_{i=1}^{N} \tfrac{1}{2} m_i v_i^2$$

∴ The change of kinetic energy $\Delta E = \sum_{i=1}^{N} \left(\tfrac{1}{2} m_i v_i^2 - \tfrac{1}{2} m_i u_i^2 \right)$

In the second frame of reference, the energy change $= \Delta E' = \sum_{i=1}^{N} \left(\tfrac{1}{2} m_i (\mathbf{v}_i - \mathbf{w})^2 - \tfrac{1}{2} m_i (\mathbf{u}_i - \mathbf{w})^2 \right)$

Now: $(\mathbf{v}_i - \mathbf{w})^2 = v_i^2 - 2\mathbf{v}_i.\mathbf{w} + w^2$ and similarly for $(\mathbf{u}_i - \mathbf{w})^2$.

∴

$$\Delta E' = \sum_{i=1}^{N} \tfrac{1}{2} m_i \left((v_i^2 - 2\mathbf{v}_i.\mathbf{w} + w^2) - (u_i^2 - 2\mathbf{u}_i.\mathbf{w} + w^2) \right)$$

$$= \sum_{i=1}^{N} \tfrac{1}{2} m_i (v_i^2 - u_i^2) + \left[\sum_{i=1}^{N} m_i (\mathbf{u}_i - \mathbf{v}_i) \right].\mathbf{w}$$

The first term is ΔE. The second term is the dot product with $\mathbf{w}$ of the sum of all the momentum changes of the particles, which is zero.

∴ $$\Delta E' = \Delta E$$

Note that the **change** of kinetic energy is the same in all frames but the fractional change is not the same. For example, if two particles with total kinetic energy of 100 J in one frame, lose 40 J on collision they will lose 40 J in all frames; but they won't lose 40% of their kinetic energy in all frames. See the next example.

Example D:

An object of mass 4 kg and speed 20 m s^{-1} collides head on with a stationary object of mass 12 kg. If 20% of the kinetic energy is lost, find their velocities after collision.

Initial $E_k = \tfrac{1}{2} \times 4 \times 20^2 = 800$ J.

The total kinetic energy loss is 160 J.

4 kg   20 m s^{-2} 12 kg

The velocity of the CoM $= \dfrac{\text{total momentum}}{\text{total mass}} = \dfrac{80 \text{ N s}}{16 \text{ kg}} = 5$ m s^{-1}.

Now we'll change to CoM system: In the CoM the initial velocity of 4 kg = 20 − 5 = 15 m s^{-1} to the right.

Initial velocity of the 12 kg = 5 m s^{-1} to the left.

Total E_k in the CoM frame $= \left(\tfrac{1}{2} \times 4 \times 15^2 \right) + \left(\tfrac{1}{2} \times 12 \times 5^2 \right) = 600$ J

∴ After collision the $E_k = 600 - 160$ J = 440 J.

In this frame, if the 12 kg mass rebounds with a velocity v, the 4 kg rebounds with a velocity of $-3v$ because the total momentum in the CoM frame is 0.

∴ The total energy $= \left(\tfrac{1}{2} \times 4 \times 9v^2 \right) + \left(\tfrac{1}{2} \times 12 \times v^2 \right) = 24v^2$ ∴ $440 = 24v^2$. ∴ $v = 4.3$ m s^{-1} [2s.f.]

∴ Changing back to the laboratory frame: the velocities are

     4 kg: −12.9 + 5 = −7.9 m s^{-1} [i.e. 7.9 m s^{-1} to the left]

     12 kg: 4.3 + 5 = 9.3 m s^{-1} to the right.

13.7.6 Calculation of pressure and internal energy of ideal gas

Different A-level books derive the formula $pV = \frac{1}{3}Nm\langle c^2\rangle$ in different ways. We consider the number of impacts per unit time on an area of container wall of gas molecules with a velocity close to (u, v, w) [i.e. velocity $= u\mathbf{i} + v\mathbf{j} + w\mathbf{k}$]. Let the number of molecules, of mass m, within the gas be N and the number with a velocity close to this be N_{uvw} [4].

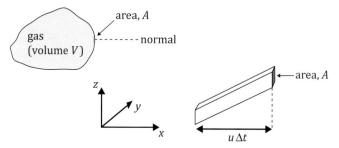

Consider a small patch A, area A, in the wall, perpendicular to the x direction, as shown.

The molecules in our group of molecules with velocity (u, v, w), travelling towards A which will hit A in a time Δt will be contained in an oblique prism of height $u\Delta t$. Each of the molecules has an x-component of momentum mu.

$\therefore$ The x-momentum of these molecules hitting A in $\Delta t = N_{uvw} \times \dfrac{\text{prism volume}}{\text{container volume}} \times mu$

$$= N_{uvw} \times \frac{Au\Delta t}{V} \times mu$$

$$= \frac{A\Delta t}{V} mN_{uvw}u^2$$

So the total x-momentum, p_x, brought to A in time Δt by **all** the molecules approaching A will be given by:

$$p_x = \sum_{u>0} \frac{A\Delta t}{V} mN_{uvw}u^2$$

where we are summing over all the molecules for which $u > 0$.

If the 50% of molecules for which $u < 0$ are included, the sum becomes

$$p_x = \frac{1}{2}\sum_u \frac{A\Delta t}{V} mN_{uvw}u^2 \quad \text{i.e.} \quad \frac{1}{2}\frac{A\Delta t}{V} m\{u_1^2 + u_2^2 + \ldots + u_N^2\}$$

Assuming that the collision with the wall is elastic, the rebound x-momentum is $-p_x$

So the x-momentum change $\quad \Delta p_x = -\dfrac{A\Delta t}{V} m\{u_1^2 + u_2^2 + \ldots + u_N^2\}$.

The sum, $u_1^2 + u_2^2 + \ldots + u_N^2 = N\langle u^2\rangle$, where $\langle u^2\rangle$ is the mean of u^2.

For any molecule: $u^2 + v^2 + w^2 = c^2$. So, for all the molecules, $\langle u^2\rangle + \langle v^2\rangle + \langle w^2\rangle = \langle c^2\rangle$. We shall assume that there is no preferred direction in the gas, so that $\langle u^2\rangle = \langle v^2\rangle = \langle w^2\rangle$.

$\therefore 3\langle u^2\rangle = \langle c^2\rangle$ and we can write $\quad \Delta p_x = -\dfrac{1}{3}\dfrac{A\Delta t}{V} Nm\langle c^2\rangle$.

This is the change of momentum of the molecules in Δt at the wall. So the force exerted by the wall on the molecules, $\dfrac{\Delta p_x}{\Delta t}$ is given by $-\dfrac{1}{3}\dfrac{A}{V} Nm\langle c^2\rangle$.

So, by Newton's 3rd law of motion, the force, F, exerted by the molecules on A is given by:

$$F = \frac{1}{3}\frac{A}{V} Nm\langle c^2\rangle$$

So the pressure, p, on the wall is given by $p = \dfrac{1}{3}\dfrac{Nm\langle c^2\rangle}{V}$, which we normally write as

$$pV = \frac{1}{3}Nm\langle c^2\rangle.$$

---

[4] It doesn't really matter exactly **how** close, as long as each molecule is eventually counted once only.

The **internal energy**, U, of a gas is the total energy of its molecules. A gas approximates to ideal behaviour if the intermolecular forces are negligible between collisions, i.e. the potential energy of the gas molecules is negligible. Hence the internal energy is just the total kinetic energy of the molecules. Monatomic gases possess negligible rotational kinetic energy for reasons which are beyond the scope of this book. Hence, for monatomic gases:

$$U = \sum_{i=1}^{N} \tfrac{1}{2} m c_i^2 = \tfrac{1}{2} Nm \langle c^2 \rangle$$

By comparison with the equation for p, we can write $U = \tfrac{3}{2} pV$.

And by comparison with the ideal gas equation, $pV = nRT$, we can write $U = \tfrac{3}{2} nRT$ and the molar heat capacity of an ideal gas [at constant pressure] $C_V = \tfrac{3}{2} R$.

13.8 Magnetic flux density calculations

13.8.1 Biot-Savat law

The flux density, **B**, produced by a charge q moving with velocity **v** at a point with position vector **r** with respect to the charge is given by $\mathbf{B} = \dfrac{\mu_0}{4\pi} \dfrac{q\mathbf{v} \times \hat{\mathbf{r}}}{r^2}$. In non-vector notation this equation can be written $B = \dfrac{\mu_0}{4\pi} \dfrac{qv\sin\theta}{r^2}$, where θ is the angle between the direction of the velocity and the direction of B is given by the right-hand grip rule [thumb in direction of velocity, fingers in direction of the field]. From this we can derive a method of working out the magnetic field due to electric currents.

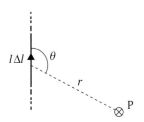

Consider a short length, $\Delta\ell$, of wire, carrying a current I. The product $I\Delta\ell$ is called the current element. What is the flux at the point **P**? All the moving charges which carry the current are moving in the same direction (upwards if they are +) and produce a flux at 90° into the paper at **P**.

Because all the contributions are in the same direction, we can drop the vector notation.

The current I in the element is given by $I = nAqv$, where n is the charge density and A the cross-sectional area of the section of wire.

Multiplying by $\Delta\ell$: $\qquad\qquad I\Delta\ell = nA\Delta\ell qv$

The product $nA\Delta\ell$ is the total number of moving charges, N, which constitute the current.

The field, B, due to N charges moving at v is given by $B = \dfrac{\mu_0}{4\pi} \dfrac{Nqv\sin\theta}{r^2}$, which we can now rewrite as $B = \dfrac{\mu_0}{4\pi} \dfrac{I\Delta\ell \sin\theta}{r^2}$. This is the Biot–Savat law, which we write in vector notation:

$\mathbf{B} = \dfrac{\mu_0}{4\pi} \dfrac{I\Delta\mathbf{l} \times \hat{\mathbf{r}}}{r^2}$, where $\Delta\mathbf{l}$ is a vector of magnitude $\Delta\ell$ in the direction of the current. Historically, the Biot-Savat law was developed first. Now it is seen as a consequence of the magnetic fields due to all the moving charges which constitute an electric current.

13.8.2 Magnetic field close to a long straight wire

Consider the point **P** a distance a from a long straight wire [we'll assume it's infinitely long!] which carries a current I.

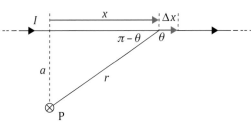

The flux density, ΔB, due to the current element $I\Delta x$ is given by $\Delta B = \dfrac{\mu_0}{4\pi} \dfrac{I\Delta x \sin\theta}{r^2}$, from 13.8.1.

So the flux density, B from the whole wire is given by $B = \dfrac{\mu_0 I}{4\pi} \displaystyle\int_{-\infty}^{+\infty} \dfrac{\sin\theta}{r^2} \, dx$.

Unfortunately we have three variables in the integration: x, θ and r! To evaluate this we need to work in just 1. We'll use θ.

$$\frac{a}{r} = \sin(\pi - \theta) = \sin\theta \qquad \therefore \frac{1}{r^2} = \frac{\sin^2\theta}{a^2}.$$

$$\frac{a}{x} = \tan(\pi - \theta) = -\tan\theta \qquad \therefore x = -\frac{a}{\tan\theta} = -a\frac{\cos\theta}{\sin\theta}.$$

Using the rule for differentiating a ratio $\dfrac{dx}{d\theta} = \dfrac{a}{\sin^2\theta}$ [You should check this for yourself.]

$\therefore$ Instead of dx in the integration we write $dx = \dfrac{a}{\sin^2\theta}d\theta$

Finally, the limits of integration: when $x = -\infty$, $\theta = 0$. When $x = +\infty$, $\theta = \pi$

So the integration becomes

$$B = \frac{\mu_0 I}{4\pi}\int_0^\pi \sin\theta \times \frac{\sin^2\theta}{a^2} \times \frac{a\,d\theta}{\sin^2\theta}$$

$$= \frac{\mu_0 I}{4\pi a}\int_0^\pi \sin\theta\,d\theta$$

$$= \frac{\mu_0 I}{4\pi a}\Big[-\cos\theta\Big]_0^\pi$$

$$= \frac{\mu_0 I}{4\pi a}(1-(-1)) = \frac{\mu_0 I}{2\pi a}$$

13.8.3 Magnetic field inside a long solenoid

Consider a point **P** on the axis of a long solenoid, with n turns per unit length carrying a current I.

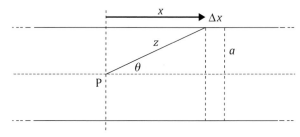

The contribution to the flux density, ΔB from the short section Δx indicated is given by:

$$\Delta B = \frac{\mu_0 I \sin\theta}{2z^2}n\Delta x \text{ along the axis of the solenoid.}$$

$\therefore$ the total flux density, $\qquad B = \dfrac{\mu_0 n I a}{2}\displaystyle\int_{-\infty}^{\infty}\dfrac{\sin\theta}{z^2}dx$

The function to be integrated is exactly the same as in the long straight wire derivation, with r replaced by z. The integration proceeds in the same manner by replacing the variables z and x with θ.

$$\frac{a}{z} = \sin\theta \quad \therefore \frac{1}{z^2} = \frac{\sin^2\theta}{a}$$

$$x = a\frac{\cos\theta}{\sin\theta} \text{ leading to } dx = -\frac{a}{\sin^2\theta}d\theta$$

Limits of integration: when $x = -\infty$, $\theta = -\pi$; when $x = +\infty$, $\theta = 0$.

$$\therefore \qquad B = \frac{\mu_0 n I a}{2}\int_{-\pi}^0 \frac{\sin^2\theta}{a^2}\sin\theta\frac{-a\,d\theta}{\sin^2\theta}$$

$$= \frac{\mu_0 n I a}{2}\int_{-\pi}^0 \frac{-\sin\theta}{a}d\theta$$

$$= \frac{\mu_0 n I}{2}\Big[\cos\theta\Big]_{-\pi}^0$$

$$= \frac{\mu_0 n I}{2}\times 2 = \mu_0 n I$$

Notes:

1 Because the magnetic field lines in the solenoid are parallel, the result holds for points off the axis too.

2 The axial flux density at the ends of the solenoid is half this value, i.e. $\frac{1}{2}\mu_0 nI$.

13.8.4 Helmholz coils

Helmholz coils are two plane coils of the same radius, a, with the same number of turns, N, on the same axis, separated by a, connected in series so that the currents in the two coils are in the same direction. This produces a magnetic field in the space between the coils, which is very nearly uniform. The arrangement allows for access to the volume between the coils. It is used, for example, in deflection tubes. We demonstrate that the flux density is reasonably constant along the axis between the coils.

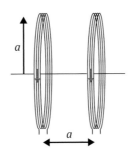

The flux density, B, on the axis of a single coil, a distance x from the plane of the coil is given by:

$$B = \frac{\mu_0}{2}\frac{NIa^2}{\left(a^2 + x^2\right)^{\frac{3}{2}}} \quad \text{(see Section 9.5.2)}$$

The graph shows this function for $-a < x < a$. The vertical scale gives the value of B as a fraction of the maximum value,

$$B_{max} = \frac{\mu_0 NI}{2a}, \text{ the value at the centre of the coil.}$$

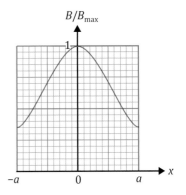

The second coil is placed so that, at the midpoint of the coils, the value of B from one coil decreases at the same rate the value from the other coil increases – in other words we are looking for a cross-over point at the steepest part of the graphs. This point, the so-called point of inflexion in the graphs, appears to be when $x = \pm\frac{1}{2}a$. We demonstrate this as follows.

The gradient of the graph, $\dfrac{dB}{dx} = \dfrac{\mu_0 NIa^2}{2}\dfrac{d}{dx}\left(a^2 + x^2\right)^{-\frac{3}{2}} = \dfrac{\mu_0 NIa^2}{2}\left(-\dfrac{3}{2}\right)2x\left(a^2 + x^2\right)^{-\frac{5}{2}}$ – chain rule.

Tidying this up: $\dfrac{dB}{dx} = -\dfrac{3\mu_0 NIa^2}{2}\dfrac{x}{\left(a^2 + x^2\right)^{\frac{5}{2}}}.$

$\dfrac{dB}{dx}$ is maximum (or minimum) when its derivative is zero, i.e. when $\dfrac{d^2B}{dx^2} = 0$. Differentiating again, using the u/v rule (see 13.3.4) we get:

$$\frac{d^2B}{dx^2} = \frac{3\mu_0 NIa^2}{2}\frac{\left(a^2 + x^2\right)^{\frac{5}{2}} - 5x^2\left(a^2 + x^2\right)^{\frac{3}{2}}}{\left(a^2 + x^2\right)^5}.$$

This is left as an exercise for the reader.

For $\dfrac{d^2B}{dx^2}$ to be 0, the top line of the fraction must be zero.

Putting the top line to zero and dividing by $\left(a^2 + x^2\right)^{\frac{3}{2}}$ we get $\left(a^2 + x^2\right) - 5x^2 = 0$. This rearranges to give $x^2 = \frac{1}{4}a^2$, i.e. $x = \pm\frac{1}{2}a$, which was the result we were looking for. For the coils to be arranged so that the midpoint is $\frac{1}{2}a$ from each, the separation is a. The graph shows B due to each coil [the dotted lines] and the resultant flux density. The bands show the positions of the coils.

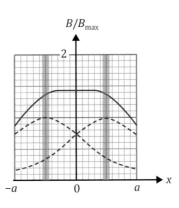

13.8.5 Induced charge in a circuit – search coil

A magnetic field links a circuit at right angles.

If the flux changes from Φ_1 to Φ_2, an emf, $\mathcal{E}_{in}$, is induced in the circuit for the time t in which the flux is changing.

$$\mathcal{E}_{in} = N\frac{d\Phi}{dt},$$

where N is the number of turns in the circuit.

The induced current, I_{in}, is thus given by $I_{in} = \frac{N}{R}\frac{d\Phi}{dt}$, where R is the resistance of the circuit.

The charge, Q_{in}, which passes each point in the circuit is given by: $Q_{in} = \int_{t_1}^{t_2} I_{in}\,dt$, where the change happens between t_1 and t_2.

Thus: $Q_{in} = \int_{t_1}^{t_2} \frac{N}{R}\frac{d\Phi}{dt}\,dt$, which, as we saw in Section 11.3 is the same as: $Q_{in} = \int_{\Phi_1}^{\Phi_2} \frac{N}{R}\,d\Phi$.

But N and R are constants, so $Q_{in} = \frac{N}{R}\int_{\Phi_1}^{\Phi_2} d\Phi = \frac{N}{R}(\Phi_2 - \Phi_1)$.

So the total charge passing through a charge meter, say, in the circuit can be used to determine the change of flux. If the area, A, of the coil is known, the induced charge can be used to determine the change of flux density:

$Q_{in} = \frac{NA}{R}(B_2 - B_1)$. This is the principle of the search coil.

13.9 Alternating currents in inductors and capacitors

We derive expressions for the relationship between the magnitudes of the current and pd, as well as their relative phases, for inductors and capacitors in an AC circuit.

13.9.1 Current and pd for an inductor

We saw in Section 9.5.3 that a coil of wire possesses self-inductance, L, and that the I–V relationship for an **inductor** is

$$V = L\frac{dI}{dt}.$$

If we place an inductor in a circuit with current, $I = I_0\cos\omega t$, then the pd across it is given by

$$V = L\frac{d}{dt}I_0\cos\omega t = -I_0\omega L\sin\omega t \qquad \text{(see Section 13.2.2)}.$$

Using the compound angle formula from Section 5.8 it is easy to show that $-\sin\omega t = \cos\left(\omega t + \frac{\pi}{2}\right)$, so we conclude that:

1   The peak voltage and current (and hence also the rms voltage and current) are related by $V = I\omega L$.

2   The pd is $\frac{\pi}{2}$ ahead of the current.

13.9.2 Current and pd for a capacitor

For a capacitor, the pd is related to its charge, Q, by $Q = CV$, where C is the capacitance. If, again, $I = I_0\cos\omega t$, then

$$Q = \int I\,dt = I_0 \int \cos\omega t\,dt.$$

Integrating and setting the constant of integration to 0 because we are only interested in cases where the mean charge is zero gives us

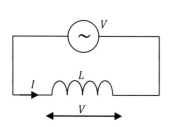

Terms & definitions

An **inductor** is a coil which is designed to have a particular value of self inductance.

$$Q = \frac{I_0}{\omega}\sin\omega t$$

Hence

$$V = \frac{I_0}{\omega C}\sin\omega t = \frac{I_0}{\omega C}\cos\left(\omega t - \frac{\pi}{2}\right)$$

So we conclude that

1 The peak voltage and current (and hence the rms voltage and current) are related by $V = \frac{1}{\omega C}$.

2 The current is $\frac{\pi}{2}$ ahead of the pd.

Pointer

Alternatively, we could differentiate $Q = CV$, to give:

$$I = C\frac{\mathrm{d}V}{\mathrm{d}t}$$

and set $V = V_0\sin\omega t$. The result for the current gives the same relationship between I and V.

13.10 Some miscellaneous results

13.10.1 Gravitational potential energy

The potential energy of a pair of particles with masses, M_1 and M_2, separated by a distance a is found as follows:

1 Imagine one of the particles, with mass M_1, in position in isolation.

2 Calculate the work done against the gravitational field of particle 1 in bringing particle 2, with mass M_2, from a position of defined 0 of potential energy to a distance a from the first particle.

We saw in Chapter 9 that the path doesn't matter, so we'll choose to bring the second particle along a radial line.

It is convenient to define the 0 of potential energy to be when the particles are an infinite distance apart. The gravitational force, $\mathbf{F}_G$ on particle 2 is given by $\mathbf{F}_G = -\frac{GM_1M_2}{r^2}\hat{\mathbf{r}}$, where $\hat{\mathbf{r}}$ is the unit vector in the direction from particle 1 to particle 2.

$\therefore$ The force, $\mathbf{F}$, we must apply to particle 2 is $\mathbf{F} = \frac{GM_1M_2}{r^2}\hat{\mathbf{r}}$

The work, ΔW, that we do in moving particle 2 by $\Delta\mathbf{r}$ is given by $\Delta W = \frac{GM_1M_2}{r^2}\hat{\mathbf{r}}.\Delta\mathbf{r}$.

As we are moving only along a radial line, $\hat{\mathbf{r}}.\Delta\mathbf{r} = \Delta r$, so $\Delta W = \frac{GM_1M_2}{r^2}\Delta r$

$\therefore$ The work done, W, in moving **from** ∞ **to** a is given by:

$$W = \int_{\infty}^{a}\frac{GM_1M_2}{r^2}\,\mathrm{d}r = \left[-\frac{GM_1M_2}{r}\right]_{\infty}^{a} = -\frac{GM_1M_2}{a} = E_P,\text{ where } E_P \text{ is the gravitational potential energy.}$$

Why is this expression for work the same as the potential energy? Because, unlike doing work against a dissipative force such as friction, the work done against the gravitational field is recoverable: if you do 100 J of work against the field and then let go, the field can do that same work back.

We now relate this expression to $\Delta E_P = mg\Delta h$.

Consider raising an object of mass m from a to $a + \Delta h$ in the gravitational field of a planet of mass M.

Then

$$\Delta E_P = -\frac{GMm}{a + \Delta h} - \left[-\frac{GMm}{a}\right] = GMm\left[\frac{1}{a} - \frac{1}{a + \Delta h}\right] = \frac{GMm}{a}\left[1 - \frac{1}{\left(1 + \frac{\Delta h}{a}\right)}\right]$$

From the binomial theorem, if $\Delta h \ll a$, then $\left(1 + \frac{\Delta h}{a}\right)^{-1} = 1 - \frac{\Delta h}{a}$ very closely.

Also, the gravitational force on m, $mg = \frac{GMm}{a^2}$.

$\therefore$

$$\Delta E_P = -\frac{GMm}{a}\left[1 - \left(1 - \frac{\Delta h}{a}\right)\right] = \frac{GMm\Delta h}{a^2} = mg\Delta h$$

So the formula $\Delta E_P = mg\Delta h$ is consistent with $E_P = -\frac{GM_1M_2}{a}$ as long as $\Delta h \ll a$.

Chapter 4

4.1 800

4.2 (a) 6561 (b) 43046721

4.3 0.0625

4.4 0.5625

4.5 (a) 16 (b) 512

4.6 $\frac{1}{8}$ or 0.125

4.7 (a) $2^3 \times 3^2$ (b) $2^{12} \times 3^8$

4.8 $5^{-\frac{5}{2}}$ or $5^{-2.5}$

4.9 $\frac{1}{81}$ or $\frac{1}{3^4}$ or 3^{-4}

4.10 (a) 2.594 (b) 2.705

4.11 (a) 7.389 (b) 0.1353 (c) 1.649

4.12 (a) exp(2) (b) exp(−2) (c) $\exp\left(\frac{1}{2}\right)$

4.13 (a) 4.0 (b) 0.25

4.14 (a) 0.5 (b) 2.5 (c) −1 (d) −0.5

4.15 $\frac{4}{3}$

4.16 6.30 s

4.17 0.177

4.18 0.038

Chapter 5

5.1 130 mm

5.2 192 mm

5.3 208 mm

5.4 17.3 cm

5.5 40 cm²

5.6 15 cm³

5.7 50°

5.8 125°

5.9

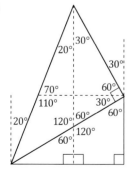

5.10 57.3°

5.11 (a) $\frac{\pi}{180}$ (b) 0.0175 rad

5.12 π i.e. 3.142 rad

5.13 (a) $\sin\theta = \cos\left(\frac{\pi}{2} - \theta\right)$ (b) $\cos\theta = \sin\left(\frac{\pi}{2} - \theta\right)$
(c) $\tan\theta = \cot\left(\frac{\pi}{2} - \theta\right)$

5.14 $\sin\theta = \dfrac{\text{opp}}{\text{hyp}}$; $\cos\theta = \dfrac{\text{adj}}{\text{hyp}}$.

$\therefore \dfrac{\sin\theta}{\cos\theta} = \sin\theta \times \dfrac{1}{\cos\theta} = \dfrac{\text{opp}}{\text{hyp}} \times \dfrac{\text{hyp}}{\text{adj}} = \dfrac{\text{opp}}{\text{adj}} = \tan\theta$

5.15 $\sin 30° = 0.5$; $\cos 30° = \dfrac{\sqrt{3}}{2} = 0.866$; $\tan 30° = \dfrac{1}{\sqrt{3}} = 0.577$;
$\cos 60° = 0.5$; $\tan 60° = \sqrt{3}$

5.16 (a) 1 (b) 1.62

5.17 (a) $\cos^2\phi = 0.4^2 = 0.16$;
(b) $\sin\phi = \sqrt{1 - \cos^2\phi} = \sqrt{1 - 0.16} = 0.917$
(c) $\tan\phi = \dfrac{\sin\phi}{\cos\phi} = \dfrac{0.917}{0.4} = 2.29$

5.18 (a) 53.1° (b) 36.9° (c) 38.7°

5.19 Between 180° and 270°, x and y are both negative.
$\therefore \sin\theta = \dfrac{y}{r} < 0; \cos\theta = \dfrac{x}{r} < 0; \tan\theta = \dfrac{y}{x} > 0$

5.20 Solutions between 0 and 360° are 44.4° and 135.6°

5.21 Applying the cosine rule: $x^2 = (10^2 + 7^2) - (2 \times 10 \times 7 \cos 45°)$;
$\therefore \qquad\qquad x = 7.07$
Applying the sine rule: $\dfrac{\sin\phi}{7} = \dfrac{\sin 45°}{7.07}$
$\therefore \qquad\qquad \phi = \sin^{-1}\left(\dfrac{7 \sin 45°}{7.07}\right) = 44.4°$

5.22 $\cos(A + B) = \cos A \cos B - \sin A \sin B$
$\therefore \quad \cos 2\theta = \cos(\theta + \theta) = \cos\theta \cos\theta - \sin\theta \sin\theta$
$= \cos^2\theta - \sin^2\theta$. QED

5.23 Rearranging $\sin^2\theta + \cos^2\theta = 1$ gives $\cos^2\theta = 1 - \sin^2\theta$.
Substituting for $\cos^2\theta$ in the equation for $\cos^2\theta$ gives:
$\cos 2\theta = (1 - \sin^2\theta) - \sin^2\theta = 1 - 2\sin^2\theta$. QED
$\sin^2\theta = 1 - \cos^2\theta$. Substituting this gives:
$\cos 2\theta = \cos^2\theta - (1 - \cos^2\theta) = 2\cos^2\theta - 1$. QED

5.24 $\tan 112.5° = -1 - \sqrt{2} = -2.414$
We know that $\tan 112.5° < 0$ because it is in the 2nd quadrant.

5.25 $5 \sin(\theta + 0.93 \text{ rad})$ [= $5 \sin(\theta + 53.1°)$]

5.26 $5 \sin(\theta - 0.93 \text{ rad})$ [= $5 \sin(\theta - 53.1°)$]

5.27 $\theta = 1.197 \pm \frac{\pi}{3} = 2.244$ or 0.150 rad

Chapter 6

6.1 (a) 3 (b) 2

6.2 (a) −1.5 (b) 45

6.3 (a) −1.5 m s⁻² (b) 45 m s⁻¹

6.4 (a) Gradient = 1, $y = x + 2$
(b) Gradient = −2, $y = -2x + 14$

6.5 (a) CoM = (3.0, 0.466)
(b) $y = 0.1x + 0.17$ [least squares fit]
NB. The 'least squares fit' is the best-fit linear trend line drawn by a spreadsheet program.

6.6 Plot $\sqrt{P}$ against I to obtain roughly equally spaced points.

6.7 T against $\sqrt{m}$ and T^2 against m [ignoring T^4 against m^2 etc.]. Use T^2 v m.

6.8 Use T against $\sqrt{m}$ and the graph should still be a straight line with a non-zero intercept.

6.9 y^2x against x^2. The gradient will be a; the intercept is b on the y^2x axis.

6.10 Straight line through the origin with gradient a^2.

6.11 Divided by 2^3, i.e. becomes one eighth.

6.12 Multiplied by $4^4 = 256$

6.13 10

6.14 30

6.15 See graph:

$y = x^3$ – black graph

$y = (x - 1)^3$ – red graph

$y = (-2x)^3$ – pecked black graph

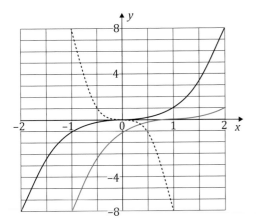

6.16 See red graph

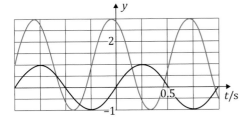

Multiplication by 2 before adding 1.

6.17 Maximum at $(-5, 100)$; minimum at $(1, -8)$.

6.18 Point of inflexion at $(-2, 12)$.

6.19

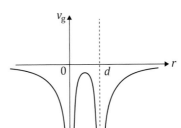

6.20 $z = -\dfrac{1}{2} \pm \dfrac{\sqrt{3}}{2} i$

6.21 (a) $f(1) = \dfrac{1}{Q(1)}$; $g(1) = \dfrac{1}{Q(1)}$; $h(1) = \dfrac{1}{Q(1)}$;

$Q(1) = 1^2 + 1 + 1 = 3$ ∴ all pass through $\left(1, \frac{1}{3}\right)$

(b) $f(-1) = h(-1) = 1$, i.e. $(-1, 1)$ is a common point.

6.22 (a) Maximum at $\left(-\frac{1}{2}, \frac{3}{4}\right)$

(b) Points of inflexion at $(-1, 1)$ and $\left(1, \frac{1}{3}\right)$

6.23 $\dfrac{1}{x - 2} - \dfrac{1}{x + 1} = \dfrac{(x + 1) - (x - 2)}{(x + 1)(x - 2)} = \dfrac{3}{(x + 1)(x - 2)}$ QED

6.24 (a) $|x - 2| = 5, 3, 1$ and 1 respectively

(b) $|x + 2| = 1, 1, 3$ and 5 respectively

6.25 The reciprocal of any unit of length, e.g. m^{-1}

6.26 $E = -\dfrac{dV}{dx}$, ∴ $e = -\dfrac{dv}{dx}$

For $x < 0$, $e = -\dfrac{1}{x^2} + \dfrac{2}{(x - d)^2}$

For $0 < x < d$ $e = \dfrac{1}{x^2} + \dfrac{2}{(x - d)^2}$

For $x > d$ $e = \dfrac{1}{x^2} - \dfrac{2}{(x - d)^2}$

6.27

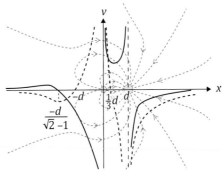

6.28

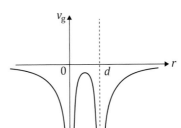

6.29 6.6×10^6 years

6.30 (a) $\ddot{N} = \lambda^2 N_0[\lambda t - 2]e^{-\lambda t}$

(b) At $t = \dfrac{1}{\lambda}$, $\ddot{N} = \lambda^2 N_0(-1)e^{-1} < 1$.

∴ Maximum QED

(c) Point of inflexion at $\left(\dfrac{2}{\lambda}, 2N_0e^{-2}\right)$

6.31

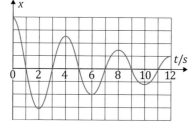

Chapter 7

7.1 350 m s⁻¹ southwest

7.2 vectors – velocity, momentum; scalars – density, length, pressure

7.3 6 m s⁻¹ due North

7.4 (a) 17 N in the direction of the forces

(b) 7 N in the direction of the 12 N force

(c) 13 N at 22.6° to the direction of the 12 N force.

7.5 8 N horizontal to the right

7.6 13.9 N horizontal to the right.

7.7 $F = 100 \cos 30° = 86.6$ N,

$T = 100 \sin 30° = 50$ N

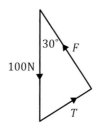

7.8 $R = 56.4$ N; $F = 60.5$ N

7.9 $\theta = \tan^{-1}\frac{10}{30} = 18.4°$; $T = \sqrt{10^2 + 30^2} = 31.6$ N

7.10 14.1 N downwards [or South]

7.11 North component = 104 N; East component = 60 N

7.12 South component = −104 N; East component = 60 N

7.13 $\mathbf{C} = 1840$ N

7.14 $v_H = 12.3$ N; $v_v = 8.6$ N

7.15 $\mathbf{v} = 12.3\mathbf{i} + 8.6\mathbf{j}$

7.16 $\mathbf{F} = 12\mathbf{i} + 16\mathbf{j}$

7.17 $F = 20$N; angle = $\tan^{-1}\frac{16}{12} = 53.1°$

7.18. $\mathbf{v} = −15\mathbf{i} + 10\mathbf{j}$ [= 30.4 m s⁻¹ at 9.46° below the horizontal]

7.19 Working in units: Start with the rhs

$[x \tan \theta] = $ m because $\tan \theta$ has no units.

$\left[\frac{1}{2}\frac{g}{u^2 \cos^2 \theta}x^2\right] = \frac{\text{m s}^{-2}}{(\text{m s}^{-1})^2} \times \text{m}^2 = \text{m}$ ∴ the rhs is homogeneous.

$[y] = $ m; ∴ the units of the two sides are the same and the equation is homogeneous.

7.20 Working in dimensions: Start with the rhs

$\left[\frac{u^2 \sin 2\theta}{g}\right] = \frac{(\text{L T}^{-1})^2}{\text{L T}^{-2}} = \text{L}$ [because $\sin 2\theta$ is dimensionless]

$[R] = $ L; ∴ the dimensions of the two sides are the same, so the equation is homogeneous.

7.21 Velocity = 35**i** + 8**j**

7.22 **j** × **k** = **i**

7.23 $(3\mathbf{i} −2\mathbf{j}) \times (2\mathbf{i} + 3\mathbf{j}) = 9\mathbf{i} \times \mathbf{j} −4\mathbf{j} \times \mathbf{i} = 9\mathbf{k} − 4(−\mathbf{k}) = 13\mathbf{k}$

Chapter 8

8.1 (a) $-\frac{\sqrt{3}}{2} = -0.866,$ (b) 0.5, (c) $-\frac{1}{\sqrt{2}} = -0.707$

8.2 (a) 0.5, (b) 0.5, (c) 0.5

8.3 (a) −1, (b) 1, (c) $-\sqrt{3} = -1.732$

8.4 1° = 0.0175 rad. Distance = $\frac{50}{0.0175}$ m = 3000 m [1 s.f.]

8.5 200 km

8.6 $\omega = 314$ s⁻¹; $f = 50$ Hz; $T = 20$ ms; Amplitude = 339 V

8.7 −185 V

8.8 $\cos \theta = 0$ when $\theta = \frac{\pi}{2}$. ∴ $314t + 1 = \frac{\pi}{2}$ ∴ $t = 1.82$ ms.

8.9 (a) 0 (b) 5 V

8.10 Alternates between −0.25 A and +0.25 A in a square wave with a mark-space ratio of 1.

8.11 1.25 W

8.12 170 V

8.13 (a) 4.0 A, (b) 5.66 A, (c) 480 W, (d) 960 W

8.14 120 Hz

8.15

	R / kΩ	X / kΩ	Z / kΩ
Resistor	1	0	1
Inductor	0	0.63	0.63
Capacitor	0	1.6	1.6

8.16 (a) $X = 63.7 \, \Omega$ (b) $I = 0.16$ A

8.17 Power is only dissipated in the resistor so

$\langle P \rangle = I_{\text{rms}}^2 R = 2^2 \times 20 = 80$ W.

8.18 (a)

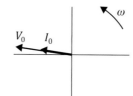

(b)

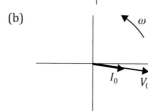

8.19

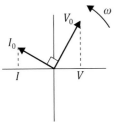

$V > 0$ and decreasing;

$I < 0$ and decreasing, i.e. becoming more negative

8.20 $Z = \sqrt{R^2 + X^2} = \sqrt{1^2 + 1^2} = 1.41\,\text{k}\Omega$

8.21 (a) X is halved to $0.5\,\text{k}\Omega$,

(b) the resistance is unchanged,

(c) $Z = 1.12\,\text{k}\Omega$.

8.22 $141\,\Omega$

8.23 (a) R unchanged $= 100\,\Omega$,

(b) X doubled to $200\,\Omega$,

(c) $Z = 224\,\Omega$.

8.24 (a) $X = 1\,\text{k}\Omega - 500\,\Omega = 500\,\Omega$

(b) $Z = \sqrt{R^2 + X^2} = \sqrt{1^2 + 0.5^2} = 1.12\,\text{k}\Omega$

8.25 The reactance of the capacitor is halved to $500\,\Omega$ and the reactance of the inductor is doubled to $1\,\text{k}\Omega$, so the total reactance is still $1\,\text{k}\Omega - 500\,\Omega = 500\,\Omega$. NB the sign of the reactance is unimportant because it occurs as X^2 in the calculation of Z.

8.26 $\varepsilon = \tan^{-1}\left(\dfrac{X_L - X_C}{R}\right) = \tan^{-1}(-0.5) = -0.463\,\text{rad} / -26.6°$

∴ The phase angle is $0.463\,\text{rad} / 26.6°$ with the current leading the voltage.

Chapter 9

9.1 $N = \text{kg m s}^{-2}. \therefore N\,\text{kg}^{-1} = \text{kg m s}^{-2}\,\text{kg}^{-1} = \text{m s}^{-2}$ QED

9.2 $[G] = \text{kg}^{-1}\,\text{m}^3\,\text{s}^{-2}$

9.3 $[\varepsilon_0] = \text{kg}^{-1}\,\text{m}^{-3}\,\text{s}^4\,\text{A}^2$

9.4 $8.99 \times 10^9\,\text{F}^{-1}\,\text{m}$

9.5 $V\,\text{m}^{-1} = J\,C^{-1}\,\text{m}^{-1} = (\text{N m})\,C^{-1}\,\text{m}^{-1} = \text{N C}^{-1}$ QED

9.6 (a) $260\,\text{V cm}^{-1}$,

(b) $60\,\text{V cm}^{-1}$ in the direction of the $160\,\text{V cm}^{-1}$ field

(c) $189\,\text{V cm}^{-1}$ at $0.559\,\text{rad}$ [32°] to $160\,\text{V cm}^{-1}$ field

9.7 $\sim 2.5\,\text{N kg}^{-1}$

9.8 $\sim 5\,\text{N kg}^{-1}$

9.9 $E = 1.5\,\text{kV m}^{-1} / 15\,\text{V cm}^{-1}$

9.10

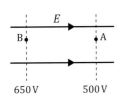

9.11 (a) $1.73\,\text{kV m}^{-1}$

(b)

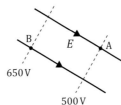

9.12 $T = \text{kg s}^{-2}\,\text{A}^{-1}$

[NB T is independent of m]

Chapter 10

10.1 $4x^3$

10.2 $-\dfrac{1}{x^2} / -x^{-2}$

10.3 ± 0.25

10.4 $f' = -50e^{-5x}, f'' = 250e^{-5x}$

10.5 $\dot{y} = 10\dfrac{5}{5t} = \dfrac{10}{t}; \ddot{y} = -\dfrac{10}{t^2}$

10.6 5

10.7 -3.00

10.8 -5

10.9 $\dfrac{d}{dx}\left(\dfrac{1}{n+1}x^{n+1}\right) = \dfrac{1}{n+1}\dfrac{d}{dx}(x^{n+1}) = \dfrac{1}{n+1} \times (n+1)x^n = x^n$

Chapter 11

11.1 $-15e^{-3x}$

11.2 $45\cos(3t + \pi)$

11.3 $x = x_0 e^{-3t}$

11.4 (a) 25 (b) 100

11.5 (a) $x = 1000e^{-0.1t}$ (b) $x(100\,\text{s}) = 0.045$

11.6 $\sin\alpha = 0.4472; \cos\alpha = 0.8944$

11.7 $\sin\alpha = -0.4472; \cos\alpha = -0.8944$

11.8 $\cos\beta = \dfrac{x}{\sqrt{x^2 + y^2}}; \sin\beta = \dfrac{y}{\sqrt{x^2 + y^2}}$

11.9 1×10^{12}

11.10 7.4×10^{12}

11.11 12.5

11.12 21.5

11.13 $0.322\,\text{rad}$

Chapter 12

12.1 $7i$

12.2 $-i$

12.3 $i^{-3} = [i^0 \times i^{-1}] \times i^{-1} \times i^{-1}$

$= [i^{-1} \times i^{-1}] \times i^{-1}$

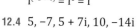
$$= -1 \times i^{-1}$$
$$= i$$
$$i^{(-3+4)} = i^1 = i$$

12.4 $5, -7, 5 + 7i, 10, -14i$

12.5 $x = -1 \pm \sqrt{2}i$

12.6 $3 + 2i$

12.7 See diagram

12.8 $-2 + i$

12.9 $26i$

12.10 $\left(\frac{1}{\sqrt{2}} - \frac{1}{\sqrt{2}}i\right)$ and $\left(-\frac{1}{\sqrt{2}} + \frac{1}{\sqrt{2}}i\right)$

12.11 (a) $\frac{1}{z} = \frac{1}{3 - 4i} = \frac{3 + 4i}{(3 - 4i)(3 + 4i)} = \frac{3 + 4i}{25} = \frac{3}{25} + \frac{4}{25}i$

   (b) $|z| = 5$, $\left|\frac{1}{z}\right| = \frac{1}{5}$

12.12 $\frac{2}{13} + \frac{3}{13}i$

12.13 $A = \frac{F(k - m\omega^2)}{(k - m\omega^2)^2 + c^2\omega^2} - \frac{Fc\omega}{(k - m\omega^2)^2 + c^2\omega^2}i$

12.14 $\frac{ac + bd}{c^2 + d^2} + \frac{bc - ad}{c^2 + d^2}i$

12.15 see diagram

12.16 $u = \sqrt{3} + i$; $v = i$; $w = -\sqrt{3} + i$

12.17 (i) $4\,\text{cis}\,\frac{\pi}{3}$;

   (ii) $\text{cis}\left(-\frac{\pi}{2}\right)$;

   (iii) $\sqrt{6}\,\text{cis}(-2.53\ \text{rad})$

12.18 (a) $6\,\text{cis}\,\pi$ (b) -6

12.19 $\frac{z_1}{z_2} = \frac{z_1 z_2{}^*}{|z_2|^2}$

   So $\left|\frac{z_1}{z_2}\right| = \frac{|z_1 z_2{}^*|}{|z_2|^2} = \frac{|z_1||z_2|}{|z_2|^2} = \frac{|z_1|}{|z_2|}$

   and $\arg\left(\frac{z_1}{z_2}\right) = \arg(z_1) + \arg(z_2{}^*) = \arg(z_1) - \arg(z_2)$

12.20 $8|z|\text{cis}\left(\theta - \frac{\pi}{2}\right)$

12.21 $1 + i$; i ; -1 ; $-i$

12.22 (i) $2\sin\theta\cos\theta = 2 \times \frac{1}{2i}\left(e^{i\theta} - e^{-i\theta}\right) \times \frac{1}{2}\left(e^{i\theta} + e^{-i\theta}\right)$

   $= \frac{1}{2i}\left(e^{2i\theta} - e^{-2i\theta}\right) = \sin 2\theta$ QED

   (ii) $1 - 2\sin^2\theta = 1 - 2\left[\frac{1}{2i}\left(e^{i\theta} - e^{-i\theta}\right)\right]^2$

   $= 1 + \frac{1}{2}\left(e^{2i\theta} - 2 + e^{-i2\theta}\right)$

   $= \frac{1}{2}\left(e^{2i\theta} + e^{-2i\theta}\right) = \cos 2\theta$ QED

12.23 (i) $(z_1 z_2)^* = (|z_1||z_2|e^{+i(\theta_1 + \theta_2)})^*$

   $= |z_1||z_2|e^{-i(\theta_1 + \theta_2)}$

   $= |z_1|e^{-i\theta_1}|z_2|e^{-i\theta_2} = z_1{}^* z_2{}^*$ QED

   (ii) $|z_1 z_2| = \left||z_1|e^{i\theta_1}|z_2|e^{i\theta_2}\right|$

   $= |z_1||z_2||e^{i(\theta_1 + \theta_2)}|$ but $|e^{i(\theta_1 + \theta_2)}| = 1$

   $\therefore |z_1 z_2| = |z_1||z_2|$ QED

12.23 (iii) $\left(\frac{z_1}{z_2}\right)^* = \frac{|z_1|}{|z_2|}e^{-i(\theta_1 - \theta_2)} = \frac{|z_1|e^{-i\theta_1}}{|z_2|e^{-i\theta_2}} = \frac{z_1{}^*}{z_2{}^*}$

   (iv) $\left|\frac{z_1}{z_2}\right| = \frac{|z_1|}{||z_2|}e^{i(\theta_1 - \theta_2)} = \frac{|z_1|}{|z_2|}\left|e^{i(\theta_1 - \theta_2)}\right| = \frac{|z_1|}{|z_2|}$ QED

12.24 $\sin 3\theta = 3\sin\theta\cos^2\theta - \sin^3\theta$

   which simplifies to $\sin 3\theta = 3\sin\theta - 4\sin^3\theta$

12.25 $\cos 4\theta = 8\cos^4\theta - 8\cos^2\theta + 1$

   $\sin 4\theta = 4\cos^3\theta\sin\theta - 4\cos\theta\sin^3\theta$

   This last does not simplify easily but can be written as:

   $\sin 4\theta = 2\sin 2\theta\,(1 - 2\sin^2\theta)$ which has some elegance!

12.26 $1, -\frac{1}{2} + \frac{\sqrt{3}}{2}i, -\frac{1}{2} - \frac{\sqrt{3}}{2}i$

12.27 If $(z - 1)(z^2 + z + 1) = 0$, then $z = 1$ or $z^2 + z + 1 = 0$

   In the latter case $z = \frac{-1 \pm \sqrt{1 - 4}}{2} = -\frac{1}{2} \pm \frac{\sqrt{3}}{2}i$

12.28 $\frac{d^2 x}{dt^2} = \text{Re}\left\{\frac{d^2 z}{dt^2}\right\} = \text{Re}\left\{-\omega^2 |z| e^{i(\omega t + \phi)}\right\}$

   $= -\omega^2 |z| \cos(\omega t + \phi) = -\omega^2 x$

12.29 $|z| = 0.2$ m; $\omega = \frac{2\pi}{T} = \frac{\pi}{2}\,\text{s}^{-1}$; $\phi = \frac{\pi}{2}\,\text{rad}$.

12.30 $E = A\cos\phi$; $F = -A\sin\phi$.

   $A = \sqrt{E^2 + F^2}$; $\phi = -\tan^{-1}\left(\frac{F}{E}\right)$

12.31 ω_1 is 0.5% less than ω_0.

12.32 $E = x_0$; $F = \frac{k}{2\omega_1}x_0$

12.33 $\phi = -0.10\,\text{rad}$; $\frac{A}{x_0} = 1.005$

12.34 (i) $0.108\,\pi\,\text{rad}$;   (ii) $\frac{\pi}{2}\,\text{rad}$;   (iii) $0.892\,\pi\,\text{rad}$

   Least lag when driving frequency lowest, as expected.

12.35 (i) $|\mathbf{Z}_L| = \omega L$;   (ii) $|\mathbf{Z}_C| = \frac{1}{\omega C}$

   $|\mathbf{Z}_L| = Z_L$; $|\mathbf{Z}_C| = Z_C$

12.36 (a) $64\,\text{k}\Omega$

   (b) $-64i\,\text{k}\Omega$

   (c) $X_C = 640\,\text{k}\Omega$; $\mathbf{Z}_C = -640i\,\text{k}\Omega$

12.37 (a) $I/A = 0.095\cos\left(100\pi t - \frac{\pi}{2}\right)$

   $= 0.095\sin\left(100\pi t\right)$

   (b) $X_L = 126\,\Omega$; $\mathbf{Z}_L = 126i\,\Omega$

12.38 $\mathbf{Z}_{RC} = 4760 e^{-0.15i}$

   $I_{rms} = \frac{12}{4760}e^{i(2000\pi t + 0.15)}$

   $\therefore I_{rms} = 2.5\,\text{mA}$; $\varepsilon = -0.15\,\text{rad}$

   [the current leads by 0.15 rad].

12.39 Current leads by $\tan^{-1}\frac{R}{\omega L} = \tan^{-1} R\omega C = \tan^{-1} R\sqrt{\frac{C}{L}}$

12.40 (a) $\mathbf{Z}_{RC} = 500 - 500i = 500\sqrt{2}e^{-\frac{\pi}{4}i}$

   (b) $\mathbf{Z}_{RCL} = 500 + 500i = 500\sqrt{2}e^{\frac{\pi}{4}i}$

12.41 $\frac{V_{out}}{V_{in}} = \frac{X_C}{\sqrt{R^2 - X_C^2}}$; $\varepsilon = -\tan^{-1}\frac{R}{X_C}$

Index